5e ÉDITION

Relever les défis de la gestion des ressources humaines

Sylvie St-Onge

Sylvie Guerrero

Victor Haines

Jean-Pierre Brun

Achetez
en ligne ou
en librairie
En tout temps,
simple et rapide!
www.cheneliere.ca

CHENELIÈRE
ÉDUCATION

Relever les défis de la gestion des ressources humaines
5e édition

Sylvie St-Onge, Sylvie Guerrero, Victor Haines et Jean-Pierre Brun

© 2017 **TC Média Livres Inc.**
© 2013, 2009 Chenelière Éducation inc.
© 2004, 1998 gaëtan morin éditeur ltée

Conception éditoriale : Eric Monarque
Édition : Mira Cliche
Coordination : Michel Raymond et Sophie Dumoulin
Révision linguistique : Diane Robertson
Correction d'épreuves : Natacha Auclair
Adaptation de la conception graphique originale : Micheline Roy
Illustrations : Marie-Ève Tremblay (Colagène)
Conception de la couverture : Guylène Lefort

**Catalogage avant publication
de Bibliothèque et Archives nationales du Québec
et Bibliothèque et Archives Canada**

St-Onge, Sylvie

Relever les défis de la gestion des ressources humaines

5e édition.

Édition originale : Relever les défis de la gestion des ressources
humaines/Sylvie St-Onge ... [et al.]. 1998.
Comprend des références bibliographiques et un index

ISBN 978-2-7650-5192-3

1. Personnel – Direction. 2. Changement organisationnel. 3. Qualifications professionnelles. I. Guerrero, Sylvie. II. Haines, Victor, 1966- .
III. Brun, Jean-Pierre, 1959- . IV. Titre.

HF5549.R45 2017   658.3   C2016-942663-7

CHENELIĒRE
ĒDUCATION

5800, rue Saint-Denis, bureau 900
Montréal (Québec) H2S 3L5 Canada
Téléphone : 514 273-1066
Télécopieur : 514 276-0324 ou 1 800 814-0324
info@cheneliere.ca

ISBN 978-2-7650-5192-3

Dépôt légal : 1er trimestre 2017
Bibliothèque et Archives nationales du Québec
Bibliothèque et Archives Canada

Imprimé au Canada

5 6 7 8 9 M 25 24 23 22 21

Gouvernement du Québec – Programme de crédit d'impôt pour l'édition de
livres – Gestion SODEC.

Ce projet est financé en partie par le gouvernement du Canada |  Canada

Contenu vidéo

Nous tenons à remercier l'Ordre des conseillers en
ressources humaines agréés pour sa collaboration à
la diffusion de contenu vidéo.

ordrecrha.org

Sources iconographiques

Couverture : Vixit/Shutterstock
p. 17 : Monkey Business Images/Shutterstock.com
p. 53 : jaap posthumus/Shutterstock.com
p. 59 : racorn/ Shutterstock.com
p. 92 : ESB Professional/Shutterstock.com
p. 93 : wavebreakmedia/Shutterstock.com
p. 100 : dtimiraos/iStockphoto
p. 125 : Monkey Business Images/Shutterstock.com
p. 135 : David Jones/iStockphoto
p. 140 : ASDF_MEDIA/Shutterstock.com
p. 142 : Monkey Business Images/Shutterstock.com
p. 159 : Ben Blankenburg/iStockphoto
p. 167 : Andresr/Shutterstock.com
p. 198 : Adam Radosavljevic/Shutterstock.com
p. 247 : Adam Gregor/Shutterstock.com
p. 248 : auremar/Shutterstock.com
p. 249 : Blend Images/Shutterstock.com
p. 281 : Photographee.eu/Shutterstock.com
p. 318 : Jacob Wackerhausen/iStockphoto
p. 322 : Vasiliki Varvaki/iStockphoto
p. 360 : Shou/Shutterstock.com
p. 385 : Blaj Gabriel/Shutterstock.com
p. 396 : Artpose Adam Borkowski/Shutterstock.com

AVANT-PROPOS

Nous sommes fiers de vous présenter la cinquième édition de *Relever les défis de la gestion des ressources humaines*. Fruit d'un travail d'équipe, cette cuvée 2017 s'inscrit dans une volonté d'amélioration continue et présente encore plus d'atouts.

Cet ouvrage, édité pour la première fois en 1998, a le mérite d'être « original » en ce sens qu'il ne résulte ni d'une adaptation ni d'une traduction d'un livre en langue étrangère. Il est écrit par des auteurs qui vivent, travaillent et enseignent dans un contexte québécois et nord-américain, ce que reflète un contenu étroitement adapté aux réalités que vivront les futurs gestionnaires. L'équipe est toujours formée de quatre auteurs qui enseignent dans autant d'universités, soit HEC Montréal, l'Université du Québec à Montréal, l'Université de Montréal et l'Université Laval.

La structure de cette édition reste parfaitement adaptée à un cours d'introduction à la gestion des ressources humaines (GRH), souvent offert en 12 séances. Évidemment, un enseignant peut décider de couvrir moins de chapitres et consacrer plus d'une séance à un ou des chapitres de son choix.

Des chapitres standardisés et attrayants

Chaque chapitre bénéficie de références à jour et de nombreux exemples sur les sujets traités. Le livre aborde ainsi des thèmes d'actualité tels que la conciliation travail-vie personnelle, le vieillissement de la main-d'œuvre, les valeurs de la nouvelle génération, la diversité du personnel, les accommodements raisonnables, le défi de l'attraction et de la fidélisation du personnel, la délocalisation du travail, la gestion des employés expatriés, la solvabilité des régimes de retraite, le coût croissant des avantages sociaux, les réseaux d'échange de pratiques, l'éthique et la bonne gouvernance, la santé et le bien-être, le harcèlement psychologique, l'informatisation de la GRH, la sous-traitance de la GRH, le télétravail, les incidences du Web et des réseaux sociaux sur la GRH, la gestion informatisée des ressources humaines (RH) ou la mondialisation du marché du travail.

Le partage des responsabilités en matière de GRH. Après avoir défini l'activité de GRH visée et traité de l'importance d'en relever le défi, chaque chapitre rend compte du partage des responsabilités entre divers acteurs : dirigeants, cadres professionnels des RH, syndicats et employés.

Chaque chapitre s'ouvre sur une énumération des principaux défis à relever selon le thème abordé, les objectifs d'apprentissage du chapitre, une mise en situation et des définitions utiles. Deux rubriques qui traitent de l'importance de l'activité de GRH faisant l'objet du chapitre de même que du partage des responsabilités en la matière complètent cette première section.

Le corps du chapitre s'attarde ensuite au « comment faire », c'est-à-dire aux pratiques, aux processus et aux outils. Le texte est appuyé par les diverses rubriques qui suivent et, en marge, par des définitions et des adresses de sites Web d'intérêt reliés aux contenus. En outre, des vidéos produites par l'Ordre des conseillers en ressources humaines agréés (CRHA) et d'autres organisations professionnelles sont proposées au fil du texte.

Des rubriques plus variées et dynamiques. Tous les chapitres de cet ouvrage comptent les rubriques suivantes :

- Regard sur la pratique : on y trouve des extraits d'articles relatant des faits réels et actuels qui permettent de créer des liens entre théorie et pratique. Nous avons pris soin d'introduire des exemples d'entreprises du Québec, du Canada, mais aussi de divers pays (France, Inde, Chine, États-Unis, Allemagne, etc.) afin d'intéresser des lecteurs de plus en plus diversifiés et appelés à mener des carrières à l'international.
- Le coin de la loi : on y décrit brièvement une ou des lois liées au sujet du chapitre et ayant une incidence sur la GRH.
- Parole d'expert : on y laisse s'exprimer les spécialistes en GRH, qu'il s'agisse de praticiens, de consultants ou de chercheurs.
- Une théorie d'intérêt : on y présente succinctement une théorie importante qui peut aider à comprendre la matière abordée dans le chapitre.
- Zoom sur la PME : dans cette toute nouvelle rubrique, on présente des modalités d'implantation, au sein d'une organisation de petite taille, de l'activité de GRH traitée dans le chapitre. Cette rubrique est importante puisque notre économie repose grandement sur les PME, qui emploient une bonne partie de la population active.

En fin de chapitre, diverses rubriques explorent d'abord les particularités de l'activité de GRH en question selon qu'elle s'exerce dans le secteur public, dans les milieux syndiqués ou à l'international. On y traite aussi des changements qu'entraînent le numérique et les percées technologiques sur l'activité de GRH traitée. On propose ensuite une synthèse de toutes les conditions menant à son succès. Des exercices permettent à l'étudiant de tester ses connaissances, de valider ses acquis et de développer son sens critique en matière de GRH. Ainsi, on y trouve une dizaine de questions de révision, des questions de discussion, des incidents critiques et un cas. La rubrique Pour aller plus loin permettra aux plus curieux d'en apprendre davantage. Cette section inclut des suggestions de livres, de sites Web, d'articles et de vidéos, notamment dans Le coin de l'Ordre des CRHA, que les enseignants et les étudiants apprécieront assurément.

Un abondant matériel Web clé en main

Cette cinquième édition propose un vaste choix de matériel pédagogique disponible en ligne sur la plateforme interactive *i+* au http://mabibliotheque.cheneliere.ca. Les contenus offerts comprennent notamment :

Pour les étudiants et les enseignants

- la version numérique du livre, qui peut être téléchargée, surlignée et annotée ;
- des ateliers interactifs (jeux-questionnaires) permettant de réviser la matière de chaque chapitre ;
- les vidéos du coin de l'Ordre ;
- des cas supplémentaires ;
- une liste de sites Web d'intérêt ;

Pour les enseignants

- 12 présentations PowerPoint (une par chapitre) ;
- les solutionnaires de tous les exercices figurant dans le manuel ;
- les solutionnaires des cas supplémentaires ;
- des exemples de plans de cours ;
- les tableaux et les figures du manuel en format JPEG.

REMERCIEMENTS

Relever le défi de la gestion des ressources humaines est le fruit d'un effort collectif qui va bien au-delà du travail effectué par ses quatre auteurs. D'abord, il nous faut souligner le professionnalisme et la patience du personnel de notre maison d'édition. Félicitations et merci encore à tous.

Nous remercions également la direction de chacun de nos établissements universitaires (HEC Montréal, Université du Québec à Montréal, Université de Montréal et Université Laval) ainsi que le personnel de nos départements et services respectifs, qui nous ont appuyés de diverses façons dans l'élaboration de cette cinquième édition. Nous exprimons aussi notre reconnaissance aux organismes qui ont financé nos recherches de même qu'aux associations professionnelles et scientifiques dont nous sommes membres, puisque le contenu de ce livre découle en partie de nos travaux et de nos engagements professionnels.

Nous tenons de plus à remercier les nombreux professeurs et chargés de cours qui ont émis des commentaires et des suggestions quant au contenu et à la forme de la précédente édition, nous permettant de planifier le contenu de celle-ci: Amélie Bernier (TÉLUQ), Caroline Housieaux (Université Laval), Nathalie Cadieux (Université de Sherbrooke), Roger Zaoré (Université du Québec à Rimouski, Campus de Lévis), Jamal Ben Mansour (Université du Québec à Trois-Rivières), François Chiocchio (Université d'Ottawa) et Denis Morin (École des sciences de la gestion; Université du Québec à Montréal). Cette nouvelle édition devrait démontrer que nous restons à l'écoute des besoins des enseignants. Mille mercis aussi aux étudiants et aux gestionnaires que nous avons rencontrés au fil du temps. Leurs commentaires et leurs réactions à nos propos nous ont permis d'améliorer la qualité de notre ouvrage et de nous assurer de sa pertinence.

Nous souhaitons également exprimer notre vive reconnaissance à l'Ordre des conseillers en ressources humaines agréés (CRHA) du Québec, qui a approuvé la publication de plusieurs articles tirés de sa revue *Effectif* et nous a permis d'héberger de nombreux et pertinents documents vidéo, lesquels enrichiront assurément les cours des professeurs.

De même, nous remercions le Centre de cas de HEC Montréal, qui a consenti à la publication de certains cas présentés dans cet ouvrage, ainsi que toutes les personnes de HEC Montréal comme de l'Université du Québec à Montréal qui ont collaboré à la rédaction de ces cas, soit Geneviève Dompierre, Mario Giroux, Virginie Hamel, Antonin Hennebert, Nathalie Langis, Marina Mesure, Denis Morin, Lucie Morin et Annabel Paquet-Gagnon.

Nous exprimons spécialement notre gratitude à Catherine Rousseau, consultante chez Relais Expert-Conseil, pour son aide lors de la rédaction du matériel complémentaire de ce livre. Depuis 2011, alors qu'elle terminait son travail supervisé sous la direction de la professeure Sylvie St-Onge à HEC Montréal, Catherine s'est avérée une collaboratrice fidèle à bien des ouvrages publiés par Chenelière Éducation, dont celui-ci ainsi que ceux qui portent sur la gestion de la performance et la gestion de la rémunération.

Enfin, nous tenons à remercier les membres de nos familles respectives, qui ont souvent dû composer avec notre absence et notre passion pour notre travail.

Nous espérons que ce livre vous donnera le goût de comprendre l'utilité et l'importance de la gestion des ressources humaines. Bonne lecture !

Sylvie St-Onge   Victor Haines
Sylvie Guerrero   Jean-Pierre Brun

UNE INTRODUCTION COMPLÈTE
À LA GESTION DES RESSOURCES HUMAINES

Entrez de plain-pied dans la matière grâce à des définitions et un survol des principaux enjeux du thème abordé dans chaque chapitre, et surtout grâce à une mise en situation actuelle et concrète :

- Diversité : Pinterest prend le taureau par les cornes
- Gérer les problèmes de santé mentale au travail, un *must* pour maintenir une bonne performance
- Former pour développer la créativité : les leçons du Cirque du Soleil
- Gestion de la performance : faire autrement sans jeter le bébé avec l'eau du bain
- Etc.

Regard sur la pratique _____
Les tendances et les meilleures pratiques en gestion de la performance

Une théorie d'intérêt _____
La théorie de l'identité sociale

Zoom sur la PME _____
Le logiciel de GRH intégré et personnalisé de D.L.G.L.

Le coin de la loi _____
La gestion de la rémunération est balisée par de multiples lois et règlements

Parole d'expert _____
Trois stratégies organisationnelles vis-à-vis de la diversité

Faites des liens avec la pratique grâce à des rubriques ancrées dans la réalité. La rubrique **Regard sur la pratique** se décline en trois variantes :

- au Québec :
- au Canada :
- dans le monde.

En fin de chapitre, **cinq autres rubriques** vous permettent quant à elles de mettre la matière en perspective :

- Les enjeux du numérique
- Le secteur public
- Les milieux syndiqués
- À l'international
- Les conditions de succès

Et exercez-vous et préparez-vous aux examens grâce de nombreux exercices en fin de chapitre :
- Questions de révision
- Questions de discussion
- Incidents critiques
- Études de cas

QUESTIONS DE DISCUSSION

1. Que devraient faire les responsables des RH pour mesurer systématiquement l'efficacité de leurs actions ?

2. « On sait ce que les RH coûtent ; on ne sait jamais ce qu'elles rapportent. Alors pourquoi dépenser tant d'argent pour une activité qui ne rapporte pas ? » Que peut-on répondre pour contrer cette affirmation et montrer la valeur ajoutée des activités de GRH ?

3. « Les syndicats sont réfractaires à toute évaluation de la GRH. » Que pensez-vous de cette assertion ?

INCIDENTS CRITIQUES ET CAS

Incident critique 1

Beau bois

Votre entreprise est spécialisée dans la fabrication de meubles en bois. Son effectif actuel est de 670 employés répartis dans 7 usines au Québec et au Nouveau-Brunswick. Vous voulez structurer les pratiques de GRH et donner plus de poids à votre fonction à la suite d'un accident de travail qui aurait pu entraîner la mort d'un salarié. Ce dernier est hospitalisé depuis un mois dans un état grave : il risque de conserver un handicap physique consécutif à l'accident. Cet événement a engendré beaucoup de remous dans l'entreprise : enquêtes et visites de médecins du travail, interrogations du comité de santé et sécurité, contrôle de l'ensemble des processus de fabrication de l'usine, etc.

Vous savez qu'il vous faut agir, car la réputation de l'entreprise et le moral des salariés sont en jeu. Vous décidez de calculer les coûts et bénéfices liés aux accidents de travail afin de démontrer à la direction d'entreprise l'importance de chiffrer les accidents de travail.

Questions

- Quels indicateurs RH proposeriez-vous ?

- Comment ces indicateurs peuvent-ils aider à chiffrer les coûts et bénéfices des actions que vous allez mettre en place relativement aux accidents de travail ?

Plus qu'une plateforme, c'est un outil pour soutenir l'apprentissage

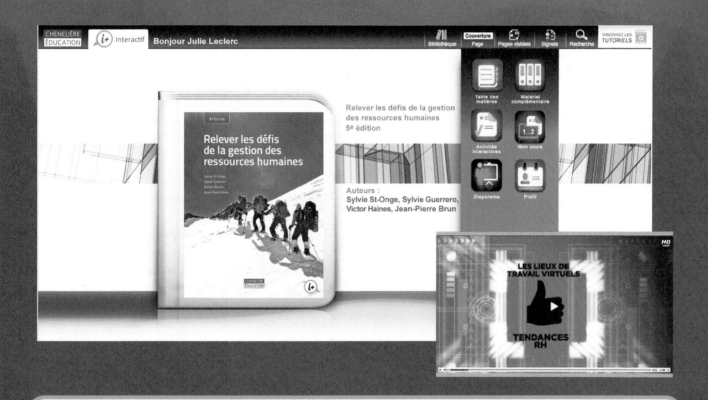

VOUS ÊTES ÉTUDIANT ?

- Les **activités interactives** vous offrent une façon dynamique de réviser la matière grâce à plusieurs types d'ateliers :
  - Vrai ou faux
  - Choix de réponse
  - Classement d'énoncés par catégorie
  Demandez à votre enseignant de les déverrouiller !

- Des **vidéos** produites par l'Ordre des conseillers en ressources humaines agréés vous permettent d'approfondir la matière. Cliquez sur les hyperliens en marge de votre livre numérique et visualisez-les directement sur la *plateforme i+ interactif*.

VOUS ÊTES ENSEIGNANT ?

- Une **gamme complète de matériel pédagogique** clé en main vous est offerte sur la *plateforme i+ interactif*. Un plan de cours et des présentations Powerpoint pour chaque chapitre facilitent votre la préparation de vos cours.

  En quelques clics, vous découvrirez également
  - Les solutionnaires complets des exercices du manuel et des cas supplémentaires
  - Des ateliers interactifs vous permettant de suivre l'évolution de chaque étudiant
  - Et bien plus !

Créer | Partager | Captiver

TABLE DES MATIÈRES

Chapitre 3

GÉRER L'ORGANISATION DU TRAVAIL   80

Chapitre 4

ASSURER LE RECRUTEMENT, LA SÉLECTION ET L'ACCUEIL   108

Chapitre 12

Chapitre

1

MISER SUR LA GESTION DES RESSOURCES HUMAINES

Principaux défis à relever en matière de gestion des ressources humaines

- Adopter une gestion proactive des ressources humaines (RH) adaptée aux caractéristiques de l'organisation.

- Optimiser la valeur ajoutée de la gestion des ressources humaines (GRH) du point de vue de diverses parties prenantes : direction, cadres, employés, clients, communauté, etc.

- Faire en sorte que la GRH permette à l'organisation d'attirer, de développer et de fidéliser les meilleurs talents afin qu'ils soient la source d'un avantage concurrentiel.

- Gérer les performances, les carrières et la rémunération de manière à ce que les comportements des employés et leurs résultats soient alignés sur la stratégie d'affaires de l'organisation.

- Amener toutes les parties prenantes à collaborer à la réalisation de la stratégie d'affaires, et ce, en respectant la diversité des personnes ainsi que leur santé et leur intégrité.

Objectifs d'apprentissage

- Prendre conscience de la place de la fonction « ressources humaines » et de la GRH dans la réalisation de la stratégie de l'organisation.
- Décrire les rôles et les responsabilités de divers acteurs en matière de GRH.
- Comprendre l'évolution historique de la GRH et la professionnalisation de cette fonction au sein des organisations.
- Comprendre les rôles et les responsabilités ainsi que le pouvoir ou l'autorité que les professionnels des RH doivent assumer.
- Comprendre l'importance et les conditions de succès des politiques de GRH.
- Prendre conscience de l'importance croissante de l'impartition et de l'informatisation de la GRH ainsi que des enjeux du numérique.
- Reconnaître les particularités de la GRH dans le secteur public, les milieux syndiqués et à l'international.
- Déterminer les principales conditions de succès de la GRH.

Dans un contexte de concurrence accrue, tant sur le marché des produits et des services que sur celui de l'emploi, il devient de plus en plus important de bien gérer le personnel de manière à attirer, à retenir et à développer les employés les plus talentueux tout en répondant aux attentes d'autres acteurs comme les actionnaires, les clients, les syndicats ou le législateur. En effet, il est démontré qu'une gestion efficace des RH s'avère de plus en plus la source d'un avantage concurrentiel et une valeur ajoutée pour les organisations.

Dans ce chapitre, nous définissons la GRH, traitons de son importance et présentons les acteurs responsables de sa qualité au sein des organisations. En effet, une des caractéristiques qui distinguent la GRH du marketing ou des finances tient au fait qu'elle est exercée par de nombreux intervenants dans les organisations, puisque tout cadre ayant au moins une personne à superviser fait de la GRH. Cette notion de responsabilité partagée en matière de GRH rend d'ailleurs la lecture de ce livre utile à toute personne, quels que soient ses fonctions ou l'établissement où elle travaille. Ensuite, nous traitons de l'évolution historique de la GRH et de l'importance d'adopter une GRH adaptée à la mission, aux valeurs et aux orientations stratégiques ainsi qu'à la taille d'une entreprise. Nous poursuivons avec l'étude des compétences attendues des professionnels des RH ainsi que du partage de l'autorité en matière de GRH au sein des entreprises. De même, nous discutons de l'utilité des politiques de GRH, puis nous abordons le phénomène de l'impartition de la GRH rendue possible par le développement des technologies. Nous présentons un modèle intégrateur des chapitres de ce livre en les regroupant sous quatre grands défis de GRH. Finalement, nous examinons comment la GRH varie selon qu'elle est exercée dans le secteur public, dans les milieux syndiqués ou à l'international, pour enfin aborder les enjeux de la numérisation en GRH et les conditions de succès qui optimisent l'efficacité de la GRH.

MISE EN SITUATION

Comment mobiliser ses employés dans une petite comme dans une grande entreprise?

Les entreprises disposant d'un important service de ressources humaines sont-elles les seules à pouvoir mobiliser leurs employés? Pas nécessairement. Les petites entreprises peuvent très bien s'y prendre. Et c'est tant mieux quand on sait que près de 75 % des PME québécoises ont de 5 à 10 employés. Voici trois mots-clés pouvant améliorer le recrutement, la rétention, la motivation et le bien-être des travailleurs.

Leadership

Pour créer une culture de mobilisation forte dans son entreprise, il faut du leadership. Dans les petites entreprises, cela passe donc directement par le ou les dirigeants. «Dans le tiers des interventions où on fait appel à mes services, les gens sont peu mobilisés, car les gestionnaires n'assument pas leur leadership», explique Louise Charette, présidente-directrice générale de Multi Aspects Groupe. Cette conseillère en ressources humaines agréée (CRHA) invite les gestionnaires à lire sur les ressources humaines, à suivre quelques formations, voire à faire appel à un *coach* ou un mentor. «Ce qui va réellement créer une culture forte, ce sont les comportements des gestionnaires, soutient également Joëlle Charpentier, présidente de Charpentier Développement organisationnel. Dès lors, cette culture devient un levier de mobilisation.» Selon Michel Bundock, premier vice-président et directeur général du Groupement des chefs d'entreprise du Québec, «il faut avoir un projet d'entreprise, une vision à long terme qui stimule, dit-il. Il faut parler plus du *why* [le pourquoi] que du *how* [le comment] pour que le plus grand nombre d'employés adhère à cette vision».

Valeurs

Qui dit culture d'entreprise dit valeurs. Or, c'est encore une fois la responsabilité du propriétaire ou du dirigeant d'une PME de définir et de véhiculer les valeurs de son entreprise. Joëlle Charpentier croit que tout chef d'entreprise doit marquer un temps d'arrêt pour se demander quelles valeurs, quelle identité il veut donner à son organisation. «La collaboration, la transparence, la confiance en sont des exemples, dit-elle. Plus un gestionnaire va être clair dans ce qu'il veut développer, plus il va attirer des personnes qui vont développer un sentiment d'appartenance et, par conséquent, qui vont vouloir demeurer en poste et se dépasser. Plus l'entreprise est petite, plus ça peut se développer et se communiquer rapidement.» Mais attention, prévient Mme Charpentier, les valeurs d'une entreprise doivent être représentatives des valeurs de son propriétaire. «Et lors des entrevues d'embauche, dit la CRHA, il faut s'assurer que les candidats partagent et sont prêts à respecter ces mêmes valeurs.» Michel Bundock estime aussi que «pour mobiliser une équipe, on ne lui donne pas juste des ordres, on lui propose une aventure, un projet. Il faut situer l'entreprise dans une cause. Par exemple, le propriétaire d'une manufacture d'extincteurs ne devrait pas dire à ses employés "nous fabriquons des extincteurs", mais plutôt "nous aidons à sauver des vies". Ça fait partie du *sensemaking*». D'ailleurs, les valeurs ne devraient pas être un ramassis de clichés qu'on affiche aux murs de l'entreprise. «Avoir 10 ou 12 valeurs, c'est n'importe quoi, lance Michel Bundock. Il faut en avoir une, deux, peut-être trois qui sont clairement exprimées en un mot. L'intégrité, le travail d'équipe et la qualité sont les valeurs qui reviennent le plus souvent dans les entreprises que je côtoie.»

Reconnaissance

La reconnaissance au quotidien n'est pas aussi prenante qu'on le croit. Quelques minutes par jour suffisent, selon Louise Charette de Multi Aspects Groupe. «Cela permet de développer le sentiment d'appartenance et d'affiliation, dit-elle. Les employés ont besoin de faire partie de quelque chose de plus grand qu'eux.» Les recherches démontrent que 80 % des travailleurs vont chercher à s'améliorer lorsqu'ils reçoivent une appréciation de leur travail plutôt que des reproches, indique Mme Charrette. Paradoxalement, un sondage Léger-CRHA montre que plus d'un salarié québécois sur trois n'a pas eu d'évaluation de son rendement au cours des 12 derniers mois, alors que 38 % d'entre eux aimeraient en bénéficier. Pour construire une culture forte, «ça prend des célébrations», croit Michel Bundock: «Il faut toujours reconnaître les petits et les grands succès. Le propriétaire de l'entreprise doit le faire, les directeurs et les chefs d'équipe aussi. Et ce sont des rituels qui doivent devenir une seconde nature. Ils doivent faire partie de l'ADN de l'entreprise.»

Source: Extrait de CHAMPAGNE, S. «Mobiliser ses employés dans une petite entreprise», *La Presse*, 11 avril 2015, p. 10.

DÉFINITIONS

Toute organisation implique la présence de ressources humaines (RH), que l'on désigne par diverses autres expressions, comme les «employés», les «salariés», les «membres du personnel», la «main-d'œuvre», le «personnel», les «partenaires» ou les «associés».

La gestion des ressources humaines (GRH) regroupe l'ensemble des pratiques de planification, de direction, d'organisation et de contrôle des employés au sein de l'organisation. Plus précisément, on parle d'activités de planification des RH, de recrutement, de sélection, d'accueil, de formation, de développement, de gestion des carrières, de rémunération, d'évaluation de la performance, de gestion de la santé et de la sécurité, d'organisation du travail, d'administration de la convention collective, de gestion de la diversité, etc. Aux fins de cet ouvrage, nous privilégions l'expression «gestion des ressources humaines». Toutefois, des praticiens et des chercheurs peuvent utiliser d'autres qualificatifs similaires pour traiter de ces activités de GRH, tels que la gestion du personnel, la gestion des personnes, la gestion des employés, la gestion de l'humain, la gestion du capital humain, la gestion des talents, etc.

Comme toutes les organisations impliquent la présence de personnes, elles ont toutes une fonction «ressources humaines», qui désigne les responsabilités d'encadrement des personnes dans les organisations. Étant donné que le contexte économique et d'affaires fait que l'attraction, la fidélisation et l'engagement des talents sont de plus en plus au cœur de la performance globale des firmes tout autant qu'ils constituent des défis croissants, cette fonction gagne en importance.

Un cadre étant une personne qui supervise le travail d'au moins une autre personne, tous les cadres doivent assumer des responsabilités quant aux RH et être tenus pour responsables, du moins en grande partie, de la qualité de la GRH dans leur équipe. En effet, des responsabilités de GRH sont inhérentes à la relation supérieur-subordonné. Aussi, les cadres hiérarchiques, quelle que soit leur spécialisation (production, marketing, finances, etc.), doivent optimiser non seulement la gestion des ressources matérielles et financières, mais aussi celle des employés qui sont sous leur autorité. Par exemple, un directeur du marketing doit, en plus de se préoccuper des ventes, du nombre de clients, de la qualité du produit et de sa distribution, superviser efficacement les personnes qui relèvent de lui. Il a la responsabilité de s'entourer de subordonnés compétents, de veiller à ce qu'ils aient la formation requise, de gérer leur performance, d'organiser leur travail, et ainsi de suite. En somme, la performance de son équipe repose sur une saine GRH.

La fonction «ressources humaines» existe indépendamment de la présence ou de l'absence d'un service des RH, c'est-à-dire d'un service ou d'une unité administrative où se trouve au moins un spécialiste ou un professionnel des RH. Ces professionnels, souvent appelés «conseillers» ou «spécialistes des RH», fournissent aux dirigeants, aux cadres et aux employés des conseils et du soutien en matière de GRH (comme le recrutement, la sélection, la formation, la rémunération et la négociation collective). Quels que soient le titre du poste occupé par les professionnels des RH et le nom de leur unité administrative ou de leur service, leur présence dans l'entreprise n'est pas automatique. Le tableau suivant résume les différences entre la fonction «ressources humaines» et le service des RH.

	Les distinctions entre la fonction «ressources humaines» et le service des RH	
	Fonction «ressources humaines»	**Service des RH**
Définition	Ensemble des responsabilités d'encadrement	Unité administrative spécialisée
Qui est en cause ?	Tous les cadres ou superviseurs	Un ou des professionnels des RH
Où les trouve-t-on ?	Dans toutes les organisations	Dans les organisations ayant un nombre important d'employés
Sur quoi l'accent est-il mis ?	Sur les relations entre supérieurs et subordonnés	Sur les relations de conseil et de soutien apportés aux cadres et aux employés
Quels sont les types d'autorité ?	Autorité hiérarchique envers le personnel supervisé	Autorité de conseil et autorité fonctionnelle envers les dirigeants, les cadres et les employés en matière de GRH

L'IMPORTANCE DE LA GESTION DES RESSOURCES HUMAINES

À l'heure actuelle, les chances sont minces pour que les organisations acquièrent un avantage concurrentiel à long terme en ne s'appuyant que sur des facteurs traditionnels de succès comme une technologie de pointe, un créneau de marché, un accès privilégié aux matières premières ou de bonnes conditions de financement. En effet, les concurrents sont maintenant en mesure de copier rapidement la technologie, le produit ou le service qui distingue une entreprise. Aussi, force est de constater qu'un facteur prioritaire de succès pour les années à venir réside dans les RH et dans la capacité de mettre en place une GRH adaptée, équitable et efficace.

Par conséquent, les organisations qui se démarquent et qui réussissent le mieux sont celles qui optimisent la gestion de leurs employés, ou encore qui relèvent avec brio les défis de la GRH dont traite ce livre. Comme il est impossible d'améliorer la quantité et la qualité des produits et des services sans le concours du personnel, le succès d'une organisation dépend de sa capacité de bien gérer cette ressource. Les études confirment d'ailleurs que des pratiques de GRH « hautement performantes » ou « fortement mobilisatrices » sont celles qui permettent aux employés de s'adapter, de se mobiliser, de se développer et de coopérer entre eux (Combs *et al.*, 2006). Le tableau suivant liste de nombreuses raisons pour l'organisation et les employés d'accorder une attention particulière à la GRH.

L'importance de miser sur la GRH	
Pour l'organisation	Faciliter la réalisation de la stratégie d'affaires.
	Communiquer les valeurs organisationnelles.
	Constituer une source d'avantages concurrentiels.
	Faciliter la réalisation et le succès d'un changement stratégique.
	Améliorer les performances individuelle et collective.
	Améliorer la qualité des services offerts et la satisfaction des clients.
	Attirer, retenir et mobiliser les talents.
Pour les employés	Connaître les priorités de l'organisation et comprendre leurs rôles.
	Travailler dans une entreprise préoccupée non seulement par la satisfaction des propriétaires, des actionnaires et des clients, mais aussi par les besoins du personnel et les impératifs de responsabilité sociale.
	Travailler dans un contexte qui leur permet d'optimiser leur contribution, d'utiliser pleinement leur potentiel et d'être traités de manière équitable.

LE PARTAGE DES RESPONSABILITÉS EN MATIÈRE DE GESTION DES RESSOURCES HUMAINES

L'un des défis majeurs de la GRH consiste à trouver, pour chaque organisation, une manière appropriée de partager les responsabilités entre les divers intervenants, en particulier entre l'État, les dirigeants, les cadres hiérarchiques, les professionnels des RH, les syndicats et les employés. Le tableau suivant illustre le partage des responsabilités qui devrait avoir lieu entre les divers acteurs. Notons que cette répartition des responsabilités est présentée à titre indicatif, puisqu'elle varie d'une organisation à l'autre selon divers facteurs contextuels (p. ex., la taille, la culture, le secteur, les lois).

L'État, avec les multiples lois qu'il promulgue, influe énormément sur la GRH. Comme tous les chapitres de ce livre portent sur des activités particulières de GRH, chacun démontre quelles lois les touchent et de quelle manière. Aux fins de cette section, nous nous attardons plutôt sur les responsabilités des acteurs au sein des organisations.

Les responsabilités des dirigeants d'entreprise

La responsabilité première et ultime de la qualité de la GRH repose sur les dirigeants d'entreprise, car ce sont eux qui déterminent les ressources que l'on y accorde ainsi que les objectifs, la stratégie d'affaires et les valeurs de gestion officielles sur lesquelles seront alignées toutes les politiques et pratiques de GRH. Le texte de la mise en

Le partage des responsabilités en matière de GRH	
Dirigeants	Décider des orientations stratégiques et des valeurs sur lesquelles seront alignées la stratégie, les politiques, les activités et les pratiques de GRH.
	Déterminer l'ampleur des ressources investies dans la GRH et en optimiser l'usage et les retombées sur l'organisation, le personnel et la communauté.
	Exercer le leadership en matière de GRH.
Cadres hiérarchiques	Établir des relations de qualité avec leurs subordonnés, la direction, le personnel des autres unités, dont le service des RH et les syndicats, s'il y a lieu.
	Appliquer les politiques de GRH et respecter les règles de la convention collective, s'il y a lieu.
	Mobiliser le personnel ou exercer une influence saine sur ses attitudes et ses comportements.
Professionnels des RH	Gérer les processus administratifs de GRH de manière à respecter les lois et les impératifs d'efficacité et d'efficience de l'organisation ainsi que les impératifs de satisfaction des personnes.
	Représenter les employés auprès de la direction et des cadres et représenter la direction auprès des syndicats.
	Agir comme partenaires stratégiques et comme agents de changement.
Syndicats	Représenter et défendre les intérêts de leurs membres auprès de la direction.
	Participer à la détermination et à la gestion des conditions de travail du personnel syndiqué.
Employés	Prendre connaissance des politiques et des pratiques de GRH de l'organisation et les respecter.
	Exprimer leurs opinions sur diverses facettes de leurs conditions de travail par l'autoévaluation, par l'évaluation de leurs collègues ou de leur supérieur, par la participation à des sondages, par des entretiens avec leur superviseur, etc.
	Participer à l'élaboration et à la mise en œuvre de politiques et de pratiques de GRH (p. ex., un groupe semi-autonome, une équipe de travail, un comité).

situation en début de chapitre confirme d'ailleurs l'importance du leadership et des valeurs organisationnelles dans la mobilisation du personnel. Les dirigeants doivent constamment communiquer à tous les employés, verbalement et par écrit, leur vision, les valeurs de l'organisation ou leurs principes de gestion, leurs objectifs, leurs priorités, leurs stratégies et leurs indicateurs de performance. La principale manifestation de l'importance que revêtent les RH aux yeux des dirigeants tient au soin et au temps qu'ils prennent, d'une part, à expliquer leurs décisions au personnel et, d'autre part, à écouter ses réactions, ses attentes et ses craintes. Aussi, avant d'adopter des changements majeurs dans le domaine de la GRH, les dirigeants devraient s'assurer que les cadres de premier niveau et les employés de la base sont consultés, qu'ils comprennent la raison d'être de ces changements, les acceptent et les estiment nécessaires. Il est également important que les dirigeants prennent en considération les compétences des personnes en matière de supervision, de leadership et de relations lorsqu'ils octroient des promotions et qu'ils évaluent et rémunèrent la performance de leurs cadres. Finalement, les dirigeants doivent manifester de l'ouverture aux

considérations relatives aux RH et veiller à en faire la preuve de plusieurs façons (par écrit et oralement; par leurs gestes et leurs décisions). Surtout, ils doivent agir comme des modèles et conformément à leurs discours.

Les responsabilités des cadres hiérarchiques

Quoique certains puissent en rêver, il est impossible d'être cadre sans avoir à superviser le personnel. C'est là le propre de la fonction « ressources humaines ». Les compétences requises pour gérer adéquatement des subordonnés font d'ailleurs de plus en plus partie des compétences que l'on exige de tout bon gestionnaire. Étant donné qu'ils ont un contact quotidien avec leurs subordonnés, les cadres influencent grandement les attitudes et les comportements au travail de ces derniers. Il est d'ailleurs largement reconnu que les départs des employés sont souvent dus à un problème d'entente avec leur supérieur immédiat. Aussi, les cadres doivent acquérir des habiletés en matière de GRH, écouter et consulter les employés, exprimer des attentes en matière de performance, reconnaître les contributions, donner une rétroaction constructive, intervenir adéquatement en cas de problème, se préoccuper du développement et de la carrière des membres de leur équipe, et ainsi de suite.

Finalement, les cadres ont la responsabilité de maintenir des relations appropriées avec les autres services de l'organisation, en particulier avec la direction générale et le service des RH. En effet, les cadres sont fréquemment invités à participer à des activités de GRH telles que l'organisation du travail, la sélection des employés, l'évaluation de la performance de ces derniers et la détermination de leurs besoins en formation ou d'augmentations de salaire. Dans tous ces cas, ils doivent agir selon les politiques de GRH et, s'il y a lieu, selon les règles des conventions collectives, et collaborer avec les professionnels des RH.

Les responsabilités des professionnels des ressources humaines

Aujourd'hui, ainsi que l'illustre la figure suivante, on attribue aux professionnels des RH quatre grands rôles. Il y a d'abord deux rôles à caractère opérationnel, soit celui de représentant du personnel et celui d'expert de processus administratifs, notamment à l'égard de la paie, de l'embauche et de la santé et de la sécurité du travail. Deux autres rôles plus complexes exigent une vision à long terme, à savoir celui de partenaire stratégique et celui d'agent de changement.

Les rôles des professionnels des ressources humaines

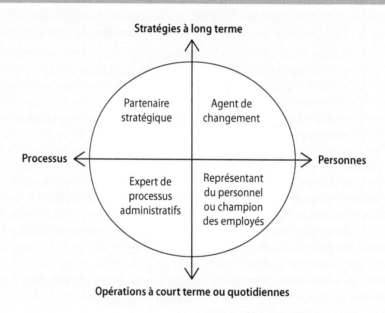

Source: Adapté de ULRICH, D. *Human Resource Champions: The Next Agenda for Adding Value and Delivering Results*, Boston, Harvard Business School Press, 1997, p. 24.

Une bonne partie du travail du service des RH, si ce n'est la plus grande (en milieu syndiqué, par exemple), a trait à la représentation des intérêts des employés et à la gestion des activités quotidiennes liées à ceux-ci: la résolution de problèmes quotidiens, l'information à donner aux employés, la gestion des activités de GRH comme l'embauche ou la rémunération, l'information à donner aux cadres et l'exécution des tâches administratives.

Les responsabilités des professionnels à l'égard des processus administratifs consistent principalement à concevoir et à implanter les politiques, les processus et les systèmes pour les différentes activités de GRH, de même qu'à former les cadres et les employés en vue d'améliorer l'efficacité et l'efficience administratives.

À titre de représentants des employés, les professionnels des RH doivent défendre les intérêts et les droits de ces derniers auprès de la direction. Ils doivent également mener des enquêtes pour connaître les besoins des employés, recueillir leurs opinions, les communiquer, puis modifier les activités de GRH de façon à mieux répondre à leurs attentes et ainsi accroître tant leur engagement envers l'organisation que leur capacité de produire des résultats. Ces deux aspects à dominante opérationnelle des responsabilités des professionnels s'avèrent très importants. Sur le plan de ces deux compétences opérationnelles, les professionnels d'aujourd'hui sont placés devant les défis que posent les technologies de l'information. L'utilisation de ces technologies accroît l'efficacité, réduit la lourdeur administrative, diminue les coûts de fonctionnement et améliore la qualité et la flexibilité des services offerts (libre-service et décentralisation). En définitive, les responsabilités à dominante stratégique des professionnels des RH doivent s'ajouter aux responsabilités quotidiennes opérationnelles, et non être assumées au détriment de ces dernières.

En tant qu'agents de changement, les professionnels des RH doivent gérer les changements organisationnels et la réorganisation du travail ou des processus d'affaires afin d'améliorer l'efficacité et l'efficience de l'organisation et de la GRH. Finalement, comme partenaires stratégiques, ils doivent consacrer une part appréciable de leur temps au processus de décision afin, d'une part, d'améliorer sa valeur ajoutée et, d'autre part, de formuler et d'implanter une stratégie de GRH à la fois alignée sur les caractéristiques de l'organisation et adaptée à son environnement.

Les responsabilités des syndicats

En milieu syndiqué, la qualité des relations patronales-syndicales influe sur le climat de travail et la qualité de la GRH. Le syndicat, en négociant une convention collective, donne des droits à ses membres. La syndicalisation offre notamment aux employés un mécanisme (le grief) qui leur permet de formuler une plainte sur la façon dont ils ont été lésés (promotion, heures supplémentaires, démarche disciplinaire, etc.).

Une des responsabilités des syndicats est de maintenir un équilibre et de négocier des clauses qui ne briment pas trop les droits individuels de ses membres. Par exemple, les accommodements raisonnables et les pratiques de conciliation travail-vie personnelle, qui interpellent dorénavant les syndicats, remettent en question les méthodes traditionnelles en ouvrant la porte à l'individualisation des conditions de travail. Par ailleurs, le syndicat doit se garder d'abuser de son propre pouvoir, notamment en tenant à conserver des règles désuètes ou non pertinentes qui vont à l'encontre de l'intérêt à long terme de ses membres, ou encore en suscitant constamment des conflits et des griefs par l'interprétation de la convention collective qu'il propose. En outre, les employeurs ne doivent pas non plus interpréter la convention collective de manière stricte, rigide et pointilleuse. Au bout du compte, une dynamique patronale-syndicale malsaine et conflictuelle n'est jamais profitable aux diverses parties prenantes de l'organisation : les employés, les syndicats, les dirigeants, les clients, les fournisseurs et les investisseurs.

Les responsabilités des employés

Avec raison, les dirigeants d'entreprise s'attendent à ce que leurs employés fassent le travail demandé, atteignent les standards normaux de rendement et respectent les règlements du travail. Ce sont là les responsabilités de base des employés. Toutefois, pour des raisons de compétitivité, de plus en plus de dirigeants exigent davantage de leurs employés. Par exemple, ils leur demandent de prendre plus d'initiatives au travail, d'acquérir de nouvelles habiletés ou de s'identifier davantage à l'entreprise. En outre, de plus en plus d'employés sont chargés d'évaluer leur propre rendement ou celui de leurs collègues, d'écrire leur propre description d'emploi, de participer à l'évaluation de leur emploi en répondant à un questionnaire, de gérer leur carrière, etc. La réduction récente du nombre de niveaux hiérarchiques au sein de nombreuses organisations a pour effet que plusieurs activités qui étaient autrefois gérées par des contremaîtres et des gestionnaires de premier niveau le sont maintenant par les membres d'équipes de travail dites « autogérées », « semi-autonomes » ou « autonomes ». Ainsi, les membres de ces équipes sont souvent appelés à exécuter des tâches à tour de rôle, à évaluer le rendement de l'équipe, à fixer leurs objectifs de travail, et même à participer à la sélection et à la formation de nouveaux coéquipiers.

1.1   L'évolution historique de la fonction « ressources humaines »

Gestion des ressources humaines (GRH)

Ensemble des pratiques de planification, de direction, d'organisation, de reconnaissance, de développement et de contrôle des RH au sein d'une organisation.

Au XIXe siècle, la révolution industrielle provoque l'ouverture massive de manufactures en Europe et en Amérique du Nord. Comme les décisions de **gestion des ressources humaines (GRH)**, telles que l'embauche, la rémunération ou la discipline, sont souvent à la seule discrétion de contremaîtres, les abus de pouvoir, le népotisme et l'iniquité sont présents. Ces pratiques alimentent la frustration chez les travailleurs et provoquent des affrontements visant notamment à contester le favoritisme dans les décisions des contremaîtres, de même que l'absence de toute procédure permettant d'en appeler, et à dénoncer les attitudes autocratiques et insensibles des cadres ainsi que des conditions de travail injustes, inappropriées et dangereuses.

Dès lors, la GRH a évolué en adoptant différentes perspectives qui sont toujours présentes aujourd'hui. Tout d'abord, il y a la perspective scientifique, au début du XXe siècle, qui compte sur l'organisation du travail et des méthodes de production pour résoudre les problèmes associés au facteur humain dans les manufactures. C'est l'époque où les ingénieurs procèdent à des études des temps et des mouvements, conçoivent des modes de travail à la chaîne et mettent sur pied des systèmes de rémunération à la pièce. Selon cette perspective, c'est la science qui doit guider l'organisation du travail et la gestion des employés, sans nécessité de consulter les contremaîtres et le personnel.

Dans les années 1930, on assiste au développement de champs d'expertise en psychologie industrielle et en comportement organisationnel. On reconnaît alors davantage la présence de problèmes entre la direction et les salariés. On déclare qu'il faut considérer les besoins psychologiques des salariés et adopter des pratiques en matière de leadership, de communications, de reconnaissance et de respect des personnes. On s'intéresse aux effets de diverses activités de GRH sur la motivation et la satisfaction des employés au travail.

En parallèle, des acteurs sociaux, comme les syndicats, avancent que les problèmes de relations qu'éprouvent les dirigeants d'entreprise et les salariés sont dus au déséquilibre des pouvoirs entre eux, à l'autoritarisme des cadres et, enfin, à la précarité économique que vivent les salariés. On prône alors des perspectives légale et syndicale (aussi qualifiées d'«institutionnelle» et «politique»). Pour bâtir de saines relations de travail, des employés se dotent de syndicats et l'État commence à adopter des lois du travail. Ces perspectives encouragent le développement de champs d'expertise en relations industrielles (ou de travail) et en droit du travail au sein des universités, faisant évoluer la fonction «ressources humaines».

Fonction « ressources humaines »

Responsabilités d'encadrement des personnes qu'on trouve dans toutes les organisations.

Simultanément, les institutions d'enseignement forment des économistes du travail qui privilégient le respect des lois du marché (c'est-à-dire l'offre et la demande de travail et de produits) pour déterminer les conditions de travail des employés (notamment leur rémunération). La perspective économique est plutôt déterministe, puisqu'elle présume que le marché dicte aux dirigeants les conditions de travail à offrir aux employés (p. ex., les salaires) afin de les attirer, de les retenir et de rester compétitifs.

Depuis les années 1980, une perspective contingente stratégique et mobilisatrice à l'égard de la GRH prévaut. Ce message actuel, et qui est transmis dans le présent ouvrage, est le suivant: il faut adopter une GRH s'alignant sur les caractéristiques de l'organisation (la stratégie d'affaires, les valeurs de gestion, la taille et le secteur d'activité, etc.) et s'appuyant sur des activités de GRH cohérentes afin de mobiliser les employés. La figure 1.1 illustre comment les pratiques de GRH constituent un déterminant clé de la mobilisation du personnel. Elles ont des répercussions sur les attitudes, les comportements et les résultats des employés, et donc sur la qualité des produits et services ainsi que sur la satisfaction des clients; ultimement, elles influent aussi sur les résultats de l'organisation.

| **Figure 1.1** | **L'incidence de la GRH sur la mobilisation du personnel** |

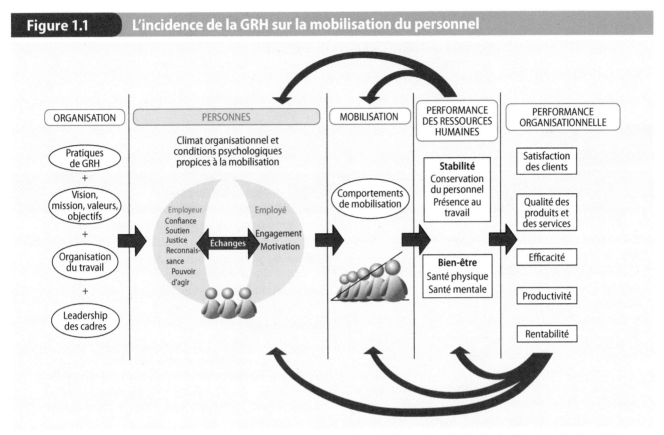

Source : TREMBLAY, M., et G. SIMARD. « La mobilisation du personnel : L'art d'établir un climat d'échanges favorable basé sur la réciprocité », *Gestion*, vol. 30, n° 2, 2005, p. 62.

1.2 Une gestion des ressources humaines adaptée aux caractéristiques de l'organisation et à son environnement

Aujourd'hui, on reconnaît qu'il n'existe pas de solution ou de recette miracle en matière de GRH. Les dirigeants des organisations doivent mettre en place des politiques, des activités, des méthodes et des systèmes de GRH afin que leur personnel devienne un avantage distinctif en raison de caractéristiques propres (compétences, engagement, motivation, créativité) que les concurrents peuvent difficilement imiter. En effet, les employés constituent un véritable atout pour une organisation dans la mesure où ils sont gérés au moyen de politiques et de pratiques cohérentes entre elles, cohérentes avec celles des autres fonctions de gestion et alignées sur la stratégie d'affaires et les valeurs de l'organisation.

Une telle perspective contingente ou contextuelle laisse donc supposer que les dirigeants d'entreprise ont une certaine marge de manœuvre en ce qui concerne leur GRH, cette dernière n'étant que partiellement déterminée par les caractéristiques ou les pressions environnementales (p. ex., l'économie, l'industrie) et pouvant être adaptée à des caractéristiques internes telles que la stratégie d'affaires, les valeurs de gestion, la taille de l'organisation ou les caractéristiques du personnel.

1.2.1 Une gestion des ressources humaines évolutive et adaptée à l'environnement

En ce qui a trait aux changements environnementaux, les ajustements requis dans la manière de gérer le personnel sont de plus en plus fréquents et pressants. Une multitude de changements touchant le monde du travail, les emplois et les travailleurs créent des pressions qui forcent les organisations à revoir leurs méthodes traditionnelles de gestion. Ces changements, répertoriés dans le tableau 1.1, incluent le développement des technologies de l'information, l'externalisation des activités, la sous-traitance de gestion, la diversification de la main-d'œuvre, la mondialisation des affaires, les attentes croissantes pour intégrer des concepts comme la responsabilité sociale, le développement durable, la gouvernance et l'éthique dans la gestion des firmes et des personnes.

Tableau 1.1	Des exemples de changements posant des enjeux stratégiques en matière de GRH	
Changements d'envergure mondiale ayant des répercussions sur les emplois	**Changements au sein des populations ayant des répercussions sur les employés**	
• Transformation de l'économie • Omniprésence des nouvelles technologies de l'information dans l'offre de produits et de services • Nouvelles formes de partenariats d'affaires (privé-public, grappes d'entreprises, etc.) • Mondialisation des affaires • Besoins de nouvelles compétences • Maintien des fusions et acquisitions d'entreprises au pays et à l'étranger • Niveau de vie impossible à maintenir dans un contexte de surpopulation croissante • Détérioration des écosystèmes, changements climatiques et risques de conflits et d'attaques • Émergence des mégavilles, problèmes énergétiques et de maintien des infrastructures • Polarisation des richesses entraînant des problèmes sociaux	• Transformation des valeurs et des attentes du personnel • Vieillissement de la population et problèmes de relève et de succession • Gestion des générations : rétention des travailleurs âgés et adaptation à la génération d'Internet • Mobilité et roulement accrus du personnel • Mondialisation du marché de l'emploi • Diversité du personnel • Scolarisation accrue des personnes à travers le monde • Préoccupation pour le développement durable, la responsabilité sociale, la gouvernance, la justice et les droits de la personne • Complexification et multiplication des liens d'emplois rendant de plus en plus difficile l'identification des véritables employés d'une organisation • Pression sur la réduction des effectifs ayant peu de compétences et dont le travail peut être sous-traité à l'étranger	

De tels changements posent des défis importants à l'égard de toutes les activités de GRH (dotation, développement, rémunération, etc.). Par exemple, pensons à la mondialisation de l'économie et au développement des technologies, qui entraînent la délocalisation des emplois et bouleversent la relation d'emploi ainsi que les rapports avec les syndicats. Pensons également au vieillissement de la population, qui exige que l'on revoie les caractéristiques des régimes de retraite et que l'on innove en déployant des pratiques de gestion propres à retenir les travailleurs âgés au travail, à faciliter leur cohabitation avec les jeunes générations de travailleurs et à assurer le transfert planifié d'expertises clés. Le moment, la période et la notion même de la « retraite » changent aux yeux des employés âgés, qui nourrissent de nouvelles attentes et adoptent de nouveaux comportements, forçant du coup les employeurs à réinventer leurs modes de gestion à leur égard (Sargent *et al.*, 2013). En outre, le maintien en emploi (saisonnier, à temps partiel, etc.) devient important aux yeux des travailleurs âgés, qui sont de plus en plus nombreux à vouloir rester actifs professionnellement pour diverses raisons (besoins financiers, d'actualisation de soi, etc.). Une récente enquête confirme que les employeurs doivent mieux comprendre les attentes et les attitudes des baby-boomers, car le travail fait maintenant partie de leur retraite (Bankers Life for a Secure Retirement, 2015).

Par ailleurs, l'évolution des valeurs sociétales crée aussi des pressions sur la GRH. Par exemple, devant la polarisation accrue des richesses en Amérique du Nord, les responsables des RH et les membres des conseils d'administration sont de plus en plus interpellés sur des questions de gouvernance, et plus précisément sur l'évaluation de la performance et la rémunération des dirigeants. Toutes les questions de développement durable, d'engagement social et de respect des droits de la personne dans les opérations domestiques comme à l'international ont une incidence sur les activités de GRH des organisations. Il importe alors que la satisfaction des employés soit au cœur de la stratégie de GRH et que ces derniers en retirent des bénéfices, mais il faut aussi que les projets de l'entreprise soient non seulement axés sur la rentabilité de l'entreprise, mais également sur la création de valeur pour la société (emplois, prospérité de la classe moyenne, etc.). En somme, on parle désormais d'une GRH «à valeur ajoutée», qui devient le point de départ de la chaîne de valeur suivante : une GRH efficace satisfait les employés, qui, eux, rendent l'organisation capable de mieux satisfaire ses clients, ce qui favorise la performance de l'organisation et, ultimement, celle de la société.

Une théorie d'intérêt

La théorie des parties prenantes

Selon la théorie des parties prenantes (*stakeholders theory*) (Freeman, 1984), à l'intérieur comme à l'extérieur des organisations, on trouve divers groupes ayant leurs intérêts et leurs attentes propres, et les cadres, les professionnels et les dirigeants devraient considérer ce fait lorsqu'ils prennent des décisions stratégiques parce que cela aura des effets sur la qualité du processus de décision et sur l'acceptation de ces décisions. Un responsable des RH doit tenir compte des attentes multiples de divers groupes dans ses prises de décisions, comme celles des syndicats, des cadres, des dirigeants, des clients, du personnel de production ou des employés de bureau , des membres du conseil d'administration, mais aussi du législateur tout autant que des citoyens ou des membres de la communauté.

Source : Traduit librement de FREEMAN, R.E. *Strategic Management : A Stakeholder Approach*, Boston, Pitman, 1984.

1.2.2 Une gestion des ressources humaines alignée sur la mission, les valeurs et la stratégie d'affaires de l'organisation

La figure 1.2, à la page suivante, illustre comment la direction d'une entreprise doit aligner sa stratégie de GRH sur la mission, les valeurs organisationnelles, la stratégie et les contextes d'affaires ainsi que sur ses caractéristiques organisationnelles clés comme sa taille, son secteur d'activité et la présence syndicale. Comme nous reviendrons à la fin de ce chapitre sur la gestion du personnel dans le secteur public et dans les milieux syndiqués, cette section insistera davantage sur l'importance de relier la gestion des personnes aux valeurs, à la stratégie d'affaires et à la taille de l'organisation.

Il faut d'abord souligner l'importance d'exercer un leadership et une GRH préoccupés non pas seulement par les seules valeurs économiques, mais aussi et surtout par des valeurs émotionnelles (p. ex., le partage, la satisfaction, le plaisir), d'éthique (p. ex., le respect, la dignité) et liées au sens du travail (p. ex., le développement, l'accomplissement) dans la vie des personnes et des sociétés (Dolan et Altman, 2012). Dans un contexte d'affaires mondial, chaotique, complexe et changeant, il devient important pour les dirigeants de développer une véritable culture organisationnelle basée sur des valeurs manifestement plus soucieuses du bien-être réel et durable des personnes, des organisations et des sociétés. Cette vision de la GRH est alignée sur les préoccupations liées au développement durable et à la responsabilité sociale. Dans une GRH basée sur les valeurs, l'équipe de direction ou le dirigeant de chaque organisation détermine les quatre ou cinq valeurs qui baliseront tous les choix stratégiques et opérationnels qui seront faits à plus ou moins long terme : respect, esprit d'équipe, créativité, innovation, développement, éthique, professionnalisme, qualité et service, satisfaction, plaisir, bien-être, santé, etc. Les valeurs peuvent différer. L'important est qu'au-delà des paroles, les dirigeants s'expriment, agissent et décident véritablement sur la base des valeurs qu'ils prônent.

 VIDÉO

L'Ordre des CRHA a réalisé la vidéo « L'importance de la fonction RH dans la gestion de la dimension éthique en entreprise », avec Michel Séguin, UQAM.

| Figure 1.2 | Une GRH alignée sur la mission, la stratégie d'affaires, les valeurs et l'environnement de l'organisation |

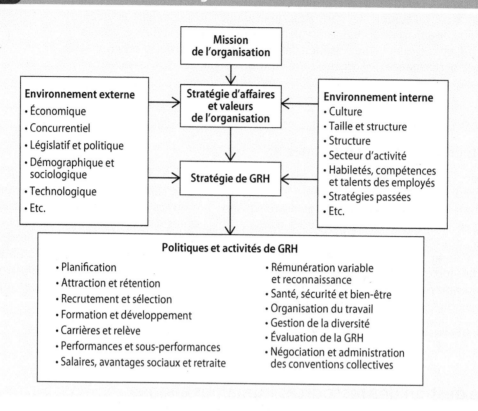

Les entreprises doivent aussi adopter des politiques, des activités et des pratiques de GRH (p. ex., la planification, l'organisation du travail, la dotation) cohérentes avec leurs stratégies d'affaires. En effet, les programmes et les activités de GRH sont des outils de communication, de coordination et de mobilisation du personnel qui peuvent aider l'entreprise à atteindre ses objectifs d'affaires en optimisant sa capacité à attirer les bonnes personnes ayant les bonnes compétences, à les motiver et à les gérer adéquatement, et ce, de manière cohérente avec la stratégie d'affaires et les valeurs organisationnelles. Notons toutefois que bien que des organisations adoptent une stratégie d'affaires similaire, elles peuvent fort bien se distinguer sur le plan de la stratégie de GRH qu'elles privilégient. Le tableau 1.2 montre d'ailleurs comment Costco et Walmart, deux détaillants qui cherchent à être les leaders sur le plan des coûts, peuvent avoir une stratégie et des pratiques de GRH très différentes.

Par ailleurs, la stratégie de GRH de l'organisation doit aussi s'aligner sur les stratégies de ses autres fonctions. Par exemple, des organisations du secteur du détail qui optent pour une stratégie de vente à bas prix à une clientèle d'adolescents (p. ex., Ardenne) ou pour une stratégie de vente de produits de luxe aux personnes riches (p. ex., Holt Renfrew) vont certainement se distinguer sur le plan de la gestion de leur personnel de vente. Dans le premier cas, le commerçant pourra réduire les salaires en pourvoyant ses postes à temps partiel par une main-d'œuvre jeune, dont le roulement sera élevé et qui pourra être rémunérée à commission. Dans le second cas, le commerçant devra recruter du personnel d'expérience, auquel il offrira un bon salaire fixe afin de retenir les employés qui sont appréciés pour leur expertise, leur attitude et leur comportement.

Dans le même esprit, le tableau 1.3 compare SAS Institute et Microsoft, deux sociétés dans l'industrie du logiciel qui figurent parmi les 100 meilleures entreprises du

Tableau 1.2	La distinction entre deux concurrents selon leur stratégie de GRH	
	Costco	**Walmart**
Stratégie d'affaires	• Leadership par les coûts – orienté vers la qualité	• Leadership par les coûts – orienté vers les bas prix
Valeurs	• Valeurs orientées vers le dur labeur, l'innovation, la discipline, la satisfaction des membres par l'offre d'un bon rapport qualité/prix, le respect des employés, des fournisseurs et la reconnaissance des actionnaires	• Valeurs orientées vers la satisfaction des clients par l'offre des meilleurs prix basée sur le contrôle des coûts, la quête d'excellence et l'intégrité
Quelques liens avec la stratégie et les activités de GRH	• Offre de salaires et d'avantages (assurance maladie, retraite, etc.) supérieurs à l'industrie	• Offre de bas salaires et minimisation des avantages (assurance maladie, retraite, etc.) • Stratégie active de résistance à la syndicalisation
Impacts sur les attitudes et les comportements des employés	• Personnel fidèle, peu porté à quitter l'organisation • Peu de pertes de marchandises liées à l'adoption de comportements non souhaités (moins de vol, d'erreurs administratives, de fraude, etc.)	• Taux de roulement du personnel élevé • Pertes de marchandises élevées liées à l'adoption de comportements non souhaités (plus de vols, d'erreurs administratives, de fraudes, etc.) • Volonté de se syndiquer

Sources : Inspiré de CASCIO, W.F. « Decency means more than "Always low prices" : A comparison of Costco to Wal-Mart's Sam's Club », *Academy of Management Perspective*, août 2006, p. 411-422 ; FOURNIER, M.E. « Walmart : un géant qui veut votre bien », *La Presse*, 19 mars 2014 ; FOURNIER, M.E. « Walmart : une réputation en dents de scie », *La Presse*, 17 mars 2014 ; MARINESCU, I. « L'enseigne Walmart, le "grand méchant" de la distribution ? », *Libération*, « Rebonds », 7 janvier 2014, p. 23 ; ROBEQUAIN, L. « Costco, le futur cauchemar des distributeurs français », *Les Échos*, « Enquête », 14 février 2013, p. 13.

Tableau 1.3	Les stratégies de GRH de Microsoft et de SAS Institute
Microsoft	**SAS Institute**
• Valorise la richesse personnelle, l'innovation, la compétitivité et les longues heures de travail.	• Prône la liberté, l'esprit d'équipe, les loisirs et la famille.
• Offre une rémunération totale supérieure à celle du marché.	• Offre une rémunération globale compétitive, mais se distingue par des différences salariales individuelles moins importantes (en accord avec la valeur d'égalité prônée par l'organisation).
• Stimule, valorise et rémunère de manière marquée les performances individuelles sous diverses formes : salaire, primes, actions.	• Utilise peu de primes ou d'incitatifs sur la base de la performance individuelle ; préfère gérer un régime de participation aux bénéfices.
• Offre plus de choix personnalisés à l'employé dans la gestion de ses avantages et de son régime de retraite.	• Offre plusieurs avantages orientés vers la conciliation travail/vie personnelle (p. ex., la garderie gratuite en milieu de travail, des subventions à des écoles privées pour les enfants des employés, des espaces récréatifs, des médecins sur les lieux du travail, etc.). • Encourage son personnel à ne travailler que 35 heures par semaine.

Sources : Inspiré de CARRIG, K., et P.M. WRIGHT. *Building Profit Through Building People : Making Your Workforce the Strongest Link in the Value-Profit Chain*, Virginia, Society for Human Resource Management, 2006, p. 54 ; GERHART, B., et S. RYNES. *Compensation : Theory, Evidence, and Strategic Implications*, Thousand Oaks, Sage Publications, 2003, p. 165-166 ; MILKOVICH, G., J. NEWMAN et B. GERHART. *Compensation*, 10e éd., New York, McGraw-Hill et Irwin, 2011, p. 36, 49 et 641.

magazine *Fortune*. Même si ces deux employeurs de choix offrent des conditions de travail attrayantes, il est peu probable qu'un même candidat postule auprès de ces deux sociétés. Pourquoi ? Elles ont des stratégies de gestion du personnel (ou encore, des marques employeur) distinctes et fortes qui leur permettent d'attirer un plus grand nombre de candidats dont les valeurs personnelles sont cohérentes avec leur culture organisationnelle. De plus, comme les candidats savent à quoi s'attendre en se joignant à chacune de ces deux entreprises, elles obtiennent plus de succès dans l'intégration et la rétention des nouveaux employés. Nous reviendrons sur ces aspects au chapitre 4 sur la gestion du recrutement et la sélection du personnel.

1.2.3 Une gestion des ressources humaines adaptée à la taille de l'organisation

http://careers.microsoft.com/careers/en/ca
Microsoft

www.sas.com/jobs
SAS

On ne gère pas les RH de la même façon dans une multinationale implantée dans plusieurs pays que dans une entreprise nationale ou dans une PME. La taille limite et balise les défis à relever en matière de GRH. Au Canada, la majorité des personnes travaillent au sein d'une petite entreprise comptant moins de 100 employés ou encore au sein d'une moyenne entreprise regroupant de 100 à 500 employés. Il importe donc de se rappeler tout au long de cet ouvrage que la GRH dans les PME se distingue par certaines caractéristiques (Fabi et Garant, 2005 ; Fabi, Raymond et Lacoursière, 2007 ; Louart et Vilette, 2010), dont les suivantes :

- l'omniprésence du propriétaire, qui a souvent de la difficulté à déléguer et veut tout décider et centraliser à l'égard de la fonction «ressources humaines» ;
- l'absence de responsable des RH et d'expertise sur les lois, les méthodes et les techniques liées au personnel ;
- le peu de ressources disponibles en RH sur les plans tant financier que temporel, informationnel et matériel ;
- l'absence fréquente de syndicat ou d'une partie représentant les intérêts du personnel ;
- le peu de formalisation, de structuration ou de standardisation de la GRH.

Ces caractéristiques de la GRH au sein des PME, jumelées à d'autres facteurs, constituent tout autant des atouts que des limites pour ce type d'entreprise. En effet, la faible hiérarchisation, l'absence ou le peu de balises formelles permettent aux PME d'être plus flexibles pour s'adapter plus rapidement à des situations ; cette souplesse est aussi attribuable à la simplicité de leurs modes de communication et à la polyvalence de leurs employés. Par contre, en l'absence d'un professionnel des RH, ce sont les dirigeants des PME qui assument toutes les activités de GRH, telles que la dotation, la formation, la rémunération ou la santé et la sécurité. Avec le temps et la croissance du nombre d'employés, les dirigeants et les cadres éprouvent des difficultés persistantes à gérer efficacement et équitablement leur personnel, surtout s'ils doivent compter sur une expertise difficile à trouver sur le marché, s'il leur faut répondre à des exigences légales pointues (comme la Loi sur l'équité salariale) ou s'ils effectuent des opérations à l'international. Aussi, selon les contextes, les contraintes environnementales et l'évolution des affaires, les dirigeants des PME doivent professionnaliser graduellement leurs pratiques de GRH afin d'assurer le développement, la performance et la pérennité de leur entreprise. En effet, pour la petite, la moyenne ou la grande entreprise, les recherches montrent un lien entre les activités clés de GRH et une diversité d'indicateurs de la performance organisationnelle, tels que la rentabilité, la productivité, la performance financière, le climat de travail et le roulement du personnel (Aït Razouk et Bayad, 2010). Aussi, quelle que soit la taille de l'entreprise, la qualité de la GRH est une source de valeur ajoutée que la direction des entreprises gagne à mieux maîtriser en l'adaptant évidemment à ses besoins propres.

1.3 La professionnalisation de la gestion des ressources humaines

Parallèlement à l'évolution historique de la GRH vers une importance stratégique plus affirmée, les responsabilités des professionnels des RH se sont aussi grandement accrues, exigeant des compétences de plus en plus variées (Haines, Brouillard et Cadieux, 2010).

Au Canada, vers la fin du XIXe siècle, on qualifiait les premiers professionnels des RH de «travailleurs sociaux d'entreprise» ou de «secrétaires au bien-être des employés».

Fondé en 1934, le premier regroupement canadien de praticiens du domaine de l'administration du personnel, la Montreal Personnel Association, a servi de tremplin à la création, vers 1960, de l'Association des professionnels en ressources humaines du Québec. En parallèle, les praticiens du domaine des relations industrielles créaient, en 1963, la Société des conseillers en relations industrielles du Québec, avant d'instaurer, en 1973, la Corporation professionnelle des conseillers en relations industrielles du Québec. En 1997, cette dernière fusionnait avec l'Association des professionnels en ressources humaines du Québec pour former l'Ordre des conseillers en ressources humaines agréés (CRHA) et en relations industrielles agréés (CRIA) du Québec. Reconnu par le Code des professions, c'est le seul organisme du Québec habilité à décerner à des professionnels de la GRH un titre qui atteste leur compétence. La mission de l'Ordre est triple :

1. promouvoir la contribution stratégique de la profession au succès des organisations par la valorisation du potentiel humain sur les plans organisationnel et sociétal ainsi que par l'optimisation de la GRH dans les milieux de travail ;
2. améliorer la qualité de la pratique professionnelle par le perfectionnement et la certification des compétences des membres ;
3. assurer la conformité de la pratique professionnelle aux normes déontologiques et aux autres règles de l'Ordre visant la protection du public.

Présents dans tous les milieux (grandes entreprises, organismes gouvernementaux, syndicats, universités, cabinets de consultants), ses 10 000 membres exercent leurs activités dans divers domaines, comme les relations du travail, la dotation, la santé et la sécurité du travail, la rémunération, le développement organisationnel, la formation, la gestion du rendement, etc.

Aux États-Unis, la Society for Human Resource Management (SHRM) regroupe les praticiens de la GRH, alors qu'en France, on trouve l'Association nationale des directeurs des ressources humaines (ANDRH). Au Royaume-Uni, le Chartered Institute of Personnel and Development (CIPD) représente la plus grande association d'experts en RH et en développement du monde. Finalement, il existe d'autres regroupements de professionnels des RH spécialisés, par exemple, en rémunération (WorldatWork), en formation (American Society for Training and Development) ou en systèmes d'information en RH (International Association for Human Resource Information Management).

1.3.1 La présence de professionnels des ressources humaines au sein des organisations

On crée souvent un poste de professionnel des RH parce que les cadres hiérarchiques manquent de temps ou d'expertise pour assumer adéquatement leurs responsabilités de GRH, ou leur fonction «ressources humaines». En effet, dans les petites entreprises, les cadres exercent souvent seuls les activités de GRH en ayant recours, le cas échéant, à des consultants pour les conseiller. Toutefois, lorsque le nombre d'employés augmente, les activités de GRH (surtout la sélection et la formation) prennent beaucoup de leur temps ; il est alors difficile pour les cadres de les mener de concert avec leurs autres fonctions (vente, finances, opérations, etc.). Par ailleurs, les cadres ont besoin de conseils pour résoudre des problèmes particuliers de supervision (comme l'insubordination ou le manque de relève) ou encore pour s'assurer de respecter des obligations légales sans cesse croissantes en matière de GRH (p. ex., l'équité salariale et en emploi, les accommodements, le harcèlement psychologique et le respect de la vie privée). Lorsque l'obtention de tels conseils auprès de consultants externes devient trop coûteuse et insuffisante, il faut penser à embaucher un professionnel des RH. Combien de spécialistes de la GRH une

Les cadres ont besoin de conseils pour résoudre des problèmes particuliers de supervision ou encore pour s'assurer de respecter des obligations légales sans cesse croissantes en matière de GRH.

organisation devrait-elle compter? Si ce nombre varie grandement selon divers facteurs, le ratio historique moyen aux États-Unis s'élève à un professionnel par 100 employés.

1.3.2 Les compétences des professionnels des ressources humaines

Les professionnels des RH qui œuvrent dans les organisations sont soit des généralistes, soit des spécialistes. Les généralistes, que l'on trouve davantage dans les petites et moyennes entreprises (PME), sont des professionnels dont les responsabilités touchent plusieurs activités de GRH. Les spécialistes, que l'on trouve surtout dans les organisations de grande taille, syndiquées ou du secteur public et parapublic, consacrent leurs efforts à une seule activité de GRH. Les spécialisations les plus fréquentes sont la rémunération, la dotation, la formation, la santé et la sécurité du travail, les relations du travail et le développement organisationnel.

Aujourd'hui, on préfère généralement confier la direction du **service des ressources humaines** à un candidat doté d'un profil de généraliste qui connaît le secteur d'activité économique, qui possède une certaine expertise dans les différentes activités liées à la GRH (comme la dotation, la rémunération et la formation) et qui comprend les préoccupations de toutes les autres fonctions de gestion, comme le marketing, les finances, la production ainsi que la recherche et le développement. Le choix du directeur ou du vice-président des RH est important : il y va de la crédibilité du service des RH auprès des autres cadres de l'entreprise avec lesquels il devra constamment interagir.

Pour assumer leurs responsabilités en matière de GRH (partenaires stratégiques, agents de changement, experts de processus administratifs et représentants des employés), les professionnels doivent développer et démontrer des compétences. Une étude menée par Ulrich et Johnson (2008) révèle que les professionnels des RH doivent posséder des compétences en matière humaine (employés) et dans le domaine des affaires (organisations), qui peuvent se regrouper en six champs de compétence :

- **Acteur engagé et crédible.** Un professionnel des RH doit pouvoir défendre son point de vue avec engagement, prendre position, remettre en question des hypothèses ou des idées, se montrer persuasif, etc. Il doit aussi être crédible aux yeux des diverses parties prenantes (la direction, les cadres, les employés, les syndicats, etc.), qui le respectent, le jugent fiable, l'écoutent et l'estiment comme une personne de confiance. Pour démontrer cette compétence, le professionnel des RH doit effectuer son travail avec intégrité sans déroger des valeurs de l'organisation et des principes d'éthique et de déontologie qui régissent sa profession pour gérer les inévitables dilemmes qui se présentent à lui ou lui sont soumis. Il doit créer des occasions de collaborer pour développer des relations de confiance avec les diverses parties prenantes et, par le fait même, accroître sa crédibilité et son influence. Il importe aussi qu'il possède des habiletés politiques afin de pouvoir anticiper les résistances et les problèmes des parties prenantes et d'intervenir de manière efficace et productive.

- **Exécutant opérationnel.** Un professionnel des RH doit exécuter les tâches liées aux aspects opérationnels et administratifs de la gestion des personnes. On pense notamment à la rédaction et à l'application des diverses politiques de GRH ainsi qu'aux activités quotidiennes de gestion des salaires, des vacances, des avantages sociaux. Le professionnel des RH doit par ailleurs tenter de bénéficier des avancées technologiques pour accroître l'efficience et l'efficacité de sa gestion.

- **Allié de l'organisation ou partenaire d'affaires.** Un professionnel des RH doit connaître le contexte social (la démographie, les lois, la mondialisation, etc.), la chaîne de valeur ou le modèle d'affaires de l'organisation ainsi que les défis des autres

Service des ressources humaines
Service ou unité administrative où se trouve au moins un spécialiste ou un professionnel des RH.

www.portailrh.org/
protection/codes/
codedeontologie.pdf
Code déontologique des membres de l'Ordre des CRHA

fonctions de gestion (les finances, le marketing, la commercialisation, la recherche et le développement, l'ingénierie, etc.). Considérant la place croissante du marketing en GRH, le professionnel en RH doit aussi être en mesure d'identifier et de proposer une marque qui permettra d'attirer, de retenir et de mobiliser les talents. Il importe aussi qu'il sache se montrer ouvert aux nouvelles technologies de façon à établir un diagnostic sur les façons dont elles peuvent améliorer l'organisation du travail et pour déterminer leur incidence sur le nombre et les compétences des employés ainsi que sur leur gestion. Finalement, de plus en plus, le professionnel en RH doit représenter l'organisation auprès des acteurs de la collectivité locale et tenir compte de leurs attentes en matière de responsabilité sociale (p. ex., réchauffement climatique, pollution de l'eau et de l'air, réglementation sur l'emploi, traitement des minorités et des autochtones, espèces en voie de disparition, utilisation des terres).

- **Gestionnaire des talents, concepteur organisationnel.** Un professionnel des RH doit comprendre la stratégie d'affaires et les attentes des clients/consommateurs pour y aligner les activités de GRH (l'embauche, le perfectionnement, l'avancement, le départ, etc.). Il importe aussi qu'il collige, analyse et interprète des informations et des données provenant de divers secteurs de l'organisation, de plusieurs parties prenantes et à l'égard de divers processus ou activités de GRH afin de faire des recommandations concernant la structure, les processus et les modes de fonctionnement de l'organisation.

- **Promoteur de la culture et du changement.** Un professionnel des RH doit évaluer et exprimer clairement la culture et les valeurs organisationnelles, et aider à les façonner et à les véhiculer à travers les activités de GRH. Il respecte la culture, mais il sait aussi comment la transformer pour relever les défis actuels ou s'adapter à des changements au sein de l'organisation et de son environnement.

- **Architecte de la stratégie.** Un professionnel des RH doit jouer un rôle actif dans le développement et le déploiement des orientations stratégiques qui permettent de concrétiser la vision de l'organisation. En outre, il doit démontrer les résultats ou les impacts des activités qu'il a réalisées en s'exprimant le plus possible en termes de chiffres, de revenus, de coûts, d'investissements et de productivité, et savoir présenter le rendement des investissements dans les projets RH à la direction.

Regard sur la pratique

DANS LE MONDE

Partout dans le monde, la collaboration finances et RH s'avère fructueuse

Selon une étude menée dans 30 pays, une solide collaboration entre les services des finances et des RH peut rapidement (en aussi peu que trois ans) être liée à un rendement supérieur de l'organisation (mesuré en croissance des bénéfices) ainsi qu'à une amélioration marquée de l'engagement et de la productivité des employés. Au sein des organisations à haut rendement, les directeurs des finances et des RH travaillent ensemble en moyenne 7,8 heures par semaine, cette collaboration accrue coïncidant souvent avec l'intégration du directeur des RH au sein du conseil d'administration.

Source : Adapté de ERNST & YOUNG GLOBAL LIMITED. *Partnering for performance, Part 2 : the CFO and HR*, 2014, www.ey.com/Publication/vwLUAssets/EY-Partnering-for-performance-the-CFO-and-HR/$File/EY-Partnering-for-performance-the-CFO-and-HR.pdf (Page consultée le 6 juillet 2016).

La figure 1.3, à la page suivante, schématise ces six champs de compétence. Pour développer les compétences exigées par son rôle, le professionnel peut prendre diverses initiatives sur le plan de ses connaissances et de leurs implications et sur celui de l'établissement de réseaux à l'interne comme à l'externe de l'organisation :

- Il peut se tenir à jour en matière de GRH et surtout en ce qui a trait aux autres fonctions de gestion, à l'industrie, à la concurrence et à l'environnement des affaires en

Figure 1.3   **Les compétences nécessaires au professionnel des ressources humaines**

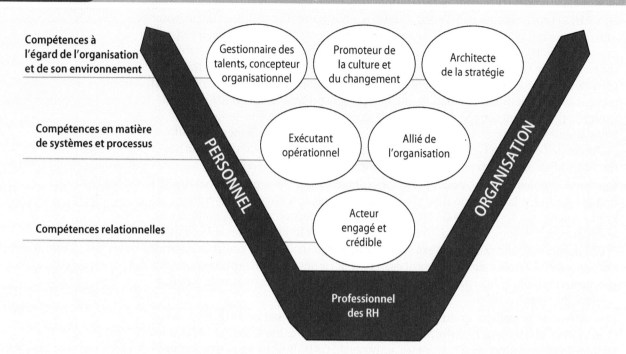

Sources : Adapté de ULRICH, D., et D. JOHNSON. «De nouvelles compétences pour les futurs leaders RH», *Effectif*, vol. 11, n° 1, 2008 ; ULRICH, D., *et al. HR from the Outside in*, New York, McGraw-Hill, 2012.

lisant des documents internes (p. ex., les rapports annuels, les plans stratégiques et d'affaires des différentes unités), des publications traitant des différentes fonctions de gestion, de différentes industries, des attentes des clients et des caractéristiques des concurrents. Il importe de prendre des décisions de GRH en les alignant sur ces tendances internes et externes et sur les priorités d'affaires.

• Il peut se bâtir un réseau et des appuis à l'intérieur et à l'extérieur de l'organisation. Pour ce faire, il peut participer à des groupes de travail ayant des mandats dans divers secteurs de l'organisation afin de connaître les différentes unités, le marché et l'industrie de l'entreprise ; s'engager dans des associations de l'industrie ; siéger au comité de direction ou à des comités internes réunissant des experts de plusieurs fonctions de gestion ou encore au conseil d'administration d'un organisme à but non lucratif ; maintenir une relation de conseil avec un ou deux mentors ayant de l'expérience comme professionnels des RH ou dans le domaine des affaires ; considérer l'ensemble des parties prenantes au moment du démarrage d'un projet de GRH majeur afin de bien comprendre les intérêts, les préoccupations et les objectifs de tous les employés et d'optimiser leur adhésion.

Parole d'expert

Les compétences en GRH n'existent pas en vain, elles visent à améliorer le rendement des affaires

Le problème majeur de la plupart des modèles de compétences est qu'ils posent la question suivante : «Quelles sont les compétences des professionnels RH ?» C'est une mauvaise question. Elle devrait plutôt se formuler ainsi : «Quelles compétences ont le plus d'incidence sur le rendement des affaires ?» En somme, l'apport des partenaires d'affaires RH devrait être basé sur une connaissance de la pratique (accréditation), mais être axé sur la valeur ajoutée pour l'organisation (compétences). À notre avis, cinq tendances continueront de faire évoluer la profession et permettront de générer de la valeur : 1) les cas d'entreprise et les résultats des recherches font en sorte que les dirigeants saisiront mieux la valeur stratégique de la GRH et cette dernière prendra encore plus d'importance ; 2) les technologies d'information et de communication seront plus utilisées pour améliorer l'efficacité des tâches transactionnelles ou administratives (paie, avantages sociaux, etc.) ; 3) les professionnels RH, comme partenaires d'affaires, se préoccuperont d'une plus grande diversité de parties prenantes tant à l'interne qu'à l'externe ; en outre, ils prendront davantage en compte les besoins des marchés financiers, des clients, des actionnaires et des collectivités locales ; 4) les professionnels RH seront plus en mesure de colliger et d'analyser des informations plus variées afin de développer des avantages concurrentiels pour l'organisation ; 5) les professionnels RH seront appelés à fonder leurs décisions et actions sur des recherches et des données empiriques portant sur les pratiques et compétences qui optimisent les performances individuelle et organisationnelle.

Source : Adapté de ULRICH, D., et W. BROCKBANK. « Rôle de partenaire d'affaires : perspectives passées et futures », *Effectif*, vol. 17, n° 5, 2014, p. 14-16.

1.4 Le partage de l'autorité en matière de gestion des ressources humaines

Comme nous l'avons vu précédemment, la fonction « ressources humaines » est présente dans toutes les organisations et s'exerce à tous les niveaux hiérarchiques ou de supervision. Se pose alors le problème du partage des responsabilités et des pouvoirs (les types d'autorité) dans ce domaine entre les acteurs internes. En raison du partenariat qui doit s'établir entre les dirigeants, les cadres, les syndicats et les professionnels des RH, il importe que tous ces intervenants comprennent et communiquent les aspects de leur autorité respective au moment de la prise de décision (embauche, discipline, organisation du travail, mutations, promotions, etc.). Plus précisément, ils doivent distinguer les types d'autorité — hiérarchique, de conseil et fonctionnelle — qu'ils possèdent respectivement et les respecter.

1.4.1 L'autorité hiérarchique

Les personnes ayant une autorité hiérarchique peuvent donner des ordres à leurs subordonnés et s'attendre à ce que ces ordres soient exécutés. Au même titre que le directeur du marketing, le directeur du service des RH est responsable du travail de nombreuses personnes et possède une **autorité hiérarchique** sur ses subordonnés. Ce type d'autorité est aussi associé régulièrement au pouvoir d'imposer des mesures disciplinaires et, au besoin, de congédier des employés.

Autorité hiérarchique
Autorité exercée par des personnes qui peuvent donner des ordres à leurs subordonnés et s'attendre à ce que ces ordres soient suivis.

Précisons qu'un professionnel des RH — qu'il soit vice-président, directeur ou expert — ne détient pas une autorité hiérarchique sur les cadres et les employés de toute l'organisation. Il ne peut leur donner des directives dans leur travail et agir comme s'il était leur superviseur. L'autorité hiérarchique d'un cadre du service des RH peut seulement s'exercer sur l'employé ou les employés qu'il supervise, s'il y a lieu, dans ce service. Ainsi, il est vrai qu'un directeur de la dotation dans une grande organisation aura une autorité hiérarchique sur les membres de son équipe composée de commis, de secrétaires, de psychologues, etc.

1.4.2 L'autorité de conseil

L'**autorité de conseil** est accordée à des personnes qui ont des connaissances spécialisées et reconnues ; ces personnes ont la légitimité pour donner des conseils dans le champ de leurs compétences. Ainsi, les professionnels des RH peuvent conseiller les

Autorité de conseil
Autorité exercée par des personnes qui ont des connaissances spécialisées et reconnues et qui ont la légitimité pour donner des conseils dans le champ de leurs compétences.

cadres au cours de leur prise de décision en ce qui concerne la supervision ou différents aspects de la GRH. Toutefois, la plupart du temps, les cadres ne sont pas obligés de suivre leurs recommandations, car les professionnels n'ont pas d'autorité hiérarchique sur eux.

Comme, au quotidien, l'action des professionnels des RH relève surtout d'une autorité de conseil, ils devraient posséder des savoirs, savoir-faire et savoir-être importants afin d'apparaître crédibles aux yeux des cadres. Sans compter que cela leur permettra d'aider les dirigeants et les cadres à relever les défis actuels et futurs de la GRH.

1.4.3 L'autorité fonctionnelle

Autorité fonctionnelle
Autorité qui confère le pouvoir d'intervenir dans une unité administrative autre que la sienne, d'y analyser des situations et de formuler des directives, lesquelles doivent être suivies comme s'il s'agissait d'ordres provenant de cadres détenant une autorité hiérarchique.

 VIDÉO

L'Ordre des CRHA réalisé la vidéo « Comment faire sa place au sein de la haute direction : état de la situation et stratégies pour leaders RH », avec André Fillion, CRHA.

L'autorité fonctionnelle confère à la personne experte qui l'exerce le pouvoir d'intervenir dans un service autre que le sien, d'y analyser des situations et de formuler des directives, lesquelles doivent être suivies comme s'il s'agissait d'ordres provenant de cadres détenant une autorité hiérarchique. Toutefois, les professionnels des RH ne devraient faire appel à l'autorité fonctionnelle que dans des cas exceptionnels, découlant, par exemple, de déficiences dans l'application de politiques ou de programmes approuvés par les dirigeants de l'organisation, ou encore dans le respect de lois. Cette autorité est indispensable aux professionnels pour qu'ils puissent s'assurer que les politiques, les programmes de GRH ainsi que les lois sont appliqués par l'ensemble des cadres.

Au jour le jour, les professionnels des RH détiennent une certaine autorité fonctionnelle au sein de l'entreprise lorsque vient le temps de faire appliquer des politiques de GRH, des règles de la convention collective ou du manuel de l'employé. En somme, c'est comme si la direction, en ayant approuvé ces règles et ces politiques de GRH écrites, rendait responsables les experts en GRH de leur application dans l'entreprise et leur attribuait une autorité fonctionnelle à cet égard.

La situation des professionnels des RH sur l'axe « autorité de conseil et autorité fonctionnelle » n'est pas toujours claire tant à leurs propres yeux qu'aux yeux des cadres et des dirigeants. Il peut alors se produire des conflits ou des abus d'autorité ou de pouvoir de la part d'un des acteurs sur une problématique liée à la GRH. Afin de prévenir la fréquence et l'importance de ces conflits, il faut bien comprendre ces notions d'autorité et respecter les responsabilités respectives des acteurs de la GRH. Certes, une direction d'entreprise qui donne manifestement très peu d'autorité fonctionnelle à son directeur des RH l'empêchera dans les faits d'assumer pleinement ses responsabilités, faute de pouvoir. Une telle situation incitera d'ailleurs bien des professionnels des RH à quitter une entreprise pour une autre, dans laquelle ils sentiront qu'ils auront un plus grand rôle à jouer et qu'ils obtiendront le pouvoir pour jouer ce rôle avec succès tout en étant respectés par la direction, les cadres hiérarchiques, les employés et le syndicat, s'il y a lieu.

Comme l'autorité fonctionnelle est souvent à l'origine des conflits entre les cadres et les professionnels des RH, il importe de bien la comprendre et la communiquer. Voici quelques exemples d'applications auxquelles elle donne lieu. Lorsque les dirigeants d'une entreprise ont adopté une politique de recrutement interne, le professionnel a, en vertu de son autorité fonctionnelle, le droit de refuser qu'un cadre embauche un ami ou un proche (aussi compétent soit-il) si une personne à l'intérieur de l'entreprise s'avère qualifiée et désireuse d'occuper le poste vacant. De même, lorsque des dirigeants adoptent un programme d'égalité des chances en matière d'emploi selon lequel, à compétence égale, un candidat d'un groupe protégé (femmes, personnes handicapées ou autochtones) est privilégié au moment des décisions d'embauche ou de promotion, le professionnel des RH a le droit d'empêcher une unité administrative ou certains cadres de nier l'existence de cette politique, de la même manière que l'on ne peut accepter que le directeur d'une usine choisisse des méthodes comptables différentes de celles qu'utilisent les autres usines de la même entreprise.

Finalement, le premier responsable des RH gagne à participer au processus de planification stratégique de la direction. De plus, la position hiérarchique et le titre du poste de premier responsable des RH ont une importance stratégique et symbolique. Comme c'est souvent le cas pour les responsables des finances, de la production ou du marketing, le responsable des RH devrait relever directement du président-directeur général de la société et avoir un titre équivalent au leur (poste de direction, de vice-présidence). En effet, s'il n'occupe pas un poste d'un niveau hiérarchique semblable, il pourra difficilement prétendre influencer autant qu'eux les décisions et les pratiques en matière de gestion stratégique. Par ailleurs, le fait que le premier responsable des RH ne relève pas directement du PDG (mais plutôt d'un autre dirigeant, comme le contrôleur) perpétue l'idée selon laquelle le rôle de ce responsable est uniquement administratif, et dénie par le fait même son rôle stratégique.

Regard sur la pratique

Les six principaux défis des directeurs des ressources humaines en France

DANS LE MONDE

Selon une enquête menée par Éco-Emploi, voici les six principaux défis que doivent relever les directeurs de RH en France (comme ailleurs) :

1 Améliorer sa marque employeur : Il s'agit de construire une marque distinctive, cohérente et transparente de l'entreprise afin de se démarquer de la concurrence et d'attirer plus facilement les talents, surtout ceux de la génération Y, qui considèrent l'image comme critère de choix de leur entreprise.

2 Diminuer le roulement : Les jeunes employés n'hésitent plus à quitter leur poste pour développer leur carrière ailleurs. Ce roulement coûte de plus en plus cher. L'enjeu consiste à susciter l'engagement des salariés.

3 Offrir une formation de meilleure qualité : Pour avoir des employés qui donnent leur plein potentiel, il est essentiel de déterminer les besoins de formation et d'y répondre.

4 Développer les méthodes de recrutement : Internet et les réseaux sociaux ont modifié les processus de recrutement et les outils pour repérer les talents.

5 Plus qu'un directeur des RH, un réel «*business partner*» : Le DRH doit devenir un partenaire d'affaires opérationnel indispensable à la réalisation de la stratégie de l'entreprise.

6 Numérisation : C'est une révolution globale des usages et pratiques qui s'opère au sein de l'entreprise, et il importe d'apprivoiser ces changements et d'en tenir compte au sein de tous les processus de GRH.

Source : Adapté de BADRI, S. «Les bonnes résolutions 2016 des professionnels RH», *Le Matin*, 3 janvier 2016, http://lematin.ma/journal/2016/les-bonnes-resolutions%202016-des-professionnels-rh/238688.html#sthash.tMbeHWuy.dpuf (Page consultée le 15 juillet 2016).

1.5   Les politiques de gestion des ressources humaines

Les lois mais aussi les exigences de gestion pressent les dirigeants à adopter diverses politiques en matière de GRH, notamment une politique de rémunération, une politique de remboursement des dépenses et une politique visant à contrer le harcèlement. Lorsque la taille de l'organisation augmente, il apparaît vite important de mettre par écrit ces politiques et ces règles.

Une **politique** est un guide général de pensée qui oriente et définit les limites de la prise de décision. Certaines politiques visent à orienter les décisions en accord avec les valeurs de l'organisation, mais aussi en fonction de l'évolution des lois ou des

Politique

Guide général de pensée qui oriente et définit les limites de la prise de décision.

organismes de réglementation. Par exemple, les autorités canadiennes en valeur mobilière obligent les sociétés dont les actions sont négociées en Bourse à établir une politique et des procédures quant au traitement confidentiel des plaintes que des employés peuvent vouloir déposer à l'égard des contrôles comptables ou de la vérification (Règlement 52-110, partie 2, section 2.3, alinéa 7). Certaines politiques sont imposées par la loi. Par exemple, depuis 2004, les organisations doivent adopter et gérer une politique contre le harcèlement psychologique en vertu de la Loi sur les normes du travail.

Très souvent, par contre, les politiques correspondent à des énoncés fondamentaux communiquant les attitudes, les intentions, les objectifs ou les préférences des dirigeants d'entreprise en ce qui a trait aux conduites acceptables ou approuvées dans le domaine de la GRH. En voici des exemples :

- À compétence égale, on privilégie les candidats issus de l'entreprise par rapport aux candidats issus de l'extérieur lorsqu'il s'agit de pourvoir des postes.
- La performance de tous les employés doit être évaluée au moins une fois par année ; celle des nouveaux employés doit être évaluée périodiquement.
- La santé et la sécurité des employés sont primordiales ; il faut éliminer tout danger.
- Les salaires et les avantages sociaux accordés aux employés sont comparables à ceux qu'offre le marché.
- Le salaire des cadres est basé sur leur rendement annuel.

De fait, les énoncés de politiques ne correspondent pas à des règles strictes (p. ex., le temps accordé à la pause-café ou les endroits où il est permis de fumer) ni à des énoncés généraux de conduite (p. ex., «Les employés doivent être loyaux» ou «Les employés ne doivent pas voler les biens de l'entreprise»). En réalité, les politiques servent à baliser les décisions de l'ensemble du personnel. Compte tenu de l'importance des politiques, les superviseurs doivent bien les comprendre et apprendre à les interpréter et à les appliquer de manière uniforme et constante.

Le coin de la loi

La Loi sur les normes du travail

Le rôle de la Loi sur les normes du travail est de protéger les salariés en imposant des normes à l'égard de diverses conditions minimales de travail au Québec (p. ex., le salaire, la durée de la semaine de travail, les congés, le congédiement). Minimalement, un employeur a l'obligation de respecter les normes prescrites par cette loi, mais il peut offrir des conditions de travail plus avantageuses à ses employés. S'il contrevient à la loi, il s'expose à des amendes ou à des poursuites. En somme, la Loi sur les normes du travail est un peu comme la convention collective des employés non syndiqués. C'est le «plancher» des conditions de travail que tous les employeurs doivent offrir, et toute clause d'un contrat de travail qui y contrevient est considérée comme nulle. Depuis janvier 2016, cette loi relève de la Commission des normes, de l'équité, de la santé et de la sécurité du travail (CNESST).

Généralement, les cadres tendent à se montrer réfractaires à tout ce qui réduit leur pouvoir de décision en matière de supervision (ce qu'entraînent les politiques de GRH) parce que ce sont eux qui, finalement, sont tenus pour responsables de la performance de leurs subordonnés. C'est d'ailleurs pourquoi ils expriment souvent à l'égard des politiques et des programmes de GRH des plaintes ou des reproches de ce genre : «Les membres du service des RH mènent l'entreprise» ou encore «On n'a pas à nous dire ce que nous avons à faire». Toutefois, lorsqu'aucune politique n'oriente les décisions d'embauche, de promotion, de rémunération, de discipline ou autres, les cadres risquent de ne pas trop savoir quoi faire, d'avoir besoin de beaucoup de temps pour prendre des décisions relatives au personnel ou de prendre ces décisions de façon incohérente et inéquitable. Ainsi, l'adoption d'une politique disciplinaire permet d'éviter que, dans des cas similaires d'insubordination, un premier cadre congédie un employé, un deuxième lui donne un avertissement verbal et un troisième lui impose une suspension d'une semaine. De fait, même si son personnel est syndiqué, toutes les organisations ont intérêt à adopter des politiques de GRH pour compléter le contenu de la convention collective. En somme, les politiques de GRH s'avèrent importantes pour plusieurs raisons, résumées dans l'encadré 1.1.

| Encadré 1.1 | Les avantages des politiques de GRH |

- Permettre à la direction des organisations de déléguer davantage de décisions en matière de GRH tout en donnant des balises à respecter qu'elle a elle-même établies.
- Réduire l'incertitude ainsi que le temps nécessaire pour prendre diverses décisions de GRH (p. ex., en matière de rémunération, d'embauche, de discipline) en établissant des normes claires.
- Assurer l'équité, la transparence et la prévisibilité des décisions de GRH en réduisant les risques de favoritisme, de partialité, d'arbitraire ou des incohérences dans la prise de décision des superviseurs et dirigeants.
- Faire connaître les droits et les obligations (responsabilités) de tout un chacun sur la base de critères validés et connus officiellement.

- Délimiter les aspects sur lesquels d'autres intervenants (comme les professionnels des RH, les contrôleurs) ont une autorité fonctionnelle, c'est-à-dire le pouvoir d'imposer aux superviseurs l'application de règles, de programmes ou de processus de gestion, qu'il s'agisse d'une grille d'augmentations de salaire à respecter, d'un formulaire d'évaluation de la performance ou de faute d'inventaire à remplir, et ainsi de suite.
- Servir de base à l'élaboration de programmes, de méthodes et de règles de gestion. Par exemple, une politique de rémunération au mérite entraîne l'adoption d'un programme d'évaluation de la performance.
- Permettre à l'employeur de mieux défendre ses décisions de GRH en cas de litiges, de plaintes ou de poursuites.

Par contre, les politiques de GRH sont utiles dans la mesure où elles respectent certaines conditions :
- Elles doivent correspondre à des énoncés généraux qui limitent le pouvoir décisionnel des cadres en matière de GRH sans le leur enlever. Par exemple, une politique de promotion interne force les cadres à privilégier, à compétence égale, des candidats issus de l'organisation, mais elle ne les oblige pas à embaucher tel ou tel candidat.
- Elles doivent être cohérentes par rapport aux politiques régissant les autres fonctions de gestion, comme les politiques de marketing ou de production. Ainsi, si les politiques de marketing d'une entreprise consistent à offrir des services de qualité supérieure à prix élevé à des consommateurs dont le revenu est élevé, une politique de GRH cohérente consistera à offrir des salaires supérieurs à ceux du marché et à accorder de la formation, de manière à attirer et à conserver un personnel qualifié.
- Elles doivent correspondre à des moyens permettant d'appuyer la stratégie d'affaires et les valeurs organisationnelles.
- Elles doivent être révisées, abandonnées, précisées ou clarifiées sur une base régulière.

Il importe d'insister sur ce point : les politiques de gestion ne sont pas une fin en soi. Les dirigeants d'entreprise ne remettent pas assez souvent en question la pertinence de leurs politiques alors que les défis ou la stratégie de leur entreprise ont beaucoup changé. Dans la mesure où des politiques de GRH, et conséquemment les programmes et les activités de GRH, ne favorisent pas la réalisation des objectifs de l'entreprise, celle-ci doit les éliminer. Sinon, en continuant à les appliquer, elle éprouvera des problèmes. En plus d'être chargés de veiller à ce que les politiques de GRH soient respectées, les professionnels des RH ont le devoir de sonder leur utilité et leur pertinence. Ils doivent également s'assurer que les politiques s'harmonisent au discours des dirigeants et aux valeurs organisationnelles. En effet, il s'avère très difficile pour les professionnels des RH d'inciter les cadres à appliquer et à respecter au quotidien des politiques de GRH qui ne sont pas confirmées par le discours sur les valeurs, les décisions et les comportements des dirigeants d'entreprise.

1.6 L'impartition et l'informatisation de la gestion des ressources humaines

En raison du nombre d'employés, des exigences légales, de la dispersion géographique des unités commerciales et de la complexification de la GRH qui requiert une plus grande expertise, de plus en plus d'organisations se tournent vers l'impartition de leur GRH, souvent en commençant par la gestion des salaires. Il faut dire aussi que les développements considérables des technologies de l'information et de la communication rendent dorénavant possible une gestion plus intégrée et globale de nombreuses activités de GRH, voire de toutes les activités.

Pour les entreprises, le fait de confier la gestion de tâches répétitives à un prestataire externe permet de réduire les coûts de personnel et d'exploitation. Comme le démontre une étude (Canada NewsWire, 2012), les entreprises qui impartissent leurs services de gestion de paie, des heures et des présences, des RH et d'administration de la santé et des avantages sociaux dépensent en moyenne 30 % moins que celles qui utilisent une approche ou une méthode à l'interne, et ce, qu'il s'agisse d'une PME ou d'une grande entreprise. De plus, il apparaît que les organisations qui font affaire avec un seul fournisseur de services d'impartition pour intégrer la paie, les heures et les présences dépensent en moyenne 43 % moins que si elles faisaient appel à une méthode manuelle ou non intégrée.

On parle ici d'économie d'échelle et de réduction de coûts et de frais d'exploitation, surtout lorsque plusieurs activités ou fonctions sont informatisées. De plus, comme un fournisseur externe peut compter sur des serveurs sécurisés et des sites d'exploitation multiples, les risques de pertes importantes de données ou de perte d'efficience (p. ex., liés à un incendie, à un vol ou à une inondation) sont limités. Par ailleurs, avec l'impartition, c'est le fournisseur qui assume la responsabilité des pénalités lorsque les remises ou les calculs qu'il a faits ne sont pas conformes aux réglementations gouvernementales.

Pour les professionnels des RH, l'informatisation des processus de GRH permet de gagner du temps, de prendre plus rapidement des décisions (p. ex., le tri de curriculum vitæ sur la base de critères préétablis) et de mieux connaître et suivre le profil du personnel ainsi que divers indicateurs clés de GRH. Ils peuvent ainsi prévenir et résoudre plus efficacement des problématiques de GRH comme le manque de relève, le manque de compétences ou les départs volontaires. L'informatisation de certains processus leur permet aussi de se concentrer sur des activités plus stratégiques et à plus forte valeur ajoutée.

En pratique, il faut considérer les avantages et les coûts des choix en la matière non seulement sur le plan financier, mais aussi sur le plan du personnel et sur celui des clients. Par ailleurs, les fournisseurs de services diffèrent les uns des autres, et il importe de se méfier des coûteuses mises à jour de logiciels. De même, il faut se méfier des consultants qui, une fois l'implantation de leur logiciel de GRH effectuée, laissent l'organisation cliente en plan, sans assurer de suivi ou de maintenance. Il importe aussi de tenir compte des besoins réels de l'organisation. Un système intégré de GRH peut être très complet et offrir des potentialités sophistiquées, mais ne pas être utilisé par un personnel qui préférerait avoir des outils plus simples et plus pertinents correspondant à ses besoins.

Finalement, l'informatisation et la sous-traitance à des experts externes ne constituent certainement pas une solution à tous les problèmes. L'informatisation des processus doit s'inscrire dans une stratégie et des objectifs de GRH clairs et comporter des indicateurs clés pertinents. Une informatisation rigoureuse des activités de GRH déficientes ou des processus de GRH inutiles ou non pertinents s'avère coûteuse ; en outre, cela rend encore plus ardues la découverte et la correction des lacunes qui se trouvent maintenant dans le « système » et qui sont perçues comme trop difficiles et onéreuses à revoir !

Zoom sur la PME

Le logiciel de GRH intégré et personnalisé de D.L.G.L.

D.L.G.L. est une PME spécialisée en informatisation de la GRH localisée à Blainville. Pour chacun de ses clients, D.L.G.L. développe, implante et entretient le logiciel VIP qui s'utilise par libre-service en ligne à travers un portail des employés et des gestionnaires. Au Canada, le logiciel VIP — un système intégré et individualisé — gère présentement environ un demi-million d'employés. D.L.G.L. vise les entreprises de grande taille comptant plus de 1 000 employés, son segment de marché. Ses concur-rents de plus grande taille, comme Ceridian et ADP, ciblent un grand nombre d'organisations de petite taille. Chez D.L.G.L., chaque client acquiert le logiciel générique VIP qui est adapté et modélisé selon ses particularités. Face aux changements technologiques et aux besoins du marché qui évoluent, l'entreprise améliore et met à jour sur mesure le logiciel VIP. De plus, la maintenance du logiciel fait partie intégrante du service offert par la société. L'entreprise fait aussi en sorte que le partage des nouvelles fonctionnalités développées s'effectue entre clients regroupés dans un même bassin. Ainsi, si une fonctionnalité développée pour un client X peut servir à un client Y, ce dernier ne paiera que pour le temps d'adaptation à sa version. Lorsqu'une fonctionnalité peut être appliquée par tous les clients, D.L.G.L. paie les frais de recherche et de développement (R&D). Cette mise en commun de la R&D favorise un échange « gagnant-gagnant » entre les clients.

Source : VIAU, É., et S. ST-ONGE. « Comment réussir face à des géants ? Le cas de la PME D.L.G.L. spécialisée dans les logiciels de GRH », *Revue internationale de cas en gestion*, vol. 11, n° 1, 2013.

1.7 Les défis de la gestion des ressources humaines

Tout dirigeant ou responsable des RH désireux de fidéliser les employés performants au sein de son organisation peut se poser la question suivante : certaines pratiques de GRH sont-elles plus efficaces que d'autres ? Une revue des écrits et une vaste recherche menées par Fabi et ses collaborateurs (2010) leur ont permis de regrouper sous 10 thèmes toute une série de pratiques de GRH susceptibles d'influer positivement sur la satisfaction au travail, sur l'engagement envers l'organisation et sur la fidélisation des employés. Ces thèmes sont la conciliation travail-vie personnelle ; le leadership ; la communication et la participation ; l'évaluation de la performance ; la sélection ; l'accueil et l'intégration ; la formation et le développement ; la rémunération ; les avantages sociaux ; et, enfin, l'organisation du travail et les caractéristiques de l'emploi. Ces résultats, s'appuyant sur l'état de la pratique et de la recherche sur le sujet, viennent justifier la structure de cet ouvrage, schématisée à la figure 1.4, à la page suivante. Nous insisterons en effet, tout au long des chapitres, sur ces aspects et sur leurs conditions de succès.

Figure 1.4   **Les défis de la GRH abordés dans cet ouvrage**

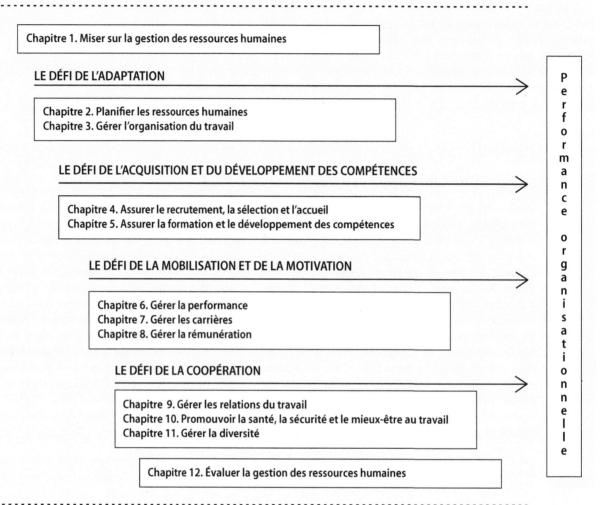

Environnement externe
(Culture nationale, lois, économie, marché du travail, technologies, démographie, concurrenc, secteur d'activité)

Chapitre 1. Miser sur la gestion des ressources humaines

LE DÉFI DE L'ADAPTATION

Chapitre 2. Planifier les ressources humaines
Chapitre 3. Gérer l'organisation du travail

LE DÉFI DE L'ACQUISITION ET DU DÉVELOPPEMENT DES COMPÉTENCES

Chapitre 4. Assurer le recrutement, la sélection et l'accueil
Chapitre 5. Assurer la formation et le développement des compétences

LE DÉFI DE LA MOBILISATION ET DE LA MOTIVATION

Chapitre 6. Gérer la performance
Chapitre 7. Gérer les carrières
Chapitre 8. Gérer la rémunération

LE DÉFI DE LA COOPÉRATION

Chapitre 9. Gérer les relations du travail
Chapitre 10. Promouvoir la santé, la sécurité et le mieux-être au travail
Chapitre 11. Gérer la diversité

Chapitre 12. Évaluer la gestion des ressources humaines

Performance organisationnelle

Facteurs internes

(Mission, stratégie, culture, taille, philosophie de gestion, climat, technologies, présence syndicale, profil des employés)

Comme le montre la figure 1.4, la structure de cet ouvrage repose sur les principales activités de GRH, qu'on peut regrouper en quatre grands défis, soit le défi de l'adaptation, le défi de l'acquisition et du développement des compétences, le défi de la mobilisation et de la motivation ainsi que le défi de la coopération. Par contre, si les 11 prochains chapitres de ce livre sont tous associés à l'un de ces quatre grands défis, il importe de retenir que toutes les activités peuvent s'inscrire à des degrés divers dans ces défis.

Le défi de l'adaptation vise essentiellement l'amélioration de la capacité de l'organisation de se développer dans un contexte dynamique et complexe. Cette adaptation exige une prise en compte de l'évolution démographique, technologique, sociale et économique qui se manifeste dans l'application rigoureuse et constante du processus de planification des RH. L'adaptation exige aussi que l'on revoie parfois les anciennes façons de faire pour envisager une nouvelle organisation du travail et de nouvelles structures mieux adaptées aux réalités d'aujourd'hui.

Le défi de l'acquisition et du développement des compétences fait appel à de multiples actions pour attirer, développer et retenir les talents et les compétences dont l'organisation a besoin pour réaliser sa mission et sa stratégie d'affaires.

Le défi de la mobilisation et de la motivation se pose dans bien des milieux de travail qui sont à la recherche de leviers de motivation et d'engagement du personnel. Bien que les réponses à ce défi soient multiples, d'aucuns verront dans les programmes de rémunération, de gestion des carrières et de gestion de la performance des programmes clés en vue de mobiliser et de motiver les personnes.

Enfin, le défi de la coopération cible la question du « vivre ensemble » en milieu de travail. Les efforts pour améliorer le climat de travail et la collaboration entre les RH sont une des réponses à ce défi. Dans les milieux syndiqués, cela implique de bien gérer les relations du travail et les conventions collectives. Mais ce besoin de coopération impose aussi une action constante en faveur de la santé, de la sécurité et du mieux-être des personnes de même qu'une ouverture à la diversité.

La figure 1.4 illustre aussi l'idée que les activités de GRH doivent être gérées de manière cohérente, intégrée et qu'elles doivent s'aligner sur la stratégie d'affaires, sur les valeurs ainsi que sur l'environnement externe (économique, sociologique, politique, concurrentiel, etc.) de l'organisation. Signalons que le regroupement des chapitres de cet ouvrage ne présume pas de séquence ou de hiérarchie, mais illustre plutôt que les activités de GRH s'insèrent dans une structure d'ensemble. Cette perspective est cohérente avec les écrits sur les « architectures des ressources humaines » qui permettent aux organisations de gérer stratégiquement leurs employés afin de créer de la valeur ajoutée (Kang, Morris et Snell, 2007). Étant donné que les chapitres doivent inévitablement suivre un certain ordre, cet ouvrage vous les présente en adoptant la logique du cycle d'emploi (la planification, le recrutement, l'embauche, la formation, l'évaluation de la performance, la rémunération, etc.). Il s'agit néanmoins d'un ordre suggéré, qu'il est possible de modifier. En effet, les chapitres peuvent être lus selon divers enchaînements, aucun d'entre eux ne nécessitant d'avoir lu au préalable un autre chapitre en particulier.

Regard sur la pratique _____

AU CANADA

Le titre de « meilleur employeur » : qu'est-ce que ça donne ?

Selon Francine Tremblay, vice-présidente et associée, rendement, rémunération, talent chez Aon Hewitt, les meilleurs employeurs du palmarès annuel établi par cette entreprise se démarquent par le haut niveau de mobilisation de leurs employés, qui atteint une moyenne de 80 %. Cela agit directement sur leur performance comparativement à la moyenne des organisations. Les employeurs de choix ont quatre points de pourcentage additionnels en bénéfices d'exploitation, six points de pourcentage additionnels en ventes et un taux de roulement du personnel de 33 % moins élevé. Dans le premier quart des entreprises où les employés sont les plus mobilisés, on compte 15 % de plus d'employés très performants, qui entraînent l'organisation vers l'avant. Ce même groupe d'entreprises, comparativement à la moyenne, présente un taux deux fois moins élevé d'employés démobilisés, alors que l'on sait combien ces derniers coûtent cher aux organisations sur le plan de la productivité.

Source : Inspiré de LETARTE, M. « Clarté des rôles et leadership », *La Presse*, 10 décembre 2015, http://affaires.lapresse.ca/portfolio/employeurs-de-choix/201512/10/01-4929761-clarte-des-roles-et-leadership.php (Page consultée le 15 juillet 2016)

LA GESTION DES RESSOURCES HUMAINES DANS LE SECTEUR PUBLIC

Lemire et Martel (2007) attribuent trois grandes particularités à la GRH qu'on observe au sein des administrations publiques.

La première grande particularité est liée à l'encadrement exceptionnel de la GRH : afin de limiter le népotisme des partis politiques, plusieurs activités sont balisées par des concours, des critères, etc. Ainsi, la fonction publique du Québec s'est munie d'un régime de carrière afin de doter le gouvernement d'un personnel compétent, neutre et stable, recruté sur la base du mérite, dépolitisé et engagé pour une durée indéterminée. Comme le personnel de l'administration publique du Québec, la quasi-totalité des employés permanents des réseaux de l'éducation et de la santé et des services sociaux bénéficie, après une certaine période de service continu, de la sécurité d'emploi. Cette perspective de carrière constitue un important facteur d'attraction des candidats en raison de la sécurité financière et de statut que sous-tend cette sécurité d'emploi. Dans l'administration publique québécoise, l'employeur ne peut pas procéder à des licenciements, au sens de cessation d'emploi, pour des motifs fondés sur les exigences du service et sur les conditions économiques de l'entreprise. Le fonctionnaire permanent est assuré de conserver son emploi en cas de pénurie de travail (p. ex., au moment d'une réduction d'effectifs ou d'une réorganisation administrative) et se trouve protégé contre les renvois arbitraires, par exemple pour des raisons partisanes (Lemire et Martel, 2007).

La deuxième grande particularité de la GRH dans les administrations publiques a trait à l'exigence d'une gestion du patrimoine humain, puisque le flux d'entrées et de départs des effectifs y est assez faible et que les postes sont gérés sur la base du principe de budgétisation annuelle. Comparativement au secteur privé, les organismes publics recourent moins au recrutement massif sur le marché de l'emploi externe pour s'adapter à l'évolution de l'environnement ; ils comptent plutôt sur la mobilité interne. Cette particularité fait que le développement des compétences des employés prend une importance stratégique et favorise le cheminement du personnel.

La troisième grande particularité de la GRH dans les administrations publiques relève de la complexification de la gestion engendrée par l'existence de multiples organismes centraux (notamment le Conseil du Trésor et le Bureau du Conseil privé). Ceux-ci font le lien entre les politiciens et l'administration et influent sur les politiques des gouvernements en matière de gestion, entre autres celles liées à la GRH. C'est cette lourdeur bureaucratique que les initiatives de modernisation des administrations publiques provinciale et fédérale visent à réduire.

Finalement, il importe de souligner que le gouvernement assume un double rôle conflictuel : comme employeur, il veut attirer et retenir les meilleurs, mais comme fiduciaire, il prend des mesures de restriction pour atteindre l'équilibre budgétaire. La rétention de la relève exigera, dans les prochaines années, que les conditions de travail offertes soient améliorées, notamment sur le plan des salaires, de l'organisation du travail (flexibilité des horaires et des lieux de travail, contenu du travail), de la mobilité et de la précarité d'emploi. Comme l'a dit Jean-François Landry du Syndicat des professionnelles et professionnels du Gouvernement du Québec, « quand vous n'avez que des contrats occasionnels d'une durée de six mois à un an, que vous ne savez jamais d'un contrat à l'autre si votre emploi sera renouvelé et que ce régime dure pendant trois ou quatre ans, votre intérêt de rester au sein de la fonction publique ne peut que diminuer » (Vallée, 2016).

LA GESTION DES RESSOURCES HUMAINES DANS LES MILIEUX SYNDIQUÉS

Dans les milieux syndiqués, la GRH est balisée par le contenu d'une convention collective, soit une entente écrite à l'égard des conditions de travail, conclue entre une ou plusieurs associations de salariés et un ou plusieurs employeurs ou associations d'employeurs. Résultat d'une négociation ou d'un compromis patronal-syndical, la convention collective peut grandement varier quant à son ampleur. Certaines (comme celles du secteur privé manufacturier) peuvent compter 40 pages, alors que d'autres (comme celles du secteur public hospitalier) peuvent en compter près de 500. Certaines peuvent aussi comporter des dispositions assez novatrices alignées sur l'évolution du marché du travail, des technologies, des valeurs et des attentes des syndiqués.

Les conventions collectives balisent plusieurs conditions de travail : les salaires, les primes diverses, les avantages sociaux, la retraite, les régimes individuels ou collectifs de rémunération variable, les règles d'ancienneté et de compétences, la gestion et la protection de l'emploi (les promotions, les mutations, les mises à pied et les rappels au travail), la discipline, les heures et les horaires de travail, l'organisation du travail et de la production, la santé, la sécurité et le bien-être au travail, le contenu, l'évaluation et la classification des emplois, les vacances et les congés, la formation, les vêtements et outils de travail, les changements technologiques, le règlement et l'arbitrage de griefs, etc.

Malgré son importance, la GRH en milieu syndiqué ne se limite pas à appliquer une convention collective. En effet, plusieurs facettes de la GRH ne font généralement pas partie des conventions collectives, comme les politiques de GRH, les normes de production ou les diverses pratiques de gestion. Finalement, quoiqu'une convention collective impose plusieurs contraintes aux employeurs, elle comporte aussi des avantages (Hébert *et al.*, 2003):

- Elle constitue un recueil relativement complet des règles qui balisent la GRH de l'entreprise, lequel a une valeur d'information et de formation pour les cadres et les non-cadres.
- Elle sert à contrôler l'arbitraire des cadres et protège les employés et leurs droits.
- Elle met l'employeur à l'abri de toute contestation s'il en respecte les dispositions.
- Elle facilite la planification, puisqu'elle permet de prévoir les coûts en matière de personnel, et elle précise les règles à suivre en matière de GRH lors de changements.
- Elle s'avère un recueil de solutions agréé par les parties pour régler différents problèmes de GRH.

LA GESTION DES RESSOURCES HUMAINES À L'INTERNATIONAL

En raison de la mondialisation, le nombre d'entreprises ayant des établissements à travers le monde ne cesse de croître. Cette tendance n'est pas sans entraîner un lot de défis sur le plan de la GRH, et ce, au regard de toutes les activités de GRH: sélection, formation, rémunération, etc. En outre, pour bien des multinationales, le défi de la culture est important: comment faire en sorte que la société adopte des valeurs semblables fortes à travers toutes ses unités d'affaires dans le monde (la même image de marque) tout en permettant certaines adaptations aux particularités locales? Il n'y a pas de réponse simple à cette question, mais il importe de maintenir cet équilibre.

En effet, des recherches montrent que si une maison-mère tend trop à standardiser ou à centraliser les décisions de GRH, les dirigeants des unités locales à l'international vont y résister, passivement ou autrement, s'ils perçoivent que cela va à l'encontre ou dévie de leur contexte local (loi, valeurs, normes, etc.) (Trevor, 2011).

Par exemple, pour établir sa marque employeur à travers le monde, McDonald's a sondé plus de 9 000 employés travaillant dans 57 pays (Newman, Floersch et Balaka, 2012). L'entreprise a constaté que son avantage concurrentiel sur le plan de l'emploi repose sur trois forces, désignées comme les «3 F»:

1. Famille et amis: un milieu où se trouvent des personnes avec lesquelles on travaille et entretient des relations.

2. Flexibilité: des horaires et un contenu de travail souples et variés permettant un meilleur équilibre travail/vie personnelle.

3. Futur: un bon endroit pour commencer à travailler et à acquérir des compétences qui seront utiles dans la suite de sa carrière.

McDonald's a ensuite obtenu des dirigeants, des gestionnaires, des propriétaires et des exploitants de ses 33 000 commerces autour du globe qu'ils adhèrent à une stratégie de communication commune. Celle-ci donnait des exemples d'actions permettant de mettre en œuvre les valeurs de McDonald's dans tous les restaurants, tout en décentralisant ses messages selon les marchés géographiques. L'encadré de la page suivante illustre des actions de distinction locale sur le plan des 3 F.

Par ailleurs, les employeurs ont des obligations variées envers les employés expatriés, notamment l'évaluation des risques inhérents à la fonction, à l'emplacement et aux outils de travail à l'étranger, la prise de mesures en vue de sécuriser l'emplacement de travail et la mise en garde des employés à l'égard de ces dangers. Pensons, par exemple, aux risques suivants, qui varient certes selon l'époque et la destination, mais qui sont réels et qu'il faut prévenir et gérer (Claus, 2010):

- terrorisme, enlèvement, détournement, piraterie, délits violents, menaces, criminalité en bande organisée, détention de personnes, guerre, insurrection, bouleversement politique, coup d'État, mouvement populaire;

- catastrophes naturelles (p. ex., ouragans, inondations, tornades, tempêtes, nuage volcanique), maladies infectieuses et pandémies (p. ex., grippe, grippe aviaire) ;
- infections liées aux voyages (p. ex., paludisme, infections respiratoires, hépatite, fièvre typhoïde, dengue) et autres urgences médicales.

- accident de véhicule, catastrophe aérienne, incendie, attentat à l'hôtel ;
- défaut de conformité aux dispositions légales et administratives (problèmes d'immigration et de visa) ;
- pollution, isolement en milieu rural, difficultés d'adaptation à une langue ou à une culture.

Des exemples d'adaptation locale des valeurs « 3 F » de McDonald's

Famille et amis

- Aux Émirats arabes unis, on organise le McDonald's Spectacular Festival, un festival multiculturel de quatre jours réunissant des salariés d'une vingtaine de nationalités afin de célébrer les fêtes de leurs différents pays.
- Au Canada, l'entreprise organise les National People Days, où les différents marchés locaux désignent une semaine de l'année pendant laquelle sont célébrés les directeurs de restaurants et les membres de leurs équipes, et où sont accordées des marques de reconnaissance (p. ex., la nomination de l'équipier de l'année et l'attribution de bourses d'études).

Flexibilité

- Au Royaume-Uni, McDonald's a développé un portail Web appelé *OurLounge*, qui met en relation les 85 000 employés (équipiers et gestionnaires) du pays afin qu'ils puissent établir leurs horaires de travail depuis la maison, réserver certaines périodes pour leur usage personnel et modifier leurs quarts de travail.

- Le *McPasseport* de l'Union européenne offre aux employés la possibilité de se déplacer d'un restaurant McDonald's à l'autre à l'intérieur des différents pays (mobilité en carrière).

Futur

- Au Mexique, les gestionnaires peuvent suivre des cours en ligne subventionnés à l'Université TecVirtual, menant à l'obtention d'un baccalauréat, et ce, financé à 50 % par McDonald's.
- À Singapour, le University Accredited Program permet aux gestionnaires d'obtenir un baccalauréat en gestion des affaires en 21 mois, en leur accordant du temps pour étudier durant leurs heures de travail et en leur offrant des horaires de travail flexibles.

LES CONDITIONS DU SUCCÈS DE LA GESTION DES RESSOURCES HUMAINES

Une mauvaise GRH pose un problème complexe, car la découverte des causes et la mise en œuvre des solutions nécessitent la collaboration de plusieurs intervenants. D'ailleurs, la GRH relève de l'art du compromis et demande de concilier divers groupes d'acteurs dont les intérêts et les objectifs respectifs peuvent être conflictuels. Pensons, par exemple, aux candidats qui recherchent un emploi stable et bien rémunéré, alors que les dirigeants souhaitent avant tout maximiser les profits de leur entreprise et limiter le coût des salaires. Pensons aussi aux cadres qui désirent accorder des salaires permettant d'attirer les meilleurs candidats, alors que les professionnels des RH veulent offrir des salaires concurrentiels et proportionnels aux responsabilités des emplois.

Dans ce contexte, il est important de respecter certaines conditions de succès, présentées dans l'encadré suivant.

En outre, la perspective contingente doit toujours être retenue ; aucune solution, recette ou façon de faire unique n'est un gage de réussite. Il appartient à la direction d'une organisation d'aligner la GRH sur son contexte propre. Selon cette perspective contingente, dans la mesure où le nouveau contexte exige certains changements, les dirigeants ne doivent pas s'accrocher aux méthodes traditionnelles de GRH. Cela dit, il ne s'agit pas non plus de modifier continuellement les politiques et les programmes de GRH. En effet, de nombreux dirigeants s'aventurent dans des courants à la mode et adoptent des programmes dernier cri pour se bâtir une

« bonne » réputation auprès des actionnaires, du public et de la presse. Or, ces changements non seulement sont inutiles, mais ils suscitent souvent le cynisme et le scepticisme chez les employés.

Les changements en matière de GRH doivent être pertinents et alignés sur la valeur ajoutée pour les clients et les consommateurs ultimes. Comme l'indique Chênevert (2009), lorsque la société Disney a découvert que c'étaient les employés à l'entretien ménager qui avaient le plus d'impact sur la satisfaction des visiteurs,

l'organisation a mis en place un programme de formation pour permettre à ces employés de bien répondre aux questions des visiteurs (connaissance du parc d'attractions, apprentissage des langues, écoute active, etc.). Sa stratégie de dotation à leur égard a été ajustée afin d'embaucher des candidats possédant des compétences relationnelles et des valeurs de service à la clientèle. Les indicateurs pour évaluer leur performance ont été revus afin de considérer non seulement la propreté des lieux, mais aussi la satisfaction de la clientèle.

Les principales conditions du succès de la GRH

- Adopter une GRH alignée sur le contexte d'affaires (stratégie d'affaires, valeurs organisationnelles, environnement, etc.) et s'appuyant sur des activités de GRH cohérentes entre elles ou se renforçant mutuellement.
- Promouvoir un climat propice à la communication et à la participation.
- Promouvoir les compétences en supervision dans la sélection et la promotion, la formation et l'évaluation de la performance des cadres.
- S'entourer de professionnels des RH compétents, définir leur mandat et leurs objectifs, leur donner les ressources adéquates et s'assurer de leur contribution.

- Faire participer le responsable des RH au processus de planification stratégique et le faire relever directement du président ou du directeur général de l'entreprise.
- Clarifier l'autorité respective des dirigeants, des cadres hiérarchiques et des professionnels des RH.
- Appuyer la GRH sur des politiques claires et adéquates.

CONCLUSION

Dans un contexte de concurrence accrue, tant sur le marché des produits et des services que sur le marché de l'emploi, la GRH s'avère la source d'un avantage concurrentiel grandissant et une valeur ajoutée pour les organisations. L'une des caractéristiques qui distinguent la GRH du marketing ou de la gestion de la production tient au fait qu'elle relève d'un large réseau d'intervenants au sein des organisations, notamment les superviseurs, les dirigeants, les professionnels des RH, les syndicats et les employés. Cette notion de responsabilité partagée en matière de GRH, inhérente à ce chapitre, ajoute à sa pertinence pour diverses personnes, quels que soient leur niveau hiérarchique, leurs fonctions, la taille et le secteur d'activité de leur organisation.

QUESTIONS DE RÉVISION

1 Définissez et distinguez les concepts suivants : gestion des ressources humaines, fonction « ressources humaines » et service des ressources humaines.

2 En quoi la GRH se distingue-t-elle de la gestion des autres fonctions (telles que les finances, le marketing et la production) dans les entreprises ?

3　Quelles sont les responsabilités respectives des dirigeants, des cadres hiérarchiques, des professionnels des RH, des syndicats et des employés en matière de GRH ?

4　La GRH doit être contingente ou cohérente avec les caractéristiques de l'organisation. Commentez les effets de la stratégie, des valeurs et de la taille des organisations sur leurs pratiques de GRH en illustrant vos propos par des exemples.

5　Distinguez les autorités hiérarchique, de conseil et fonctionnelle en matière de GRH.

6　Quelles compétences recherche-t-on chez les professionnels des RH ?

7　Que sont les politiques de GRH ? Quelle est leur utilité et quelles sont les règles à respecter pour qu'elles soient efficaces ?

8　Que dire de la tendance actuelle à l'impartition et à l'informatisation de la GRH ? Quels sont leurs atouts, leurs limites et leurs conditions de succès ?

9　Quelles sont les trois principales particularités de la GRH au sein des administrations publiques ?

10　Quels sont les avantages de baliser la GRH par une convention collective ?

11　Quelles sont les principales particularités de la GRH dans les milieux syndiqués ?

12　Quels sont les principaux atout l'impartition et de l'informatisation de la GRH ?

13　Quelles sont les principales conditions de succès de la GRH ?

QUESTIONS DE DISCUSSION

1　Le nombre de membres de l'Ordre des conseillers en RH agréés du Québec a connu une croissance spectaculaire au cours des dernières années. À quels facteurs externes peut-on attribuer ce phénomène ?

2　Les organisations subissent de plus en plus les effets de la mondialisation et doivent se définir selon une perspective internationale. Quelles seront, au cours de la prochaine décennie, les principales répercussions de cette situation sur les rôles et les compétences des professionnels des RH de même que sur les principales activités de GRH dans les organisations ?

INCIDENTS CRITIQUES ET CAS

Incident critique 1

Sandoz Canada : miser sur les ressources humaines pour sortir de la crise

En 2011, Sandoz Canada, le troisième plus important fabricant de médicaments génériques au pays, reçoit un avertissement de la Food and Drug Administration (FDA) : certaines de ses pratiques de fabrication sont jugées non conformes. En parallèle, les gouvernements provinciaux au Canada coupent leurs budgets et réduisent les prix attribués au remboursement des médicaments génériques. « Nous étions attaqués de toutes parts, se rappelle le PDG de l'entreprise, Michel Robidoux. En l'espace de six mois, nous avons entrepris de remédier aux problèmes de conformité et révisé nos portefeuilles de produits en développant de nouveaux produits. » Selon le vice-président, RH, Marc St-Pierre, CRHA, les employés ont été la pierre d'assise du virage. Il fallait miser sur le personnel pour rester unis dans la crise.

Membre de la grande famille Novartis, Sandoz Canada compte trois unités localisées à Boucherville, respectivement dédiées aux opérations de développement, de production et de commercialisation. Sur une période de deux ans, 250 employés ont été recrutés à la production pour répondre aux exigences imposées par la FDA. L'enjeu du côté de l'usine, explique le PDG, était d'avoir la bonne personne à la bonne place. Il fallait aller chercher des talents pointus, par exemple en matière de contrôle de la qualité, et qui avaient déjà travaillé dans une usine stérile. « Nous nous retrouvions avec une réelle pénurie d'expertise sur le marché. Nous avons multiplié les portes ouvertes, établi des contacts partout dans le monde. La plupart du temps, sur 200 candidats rencontrés et évalués, seuls quelques-uns pouvaient être retenus. Il fallait garder le cap et ne jamais baisser les bras, même quand les personnes partaient en cours de route, n'ayant pas réussi leur formation, et qu'il fallait recommencer », raconte Marc St-Pierre.

L'organisation a aussi misé sur la communication, la formation et le mentorat en jumelant les membres du comité exécutif à des directeurs pendant la crise. Ce faisant, les vice-présidents (VP) sont devenus plus accessibles et plus d'information a circulé. En plus d'offrir un soutien au quotidien, les « mentorés » étaient rassurés et pouvaient ensuite rassurer leurs collègues en leur communiquant la vision prise pour s'en sortir. Tout cela a permis d'optimiser la rétention du personnel. Un soin a aussi été accordé à la préservation de ce que Marc St-Pierre qualifie « d'ADN de l'entreprise », soit la fierté de l'équipe de fabriquer des produits qui sauvent des vies. Selon lui, le sentiment d'appartenance envers l'entreprise a toujours été très fort. Plusieurs scientifiques, passionnés par leur travail, étaient affectés par la remise en cause dans les journaux de la qualité des produits fabriqués. « Nous avons passé beaucoup de temps à les rassurer et à réajuster leurs perceptions lors de rencontres d'information. Quand nous avons eu la lettre d'avertissement de la FDA, nous avons dû suspendre la production de produits médicalement moins importants pour éviter que les clients, et ultimement les patients, soient pénalisés. Lorsqu'un média prétendait le contraire en disant, par exemple, que des chirurgies étaient reportées, nous en traitions avec les employés en rappelant les raisons des décisions et en maintenant le même discours », raconte Michel Robidoux.

Selon le VP RH, c'est aussi ce souci éthique qui a permis à l'organisation de sortir indemne de la restructuration majeure du secteur commercial. « Pendant qu'une bannière sur la façade de l'usine disait que nous embauchions, une vingtaine de personnes ont été remerciées dans le secteur commercial, du jamais vu dans la vie de l'entreprise. Nous avons pris le temps d'expliquer nos décisions et de dire aux employés : "Vous perdez des collègues aujourd'hui, mais ils ont été traités de façon digne, ils ont été épaulés et ils ont pu vous dire au revoir." » Selon Marc St-Pierre, le défi était aussi de rassurer les survivants afin qu'ils continuent de respecter l'entreprise et d'avoir confiance.

L'entreprise a aussi instauré des mesures de qualité de vie au travail. À titre d'exemple, des pauses café ont été introduites dans l'usine et les employés ont vu l'horaire de temps comprimé, jusqu'alors réservé à la période estivale, s'étendre à l'année. Le programme de reconnaissance « Sommet » a été déployé afin d'encourager le dépassement de soi et de valoriser les initiatives et les réalisations exceptionnelles de groupe. Inscrit à l'ordre du jour des réunions du comité de direction, le programme a permis d'accorder de 200 à 250 mentions de reconnaissance par année. De petites récompenses pécuniaires sont aussi offertes aux membres des équipes reconnues.

Selon Marc St-Pierre, les professionnels en RH sont devenus des partenaires incontournables. Devoir faire des mises à pied, changer les façons de faire ou miser sur de nouveaux talents pour faire avancer l'entreprise a suscité beaucoup de discussions. « Tout cela nous a permis de grandir comme fonction RH. Nous étions crédibles dans l'organisation avant la crise, mais le fait que nous ayons su parler le même langage que les gestionnaires et prendre part aux décisions nous a permis de nous positionner au plan stratégique. C'est probablement l'une de mes plus grandes satisfactions, avec le fait d'avoir su maintenir l'image éthique de l'organisation. »

Pour Michel Robidoux, il ne fait aucun doute que l'entreprise aurait eu peine à se relever de ces deux années de crise sans l'apport du Service des RH. « Au cours des deux dernières années, dit-il, nous avons dû prendre des décisions difficiles. Marc et son équipe ont aidé à la prise de décision, soutenu les gestionnaires dans le changement et fait en sorte que la cohésion demeure parmi le personnel. Les défis étaient majeurs, mais deux ans plus tard, nous avons reçu le statut de conformité de la FDA, les opérations commerciales vont très bien et nous renouons avec la croissance dans un marché qui, lui, demeure pourtant négatif. »

Questions

1. Quels rôles ou responsabilités les professionnels des RH ont-ils assumés chez Sandoz ?

2. De quelles compétences les professionnels ont-ils dû faire preuve lors de cette période ?

3. D'après vous, quelle a été la principale condition de réussite de l'intervention des professionnels en RH ?

Source : Adapté de BOUCHER, G. « Sandoz Canada : la main-d'œuvre comme trait d'union », *Effectif*, vol. 17, n° 4, septembre/octobre 2014, p. 10-13.

Incident critique ❷

L'insatisfaction à l'égard du service des ressources humaines

On observe plusieurs conflits au sujet des rôles et des responsabilités entre les cadres des différentes directions d'une organisation. Deux incidents illustrent bien cette situation.

Le premier incident a trait à la conception d'un sondage d'opinion devant être mené auprès des employés. Le vice-président au marketing estime qu'il devrait en être responsable, puisque les enquêtes relèvent de la compétence de sa direction, alors que le vice-président aux RH croit qu'il est tout à fait logique que le sondage soit conçu et dirigé par les cadres de sa direction.

Le second incident a trait à un groupe de cadres qui ont remis plus d'un mois après la date limite leurs évaluations des performances remplies. Ces retardataires ont placé les professionnels des RH dans une position délicate face à la direction parce qu'ils ont entravé la planification du coût des augmentations de salaire au mérite et l'obtention des budgets en conséquence.

Vous êtes mandaté, à titre de conseiller externe, pour rencontrer un certain nombre de cadres afin de poser un diagnostic et de faire des recommandations. Vos rencontres montrent que toutes les directions semblent avoir maille à partir avec le service des RH. La nature exacte des différends varie d'une direction à l'autre, mais voici quelques extraits représentatifs des commentaires exprimés :

- « Les professionnels des RH s'ingèrent dans nos décisions de sélection du personnel en nous imposant des étapes et des tests inutiles et coûteux qui prennent du temps. »

- « Ils se prennent pour la "police" et interprètent les lois de façon trop prudente. »

- « Ils sont obsédés par l'équité et les lois. On ne peut même plus congédier ! »

- « On ne peut pas donner les augmentations de salaire aux employés qui le méritent. On perd beaucoup d'employés talentueux à cause des contraintes imposées par le responsable de la rémunération. »

- « La tâche principale de la direction des RH est de multiplier la paperasse. Bien des papiers et des activités sont inutiles et pourraient être informatisés. »

- « La gestion de la performance, c'est leur spécialité, pas la nôtre. On a déjà assez de travail sans avoir à remplir leurs formulaires. »

- « Si on est trop transparents avec le service des RH, on se fait reprocher nos erreurs. »

- « Les programmes de formation conçus par le service des RH ne sont pas adaptés à nos besoins. »

- « Je n'ai pas d'ordres à recevoir d'eux, mais seulement de mes supérieurs hiérarchiques. Face à un problème de harcèlement psychologique au travail, j'ai voulu intervenir à ma façon et ils m'ont sorti la politique de la société. »

Question

Posez votre diagnostic de la situation et proposez des recommandations.

Source: Adapté de GIROUX, M. *La boîte de Pandore*, cas rédigé sous la direction de S. ST-ONGE, cas n° 9 30 1997 017, Montréal, Centre de cas HEC Montréal, 1997.

Cas

Louis Garneau Sports : la culture de la passion

Chez Louis Garneau Sports, on retrouve, bien ancrée dans la culture organisationnelle, la passion de son fondateur, ancien champion cycliste au grand cœur. Tout a commencé dans le garage du père de Louis, à Sainte-Foy. C'est là qu'en 1983, avec son épouse Monique Arsenault, le champion international a entrepris la confection de ses premiers vêtements cyclistes. De fil en aiguille, les affaires prennent une telle expansion qu'il faut déménager dans une usine à Sainte-Foy, ce qui donne le coup d'envoi officiel de l'entreprise, en 1984. Puis, passée de cinq employés à 16, l'entreprise déménage encore. En 1985, elle emploie 118 personnes et distribue ses produits aux quatre coins du Canada.

Aujourd'hui, elle compte plus de 500 employés, dont 225 au Québec, a ouvert des usines dans plusieurs pays et vend ses produits — vélos, casques, vêtements de sport, etc. — partout dans le monde. Comme on veut assurer la pérennité de l'organisation familiale, on gère actuellement un processus de relève auprès des enfants, Édouard, William et Victoria Garneau.

L'innovation fait partie des valeurs fortes de Louis Garneau Sports qui, pour rester constamment à la fine pointe, a besoin de gens créatifs qui réfléchissent à l'amélioration continue des processus. « Nous avons résumé ces valeurs avec un acronyme : P.R.I.E.R., autrement dit Plaisir Respect Innovation Équipe Relève », indique la directrice des RH, Élisabeth Petit, CRIA, qui précise en riant que cela n'a toutefois rien à voir avec la religion.

L'entreprise commandite aussi des équipes cyclistes professionnelles et soutient plusieurs coureurs, en plus de s'impliquer dans des causes qui tiennent à cœur au président-fondateur, comme Les Petits Frères, le Grand défi Pierre Lavoie, la Fondation du cancer du sein du Québec, Centraide et Coast to Coast Against Cancer. L'entreprise incite ses travailleurs à en faire autant. « Nous participons à des événements ou nous en organisons, et nous favorisons le bénévolat et les donations de nos employés, explique Élisabeth Petit. Par exemple, ils font des ventes de hotdogs, des activités de cardiovélo en équipe pour recueillir des fonds pour de bonnes causes. Chaque année, nous nous investissons aussi dans la promotion du Granfondo Garneau-Québécor, un événement visant à encourager l'activité physique tout en amassant de l'argent pour Les Petits Frères, un organisme qui soutient les personnes âgées seules. » Mme Petit précise d'ailleurs que, dans la culture organisationnelle, il y a une forte adéquation entre le sport et l'engagement communautaire.

Les employés sont encouragés à enfourcher leur vélo, à faire de l'activité physique et à adopter de saines habitudes de vie. Louis Garneau a toujours su garder une grande proximité avec ses employés, encourageant la fraternité, les échanges et la communication. Selon Mme Petit, « L'entreprise s'est donné comme mission de faire vivre des émotions à ses clients, ce qui ressort d'ailleurs clairement de notre dernière campagne publicitaire *Vis ton rêve*. Nous vendons du plaisir et nous voulons véhiculer les mêmes valeurs dans nos murs. Pour nous, plaisir et satisfaction au travail relèvent du même esprit. » Dans l'ADN de Louis Garneau Sports, on retrouve aussi respect, esprit de famille et travail d'équipe. « C'est la même chose en cyclisme : ce n'est pas un sport individuel, les courses se font en peloton, explique Mme Petit. Nous avons transposé cette notion au sein même de nos activités, où chacun a un rôle à jouer et doit soutenir ses coéquipiers. »

Le sport se trouve non seulement au centre des activités de l'entreprise, mais il la guide également dans sa GRH. Le programme santé et mieux-être est très développé, avec un gym entièrement équipé et des cours de toutes sortes (zumba, pilates, cardiovélo, etc.) sur les lieux de travail ainsi que des ateliers et des formations (sommeil, physiothérapie, mécanique du vélo, etc.). « Nous offrons aussi des rabais aux employés pour diverses activités sportives, en plus de favoriser les activités reliées au vélo : sorties pendant l'heure du dîner et en fin de semaine, accès aux ventes VIP pour se procurer nos produits à très bons prix, inscription payée à des clubs de compétition cyclistes. Nous offrons également des vélos hybrides dans le cadre du programme de reconnaissance pour années de service. » Le lancement de la campagne publicitaire *Vis ton rêve* a aussi incité le Service des RH à lancer à l'interne le projet Rêveurs recherchés. Les employés sont invités à inscrire un rêve sportif sur une carte et à l'afficher sur un mur prévu à cette fin. « Ce rêve peut être de participer à une course à vélo, de faire une sortie sportive par semaine avec ses enfants, de se mettre au jogging, de faire un marathon, etc. On va les aider à atteindre cet objectif d'ici la fin de l'année, et il y aura aussi un tirage pour récompenser les participants. »

Lors des sorties à vélo du midi, déclinées en groupes de différents niveaux, rien n'est laissé au hasard. L'entreprise offre aux cyclistes un rabais sur les maillots et, lors de certaines sorties, des véhicules de sécurité encadrent les employés. Le président se joint d'ailleurs souvent à ces randonnées cyclistes, ce qui le rend plus accessible. En hiver, raquette et ski de fond sont aussi au programme. Les employés sont également invités à tester de nouveaux produits comme le *fatbike* (vélo à neige) en se rendant sur la propriété de Louis Garneau, dont une partie est une terre à bois qui comprend de nombreux sentiers. Et si le vélo sur route leur manque, plus de 25 cardiovélos sont mis à leur disposition matin, midi, soir, le tout en musique, avec des cours qui peuvent être donnés par Louis Garneau lui-même. « Toutes ces activités incitent les gens à s'y mettre, en plus de créer un sentiment d'appartenance très fort, fait valoir Mme Petit. Et ça fonctionne ! Pour ma part, je pratiquais déjà le jogging, mais j'ai commencé le spinning et le vélo de route. »

Les résultats en termes de santé au travail sont probants. Ainsi, on note moins d'absence au travail, une amélioration de l'équilibre travail-vie personnelle et de la santé mentale en général. Le taux de roulement est inférieur à 6 %. Selon la directrice des RH, le fait que ces valeurs émanent du fondateur et qu'il ait su s'entourer d'une équipe de direction qui les partage et qui est très engagée en ce sens favorise leur enracinement dans la culture organisationnelle. Et elle conclut : « Le défi est de communiquer ces valeurs constamment et de rappeler à nos employés les services auxquels ils ont accès, car on peut avoir tendance à l'oublier. Au-delà du salaire, cela fait partie de l'ensemble de la rémunération globale. »

Questions

1. Commentez la gestion du personnel chez Louis Garneau Sports. Pour ce faire, référez-vous à la mise en situation au début du chapitre (*voir la page 4*) et à la section sur les conditions du succès dans la GRH à la fin du chapitre (*voir la page 32*).

2. Établissez un parallèle entre la théorie des parties prenantes et la gestion déployée par la direction du Louis Garneau Sports.

3. Sur la base de ce cas (et d'autres informations que vous pouvez obtenir), quelles valeurs organisationnelles sont manifestement mises de l'avant par Louis Garneau Sports et comment se transposent-elles dans la gestion de son personnel ?

4. Quelles peuvent être les diverses retombées positives de la GRH exercée chez Louis Garneau Sports ?

Source : Adapté de GRIL, E. « Louis Garneau Sports : la culture de la passion », Revue *RH*, Ordre des CRHA, vol. 19, n° 2, 2016.

POUR ALLER PLUS LOIN

Lectures suggérées

BEN HASSEL, F., et B. RAVELEAU (dir.). *Professionnaliser la fonction ressources humaines : quels enjeux pour quelle utilité ?*, Québec, Presses de l'Université Laval, 2012.

COMITÉ SECTORIEL DE MAIN-D'ŒUVRE EN TRANSFORMATION ALIMENTAIRE. *Guide pratique de gestion des ressources humaines pour PME*, (s.d.), www.csmota.qc.ca/formations/documents/table_des_matieres.pdf

ORDRE DES CONSEILLERS EN RESSOURCES HUMAINES AGRÉÉS. *Guide des compétences des CRHA-CRIA*, 2013, www.portailrh.org/formationcontinue/formulaires/GuidedesCompetences.pdf

SILZER, R.F., et B. DOWELL. *Strategy-driven Talent Management : A Leadership Imperative*, San Francisco, Jossey-Bass, 2010.

Sites Web

Guide des compétences de l'Ordre des conseillers en ressources humaines agréés
www.portailrh.org/formationcontinue/formulaires/GuidedesCompetences.pdf

Conseil canadien des associations en ressources humaines
www.cchra.ca/fr

North American Human Resource Management Association
www.nahrma.org

World Federation of People Management Associations
www.wfpma.com

Le coin de l'Ordre des **CRHΛ**

www.portailrh.org

Le rôle de partenaire de GRH crédible, un défi d'influence
Par Jacqueline Codsi, CRIA, psychologue organisationnelle

Le rôle et le statut des ressources humaines en entreprise
Par René Jolicoeur, consultant

Pour créer un avantage concurrentiel grâce aux ressources humaines
Par Jean-Michel Caye, directeur associé, The Boston Consulting Group

Une main-d'œuvre internationale : un enjeu pour les ressources humaines
Avec Johanne Branchaud

Chapitre 2

PLANIFIER LES RESSOURCES HUMAINES

Principaux défis à relever en matière de planification des ressources humaines

- Favoriser l'adaptation de l'organisation.
- Contribuer à la mise en œuvre de la stratégie d'affaires.
- Contrôler les coûts associés aux surplus et aux pénuries de ressources humaines.
- Choisir des interventions pour réduire des déséquilibres actuels ou futurs.
- Préparer aujourd'hui la relève de demain.
- Assurer l'atteinte des cibles d'équité en matière d'emploi.
- Gérer le changement au sein d'une organisation.

Objectifs d'apprentissage

- Expliquer en quoi la planification des ressources humaines peut permettre à l'organisation de s'adapter.

- Savoir analyser la situation d'une organisation à l'aide d'un modèle de planification des ressources humaines.

- Comprendre comment certaines situations font varier les besoins en ressources humaines et la disponibilité de ces dernières.

- Savoir déterminer les interventions les plus appropriées dans des situations précises de surplus ou de pénuries de ressources humaines.

- Comprendre l'enjeu de la planification de la relève.

- Situer l'équité en matière d'emploi dans le cadre de la planification des ressources humaines.

- Assurer une mise en œuvre qui respecte les principes de la gestion du changement.

Nous associons la planification des ressources humaines (RH) au défi de l'adaptation en raison de son caractère dynamique. En effet, sa dimension prévisionnelle impose une prise en compte constante des forces internes et externes qui s'exercent sur l'organisation et sur ses RH. Tant l'adoption d'une nouvelle stratégie d'affaires que les changements technologiques ou l'évolution démographique créent d'importantes pressions sur les besoins en RH d'une organisation et sur la disponibilité de celles-ci.

La planification des RH propose une démarche structurée qui considère de tels facteurs d'évolution à l'intérieur d'une gestion prévisionnelle ou anticipative. Bien appliquée, cette planification favorise un meilleur alignement entre les stratégies d'affaires et les profils de RH. Elle aide aussi l'organisation à s'adapter aux changements technologiques de même qu'à l'évolution de la main-d'œuvre. La planification des RH s'avère également utile dans un cadre de planification de la relève ou de la succession. De même, elle s'applique dans les organisations qui se préoccupent des questions d'équité et d'égalité en emploi, et dont la volonté de la direction est de s'assurer d'une juste représentation des membres de groupes cibles au sein de l'effectif.

Ce chapitre expose, dans un premier temps, quelques défis d'adaptation qui interpellent le système de planification des RH. Il sera alors possible de mieux apprécier le bien-fondé de cette planification dans un contexte changeant et qui propose des trajectoires largement indéterminées. Nous présentons ensuite un modèle de planification des RH qui permet d'en arriver à une meilleure appréciation des écarts entre les besoins en RH et la disponibilité de celles-ci. Après l'analyse de la situation dans une perspective prévisionnelle, il faudra bien sûr trouver des réponses aux défis qui se posent. La section suivante propose donc des actions ou des solutions adaptées à la nature des écarts anticipés entre les besoins en RH et la disponibilité de ces dernières. La mise en œuvre de ces solutions fait appel à une gestion du changement, dont nous exposons ensuite les grandes lignes. En terminant, nous discutons les aspects particuliers de la planification des RH selon les milieux de travail et insistons sur les conditions de succès de cette activité.

Gérer l'expansion en situation de plein emploi

Ce n'est pas seulement en temps d'élection que la grande région de Québec manifeste son caractère singulier. Depuis 2006, elle affiche aussi un parcours atypique en matière de développement économique en s'illustrant comme la région phare de la création d'emplois au Québec.

Le plus important imprimeur de livres au Canada

Marquis Imprimeur est bien enraciné à Montmagny. L'entreprise y est établie depuis 1937, mais elle connaît un nouveau souffle depuis qu'elle a fait l'acquisition des activités d'impression de livres de Transcontinental en 2012. «On est le plus gros imprimeur monochrome au Canada et dans les deux plus gros pour les éditions couleur. Nos usines de Montmagny et de Louiseville impriment 25 millions de livres par année, c'est 500 000 par semaine», relève Pierre Fréchette, vice-président des ventes et copropriétaire de Marquis Imprimeur.

Le groupe d'édition compte 350 employés, dont 150 à Montmagny, où on imprime le tiers du volume total, mais les deux tiers du nombre de titres. «À Montmagny, on s'est spécialisés dans les petits tirages. De plus en plus d'éditeurs européens préfèrent que l'on imprime des petits tirages de 500, 1 000 ou 1 500 livres plutôt que de les faire venir par avion. On peut répondre à leurs besoins en moins de cinq jours», précise Pierre Fréchette.

Grâce aux technologies numériques, Marquis Imprimeur a lancé le programme POD (*Print on demand*), qui permet à un client de faire imprimer un seul exemplaire d'un livre. «Cela permet aux éditeurs de réduire totalement leurs stocks. Quand ils reçoivent une commande, ils nous contactent et on l'imprime. C'est un service qui va prendre de l'ampleur», anticipe l'imprimeur.

Le marché québécois représente encore 50 % du volume de Marquis Imprimeur, mais la part du marché américain est en expansion. Elle est passée de 5 % à 15 % des ventes totales du groupe, et la tendance se poursuit. L'Europe compte pour 5 % des ventes, et le Canada anglais, pour près de 40 %. «Les éditeurs américains apprécient la qualité de notre travail et notre flexibilité. Avec le taux de change actuel, c'est un bon marché pour nous», convient le responsable des ventes.

Marquis Imprimeur est une de ces entreprises de Montmagny qui se retrouvent en pénurie de main-d'œuvre. «On manque de monde et on est incapable d'en trouver. C'est un problème. On veut préparer la relève, ça nous prend du monde. On aimerait produire davantage durant le quart de soir, mais on n'arrive pas à combler nos besoins. Le métier a changé, et la production va s'automatiser encore davantage, mais on manque de monde», déplore Pierre Fréchette.

Maisons Laprise en croissance

À quelques rues de Marquis Imprimeur, dans le parc industriel de Montmagny, on retrouve l'usine de Maisons Laprise, qui fabrique des habitations à partir de panneaux préusinés. Une technique qui assure, selon son PDG, Daniel Laprise, une meilleure qualité de construction. «Nos équipes travaillent dans de meilleures conditions avec de l'équipement sophistiqué. Beaucoup de nos opérations sont automatisées, ce qui nous permet de réaliser des produits de qualité supérieure. Et, contrairement à certains préjugés, on fait des maisons de toutes les formes et de toutes les grandeurs», précise M. Laprise.

Au fil des ans, Maisons Laprise a élargi son champ d'action pour desservir les marchés des Maritimes et de l'Ontario. L'entreprise livre ses maisons dans un rayon de 1 000 km et expédie même outre-mer, en Europe comme en Haïti, où elle a livré 7 500 maisons préfabriquées dans l'effort de reconstruction qui a suivi le tremblement de terre de 2010.

Maisons Laprise emploie 300 personnes à son usine et son siège social de Montmagny. L'entreprise a présentement une trentaine de postes à pourvoir et s'est inscrite dans les missions de recrutement pour regarnir ses effectifs. «Il n'y a plus de main-d'œuvre disponible dans notre région. Il faut aller ailleurs. On est allés au Nouveau-Brunswick et on va bientôt aller à Montréal pour rencontrer les organismes qui chapeautent les nouveaux arrivants.»

«On a présentement plus de postes administratifs à pourvoir que d'emplois en usine. Ça fait huit mois qu'on cherche un programmeur et on n'arrive pas à en trouver un. On est en croissance, mais il faut avoir les effectifs pour la réaliser. Ça commence à devenir inquiétant», évalue l'entrepreneur.

Source : Extrait de DÉCARIE, J.-P. «Gérer l'expansion en situation de plein emploi», *La Presse*, 3 décembre 2015, p. 2-3.

DÉFINITIONS

La **planification des ressources humaines** propose une démarche de prévision des besoins de l'organisation en matière de personnel (la demande) et de la disponibilité (l'offre) de celui-ci. La **structure prévisionnelle** proposée par la planification des RH permet à l'organisation de prendre les mesures appropriées pour pouvoir compter sur les personnes qu'elle requiert, avec les compétences voulues, en temps opportun.

Les **besoins en ressources humaines** expriment la demande, de la part de l'organisation, d'effectifs et de compétences. On associe ainsi aux besoins en RH une dimension quantitative qui renvoie à la prévision des niveaux d'effectifs à temps plein ou à temps partiel ou même de personnel temporaire. La demande s'exprime alors par le nombre d'emplois ou par les niveaux d'effectifs : les effectifs seront-ils à la hausse ou à la baisse ? S'ajoute à cela la dimension qualitative, qui correspond à la nature des besoins en RH. La demande s'exprime alors en termes de disponibilité des talents, des connaissances, des compétences, des expertises ou des profils : les employés actuels auront-ils les compétences appropriées pour effectuer le travail à l'avenir ?

La **disponibilité des ressources humaines** renvoie à l'offre interne ou externe d'effectifs et de compétences. L'analyse de la main-d'œuvre disponible pour les années à venir peut ainsi se faire au regard des membres de l'organisation ou des personnes qui ne sont pas employées par l'organisation. Tant à l'interne qu'à l'externe, on s'intéresse aux dimensions quantitative et qualitative de la disponibilité des RH.

Compte tenu d'un ensemble de facteurs d'évolution, la question qui se pose est essentiellement de savoir si l'organisation aura dans un avenir prochain les compétences indispensables à sa mission. Dans une optique de **planification de la relève**, on se pose la même question, mais en ciblant surtout les postes de cadres, de cadres supérieurs et autres postes clés.

Comme nous le verrons plus loin, l'appréciation des écarts entre les besoins en RH et la disponibilité des RH permet d'entrevoir des zones de vulnérabilité, qu'il s'agisse de l'anticipation de pénuries ou de surplus de main-d'œuvre. En réponse à cette problématique, l'organisation peut mettre en place toute une série de mesures pour réduire sa vulnérabilité.

Au sein de certaines organisations, la question de l'**équité en matière d'emploi** est étroitement associée à la planification des RH (*voir la rubrique Le coin de la loi, à la page 51*). Les organisations soucieuses d'assurer l'équité en matière d'emploi (et celles contraintes par la loi) peuvent ainsi prendre des mesures pour améliorer la situation vis-à-vis de l'emploi des personnes appartenant à certains groupes désignés (p. ex., les femmes, les personnes appartenant à une minorité visible, les Autochtones, les personnes souffrant d'une incapacité). Or, les besoins en RH peuvent s'exprimer en fonction de ces groupes désignés. On pourrait constater, par exemple, une trop faible représentation des minorités visibles dans certains emplois ou regroupements de types d'emplois.

L'IMPORTANCE DE PLANIFIER LES RESSOURCES HUMAINES

Tandis que la planification représente une fonction de base essentielle à une saine gestion, qui permet d'orienter les efforts de tous vers la réalisation des objectifs de l'organisation, ne faut-il pas voir aussi dans cette activité de planification une composante fondamentale d'une saine gestion des ressources humaines (GRH) ? Bien que cette planification puisse avoir des répercussions positives sur les individus et sur la société dans son ensemble, nous insisterons ici sur ses avantages pour l'organisation qui fait sienne cette démarche prévisionnelle.

L'importance de planifier les RH	
Pour la société	Améliorer la performance économique et sociale.
	Prévenir les déséquilibres entre l'offre et la demande sur le marché de l'emploi.
	Favoriser l'équité en matière d'emploi.
Pour l'organisation	S'adapter aux changements organisationnels et environnementaux.
	Faire des choix éclairés en matière de GRH.
	Améliorer la performance de l'organisation.
	Éviter les surplus et les pénuries de personnel.
	Favoriser le développement des compétences des RH.
Pour l'employé	Connaître les projets, les plans et les filières promotionnelles de l'organisation.
	Planifier sa carrière en fonction des besoins ou des occasions futurs d'emplois dans son milieu de travail.

S'adapter aux changements organisationnels et environnementaux

Les entreprises qui survivent décèlent les tendances plus vite (et mieux) que les autres. Bien que ce constat soit banal, il soulève des questions : comment planifier les RH dans un environnement qui exige le plus souvent une adaptation rapide à des situations urgentes ? Et comment réaliser des analyses prévisionnelles, alors que le passé est de moins en moins garant de l'avenir ? Pour s'adapter aux changements, qui se déroulent à la vitesse de l'éclair, l'entreprise doit s'appuyer sur un processus de planification des RH simple, pratique, centré sur l'action, basé sur la consultation des cadres et portant sur un horizon peu lointain (Walker, 1990). Ainsi, la planification doit tendre vers une approche de résolution de problèmes visant à améliorer la position concurrentielle de l'organisation. Dans le contexte actuel, l'exercice consiste à mobiliser les RH autour d'enjeux prioritaires pour l'organisation.

Faire des choix éclairés en matière de gestion des ressources humaines

Le processus de planification des RH débouche souvent sur des mesures concrètes telles que la révision des structures salariales, la mise en place de plans d'activités de formation et parfois même un programme d'accès à l'égalité en emploi. Le choix d'une mesure plutôt que d'une autre ne doit pas être le fruit du hasard ou d'une mode, mais bien le résultat d'une réflexion sur l'avenir de l'entreprise et de ses ressources. Par exemple, une analyse qui aboutit à une projection de pénurie de main-d'œuvre pourrait motiver une réponse proactive consistant en un investissement à l'étranger ou à la mise en place d'un vaste programme de formation professionnelle. Les possibilités sont nombreuses, mais il faut faire le bon choix.

Contribuer à l'amélioration de la performance de l'organisation

Imaginons une entreprise offrant des solutions informatiques dans un secteur de pointe. Son succès repose en grande partie sur la qualité de son équipe de direction ainsi que sur l'adéquation entre les compétences de ses programmeurs et les besoins technologiques de ses clients. En suivant l'évolution de ces besoins, la direction de l'entreprise s'assure qu'elle possède les compétences requises pour y répondre adéquatement et rapidement. Si elle constate un écart entre les compétences actuelles de ses programmeurs et l'évolution probable des besoins de ses clients, elle peut mettre en œuvre des initiatives ayant trait à la formation ou au recrutement qui lui garantiront les compétences nécessaires à l'accomplissement de sa mission et à la réalisation de sa stratégie d'affaires. La planification des RH améliore donc la correspondance entre l'entreprise, son personnel et les besoins de ses clients, et tout cela converge vers une amélioration de la performance organisationnelle.

Éviter les surplus et les pénuries de personnel

La planification des RH permet d'éviter les situations de surplus ou de pénurie de personnel pour l'organisation, deux situations qui comportent des risques. Dans le domaine de l'informatique, par exemple, des retards peuvent s'accumuler dans plusieurs projets de développement à cause d'une pénurie de spécialistes des technologies de l'information. Pour éviter de telles situations qui peuvent prendre des proportions inquiétantes et mettre en péril certaines initiatives, les organisations ont intérêt à adopter la démarche prévisionnelle que propose la planification des RH. L'anticipation est donc le mot d'ordre, tandis que des analyses de plus en plus sophistiquées permettent aux entreprises performantes d'éviter les surplus et les pénuries de main-d'œuvre (Davenport, Harris et Shapiro, 2010).

Favoriser le développement des compétences des ressources humaines

La mise en commun de l'analyse des besoins en compétences et de l'analyse de la disponibilité des talents peut permettre d'élucider des besoins en formation et en développement des RH. Par exemple, le besoin d'actualiser les compétences pourrait être repéré en prévision d'un important effort de mise en place d'une approche client. Pour y répondre, l'entreprise pourrait mettre en place une formation qui viserait à outiller le personnel de vente de façon qu'il puisse communiquer et interagir dans un contexte d'approche client.

LE PARTAGE DES RESPONSABILITÉS EN MATIÈRE DE PLANIFICATION DES RESSOURCES HUMAINES

Même si le rôle des professionnels des RH est prépondérant dans le processus de planification que nous exposons dans ce chapitre, l'engagement des dirigeants, des cadres, des employés et des syndicats s'avère essentiel. La planification de la relève doit demeurer un souci constant au sein de l'équipe de direction, tandis que les cadres doivent s'assurer d'avoir la main-d'œuvre qui leur permettra d'atteindre leurs objectifs. Le succès de la planification des RH repose ainsi sur un partage des responsabilités. Le tableau suivant illustre de quelle façon ce partage peut s'opérer.

Le partage des responsabilités en matière de planification des RH	
Dirigeants	Définir et communiquer la stratégie d'affaires et les objectifs. Participer à la planification de la relève. Valider les plans d'action en matière de RH.
Cadres	Faire des prévisions quant aux besoins en RH. Faire des prévisions quant à la disponibilité des RH. Communiquer toute information pertinente à l'égard de l'évolution des effectifs. Participer à la mise en œuvre des plans de RH.
Professionnels des RH	Gérer le processus de planification des RH. Analyser les changements se produisant dans les environnements interne et externe. Faire des prévisions en matière de GRH. S'assurer que l'organisation aura la force de travail requise pour réaliser sa stratégie et maintenir sa performance. Prendre les mesures nécessaires pour éviter les surplus et les pénuries de personnel tant sur le plan quantitatif que sur le plan qualitatif.
Syndicats	S'engager dans un dialogue sur l'évolution du contexte et des qualifications requises. Négocier avec une vision à long terme.
Employés	Participer à l'évaluation de leur performance, de leurs compétences et de leur potentiel. S'engager dans des activités de développement, de formation et de perfectionnement qui sont cohérentes avec les plans de RH.

2.1 La planification des ressources humaines comme vecteur d'adaptation

La performance d'une organisation repose en grande partie sur sa capacité de réaliser sa stratégie d'affaires. Comme en témoignent plusieurs chefs d'entreprise, le secret ne réside pas dans la capacité de formuler sur papier la meilleure stratégie qui soit, mais bien dans la mise en œuvre de cette stratégie. À cet égard, il faut reconnaître que de toute stratégie émanent des exigences relatives aux RH. L'organisation a donc intérêt à aligner son système de planification des RH sur son processus de planification stratégique, comme l'illustre la figure 2.1, à la page suivante. De plus, tandis que le défi de l'adaptation dépasse largement ce cadre d'alignement, il appartient à chaque organisation de trouver ses propres réponses à l'évolution technologique, économique, démographique, etc.

Ainsi qu'en fait état le modèle de ce livre (*voir la figure 1.4 à la page 28*), de nombreux facteurs internes et éléments de l'environnement externe doivent être considérés. Mentionnons, dans le cas de l'environnement interne, la mission, la stratégie, la culture, la philosophie de gestion, le climat de travail, les technologies, la présence d'un syndicat et le profil des employés. En ce qui concerne l'environnement externe, on s'intéresse à la culture nationale, aux lois, à l'économie, au secteur d'activité, au marché du travail, aux technologies et à la démographie. Bien qu'il soit impossible de passer en revue tous ces éléments dans ce chapitre, nous expliquons ci-après comment la planification des RH peut s'avérer nécessaire lorsque certaines exigences interpellent la capacité d'adaptation de l'organisation. Ces exigences peuvent avoir des sources multiples et variées; dès lors, nous mettons l'accent sur les facteurs qui semblent les plus marquants.

| Figure 2.1 | Les liens entre la stratégie d'affaires et la planification des RH |

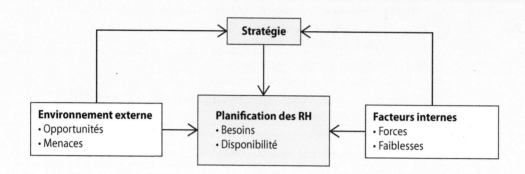

2.1.1 L'adaptation à de nouvelles stratégies d'affaires

Les restructurations, le développement d'affaires à l'international, les fusions et acquisitions de même que plusieurs autres initiatives stratégiques se répercutent sur les besoins en RH et sur la disponibilité de celles-ci (Belcourt et McBey, 2016). La question que se posent les dirigeants est alors de savoir comment adapter leur force de travail aux exigences issues des stratégies. Prenons le cas d'une compagnie qui projette d'abandonner sa stratégie de croissance par l'acquisition d'autres sociétés en faveur d'une stratégie de croissance interne. Quelle nouvelle approche de développement des compétences et de planification de la relève devra accompagner cette nouvelle stratégie? Une autre organisation pourrait décider de faire face à la concurrence en misant sur la création de nouveaux produits. Devra-t-elle prévoir l'embauche d'un chef de produit afin de mettre encore davantage l'accent sur la conception de produits? Comment fera-t-elle pour stimuler la créativité sur tous les plans? L'entreprise qui décide de suspendre une importante phase d'expansion devra aussi anticiper les répercussions sur son personnel. Devra-t-elle envisager de mettre à pied temporairement une partie de sa force de travail?

Une stratégie d'affaires de différenciation des produits par la qualité exige souvent un rehaussement des compétences du personnel, donc un plan d'action à l'égard des RH tablant sur la formation. Les exigences d'une stratégie qui mise sur la qualité ou sur le contrôle des coûts ne sont pas moindres. Le tableau 2.1 met en rapport ces stratégies d'affaires et leurs exigences quant aux RH. Il illustre comment, dans une perspective à la fois contingente et stratégique, les stratégies d'affaires peuvent influer sur les besoins de l'organisation en ce qui a trait aux compétences et aux comportements recherchés. Chaque stratégie comporte ses exigences et chaque organisation doit disposer de la bonne force de travail pour réaliser sa stratégie d'affaires.

2.1.2 L'adaptation à l'évolution technologique

Les progrès scientifiques et les vagues successives d'applications technologiques de même que la création du cyberespace ont atteint toutes les couches de la société et tous les secteurs de l'économie. Qu'il s'agisse de l'omniprésence d'Internet dans la vie de tous les jours, du commerce électronique, des nouvelles générations technologiques permettant une plus grande interactivité ou des nouvelles plateformes de technologies de production, il est clair que l'évolution technologique peut avoir des répercussions

Tableau 2.1	Les exigences quant aux RH selon trois stratégies d'affaires	
Stratégie d'affaires	**Exigences quant aux RH**	
Domination par les coûts	• Priorité accordée aux résultats, surtout à court terme • Préoccupation pour l'efficience • Respect des règles et des procédures	
Innovation	• Créativité • Ouverture d'esprit • Aisance avec l'informel et l'ambiguïté • Acceptation des erreurs raisonnables • Préoccupation pour la réussite à long terme	
Qualité	• Sens de l'engagement • Souci de la qualité • Compréhension et optimisation des processus • Participation au travail d'équipe	

importantes sur les personnes et sur les prévisions en matière de RH. À long terme, les effets de l'évolution technologique sur les besoins en personnel peuvent être considérables. Avec la modernisation des exploitations minières, par exemple, là où 1 000 employés étaient nécessaires en 1950, il n'en faut plus que 200 aujourd'hui. Les innovations technologiques font aussi apparaître de nouveaux métiers, comme celui de «programmeur 3D» chez Ubisoft et celui de «TM1 SME» chez CGI. L'évolution technologique peut également faire varier la disponibilité des RH. Les espaces virtuels de travail, par exemple, dont une manifestation maintenant bien connue est le télétravail, donnent accès à une main-d'œuvre dispersée géographiquement.

La planification des RH s'impose donc pour évaluer les postes qui seront touchés par les améliorations technologiques et pour établir si les changements technologiques auront une incidence sur le nombre d'employés nécessaires pour effectuer le travail ou sur les compétences requises. La prévision de la disponibilité de la main-d'œuvre est aussi modifiée lorsque l'on envisage de faire le travail autrement, sans contraintes de temps ou d'espace.

Parole d'expert

Des postes hautement qualifiés

«En 10 ans, nous sommes passés de la fabrication de pièces à l'assemblage, et à des postes hautement qualifiés», constate Stéphane Pelletier, directeur principal des RH chez Bombardier Aéronautique. [...] Non seulement les technologies — informatique, robotique — sont de plus en plus pointues, mais les contraintes ne cessent d'augmenter. «Il faut qu'ils aient les connaissances pour concevoir des moteurs qui consomment toujours moins d'essence, aussi bien pour des raisons environnementales que pour réduire les coûts», dit-il. [...] Ce phénomène d'hyperspécialisation s'étend maintenant à toute la chaîne de production. «De plus en plus, nous nous doterons d'équipements et de machines plus intelligentes, de technologies plus performantes qui demanderont plus de connaissances et de qualifications de la part des techniciens», dit-il.

Source : Extrait de BERGERON, U. «L'industrie fait de l'œil aux scientifiques», *Les Affaires*, 10 novembre 2012, p. 26.

2.1.3 L'adaptation à la situation économique

La mondialisation de l'économie a sans doute été le facteur ayant exercé l'influence la plus forte sur la transformation des organisations et du marché du travail au cours des deux dernières décennies. Changements structurels et conjoncturels, compétitivité des pays et des régions, arrivée de pays émergents comme la Chine, l'Inde et le Brésil ne sont que quelques-uns des facteurs qui ont pesé lourd, indirectement, sur la transformation de la GRH.

La transformation de l'environnement économique qui est observée actuellement découle de la crise financière qui a entraîné dans son sillage une crise économique et une stagnation qui perdurent. Des fermetures d'établissements, des arrêts de production, des faillites et des compressions ont causé des dommages importants dans le domaine de l'emploi, miné la sécurité des employés et engendré beaucoup de stress. Ainsi, le plus souvent, on associe les crises financières et les crises économiques à une réduction généralisée des besoins en RH et à la suppression de postes. Dans un contexte de décroissance, les dirigeants d'entreprise opèrent davantage dans une perspective de réduction des effectifs que dans une perspective d'augmentation de la force de travail, et cela est justifié par le fait que les coûts de la main-d'œuvre représentent fréquemment un pourcentage important des coûts totaux d'exploitation. En période de croissance, d'autres dynamiques s'établissent et la gestion prévisionnelle des RH intègre des considérations différentes. Ainsi, lorsque l'économie va bien et que le chômage est en baisse, le défi consiste plutôt à trouver des RH qualifiées dans un contexte de pénurie de main-d'œuvre.

2.1.4 L'adaptation à la « guerre des talents »

www.fastcompany.com

The war for talent, une entrevue avec Ed Michaels sur la guerre des talents

Lorsque le talent représente une ressource importante pour le succès des organisations et qu'il se fait rare, les employeurs s'engagent dans une « guerre des talents ». Cette expression imagée fait allusion à un nouveau contexte marqué par la rareté de talents sur un marché où la matière grise est désormais la matière première. La guerre des talents s'engage principalement sur le terrain des métiers exigeant beaucoup de connaissances et de ceux qui créent de la valeur dans une économie basée sur la connaissance. Et rien n'est gagné d'avance, puisque les travailleurs du savoir n'hésitent pas à changer de lieu de travail quand les conditions sont plus avantageuses ailleurs. Un exemple souvent mentionné est celui du Royaume-Uni, où un tiers des médecins ont été formés à l'étranger.

En anticipant les besoins en RH et la disponibilité de celles-ci, le système de planification des RH peut être mis à profit dans cette guerre des talents. D'une part, il est important de préciser la nature exacte des besoins en compétences. D'autre part, toute organisation a intérêt à suivre de près l'évolution des qualifications et des profils de compétences des talents, tant à l'interne qu'à l'externe. Les organisations qui ont une vision claire des choses seront mieux en mesure de cibler les interventions qu'elles devront mettre en place pour attirer et retenir les talents. Elles auront aussi, dans ce contexte de guerre des talents, à préparer la relève des talents à des postes clés.

2.1.5 L'adaptation au vieillissement de la main-d'œuvre

Vieillissement démographique

État d'une population marquée par l'augmentation du poids relatif du nombre de personnes âgées et par la réduction de la population des jeunes dans la population totale.

Le **vieillissement démographique** caractérise plusieurs pays, tandis que l'allongement de l'espérance de vie et le déclin de la fécondité engendrent une proportion de plus en plus forte de personnes âgées. Bien que ce phénomène se généralise, le nombre et la proportion des personnes âgées varient considérablement d'une région à l'autre. Dans les régions développées, les personnes âgées de 60 ans ou plus représentaient en 2000 près du cinquième de la population ; d'ici à 2050, elles devraient en constituer le tiers. Dans les régions en développement, elles ne représentent actuellement que 8 % de la population, mais d'ici à 2050, cette proportion atteindra près de 20 %. Par conséquent, même si le vieillissement démographique sera plus rapide dans les pays en développement que dans les pays développés, le poids relatif du nombre de personnes âgées sera plus important dans les pays développés (ONU, 2002).

Le vieillissement démographique représente un facteur d'évolution à intégrer à la gestion prévisionnelle des RH, car il peut se manifester par des pénuries de main-d'œuvre. Plusieurs considèrent d'ailleurs ce vieillissement comme un «risque démographique» pour les entreprises (Strack, Baier et Fahlander, 2008). Comme le démontre la mise en situation du début de ce chapitre, les organisations ont intérêt à évaluer les effets de l'évolution démographique sur leur force de travail. En l'absence d'une relève suffisante, il semblerait ainsi que le vieillissement des machinistes, des mécaniciens de machinerie et d'équipement de transport annonce des départs à la retraite et, éventuellement, des pénuries de main-d'œuvre. L'adaptation à cette évolution démographique impose donc aux organisations de faire des projections quant aux départs à la retraite en fonction d'une analyse rigoureuse des profils des membres du personnel.

Au Québec, par exemple, on estime que la croissance de la population de 2010 à 2030 proviendra presque exclusivement de la croissance de la population en âge de retraite (ISQ, 2012). Ainsi, dans ce contexte de «papy-boom», les prévisions de la disponibilité des RH peuvent aussi se baser sur des hypothèses d'allongement de la vie professionnelle au-delà de l'âge normal de la retraite. Les entreprises peuvent également envisager de revoir leurs pratiques de recrutement pour cibler ces personnes d'expérience qui seront de plus en plus nombreuses.

Regard sur la pratique

AU CANADA

Le vieillissement des médecins risque d'aggraver la pénurie en Colombie-Britannique

Les centaines de départs à la retraite de médecins de famille attendus d'ici les cinq prochaines années soulèvent des inquiétudes, au moment où la Colombie-Britannique connaît déjà une pénurie de ces professionnels.

«Les médecins deviennent un groupe plus vieux et un certain nombre d'eux sont prêts pour la retraite», soutient Shelley Ross de l'Association des médecins de la Colombie-Britannique (Doctors of BC).

Déjà en 2013, Victoria avait estimé que 200 000 Britanno-Colombiens avaient besoin d'un médecin de famille. Cette même année, la province avait lancé un programme d'environ 132 millions de dollars et avait promis que tous ses résidents auraient accès à un médecin de famille en 2015. L'an dernier, le ministre de la Santé Terry Lake avait dû avouer que cet objectif n'avait pas été atteint.

«C'est une réalité à laquelle nous faisons face dans le monde occidental», dit-il maintenant au sujet du vieillissement de la population. «Nous avons plus que doublé le nombre de médecins que nous formons», poursuit-il. Il ajoute que plus d'étudiants en médecine se tournent vers cette spécialité.

Toutefois, il soulève que certains facteurs augmentent la pression sur le système de santé, notamment le fait que des patients ont maintenant des problèmes de santé plus complexes.

Il soutient également que les habitudes de travail ont changé. «De nombreux médecins ne travaillent plus 50 ou 60 heures comme ils le faisaient dans les années 1960, 1970 et 1980», a-t-il lancé.

Le ministre de la Santé dit que la province souhaite un modèle d'équipe intégrée de professionnels du domaine médical pour voir des patients et aider à enlever de la pression sur les médecins généralistes. «Tous les problèmes médicaux ne nécessitent pas un médecin», conclut-il.

Source: Extrait de SOCIÉTÉ RADIO-CANADA. «Le vieillissement des médecins risque d'aggraver la pénurie en C.-B.», *ICI Radio-Canada – Colombie-Britannique-Yukon*, «Santé», 26 avril 2016, http://ici.radio-canada.ca/regions/colombie-britannique/2016/04/26/003-manque-docteurs-medecins-famille-vieillissement-population.shtml (Page consultée le 21 juin 2016).

VIDÉO

L'Ordre des CRHA a réalisé la vidéo « Génération Z : zen ou zappeur ? », avec France Lefebvre, CRHA

2.1.6 L'adaptation aux nouvelles générations

Bien que le poids relatif des jeunes dans la population totale soit en baisse, les organisations doivent composer avec l'arrivée des représentants des générations Y et Z. Même s'il subsiste des différences importantes entre les individus, il semblerait que les membres de ces générations ont des valeurs différentes de celles des générations qui les ont précédées.

S'il est vrai que les jeunes doivent s'adapter au monde du travail, le monde du travail doit également s'adapter à eux. Ainsi, les organisations qui entrevoient des pénuries de main-d'œuvre ont intérêt à revoir leurs conditions de travail ainsi que leurs politiques et pratiques de GRH de façon à se positionner comme employeurs de choix. Se pose aussi le défi de la rétention d'une force de travail qui, dit-on, n'hésite pas longtemps à changer de milieu pour un meilleur emploi. En matière de communication, faudra-t-il aussi revoir les façons de faire pour favoriser la messagerie électronique instantanée ? Poser la question, c'est y répondre. La planification des RH doit ainsi intégrer ces considérations en vue de favoriser l'adaptation de l'organisation à l'évolution de la force de travail. Le tableau 2.2 présente les grandes caractéristiques des générations actuellement sur le marché du travail.

Tableau 2.2	Les membres des différentes générations au travail		
Baby-boomers 1944-1965	**Génération X 1966-1979**	**Génération Y 1980-1994**	**Génération Z 1995-**
• Composent une génération choyée • Ont révolutionné les mœurs dans les années 1960 • Sont sûrs d'eux • Sont optimistes • Sont encore très nombreux sur le marché du travail, mais près de la retraite	• Vivent de l'insécurité professionnelle • Sont arrivés sur le marché du travail en pleine crise économique • Sont indépendants • Sont pragmatiques • Changent d'emploi très souvent	• Utilisent beaucoup les nouvelles technologies • Sont pragmatiques • Sont critiques • Sont entreprenants • Sont impatients • N'hésitent pas à saisir les occasions favorables	• Commencent à bousculer la génération X • Sont nés avec Internet • Veulent profiter à fond du présent • Sont lucides • Sont en mode d'autoapprentissage • Mènent une vie équilibrée • Sont ultra-connectés

2.1.7 L'adaptation à la diversité de la main-d'œuvre

Au sens étroit, la diversité est associée aux programmes d'accès à l'égalité ou d'équité qui concernent les groupes cibles, à savoir les femmes, les Autochtones, les minorités visibles et les personnes handicapées. Au sens large, la diversité touche davantage à l'hétérogénéité de la main-d'œuvre, ce qui comprend, en plus des groupes déjà cités, la mixité de la main-d'œuvre au point de vue de l'âge (les jeunes et les personnes plus âgées), de la répartition géographique (les régions versus le centre) et même des différents profils de personnalité.

La question de la diversité, dont le chapitre 11 traite plus en profondeur, se pose aussi directement en relation avec la planification des RH. En effet, une analyse des effectifs doit constituer la première démarche à effectuer pour corriger la situation des personnes faisant partie de certains groupes victimes de discrimination en emploi. Il sera alors possible de déterminer la proportion des effectifs que représente, pour chaque type d'emploi, chacun des groupes visés (femmes, personnes handicapées, Autochtones, minorités visibles). Sur la base de ces analyses, les éléments d'un plan d'accès à l'égalité peuvent faire partie intégrante du plan de RH. Par exemple, le recrutement externe envisagé en réponse à une projection de pénurie de personnel pourrait cibler certains groupes pour augmenter leur représentation au sein de l'entreprise.

Le coin de la loi

La Loi sur l'accès à l'égalité en emploi

La Loi sur l'accès à l'égalité en emploi dans des organismes publics propose un cadre d'accès à l'égalité. Ainsi, les organismes publics visés par cette loi doivent procéder à l'analyse de leurs effectifs et établir un programme d'accès à l'égalité en emploi qui comprend les éléments suivants :

1 une analyse du système d'emploi, plus particulièrement les politiques et pratiques en matière de recrutement, de formation et de promotion ;

2 les objectifs quantitatifs poursuivis, par type d'emploi ou regroupement de types d'emplois, pour les personnes faisant partie de chaque groupe visé (les femmes, les personnes handicapées, les Autochtones, les personnes qui font partie d'une minorité visible et les personnes dont la langue maternelle n'est pas le français ou l'anglais et qui font partie d'un groupe autre que celui des Autochtones et celui des personnes qui appartiennent à une minorité visible) ;

3 des mesures de redressement temporaires fixant des objectifs de recrutement et de promotion, par type d'emploi ou regroupement de types d'emplois, pour les personnes faisant partie de chaque groupe visé ;

4 des mesures d'égalité de chances et des mesures de soutien, le cas échéant, pour éliminer les pratiques de gestion discriminatoires ;

5 l'échéancier pour l'implantation des mesures proposées et l'atteinte des objectifs fixés ;

6 des mesures relatives à la consultation et à l'information du personnel et de ses représentants ;

7 l'identification de la personne responsable de la mise en œuvre du programme.

Il est à noter qu'un tel programme d'accès à l'égalité en emploi ne peut obliger un organisme :

1 à engager des personnes qui ne sont pas compétentes ou à leur donner une promotion ;

2 à engager des personnes ou à leur donner une promotion sans égard au mérite dans le cas où une convention collective ou les pratiques établies exigent que la sélection soit faite au mérite ;

3 à porter atteinte d'une manière indue aux intérêts de l'organisme ou des personnes qui n'appartiennent pas à un groupe visé ;

4 à créer de nouveaux postes ;

5 à exclure l'ancienneté comme critère d'embauche, de promotion, de licenciement, de mise à pied, de rappel au travail ou de redéploiement des effectifs.

2.2 Un modèle de planification des ressources humaines

Le modèle illustré dans la figure 2.2, à la page suivante, présente une approche structurée de planification des RH. Il propose comme point de départ une analyse de la stratégie de l'organisation dont la mise en œuvre comporte presque toujours des exigences en matière de GRH. Une stratégie qui entrevoit une fermeture d'usine, par exemple, aura comme conséquence de réduire les besoins en RH de l'entreprise. Suivront des réaffectations, des licenciements et d'autres mesures qui permettront de composer avec cette situation. Une autre stratégie dont la composante majeure consisterait en une expansion au rythme de l'ouverture de 10 nouveaux magasins par année en Asie aura comme effet d'augmenter les besoins en main-d'œuvre de l'entreprise et de l'engager dans un effort de recrutement.

La mise en œuvre de la stratégie de l'organisation peut aussi avoir comme conséquence de faire varier la disponibilité des RH. La fermeture d'une usine aura également comme conséquence d'augmenter la disponibilité de celles-ci et la direction pourrait puiser dans ce réservoir d'expertises pour répondre à la demande dans d'autres unités

Figure 2.2 Le processus de planification des RH

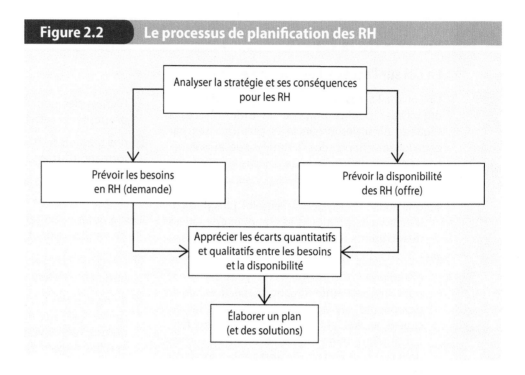

de l'entreprise. Dans le cas d'une expansion à l'international, la disponibilité des RH augmente pendant que l'entreprise accède à de nouveaux réservoirs de main-d'œuvre dans divers pays.

Nous aborderons dans ce chapitre les autres éléments du processus de planification des RH prescrits par ce modèle, à commencer par la prévision des besoins en RH. Il est à noter que les analyses qui s'inscrivent dans ce cadre de planification des RH peuvent se faire au niveau de l'organisation, de la division, de la fonction et du niveau d'emploi.

2.2.1 La prévision des besoins en ressources humaines

Les besoins en RH correspondent pour l'organisation à la demande de personnel qualifié ou ayant certains profils. La prévision des besoins porte autant sur le nombre de postes que sur le contenu de chacun des postes et sur les exigences de qualification en lien avec l'effort global de production. Ces besoins résultent des nécessités liées à la stratégie d'affaires ou à d'autres forces que nous abordons ci-dessous.

Comment s'expriment les besoins en ressources humaines?

Les besoins en RH s'expriment souvent de façon quantitative. On annonce une réduction des effectifs dans un secteur ou une augmentation dans un autre secteur. Une entreprise qui recherche des téléphonistes avec une expérience en télémarketing révèle une augmentation de ses besoins en RH. En amont de ce recrutement se trouve une prévision de ses besoins en RH qui motive l'embauche de ces téléphonistes. Des licenciements, au contraire, révèlent une réduction des besoins en RH, souvent à la suite de compressions. Une entreprise pharmaceutique, par exemple, annonce qu'elle devra réduire d'environ 11 % ses effectifs.

En complément à cette dimension quantitative se manifeste la dimension qualitative des besoins en RH. On fait alors référence aux profils de compétences recherchés ou à certaines autres caractéristiques distinctives. Ainsi, bien que l'entreprise considère qu'elle a assez de téléphonistes pour répondre à la demande de la clientèle, elle pourrait envisager une pénurie de téléphonistes détenant une expérience en télémarketing.

Une entreprise de camionnage pourrait avoir besoin de chauffeurs ayant une expérience sur un camion à plateau (*flatbed*) ou sur un train double de type B (*B-train*). Un centre hospitalier pourrait exprimer ses besoins en personnel infirmier dans certains secteurs spécialisés seulement.

En somme, la planification des RH exige que l'on prête attention non seulement à la dimension quantitative, qui se traduit par des projections d'augmentation, de stabilité ou de baisse des besoins en personnel, mais aussi à la dimension qualitative, qui fait notamment référence au savoir, au savoir-faire et au savoir-être. Cette dimension qualitative gagne en importance dans une économie de plus en plus basée sur la connaissance. Mentionnons qu'en France, dans le cadre de la **gestion prévisionnelle des emplois et des compétences (GPEC)**, plusieurs accords traitent de la dimension qualitative en référence aux besoins de formation et de développement des compétences. L'Agence nationale pour l'amélioration des conditions de travail (ANACT) reproduit sur son site Internet plusieurs accords de GPEC.

Les forces qui agissent sur les besoins en ressources humaines

Divers facteurs peuvent influer sur les besoins en RH d'une entreprise, notamment l'évolution de l'économie. En effet, comme nous l'avons mentionné précédemment, la détérioration des perspectives économiques se manifeste par une réduction des besoins en RH, alors que la croissance se traduit en général par une hausse de ces besoins. Selon les circonstances particulières de chaque organisation, de nouveaux facteurs interviennent.

Prenons le cas d'une chaîne de restaurants comme les Rôtisseries St-Hubert. Chaque soir où il y a un match de hockey des séries éliminatoires, la chaîne doit augmenter les effectifs du centre d'appels qui dessert la grande région de Montréal. Dans cet exemple, c'est le hockey qui conditionne les besoins en RH, alors que dans l'industrie des pâtes et papiers, ce sont, entre autres, le contexte mondial, le coût des fibres et la demande de papier journal. Dans l'aviation civile et le transport en général, les besoins en RH sont en partie déterminés par les coûts du pétrole. L'augmentation du prix du carburant ou une diminution du volume d'expéditions de grains et de céréales en raison d'une sécheresse peuvent inciter une entreprise de chemin de fer à abaisser ses frais d'exploitation au moyen d'une réduction de ses effectifs. Par ailleurs, l'introduction d'une nouvelle technologie est susceptible d'améliorer la productivité et, conséquemment, de réduire les besoins en RH. L'automatisation des procédés dans une brasserie, par exemple, peut faire passer sa productivité de 6 à 10 hectolitres par personne par heure, ce qui diminue ses besoins en RH pour le même volume de production. Dans un autre secteur, l'avancement des techniques chirurgicales permet aux établissements de santé de réduire la durée de l'hospitalisation. Avec le retour plus rapide des patients à la maison, les besoins en personnel infirmier dans les hôpitaux sont donc moindres, alors que ceux des services de soins de santé communautaires connaissent un essor.

Des facteurs propres à l'entreprise peuvent aussi influer sur la demande de travail. Une stratégie d'affaires qui mise sur la qualité, par exemple, exige souvent un rehaussement des compétences du personnel, donc un plan d'action en matière de RH tablant sur la formation. Par ailleurs, l'entreprise qui privilégie la qualité du service à la clientèle pour se démarquer a tout intérêt à revoir ses pratiques de sélection de façon à embaucher des collaborateurs dotés notamment d'aptitudes pour l'écoute et la communication efficace. Les valeurs propres à l'entreprise peuvent aussi influer sur les besoins en RH. En effet, dans une culture d'entreprise marquée par des valeurs relatives au respect et à l'éthique s'inscrivent des pratiques de recrutement et de gestion des carrières qui favorisent l'avancement des personnes partageant ces valeurs. Dans une telle culture d'entreprise, la planification de la relève mise surtout sur les

Gestion prévisionnelle des emplois et des compétences (GPEC)

Gestion anticipative et préventive des RH, fonction des contraintes de l'environnement et des choix stratégiques de l'entreprise.

www.anact.fr

L'Agence nationale pour l'amélioration des conditions de travail

Dans l'aviation civile et le transport en général, les besoins en RH sont en partie déterminés par les coûts du pétrole.

employés qui font preuve d'un leadership éthique. Les besoins en RH s'expriment ainsi en fonction des valeurs inhérentes à la culture d'entreprise.

Mentionnons enfin que les fusions et acquisitions exercent aussi une influence sur les besoins en RH. En effet, l'assimilation d'une organisation par une autre entraîne généralement des surplus de personnel. Ainsi, les fusions et acquisitions imposent non seulement des réductions d'effectifs, mais aussi une restructuration de l'organisation sur de nouvelles bases. La réalisation de la transaction repose également sur la capacité de retenir et de mobiliser les compétences qui correspondent aux opérations et à la culture de la «nouvelle» organisation.

Les méthodes de prévision des besoins en ressources humaines

Il existe plusieurs façons de prévoir les besoins en RH. Certaines sont plutôt subjectives, car elles reposent sur le bon jugement des personnes qui participent à l'exercice de planification, tandis que d'autres sont plutôt objectives, car elles font intervenir la mesure d'un taux de changement (Belcourt et McBey, 2016).

En ce qui concerne les méthodes objectives, elles font intervenir un taux de changement dans la prévision de la demande. Ces méthodes se fondent donc sur l'utilisation de données passées pour prévoir les besoins futurs de l'entreprise. Les méthodes objectives peuvent aussi faire usage de statistiques (p. ex., des analyses de régression) pour établir la force de la relation entre une ou plusieurs variables et l'évolution des besoins en RH.

Les prévisions basées sur le jugement des gestionnaires Dans la catégorie des méthodes subjectives se trouve celle qui consiste à sonder chaque gestionnaire sur les besoins en RH dans son unité. Une institution financière, par exemple, demande à ses cadres de déterminer les besoins futurs quant à sa main-d'œuvre sur un horizon de deux ou trois ans. Les prévisions se fondent, selon les cas, sur des projections de croissance ou de diminution du chiffre d'affaires, du nombre de dossiers à traiter, du volume de ventes, etc. Les estimations sont ensuite transmises à la direction de la dotation et de la planification des RH, située au siège social. La mise en commun des prévisions des gestionnaires produit une estimation globale des besoins en RH de l'organisation. En procédant ainsi, on considère que l'expertise que détiennent les gestionnaires de chaque succursale leur permet de formuler des projections justes de leurs besoins en RH.

La méthode Delphi Cette méthode se caractérise par une interaction indirecte de plusieurs participants et par l'intervention d'un «intermédiaire» qui résume l'information et coordonne les activités du groupe. La méthode Delphi est une méthode subjective de prévision des besoins en RH qui convient bien à des situations complexes et incertaines, ou encore lorsque la planification des RH s'établit sur un horizon plus lointain. Cette méthode pourrait être utilisée, par exemple, pour prévoir des besoins en personnel infirmier à la suite d'une restructuration des services du réseau de la santé d'une région donnée. Elle pourrait également se prêter à l'analyse des aspects qualitatifs, par exemple pour faire des projections quant aux compétences requises dans les postes clés d'une organisation s'apprêtant à entrer sur le marché international. S'il est vrai que plusieurs têtes valent mieux qu'une, cette méthode favorise une meilleure qualité de la prise de décision tout en minimisant l'influence qu'ont les personnalités sur les estimations.

La première étape de la méthode Delphi consiste à diviser le problème en plusieurs questions. Ensuite, l'intermédiaire fait parvenir les questions à un groupe de travail composé d'experts. Une fois qu'il a reçu les réponses des experts, il analyse le degré de convergence des réponses et synthétise l'information. Il renseigne alors le groupe et reprend la séquence jusqu'à l'obtention d'un consensus. La méthode Delphi permet ainsi aux personnes interrogées de réviser leur jugement initial avant qu'une projection ne soit finalement formulée.

L'extrapolation   Cette méthode objective de prévision des besoins en RH consiste à appliquer à l'avenir un taux de changement observé dans le passé. Une usine d'assemblage qui aurait embauché en moyenne 10 manutentionnaires par mois au cours des deux années antérieures pourrait ainsi prévoir des besoins s'établissant à 120 manutentionnaires pour les 12 prochains mois. L'extrapolation peut aussi présenter les variations des besoins en pourcentage avec une pondération qui accorde plus de poids aux données plus récentes. Dans l'exemple qui précède, on accorderait plus de poids aux variations dans les embauches au cours des mois les plus récents. Enfin, cette méthode fait parfois appel à l'analyse de séries chronologiques où l'on utilise les niveaux antérieurs de main-d'œuvre en vue de dégager les variations cycliques et les tendances à long terme. Avec l'extrapolation, l'analyse est donc historique. On postule que l'entreprise va revivre des situations assez semblables, ce qui demeure un acte de foi dans un contexte parfois turbulent.

La projection des tendances par indexation   Cette autre méthode objective établit une relation statistique entre une ou plusieurs variables et le nombre d'emplois. Ainsi, s'il existe une corrélation entre le volume de ventes et la demande de travail, les prévisions des besoins en RH peuvent se fonder sur l'évolution projetée du volume de ventes. À titre d'exemple, une forte croissance chez un revendeur et torréfacteur de café peut inciter la direction de l'entreprise à revoir ses projections quant à ses besoins en RH. Pour cette entreprise, l'ouverture de 10 nouveaux établissements se traduira par une augmentation de la demande de baristas, de chefs de quart, d'aides-gérants et de directeurs de magasin, augmentation qui sera proportionnelle à l'ampleur de cette expansion. En milieu hospitalier, le ratio du nombre de médecins par rapport à l'ensemble de la population ou par rapport à l'utilisation des services par la population peut également servir de base aux projections. Ainsi, une croissance projetée de la population ou de l'utilisation des services médicaux peut engendrer une augmentation proportionnelle du nombre de médecins requis.

Série chronologique

Suite de valeurs numériques exprimées mathématiquement (probabilités statistiques) pour l'étude de variables au fil du temps.

2.2.2 La prévision de la disponibilité des ressources humaines

L'organisation doit pouvoir compter sur les personnes qu'il faut, avec les compétences voulues, en temps opportun. À cette étape du processus de planification des RH, il faut donc déterminer combien de personnes seront disponibles pour travailler dans l'organisation et si leurs compétences sauront répondre aux besoins en RH établis à l'étape précédente.

Où se trouvent les talents?

Les talents peuvent se trouver tant à l'intérieur qu'à l'extérieur de l'organisation. Les économistes reconnaissent d'ailleurs depuis longtemps que la force de travail peut être interne ou externe. À l'interne, la prévision de la disponibilité des RH se fonde sur l'analyse des personnes travaillant déjà dans l'organisation. Par exemple, une entreprise pourrait se demander combien de personnes parmi celles qui sont déjà à son service possèdent les compétences particulières et les qualités personnelles pour occuper un poste d'ingénieur-chef des projets. À l'externe, les talents se trouvent d'abord sur le marché du travail local, régional ou national. Aussi bien à l'interne qu'à l'externe, la prévision de la disponibilité peut se faire par branche d'activité, par fonction et par niveau d'emplois et même par famille d'emplois. En procédant par famille d'emplois, par exemple, une entreprise manufacturière pourrait en arriver au constat que très peu de couturières seront disponibles à moyen terme, tant à l'interne qu'à l'externe, et cela pourrait justifier son investissement dans la formation et le développement des compétences.

Certaines organisations envisagent également la disponibilité des RH à l'international et se proposent d'installer leurs opérations dans des pays où la main-d'œuvre est

Une théorie d'intérêt

La théorie des marchés internes du travail

Issue des travaux de Michael Piore, la théorie des marchés internes du travail établit une nette distinction entre les marchés internes et les marchés externes. Les marchés internes désignent les règles administratives et les procédures relatives à la mobilité des personnes à l'intérieur des organisations. Ainsi, les organisations ont des systèmes de mutation et de promotion du personnel qui sont en quelque sorte à l'abri des marchés externes du travail. Cette théorie permet aussi de comprendre l'investissement en formation dans l'optique de préparer les personnes à occuper d'autres postes au sein de l'organisation.

Source : DOERINGER, P.B., et M.J. PIORE. *Internal Labor Markets and Manpower Analysis*, Lexington, D.C. Heath and Company, 1971.

abondante. Les talents peuvent aussi se trouver dans d'autres organisations. Dans le secteur de la haute technologie, par exemple, il n'est pas rare que l'acquisition d'une autre compagnie soit motivée par le désir d'intégrer les personnes compétentes à son service. De même, il est possible pour un employeur d'attirer des chercheurs d'emplois passifs qui ne recherchent pas activement un poste, mais qui pourraient être intéressés si une occasion ou un nouveau défi se présentait. Ainsi, il faut reconnaître que les talents se trouvent parfois chez les concurrents.

Les forces qui agissent sur la disponibilité des ressources humaines

Quels sont les défis qui pourraient influer sur la capacité de l'entreprise de recruter et de retenir les compétences essentielles à sa mission ? Voilà une question qui interpelle l'analyse de la disponibilité des RH. En effet, pour réussir ses projections, il faut bien comprendre ces défis et leurs répercussions sur la disponibilité de la main-d'œuvre. Une entreprise du commerce de détail, par exemple, pourrait s'intéresser au taux de croissance de la population pour se faire une idée de la disponibilité future de RH, surtout dans la tranche d'âge des 15 à 34 ans. Un ralentissement du taux de croissance de la population pourrait signaler une possible baisse de la disponibilité future des RH.

Le principal enjeu de l'analyse de l'offre de travail réside dans la difficulté à prévoir l'état des RH dans une organisation et une société qui ne cessent de se transformer. Mis à part l'évolution du taux de croissance de la population, il importe de considérer le taux de chômage, l'état du système d'éducation et l'immigration. Bien qu'un taux de chômage élevé puisse représenter un malheureux constat, il signale néanmoins une plus grande disponibilité de main-d'œuvre. Un système d'éducation performant contribue, par ailleurs, à bonifier l'offre de travail. L'immigration a aussi comme effet d'augmenter la disponibilité des RH. Par ailleurs, un changement législatif peut venir modifier l'état des RH dans une société. Prévoir l'état de ces dernières exige aussi de prendre en considération les facteurs propres à l'organisation, comme son **taux de roulement**, son profil démographique et son investissement en formation. On associe ainsi un taux de roulement élevé à des pertes de compétences. Une moyenne d'âge relativement élevée dans l'entreprise annonce des départs à la retraite et pose le défi d'assurer une relève de qualité. Enfin, l'investissement en formation peut faire en sorte de rehausser la qualification des personnes au service de l'organisation.

Taux de roulement

Ratio du nombre de départs pendant une période donnée sur le nombre de personnes au service de l'organisation au cours de la même période de référence, multiplié par 100.

Les méthodes de prévision de la disponibilité des ressources humaines

Les méthodes de prévision de la disponibilité des RH sont différentes selon que l'on s'intéresse prioritairement à l'offre interne ou à l'offre externe. Parmi les méthodes qui permettent de faire des prévisions à partir des personnes actuellement employées par l'organisation, les plus courantes sont l'inventaire des RH (ou l'inventaire des effectifs), le tableau de remplacement, la planification de la relève et l'analyse des mouvements de personnel.

AU QUÉBEC

Regard sur la pratique _____

Cri du cœur pour la formation professionnelle

Encore dans l'ombre des emplois nécessitant un diplôme universitaire, les métiers spécialisés, issus de la formation professionnelle et technique – souvent très payants –, sont pourtant soumis à une très forte demande, et les diplômés dans ces secteurs ne sont pas suffisamment nombreux pour pourvoir ces postes. Les besoins en main-d'œuvre spécialisée sont en pleine croissance, mais les inscriptions dans les centres de formation professionnelle et dans les cégeps ne suivent pas.

Selon Emploi-Québec, plus de 450 000 postes seront à pourvoir dans le secteur technique – qui demandent une formation collégiale technique ou une formation professionnelle au secondaire – d'ici 2022.

Or, s'il y a une forte demande, les écoles ne produisent pas suffisamment de diplômés pour pourvoir tous ces postes. Si, en 1976-1977, on comptait 113 228 jeunes en formation professionnelle, ils n'étaient plus que 7 824 en 2009-2010.

Même son de cloche du côté de la formation technique au cégep, où 18 000 diplômes sont remis chaque année, ce qui est insuffisant pour pourvoir l'ensemble des postes disponibles.

Source : Extrait de POIRIER, J.-M. « Cri du cœur pour la formation professionnelle », *Le Soleil*, 8 octobre 2015, p. 28.

L'inventaire des RH Une méthode d'analyse de la disponibilité interne des RH consiste à produire un inventaire de la situation actuelle des effectifs au sein de l'entreprise. Cette méthode vise une description soit quantitative, soit qualitative de la situation. La description quantitative permettra d'établir, par exemple, le nombre d'employés par direction, par titre d'emploi, par sous-service et parfois même par classe salariale. Elle peut aussi préciser le nombre de titulaires à temps complet régulier, à temps partiel régulier, à temps partiel occasionnel ou ayant un statut temporaire. Quant à la description qualitative, elle s'arrêtera aux éléments d'information comme le sexe, la scolarité, l'expérience de travail, les compétences, les diplômes, le potentiel ou les aspirations professionnelles. Le fait de procéder à cet inventaire des RH dont dispose l'organisation peut mettre en évidence certaines catégories d'emplois dont les femmes sont exclues, ou encore désigner des unités administratives où la relève paraît insuffisante.

Le tableau de remplacement On utilise aussi le tableau de remplacement pour prévoir la disponibilité interne des RH. Il s'agit dans les faits d'une démarche de planification du remplacement des postes clés dans la structure d'emplois de l'entreprise. Cette méthode, par laquelle on examine le niveau de rendement actuel ainsi que le potentiel de chaque remplaçant, permet de visualiser les postes pour lesquels l'entreprise a une relève suffisante et ceux pour lesquels la relève semble insuffisante ou inexistante.

La planification de la relève Cette planification vise un horizon temporel plus lointain que la planification du remplacement. En tant que méthode de prévision de la disponibilité interne des RH, elle consiste à établir un plan pour une succession ordonnée de personnes susceptibles d'occuper les postes clés au sein d'une organisation. Ainsi, avec pour objectif d'assurer une continuité dans l'entreprise, cette activité exige d'observer la disponibilité interne de talents et de prévoir des mesures de développement pour préparer la relève de demain (Bower, 2007).

La planification de la relève requiert un bon système d'évaluation du potentiel, mais aussi une analyse des postes et des filières professionnelles. La formation et le développement de compétences générales, le *coaching*, les affectations temporaires et le mentorat sont des mesures qui peuvent découler de la planification de la relève.

L'analyse des mouvements de personnel   Une autre méthode de prévision de la disponibilité des RH consiste à réaliser des projections basées sur l'analyse des mouvements de personnel. Pour chaque personne qui travaille au sein de l'organisation, cinq cas de figure sont possibles :

1. la stabilité dans le même poste ;

2. la promotion à un poste de niveau supérieur ;

3. la mutation latérale à un poste de même niveau ;

4. le départ de l'organisation (p. ex., démission, licenciement, congédiement) ;

5. la rétrogradation à un poste de niveau inférieur.

L'exercice consiste pour l'entreprise à suivre ces mouvements sur une assez longue période (environ cinq ans) pour ensuite avoir la possibilité d'anticiper les mouvements futurs. En se fondant sur des estimations probabilistes, les modèles de Markov, c'est-à-dire des modèles qui utilisent des matrices et des probabilités de transition, favorisent des anticipations plus précises des mouvements futurs (Belcourt et McBey, 2016). Il est aussi possible de soustraire des effectifs actuels les départs à la retraite et les démissions prévus pour obtenir une estimation de la main-d'œuvre disponible à la fin de la période de référence (Brassard, 2007). La figure 2.3 illustre comment s'opère cette analyse des mouvements de personnel.

Si l'employeur prévoit qu'il ne disposera pas à l'interne des RH suffisantes, il doit prendre en considération la disponibilité externe de celles-ci. La prévision de cette disponibilité consiste essentiellement à sonder l'environnement externe afin de cibler sur le marché du travail les personnes susceptibles de bien répondre aux besoins de l'entreprise. La collecte de l'information se réalise à l'échelle locale, nationale ou internationale, selon l'envergure de l'organisation et ses besoins en RH. À l'échelle locale, l'information se trouve dans les journaux locaux ou dans les rapports d'associations d'employeurs ou d'autres organismes qui œuvrent dans la municipalité ou la région ciblée. Les institutions d'enseignement peuvent aussi fournir une information pertinente sur l'état du marché du travail. À l'échelle nationale, certains organismes comme l'Institut de la statistique du Québec ou Statistique Canada peuvent fournir de précieuses données. Voici quelques facteurs dont l'évolution peut être prise en compte dans les prévisions de l'offre externe :

- L'alphabétisation. Malgré la hausse marquée du taux d'alphabétisation à l'échelle mondiale, il demeure une source constante d'inquiétude. En effet, de nombreux adultes n'ont pas une capacité suffisante de lecture pour fonctionner dans le

www.stat.gouv.qc.ca
Institut de la statistique du Québec

www.statcan.gc.ca
Statistique Canada

Figure 2.3   **L'analyse des mouvements de personnel**

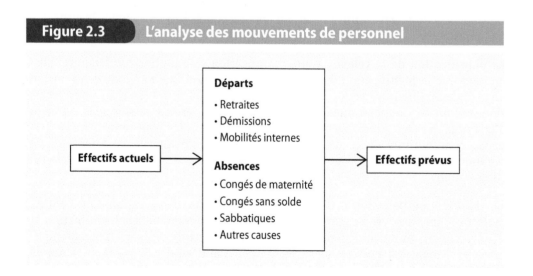

monde moderne. Il s'agit là d'une entrave importante à l'accès au travail et, du point de vue des organisations à la recherche de talents, d'un constat préoccupant.

- **La fécondité.** La chute de la fécondité représente un frein à la croissance démographique et, par conséquent, à la croissance de la population disponible sur le marché du travail. On attribue d'ailleurs souvent à cette baisse de la fécondité les pénuries de main-d'œuvre récentes, et donc la moins grande disponibilité des RH.

- **L'âge médian de la population.** L'âge médian constitue un bon indicateur du vieillissement de la population. Il était d'environ 25 ans au début des années 1970 au Québec. En 2015, il se situait à 41,0 ans chez les hommes et à 42,9 ans chez les femmes (ISQ, 2016). À titre comparatif, l'âge médian se situait alors à 41,8 ans au Canada, à 46,5 ans au Japon et à seulement 17,1 ans au Burkina Faso (Statistiques mondiales, 2016).

- **Le système d'éducation.** Un système d'éducation qui ne répond pas aux besoins du marché du travail risque d'engendrer une situation où de nombreuses personnes sont à la recherche d'un emploi alors que plusieurs entreprises n'arrivent pas à trouver les candidats susceptibles de répondre à leurs besoins. Certains estiment, à cet égard, qu'il faudrait accroître de beaucoup le nombre de diplômés en informatique et en haute technologie pour répondre à l'offre d'emplois dans les sociétés point-com.

- **La participation au marché du travail.** Cette participation s'apprécie généralement par la présence de certains groupes au sein de la population active. On note ainsi que l'intégration des femmes au marché du travail n'a cessé d'augmenter presque partout dans le monde au cours des récentes décennies. Cette participation serait conditionnelle, semble-t-il, à la mise en place de mesures d'aide à la conciliation travail-famille. Mentionnons aussi que les personnes en âge de prendre leur pleine retraite participent de plus en plus au marché du travail, ne serait-ce qu'à temps partiel.

Population active

Personnes en âge de travailler et qui sont disponibles sur le marché du travail. Les personnes ayant un emploi, mais qui ne l'exercent pas pour différentes raisons (comme un congé de maternité), ainsi que les chômeurs font partie de la population active.

- **Le niveau de chômage.** Le niveau de chômage donne une indication du nombre de personnes disponibles pour le travail et qui sont à la recherche active d'un emploi. Plus le taux de chômage est élevé, plus il y a de personnes disponibles pour pourvoir les postes vacants, et vice versa. Il faut toutefois qu'il y ait adéquation qualitative entre l'offre et la demande de travail.

- **L'immigration.** Au Québec, depuis le début des années 1970, le solde migratoire international est positif, c'est-à-dire que le nombre d'immigrants est supérieur au nombre d'émigrants. Divers milieux de travail en arrivent à combler leurs besoins en RH surtout par l'embauche d'immigrants. Au Canada, dans le secteur de l'agriculture, on constate que la main-d'œuvre venant du Mexique, du Guatemala et des Antilles est en constante progression. Les immigrants représentent donc une force de travail considérable dans certains secteurs.

Les personnes en âge de prendre leur pleine retraite participent de plus en plus au marché du travail.

2.2.3 L'appréciation des écarts entre les besoins et la disponibilité

L'appréciation des écarts entre les besoins en RH et la disponibilité de ces dernières s'apparente à une étude de vulnérabilité (Brassard, 2007), car elle permet de détecter des risques pour les opérations de l'organisation. Une pénurie de main-d'œuvre, par exemple, peut représenter un frein à la croissance. Dans le cas contraire, un surplus de personnel comporte des risques associés à l'augmentation des frais d'exploitation. Les prévisions peuvent ainsi conduire à des constats de déséquilibre ; les mesures correctives qui doivent être prises dépendent alors de la nature des déséquilibres ou des écarts entre les besoins et la disponibilité.

La pénurie quantitative de ressources humaines

Une organisation peut prévoir une pénurie de RH, c'est-à-dire un déséquilibre caractérisé par des prévisions de besoins supérieures aux prévisions de la disponibilité des RH. Elle anticipe ainsi qu'elle ne disposera pas d'un nombre suffisant d'employés pour répondre à ses besoins futurs. Il s'agit d'une situation de pénurie quantitative de RH, laquelle se produit fréquemment lorsque l'organisation se situe dans une phase de croissance ou que son taux de roulement du personnel est très élevé.

La pénurie qualitative de ressources humaines

La pénurie qualitative de RH apparaît lorsque les analyses laissent entrevoir une insuffisance des compétences relatives aux nouveaux besoins de l'entreprise. La pénurie de travailleurs qualifiés, souvent évoquée dans les médias comme un frein à la croissance, renvoie à cette notion de pénurie qualitative. Et cela s'exprime de façons bien différentes selon le contexte. Dans certains milieux, l'enjeu consiste à trouver des personnes ayant tout simplement les attestations requises pour faire le travail. Dans d'autres milieux, les exigences sont plus subtiles, comme le besoin d'«intrapreneurs» qui innovent au sein de leur entreprise ou de personnes aptes à travailler en équipe.

Le surplus quantitatif de ressources humaines

La projection d'un surplus quantitatif de RH survient lorsque les prévisions indiquent que la disponibilité de ces dernières excédera les besoins. Le surplus quantitatif touche le plus souvent les entreprises qui traversent une phase de décroissance où la main-d'œuvre est trop abondante pour le volume de travail requis. Parfois, cette prévision de surplus concerne une situation de courte durée ou conjoncturelle, en relation notamment avec un ralentissement cyclique et anticipé des ventes. Par exemple, à l'automne, à la fin de la haute saison, le transporteur Air Transat doit normalement composer avec un surplus quantitatif de RH et procéder à des mises à pied saisonnières.

Le surplus qualitatif de ressources humaines

Le surplus qualitatif de RH se manifeste lorsque les compétences des employés sont trop élevées par rapport aux exigences des emplois. Quand cette situation est temporaire, l'entreprise peut s'en accommoder. En effet, certaines entreprises ont comme politique de faire commencer le nouveau personnel en bas de l'échelle, c'est-à-dire dans des postes d'entrée pour lesquels ils sont de toute évidence surqualifiés. Cela leur permet de se familiariser avec les rouages de l'organisation et ses opérations fondamentales. Pendant cette période d'apprentissage, les nouvelles recrues peuvent avoir l'impression que leur qualification est trop élevée pour ce travail, mais elles se consolent à l'idée que cette situation est temporaire. À plus long terme, en l'absence d'une politique claire à cet effet, l'état de surqualification peut se traduire par une insatisfaction au travail.

2.3   Les solutions à mettre en place pour éviter les écueils

Selon la situation de déséquilibre envisagée, il existe divers moyens d'intervenir de façon à réduire les risques associés aux pénuries ou aux surplus de RH. Le tableau 2.3 présente une synthèse des mesures appropriées selon différentes situations de déséquilibre. Trop souvent, le réflexe des décideurs est d'avoir recours soit au recrutement externe ou aux licenciements, sans avoir au préalable pris en compte l'éventail complet des mesures possibles. Nous passerons donc en revue des solutions de rechange qui se révèlent souvent très efficaces.

2.3.1 Les solutions à une pénurie quantitative de ressources humaines

Les mesures prises dans une situation de prévision d'une pénurie quantitative de RH se rapportent au recrutement externe, à l'allongement de la vie professionnelle, au rappel au travail des retraités, à l'utilisation plus efficace des effectifs, à l'investissement à l'étranger et à la réduction des besoins en RH.

Le recrutement externe

Le recrutement externe se présente comme solution «de première ligne» à une pénurie de RH. Comme nous le verrons dans le chapitre 4, le recrutement externe consiste à constituer un réservoir de candidats qualifiés en ciblant les personnes qui ne sont pas déjà au service de l'organisation. Notons à cet égard que les entreprises ont de plus en plus tendance à faire appel à des employés à temps partiel embauchés sur une base temporaire, c'est-à-dire pour une durée déterminée. Par exemple, pour répondre à une plus forte demande durant la période des fêtes, de nombreux détaillants ont recours à une main-d'œuvre temporaire recrutée spécifiquement pour cette période de plus grande fréquentation. D'autres organisations font appel à une

Tableau 2.3 — **Les solutions aux déséquilibres anticipés en matière de personnel**

Sens du déséquilibre anticipé	Nature du déséquilibre anticipé	Mesures appropriées
Pénurie	Quantitative	• Recrutement externe • Allongement de la vie professionnelle • Rappel au travail des retraités • Utilisation plus efficace des effectifs • Investissement à l'étranger • Réduction des besoins en RH
	Qualitative	• Recrutement externe • Investissement dans la formation et le développement • Programme d'accès à l'égalité • Préparation de la relève
Surplus	Quantitatif	• Mises à pied • Licenciements • Gel d'embauche • Retraites anticipées • Semaine de travail réduite • Travail partagé • Travail à temps partiel • Réduction de la masse salariale • Réduction temporaire de la rentabilité
	Qualitatif	• Enrichissement des tâches • Gestion participative • Gestion des carrières

Regard sur la pratique

La Silicon Valley réclame plus de visas pour des programmeurs étrangers

En une semaine, tout était terminé. La ruée annuelle aux visas d'immigration H1B aux États-Unis, réservés aux travailleurs hautement qualifiés, a pris fin le 7 avril. Selon les chiffres diffusés par le service de l'immigration, le mercredi 15 avril, le record de 2014 a été dépassé : 233 000 requêtes ont été déposées entre le 1er et le 7 avril pour 85 000 visas (contre 172 500 demandes l'an dernier et 124 000 en 2013).

Pour la troisième année, les candidats, qui ont payé de 7 000 à 10 000 dollars les frais d'avocat et de dossier, seront départagés par tirage au sort. Même si parmi les visas H1B, dont le seuil est fixé par le Congrès, 20 000 sont réservés aux titulaires de *masters* de sciences et technologie. La Silicon Valley, en déficit chronique de programmeurs qualifiés, proteste depuis des années contre un système qui non seulement limite ses possibilités d'embauche, mais encore laisse à une loterie le soin de choisir les candidats, indépendamment de leur talent.

Source : Extrait de LESNES, C. «La Silicon Valley réclame plus de visas pour des programmeurs étrangers», *Le Temps*, «Économie & Finance/Éco Monde», 16 avril 2015.

main-d'œuvre temporaire pour remplacer les employés en congé parental. D'autres encore, qui sont aux prises avec une pénurie chronique de main-d'œuvre, revoient leur approche de recrutement pour rejoindre un plus grand nombre de candidats.

L'allongement de la vie professionnelle

Avec le vieillissement de la main-d'œuvre et une relève qui se laisse désirer, les organisations sont de plus en plus nombreuses à souhaiter que leur personnel expérimenté reste au moins quelques années de plus au-delà de leur âge normal de la retraite. Que peut donc faire l'organisation qui souhaite favoriser l'allongement de la vie professionnelle pour ainsi composer avec une prévision de pénurie de RH ? Même si plusieurs facteurs conditionnent la décision de chaque individu de poursuivre ou non sa vie professionnelle, il semble que les employeurs qui veulent retenir leurs travailleurs d'expérience ont intérêt à offrir plus de flexibilité au moyen d'un travail à temps partiel, de postes partagés, du travail à domicile ou de l'achat de jours de vacances. Bien que d'autres mesures d'adaptation puissent être envisagées, certains experts considèrent que la réduction du temps de travail, la flexibilité du temps de travail et l'individualisation des options de retraite s'avèrent les mesures les plus importantes pour le maintien en emploi des travailleurs d'expérience (Tremblay et Genin, 2009). L'organisation qui valorise les contributions de ses travailleurs d'expérience augmente du coup leur désir de rester plus longtemps (Armstrong-Stassen et Schlosser, 2011).

Le rappel au travail des retraités

Compte tenu du vieillissement de la population, le rappel au travail des retraités s'avère une solution envisagée par de plus en plus de dirigeants d'entreprise qui sont placés devant une pénurie anticipée de main-d'œuvre. Selon une étude réalisée auprès d'un échantillon de retraités canadiens (Armstrong-Stassen, 2006), les pratiques organisationnelles suivantes tendent à motiver un retour au travail des retraités :

- la prise en compte de leur expérience et de leur expertise ;
- la reconnaissance de leur contribution ;
- un traitement respectueux ;
- la possibilité de jouer un nouveau rôle de mentor.

Ces pratiques satisfont aux attentes des travailleurs retraités, qui peuvent ainsi faire profiter les milieux de travail de leur expérience et de leur expertise par un retour à la vie active.

L'utilisation plus efficace des effectifs

La mutation ou la promotion du personnel vers des secteurs qui connaissent une pénurie de main-d'œuvre représente une façon d'optimiser l'utilisation des effectifs. Le fait de favoriser les heures supplémentaires répond à des situations de pénurie de courte durée. La réorganisation du travail constitue un moyen d'améliorer la productivité au travail et, conséquemment, d'assurer une utilisation plus efficace des effectifs. L'amélioration de la productivité par l'automatisation des procédés permet à l'organisation de maintenir sa capacité de production malgré une réduction des effectifs. Les pénuries de main-d'œuvre ont aussi leur bon côté en favorisant notamment l'investissement dans les machines et le matériel pour améliorer l'efficacité globale. Ces diverses mesures visent à faire davantage avec moins de ressources.

L'investissement à l'étranger

Une autre option pertinente pour faire face à une prévision de pénurie quantitative de RH s'inscrit dans la logique de la mondialisation. Il s'agit, pour l'entreprise, de transférer certaines opérations de production dans des pays où la main-d'œuvre est abondante et souvent moins coûteuse. Cette stratégie consiste, dans bien des cas, à délocaliser la production à l'étranger, la plupart du temps en Asie, mais aussi dans d'autres régions où la main-d'œuvre peut répondre aux besoins. Bien que parfois critiqué pour son effet négatif sur l'emploi local, l'investissement à l'étranger permet d'établir des coopérations avec des entreprises étrangères ou d'exploiter ses propres installations à l'étranger.

La réduction des besoins en ressources humaines

Lorsque l'organisation est placée dans une situation de pénurie quantitative de RH, elle peut aussi songer à réduire ses besoins en personnel. C'est le cas d'une organisation qui confie l'exécution de certains travaux à un entrepreneur. Une autre possibilité consiste à renoncer, pendant une période donnée, à certains projets de développement. L'entreprise maintient ainsi sa production à un niveau stable et restreint ses besoins en RH. Enfin, la décision d'un détaillant de fermer boutique le dimanche alors que l'ouverture le dimanche demeure la règle commune dans le commerce de détail de la ville où il se trouve représente une autre mesure permettant de réduire les besoins en RH.

2.3.2 Les solutions à une pénurie qualitative de ressources humaines

Les mesures prises dans une situation de pénurie qualitative de RH visent le recrutement externe, l'investissement dans la formation et le développement, le programme d'accès à l'égalité et la préparation de la relève.

Le recrutement externe

Une option pertinente dans une situation de pénurie qualitative de RH consiste à recruter à l'extérieur les personnes ayant les compétences qui correspondent au plan de développement de l'entreprise. Cette option est intéressante surtout lorsque le développement interne des compétences requises s'avère long et coûteux. Toutefois, le recours au recrutement externe peut démobiliser les employés actuels qui désirent accéder un jour aux postes en question. Pour remédier à une prévision de pénurie qualitative, un choix s'impose donc entre le développement interne par l'investissement en formation et l'acquisition externe des compétences par l'effort de recrutement.

L'investissement dans la formation et le développement

Une mesure évidente pour combler un écart entre les compétences exigées et les compétences actuelles consiste à investir dans la formation et le développement

AU QUÉBEC

Regard sur la pratique

Les besoins en main-d'œuvre du secteur éolien

L'industrie éolienne cherchera à combler plus de 500 nouveaux emplois au cours des cinq prochaines années, rapporte la dernière veille annuelle sur les besoins en main-d'œuvre du secteur éolien produite par le Créneau d'excellence en éolien, au cours de l'hiver 2016.

La plupart des postes à pourvoir demeurent dans le domaine des services, un secteur en pleine croissance au Québec. L'ajout de nouveaux parcs éoliens au cours des dernières années a créé plusieurs opportunités, sans oublier les besoins qui seront plus nombreux et plus spécifiques dans les parcs éoliens déjà en opération. Il faut également considérer que plusieurs entreprises québécoises exportent leurs services ailleurs qu'au Québec, notamment dans la majorité des provinces canadiennes, aux États-Unis et dans certains pays d'Amérique latine.

« La filière éolienne a réussi sur une très courte période à démontrer qu'elle pouvait être génératrice de nouveaux emplois, comme l'illustrent les résultats de notre veille sur la main-d'œuvre. Le modèle québécois, envié par tous nos voisins et applaudi par l'OCDE, a permis de construire la chaîne d'approvisionnement en composantes et services la mieux structurée au Canada et dans le nord-est américain. Le virage pris à l'exportation, en combinaison avec les activités au Québec, permettra à la filière éolienne de demeurer l'une des locomotives de la création d'emplois non seulement en Gaspésie, mais pour l'ensemble du Québec », affirme le directeur du Créneau d'excellence en éolien, Dave Lavoie.

L'industrie cherchera donc à pourvoir, au cours des cinq prochaines années, plus d'une cinquantaine de postes d'électriciens ainsi qu'une quarantaine de techniciens en maintenance d'éoliennes. Elle embauchera également des techniciens en composite, des ingénieurs, des mécaniciens, des enseignants, des gestionnaires et du personnel administratif.

Source : Extrait de TECHNOCENTRE ÉOLIEN. « Résultats de l'étude sur les besoins en main-d'œuvre du secteur éolien 2016 – Le secteur des services de l'industrie éolienne en pleine croissance », *Canada News Wire*, « Nouvelles générales », 2 juin 2016.

des RH. L'entreprise qui investit dans des programmes de formation et de développement des compétences s'évite en effet une situation de pénurie qualitative et accroît en même temps sa capacité d'adaptation à plus long terme. En outre, la formation des RH procure une plus grande flexibilité à la gestion des affectations et des mouvements internes. Si, par ailleurs, la relève à la direction de l'entreprise paraît insuffisante, la formation représente un bon moyen de développer des habiletés de direction chez les personnes qui prendront la relève.

Le programme d'accès à l'égalité

Un programme d'accès à l'égalité mis en œuvre par une entreprise vise, d'une part, à assurer une représentation équitable des membres des groupes victimes de discrimination dans tous les emplois de l'entreprise et, d'autre part, à découvrir et à supprimer les règles et les pratiques de son système d'emploi susceptibles d'être discriminatoires. Un tel programme peut notamment cibler les femmes, les membres des communautés culturelles et les personnes handicapées. À titre d'exemple, un programme d'accès à l'égalité du gouvernement du Québec prévoyait que 25 % des personnes embauchées dans la fonction publique québécoise devaient être membres de communautés culturelles, autochtones ou anglophones. Il est à noter qu'un tel programme ne peut obliger un employeur à engager des personnes qui ne sont pas compétentes ou à leur donner une promotion sans égard au mérite.

Programme d'accès à l'égalité
Ensemble de mesures visant à augmenter l'embauche des personnes marginalisées ou faisant partie de groupes victimes de discrimination.

Le **programme d'accès à l'égalité** intervient ainsi comme moyen de redressement en réponse à ce que l'on appelle une pénurie qualitative de RH et que d'autres nomment un déséquilibre structurel. Il s'agit d'un ensemble de mesures qui, en fonction des principes directeurs de l'équité en matière d'emploi, s'implante en réponse à une sous-représentation de certains groupes.

La préparation de la relève

La prévision d'une pénurie qualitative de RH peut cibler les postes de direction ou de cadres supérieurs. Dans ce cas se présente l'enjeu de la préparation de la relève à ces postes clés. La mise en place d'activités de formation ou d'expériences de travail qui favorisent le développement de l'intelligence émotionnelle, des compétences relationnelles et de la pensée stratégique est parfois envisagée. Un programme de mentorat peut aussi favoriser l'apprentissage et la préparation de la relève. Mentionnons enfin que la préparation de la relève dans la PME s'avère un enjeu majeur dans le contexte actuel.

2.3.3 Les solutions à un surplus quantitatif de ressources humaines

Les réponses adaptées à une prévision d'un surplus quantitatif de RH sont les mises à pied, les licenciements, le gel de l'embauche, les retraites anticipées, la semaine de travail réduite, le travail partagé, le travail à temps partiel, la réduction de la masse salariale et la réduction temporaire de la rentabilité. Certaines de ces mesures ont des effets immédiats (p. ex., les mises à pied), tandis que les effets d'autres mesures se

Zoom sur la PME

Une transition réussie chez Andalos

Pascale Cheaib a toujours vu son avenir dans l'entreprise familiale, la boulangerie-pâtisserie Andalos, située dans l'arrondissement Saint-Laurent, à Montréal. Si elle était prête à reprendre un jour le flambeau, le décès soudain de son père, en mai 2015, a précipité les choses.

À 32 ans, elle est maintenant directrice générale de la PME, qu'elle gère avec ses deux frères. La jeune femme a d'ailleurs été le coup de cœur du jury des prix de la relève HEC, décernés en mai dernier.

Le décès de Raymond Cheaib, qui avait fondé l'entreprise en 1991, a créé une onde de choc parmi les 170 employés. La veille, il était encore au travail, se rappelle Pascale Cheaib.

L'événement a secoué tout l'entourage. « Andalos, c'est comme une grande famille. Nous comptons sur des employés qui sont chez nous depuis plus de 15 ans. Leurs enfants, leur cousine ou leur voisin viennent travailler avec nous. »

Un an après, l'entreprise est encore en période de transition. Pascale Cheaib et son frère Élie ont pris la tête de la compagnie en 2015. Leur frère Roger, avocat de formation, les a rejoints en février 2016. « Tous les employés nous connaissaient déjà, car cela fait longtemps qu'on travaille avec eux,

souligne la directrice générale. Ils n'ont pas été surpris quand ils ont appris que nous allions prendre la relève. »

La jeune femme a toujours gravité dans l'entreprise familiale, entre pains pitas, baklavas et autres spécialités méditerranéennes. « Pour mes deux frères et moi, c'était presque comme un quatrième enfant. On a vu notre père s'y impliquer avec cœur. Cela fait partie de nous », explique celle qui a quitté le Liban avec sa famille pour fuir la guerre civile à l'âge de sept ans.

D'une petite échoppe de 5 000 pi² où il était possible de déguster ou d'emporter des pitas et des pizzas, Andalos a plus que multiplié sa superficie par 10 depuis sa fondation. Aujourd'hui, les enfants Cheaib se retrouvent à la tête d'une PME dont les installations s'étendent sur 80 000 pi², répartis dans deux bâtiments, incluant usine de production, aire de restauration et service de traiteur.

L'entreprise, qui produit jusqu'à un million de pains pitas par jour, vend également ses baklavas, kaaks – de petits biscuits méditerranéens – minicroissants et chocolatines au Québec, en Ontario, dans les Maritimes et dans l'est des États-Unis, du Massachusetts à la Floride.

Source : Extrait de TREMBLAY, A.-M. « Une transition réussie en famille chez Andalos », *LesAffaires.com*, 10 juin 2016, www.lesaffaires.com/strategie-d-entreprise/pme/une-transition-reussie-en-famille-chez-andalos/588131 (Page consultée le 21 juin 2016).

font sentir à moyen ou à long terme (p. ex., le gel de l'embauche). Certaines de ces mesures procèdent par une réduction des effectifs (p. ex., les licenciements), alors que d'autres favorisent une réduction des coûts sans réduction des effectifs (p. ex., le travail partagé).

Les mises à pied

Selon la Commission des normes, de l'équité, de la santé et de la sécurité du travail (CNESST), la mise à pied consiste à interrompre temporairement l'emploi d'un salarié en raison d'un changement dans les besoins en main-d'œuvre de l'entreprise. Ainsi, certaines usines ferment leurs portes pendant la saison estivale parce que le volume de travail diminue. Au Québec, en raison du climat, les entreprises du secteur de la construction procèdent normalement à des mises à pied durant la saison hivernale.

Les licenciements

Une autre mesure de réduction des effectifs qui a un effet immédiat consiste, pour l'entreprise, à interrompre définitivement l'emploi de certains salariés en raison d'un changement dans ses besoins en main-d'œuvre. Il ne s'agit pas d'une mesure disciplinaire à l'endroit d'employés qui auraient été fautifs, mais bien d'une mesure administrative. Dans le cas où les licenciements s'imposent comme solution à une prévision de surplus de main-d'oeuvre, l'employeur peut néanmoins assurer un bon traitement en suivant les conseils contenus dans le tableau 2.4 (Baron et Kreps, 1999 ; Gómez-Mejía, Balkin et Cardy, 2011). Dans ce tableau, le terme «survivants» (les employés qui demeurent en poste) est né d'un constat : les personnes qui restent souffrent tout autant des mesures de réduction des effectifs que les personnes qui quittent l'entreprise. Notons aussi que les licenciements doivent se faire selon des critères rigoureux dictés soit par la convention collective, soit par l'adoption de critères objectifs, impartiaux, non discriminatoires et établis de bonne foi. La Loi sur les normes du travail précise par ailleurs qu'un salarié ayant au moins trois mois de service continu doit recevoir un avis écrit de cessation d'emploi. Il est également pertinent de mettre en place un programme d'aide pour ceux qui partent.

Le gel de l'embauche

Une mesure administrative visant une réduction permanente de la force de travail consiste en un gel de l'embauche, lequel peut conduire à un rééquilibrage, mais seulement sur une plus longue période. Ainsi, par un phénomène d'attrition, le nombre

Regard sur la pratique

Comment mobiliser les «survivants» après une restructuration

Selon Claude Bodeau, associé RH auprès du cabinet Kurt Salmon, le succès d'une réorganisation dépend étroitement de la faculté que possède l'entreprise – ou le cadre – à apporter des améliorations concrètes au quotidien des collaborateurs «survivants». «Pourquoi, par exemple, ne pas en profiter pour conclure, enfin, un accord de télétravail dont tout le monde parlait ? Pourquoi ne pas améliorer la qualité de vie au travail en aménageant les horaires ou en réexaminant les emplois du temps ?», suggère-t-il.

Mais attention, mettent en garde certains experts, tout cela n'est possible que si l'encadrement a évolué vers un management plus humain, plus proche des réalités du terrain, plus à l'écoute des équipes, de leurs craintes et aussi de leurs idées. «Quel que soit son niveau de responsabilité, un cadre reconnaît avoir besoin qu'on lui fixe des objectifs pour pouvoir se projeter et remplir sa mission, estime Olivier Gallais. Pourquoi en serait-il autrement des employés et des ouvriers, qui, eux aussi, ont besoin de savoir où ils vont, et comment, pour adhérer à un projet ? Si celui-ci engage leur avenir, il est vital de lui donner du sens pour le rendre crédible, acceptable et, pourquoi pas, désirable.»

Source : Extrait de DELON, É. «Comment manager après une restructuration», *WK-RH*, «Gestion d'équipe», 23 septembre 2015, www.wk-rh.fr/actualites/detail/88018/comment-manager-apres-une-restructuration.html (Page consultée le 21 juin 2016).

Tableau 2.4	Les conditions à respecter dans le cas d'une réduction des effectifs
Condition	**Ce qu'il faut faire**
Communication	• S'assurer que chaque employé comprend bien le processus. • Faire des communications avant, pendant et après la réduction des effectifs. • Favoriser la communication entre l'employé et son supérieur immédiat.
Compréhension	• Expliquer que d'autres possibilités que la réduction des effectifs ont été considérées. • Expliquer les conditions relatives au départ, comme les avantages sociaux.
Justice	• Prendre des décisions basées sur les principes de l'équité. • S'assurer de la clarté des critères de décision. • Prévoir un avis suffisant.
Humanisme	• Agir avec compassion. • Bien traiter les employés qui doivent partir (en leur versant une indemnité de cessation d'emploi, en leur offrant un service de réaffectation, etc.).
Aide aux « survivants »	• Aider les personnes qui n'ont pas perdu leur emploi (les survivants) à retrouver leur motivation au travail. • Redéfinir leurs rôles. • Présenter une vision de l'avenir.

d'employés décroît graduellement d'une manière naturelle, soit par des départs volontaires, soit par la mise à la retraite ou par décès. Une entreprise qui cherche à réduire de façon permanente sa force de travail peut ainsi procéder à un gel de l'embauche, pour ensuite laisser le phénomène de l'attrition faire son œuvre.

Les retraites anticipées

Les programmes de retraite anticipée concernent les travailleurs qui approchent de l'âge où ils sont censés bénéficier de la totalité des prestations prévues par leur régime de retraite. Comme moyen de réduire la force de travail, la retraite anticipée est coûteuse à court terme, à cause des compensations financières qui s'y rattachent. Ceci étant, elle peut engendrer, à moyen terme, des économies importantes, car les travailleurs d'expérience se situent normalement dans la partie supérieure de l'échelle salariale.

La semaine de travail réduite

La semaine de travail réduite a une durée inférieure à la semaine normale de travail, assortie d'une réduction de salaire équivalente. Bien que cet aménagement du temps de travail puisse constituer une mesure cherchant à améliorer la conciliation travail-famille et le mieux-être des personnes, il vise aussi dans certains milieux à éviter les pertes d'emplois. En instaurant la semaine de travail réduite couplée à une réduction de salaire équivalente, l'employeur peut comprimer sa masse salariale sans pour autant procéder à des licenciements collectifs.

Le travail partagé

Le travail partagé (ou le partage de poste) est un aménagement qui permet à deux employés ou plus de partager un poste à temps plein habituellement pourvu par un seul titulaire. Ce partage du travail permet aux employeurs et aux travailleurs de ne pas effectuer de licenciements lorsqu'il y a une diminution temporaire du niveau normal d'activité de l'entreprise. Les employeurs peuvent ainsi maintenir en poste leurs employés qualifiés et s'éviter des démarches coûteuses liées au recrutement et à la formation de nouveaux employés lorsque le niveau d'activité de l'entreprise revient à la normale. Cet aménagement permet par ailleurs aux employés de continuer à mettre en pratique leurs compétences et de conserver leur emploi.

Le travail à temps partiel

On considère le travail à temps partiel comme un travail effectué pendant une période inférieure à la période normale (ordinairement en deçà de 30 heures par semaine).

Envisagé comme une réduction du temps de travail, de la même manière que le travail partagé, le travail à temps partiel permet de composer avec une baisse temporaire de l'activité. En optant pour cet aménagement en période de crise, les employeurs se positionnent en faveur d'une réduction du temps de travail comme solution de rechange aux licenciements massifs.

Bien que le travail à temps partiel ne s'implante pas systématiquement comme réponse à un surplus de RH, il s'agit d'un aménagement assez fréquent. En effet, en 2015, selon les données de Statistique Canada (2016), 18,87 % des personnes en emploi occupaient un emploi à temps partiel.

La réduction de la masse salariale

La réduction de la masse salariale constitue une autre réponse à la prévision d'un surplus quantitatif de personnel. Le gel des salaires (et même parfois la réduction des salaires) représente une mesure qui vise les coûts associés à un surplus de main-d'œuvre. Mentionnons également le congé sabbatique ou d'autres congés qui permettent à l'entreprise une réduction de sa masse salariale et aux personnes qui en bénéficient un temps d'arrêt propice au ressourcement. Parfois, l'employeur offre la possibilité à l'employé désirant se prévaloir d'une année sabbatique de s'inscrire aussi à un programme de traitement différé.

La réduction temporaire de la rentabilité

Accepter de façon temporaire une réduction de la rentabilité de l'entreprise s'avère une autre solution à un surplus quantitatif de main-d'œuvre. Certains chefs d'entreprise choisissent ainsi une baisse de la rentabilité plutôt qu'une réduction de la force de travail comme réponse à une situation conjoncturelle de surplus de RH. Bien sûr, la réduction de la rentabilité ne peut toutefois pas constituer une solution à long terme au surplus quantitatif.

2.3.4 Les solutions à un surplus qualitatif de ressources humaines

Quel heureux problème que le surplus de compétences ! Soit, mais il demeure un problème malgré tout, car l'ennui au travail peut avoir des conséquences indésirables pour les individus comme pour les organisations. L'absence de tâches signifiantes ou de défis peut même représenter une source d'insatisfaction et de stress. Voilà pourquoi une situation où les compétences ne sont pas pleinement mises à contribution exige des ajustements quant au contenu des postes ou au cheminement professionnel des membres du personnel. Ainsi, les mesures appropriées à une situation de surplus qualitatif de RH portent sur l'enrichissement des tâches, la gestion participative et la gestion des carrières.

L'enrichissement des tâches

Le fait de modifier le contenu des postes pour y ajouter des tâches plus complexes représente un moyen efficace d'ajuster le travail aux compétences et aux aspirations des ressources. Issu des travaux de Frederick Herzberg (1959), l'enrichissement des tâches consiste à revoir l'organisation du travail (*voir le chapitre 3*) pour octroyer plus de responsabilités à la personne qui occupe le poste. Cela rend le travail plus stimulant, car il pose un défi et permet à la personne d'utiliser pleinement ses talents. C'est là une pratique de gestion mobilisatrice reconnue, qui favorise la rétention du personnel.

La gestion participative

Bien que la gestion participative puisse prendre plusieurs formes, toutes misent sur l'autonomie et la responsabilisation des personnes. Ainsi, dans certains cas, les employés prennent part à la planification et à l'organisation du travail. Ils peuvent aussi être responsables d'une séquence complète de travail dans un processus de production. Les organisations mettent également en place des mécanismes pour favoriser leur participation à la prise de décision. Dans certains milieux de travail, les employés peuvent ainsi participer à un groupe de réflexion ou aux travaux d'un comité paritaire. Leur participation peut aussi se faire au sein d'une équipe de travail semi-autonome qui accomplit des tâches élargies et enrichies.

La gestion des carrières

Pour corriger un surplus qualitatif de RH, les entreprises peuvent accorder plus d'importance à la gestion des carrières. Par ce moyen, il devient possible de réconcilier besoins organisationnels et besoins individuels (*voir le chapitre 7*). En effet, la gestion des carrières permet de définir des plans de carrière individuels et de les faire correspondre à ceux de l'entreprise. Le surplus de talents se trouve ainsi canalisé dans des projets de carrière adaptés et stimulants.

Signalons, en terminant, que l'absence d'interventions adéquates dans une situation de surplus qualitatif peut conduire à une désaffection des employés à l'égard de leur milieu de travail et, bien entendu, à un gaspillage du potentiel humain.

2.4　La gestion du changement

On estime qu'une bonne proportion du travail quotidien des gestionnaires et des employés concerne la conduite d'un projet de changement. Ce chapitre inscrit la conduite du changement dans un processus de planification et d'adaptation qui repose sur une adhésion ou une appropriation de ce changement par les employés. Une gestion adéquate du changement s'avère donc aussi importante que le changement lui-même.

Il est d'autant plus important de bien conduire un changement que celui-ci est loin de toujours garantir le succès, comme en font foi ces quelques chiffres (Panorama Consulting Solutions, 2013) :
- 35 % des projets ERP (*enterprise resource planning* ou progiciel de gestion intégré) prennent plus de temps que prévu ;
- 51 % des projets excèdent leur budget ;
- 67 % des projets n'atteignent pas 50 % des bénéfices attendus ;
- 53 % des employés considèrent que les gestionnaires n'ont pas les habiletés pour conduire un changement ;
- 47 % des employés jugent les communications insuffisantes entre les gestionnaires et les employés au moment de la mise en place du changement.

En ce qui concerne l'opinion des employés et des gestionnaires sur la conduite du changement (Panorama Consulting Solutions, 2013), les résultats ne sont guère plus favorables :
- 45 % des employés et des gestionnaires contestent le rythme du changement ;
- seulement 33 % d'entre eux affirment que la direction arrive à expliquer les changements ;
- seulement 26 % des employés considèrent que les gestionnaires écoutent les salariés ;
- seulement 33 % des employés estiment avoir été informés des raisons du changement.

À la lecture de ces données, on se rend compte que le service des RH a un rôle primordial à jouer pour le bien-être des employés et le succès des changements conduits dans l'entreprise. Lorsqu'on y regarde de plus près, les facteurs d'échec concernent essentiellement la dimension humaine. Sur ce point, Autissier et Vendangeon-Derumez (2007) énumèrent les éléments suivants :

- la non-adhésion des principaux acteurs ;
- la non-compréhension de ce qui est attendu des différentes parties prenantes ;
- le manque de clarté des livrables et de la cible du changement ;
- le manque d'information sur le déploiement du changement et du soutien apporté à la suite du changement ;
- le manque de visibilité des problèmes à résoudre ;
- le manque de formation des porteurs et des utilisateurs du changement.

Le changement produit de multiples impacts sur les personnes, et plus ces impacts sont nombreux, plus les risques d'échec du changement augmentent.

2.4.1 Les impacts du changement sur les personnes

Le changement peut constituer une occasion à saisir pour les personnes, mais il comporte aussi des risques, tels que l'augmentation de la charge de travail, l'insécurité d'emploi, la diminution de l'autonomie au travail, l'isolement ou encore la réduction du soutien social. Ces conséquences sont à ce point importantes que le changement est de plus en plus considéré comme un facteur de risque pour la santé des personnes.

En ce qui a trait aux conséquences sur la santé physique, on observe une hausse de la pression artérielle et des maladies coronariennes. Quant aux conséquences sur la santé mentale, elles incluent l'insécurité quantitative (p. ex., la peur de perdre son poste) et l'insécurité qualitative (p. ex., la peur de voir ses tâches se détériorer). On constate également une augmentation de l'anxiété et de la détresse psychologique ainsi qu'un sentiment de rupture du contrat psychologique, ce qui entraîne la démotivation, puis l'absentéisme et le présentéisme. En outre, les prescriptions de psychotiques sont susceptibles d'augmenter, l'usage de drogues s'accroît et un relâchement du régime alimentaire est souvent observé. De même, on constate le syndrome du survivant, lequel se manifeste par le sentiment de culpabilité (« Pourquoi les autres et pas moi ? »), le sentiment d'incertitude permanente (« Suis-je le prochain ? ») et le sentiment d'ambiguïté du rôle (« Quelles sont mes nouvelles tâches et responsabilités ? »). Par suite de la restructuration, l'incertitude qui persiste quant à l'orientation de l'entreprise occasionne une perte de confiance.

2.4.2 La conduite du changement

Il est essentiel de distinguer le contenu du changement de la conduite du changement. Le contenu du changement se rapporte à l'élément changé (l'outil, le logiciel, l'organigramme, la composition des équipes, etc.). La conduite du changement fait plutôt référence à la façon dont le changement est planifié, aux ressources allouées, au temps prévu, etc. De nombreuses études (Dahl-Jørgensen et Saksvik, 2005 ; Saksvik *et al.*, 2002) montrent que l'échec du changement ainsi que ses effets négatifs sur les RH dépendent dans une large mesure de la manière dont le changement est conduit, et non seulement du contenu du changement.

Il est possible d'analyser la conduite d'un changement en fonction de cinq questions qui permettent d'évaluer le potentiel de réussite d'un changement. Ces questions, présentées dans le tableau 2.5, renvoient à la légitimité du changement, à sa pertinence, au soutien des dirigeants, à la compétence des gestionnaires et aux intérêts personnels liés à l'adoption du changement.

 VIDÉO

L'Ordre des CRHA a réalisé la vidéo « Comment intégrer la gestion du changement dans l'ADN de l'organisation ? », avec Ève Zeville, CRHA

Tableau 2.5	L'évaluation du potentiel de réussite d'un changement	
Thème	**Question**	**Explication**
Légitimité du changement	Le changement est-il nécessaire ?	Au cours d'un changement, la plupart des personnes se demandent pourquoi on l'effectue. Elles cherchent à en comprendre la logique. En répondant en détail à ces questions, la direction assure la légitimité du changement.
Pertinence du changement	Le changement est-il le bon ?	En discutant du changement proposé, les employés peuvent mieux évaluer si la proposition de changement correspond à leurs besoins et permettra un véritable gain. Ils ont besoin qu'on leur explique en quoi le changement est vraiment la meilleure chose à faire.
Soutien des dirigeants	Quel est le soutien de la direction ?	Tout changement demande un effort supplémentaire. Au travail habituel à réaliser s'ajoute souvent la mise en place du changement. Les employés veulent donc connaître les ressources dont ils disposeront pour commencer à mettre en œuvre le changement. Ces ressources peuvent se traduire en temps, en expertise, en présence de la direction, etc.
Compétences des gestionnaires	Quelles sont les compétences des gestionnaires pour implanter et accompagner le changement ?	La réussite d'un changement nécessite un bon pilote de projet. Les employés ont besoin de connaître les compétences des gestionnaires qui expliqueront le changement, défendront leur point de vue, répondront aux problèmes d'implantation, etc.
Intérêts personnels	Qu'y a-t-il de bon pour la personne dans ce changement ?	Les employés, comme les gestionnaires, veulent savoir concrètement ce qui va leur arriver. Ils désirent connaître les incidences du changement. Un changement ne peut réussir que s'il obtient l'adhésion des personnes. Le bénéfice qu'elles peuvent en tirer ou, au contraire, la menace qu'il peut représenter sont des éléments qu'il faut éclaircir dans un contexte de changement.

Source : Adapté de ARMENAKIS A.A., S.G. HARRIS et K.W. MOSSHOLDER. « Creating readiness for organizational change », *Human Relations*, vol. 46, 1993, p. 681-703.

Ces questions indiquent que la conduite du changement n'est pas qu'une histoire de communication et de diffusion des informations. Un projet de changement comprend ordinairement une phase de diagnostic, une phase de communication et de formation de même qu'une phase d'implantation et d'accompagnement du changement.

La phase de diagnostic

Un changement ne se fait jamais sur un terrain vierge. Il existe toujours un historique qui doit être pris en considération : la culture en place, l'historique des changements, le climat de travail, la compétence des équipes, etc. Il faut connaître le vécu d'une équipe, d'un service ou d'une organisation avant d'implanter un changement. Cela permet de mieux déterminer les points d'adhérence et les points de friction que pourrait entraîner le projet de changement. Il s'agit aussi d'une occasion de reconnaître les anciens modes d'organisation du travail et de ne pas faire fi du passé.

Le diagnostic permet de prendre la mesure des besoins et de la capacité des gens d'accueillir ce changement. Il permet également de mieux définir les besoins d'information, de formation, d'informatique, d'aménagement des lieux, etc.

La phase de communication et de formation

Une fois le diagnostic posé, il est plus facile de communiquer le changement, de parler le même langage, de faire référence au passé, d'anticiper l'avenir. La communication initiale doit être suffisamment large pour éclaircir le pourquoi du changement. Lorsque cette légitimité est acquise, une communication plus spécifique abordera les intérêts personnels en expliquant comment les personnes seront touchées directement par le projet de changement. La communication doit cibler non seulement le changement (le logiciel, l'outil, l'équipement, etc.), mais aussi la conduite du changement (les modalités de participation des employés, le temps d'implantation, les ressources disponibles, etc.).

Au-delà de la communication, il est indispensable d'ouvrir un dialogue sur le changement, c'est-à-dire un espace de parole qui permet aux futurs utilisateurs du changement de poser toutes les questions qu'ils désirent. Pour cela, il faut donner le plus d'information possible aux gestionnaires afin qu'ils puissent entreprendre cette discussion avec leurs employés. Un plan de communication détaillé est ici un allié important.

Les préoccupations qu'est susceptible de vivre un employé face à un changement peuvent être divisées en sept phases. À chacune de ces phases, les actions de communication du supérieur immédiat s'avèrent essentielles (*voir le tableau 2.6*).

Dans bien des cas, le changement est aussi synonyme de hausse des compétences et de plan de formation. Il est donc essentiel de prévoir les besoins de formation, le contenu des formations, les bénéficiaires et les échéanciers. Une expertise effectuée à la suite du changement est aussi un atout important pour rassurer les personnes.

La phase d'implantation et d'accompagnement du changement

Il faut garder à l'esprit que le succès d'un changement dépend grandement de la réussite de son implantation. Cette phase est trop souvent sous-estimée. On considère que les efforts doivent être consacrés au développement de la cible du changement et que le reste s'ensuivra tout naturellement. On évitera bien des écueils en réalisant un projet pilote qui permettra de mesurer l'efficacité du changement avant son implantation globale. Il faut faire preuve de vigilance, car la période suivant le changement est tout aussi importante que la planification et le développement du changement.

| Tableau 2.6 Les phases de préoccupations d'un employé face au changement ||
Phase de préoccupations	Activités de soutien
Phase 1. Aucune préoccupation : absence d'inquiétude spécifique face au changement	• Déstabiliser le destinataire • Démontrer l'importance du changement
Phase 2. Préoccupations centrées sur le destinataire : inquiétudes égocentriques quant à l'impact du changement sur soi, sur son travail et sur son environnement de travail	• Rassurer sur ce qui changera et sur ce qui ne changera pas • Abaisser le niveau d'incertitude • Écouter les peurs et les attentes
Phase 3. Préoccupations centrées sur l'organisation : inquiétudes relatives à la légitimité du changement et à la capacité des dirigeants de le mener à terme	• Démontrer l'engagement des dirigeants • Expliquer la légitimité, la vision, les objectifs et les effets positifs du changement sur l'efficacité, sur la clientèle, etc.
Phase 4. Préoccupations centrées sur le changement : inquiétudes concernant les caractéristiques du changement et de sa mise en œuvre	• Créer l'adhésion en expliquant les détails du changement • Consulter le destinataire ou le faire participer
Phase 5. Préoccupations centrées sur l'expérimentation : inquiétudes quant au soutien offert et à la compréhension du supérieur	• Faciliter le transfert des acquis • Planifier la transition • Former et accompagner le destinataire
Phase 6. Préoccupations centrées sur la collaboration : inquiétudes quant au transfert d'expertise et aux occasions d'échanges	• Encourager les échanges • Devenir une organisation apprenante
Phase 7. Préoccupations centrées sur l'amélioration continue : inquiétudes quant aux améliorations à apporter pour que le changement soit optimal	• Valoriser l'expertise • Favoriser l'émergence de pistes d'amélioration

Source : BAREIL, C. « Décoder les préoccupations et les résistances à l'égard des changements », *Gestion*, vol. 34, n° 4, hiver 2010, p. 32-38.

LES ENJEUX DU NUMÉRIQUE DANS LA PLANIFICATION DES RESSOURCES HUMAINES

Une information fiable et facilement accessible est essentielle à une bonne planification des RH. Cette information se trouve généralement stockée dans un système informatique, qui permet notamment d'analyser les taux d'absentéisme, le roulement du personnel et la composition démographique de la main-d'œuvre, d'anticiper les départs à la retraite et de vérifier l'atteinte des objectifs poursuivis en matière d'accès à l'égalité. Il existe également des logiciels d'aide à la décision qui sont destinés à faciliter les prises de décision concernant l'ensemble de l'entreprise. De tels logiciels peuvent aussi aider les décideurs à déceler et à résoudre des incidents ainsi qu'à prévoir le déploiement de la force de travail en fonction de différentes variables (p. ex., l'évolution des ventes). Ainsi, les logiciels d'aide à la décision permettent aux décideurs de valider des scénarios selon différentes hypothèses d'évolution afin de choisir la meilleure des solutions envisagées.

LA PLANIFICATION DES RESSOURCES HUMAINES DANS LE SECTEUR PUBLIC

La planification des RH est une pratique de gestion essentielle dans le secteur public. On trouve même dans ce secteur une planification souvent plus structurée et formalisée que dans le secteur privé. Cette structuration pourrait être une réponse à la complexité des réalités dans le secteur public. Il faut aussi reconnaître que les organismes centraux y jouent un rôle de premier plan (Lemire *et al.*, 2011).

La grande taille des organisations du secteur public favorise les cheminements de carrière à l'interne dans un contexte de relative sécurité d'emploi. En contrepartie, ces organisations n'ont pas toujours les moyens de leurs ambitions. Même en anticipant un déséquilibre entre les besoins en RH et la disponibilité de celles-ci, les budgets des organisations du secteur public sont souvent trop limités pour que des postes puissent être ouverts en fonction des besoins. En lien avec cette réalité budgétaire, les conditions de travail dans le secteur public sont souvent moins avantageuses que dans les entreprises du secteur privé. Il est difficile, dans ce contexte, de combler les besoins en RH alors que les candidats peuvent choisir entre plusieurs employeurs et que certaines entreprises du secteur privé offrent des salaires avantageux, des incitations, des primes au rendement et des outils de pointe. Mentionnons aussi le plancher d'emploi, par lequel l'employeur du secteur public s'engage à maintenir un nombre fixe d'emplois pour une période déterminée. Un plancher d'emploi favorise la sécurité d'emploi, mais restreint la marge de manœuvre de l'employeur en matière d'allocation des RH.

La question de l'équité en matière d'emploi occupe cependant une place plus importante dans le secteur public que dans le secteur privé. Les organisations du secteur public, par leur nature, doivent veiller à ce que les exigences en matière d'équité soient respectées. Ces organisations doivent être représentatives de la population.

LA PLANIFICATION DES RESSOURCES HUMAINES DANS LES MILIEUX SYNDIQUÉS

Dans les milieux syndiqués, la planification des RH garde toute sa pertinence. La présence syndicale ajoute cependant une autre dimension à cette planification, car elle s'inscrit à l'intérieur des rapports collectifs de travail. Certains voient en cela une contrainte à la planification des RH, alors que d'autres considèrent que la présence syndicale en modifie seulement l'approche.

Le syndicalisme est donc parfois perçu comme une entrave au bon fonctionnement du marché du travail. La présence syndicale empêcherait l'atteinte d'une position d'équilibre entre les besoins en RH et la disponibilité de ces dernières. En situation de baisse subite de la demande de travail, la présence syndicale empêcherait aussi le rajustement à la baisse des salaires. D'autre part, il pourrait être difficile de pourvoir des postes vacants au moyen de candidatures externes si les stipulations de la convention collective forcent la direction à accorder la priorité aux candidatures internes. Par ailleurs, les négociations salariales mènent souvent à des salaires supérieurs au salaire d'équilibre. Il peut en résulter une modification de la demande de travail. En effet, si la charge salariale devient trop importante, l'employeur peut être contraint à se retirer de certains marchés. Ses difficultés sur le marché des biens se traduisent alors par des réductions des effectifs de l'entreprise. En conséquence, la présence syndicale peut avoir une certaine capacité de nuisance susceptible d'influer sur les besoins en personnel et la disponibilité de celui-ci de même que sur les choix possibles en cas de déséquilibre entre les deux.

Avec la présence syndicale, l'employeur peut décider de faire appel à une autre approche de planification des RH. Il s'agit de reconnaître la convention collective comme le mode principal de coordination des actions des uns et des autres. Les règles de la convention deviennent alors les conditions de fonctionnement. La convention permet ainsi de réduire l'incertitude inhérente à la relation d'emploi. Dans cette perspective, il vaut toujours mieux discuter des plans de RH avec les représentants des salariés. Prenons l'exemple d'un plan de relance que souhaite mettre en place l'employeur et qui fait l'objet de discussions avec les représentants des salariés dans le cadre d'un partenariat patronal-syndical. Il peut en résulter une entente où, en contrepartie d'un investissement technologique créateur d'emplois, le syndicat accepte un assouplissement des règles qui agissent comme barrières à la mobilité du personnel. De telles relations de partenariat existent, même si elles sont relativement rares et fragiles (Harrisson, Roy et Haines, 2011).

LA PLANIFICATION DES RESSOURCES HUMAINES À L'INTERNATIONAL

La multinationale qui a des opérations dans divers pays doit réfléchir à son allocation des ressources à l'échelle de la planète. La mobilité à l'international représente donc pour elle une considération essentielle qui imprègne sa planification des RH. Implantée dans plusieurs pays, la multinationale doit tenir compte de la participation d'employés expatriés et d'employés locaux dans la réalisation de sa stratégie compétitive. Les employés expatriés sont les personnes qui quittent temporairement leur pays d'origine pour une affectation dans une filiale d'un pays étranger avec une forte perspective de retour éventuel. Bien que la durée de l'expatriation se situe généralement entre deux et trois années, la tendance est aux affectations de plus courte durée. Les employés locaux sont les personnes embauchées par la multinationale parmi les personnes du pays où se trouve la filiale.

Certaines firmes multinationales ont recours à l'expatriation pour contrôler les opérations à l'étranger et d'autres pour favoriser le transfert des savoirs. L'expatriation peut aussi servir à développer les compétences des futurs leaders qui s'enrichissent par ces expériences à l'étranger d'une vision globale des opérations de leur organisation multinationale. Elle s'avère ainsi une considération qui s'inscrit dans la planification de la relève de la multinationale. Dans cette perspective de gestion des talents et de préparation de la relève, on voit également les filiales dans divers pays comme des pépinières de talents pour sa société mère. L'Oréal, par exemple, avec ses 66 000 employés dans le monde, peut faire appel à une grande diversité de profils de compétences et d'expertises. Cette entreprise est en mesure d'aller chercher les talents là où ils se trouvent (*voir la mise en situation au début du chapitre 7*). La planification des RH à l'international se réalise à une plus grande échelle et la mobilité des ressources à l'international y représente une question centrale.

Il importe également d'adapter la planification des RH au contexte institutionnel de chaque pays. En France, par exemple, la Loi de programmation pour la cohésion sociale impose aux entreprises de s'engager en gestion prévisionnelle de l'emploi et des compétences (GPEC) avec une obligation de négociation triennale qui doit permettre d'éviter les restructurations brutales.

LES CONDITIONS DU SUCCÈS DE LA PLANIFICATION DES RESSOURCES HUMAINES

Dans le cadre économique actuel, on constate facilement la préférence de nombreux dirigeants pour une gestion à court terme. Malheureusement, cette gestion s'oppose à une gestion prévisionnelle des RH. Par conséquent, comme première condition de succès, on se doit d'insister sur la nécessité d'un engagement fort de la direction de l'entreprise envers la planification des RH.

Comme nous l'avons vu dans la section sur les enjeux du numérique, une condition essentielle au succès est l'accès facile à une information fiable sur les RH. Pour en assurer la qualité maximale, il vaut mieux organiser une mise à jour périodique des données sur les formations, les diplômes, les compétences et les expériences antérieures de chaque personne employée par l'organisation. Pour ce faire, la meilleure approche consiste en une mise à jour directe par l'employé via le portail intranet (Gillet et Gillet, 2010). Le système d'information en ressources humaines (SIRH) peut aussi servir à suivre les indicateurs de performance relatifs au plan de RH.

Une autre condition de succès, parfois oubliée, est la prise en compte des attentes et des aspirations des employés. Mais allier les besoins de l'organisation à ceux des individus s'avère parfois un exercice difficile.

En contexte d'incertitude, il importe aussi que la planification des RH s'inscrive dans une logique de flexibilité. Elle doit favoriser l'adaptation rapide de l'organisation aux conditions changeantes, aux crises financières et aux chocs économiques régionaux et internationaux. Comme nous l'avons rappelé dans ce chapitre, la planification des RH doit prendre en considération plusieurs forces et situations qui agissent sur les organisations et leur main-d'œuvre. Cette dimension analytique se concrétise dans l'action par une gestion du changement de nature à favoriser la mise en œuvre des solutions appropriées.

Les conditions de succès de la planification des RH	
• L'engagement de la direction • L'accès à des données fiables sur les RH, notamment sur les compétences, les potentiels et le profil démographique • L'accès à un système d'information performant • L'adhésion du personnel aux plans de RH qui s'exprime par une volonté de mobilité et de développement des compétences	• L'harmonisation de la planification des RH à la planification stratégique de l'entreprise • L'intégration de la planification des RH aux diverses pratiques de gestion de l'organisation • La communication des plans de RH • La gestion efficace du changement

CONCLUSION

La planification des RH recouvre l'ensemble des démarches ayant pour objectif d'assurer à l'entreprise la disponibilité de ressources compétentes au bon moment. Mais appréhender la GRH dans une perspective prévisionnelle ne va pas de soi. L'anticipation des besoins en personnel repose sur une compréhension fine de l'évolution du contexte, de la mission et de la stratégie de l'organisation. La prévision de la disponibilité des RH se présente aussi comme un exercice hasardeux dans un contexte d'évolution rapide des profils et de mobilité de la main-d'œuvre. Bien que parfois difficile, cette planification des RH constitue une activité de gestion fondamentale. Elle pose les bases d'une GRH qui se veut stratégique et prévisionnelle. Cette planification favorise également de meilleures réponses aux situations sur le terrain, y compris celles relatives à l'équité en matière d'emploi et à l'égalité des chances.

La planification des RH interpelle la capacité des acteurs de capter les signaux de l'environnement pour leur donner un sens sur le plan de la gestion prévisionnelle des RH. Chacun doit donc développer son sens de l'analyse des facteurs d'évolution. Que signifie, sur le plan des effectifs de vente, la décision de l'entreprise d'entrer dans un nouveau segment de marché ? Quel sera le profil de compétences des dirigeants de demain qui sauront guider les stratégies compétitives d'une entreprise devenue transnationale ? Se poser de telles questions amorce le début d'une réflexion sur un avenir incertain, mais dont il faut néanmoins saisir les contours et les principales trajectoires. L'appropriation de ce mode de questionnement prospectif témoignerait de l'amorce d'une gestion proactive indispensable à une saine GRH.

QUESTIONS DE RÉVISION

1. Quelles sont les exigences, en matière de RH, d'une stratégie de différenciation qui mise sur l'innovation ? Nommez-en quelques-unes.

2. Quelles sont les exigences, en matière de RH, d'une stratégie de différenciation qui mise sur la qualité ? Nommez-en quelques-unes.

3. Quelles sont les exigences, en matière de RH, d'une stratégie qui mise sur la domination par les coûts ? Nommez-en quelques-unes.

4. Quelle méthode de prévision convient le mieux à une très grande entreprise qui cherche à prévoir les conséquences de l'évolution du marché et des nouvelles technologies de production quant à ses besoins en RH ?

5. Comment l'évolution démographique des prochaines années est-elle susceptible d'influer sur l'offre de travail ?

6. Comment l'évolution économique des prochaines années est-elle susceptible d'influer sur les besoins en RH dans le secteur de l'aéronautique ?

7. Quelles sont les solutions les mieux adaptées à une situation de pénurie quantitative de RH ?

8. En quoi un surplus qualitatif de RH peut-il représenter une situation problématique du point de vue de l'employeur ?

9. Quelle serait, pour chacune des mesures suivantes, la nature de la prévision qui pourrait la justifier : l'investissement à l'étranger, un programme d'accès à l'égalité, la gestion des carrières, le travail partagé ?

10. Quel programme justifie l'adoption de mesures de redressement temporaires fixant des objectifs de recrutement et de promotion, par type d'emploi ou regroupement de types d'emplois, pour les personnes faisant partie de chaque groupe visé ?

11. Quels sont les impacts possibles du changement sur les personnes ?

QUESTIONS DE DISCUSSION

1. À votre avis, quelles conséquences une fusion ou une acquisition d'entreprises peut-elle avoir sur les prévisions des besoins en RH et sur la disponibilité de ces dernières ?

2. En quoi la mondialisation modifie-t-elle les prévisions de la disponibilité externe des RH ainsi que le répertoire des mesures possibles pour corriger des déséquilibres entre la demande et l'offre de travail (ou entre les besoins des entreprises et la disponibilité de la main-d'œuvre) ?

3. Quelles sont les solutions de rechange aux licenciements comme réponse administrative à un surplus quantitatif de main-d'œuvre ?

4. Quels sont les défis particuliers de la planification de la relève dans l'entreprise familiale ?

5. L'arrivée de la génération Z sur le marché du travail changera-t-elle la GRH ? Pourquoi ?

INCIDENTS CRITIQUES ET CAS

Incident critique

Les soucis de Bob Green

Bob Green s'inquiète du sort que lui réserve l'avenir. Optimiste de nature, il ressent en ce mois de novembre une certaine fatigue causée par une saison estivale particulièrement difficile.

Pourtant, au mois de mars dernier, tout allait bien pour M. Green. Il avait réussi à recruter 20 employés pour la tonte de gazon et 8 pour le travail de bureau. Sa campagne de marketing progressait bien et les clients résidentiels commençaient à transmettre leurs premiers versements pour des contrats de tonte et d'aménagement paysager.

Toutefois, dès le début des activités, seulement 7 des 20 employés de tonte étaient prêts à se mettre à l'ouvrage. M. Green ne pouvait alors lancer que trois camions dans les opérations de tonte (deux employés par camion).

Deux semaines après le début des activités de tonte, à la suite des examens scolaires, cinq autres employés sont venus grossir les rangs de l'équipe de tonte. Les huit autres personnes embauchées en mars ont finalement déniché des emplois d'été dans d'autres entreprises de la région qui, semble-t-il, offrent des conditions de travail moins difficiles sur le plan physique et plus rémunératrices de surcroît. Bob Green a ainsi passé la saison estivale à recruter du nouveau personnel de tonte, à remplacer le personnel de bureau trop fréquemment absent, à répondre aux nombreuses plaintes des clients et à pousser lui-même la tondeuse pour répondre à la forte demande. Vaut-il la peine de continuer? se demande-t-il.

Question

Que devrait faire M. Green pour pouvoir compter sur un personnel stable, ponctuel et travaillant qui lui permette de répondre à la forte demande estivale?

Incident critique

Former la concurrence?

Le centre Spa-aah propose à ses clients d'expérimenter les bains scandinaves dans un environnement de paix et de détente. La propriétaire et directrice, Lise Beauvais, a eu l'idée géniale de développer ce concept pour la première fois en milieu urbain. C'est ainsi qu'au cœur de la ville hommes et femmes ont facilement accès à des services de réchauffement du corps, de rinçage bénéfique en eau froide et de massage.

Heureuse de son succès, Mme Beauvais remarque cependant une tendance inquiétante. Six mois seulement après l'ouverture de son entreprise, une employée a quitté Spa-aah pour ouvrir son propre établissement de bains scandinaves dans un autre centre urbain. Ensuite, une année seulement après l'ouverture de Spa-aah, deux autres employées ont également remis leur démission, projetant elles aussi d'ouvrir ensemble un nouveau centre de bains scandinaves dans un autre secteur de la ville.

Chaque départ occasionne des inconvénients à Mme Beauvais, car le recrutement de spécialistes de la massothérapie exige un effort important. Par ailleurs, la formation des nouvelles recrues aux techniques de bains scandinaves demande beaucoup de temps, car la maîtrise de ces techniques requiert en moyenne trois mois d'apprentissage. Les départs récents lui donnent donc l'impression de passer beaucoup de temps à former la concurrence. Bien que la demande de ses forfaits relaxants augmente toujours, Lise Beauvais se demande si la concurrence des ex-employées de Spa-aah n'a pas un impact sur son chiffre d'affaires.

Question

Quelles sont les solutions qui permettraient à Mme Beauvais de se détendre?

Cas

Une planification difficile…

L'entreprise BoulonETcrou vit actuellement une dure période. L'entreprise de la Montérégie fait actuellement face à une crise sur le plan de la demande. BoulonETcrou existe depuis près de 60 ans et fabrique des boulons… et des écrous. Ses produits sont utilisés à travers tout le Canada, se vendent notamment dans toutes les quincailleries et sont utilisés dans de grands projets industriels.

La crise que vit aujourd'hui l'entreprise est due à l'addition de plusieurs facteurs. La concurrence américaine se fait toujours plus féroce et celle-ci réussit maintenant à vendre le même produit à moindre coût. De plus, le genre de projets industriels auxquels BoulonETcrou soumissionnait sont aujourd'hui moins portés à utiliser le bois comme matière première, mais plutôt du fer ou de l'aluminium. Or, les boulons et les écrous sont moins utilisés avec ces matériaux et sont plutôt remplacés par des techniques telles que la soudure. La demande ayant fortement diminué, l'entreprise doit prendre des mesures draconiennes afin d'assurer sa pérennité.

BoulonETcrou a donc décidé de remplacer ses machines, qui devenaient désuètes, par une chaîne de montage plus sophistiquée, où une partie du travail autrefois faite par des employés sera maintenant exécutée directement par la machine. De plus, ces machines seront installées dans un nouvel établissement, plus petit, où l'entreprise déménagera d'ici trois mois.

Pour Monique, la directrice RH de l'entreprise, ces changements dans la production impliquent de revoir les tâches des employés. Les superviseurs, qui devaient autrefois s'assurer que les employés avaient tous les outils nécessaires pour effectuer leurs tâches, vont désormais plutôt exercer un rôle-conseil et devront davantage gérer les équipes de travail. Ces équipes seront dorénavant formées d'une grande proportion de professionnels, tels que des mécaniciens industriels et des programmeurs. Ces derniers devront cependant apprendre à travailler avec les nouvelles machines. Les postes les plus touchés par les changements seront ceux des ouvriers. Ces employés devaient autrefois déplacer des boîtes, faire de l'emballage, assembler des éléments… Or, une grande partie de ce travail sera automatisé, ce qui signifie que les postes d'ouvriers se résumeront à la supervision du bon fonctionnement des automates.

Tous ces changements impliquent donc de revoir la planification des RH. En commençant ses analyses, Monique est bien consciente que l'entreprise devra assurément remercier un certain nombre d'employés. Cependant, le directeur général de l'entreprise retarde ce moment depuis que la santé financière de l'entreprise décline, car il est très attaché à ses employés et appréhende une détérioration générale du climat de travail. Ainsi, Monique a d'abord récolté les informations pertinentes, puis a suivi les autres étapes nécessaires à la planification des RH.

L'entreprise embauche actuellement 220 employés et, selon les prévisions, seulement 130 seront nécessaires. De façon globale, l'entreprise compte trois grandes catégories d'employés, soit 20 superviseurs, 80 professionnels et 120 ouvriers. Suivant les changements, l'entreprise aura toujours besoin de l'ensemble de ses superviseurs. Par contre, seulement 60 professionnels seront nécessaires, ainsi que 50 ouvriers.

Normalement, le personnel connaît un taux de départs volontaires de 7,5 % chez les ouvriers et de 5 % pour les autres catégories d'emploi. Ce taux de départs volontaires n'inclut pas les employés qui partent à la retraite, c'est-à-dire un superviseur, trois professionnels et 2,5 % des ouvriers. Parmi les professionnels, deux sont des candidats potentiels pour des postes de superviseurs. En effet, les superviseurs et les directeurs ont relevé la compétence ainsi que le potentiel de ces deux professionnels. Les dernières rencontres d'évaluation du rendement ont permis d'interroger ces deux candidats sur l'intérêt qu'ils portaient à une éventuelle promotion. Leur réponse a été positive dans les deux cas.

Après plusieurs jours à revoir la planification de la main-d'œuvre, la directrice a finalement élaboré un plan d'action. Bien sûr, ce plan d'action prévoit plusieurs stratégies afin de minimiser les conséquences sur le climat de travail.

Questions

1. Quels obstacles pourraient rencontrer Monique dans sa planification des RH ?

2. Dans ce cas-ci, quelle est l'action que doit prendre Monique par rapport au nombre d'employés actuellement en poste ? Quelle est la différence entre une mise à pied, un licenciement et un congédiement ?

3. Quelles actions proposez-vous à l'organisation afin de diminuer les impacts sur le climat de travail ?

Source : BEAUPRÉ, D., et G. ROBERT-HUOT. *Introduction à la gestion des ressources humaines : études de cas et exercices*, Daniel Beaupré, 2013, p. 27-30.

POUR ALLER PLUS LOIN

Lectures suggérées

BELCOURT, M., et K. McBEY. *Strategic Human Resources Planning*, 6e éd., Toronto, Nelson, 2016.

BOWER, J.L. *The CEO within*, Boston, Harvard Business School Press, 2007.

GILBERT, P. *La gestion prévisionnelle des ressources humaines*, Paris, La Découverte, 2006.

LEMIRE, L., É. CHAREST, G. MARTEL et J. LARIVIÈRE. *La planification stratégique des ressources humaines : théories et applications dans les administrations publiques au XXIe siècle*, Québec, Presses de l'Université du Québec, 2011.

WILS, T., J.-Y. LE LOUARN et G. GUÉRIN. *Planification stratégique des ressources humaines*, Montréal, Les Presses de l'Université de Montréal, 1991.

Sites Web

Human Resource Planning Society
www.hrps.org

Institut de la statistique du Québec
www.stat.gouv.qc.ca

Statistique Canada
www.statcan.gc.ca

Le coin de l'Ordre des CRHA

www.portailrh.org

Le plan de relève
Par Pauline Brassard, CRHA

Chapitre 3

GÉRER L'ORGANISATION DU TRAVAIL

Principaux défis à relever en matière d'organisation du travail

- Effectuer les bons choix en matière d'organisation du travail.

- Organiser le temps de travail afin de s'assurer du bien-être des personnes et de l'efficacité de l'entreprise.

- Gérer équitablement les différentes catégories de personnel.

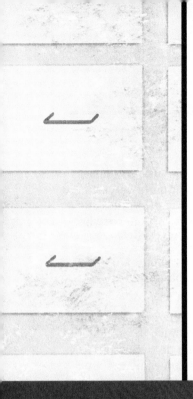

Objectifs d'apprentissage

- Connaître les différents modes d'organisation du travail.
- Distinguer les structures mécaniste, organique, en réseau et matricielle.
- Définir l'analyse d'emploi et la description de poste, et reconnaître leur fonction dans le cadre de la GRH.
- Distinguer les divers types d'organisation du travail en équipe.
- Expliquer en quoi consiste une réingénierie des processus d'affaires.
- Comprendre les principaux enjeux d'une démarche de qualité totale.
- Connaître les différents types d'organisation du temps et du lieu de travail.

Le succès d'une entreprise repose aussi bien sur le travail et la compétence de ses employés que sur la pertinence d'un organigramme, mais il est également important que les hommes et les femmes qui y œuvrent puissent se retrouver dans une structure organisationnelle adéquate. L'organisation du travail constitue donc un élément essentiel à la mobilisation des personnes et à une bonne GRH. Cette organisation du travail n'est pas fixe ou immuable, car elle évolue en même temps que le monde du travail et les tendances économiques mondiales. Cette évolution se fait à travers des changements organisationnels qui doivent parvenir à concilier le bien-être et la mobilisation des personnes et l'efficacité de l'organisation. La GRH doit donc jouer un rôle stratégique en matière de choix d'organisation du travail. Par ailleurs, il est impératif de comprendre les enjeux de l'organisation du travail dans la GRH afin de proposer des solutions qui tiennent compte des contraintes de production ou de service au sein des entreprises.

Dans ce chapitre, nous voyons d'abord les fondements traditionnels de l'organisation du travail en traitant des structures organisationnelles ainsi que de l'analyse et de la description des emplois. Nous abordons ensuite les modes d'organisation basés sur les équipes, puis nous nous penchons sur les récentes approches pour renouveler les modes d'organisation du travail – la réingénierie et l'approche de qualité totale – qui ont inévitablement des incidences sur la gestion des employés. Enfin, nous traitons des principaux choix en matière d'organisation du temps et du lieu de travail.

La révolution au travail s'amorce

Si nous voulons bâtir de grandes choses au Québec, il va falloir que nos organisations se posent de sérieuses questions sur l'environnement de travail offert à leurs employés. Je suis toujours déçu d'entendre des histoires d'horreur sur le climat de travail de certaines entreprises et je crois qu'un vent de changements doit s'amorcer immédiatement.

La triste réalité, c'est que beaucoup trop de gens détestent leur travail et, bien souvent, ce n'est pas par manque de volonté, mais plutôt en raison de la culture d'entreprise en place: des gestionnaires qui prennent plaisir à microgérer, des collègues qui ne pensent qu'à leurs propres intérêts, des valeurs d'entreprise qui ne veulent rien dire, une mission qui se résume à enrichir les actionnaires, aucun plan de développement, des outils désuets, un espace de travail déprimant, le manque de reconnaissance, et la liste est encore longue.

Mais qu'est-ce que les entreprises peuvent bien attendre de leurs employés dans un tel contexte? C'est simple, quand tu offres le strict minimum, tu reçois le strict minimum en retour, et je suis surpris que ce concept fondamental soit encore si peu compris de nos dirigeants. Une chose est certaine, le désengagement des employés est un phénomène important qui a des conséquences graves.

Les organisations produisent beaucoup moins et le niveau de qualité diminue. Si tu n'inspires pas les gens à venir travailler chaque matin, tu ne peux pas t'attendre à aller chercher le meilleur d'eux. Ils vont en donner juste assez, mais sans plus, et je les comprends.

La créativité, une grande force du Québec, est beaucoup moins stimulée et les grandes innovations émergent plus difficilement. Ce n'est pas évident de trouver de grandes idées pour changer le monde quand toute ton énergie sert uniquement à survivre au boulot.

Le travail devient une grande source de stress et la santé se fragilise. En plus, ce mauvais stress se transporte à la maison, ce qui n'est vraiment pas idéal pour les relations familiales.

Tout ça, c'est exactement l'environnement de travail que je ne voulais pas bâtir lorsque j'ai fondé GSOFT en 2006, mais je suis tombé dans le piège de faire comme les autres, et il aura fallu plusieurs années pour comprendre que le bonheur au travail est la clé du succès. Aujourd'hui, je réalise que cette culture exceptionnelle axée sur le bonheur des employés est la principale cause de notre succès.

Et pour se rendre là, c'est plus simple qu'on le pense. Il suffit de retourner aux bases trop souvent négligées.

Avant tout, il faut se doter d'une mission et de valeurs qui inspirent. C'est primordial de présenter clairement aux gens le pourquoi derrière ce qu'ils font. Ils doivent sentir qu'ils contribuent à une grande cause et qu'ils font la différence, peu importe leurs tâches. Il ne faut pas juste que ce soit des mots sans fondement cachés quelque part dans le manuel de l'employé ou sur le site web.

C'est très important d'embaucher des gens talentueux qui partagent les valeurs de l'organisation. Les défis offerts aux employés doivent être à la hauteur de leurs ambitions. L'environnement de travail doit être inspirant et confortable. Prendre des risques et faire des erreurs doivent faire partie du quotidien. Les gestionnaires doivent faire pleinement confiance à leur équipe. Les objectifs à atteindre doivent être clairs. Le *feedback* et la reconnaissance doivent être systématiques.

Et quand c'est vraiment pris au sérieux, la dynamique de l'organisation a le potentiel de changer complètement. Tout devient soudainement possible. Les employés sont fiers de leur travail et ils ont envie de se surpasser tous les jours. Ils comprennent le pourquoi derrière ce qu'ils font et ils sentent qu'ils font une réelle différence. Le travail est de meilleure qualité, les projets sont livrés plus rapidement et les clients reçoivent un meilleur service. Encore mieux, les gens retournent à la maison avec un grand sentiment d'accomplissement. C'est un contexte gagnant pour tout le monde! Enfin!

Au final, je crois que les organisations peuvent difficilement avoir du succès lorsqu'elles n'accordent aucune importance à leurs employés. Pour celles qui arrivent encore à le faire aujourd'hui, c'est clairement une question de temps avant de frapper le mur. Selon moi, celles qui comprendront que le bonheur au travail est la clé du succès seront celles qui auront le plus de chances de changer le monde.

Source: DE BAENE, S. «La révolution au travail s'amorce», *Les Affaires*, 6 octobre 2016, www.lesaffaires.com/blogues/simon-de-baene/la-revolution-au-travail-s-amorce/590525 (Page consultée le 14 octobre 2016).

DÉFINITIONS

L'**organisation du travail** peut se définir comme la décomposition du travail en activités (différenciation) et le réaménagement de ces activités (intégration) par l'intermédiaire de mécanismes de coordination appropriés, dans le but d'accroître l'efficacité et d'améliorer la qualité de vie des employés. À titre d'exemple, on peut énumérer certains processus de transactions et de services au comptoir offerts par une institution financière : l'accueil du client, la remise d'argent, l'achat de services d'assurances ou le dépôt de montants dans des titres de placement, la demande d'information, la validation de l'identité, la mise à jour de l'information, l'analyse des besoins ou encore les conseils financiers.

Une fois que l'organisation a déterminé ces actions ou ces gestes, elle peut utiliser la **recomposition simple** (une personne spécialisée effectue chaque tâche et traite un volume important de transactions similaires) ou la **recomposition complexe** (un regroupement de tâches est confié à une équipe de personnes polyvalentes, capables de planifier et de gérer de façon flexible un certain nombre d'éléments du processus opérationnel ou du flux d'activités). Dans le premier cas, on instaure une série de mesures de supervision ou de gestion en vue de coordonner le travail de chaque personne. Dans le second cas, on responsabilise les membres du groupe — lui-même responsable de son autorégulation — en s'assurant que les objectifs sont atteints et que les normes de qualité sont respectées.

Des travaux de recherche (Lapointe, 1995) ont également démontré que, quelle que soit la façon dont le travail est organisé, il existe dans les entreprises une réserve de productivité inexploitée conditionnée par les rapports informels et les rapports sociaux. Il y a donc inadéquation entre le travail prescrit et le travail réel. Les travailleurs peuvent exécuter leur travail en faisant le minimum et en évitant les complications, ou ils peuvent, au contraire, en faire beaucoup plus et élever par le fait même les standards. Ils peuvent donc soit traîner les pieds, soit se dépasser au travail. Cet aspect du phénomène illustre bien la tension existant entre l'organisation du travail comme levier de performance et l'organisation du travail comme lieu d'appartenance où se tissent des rapports humains.

L'IMPORTANCE D'ORGANISER LE TRAVAIL

Les raisons qui justifient la réforme de l'organisation du travail et l'importance de cette pratique de gestion sont nombreuses et bien documentées. Elles font état d'un fragile équilibre entre la recherche de la performance organisationnelle et le respect de l'intégrité physique et morale de la personne au travail. Le tableau suivant résume ces raisons.

L'importance d'organiser le travail	
Motifs	**Moyens privilégiés**
Recherche de l'efficacité (faire les bonnes choses) et de l'efficience (bien faire les choses)	Améliorer la qualité et maximiser les gains de productivité. Optimiser l'usage des compétences de chaque personne. Revoir l'organigramme de l'entreprise.
Accroissement de la flexibilité	Adapter les caractéristiques des produits et des services aux besoins personnalisés des consommateurs. Pouvoir multiplier les réglages sur la chaîne de production ou dans la qualité des services offerts. Augmenter la variété dans les gammes de produits et de services offerts par l'entreprise.
Optimisation du potentiel des nouvelles technologies de l'information et de la communication	Profiter des investissements massifs dans l'automatisation accélérée des systèmes de production (production à flux tendu, juste-à-temps, etc.) et des systèmes d'information. Tirer profit de la virtualisation et de la dématérialisation des échanges, des communications et de la prise de décision (réseau de sous-traitants, télétravail, etc.).
Proposition de solutions de remplacement au redimensionnement (*downsizing*)	Proposer des solutions aux licenciements massifs, aux départs volontaires assistés et à la mise à la retraite afin de faire face aux variations de la production et de conserver les compétences. Obliger l'organisation à remettre régulièrement en question ses façons de faire afin d'évaluer les investissements antérieurs dans les ressources humaines (RH).

(→)

L'importance d'organiser le travail (*suite*)	
Motifs	**Moyens privilégiés**
Adaptation au défi du contexte intergénérationnel	Recruter une main-d'œuvre qualifiée, plus jeune et qui a des attentes différentes à l'égard du marché du travail (conciliation travail-famille, télétravail, etc.).
	Encourager les travailleurs expérimentés à rester en emploi et à participer au marché du travail de façon active mais adaptée.
	Stimuler le transfert de connaissances entre les travailleurs expérimentés et les recrues afin de transmettre le capital de connaissances de l'entreprise et la mémoire institutionnelle.
Facilitation de l'épanouissement des personnes	Faire en sorte que les employés maîtrisent davantage leur environnement de travail, source de motivation et de satisfaction au travail.
	Lutter contre les éléments nuisant à la santé et à la sécurité au travail (épuisement professionnel, détresse psychologique, accidents du travail, maladies professionnelles, etc.).

LE PARTAGE DES RESPONSABILITÉS EN MATIÈRE D'ORGANISATION DU TRAVAIL

Comme en témoigne le tableau ci-dessous, l'ensemble des acteurs sociaux jouent un rôle majeur dans le succès de l'organisation du travail. La dynamique sociale et ces divers acteurs conditionnent d'ailleurs le succès durable des expériences novatrices dans ce domaine.

Le partage des responsabilités en matière d'organisation du travail	
Dirigeants	Faire les choix stratégiques liés au questionnement sur les façons de faire et à l'arbitrage entre performance et qualité de vie au travail.
	Décider des orientations et des investissements concernant les nouvelles technologies.
	Établir un partenariat avec les syndicats et les représentants des employés.
Cadres	Accorder de l'attention aux membres du personnel touchés par l'organisation (ou la réorganisation), répondre à leurs interrogations et souligner leurs efforts.
	Fournir aux employés un soutien adéquat pour les aider à mieux maîtriser les manières de travailler.
	Diffuser régulièrement aux employés de l'information sur l'évolution de l'organisation.
Professionnels des RH	Soutenir les cadres dans l'implantation de programmes de formation.
	Concevoir un programme de transformation et de gestion du changement pour les acteurs de l'organisation.
	Prendre en charge les cas problématiques relatifs à la transformation de l'organisation du travail.
Consultants	Susciter la réflexion chez les dirigeants quant à l'organisation du travail.
	Collaborer à la formation des acteurs de l'entreprise.
	Aider les dirigeants et les professionnels des RH à élaborer une feuille de route pour le changement.
	Agir éventuellement comme intermédiaires entre les dirigeants et les syndicats pour régler des conflits.
	Nourrir la réflexion par une analyse des meilleures pratiques du secteur d'activité.
Syndicat	Proposer des solutions et collaborer au moment de la réorganisation du travail.
	Agir comme partenaire dans les projets d'organisation du travail lorsque les conditions de participation le permettent (partage de l'information, autonomie accrue des employés, partage des bénéfices, etc.).
	Négocier les ajustements nécessaires dans les conventions collectives ou les lettres d'entente.
Employés	S'adapter aux changements et à l'évolution de l'organisation.
	Acquérir les compétences essentielles et développer des réflexes d'apprentissage continu.
	Adopter les attitudes requises pour être une partie prenante d'une équipe.

Comme nous l'avons vu dans le chapitre 1, les professionnels des RH doivent jouer un rôle déterminant en matière d'évolution de l'organisation du travail, notamment pour ce qui est des modifications apportées à l'organisation du travail. Ainsi, ils ne doivent pas se contenter d'être des techniciens de GRH au service des chefs de projets conduisant le changement, mais se situer à un niveau stratégique afin d'évaluer les répercussions des transformations, d'influer sur les choix et de bien définir l'accompagnement consécutif aux réorganisations. Le rôle essentiel de ces professionnels est de tenir compte des aspects humains : les inquiétudes, la résistance, l'incompréhension, la difficulté d'adaptation, la gestion des carrières, la mobilité professionnelle, etc. En fait, ils doivent être garants des aspects suivants :

- l'engagement des gestionnaires et des utilisateurs dans toutes les phases de la réorganisation, de la définition du projet à l'implantation de la solution ;

- la diffusion régulière d'informations sur la conduite de la réorganisation, l'évolution du projet, les retards possibles, les solutions envisagées, etc. ;

- le soutien et l'accompagnement à la suite de la réorganisation pour parer aux difficultés des gestionnaires et des utilisateurs pendant la mise en œuvre des modifications.

Pour être un acteur stratégique, le professionnel des RH doit non seulement être sensible au facteur humain, mais aussi être un expert des méthodes d'organisation du travail possédant des compétences dans les domaines suivants : la communication, la formation, la culture d'entreprise, le pilotage de projets, la santé au travail, etc. Il doit devenir un agent plutôt qu'un simple exécutant.

3.1 Les fondements de l'organisation du travail

L'organisation du travail peut être définie comme l'agencement des relations formelles et informelles entre les membres d'une entreprise. Il est essentiel pour les professionnels des RH de connaître les diverses structures d'organisation et de bien définir les rôles des différents acteurs. Il est aussi essentiel qu'ils connaissent le contenu et les exigences des divers emplois pour bien choisir les candidats, bien déterminer leur salaire, etc. Aussi, cette section traite de la structuration du travail sur le plan des organigrammes ainsi que de l'analyse et des descriptions des emplois sur lesquels les professionnels RH s'appuient pour gérer les diverses activités.

3.1.1 Les structures mécaniste, organique, en réseau et matricielle

Les structures organisationnelles se divisent en quatre catégories, soit les structures mécaniste, organique, en réseau et matricielle. Ces quatre formes ont une incidence sur l'organisation du travail. Par exemple, une approche de gestion participative ne peut s'implanter dans une organisation ayant une structure mécaniste. Par contre, ce type de structure convient bien au modèle traditionnel de l'organisation du travail.

La structure mécaniste

La **structure mécaniste** constitue le mode traditionnel d'organisation des relations dans une entreprise. Elle se caractérise par un processus décisionnel centralisé qui part du sommet et qui descend jusqu'au bas de la pyramide. Souvent appelée « entreprise verticale », cette structure possède de nombreux niveaux hiérarchiques, les emplois y sont spécialisés et décrits de façon stricte, et de nombreuses frontières séparent les fonctions et les unités. Quant aux carrières, elles se déroulent verticalement,

Structure mécaniste

Agencement de relations et de communications caractérisé par un processus décisionnel (centralisé) qui part du sommet et descend jusqu'au bas de la pyramide.

les employés travaillant de manière isolée et autonome et évoluant souvent à l'intérieur de la même fonction. Cette structure a démontré sa pertinence dans des contextes de stabilité, de planification à long terme, de permanence des employés, de stratégies d'affaires plutôt défensives, c'est-à-dire centrées sur l'exploitation du potentiel d'affaires et sur la productivité par la standardisation. La bureaucratie est un synonyme de cette structure, qui caractérise notamment les grandes institutions financières et les divers organismes offrant des services publics. Dans ce type d'organisation, la fonction GRH a souvent pour rôle de définir les périmètres des emplois (catégorie, niveau, etc.), le contenu des tâches (description de poste, niveau de responsabilités, etc.) et les compétences associées aux emplois. Notons cependant que l'environnement actuel exerce de fortes pressions pour que la structure mécaniste se décentralise et s'assouplisse davantage, qu'elle devienne en d'autres termes plus organique.

La structure organique

Structure organique

Agencement de relations et de communications caractérisé par un processus décisionnel décentralisé permettant aux unités opérationnelles de bénéficier de la marge de manœuvre nécessaire à la poursuite de leurs objectifs.

La **structure organique** se veut plus décentralisée afin de permettre à l'entreprise de réagir rapidement aux occasions d'affaires, même lorsqu'un plan stratégique a déjà été établi. Cette structure se distingue par un processus décisionnel décentralisé, chaque unité opérationnelle se voyant accorder la marge de manœuvre nécessaire à la poursuite de ses objectifs, et ce, jusqu'à une forme de responsabilité favorisant la création de centres autonomes de profits et de coûts au sein de l'organisation. Dans cette structure, on observe un nombre restreint de niveaux hiérarchiques ainsi que des emplois dont la polyvalence est axée davantage sur les responsabilités que sur les tâches. Les carrières, quant à elles, se déroulent horizontalement : elles se caractérisent souvent par une mobilité entre les fonctions. Les frontières entre les unités sont perméables et flexibles, et les employés appartiennent à des collectifs de travail animés par les valeurs du travail en équipe. Dans un tel contexte, la fonction GRH sera plus centrée sur les compétences et les réseaux que sur les structures et les hiérarchies. Elle aura pour rôle d'accompagner le développement des talents et de favoriser les échanges pour propulser l'innovation. Ses actions seront plus orientées vers les individus que vers la structure.

La structure organique a démontré sa pertinence dans des contextes d'instabilité, de réajustement continu des plans et de stratégies d'affaires plutôt offensives, à savoir centrées sur l'innovation, la qualité et la productivité au moyen de la réorganisation du travail. L'entreprise Cascades, dans le secteur manufacturier, et le Cirque du Soleil, dans celui des arts et du divertissement, sont des exemples d'organisations qui présentent cette structure organique.

La structure en réseau

Structure en réseau

Agencement de relations et de communications caractérisé par des équipes et des unités relativement autonomes qui allient leurs diverses expertises dans la réalisation d'un projet donné et qui sont coordonnées principalement par des mécanismes de régulation autonome.

L'organisation en réseau ou sans frontières possède plusieurs caractéristiques de l'organisation décentralisée aplatie. Souvent appelée « entreprise horizontale », la **structure en réseau** comporte des équipes et des unités relativement autonomes qui allient leurs diverses expertises dans la réalisation d'un projet donné. La structure matricielle, la structure par projet et l'entreprise étendue en sont des représentations. Il faut savoir qu'une organisation peut être en réseau avec d'autres organisations (par alliance, impartition, sous-traitance) à l'intérieur ou à l'extérieur de ses propres frontières. Cette structure s'avère pertinente dans les cas de stratégies ou de démarches de qualité totale très avancées, d'une pénétration de marchés étrangers sur lesquels il est difficile de percer ou de développement de nouvelles technologies s'avérant très coûteux et risqué.

La structure d'entreprise en réseau pose aussi des défis pour les professionnels des RH, qui doivent s'assurer que les politiques, les standards et les règles de l'organisation sont bien compris et qu'ils sont mis en œuvre de manière uniforme entre les différentes filiales. Dans les structures en réseau, il existe une tendance à vouloir établir l'organisation du travail en fonction des besoins locaux sans trop se préoccuper de la maison mère ; les équipes RH ont alors pour rôle de donner les grandes orientations et de faire connaître les politiques dans toutes les filiales. C'est donc un défi de bien naviguer entre l'autonomie des entités, d'une part, et les orientations globales qui devraient se refléter dans toute l'entreprise, d'autre part.

La chaîne de magasins Couche-Tard est un bon exemple de structure en réseau. Son siège social présente une configuration très aplatie, qui compte peu de niveaux hiérarchiques. Les succursales disposent d'une marge de manœuvre sur leur organisation interne tout en devant respecter les balises imposées par le siège. Cette structure permet une stratégie d'affaires très étendue et apte à percer de nombreux marchés, comme en font foi les dernières acquisitions de la société Couche-Tard.

La structure matricielle

L'architecture d'une entreprise prend parfois la forme d'une **structure matricielle**, ce modèle tendant d'ailleurs à se répandre. Le principe de la structure matricielle est de croiser des structures opérationnelles, par exemple les unités de produits (divers modèles de voitures, divers services financiers, etc.) avec des structures qui ont généralement une fonction de support (démarche de qualité totale, finances, RH). La figure 3.1 montre la structure matricielle d'une compagnie multinationale dans le secteur de l'alimentation. Comme on peut le voir, les directions fonctionnelles (RH, services juridiques, etc.) croisent les régions (Amérique du Nord, Afrique, etc.) ; ainsi, chaque région dispose de sa ligne hiérarchique, mais aussi des services fonctionnels assurés par la structure matricielle.

En ce qui concerne la GRH, la structure matricielle pose principalement deux défis :

1. Le travail et les projets sont réalisés dans des entités différentes et donc sous la gouverne de plusieurs patrons. Cela signifie qu'un employé peut travailler sur un projet sans que le chef de ce projet soit son patron direct. Lorsque vient le temps de suivre des directives communes, cela soulève parfois des difficultés. Souvent, l'équipe de GRH sera interpellée pour aider à fluidifier le processus et faire en sorte que toutes les personnes s'alignent sur les mêmes objectifs.

2. La structure matricielle nécessite beaucoup de coordination, de collaboration, de consultation et de concertation pour être véritablement efficace. Parfois, cette collaboration prend trop de place : les boucles décisionnelles se multiplient, la prise de décision est trop longue et les tables de discussion s'éternisent. On parle

Structure matricielle

Agencement de relations et de communications caractérisé par des équipes et des unités fonctionnelles et opérationnelles. On y trouve une coordination verticale par régions, par produits, par pays et une coordination horizontale par fonctions, comme les RH ou les systèmes d'information.

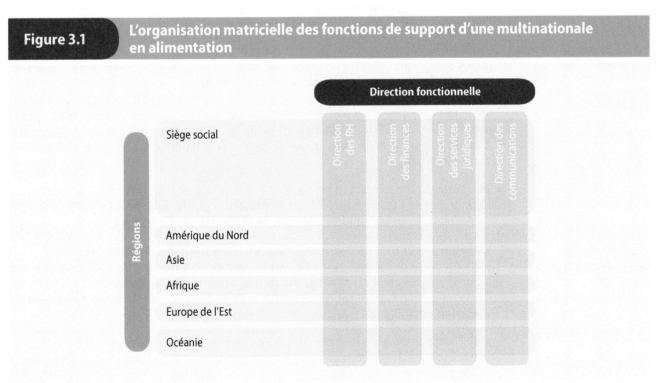

Figure 3.1 L'organisation matricielle des fonctions de support d'une multinationale en alimentation

alors de «surcharge collaborative». Le professionnel de la GRH pourra faciliter ces collaborations sans les multiplier à l'infini afin que les équipes de travail restent bien orientées sur les résultats attendus.

La structure matricielle peut prendre différentes formes : par projets, par équipes, par produits, etc. On la trouve généralement dans des entreprises qui ont des activités variées et complexes ou couvrant un large territoire comme un pays (p. ex., Via Rail), voire la planète (p. ex., Coca-Cola). Ce type de structure amène de plus en plus de personnes à relever de deux supérieurs hiérarchiques. Par exemple, un conseiller en RH devra offrir des services à son directeur régional (p. ex., Est du Canada), mais sera aussi dans un rapport d'autorité avec le directeur du service des RH dont le siège social serait à Montréal.

Cette structure comporte certains avantages :
- Elle se base sur la compétence opérationnelle et fonctionnelle.
- Elle donne la possibilité de choisir les individus en fonction des projets.
- Elle favorise les relations transversales sur un thème commun.
- Elle est à proximité des services fonctionnels (expertises, compétences, etc.) et offre un meilleur soutien aux opérations.

La structure matricielle comporte aussi des inconvénients :
- Il peut y avoir des conflits entre les opérations et les fonctions de support qui n'ont pas toujours les mêmes objectifs.
- Les fonctions de support peuvent manquer de ressources pour répondre aux besoins des opérations.
- En raison de la complexité de l'organigramme, il risque d'y avoir de la confusion dans les rôles et une coordination difficile.
- Il peut manquer d'unité de commandement, car les individus sont placés sous la responsabilité de plusieurs supérieurs (hiérarchiques et fonctionnels).
- La prise de décision peut souffrir d'un ralentissement.

3.1.2 L'analyse et la description des emplois

Analyse de l'emploi

Ensemble d'activités qui permettent de recueillir de l'information sur les activités et les tâches d'un poste et qui reposent sur l'utilisation d'une méthode déterminée (p. ex., l'observation des employés dans leur travail).

L'analyse de l'emploi sert d'assise à l'organisation du travail et à la répartition des tâches. Elle permet de recueillir de l'information sur les activités, les tâches, les devoirs et les responsabilités propres à chaque poste, de même que sur les éléments liés au contexte de l'emploi : les équipements utilisés, les conditions de travail existantes, etc. L'analyse de l'emploi sert d'assise à la rémunération, à la formation, à l'évaluation de la performance et au processus de dotation. En effet, pour sélectionner un candidat, on doit connaître les tâches du poste qu'il convoite et le contexte de travail. Similairement, on doit connaître les exigences et la nature d'un emploi pour en déterminer le salaire.

Pour analyser un emploi, il est souhaitable de recourir à un processus systématique de collecte de l'information. Il existe plusieurs outils ou méthodes de collecte de l'information sur les emplois, lesquels figurent dans le tableau 3.1.

www5.hrsdc.gc.ca

Classification nationale des professions

L'analyse documentaire consiste à baser son travail sur des documents existants. Ces documents peuvent provenir soit de l'entreprise (organigrammes, descriptions de postes rédigées antérieurement), soit de descriptions dites «génériques». Au Canada, la Classification nationale des professions (CNP) répartit plus de 40 000 appellations d'emplois en 500 profils de groupes professionnels.

Que l'observation soit effectuée par un analyste ou par voie électronique (vidéo, enregistrement, etc.), elle consiste à documenter le travail réel exécuté par le titulaire du poste ainsi que les conditions d'exercice de ce travail, et ce, sans idées préconçues. Cette méthode renseigne sur les activités liées au travail pendant une période donnée

Tableau 3.1	Les avantages et les inconvénients des méthodes d'analyse de l'emploi	
Méthode	**Avantages**	**Inconvénients**
Analyse de documents existants	• Elle est rapide. • Elle permet de disposer d'une base que l'on peut adapter.	• Elle est rarement adaptée à chacun des postes.
Observation	• Elle est effectuée par un observateur extérieur plus neutre et objectif que les titulaires du poste. • Elle est rapide dans le cas des tâches simples et répétitives.	• Elle est peu pertinente pour les tâches difficilement observables. • Elle constitue un long processus lorsque le poste est complexe. • Elle requiert la présence d'un observateur, laquelle peut être mal perçue.
Entrevue	• Elle permet de collecter des renseignements sur les tâches et le contexte de l'emploi. • Elle permet de partager divers points de vue sur le poste lorsque l'entrevue se mène en groupe.	• Elle représente un long processus. • Elle est parfois empreinte d'un manque d'objectivité de la part des personnes interrogées.
Questionnaire	• Il est rapide en plus d'être facile à consulter par un grand nombre de personnes.	• Il énumère souvent de nombreux thèmes, ce qui limite la quantité d'informations recueillies.
Prise de notes par les titulaires	• Elle permet de répertorier les tâches au fur et à mesure. • Elle permet de quantifier facilement le temps passé à effectuer chacune des tâches.	• Elle requiert de la minutie et s'avère difficile à gérer. • Elle est négligée par les titulaires qui ne jugent pas le processus valable.

(une journée, une semaine ou un mois) et s'avère particulièrement pertinente pour les emplois simples ou ceux dont les tâches peuvent être décrites par un observateur extérieur (poste de conducteur de chariot, d'élévateur, de cuisinier dans un Centre de la petite enfance).

L'entrevue est souvent dirigée par un consultant interne (un membre de la direction des RH) ou externe. Elle s'adresse à un individu (le titulaire de l'emploi) ou à un groupe (plusieurs titulaires et superviseurs d'un même emploi), et elle est en général structurée autour de l'information et des thèmes requis pour décrire l'emploi. Son principal atout réside dans la collecte d'une information riche et exprimant le point de vue des employés. L'entrevue s'avère d'une grande utilité quand les renseignements à recueillir sont nombreux ou quand il s'agit de confronter des points de vue.

Le questionnaire, qui se présente sous la forme d'un formulaire que remplit le titulaire du poste, permet de documenter la nature du travail accompli et ses conditions d'exercice. Facile à utiliser, le questionnaire permet de recueillir de l'information auprès d'un grand nombre de personnes dans des délais assez courts. C'est aussi une méthode pertinente lorsqu'on veut actualiser une description de poste existante. Toutefois, il ne permet pas d'analyser un poste en profondeur, et rien ne permet de vérifier que les employés le remplissent avec sérieux.

Finalement, la prise de notes consiste à demander au titulaire d'un poste d'indiquer les principales tâches qu'il effectue et les incidents critiques liés à l'exercice de son travail. Elle exige une discipline importante de la part des employés, qui doivent être aussi précis que possible dans leur prise de notes régulière, voire quotidienne.

Chaque méthode d'analyse de l'emploi comporte des avantages et des inconvénients. Le choix d'une ou de plusieurs méthodes dépend du type de poste analysé, de la quantité de renseignements à recueillir et de l'enjeu lié à l'analyse. Lorsque vient le moment d'organiser ou de réorganiser le travail dans un département, une section ou un poste spécifique, les mêmes méthodes peuvent être employées. Le professionnel de la GRH pourra s'appuyer sur l'analyse des emplois pour bien comprendre la nature des tâches et des responsabilités de chacun et pour définir, avec les personnes concernées, une nouvelle organisation du travail.

La description d'emploi

La description d'emploi (ou description de poste) est le document qui synthétise l'information recueillie au fil de l'analyse de l'emploi. Si chaque description est propre au poste analysé, il existe tout de même des règles de formalisation identiques pour toute description. Ainsi, une description de poste se présente sous la forme d'un texte qui décrit la nature du travail à accomplir dans un emploi particulier, les méthodes, les conditions de travail, les devoirs et les responsabilités de la personne qui l'occupe. Ces renseignements sont classés par thèmes, de façon claire, objective et concise. La liste présentée dans le tableau 3.2 permet de préciser les thèmes qui y sont mentionnés (Guerrero, 2004). À titre d'exemple, quelques exigences figurant dans la description de poste d'un ambulancier sont présentées au chapitre 4 (*voir la page 117*).

Tableau 3.2	Les principaux éléments de la description de poste
Éléments incontournables	• Intitulé de l'emploi (titre exact du poste) • Date de la rédaction de la description ou de son actualisation • Service d'affectation • Situation dans la structure (organigramme et relations hiérarchiques avec d'autres postes) • Mission principale (courte synthèse des principales responsabilités du poste qui permet de clarifier la raison d'être du poste dans l'entreprise) • Attributions et activités (description détaillée des tâches et des opérations) • Matériel, documents, moyens mis à disposition
Éléments le plus souvent mentionnés	• Marge d'autonomie (précision des attributions) • Profil et qualités nécessaires à l'emploi • Évolution possible
Éléments les moins fréquents	• Nombre de personnes pouvant occuper le même emploi • Pourcentage de temps consacré à chacune des activités • Volume approximatif des activités • Mode de contrôle par autrui (hiérarchie) • Assistance par autrui (autre que la hiérarchie)

L'analyse et la description de poste clarifient la nature et les objectifs du travail de chaque personne. Dans une équipe, la mise en commun de chaque analyse de poste n'est pas uniquement un cumul de tâches ou d'activités. Cette mise en commun contribue à définir l'organisation du travail, car elle permet de s'assurer que les tâches se complètent, qu'il n'y a pas de doublons ou de recoupements de responsabilités, que le périmètre décisionnel de chacun est bien délimité, etc. Ainsi, l'analyse de chaque emploi offre une base solide pour définir l'organisation du travail d'une équipe ou d'un département.

La nature de la relation d'emploi

L'organisation du travail et l'analyse des emplois doivent également tenir compte de la nature de cette relation.

Une relation d'emploi peut être qualifiée de «typique» ou d'«atypique» lorsqu'on la compare avec un emploi traditionnel, c'est-à-dire avec un emploi permanent comportant un contrat de travail à durée indéterminée, à temps complet, un horaire régulier et où le travail s'effectue essentiellement chez l'employeur. L'évolution de l'environnement des organisations a conduit les dirigeants à se distancier de l'emploi typique en implantant des formes d'emplois plus flexibles, qui varient en fonction de la durée du travail (temps complet ou temps partiel), de l'horaire de travail (régulier ou variable), de la nature du contrat de travail (indéterminée, déterminée ou contrat de service) et du lieu de travail (chez l'employeur ou en d'autres lieux). Voici quelques exemples d'emplois atypiques :

- travailleur autonome (graphiste, traducteur, formateur) ;
- sous-traitance (livreur, réparateur) ;
- travailleur en régie (consultant à temps plein dans une même entreprise) ;
- emploi mutualisé avec plusieurs entreprises (concierge, agent de sécurité) ;
- emploi saisonnier (travailleur agricole, employé d'hôtel).

Dans un contexte où la flexibilité est un défi majeur pour la GRH, l'organisation configure la nature de la relation d'emploi afin de permettre une meilleure adaptation de la GRH. Ainsi, le recours au travail atypique devient une stratégie d'organisation du travail, stratégie qui vient influer directement sur les pratiques de GRH.

3.2 L'organisation du travail en équipe

Au nombre des innovations en matière d'organisation du travail, la participation des employés à des collectifs de travail est sans doute la plus importante. En effet, les équipes de travail se substituent graduellement à l'individu comme unité de base de l'organisation du travail. Le travail en équipe prend plusieurs formes, qui se distinguent par la structure des équipes, leur mission et leur degré d'autonomie. Les équipes peuvent être classées en quatre catégories : les équipes de résolution de problème ou groupes d'amélioration, les groupes de projet, les équipes semi-autonomes et les équipes virtuelles.

3.2.1 Les groupes d'amélioration

Les groupes d'amélioration tirent leur origine des premières expériences de cercles de qualité, popularisés au début des années 1980. Ceux-ci ont le mandat de procéder à une démarche collective de résolution de problèmes à l'aide de l'analyse de processus, du contrôle statistique des procédés, du processus de prise de décision, de la créativité ou du travail en équipe. Ces équipes se réunissent la plupart du temps durant les heures de travail, sur une base plus ou moins régulière. Animées par un leader (souvent le superviseur), appuyées par un facilitateur (souvent un professionnel des RH), ces équipes font valider et autoriser leurs recommandations par un comité directeur (*steering committee*) composé de membres de la haute direction. En milieu syndiqué, on observe que le comité directeur y intègre souvent des représentants de la partie syndicale. Ce type de fonctionnement des équipes de travail a longtemps été le plus populaire.

En revanche, nombre d'expériences de ce type ont conduit à des résultats décevants, car avec le temps, la structure formelle et traditionnelle de l'organisation — qui n'a pas évolué — a mis un frein à l'implantation d'une masse critique d'équipes de travail. Par ailleurs, les superviseurs retournaient vite à leurs anciens comportements de patrons, et les dirigeants ne donnaient pas toujours suite aux mesures suggérées par les équipes. De plus, la flamme de l'amélioration continue avait tendance à s'éteindre une fois que certains gains de productivité avaient été réalisés.

3.2.2 Les groupes de projet

Les groupes de projet (parfois appelés «équipes parallèles» ou *off line*) œuvrent souvent dans une structure matricielle ou en réseau. Ils ont un pouvoir plus formel que les groupes d'amélioration, car ils disposent de la marge de manœuvre nécessaire

Une équipe de projet est composée de spécialistes qui offrent leur expertise dans le but de concevoir et de mener à terme un projet bien défini.

pour prendre des décisions à propos de certains paramètres (coûts, délais, spécifications, objectifs, mandat, etc.). Ils sont donc susceptibles d'exercer beaucoup de pouvoir sur le reste de l'organisation. Le déploiement des technologies se fait souvent à l'aide de cette forme d'organisation.

On constitue souvent un groupe ou une équipe de projet en regroupant des personnes dotées d'expertises variées et travaillant soit dans une structure organisationnelle temporaire, soit dans une structure matricielle. Le groupe est composé de spécialistes (p. ex., des informaticiens ou des ingénieurs) qui offrent leurs expertises dans le but de mener collectivement à terme un projet bien défini. Les membres du groupe, affectés de façon permanente ou temporaire au projet, procèdent à sa conception et à son exécution. Pour ce faire, ils disposent de ressources, de connaissances et du pouvoir nécessaire à la prise de décision. Le développement de nouveaux produits, l'implantation de systèmes d'information et la configuration de nouveaux espaces physiques de bureau ou de production n'en sont que quelques exemples d'applications.

Les groupes de *kaizen*, dont les membres sont libérés à temps plein pour analyser et résoudre des problèmes importants dans un système de production, sont des groupes de projet opérant à court terme. Cette approche de gestion, issue du modèle japonais de la gestion de la qualité totale, a été adoptée par des entreprises comme Pratt & Whitney, Domtar et Prévost Car.

3.2.3 Les équipes semi-autonomes

Les équipes semi-autonomes (aussi appelées «équipes de travail autogérées» ou «groupes semi-autonomes», voire *process teams* et, dans certains cas, «cellules de production») occupent l'échelon le plus élevé sur l'échelle de l'autonomie décisionnelle. Contrairement aux groupes d'amélioration et aux groupes de projet, les équipes semi-autonomes ne fonctionnent pas en marge de la structure traditionnelle de l'organisation, mais se substituent plutôt à elle et nécessitent une transformation profonde de la culture, de la philosophie de gestion, des pratiques de GRH et, surtout, des comportements et des attitudes des gestionnaires.

Les équipes semi-autonomes peuvent elles aussi prendre plusieurs formes en fonction des aires de décisions que les dirigeants leur confient. Elles exercent majoritairement une autonomie décisionnelle sur la gestion des opérations courantes (le ménage, l'entretien des équipements, l'attribution du travail, le contrôle de la qualité, les contacts avec les fournisseurs, etc.), ainsi que sur les activités d'organisation et d'encadrement (le choix du chef d'équipe, la gestion des absences, des horaires et des congés, l'achat de matériel, les contacts avec les clients, le recrutement, la santé et la sécurité, etc.). En revanche, leur autonomie décisionnelle diminue dans des activités d'alignement stratégique (p. ex., les budgets ou le design des produits, ainsi que l'évaluation du rendement des membres du groupe, les mesures disciplinaires, les décisions salariales et les choix stratégiques de l'unité).

3.2.4 Les équipes virtuelles

Avec la mondialisation des marchés et la volonté des entreprises d'être au plus près du client ou du consommateur, les équipes virtuelles se multiplient. Le territoire d'une **équipe virtuelle** peut être une région, un pays, voire un continent. On peut y trouver des individus isolés les uns des autres (p. ex., des délégués commerciaux par régions) ou de petites équipes responsables d'une fonction pour un territoire (p. ex., une équipe de marketing pour l'Europe de l'Est).

Une équipe virtuelle se caractérise par le fait que ses membres ne travaillent pas au même endroit ou dans le même édifice et qu'ils font fortement appel aux moyens de

Équipe virtuelle

Ensemble de personnes qui sont dispersées géographiquement et dont le gestionnaire n'est pas dans une situation de proximité physique.

communication numérique (serveur partagé, Workplace, Facebook, Skype, etc.). Le critère de composition d'une telle équipe n'est plus la localisation, mais le talent ou la compétence de chacun, ce qui permet une meilleure performance collective.

Si ces équipes semblent innovatrices, leur performance n'est cependant pas encore au point et elles rencontrent plusieurs difficultés : les membres ne vivent pas forcément dans les mêmes fuseaux horaires, ils parlent des langues diverses et le niveau de maîtrise d'une langue commune (p. ex., l'anglais) peut varier au sein d'une même équipe. La collaboration est plutôt complexe, ce qui se répercute souvent sur la productivité ou la satisfaction du client. Une équipe virtuelle nécessite donc un bon leadership et une communication fréquente.

Le rôle du professionnel de la GRH est de faciliter le mode collaboratif en tentant de dépasser les différences culturelles en levant les obstacles à la communication, en dissipant les conflits et les luttes de pouvoir et en construisant la confiance, la collaboration et l'engagement de tous les membres de ces équipes virtuelles.

Parole d'expert

Multiplier les pains en réduisant les pertes

Les boulangeries-pâtisseries MariePain [...] organiseront un *kaizen*, cette méthode d'améliorations simples et concrètes de la productivité qui met à contribution les employés.

« Nous voulons changer des façons de faire pour éliminer toutes les sources de gaspillage, de pertes de temps ou de déplacements inutiles », dit Pascale Perreault, 35 ans, directrice générale de cette entreprise familiale de Repentigny.

Cette démarche visera initialement une meilleure organisation des espaces et équipements de travail dans les aires de production. [...]

L'entreprise de 80 employés a entamé ce processus de production à valeur ajoutée (PVA) en engageant un consultant en amélioration de la productivité. Ce dernier a d'abord posé un diagnostic après avoir analysé les diverses activités des équipes de production qui se partagent les tâches en quarts de travail : la boulangerie à partir de 20 h, la pâtisserie qui prend la relève à 5 h, puis le ménage et l'entretien dès 13 h.

La démarche a permis d'examiner différentes problématiques touchant notamment le rangement d'instruments, l'accès aux matières premières ou la présence de chariots trop encombrants.

« Quand on réussit à faciliter le travail des employés, tout en améliorant la rentabilité, tout le monde y gagne », souligne Jean-Guy Perreault, président de MariePain. L'entreprise n'écarte pas l'idée d'acheter de nouveaux équipements, mais en s'assurant de « conserver la tradition de fabrication artisanale », précise-t-il.

Source : Extrait de THÉROUX, P. « Multiplier les pains en réduisant les pertes », *Les Affaires*, 8 décembre 2012, p. 28.

3.3 Le renouvellement de l'organisation du travail

Au cours des dernières décennies, les organisations ont continuellement révisé leurs modes traditionnels de structure ou d'organisation des activités pour les diverses fonctions de gestion (finance, production, marketing, technologies de l'information, GRH, etc.) afin d'optimiser leur efficience. Cette section traite de la réingénierie des processus et des démarches de qualité totale, deux processus de renouvellement des façons de faire qui ont inévitablement des effets sur la manière de gérer les employés.

3.3.1 La réingénierie des processus d'affaires

L'**analyse des processus d'affaires** est une démarche rigoureuse permettant d'examiner la manière dont le travail ajoute de la valeur aux processus cités précédemment ou, en d'autres termes, la manière dont il se déplace à travers l'organisation jusqu'à ce que le client prenne possession d'un produit ou consomme un service. Au cours des années 1990, une approche américaine nommée «réingénierie des processus» s'est approprié l'analyse des processus d'affaires, rattachée fortement aux démarches de gestion de la qualité. La réingénierie des processus consiste en une remise en cause et une transformation radicale des processus opérationnels d'une organisation, dans le but d'obtenir des résultats spectaculaires en matière de performance en ce qui a trait aux coûts, à la qualité ou à la rapidité. Elle bouleverse donc l'organisation du travail et la GRH. La réingénierie des processus a gagné en popularité depuis deux décennies parce qu'elle annonce des gains de productivité nettement supérieurs à ceux que génère l'approche fondée sur l'amélioration continue, elle-même associée à l'approche fondée sur la qualité.

3.3.2 La démarche de qualité totale

Contrairement à la réingénierie, fondée sur une approche radicale, la démarche de qualité totale repose sur une approche évolutive de l'organisation du travail et participative, c'est-à-dire sur une approche d'amélioration continue. La gestion de la qualité totale, un mouvement planétaire né au Japon, est maintenant présente partout dans le monde, dont au Québec, comme en témoignent des organismes tels que le Mouvement québécois de la qualité (2013), un regroupement d'organisations spécialisé dans la gestion de la qualité. Cet organisme définit d'ailleurs la gestion de la qualité totale comme un «mode de gestion d'un organisme centré sur la qualité, basé sur la participation de tous ses membres et visant [un] succès à long terme par la satisfaction du client et des avantages pour les membres de l'organisme et de la société».

La rigueur et la standardisation qu'implique la gestion de la qualité totale se sont incarnées dans un mouvement mondial qui vise à certifier les entreprises selon des

Regard sur la pratique

L'organisation des emplois saisonniers

AU QUÉBEC

L'auberge Le Baluchon, en Mauricie, avait un problème de pénurie de main-d'œuvre. Vu le caractère saisonnier de ses activités, l'entreprise devait réduire considérablement l'horaire de travail de plusieurs employés l'hiver venu, au risque d'avoir à en engager et à en former de nouveaux au retour du beau temps. « Non seulement cela nous coûtait cher en formation de la main-d'œuvre, mais nous avions du mal à trouver des gens qui avaient de l'expérience », explique Patricia Brouard, gestionnaire, vente et service à la clientèle.

Il y a trois ans, l'auberge a donc décidé de transformer ces emplois saisonniers en emplois permanents en donnant au moins deux chapeaux à ses employés. « Par exemple, explique Patricia Brouard, la personne responsable de l'aménagement paysager travaille à l'extérieur de mai à octobre. Le reste de l'année, elle est à la réception. » Il en va de même pour les employés de l'accueil, formés pour occuper trois postes dans l'auberge, soit la réception, l'organisation des activités et l'accueil au spa.

Depuis l'implantation du double emploi, l'auberge a amélioré la qualité du service à la clientèle et a maintenu en poste des employés d'expérience tout en économisant environ 30 000 dollars par an sur l'ensemble des frais d'exploitation, dont ceux liés aux RH.

Source : Extrait de MOREAU, A., et S. PROULX. « Le mythe de la réingénierie », *Les Affaires*, 1er octobre 2013, www.lesaffaires.com/archives/generale/le-mythe-de-la-reingenierie/563373 (Page consultée le 17 octobre 2016).

normes internationales, les obligeant ainsi à déployer un système rigoureux de gestion de la qualité (Ponce *et al.*, 2007). La plus connue de ces normes internationales est la série ISO 9000. Le Mouvement québécois de la qualité rapporte que plus de 500 000 organisations ont déjà été soumises à un audit externe et ont fait enregistrer leur système de gestion de la qualité aux normes ISO 9000.

Les normes ISO[1] reposent sur les huit principes de gestion de la qualité suivants (ISO, 2012) :

Principe 1 – Orientation client

Principe 2 – Leadership

Principe 3 – Implication du personnel

Principe 4 – Approche processus

Principe 5 – Management par approche système

Principe 6 – Amélioration continue

Principe 7 – Approche factuelle pour la prise de décision

Principe 8 – Relations mutuellement bénéfiques avec les fournisseurs.

Afin de respecter les principes de ce système de gestion et de se conformer à ces normes, les entreprises mettent en place un certain nombre d'outils ou de techniques qui produisent des résultats assez concluants. Parmi les outils les plus connus, mentionnons le *kaizen*, le *kanban*, la méthode des cinq S et la qualité Six Sigma (*voir l'encadré 3.1*). De tels outils reposent sur la participation et l'implication du personnel, qu'il faut former et guider de manière à ce qu'il puisse assumer les rôles attendus.

Encadré 3.1 **Les outils associés à un système de gestion de la qualité totale**

Kaizen

Ce terme signifie «amélioration continue». Cette approche japonaise consiste à former des équipes multidisciplinaires ayant pour fonction d'éliminer le gaspillage de ressources ou d'améliorer les processus de fabrication. Le *kaizen* est souvent illustré par un parapluie abritant plusieurs techniques d'amélioration telles que le *kanban*.

Kanban

Kanban est un autre terme japonais signifiant «étiquette», «fiche» ou «carte». Les cartes sont attachées à des pièces sur la ligne d'assemblage afin de transmettre les ordres de travail ou d'acheminer les commandes. Lorsque les pièces sont terminées, les cartes sont retournées d'où elles viennent et deviennent des commandes pour de nouvelles quantités.

Les cinq S

Seiri, Seiton, Seiso, Seiketsu, Shitsuke signifient «débarras», «rangement», «nettoyage», «ordre» et «rigueur». Ils traduisent la volonté de débarrasser le poste de travail des choses inutiles qui l'encombrent et de garder l'endroit en ordre afin d'y faire régner la rigueur essentielle pour y faire du bon travail.

Six Sigma

Cette méthode de gestion de la qualité inventée dans les usines de Motorola en 1986 fut popularisée par General Electric dans les années 1990. Elle repose sur cinq étapes qui se contractent dans le sigle DMAAC pour «Définir, Mesurer, Analyser, Améliorer, Contrôler». Ces étapes mettent à contribution des outils statistiques et des mesures rigoureuses d'analyse de la causalité et du contrôle de la performance.

Source : MOUVEMENT QUÉBÉCOIS DE LA QUALITÉ. www.qualite.qc.ca (Page consultée le 17 octobre 2016).

---

1. Outre la série ISO 9000, l'Organisation internationale de normalisation publie des normes sur les systèmes de gestion environnementale. Il s'agit de la série ISO 14 000, qui exige des processus documentés, des responsabilités bien définies, de la formation continue, des contrôles internes de conformité, des revues de gestion, des procédures de correction des conditions de non-conformité et, enfin, de l'amélioration continue. Cette série de normes permet à l'entreprise de respecter plus facilement les règlements et d'atteindre une meilleure performance environnementale.

Le mouvement de gestion de la qualité et de la certification à des normes internationales a donné naissance à de prestigieux prix. Parmi ceux-ci, citons le National Quality Award (Malcolm Baldrige) aux États-Unis, le European Foundation for Quality Management Award en Europe, le prix Deming en Asie et les Grands Prix québécois de la qualité au Québec. Chacun de ces prix repose sur un outil-diagnostic, tel que le QUALImètre du Mouvement québécois de la qualité.

Regard sur la pratique

AU QUÉBEC

La recherche de la qualité, c'est payant !

Une étude réalisée par le Mouvement québécois de la qualité a démontré que les entreprises lauréates d'un Grand prix québécois de la qualité ont dépassé de beaucoup les entreprises comparables de leur secteur d'activité économique au chapitre de la performance financière au cours de la période d'évaluation qui s'échelonnait sur trois ans.

Les résultats globaux obtenus par les 11 entreprises ayant participé à l'enquête sont les suivants :

- 87 % des répondants ont enregistré une note supérieure à la médiane de l'industrie pour la marge bénéficiaire nette ;

- 60 % des répondants ont eu une note supérieure à la médiane de l'industrie pour la marge bénéficiaire brute ;

- 73 % des répondants ont obtenu un rendement sur l'investissement supérieur à la médiane de l'industrie ;

- 80 % des répondants ont dépassé la ligne médiane de l'industrie pour le fonds de roulement ;

- 66 % des répondants ont un niveau d'endettement inférieur à la médiane de l'industrie ;

- 55 % des répondants ont vu leur chiffre d'affaires progresser plus fortement que la médiane de l'industrie.

Source : Extrait de MOUVEMENT QUÉBÉCOIS DE LA QUALITÉ. « Étude sur les Grands Prix », 24 octobre 2008, www.qualite.qc.ca/grands-prix/etudegpqq (Page consultée le 17 octobre 2016).

3.4 L'organisation du temps et du lieu de travail

On ne cesse de dire que le monde du travail évolue, mais la vie des employés aussi évolue. Ces derniers ont une famille, des enfants, des parents, des loisirs, des projets de vie qui changent et qu'il faut harmoniser avec les exigences du travail.

www.cgsst.com/fra/accueil-harmonisation.asp

Chaire en gestion de la santé organisationnelle et de la sécurité du travail : l'harmonisation travail-vie personnelle

Traditionnellement, le temps de travail, l'espace de travail et la relation d'emploi correspondent à une organisation du travail établie selon un horaire fixe de 40 heures, réparties de 9 h à 17 h, du lundi au vendredi, dans un même lieu, et régie par un contrat de travail exclusif conclu avec un seul employeur. Organiser le travail signifie organiser la dimension espace-temps-emploi à l'intérieur de laquelle il s'exécutera. Ainsi, les entreprises procèdent à de nouveaux aménagements du travail, car elles doivent s'adapter à des processus de production continue (dans le cas de raffineries, par exemple), à des services accessibles sur de plus longues périodes (dans le commerce de détail, les services personnels, les services gouvernementaux en ligne, etc.), à l'expansion des télécommunications (dans le télétravail, le bureau mobile, etc.) et à la recherche d'une meilleure qualité de vie. Ce phénomène est sans doute appelé à s'amplifier, incitant alors la main-d'œuvre vieillissante à quitter le travail progressivement — et plus tard — et répondant aux attentes d'une nouvelle génération d'employés qui dictera davantage ses conditions sur le marché du travail.

Les principales formes d'aménagement du temps de travail sont le temps complet et le temps partiel, la semaine comprimée, l'horaire variable ou flexible ainsi que le partage de poste.

3.4.1 Le travail à temps complet et à temps partiel

Le temps de travail hebdomadaire varie de plus en plus. Le travail à temps complet, c'est-à-dire de 35 à 40 heures par semaine, demeure très répandu, et c'est important, car il donne accès à un salaire plus substantiel, apte à satisfaire les besoins essentiels. Cependant, le travail à temps partiel gagne du terrain, répondant à la fois aux besoins des travailleurs et des employeurs. Dans la restauration, par exemple, le temps partiel est indispensable du fait que les besoins en main-d'œuvre fluctuent grandement en fonction du nombre de clients en salle. Un restaurateur pourrait donc avoir quelques employés à temps plein, quelques employés à temps partiel et des employés sur appel, pour s'ajuster à la demande.

Le temps complet garantit à l'employeur un accès en continu aux RH. Cependant, les besoins de l'organisation ne nécessitent pas toujours une présence continue des employés, mais plutôt une présence dans les périodes de pointe. Si le travail à temps partiel peut fragiliser l'emploi, il convient parfois mieux à certains employés. C'est notamment le cas des personnes retraitées qui désirent arrondir les fins de mois, des étudiants qui augmentent ainsi leurs revenus sans mettre en danger leurs études, etc.

Une théorie d'intérêt

Organisation du travail et motivation

Hackman et Oldham (1976) ont cherché à expliquer comment les interactions entre l'organisation du travail et les caractéristiques individuelles influent sur la motivation, la satisfaction et la productivité des travailleurs. Les auteurs relèvent cinq aspects de l'organisation du travail qui ont un effet direct sur la motivation des employés : la variété des compétences, l'identité au travail, le sens du travail, l'autonomie dans la réalisation des tâches et la rétroaction sur le travail réalisé. Sur la base de cette théorie, Hackman et Oldham dégagent cinq composantes clés de l'organisation du travail : le regroupement des tâches visant la polyvalence, la création d'équipes semi-autonomes cherchant à favoriser l'autonomie, l'établissement de relations de type client, l'enrichissement des tâches et la rétroaction des gestionnaires sur le travail réalisé.

3.4.2 La semaine comprimée ou réduite

La **semaine comprimée** — dont il existe plusieurs variantes — vise à réduire le nombre de jours travaillés durant la semaine et, par conséquent, à allonger chaque journée de travail. D'un côté, on trouve la semaine de 4 jours de 9 ou 10 heures par jour ; de l'autre, on trouve l'alternance entre 4 jours de travail de 12 heures et 4 jours de congé. Cette dernière formule est typique de secteurs comme la pétrochimie, la sidérurgie, les pâtes et papiers et le transport, c'est-à-dire de secteurs d'activités continues, qui fonctionnent 24 heures par jour. On remarque aussi des formes un

Semaine comprimée

Forme d'aménagement du temps de travail qui vise à réduire le nombre de jours travaillés durant la semaine et, par conséquent, à allonger chaque journée de travail.

peu différentes de semaine comprimée dans les secteurs de la santé et des services publics (notamment chez les policiers et les pompiers). Les principaux avantages de cette forme d'aménagement du temps de travail sont les suivants :

- la réduction des temps morts pour une meilleure continuité dans la prestation des services et les processus de production ;
- la réduction des problèmes d'équité dans les organisations qui fonctionnent 24 heures par jour ;
- une meilleure productivité générée par une adaptation optimale de la personne à son poste de travail ;
- la réduction de l'absentéisme et des retards, surtout dans des organisations géographiquement isolées ;
- une meilleure adaptation à des changements de quarts de travail entre le jour et la nuit ;
- la possibilité pour les employés de disposer de périodes plus longues à des fins personnelles (loisirs, famille, etc.).

Par contre, pour l'employé (et indirectement pour l'employeur), ce type d'horaire peut occasionner des problèmes de stress et de fatigue, lesquels sont susceptibles de perturber les sens et les réflexes, risquant alors de nuire au rendement, voire à la sécurité des employés.

3.4.3 L'horaire variable ou flexible

Horaire variable ou flexible
Forme d'aménagement du temps de travail qui permet à un individu de gérer le début et la fin de sa période journalière de travail.

 VIDÉO

L'Ordre des CRHA a réalisé la vidéo « Les aménagements des horaires de travail », avec Marie-Josée Sigouin, CRIA, avocate, Les avocats Le Corre et associés.

L'**horaire variable ou flexible** permet à un individu de gérer le début et la fin de sa période journalière de travail. En général, avec ce type de formule, les employés doivent réaliser de 35 à 40 heures de travail par semaine, mais ils ont assez de latitude pour déterminer leur heure d'entrée au travail et de sortie du travail. Dans bien des cas, les employés doivent être présents durant une plage fixe, c'est-à-dire au cours d'une période préétablie le matin et l'après-midi. Ces plages fixes permettent par exemple aux gestionnaires de tenir des activités nécessitant la présence d'un employé (rencontre individuelle) ou de tous les membres d'une équipe (rencontres collectives). En outre, chaque employé gère une banque d'heures et peut, par le fait même, accumuler du temps et ajouter ainsi des congés à son dossier. Afin d'éviter certains abus, on fixe habituellement un nombre maximal d'heures accumulées et l'on détermine une période pour le report de ces heures. Les avantages et les inconvénients de l'horaire variable ou flexible sont résumés dans le tableau 3.3.

Tableau 3.3	**Les avantages et les inconvénients de l'aménagement du temps de travail**	
	Avantages	**Inconvénients**
Pour l'employeur	• Diminution de l'absentéisme et des retards • Productivité accrue des employés grâce à une meilleure adaptation à leur rythme • Climat de liberté et d'autonomie ayant un effet positif sur la satisfaction au travail • Flexibilité plus grande pour s'adapter aux besoins de l'organisation	• Nombre insuffisant d'employés pouvant répondre aux exigences de l'organisation et des clients en début et en fin de journée • Quasi-impossibilité d'implanter ce type d'horaire dans les activités continues, celles-ci requérant la présence simultanée de plusieurs personnes au même endroit • Besoin d'une plus grande supervision • Risque d'augmentation des coûts de rémunération • Augmentation des besoins en matière de communication du fait que les employés ne sont pas tous présents au même moment • Conflits personnels entre copartageants

Tableau 3.3	Les avantages et les inconvénients de l'aménagement du temps de travail (*suite*)	
	Avantages	**Inconvénients**
Pour l'employé	• Possibilité pour l'employé de mieux assurer l'équilibre travail-famille et de tenir compte des contraintes auxquelles il est soumis • Plus d'énergie • Horaire plus souple • Augmentation de la satisfaction professionnelle • Préparation progressive à la retraite	• Moins de possibilités d'avancement professionnel • Moins de possibilités de formation • Moins de prestige sur le plan professionnel • Difficulté de changer d'emploi au sein de l'organisation, car moins de temps de présence pour connaître la vie de l'entreprise • Risque de voir le temps de travail empiéter sur le temps libre

3.4.4 Le partage de poste

Le **partage de poste** permet à deux personnes à temps partiel de partager un même poste de travail à temps plein, par exemple un poste de réceptionniste, d'agent d'accueil ou de technicien en reprographie. Ce mode d'organisation du travail permet une bonne conciliation entre le désir des personnes et les besoins de l'organisation, car il permet plus de flexibilité dans le choix des horaires de travail. Il constitue aussi une manière de ne pas dépendre d'une seule personne pour faire le travail et évite de placer l'entreprise dans une position délicate si une personne s'absente. Il y a donc une relève dans le poste de travail. Le partage de poste, qui n'est pas très répandu, est présent en particulier dans des fonctions techniques qui exigent moins de compétences et dont le travail ne doit pas faire l'objet d'un suivi des actions.

Partage de poste

Aménagement du travail selon lequel deux personnes à temps partiel partagent le même poste de travail ou la même fonction.

3.4.5 Le télétravail

Les bureaux et les lieux de travail en général ont évolué au cours des dernières années. Il y a encore peu de temps, l'image d'un bureau correspondait à celle d'un local fermé, avec deux ou trois fenêtres, une porte et une vignette au mur indiquant le nom de l'employé occupant le bureau. Aujourd'hui, nous pouvons travailler à distance, à la maison, chez un client, sur la route, dans un café, dans le train, etc. La numérisation du travail a permis cette plus grande flexibilité des lieux de travail. Ce qui importe désormais, ce n'est pas de se trouver à un endroit précis, mais plutôt d'être joignable.

Les préoccupations environnementales, la congestion routière et le temps passé dans les transports amènent aussi les entreprises à revoir les lieux de travail. On constate l'apparition des espaces partagés par plusieurs entreprises (*coworking*). Certaines d'entre elles créent des bureaux satellites en périphérie des centres urbains pour limiter le déplacement de leurs employés. Notre époque connaît une véritable révolution des espaces de travail !

 VIDÉO

L'Ordre des CRHA a réalisé la vidéo « Les tendances RH - Le télétravail », avec André Sasseville, CRIA, associé, Langlois Kronström Desjardins.

Le télétravail permet une flexibilité non seulement dans l'aménagement du temps de travail, mais surtout dans celui du lieu. Le télétravailleur peut en effet mener des activités professionnelles à distance, à partir d'un poste de travail indépendant du lieu d'affaires de son employeur, avec lequel il peut communiquer au besoin au moyen d'un support informatique ou électronique.

Outre l'élimination de la contrainte de lieu, c'est toute la notion de temps de travail qui, dans un tel contexte, revêt un autre sens, puisque le télétravailleur dispose d'une plus grande liberté quant au temps qu'il consacre à son travail et à ses besoins personnels. Notons cependant que cette marge de manœuvre peut être limitée, comme c'est souvent le cas dans les centres d'appels délocalisés. Quoi qu'il en soit, en contexte de télétravail, la seule contrainte réelle réside dans la production des résultats attendus indépendamment du lieu et du moment où s'exécute le travail.

www.technocompetences. qc.ca

Comité sectoriel de main-d'œuvre des technologies de l'information et des communications

De nombreux organismes se penchent sur la question du télétravail au Québec, dont le Comité sectoriel de main-d'œuvre des technologies de l'information et des communications, qui a pour mission de soutenir et de promouvoir le développement de la main-d'œuvre et de l'emploi en technologies de l'information et des communications, et le Centre francophone d'informatisation des organisations, qui a pour objectif de mettre en commun les savoirs pour créer de nouvelles pratiques d'utilisation du numérique qui répondent aux défis actuels des sociétés.

Le télétravail peut parfois faire disparaître la synergie particulière d'un lieu de travail où les employés travaillent en équipe ou dans une certaine proximité.

Même si la progression du télétravail traditionnel (à partir du domicile) est plus lente que ce qui avait été projeté dans les années 1990, il n'en demeure pas moins que les estimations les plus positives établissaient une augmentation constante du nombre de télétravailleurs (à temps plein et partiel, ou encore à domicile ou mobiles) un peu partout dans le monde.

Le télétravail sous toutes ses formes connaît un essor de plus en plus important auprès des nouvelles générations. Le développement des applications mobiles (Skype Entreprise, WebEx, etc.) et des outils collectifs (Google Drive, Dropbox, etc.) favorise aussi cet accroissement. À ce jour, les entreprises sont de plus en plus nombreuses à mettre en place de tels aménagements des espaces et du temps de travail. Les problématiques d'écologie et de temps de transport poussent aussi dans ce sens. Pour la GRH, il s'agit d'un véritable défi, car l'employé n'est plus une personne sédentaire. Aussi doit-on non seulement assurer sa sécurité personnelle, mais aussi celle des informations qu'il traite. Avec cette porosité du temps et des espaces de travail se pose aussi de plus en plus la question du droit à la déconnexion.

Regard sur la pratique

Une majorité de travailleurs non satisfaits de leur horaire de travail

Selon un sondage réalisé chez Randstad, seulement 56 % des Canadiens sont heureux de leur horaire de travail actuel. À ce chapitre, le Canada se situe au 10e rang des 25 pays sondés, derrière les États-Unis, l'Inde et la France, notamment. Le sondage révèle également que plus de la moitié des personnes interrogées aimeraient avoir des heures de travail variables chaque jour, des journées de travail plus longues, mais des semaines plus courtes ou des journées de travail variables chaque semaine. Et près du deux tiers des Canadiens (65 %) préféreraient également faire du télétravail au moins à temps partiel.

Les spécialistes en RH surveillent cette tendance depuis déjà un certain temps. Ces nouvelles données indiquent clairement que les travailleurs, jeunes et vieux, s'attendent désormais à plus de flexibilité de la part de leur employeur. Jusqu'à tout récemment, la flexibilité des horaires était un élément auquel les entreprises qui veulent attirer les meilleurs talents au pays devaient commencer à songer; c'est maintenant une variable impossible à ignorer. En réalité, dans le marché actuel, les entreprises doivent reconnaître l'évolution des demandes des employés et s'y adapter pour aller chercher le personnel dont elles ont besoin et surtout, pour que ce personnel demeure loyal et motivé.

Source : Extrait de POULIN, P. « Une grande majorité des travailleurs non satisfaits de leur horaire de travail », *Huffington Post*, 9 septembre 2016, http://quebec.huffingtonpost.ca/patrick-poulin/horaire-de-travail_b_11878702.html (Page consultée le 17 octobre 2016).

AU CANADA

L'expérience des dernières années nous permet donc de tirer un certain nombre de conclusions sur l'implantation du télétravail. Le tableau 3.4 fait état des principaux avantages et inconvénients de cette approche.

Tableau 3.4	Les avantages et les inconvénients du télétravail	
	Pour l'organisation	**Pour l'employé**
Avantages	• Accroissement de la productivité • Augmentation de la flexibilité de l'entreprise • Compression des coûts (main-d'œuvre, locaux, stationnement, cafétéria) • Diminution de l'absentéisme chez les employés • Réduction du nombre de niveaux hiérarchiques • Élargissement de la connaissance des processus et des charges de travail • Accroissement de la capacité d'attraction et de conservation du personnel	• Augmentation de la productivité • Optimisation des horaires de travail • Autonomie plus grande • Conciliation travail-vie personnelle • Élimination ou réduction du temps de transport • Diminution des dépenses liées au travail (transport, vêtements, repas) • Amélioration de la qualité de la vie (milieu moins stressant)
Inconvénients	• Obligation de coordonner et de motiver une main-d'œuvre à distance • Complication de l'évaluation des investissements et du temps associés à la mise en œuvre • Impossibilité de transmettre (physiquement) des données • Disparition de la synergie au sein de l'organisation • Diminution de la loyauté envers l'organisation • Remise en question de la hiérarchie traditionnelle • Obligation d'implanter de nouveaux modes de supervision	• Perte du statut social lié à un emploi régulier • Réduction de la visibilité dans l'entreprise • Réduction de l'accès à des promotions et à une carrière • Diminution du sentiment d'appartenance • Incitation à trop travailler • Isolement social et professionnel • Conflits entre le travail et la vie personnelle

Mentionnons que le télétravail, tout comme les autres formes d'aménagement du temps de travail, ne s'applique pas intégralement à toutes les organisations. La bonne combinaison de facteurs, comme le type de travail effectué, les qualités des employés (le télétravailleur et le télésuperviseur) ou la structure et la culture d'entreprise, doit en effet être présente pour que cette forme de travail puisse s'implanter. En outre, les expériences réussies de télétravail sont généralement attribuables à l'élaboration et à la mise en place de stratégies cohérentes et intégrées de GRH en matière de formation, de communication, de socialisation, de sélection, de supervision et d'évaluation du rendement.

LES ENJEUX DU NUMÉRIQUE DANS L'ORGANISATION DU TRAVAIL

L'organisation du travail est influencée par l'arrivée de nouveaux outils de travail. Le téléphone intelligent ne sert plus uniquement à appeler, mais permet de facturer, de payer, d'analyser, de poser des diagnostics, de mesurer, etc. Avec l'apparition des tablettes, certaines entreprises font un virage « zéro papier » et réaménagent les bureaux sans espace de rangement pour les documents, avec une seule corbeille à papier pour 50 employés !

La numérisation des données ne change pas juste les outils de travail, elle modifie les métiers et les compétences. Une majorité d'emplois font aujourd'hui appel à l'informatique. Pensons par exemple au mécanicien qui, il n'y a pas si longtemps, auscultait le moteur et écoutait les bruits : il branche maintenant un ordinateur et attend que celui-ci établisse un diagnostic.

L'organisation du travail s'en trouve aussi bouleversée. Le travail à distance se développe de plus en plus. Avec les technologies de communication, on forme des équipes de travail avec des gens de différents coins de la planète. Du même coup, il se crée de nouveaux collectifs de travail, des communautés d'apprentissage qui favorisent les échanges de bonnes pratiques.

L'ORGANISATION DU TRAVAIL DANS LE SECTEUR PUBLIC

La bureaucratie des services publics soumet l'organisation du travail à une grande rigidité. La sécurité d'emploi, la syndicalisation étendue ainsi que les pratiques standardisées (et souvent centralisées) dans les descriptions d'emploi, les classifications, les mouvements de main-d'œuvre et la rémunération caractérisent ainsi l'organisation du travail des employés de ce secteur. Au Québec et au Canada, des chantiers importants de transformation de la structure et de l'organisation du travail dans ce secteur ont cependant canalisé beaucoup d'efforts et d'énergie ces dernières années, en plus de créer d'importantes attentes sur le plan des résultats. Citons, à titre d'exemple, la mise sur pied des Comités ministériels sur l'organisation du travail (CMOT), ainsi que les grandes vagues de réingénierie de l'État et les scénarios de fusion ou d'intégration de ministères et d'organismes. Des initiatives en cours dans les secteurs de la santé et des services gouvernementaux en ligne sont autant de pressions qui s'exercent pour continuer à transformer l'organisation du travail dans le secteur public. Une chose est certaine, ce contexte rend inopérant le mimétisme avec le secteur privé en termes de pratiques d'organisation du travail. En effet, la complexité et la spécificité du secteur public obligent les praticiens et les universitaires à élaborer une approche qui tient compte non seulement des contenus de l'organisation du travail, mais également des contextes d'implantation et des processus.

L'ORGANISATION DU TRAVAIL DANS LES MILIEUX SYNDIQUÉS

Quand l'organisation du travail est revue, c'est généralement pour améliorer l'efficacité et la performance d'une organisation. Cela soulève souvent des enjeux d'équité, de charge de travail, de salaire et d'emplois pour les travailleurs syndiqués. Les professionnels de la GRH doivent donc composer avec ces réalités, et c'est là que les talents de négociation prennent toute leur importance. Ils doivent veiller à ce que l'information soit bien partagée, que des temps de discussion soient prévus pour répondre aux questions des représentants syndicaux et des employés. Ces temps de discussion permettront à tous d'exprimer leurs besoins et de rechercher conjointement un accord. Pour répondre aux nouvelles exigences de performance, l'organisation du travail devra aussi prévoir l'amélioration des compétences des employés. Il faudra donc s'entendre sur un plan de développement des RH et négocier la formation des employés, le compagnonnage, etc. De nouvelles thématiques feront également l'objet de discussions avec les syndicats : les travailleurs vieillissants, la coexistence intergénérationnelle, la conciliation travail-vie privée, etc.

L'ORGANISATION DU TRAVAIL À L'INTERNATIONAL

Avec la mondialisation de l'économie, les entreprises œuvrent de plus en plus dans d'autres pays et dans des cultures différentes. Dans tous les cas, ces entreprises envoient certains de leurs représentants suivre de près le déroulement des affaires à l'étranger. On les appelle des travailleurs expatriés.

Si un travail à l'étranger présente des défis stimulants et peut même concrétiser un rêve pour un jeune travailleur, l'expérience nous montre qu'il faut bien encadrer et accompagner les travailleurs expatriés.

Le premier point de vigilance est de s'assurer de l'adaptabilité de la personne. Il est important de vérifier si la personne pourra adapter ses habitudes de vie, ses relations avec les autres, ses loisirs, si elle est ouverte aux changements culturels. Il faudra aussi veiller à ce qu'elle ait confiance en ses compétences et qu'elle puisse résister au stress en le gérant de manière efficace et saine (Ben Ameur, 2010).

LES CONDITIONS DU SUCCÈS DE L'ORGANISATION DU TRAVAIL

Les écrits portant sur les conditions de succès de l'organisation et de la transformation du travail abondent. Ils ne tiennent toutefois pas toujours compte de paramètres complexes et intangibles tels que l'historique des modifications de l'organisation du travail ou la dynamique des rapports sociaux. L'encadré suivant résume les principaux facteurs de succès de l'organisation du travail.

Les conditions du succès de l'organisation du travail

- Promouvoir la légitimité de la transformation.
- Tenir compte de chaque environnement de travail.
- Se donner les moyens de réussir.

- Former et développer.
- Piloter et gérer le changement.
- Rechercher des gains mutuels.

Promouvoir la légitimité de l'organisation du travail

Toutes les actions visant à organiser le travail nécessitent qu'on s'attarde à bien comprendre et à définir la nature du changement envisagé et les raisons qui poussent une entreprise à prendre de telles décisions. C'est dans les explications, soit le pourquoi (la crise, la capacité concurrentielle, la sécurité d'emploi, les attentes des clientèles, l'amélioration de la performance, etc.), et la clarification, soit le comment (la flexibilité, les équipes semi-autonomes, la participation, le partenariat, etc.), que les dirigeants pourront davantage légitimer la transformation de l'organisation du travail auprès des acteurs stratégiques en cause (le syndicat, les gestionnaires, les employés, etc.).

L'entreprise transforme souvent l'organisation du travail lorsqu'elle est contrainte de le faire et qu'une pression majeure s'exerce sur elle. Ces pressions constituent la plupart du temps un facteur de succès de certaines formes nouvelles d'organisation du travail. À quelques rares exceptions près, elles peuvent également faire échouer certaines expériences d'organisation du travail. En effet, à long terme, les systèmes humains tendent à résister aux pressions productivistes des dirigeants, particulièrement lorsque l'entreprise vit des cycles répétés de mauvaises conjonctures.

Tenir compte de chaque environnement de travail

L'organisation du travail dans une PME, une grande entreprise ou un organisme de services publics (hôpital, université, ministère) exige de prendre en considération la taille et la nature des activités de l'entreprise ou de l'organisme. En effet, vouloir réorganiser le travail en implantant un système sophistiqué de gestion intégrée des ressources est autrement plus risqué que de chercher à implanter une nouvelle procédure de travail dans un atelier.

Se donner les moyens de réussir

Parmi les autres conditions de succès souvent citées, il faut nommer la marge de manœuvre existante (les

budgets, l'expertise interne, une structure et une culture facilitantes, etc.). Les forces vives d'une organisation ont besoin d'investissements liés à la mise en place de pratiques, d'outils, etc. Aussi faut-il avoir accès à des ressources financières, à des technologies, à des personnes-ressources et disposer du temps nécessaire.

Former et développer

L'organisation du travail fait appel à un portefeuille de compétences que doit détenir chaque employé. Ce dernier acquiert ces compétences de façon formelle (c'est-à-dire par des activités de formation structurée) et informelle (soit au contact de ses collègues de travail, de son supérieur et par ses propres essais et erreurs). Les démarches de qualité totale dont il a été question dans ce chapitre ont démontré que la formation aux processus et aux procédures de travail est un gage de succès en ce qui concerne les résultats. L'organisation du travail nécessite donc non seulement que l'on investisse dans la formation, mais aussi que l'on se préoccupe de la gestion des connaissances et de la manière dont les employés s'influencent mutuellement sur les lieux de travail et améliorent ainsi leur rendement.

Piloter et gérer le changement

Organiser et réorganiser le travail n'est pas une démarche naturelle et vertueuse à laquelle tout le monde, sans exception, se rallie. C'est plutôt une trajectoire qui s'adapte à la dynamique sociale et qui doit, dans une certaine mesure, être planifiée et programmée. Il s'agit donc d'un savant mariage de processus inspirés de la gestion de rapports sociaux et de la gestion de projet.

La transformation de l'organisation du travail gagne également à être appuyée par un ensemble cohérent de sous-systèmes ou de pratiques de GRH et de gestion en général. Des pratiques d'information (transparence économique), de communication, de formation, de mobilité, de rémunération, de reconnaissance, d'évaluation et de santé au travail doivent être agencées de manière à former un tout cohérent, qui représente la stratégie en matière de RH.

Rechercher des gains mutuels

Le succès ou l'échec de toute expérience d'organisation du travail dépend, en définitive, de ce qu'en retirent les acteurs en tant que groupes et les employés en tant qu'individus.

Les gains pour les salariés et les syndicats sont associés à la qualité de la vie au travail, à la consolidation de l'emploi et au renforcement du rôle du syndicat dans l'organisation. La réorganisation du travail soulève généralement un débat émotif sur la question de l'emploi. La négociation des transformations dans le travail s'accompagne donc souvent de conditions garantissant qu'il n'y aura pas de mises à pied et que les emplois seront protégés. En effet, il est difficilement concevable de demander à des salariés de s'engager pleinement dans des innovations susceptibles de supprimer leur propre emploi. Enfin, du côté de l'employeur, il va de soi que le succès de l'organisation du travail est directement proportionnel à l'amélioration de l'efficacité, de l'efficience et de la qualité des produits et des services offerts, ce qui constitue l'enjeu fondamental de la démarche visant la transformation du travail.

Bref, les facteurs de succès n'ont pas tous le même poids dans la balance et leur configuration dépend beaucoup du contexte de chaque organisation et de chaque milieu de travail. Bien entendu, les chances que l'organisation du travail atteigne durablement ses buts sont tout de même attribuables à la présence de ces divers facteurs.

CONCLUSION

L'organisation du travail est un enjeu majeur du renouvellement de la GRH et de son positionnement comme fonction stratégique dans l'entreprise. On ne peut donc plus considérer l'étude de la GRH sans procéder à une réflexion en profondeur sur le fondement, les raisons, la manière dont l'organisation et la transformation du travail s'effectuent et, surtout, sur l'influence qu'elles exercent sur les pratiques traditionnelles de GRH (la planification, la dotation, l'évaluation, la formation, la rémunération, la santé et la sécurité, etc.).

L'organisation du travail ne peut ensuite se comprendre et se réaliser qu'en tenant compte de l'aménagement du temps et de l'espace de travail, de la relation d'emploi et de la composition des équipes de travail. Enfin, pour assurer le succès et la durabilité de la transformation de l'organisation du travail, il faut que certains facteurs soient présents, mais ils doivent néanmoins respecter le contexte particulier de chaque entreprise et de chaque milieu de travail.

QUESTIONS DE RÉVISION

1. Qu'est-ce que l'organisation du travail et quelles différences existe-t-il entre le travail prescrit et le travail réel ?

2. Quels sont les principaux arguments démontrant l'importance de l'organisation du travail ?

3. Nommez les quatre structures de l'organisation du travail et définissez-les.

4. Qu'est-ce que l'analyse et la réingénierie des processus d'affaires ?

5. Qu'entend-on par « gestion de la qualité totale » ?

6. En quoi consiste une équipe virtuelle ?

7. Quels sont les avantages et les inconvénients du télétravail ?

8. Pourquoi l'analyse et la description des emplois sont-elles des leviers importants de l'organisation du travail ?

9. Décrivez sommairement les outils qui permettent de documenter l'analyse d'emploi.

QUESTIONS DE DISCUSSION

1 La structure matricielle est de plus en plus répandue dans les organisations. Quels sont ses avantages et ses inconvénients ?

2 L'harmonisation travail-vie personnelle comporte-t-elle de véritables avantages ?

INCIDENTS CRITIQUES ET CAS

Incident critique 1

Chantal, gérante de restaurant et mère de deux enfants : deux emplois à temps plein

Chantal, qui a 33 ans, s'occupe pratiquement seule de ses deux enfants âgées de moins de 5 ans. La plus jeune de ses filles souffre d'allergies alimentaires graves, ce qui cause à Chantal de nombreux soucis, en particulier parce qu'elle ne peut surveiller le contenu des collations et des repas de sa petite. Chantal travaille à temps plein comme gérante d'un restaurant. Elle supervise en moyenne 35 employés. Mais le roulement du personnel est si élevé dans son secteur d'activité qu'elle passe la moitié de son temps à recruter et à former de nouveaux employés, en plus de devoir veiller à la bonne marche de la cuisine et de la salle à manger. Chantal a du mal à trouver une personne de confiance à qui elle pourrait déléguer une partie de ses tâches, et cela lui occasionne beaucoup de stress. Elle consacre un minimum de 46 heures par semaine à son travail. Cet emploi dans le domaine de la restauration exige souvent qu'elle travaille les soirs et les fins de semaine. Il lui est difficile de trouver un service de garde adapté à ses besoins, d'autant plus que son ex-conjoint n'a la garde des filles que deux fins de semaine par mois. Chantal doit appeler régulièrement parents et amis pour lui venir en aide.

Questions

- Quels sont les principaux problèmes auxquels Chantal fait face ?

- Quelles solutions Chantal peut-elle envisager ?

Source : Adapté de CGSST. «Portrait de personnes en emploi faisant montre de diverses combinaisons de facteurs individuels», 2016, www4.fsa.ulaval.ca/la-recherche/chaires-de-recherche/chaire-en-gestion-de-la-sante-et-de-la-securite-du-travail-dans-les-organisations-cgsst/lharmonisation-travail-vie-personnelle/contexte-de-lhtvp (Page consultée le 23 novembre 2016).

Incident critique 2

Réaménager les bureaux : un exercice simple aux impacts humains importants

Une entreprise œuvrant dans le domaine des nouvelles technologies décide de réaménager ses bureaux pour favoriser davantage les interactions entre les personnes. Les bureaux, qui sont en ce moment de type ouvert, décloisonné, adopteront un style «marguerite» de manière à faciliter les échanges entre les employés. La seule opposition à ce changement provient des employés possédant initialement un bureau fermé. Mais, suite à ce changement, l'enthousiasme n'a pas tardé à s'installer. En mettant en commun les espaces, les employés ont l'impression que la hiérarchie est moins lourde, que le travail en commun est accru et qu'il existe une plus grande convivialité.

Source : Adapté de «Nos espaces reflètent notre philosophie de management», *Le Soir,* 2 juin 2007, p. 5.

Question

- Quels sont les avantages et les inconvénients liés à cette transformation dans l'aménagement du travail ?

Cas

Transport inc. à la croisée des chemins

Active dans le secteur de la fabrication de véhicules de transport sur mesure, la compagnie Transport inc. a toujours adopté une approche artisanale. Fondée il y a plus de 30 ans, cette entreprise appartient aujourd'hui à un groupe de trois investisseurs, dont deux travaillent dans l'usine : le PDG et le vice-président aux opérations. Ces derniers connaissent bien leurs clients et fondent essentiellement leurs relations d'affaires sur un lien affectif.

Par ailleurs, leur entreprise, exempte de dettes, dispose d'une réserve financière. Les 120 employés qui œuvrent dans l'usine (la plupart du temps sur un quart de travail, et parfois sur deux quarts) ont appris leur métier sur le tas et mis au point des méthodes uniques connues d'eux seuls. Le problème est que le processus d'assemblage dépend des employés. Ainsi, le rythme de production et la qualité varient énormément. Il n'est pas rare qu'un véhicule repasse entre les mains de certains employés afin que des pièces soient retravaillées ou que des ajustements mécaniques soient effectués. Ces retouches, souvent mineures, en amusent certains, mais engendrent aussi de la frustration. En effet, deux clans se forment : les bons employés et les mauvais. Comme le climat de travail était jusque-là positif, le syndicat n'avait pas besoin, depuis quelques années, d'intervenir. Or, l'exécutif syndical subit maintenant une certaine pression : les employés qu'on accuse de traîner les pieds souhaitent que l'employeur se porte à leur défense.

Parallèlement à cela, une nouvelle occasion d'affaires se présente à l'entreprise. En effet, le virage vert est bien engagé, et plusieurs municipalités et transporteurs touristiques ont besoin de véhicules hybrides configurés pour économiser l'énergie et diminuer les émissions de gaz à effet de serre. Ces véhicules, destinés au transport de personnes (petits autobus et véhicules adaptés), exigent un haut niveau de qualité, et les deux autres concurrents de Transport inc., très dynamiques, affichent fièrement leur certification à des normes d'assurance qualité ainsi que leur capacité de bien administrer les coûts.

Les dirigeants de Transport inc. sont conscients que l'avenir de l'entreprise réside dans la production de véhicules verts d'avant-garde, car la tendance est forte et la concurrence a déjà pris le parti de la suivre. Leur principale crainte se résume toutefois au fait que leurs employés s'avèrent incapables de maintenir le rythme. En effet, les conditions économiques, le climat de travail actuel, les relations avec le syndicat, l'absence de programmes de formation structurés, une organisation du travail déficiente et une aversion pour les risques sont les principaux arguments qui font hésiter les dirigeants à s'engager dans cette nouvelle aventure.

Questions

- À quel problème l'entreprise fait-elle face ?

- Quelle solution ou quelles solutions recommandez-vous aux dirigeants de Transport inc. ?

- Comment mettriez-vous en œuvre le scénario que vous suggérez ?

POUR ALLER PLUS LOIN

Lectures suggérées

BRUN, J.-P. *Les sept pièces manquantes du management*, Montréal, Éditions Transcontinental, 2008.

COLLERETTE, P., R. SCHNEIDER et M. LAUZIER. *Le pilotage du changement*, Québec, Presses de l'Université du Québec, 2013.

DESCHÊNES, G. *L'art de concilier le travail et la vie personnelle*, Québec, Presses de l'Université du Québec, 2012.

GAGNON, Y.-C. *Réussir le changement : mobiliser et soutenir le personnel*, Québec, Presses de l'Université du Québec, 2012.

GRANT, M., P.-R. BÉLANGER et B. LÉVESQUE. *Nouvelles formes d'organisation du travail : études de cas et analyses comparatives*, Paris, L'Harmattan, 1997.

«La gestion du changement stratégique dans les organisations publiques», *Télescope*, vol. 14, n° 3, automne 2008.

PELLETIER J. *Intervenir en entreprise : pratiques actuelles*, Paris, Anact, 2007.

Le coin de l'Ordre des **CRHA**

www.portailrh.org

Le changement organisationnel
Par François Morin, CRHA, conseiller en gestion et développement organisationnel

Les lieux de travail virtuel
Par André Sasseville, CRIA, associé, Langlois Kronström Desjardins

Chapitre

4

ASSURER LE RECRUTEMENT, LA SÉLECTION ET L'ACCUEIL

Principaux défis à relever en matière de recrutement, de sélection et d'accueil

- Se démarquer des autres employeurs à l'aide d'une image d'employeur claire et attrayante.

- Rendre plus efficace le processus de recrutement interne et externe.

- Intégrer les réseaux sociaux à la stratégie de recrutement.

- Établir les bons critères de sélection en fonction des exigences des emplois.

- Adopter des outils de sélection pertinents pour éviter les erreurs dans le choix des candidats.

- Favoriser l'embauche de personnes talentueuses qui sauront contribuer au bon fonctionnement de l'organisation.

- Intégrer avec succès les employés pour favoriser leur adaptation et pour leur donner envie de rester dans l'organisation.

Objectifs d'apprentissage

- Comprendre le processus d'attraction des employés.
- Savoir choisir parmi divers moyens de recrutement celui qui correspond le mieux à une situation donnée.
- Savoir choisir parmi plusieurs outils de sélection les outils les plus adaptés au contexte de l'entreprise et au poste à pourvoir.
- Être en mesure d'identifier les composantes d'un programme d'accueil et d'intégration des nouveaux employés.
- Comprendre comment se forme le contrat psychologique qui s'établit entre le nouvel employé et l'employeur.

En traitant du recrutement, de la sélection et de l'accueil, ce chapitre expose les éléments essentiels du processus de dotation, soit les différentes activités de gestion dont le but est de fournir à une organisation le personnel dont elle a besoin. La première partie du chapitre est consacrée au marketing des ressources humaines (RH), qui permet à l'employeur de se démarquer en matière de recrutement et de sélection du personnel. La deuxième partie présente le processus de détermination des critères de sélection qui guideront les actions en matière de recrutement et de sélection. La troisième partie traite précisément du recrutement du personnel, qui permet à l'organisation de se constituer un réservoir de candidats qualifiés. La quatrième partie aborde la sélection du personnel, tandis que la cinquième décrit les interventions qui font suite à l'embauche.

Le processus de dotation que nous examinons s'inscrit dans le défi de l'acquisition et du développement des compétences. En lien avec ce défi, une décision fondamentale s'impose : acquérir les talents à l'extérieur de l'entreprise ou bien miser surtout sur la formation et le développement des compétences à l'interne. L'organisation qui privilégie le recrutement externe, parfois dans la cour de ses concurrents, emprunte la première voie. Celle qui investit une part importante de sa masse salariale dans la formation et qui favorise les cheminements de carrière à l'interne emprunte la seconde voie. Dans ce chapitre, il est surtout question de l'acquisition de compétences à l'externe, tandis que le chapitre 5 traite de la formation et du développement des compétences et le chapitre 7, de la gestion des carrières.

====== **MISE EN SITUATION** ======

GSoft déroule le tapis rouge pour ses stagiaires

Voyage annuel dans le Sud, remboursement de la carte Opus et de la clé Bixi, lunchs gratuits livrés au bureau trois fois par semaine... Chez GSoft, les stagiaires sont traités sur le même pied que les autres employés. «La concurrence est féroce dans notre domaine, et nous n'avons pas le choix d'offrir des conditions avantageuses pour recruter les meilleurs talents à la source», dit Marianne Tanguay, directrice, culture et talent. Il y a 6 000 postes à pourvoir au Québec chaque année dans le domaine des technologies de l'information et des communications, selon les données de TechnoCompétences.

Une réalité vécue par GSoft. Fondée en 2006, la PME montréalaise spécialisée en développement de logiciels embauche une douzaine de stagiaires chaque année. En deux ans et demi, l'entreprise est passée d'une cinquantaine d'employés à 150. Et les stages s'avèrent un excellent filon pour repêcher les talents, notamment en génie logiciel ou informatique. «Pendant quatre mois, on apprend à se connaître. Et quand ça fonctionne bien, on leur offre de travailler avec nous à temps partiel ou on leur fait une promesse d'embauche», affirme Miguel Bernard, développeur et chef d'équipe chez GSoft depuis six ans. Il a lui-même commencé sa carrière dans l'entreprise par un stage.

Les stagiaires sont considérés comme de futurs membres de l'équipe. «On ne veut pas créer deux catégories d'employés», ajoute-t-il. D'ailleurs, leur sélection n'est pas si différente de celle des employés réguliers, précise Marianne Tanguay: «Ils passent exactement le même test technique, qui dure deux heures trente. Par contre, on le corrige moins sévèrement.»

C'est un des éléments qui a attiré Simon Allie alors qu'il recherchait un stage pendant ses études en génie informatique à l'Université de Sherbrooke. «C'est une entreprise qui offre de progresser et qui a mis en place des mesures pour faciliter la conciliation travail-famille. Ce sont des conditions de travail plutôt rares, surtout en début de carrière.» Cette philosophie l'a incité à entrer chez GSoft, d'abord à temps partiel, puis comme employé permanent en 2015.

Une intégration réussie

L'an dernier, l'entreprise a ouvert un bureau satellite à Barcelone. Tout le monde, y compris les stagiaires, était invité à y séjourner par petits groupes. Même chose pour les fêtes de Noël, alors que toute l'équipe s'envole pour quelques jours dans le Sud, un voyage payé en grande partie par le patron. «On veut qu'ils participent, car c'est un moment précieux. Cela nous permet de tisser des liens avec des personnes qu'on connaît moins, avec qui on ne travaille pas au quotidien.»

De nombreuses mesures sont mises en place pour faciliter l'intégration des nouveaux employés, stagiaires ou réguliers. Le travail se répartit entre petits groupes de quatre ou cinq employés, où les derniers arrivés sont soutenus par un mentor. «Nous travaillons sur les mêmes projets et nous sommes même assis côte à côte», explique Miguel Bernard, qui tient ce rôle auprès des futurs diplômés.

Tout le monde participe également aux réunions quotidiennes qui donnent la possibilité de faire le point sur les dossiers de la journée. «Nous utilisons aussi la méthode *scrum*, où le projet est découpé en périodes de deux semaines. Cela nous permet de déterminer des tâches précises à exécuter pour chacun et de nous ajuster rapidement en cas de besoin», ajoute M. Bernard.

Plusieurs périodes de rétroaction avec les clients ou les autres membres de l'équipe sont aussi à l'horaire. De plus, à l'instar de leur équipe, les stagiaires touchent à toutes les facettes du développement d'un logiciel: design, architecture, débogage, etc.

«C'est important pour nous que les étudiants aient l'expérience la plus complète possible. Leur contribution, leur regard neuf sur les projets nous apportent beaucoup. Mais c'est aussi une façon de préserver notre bonne réputation et d'attirer facilement de nouveaux candidats», ajoute Miguel Bernard.

Source: Extrait de TREMBLAY, A.-M. «Stages en entreprise – GSoft déroule le tapis rouge pour ses stagiaires», *Les Affaires*, 20 février 2016, p. 23.

DÉFINITIONS

Le recrutement, la sélection et l'accueil sont des étapes du processus de dotation grâce auquel l'organisation peut renouveler ses ressources humaines (RH). De plus en plus, ces étapes s'inscrivent dans une approche de marketing des RH, soit à l'application des principes du marketing à la gestion des ressources humaines (GRH). Le **recrutement** désigne l'activité qui permet d'attirer des candidats de qualité. Il en résulte une liste des personnes qui sont susceptibles de s'intéresser à un poste. La **sélection** consiste ensuite à choisir les bonnes personnes dans ce réservoir de candidats. De façon plus précise, elle concerne l'ensemble des étapes et des outils qui permettent aux recruteurs de choisir le candidat qui semble le mieux correspondre au poste à pourvoir et aux autres exigences de l'entreprise. Le choix des outils de sélection devrait donc être réalisé en fonction des caractéristiques recherchées chez le candidat, et varier selon les emplois et les responsabilités visées. L'**accueil** désigne l'ensemble des actions qui sont menées afin de faciliter la compréhension de la part du nouvel employé de son poste et de l'organisation. Cette étape d'entrée est fondamentale, car elle donne l'occasion à la nouvelle recrue de comparer ses attentes avec la réalité du quotidien, de mieux circonscrire les contours de son rôle et d'entrevoir les possibilités d'évolution ou d'investissement à moyen terme dans l'organisation. Elle favorise la socialisation, soit l'apprentissage par l'individu de son rôle dans l'organisation.

L'IMPORTANCE DE GÉRER LE RECRUTEMENT, LA SÉLECTION ET L'ACCUEIL

Est-ce un hasard si les organisations qui ont la meilleure performance accordent une très grande importance au recrutement, à la sélection et à l'accueil ? Dans un contexte de « guerre des talents », ont-elles d'autre choix que d'investir dans les activités et les méthodes qui leur permettront de tirer leur épingle du jeu ?

Les organisations qui ont une bonne performance reconnaissent, par ailleurs, que les coûts associés à l'embauche d'une main-d'œuvre qui ne répond pas aux attentes sont généralement plus élevés que ceux associés à l'amélioration des efforts de recrutement, de sélection et d'accueil ou d'intégration. Une mauvaise embauche est néfaste à l'organisation, et la personne recrutée, déçue, peut décider de partir ou être renvoyée parce que son profil ne correspond pas aux exigences de son poste. Le fait de bien choisir le candidat a donc des répercussions financières et humaines tant pour les nouveaux employés que pour l'employeur.

Le recrutement, en particulier, engage l'organisation dans la difficile tâche de se constituer un réservoir de candidats qualifiés. À cet égard, il faut reconnaître que certaines organisations réussissent mieux que d'autres et se donnent ainsi un avantage de recrutement considérable. Pensons à Google, qui reçoit annuellement plus de deux millions de candidatures. Sa capacité d'attraction lui permet de maintenir un ratio de sélection très bas, c'est-à-dire d'être très sélective en embauchant moins de 1 % des candidats disponibles. Ce faisant, cette entreprise est en mesure de choisir les meilleurs talents de son industrie.

La sélection permet à l'organisation de choisir le candidat le plus qualifié qui pourra non seulement répondre aux exigences du poste à pourvoir, mais aussi contribuer au bon fonctionnement de son équipe et de son organisation. Une mauvaise décision de sélection impose une charge importante à l'organisation, tandis qu'une bonne décision peut favoriser son essor. Mentionnons que l'individu qui se trouve dans un poste qui ne lui convient pas ou qui n'adhère pas à la culture de son organisation sera aussi malheureux que celui qui l'a embauché.

Enfin, les activités qui marquent l'étape de l'accueil permettent à l'organisation de compter sur des personnes qui seront assez rapidement opérationnelles dans leurs nouveaux rôles. Ces activités qui facilitent l'adaptation à de nouvelles exigences peuvent aussi avoir pour effet de contrôler le roulement du personnel, qui est typiquement élevé au cours des premiers mois suivant l'embauche.

L'importance de gérer le recrutement, la sélection et l'accueil	
Pour l'organisation	**Pour les personnes**
Gagner la « guerre des talents ».	Connaître les postes et leurs exigences.
Avoir accès à un réservoir de candidats qui répondent aux besoins de l'organisation.	Se retrouver dans un poste qui correspond à leurs capacités.
Réduire les coûts associés aux mauvaises décisions d'embauche.	Travailler dans une organisation qui a une culture correspondant à leurs valeurs.

➔

L'importance de gérer le recrutement, la sélection et l'accueil (*suite*)	
Pour l'organisation	**Pour les personnes**
Avoir les meilleurs talents du secteur d'activité.	Comprendre leur rôle dans l'organisation.
Renforcer la culture organisationnelle.	Ressentir moins de stress associé à la maîtrise d'un nouveau rôle.
Favoriser la rétention du personnel.	

LE PARTAGE DES RESPONSABILITÉS EN MATIÈRE DE RECRUTEMENT, DE SÉLECTION ET D'ACCUEIL

Tandis que le succès des organisations repose de plus en plus sur l'acquisition et le développement de compétences, cet imposant défi devrait interpeller toute personne qui peut contribuer à l'amélioration du recrutement, de la sélection et de l'accueil. Il appartient à chacun de trouver sa façon de participer à ce processus qui permet à l'organisation de se renouveler avec l'arrivée de nouveaux talents.

Bien que les professionnels des RH soient au cœur de l'action, d'autres acteurs peuvent s'engager dans ce processus. Il est important, par exemple, que les dirigeants se soucient de la marque employeur véhiculée par l'organisation à l'interne et à l'externe. Les cadres et les gestionnaires qui participent au recrutement, à la sélection et à l'accueil s'assurent de la correspondance entre les profils des personnes et les besoins de leur service. Leur engagement est souhaité tout au long du processus de dotation. Comme en témoigne le tableau suivant, les employés et les syndicats peuvent aussi assumer des responsabilités dans leur sphère d'influence qui sont essentielles aux étapes du recrutement, de la sélection ou de l'accueil.

Le partage des responsabilités en matière de recrutement, de sélection et d'accueil	
Dirigeants	Développer la marque employeur.
	Participer à l'entrevue de sélection pour les postes comportant des responsabilités élevées.
	Participer à l'accueil des nouveaux employés (p. ex., par un mot de bienvenue).
Cadres	Aider à déterminer le profil de compétences.
	Participer aux entrevues de sélection.
	Procéder à la décision définitive d'embauche.
	S'assurer de la bonne intégration des employés, offrir une assistance professionnelle (*coaching*) et vérifier l'acquisition des compétences requises.
Professionnels des RH	Concevoir et appliquer la stratégie d'attraction.
	Déterminer les moyens de recrutement interne et externe.
	Concevoir les outils de sélection et préparer le processus de sélection.
	Recueillir et trier les candidatures.
	Veiller à la bonne utilisation des outils de sélection et au respect des droits de la personne.
	Mettre en place les activités d'accueil (programme de formation, rédaction d'un manuel de l'employé, évaluation des nouveaux employés, etc.).
Syndicats	Négocier les clauses relatives aux promotions internes.
	Participer à l'accueil et à l'intégration des nouveaux membres.
	Veiller à la pertinence des outils de sélection.
Employés	Rester à l'affût des possibilités de mobilité interne.
	Proposer des candidats externes.
	Participer au comité de sélection.
	Accueillir les nouveaux employés et leur prêter assistance.

4.1 Le marketing des ressources humaines

Le marketing des RH désigne simplement l'application aux RH d'une démarche de marketing. Bien que l'approche ne concerne pas uniquement le processus de dotation, mais la gestion des talents dans son ensemble, le marketing des RH se trouve le plus souvent traité en regard de la relation entre l'organisation et ses candidats potentiels. Cet aspect de la GRH relie l'organisation à divers éléments de son environnement, comme le marché de l'emploi et de la formation. Le marketing des RH impose ainsi un «positionnement employeur» en regard de ces éléments ainsi qu'une expression plus claire de sa «marque employeur». Comme l'illustre la figure 4.1, il peut en résulter une reconnaissance comme employeur de choix, un avantage de recrutement et une meilleure adéquation individu-organisation.

4.1.1 Le positionnement de l'employeur

Alors que les dirigeants passent beaucoup de temps à se questionner sur le positionnement de leurs produits et services envers diverses clientèles, combien de temps passent-ils à réfléchir à leur positionnement comme employeur? Ce positionnement exprime la manière dont l'organisation souhaite être perçue comme employeur (notoriété, attributs), à l'interne comme à l'externe, vis-à-vis d'autres employeurs (surtout ceux du même secteur d'activité). Les organisations qui affichent une bonne performance comprennent l'importance de se différencier non seulement en regard de leurs produits et services, mais aussi comme employeur. Le positionnement employeur se présente ainsi comme un volet du marketing des RH. Il débouche sur une représentation plus précise de la marque employeur, c'est-à-dire de l'identité de l'organisation en tant qu'employeur. Dans la mesure où cette marque employeur favorise l'adhésion des collaborateurs actuels et futurs, l'organisation peut tirer un avantage de recrutement de son classement au palmarès des employeurs de choix. Cette attractivité favorise aussi l'adéquation entre l'individu et l'organisation, comme l'illustre la figure 4.1.

 VIDÉO

Marketing RH ou Métro marketing ? Une campagne publicitaire de la compagnie française Michel et Augustin

Figure 4.1 Le marketing des RH au service de la dotation

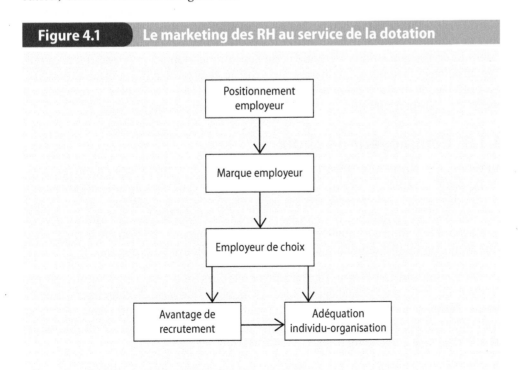

4.1.2 La marque employeur

La **marque employeur** exprime succinctement et clairement le positionnement de l'employeur. Elle nécessite d'aligner la GRH sur les valeurs fondamentales et la stratégie. Dans un contexte de rareté de main-d'œuvre, la marque employeur représente un avantage concurrentiel. Pour être efficace toutefois, celle-ci doit être :

- cohérente avec l'image externe et le marketing de l'organisation ;
- exhaustive, car elle doit porter sur toutes les facettes de l'environnement de travail ;
- attrayante aux yeux des employés actuels et potentiels ;
- distinctive et difficilement imitable ;
- réelle, visible, démontrable ;
- optimale, puisqu'elle doit répondre aux besoins à la fois des employeurs, des employés, des clients et des investisseurs.

Plusieurs éléments constitutifs du milieu de travail participent à la formation de la marque employeur (*employer branding*). L'attrait du travail, les activités de formation et de développement, le salaire, le climat de travail sont quelques-uns de ces éléments qui témoignent des attributs de l'organisation dans l'esprit des salariés actuels et potentiels. Pour l'entreprise qui souhaite développer sa marque employeur, Lievens (2007) propose un processus en trois étapes :

1. Identifier et développer la proposition de valeur offerte à ses collaborateurs actuels et futurs.
2. Communiquer la proposition de valeur pour attirer les candidats ciblés et retenir les collaborateurs compétents.
3. Soigner cette promesse en étant cohérent dans le discours véhiculé par la marque employeur.

La marque employeur de SAS Institute repose sur la liberté, l'esprit d'équipe, les loisirs et la famille, alors que celle de Microsoft se fonde sur la richesse, l'innovation, le dynamisme et les longues heures de travail. Selon leurs marques employeur, chaque entreprise attire des candidats dont les valeurs sont cohérentes avec sa culture organisationnelle (Carrig et Wright, 2006). À l'étape du recrutement, il importe donc de bien communiquer la marque employeur pour attirer les profils de candidats qui correspondent à l'identité de l'organisation. Bien que cette communication serve à mettre en valeur l'organisation qui recrute, elle doit aussi être réaliste. Il ne serait pas conforme à l'éthique, par exemple, de modifier les appellations d'emploi pour les rendre plus attrayantes ou encore de présenter une information erronée sur la proposition salariale.

4.1.3 L'employeur de choix

Au Canada, la firme Aon Hewitt produit un classement annuel des employeurs de choix, selon la taille de l'organisation. Le Défi Employeurs Inspirants, organisé par l'Ordre des conseillers en ressources humaines agréés, Towers Watson et le journal *Les Affaires*, est également très connu. Aux États-Unis, la liste des 100 meilleurs employeurs est publiée annuellement dans la revue *Fortune*. En France, le magazine *Capital* présente annuellement sa liste des 500 meilleurs employeurs.

L'organisation qui fait bonne figure à ces concours se donne une visibilité et un avantage de recrutement non négligeables. Le message que reçoit le chercheur d'emploi est que l'employeur de choix se soucie du mieux-être de ses RH et offre des conditions avantageuses. Il comprend aussi que l'employeur de choix lui propose un milieu de travail propice à l'engagement et à la mobilisation.

Une entreprise comme Google, qui mise sur un esprit décontracté, véhicule, par une série de symboles, une image qui lui permet de se démarquer de ses concurrents — le plus célèbre de ces symboles étant le lunch gratuit, offert dans tous les bureaux de Google, partout à travers le monde. De tels symboles améliorent le positionnement de l'entreprise en le matérialisant, mais ils doivent être cohérents avec l'image et les valeurs de l'organisation.

4.1.4 L'avantage de recrutement

L'avantage de recrutement que confère la reconnaissance comme employeur de choix se reconnaît dans la quantité et la qualité des candidatures. Une entreprise comme Google reçoit annuellement plus de deux millions de candidatures, ce qui lui permet de choisir les meilleurs «googlers». Cette avalanche de candidatures permet ainsi à l'entreprise d'être hautement sélective en engageant les personnes ayant non seulement les qualifications techniques pour le poste (adéquation individu-poste), mais aussi une disposition personnelle à bien s'intégrer à la culture Google (adéquation individu-organisation).

L'avantage de recrutement est bien sûr toujours relatif. On peut dire que l'entreprise qui reçoit 100 candidatures bénéficie d'un avantage de recrutement sur un concurrent qui en reçoit seulement 10 pour un poste similaire. Pour que cet avantage soit considéré comme un facteur clé du succès, il est important qu'il soit durable, c'est-à-dire qu'il perdure dans le temps et se confirme d'un recrutement à l'autre.

4.1.5 L'adéquation entre l'individu et l'organisation

L'adéquation entre l'individu et l'organisation réfère à la compatibilité entre les caractéristiques de l'individu et celles de l'organisation. La plupart du temps, il est toutefois question de la correspondance entre les valeurs de la personne et celles de l'organisation. Comme l'indique le tableau 4.1, les études associent l'adéquation individu-organisation à des attitudes positives au travail et à des comportements qui sont critiques pour le bon fonctionnement de l'organisation (Michaud, Durivage et Stamate, 2016).

Tableau 4.1	Les conséquences positives d'une meilleure adéquation individu-organisation
Attitudes	**Comportements**
Intention moindre de quitter l'organisation	Meilleure rétention du personnel
Amélioration de la satisfaction au travail	Amélioration de la performance au travail
Renforcement de l'engagement envers l'organisation	Mobilisation accrue qui se manifeste par des comportements de participation plus forte en dehors de la tâche prescrite

Au moment de prendre une décision d'embauche, nombreuses sont les organisations qui s'intéressent à l'adéquation entre l'individu et le poste, c'est-à-dire à la capacité de l'individu de répondre aux exigences techniques de l'emploi. Un employeur, par exemple, cherche une personne ayant une expertise en comptabilité pour pourvoir un poste de comptable. Bien que son approche semble adéquate, elle s'avère incomplète, car elle ne tient pas compte des valeurs de la personne et de leur correspondance avec la culture organisationnelle. Et si ce comptable valorise le travail d'équipe, le soutien interpersonnel et l'engagement social, alors que son milieu de travail met l'accent sur les résultats, l'ambition et la concurrence? Il en résultera probablement des attitudes négatives et une mise à jour de son curriculum vitæ.

Le recrutement doit donc aussi adopter pour principe d'attirer des personnes qui adhèrent aux valeurs et à la mission de l'organisation. En misant sur la communication de la marque employeur, l'initiative du recrutement atteindra plus facilement cette cible. Ainsi, dans la section «Carrières» de son site Internet, l'employeur gagnerait à communiquer de façon claire les valeurs qui animent son organisation. Les photos et les vidéoclips sauront aussi transmettre de précieuses indications sur les valeurs et les normes de l'organisation. À l'étape de la sélection, les questions de l'entrevue pourront être formulées de façon à juger de l'adéquation entre l'individu et l'organisation. Il est également possible de favoriser l'embauche de stagiaires de façon à observer leur adaptation à la culture organisationnelle. En somme, bien que l'adéquation au poste compte pour beaucoup dans le succès professionnel, il faut aussi s'efforcer de favoriser l'adéquation entre l'individu et l'organisation. À cet égard, l'adéquation sera plus facile à réaliser chez les employeurs de choix qui jouissent d'un avantage de recrutement.

Une théorie d'intérêt

La théorie de l'attraction-sélection-attrition

La théorie que l'on nomme «attraction-sélection-attrition» décrit un processus par lequel les individus sont attirés vers des organisations qui leur ressemblent, les organisations embauchent des personnes qui ont des caractéristiques communes et les individus qui ne partagent pas les caractéristiques de l'organisation vont éventuellement quitter celle-ci. Cela fait en sorte que les personnes au service d'une organisation ont souvent des caractéristiques et des comportements similaires.

Source : Traduit librement de SCHNEIDER, B. «The people make the place», *Personnel Psychology*, vol. 40, 1987, p. 437-453.

4.2   La détermination des critères de sélection

Critère de sélection

Compétence ou autre caractéristique exigée des candidats.

Les personnes qui participent au recrutement et à la sélection s'appuient sur les documents de synthèse que sont la description de poste et le profil de compétences pour déterminer des **critères de sélection** adéquats et pour présenter le poste de manière réaliste. La figure 4.2 montre que l'analyse de l'emploi constitue le point de départ du processus qui permet de dégager des critères de sélection adéquats. L'information générée par l'analyse de l'emploi sert à la description de poste de même qu'à l'élaboration du profil de compétences et d'autres caractéristiques pertinentes pour le travail dont il est question.

Les employeurs ont souvent tendance à exagérer les avantages d'un poste pour attirer les candidats au moment de la sélection, surtout lorsque ceux-ci se font plus rares. Cette approche est risquée, car en vantant les mérites du poste et de l'organisation, l'employeur crée de fortes attentes chez les candidats. Or, une réalité qui n'est pas à la hauteur des attentes peut entraîner de la déception et le départ hâtif de la personne nouvellement embauchée. Voilà une autre raison pour laquelle il importe de bien appréhender la «réalité» du poste.

4.2.1 L'analyse de l'emploi

Ainsi que nous l'avons vu au chapitre 3, l'analyse de l'emploi permet de recueillir de l'information sur les activités, les tâches, les devoirs et les responsabilités propres à chaque poste, de même que sur les éléments liés au contexte de l'emploi : les équipements utilisés, les conditions de travail existantes, etc. Bien que l'analyse de l'emploi serve d'assise à la rémunération, à la formation et à l'évaluation de la performance, nous discutons ici son utilisation pour déterminer les critères de sélection. Notons aussi la pertinence de l'analyse d'emploi pour assurer le caractère légitime et légal des critères de sélection.

Pour obtenir une image réaliste et complète d'un emploi, il est souhaitable de recourir à un processus systématique de collecte de l'information.

Figure 4.2 | **De l'analyse de l'emploi aux critères de sélection**

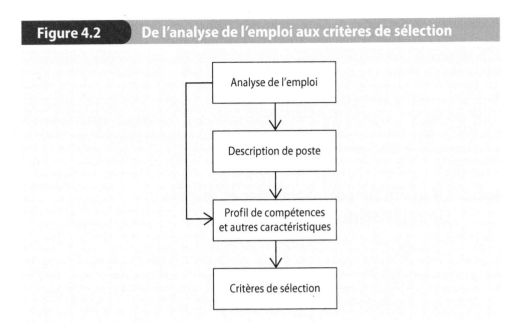

Pour le recrutement et la sélection du personnel, l'analyse de l'emploi doit générer une information suffisante pour la détermination du profil de compétences. Elle doit aussi permettre l'élaboration de la description de poste qui sert de point de référence tant au recruteur qu'au candidat. Mentionnons aussi que l'analyse de l'emploi peut s'orienter sur l'évolution probable d'un poste de façon à déterminer les critères de sélection en fonction de futures exigences. Ainsi, la perspective d'une restructuration, d'un changement technologique ou d'une nouvelle initiative stratégique peut orienter l'identification des critères de sélection. Cette approche inscrit ainsi la dotation dans une perspective de gestion prévisionnelle des RH (*voir le chapitre 2*).

4.2.2 La description de poste

La description de poste (ou description d'emploi) est le document qui synthétise l'information recueillie au fil de l'analyse de l'emploi. Comme nous l'avons vu au chapitre 3, ce document comporte une information essentielle à la prise de décision dans plusieurs sphères de la GRH. En regard de l'activité de dotation, il permet aux candidats de mieux comprendre les conditions d'exercice associées au poste. En effet, la description de poste contient généralement une information sur l'emplacement et l'horaire de travail ainsi que sur les conditions de travail. Un candidat ayant d'importantes responsabilités familiales pourrait donc consulter la description de poste pour voir si l'horaire d'un poste est compatible avec ses engagements hors travail.

La description de poste comporte aussi une information sur les exigences requises. Un poste d'ambulancier en régions isolées, par exemple, pourrait comporter les exigences suivantes :

1. Expérience en soins préhospitaliers et en urgence ;
2. Forte capacité d'évaluation ;
3. Expérience de camps de travail en régions isolées au sein d'une communauté nordique préférablement ;
4. Expérience en évacuation aérienne d'urgence préférablement ;
5. Bonne maîtrise de l'anglais et du français ;
6. Aisance dans l'utilisation des ordinateurs et expérience avec des logiciels tels que MS Word et Excel.

En consultant la description de poste, le candidat a ainsi l'occasion d'évaluer ses compétences selon les exigences du poste. Ainsi, une fois rédigée ou mise à jour, la description de poste peut être communiquée aux candidats afin de leur procurer une information exhaustive sur le poste.

Pour l'employeur, la description de poste comporte des renseignements qui pourront le guider dans la détermination des critères de sélection. Si la description est complète et à jour, elle s'avérera aussi une référence utile à chacune des étapes du processus de dotation, comme nous le verrons dans les sections suivantes.

4.2.3　Le profil de compétences et autres caractéristiques

Le profil de compétences qui se dégage de l'analyse de l'emploi et de la description de poste énumère les éléments de connaissances, d'habiletés et d'aptitudes requis par l'emploi. Par exemple, on peut supposer que les gestionnaires d'une organisation doivent être en mesure de motiver des employés, de faire preuve de leadership ou encore de savoir transmettre la vision de l'organisation aux membres de l'équipe. Formulée à l'aide d'un verbe d'action, la compétence décrit ainsi la capacité de mettre en application des habiletés techniques ou relationnelles. Par exemple, une entreprise fortement orientée vers les résultats peut demander à ses employés de détenir des compétences telles que «Se préoccuper de la rentabilité et du succès de l'équipe et de son service» ou «Prendre des décisions de gestion cohérentes avec les choix stratégiques de l'organisation». Dans les services à la clientèle, le profil de compétences peut inclure des compétences propres au métier, comme «Savoir comprendre les besoins des clients et y répondre» ou «Mettre en œuvre un plan d'action pour atteindre et maintenir un taux de satisfaction des clients supérieur à 70 %».

On ne pourrait cependant procéder au recrutement et à la sélection du personnel sans prendre en compte d'autres caractéristiques importantes, mais qui ne s'inscrivent pas à proprement parler dans le domaine des compétences. Ces «autres caractéristiques» sont assez variables d'un emploi à l'autre, mais elles pourraient inclure le fait de détenir un permis de conduire classe 1 ou 3 pour un poste de camionneur ou d'avoir un profil de personnalité qui convient à la vente de produits d'assurance. Pour certains postes, l'employeur peut aussi exiger une accréditation professionnelle. L'analyse de l'emploi peut également justifier la volonté de voyager, par exemple, ou encore le fait d'être disposé à travailler de longues heures et à être sur appel 24 heures sur 24. Ces éléments ou exigences qui ne sont pas des compétences à proprement parler s'avèrent néanmoins des considérations importantes en matière de dotation. Le candidat peut se faire une idée plus réaliste de l'emploi, tandis que le recruteur peut procéder au tri des candidatures en fonction de ces éléments qui sont souvent jugés essentiels.

Trois actions doivent être entreprises pour dégager un profil complet des compétences et autres caractéristiques. Il est d'abord pertinent de consulter les exigences énoncées dans la description de poste, laquelle propose une synthèse de l'analyse d'emploi. Ensuite, il est possible d'obtenir une représentation plus complète des exigences du poste en consultant l'information colligée à l'étape de l'analyse d'emploi. Enfin, il y a lieu de consulter les personnes qui, au sein de l'organisation, connaissent le poste et ses exigences. Cette consultation peut se réaliser dans une perspective prospective de façon à relever également les compétences et les autres caractéristiques qui seront requises dans un avenir prévisible.

4.2.4 Les critères de sélection

Les critères de sélection permettent de prévoir la capacité d'une personne d'évoluer avec succès dans un poste donné. En ce sens, on les nomme parfois des «prédicteurs». Ils représentent alors l'ensemble des caractéristiques individuelles associées à la réussite professionnelle et à l'adaptation au travail. À titre d'exemple, en prenant comme objectif de réussite professionnelle l'augmentation du volume de ventes, un employeur pourrait retenir les critères de sélection suivants :

- la connaissance du secteur d'activité ;
- la capacité d'écoute ;
- la persévérance ;
- la motivation à vendre ;
- une formation générale aux techniques de vente.

Si sa décision en matière de sélection se fonde sur les cinq critères énoncés, l'employeur augmente la probabilité d'embaucher un représentant qui saura atteindre des objectifs de ventes élevés. En ce sens, dans cet exemple, les critères de sélection sont des «prédicteurs» du succès en ventes.

Les critères de sélection que l'on trouve le plus fréquemment dans un processus de dotation sont liés aux connaissances acquises, aux habiletés particulières ou générales, aux aptitudes, aux centres d'intérêt et à diverses autres caractéristiques. En plus des éléments d'ordre technique, les critères de sélection peuvent porter sur des éléments comme la tolérance au stress, l'adaptabilité au changement, le sens des responsabilités, le style de leadership, le degré d'enthousiasme ou la capacité de travailler en équipe. C'est ainsi qu'Unilever, par exemple, considère que l'intégrité et la volonté de gagner sont des caractéristiques personnelles qui correspondent à ses valeurs organisationnelles. Il s'agit donc de caractéristiques sur lesquelles elle fonde ses décisions de sélection.

Le profil de compétences permet de dresser la liste des connaissances, des habiletés, des aptitudes et des autres caractéristiques que le futur candidat doit posséder, liste sur laquelle la personne chargée de la sélection s'appuiera pour définir ses critères de sélection. Ces connaissances, habiletés et aptitudes devront être en lien avec les tâches à effectuer, avec les compétences fondamentales requises à court et à moyen terme ainsi qu'avec la culture d'entreprise. Prenons un autre exemple : pour un poste en marketing, le Cirque du Soleil avait retenu les critères de sélection suivants :

- un diplôme universitaire en marketing ou toute autre formation équivalente ;
- un minimum de trois à huit années d'expérience pertinente en marketing, en publicité, en mise en marché ou en gestion de la marque ;
- une expérience en marketing (événements, promotions, campagnes de marketing et médias) ;
- la capacité de gérer les priorités et de travailler en équipe ;
- d'excellentes habiletés en communication verbale et écrite ;
- la maîtrise du français et de l'anglais, tant à l'oral qu'à l'écrit ;
- la maîtrise d'une autre langue telle que l'espagnol, un atout.

Signalons que le dernier critère de cette liste est qualifié d'«atout». Cela nous rappelle que l'employeur se doit de préciser le niveau de maîtrise requis pour chacun de ses critères de sélection. S'il demande huit années d'expérience de travail, acceptera-t-il de prendre en considération une excellente candidature qui ne compterait que trois années d'expérience ? Un retour à l'analyse s'impose parfois pour mieux situer l'importance de chaque critère en fonction des exigences réelles de l'emploi.

4.3 Le recrutement

Il est de plus en plus clair dans la littérature scientifique que les RH contribuent à la bonne performance des organisations (Crook *et al.*, 2011). À l'égard de cette relation, le recrutement est une activité qui favorise la constitution d'un réservoir de candidats qualifiés pour différents postes. Les candidats qualifiés ou les meilleurs talents peuvent se trouver à l'intérieur ou à l'extérieur de l'organisation. Le recrutement interne consiste alors à recruter des personnes qui travaillaient déjà dans l'organisation, tandis que le recrutement externe vise des personnes qui ne sont pas au service de l'organisation qui recrute.

La décision de générer des candidatures à l'intérieur ou à l'extérieur de l'entreprise repose sur des considérations d'ordre stratégique et opérationnel, résumées dans le tableau 4.2. L'entreprise qui mise sur l'innovation et la créativité a intérêt à favoriser le recrutement externe. De même, ce type de recrutement est susceptible de donner de meilleurs résultats que le recrutement interne quand on veut changer la culture d'entreprise, générer de nouvelles idées au sein de l'entreprise, assurer une plus grande diversité de la main-d'œuvre ou apporter une autre vision et des solutions nouvelles.

Tableau 4.2	**Les avantages du recrutement interne et externe**
Recrutement interne	**Recrutement externe**
• Engendre de faibles coûts. • Écourte le délai de recrutement. • Privilégie les candidats que l'on connaît. • Renforce la culture d'entreprise. • Constitue une source de reconnaissance pour les employés. • Exige moins d'efforts à l'étape de l'accueil et de l'intégration.	• Favorise l'innovation, les nouvelles idées. • Change la culture, les pratiques d'affaires et de gestion. • Sert quand les compétences sont absentes à l'interne. • S'avère indispensable en période de croissance rapide ou de fort besoin en renouvellement des compétences. • Favorise la diversité.

À l'opposé, l'entreprise qui adopte une stratégie de réduction des coûts et désire renforcer la culture existante devrait favoriser le recrutement interne. Notons aussi que la possibilité d'accéder à d'autres postes représente une composante essentielle d'un système de gestion des carrières et de reconnaissance des employés. C'est ainsi que l'infirmière peut espérer un jour occuper le poste d'infirmière clinicienne ou d'infirmière-chef. L'entreprise qui se préoccupe de la planification des carrières devrait miser davantage sur la promotion interne des employés en place. Le fait de mettre l'accent sur le recrutement interne devrait également favoriser la rétention du personnel (Haines *et al.*, 2010).

4.3.1 Le recrutement interne

Quand on évoque la dotation du personnel, on tend davantage à penser au recrutement externe qu'au recrutement interne. Pourtant, ce dernier nécessite le recours à des méthodes qui lui sont propres et qui s'avèrent fondamentales pour assurer la motivation et la fidélisation des employés. Les organisations ont souvent comme politique de faire appel en premier à la dotation interne ; et si les postes vacants ne peuvent être pourvus à l'interne par des mutations ou des promotions, elles se tournent alors vers le recrutement externe.

Le recrutement interne peut s'appuyer sur une approche très ouverte et transparente ou, au contraire, sur une approche fermée ou secrète. L'affichage des postes s'inscrit dans une approche ouverte tandis que les nominations se décident la plupart du temps en groupes restreints.

L'affichage des postes

L'affichage des postes, qui représente la principale méthode de recrutement interne, consiste à renseigner tous les employés sur les possibilités que leur offre l'entreprise en matière de postes à pourvoir. Cette méthode permet à chaque employé de s'informer des possibilités d'avancement selon les exigences des postes et de poser officiellement sa candidature. Traditionnellement, l'affichage des postes peut se faire de diverses manières : sur des tableaux d'affichage prévus à cet effet, par une annonce qui paraît dans le journal de l'entreprise, par une note de service ou même à l'occasion d'une réunion d'équipe. Les technologies de l'information permettent d'afficher les postes de manière plus moderne, notamment les postes de gestionnaires et de professionnels : l'intranet, les courriels, les babillards électroniques et les kiosques sont autant de moyens mis à la disposition des entreprises pour informer leurs employés des postes à pourvoir et de leurs caractéristiques.

L'affichage présente l'avantage de révéler à tous les employés l'existence de possibilités d'évolution et de mobilité. Il est démocratique, puisqu'il offre des chances égales de postuler ; en ce sens, il est une source de stimulation et de motivation. Il est également peu coûteux et rapide, ce qui en fait la méthode de recrutement interne la plus utilisée dans les entreprises. Toutefois, l'affichage peut engendrer un excès de candidatures, car les employés ont le sentiment que leurs chances d'accès à l'emploi sont plus fortes qu'à l'externe. L'entreprise doit considérer avec attention le mécontentement des employés dont la candidature n'a pas été retenue. Notons, par ailleurs, que le système d'affichage des postes engendrera de la satisfaction dans la mesure où il propose une description adéquate du poste et des procédures de communication appropriées. Le caractère juste de la procédure d'affichage et le bon traitement interpersonnel sont d'autres facteurs qui entraînent généralement des réactions positives vis-à-vis de l'affichage des postes.

Les nominations

En ce qui concerne les nominations, on procède généralement par un système de référence ou par le réseautage à l'interne. Le cas d'espèce serait celui d'un superviseur qui recommande un employé de son équipe pour un poste vacant. Dans certains cas, la recommandation peut venir d'un collègue ou de l'employé lui-même. Certaines organisations scrutent leur **système d'information de gestion des ressources humaines (SIRH)** avec certains critères de recherche afin de détecter dans le réservoir de main-d'œuvre les personnes ayant les compétences requises.

Au lieu d'offrir un poste à tous, la recherche des talents vise à cibler un groupe restreint d'employés qui démontrent les compétences requises pour un poste donné. Les compétences sont résumées dans un répertoire ou un inventaire des compétences qui mentionne l'expérience, la scolarité, les connaissances, les habiletés, les aptitudes et les autres caractéristiques d'une personne. On peut y trouver les évaluations d'emplois et les préférences de carrière, ce qui permet de réfléchir aux emplois qui seraient cohérents avec les motivations individuelles. Cette approche permet de détecter un employé possédant la qualification recherchée pour un poste vacant et de l'approcher. Cependant, elle nécessite une bonne connaissance des employés de la part des superviseurs et des personnes qui sont incluses dans les répertoires des compétences. Si le recours aux nouvelles technologies facilite l'homogénéisation et la saisie des données, la collecte des données et leur mise à jour demeurent un processus long et exigeant.

Enfin, les nominations peuvent se réaliser dans le cadre de la planification de la relève. Comme nous l'avons vu au chapitre 3, lorsqu'un poste se libère, le plan de relève a l'avantage de proposer rapidement une personne qualifiée pour assurer la relève. Ce plan permet de préparer la relève et de s'assurer de la qualité des candidats potentiels à l'interne. Son inconvénient est le manque de transparence, car les noms des

Système d'information de gestion des ressources humaines (SIRH)

Ensemble de ressources technologiques (essentiellement des logiciels ou des progiciels) qui permettent de recueillir, de trier, d'analyser et de diffuser des informations relatives aux RH.

candidats potentiels listés dans un plan sont rarement rendus publics. Il est utilisé fréquemment dans les grandes entreprises qui doivent planifier le remplacement dans un nombre élevé de postes ; dans les petites entreprises, le répertoire des compétences suffit souvent à l'identification de la relève, car le nombre de postes à remplacer demeure réduit.

4.3.2 Le recrutement externe

Alors que le recrutement interne procède généralement par l'affichage des postes et les nominations, le recrutement externe se caractérise par une grande diversité d'approches et de méthodes. Les approches traditionnelles (p. ex., les annonces dans un quotidien) se distinguent des approches nouvelles (p. ex., le recrutement à travers les médias sociaux). Les approches de recrutement qui se distinguent par un contact personnel (p. ex., le réseautage) sont bien différentes de celles qui proposent une démarche relativement impersonnelle (p. ex., le centre d'emploi). Certains employeurs sont assez timides au regard de leurs efforts de recrutement et adoptent une approche réactive, voire passive. D'autres entreprises, qui font preuve d'un plus grand dynamisme, recourent à plusieurs méthodes à l'intérieur d'une approche de recrutement externe qui s'avère parfois déstabilisante pour leurs concurrents. Il semblerait enfin que certaines entreprises réussissent à adapter leur approche de recrutement à l'évolution du contexte, et d'autres pas.

Le recrutement sur Internet

L'utilisation des technologies de l'information et de la communication à des fins de recrutement se développe à une grande vitesse. Le recrutement par l'entremise des réseaux sociaux s'avère une façon de mettre ces technologies au service du recrutement. Mais l'employeur qui recrute peut aussi faire appel à des méthodes autres et s'afficher sur un site de recrutement externe, et même procéder par affichage à même le site de son entreprise. L'utilisation d'Internet favorise clairement la diffusion des offres d'emploi (rapide, à grande échelle et à moindre coût), mais elle ajoute aussi du «bruit» à la démarche de recrutement. L'employeur se trouve souvent submergé de candidatures dites «non qualifiées», tandis que le chercheur d'emploi peut être pris au dépourvu devant la multiplicité des offres d'emploi en ligne.

Les réseaux sociaux Une méthode de recrutement qui gagne de plus en plus d'adeptes mise sur les réseaux sociaux comme Facebook ou LinkedIn (respectivement plus de 1,65 milliard et plus de 433 millions d'utilisateurs), c'est-à-dire des applications en ligne qui facilitent les interactions, la collaboration et le partage de contenu. Cette méthode de recrutement donne à l'employeur une visibilité et lui permet de joindre des communautés d'internautes qui, autrement, seraient difficiles d'accès, et même d'intéresser des personnes qui ne recherchent pas activement un emploi. En allant au-devant des candidatures, les réseaux sociaux réussissent à atteindre les candidats passifs. Du point de vue de l'entreprise qui recrute, les réseaux sociaux représentent une option peu coûteuse qui favorise un échange d'information avec des candidats potentiels plus ou moins nombreux mais hautement qualifiés. Ils permettent de stimuler l'intérêt du candidat en lui transmettant des informations sur l'organisation au moyen de plateformes relationnelles ou de partage de contenu.

Par ailleurs, pour donner envie à un candidat d'intégrer son entreprise, il est judicieux de produire du contenu de qualité qui lui correspond. «La communication sur les réseaux sociaux doit attirer les profils ciblés. Devenir référent sur une thématique qui les intéresse est un excellent moyen de trouver des profils de passionnés», souligne Antoine Hébert, directeur marketing chez Novius (agence de communication sur Internet, Villeurbanne). Cependant, bien que les réseaux sociaux changent la dynamique du recrutement, ils doivent demeurer l'une des facettes et non l'unique méthode de l'organisation en la matière (Beaudier, 2012).

Parole d'expert

Le recrutement passera par les médias sociaux

«Les médias sociaux doivent faire partie de la stratégie de l'entreprise, même si on est une PME. Ils sont très utiles dans une stratégie de recrutement puisqu'ils donnent rapidement accès à une quantité d'informations énorme, non accessibles par le centre local d'emploi par exemple», mentionne Benoît Descary, conférencier et consultant en stratégie numérique.

Cependant, la présence d'une entreprise sur les médias sociaux ne se résume pas à ouvrir une page Facebook. Une réflexion et une stratégie doivent avoir été faites au préalable. « Je vois les médias sociaux comme un dépanneur. Pour que ça fonctionne, il faut s'en occuper. Facebook c'est le même principe. On doit avoir quelqu'un qui alimente notre page en continu. Un budget devrait aussi être alloué pour maximiser la stratégie de recrutement», poursuit le spécialiste des médias sociaux.

Quant à la plateforme d'affaires et de recrutement LinkedIn, elle permet de faire une présélection avant d'aller en recrutement. «Son avantage c'est qu'en ayant un compte recruteur, nous avons accès à tous les profils. C'est une plateforme considérée comme un hameçon, comparativement à Facebook, dont la nature première n'est pas le recrutement. Même si ce n'est pas pratique courante en Amérique du Nord, on voit les grandes entreprises avoir une page de recrutement sur Facebook. Le but principal est de séduire les candidats qui sortent de l'école pour les amener à postuler», expose le spécialiste.

Source: Extrait de GERVAIS, M.-P. « D'ici 5 ans, le recrutement passera par les médias sociaux», *Hebdo Rive Nord*, vol. 46, n° 46, 3 novembre 2015, p. 29.

Les sites externes de recrutement L'employeur qui souhaite afficher une annonce d'emploi sur un site externe de recrutement a l'embarras du choix. Les gouvernements du Canada et du Québec offrent gratuitement aux entreprises et aux particuliers des banques d'emplois accessibles par Internet. Les sites privés fonctionnent de la même manière, mais ils tarifent la publication des annonces. Les candidats peuvent y soumettre leur candidature gratuitement ; le site se charge ensuite de jumeler les exigences des emplois avec les compétences des candidats et d'envoyer la liste des candidats sélectionnés aux employeurs. Tandis que les sites externes de recrutement se multiplient, le recruteur doit savoir choisir entre un site généraliste et un site spécialisé. Le site de recrutement généraliste propose un affichage «large» regroupant un vaste éventail de métiers, de formations et de régions. Les sites de recrutement Pôle emploi et Monster s'inscrivent dans cette approche généraliste. Le site de recrutement spécialisé propose à l'employeur et au chercheur d'emploi une démarche plus ciblée. Ainsi, le site Modis offre un service de recrutement dans le domaine des technologies de l'information et le site Emploi Dentaire, dans la communauté dentaire. Quant au site Ingénieur-Emplois, il est dédié aux ingénieurs.

L'affichage sur le site de l'employeur Le site Internet de l'organisation est sa fenêtre sur le monde extérieur, et bien des employeurs ont actuellement une section «Carrières» sur leur site Internet. Cette rubrique permet à l'employeur d'afficher une information sur les emplois et les carrières, de même que sur la culture organisationnelle, les exigences des emplois et les avantages sociaux. Elle peut aussi proposer des liens vers les médias sociaux auxquels participe l'entreprise. Les entreprises qui veulent obtenir des candidatures supplémentaires, mais qui n'ont aucun poste à pourvoir qui corresponde aux compétences ou aux attentes du candidat, offrent la possibilité de faire une demande d'emploi en ligne. Dès qu'une occasion d'emploi se présente, l'entreprise peut contacter les candidats potentiels, car elle dispose d'une banque de candidatures préalablement triées. L'«alerte emploi» permet aussi de recueillir une information privilégiée sur les postes, les spécialisations et les lieux recherchés par les candidats.

www.pole-emploi.fr
Le site de recrutement Pôle emploi

www.monster.com
Le site de recrutement Monster

www.modiscanada.com
Le site de recrutement Modis

www.emploidentaire.com
Le site de recrutement Emploi Dentaire

www.ingenieur-emplois.com
Le site de recrutement Ingénieur-Emplois

AU QUÉBEC

Regard sur la pratique

Stratégie de recrutement 2.0

Voici un exemple concret, celui de l'entreprise québécoise Frima Studio, pour prouver que recrutement et réseaux sociaux font bon ménage quand on sait s'y prendre.

Mélanie Rancourt est conseillère en RH chez Frima Studio, une entreprise de Québec spécialisée dans la création de jeux vidéo et de divertissement numérique. Affectée plus particulièrement au recrutement, elle doit se tenir très à jour en matière de stratégies de recrutement, car l'entreprise, qui a connu une croissance impressionnante au cours des dernières années, a constamment besoin de nouveaux talents pour poursuivre son développement.

«Depuis mon embauche chez Frima, il y a trois ans, nous avons eu à recruter plus de 150 employés, dont une vingtaine ont été embauchés au cours des deux dernières années par l'intermédiaire des médias sociaux (affichage de postes sur Facebook, chasse de têtes sur LinkedIn). Le recrutement sur les médias sociaux est efficace, mais fait partie d'une stratégie de recrutement plus globale qui ne sous-estime pas l'affichage traditionnel sur les sites d'offres d'emploi ou sur notre site web», explique la conseillère.

«Je consacre environ une heure par jour aux médias sociaux afin d'entretenir les liens avec les candidats potentiels. Le recrutement de personnel senior avec expérience se fait beaucoup par LinkedIn; c'est un excellent canal pour entamer des discussions. L'approche de type chasse de têtes est très efficace sur ce réseau», poursuit-elle. Dans un contexte de pénurie, selon le type de poste et l'expertise recherchée, l'entreprise a parfois eu à ouvrir ses horizons à l'international, démarche facilitée par LinkedIn. «Par exemple, nous avions besoin de quelqu'un de compétent en matière de propriété intellectuelle dans les produits virtuels, ce qui n'existait pas ici. Nous avons dû sortir des frontières pour trouver l'expertise», raconte Mme Rancourt.

« Suivant notre approche de marketing de recrutement, nous publions régulièrement, notamment sur notre page Facebook, différents types de contenus: de l'information sur les activités du club social, des nouvelles sur l'industrie ou sur les projets de l'entreprise, rapporte David Beaulieu, conseiller aux communications chez Frima Studio. Par exemple, dernièrement, nous avons annoncé notre participation au Défi têtes rasées de LEUCAN, ainsi que le lancement de Frima FX, la nouvelle division spécialisée en animation et en effets spéciaux de l'entreprise», illustre-t-il. Cette expansion a d'ailleurs entraîné la création de plus de 20 emplois de spécialistes des effets spéciaux. Cela a nécessité du recrutement sur les marchés local et international et a fait passer à 300 le nombre d'employés de cette entreprise, qui a vu le jour en 2003.

Source: Extrait de NOLET, L. «Stratégies de recrutement 2.0», *Métro*, 19 août 2012, http://journalmetro.com/plus/carrieres/141958/strategies-de-recrutement-2-0/ (Page consultée le 8 septembre 2016).

Les agences de placement

Les agences de placement publiques et privées servent d'intermédiaire entre l'individu et l'emploi. L'employeur ayant un poste à pourvoir fait appel à une agence de placement en précisant les exigences du poste et les conditions de travail. L'agence de placement se charge de trouver des candidats ayant le profil de compétences demandé, d'effectuer la présélection et, parfois, la sélection finale.

www.emploiquebec.net
Emploi-Québec

La mission des agences de placement publiques consiste principalement à afficher gratuitement des offres d'emplois. Au Québec, le gouvernement a mis en place les Centres locaux d'emploi (CLE), qui offrent un service d'affichage complet et qui sont particulièrement actifs dans le cas des postes exigeant une qualification modeste. Le Guichet emplois du gouvernement du Canada permet, par ailleurs, aux employeurs d'afficher des postes à pourvoir et constitue une offre d'emplois pour les étudiants et les jeunes. Le chercheur d'emploi peut consulter les emplois en ligne ou se présenter au centre d'emploi de sa localité.

www.guichetemplois.gc.ca
Le Guichet emplois du gouvernement du Canada

www.adecco.ca
Adecco

Les agences de placement privées sont spécialisées dans le recrutement de candidats pour les entreprises. Par exemple, avec ses 5 500 succursales à travers le monde, la firme Adecco répond aux besoins d'environ 100 000 clients par jour. Puisque les agences de placement privées font affaire avec un bon nombre d'entreprises, le candidat bénéficie de leur réseau de relations. Notons également que plusieurs agences se spécialisent dans des secteurs d'activité précis, notamment les domaines juridique, manufacturier, bancaire et biopharmaceutique.

Les conseillers en recrutement de cadres s'intéressent à une autre clientèle. On les appelle «chasseurs de têtes», puisque leur recherche sur le terrain s'étend aux cadres intermédiaires ou supérieurs et aux professionnels de haut niveau déjà à l'œuvre au sein d'entreprises concurrentes. Certaines entreprises font appel aux conseillers en recrutement de cadres surtout en raison de leur capacité de trouver la «perle rare» qui dispose de connaissances ou d'une expertise particulières. D'autres entreprises passent par ces spécialistes du recrutement dans des circonstances urgentes ou à cause du caractère confidentiel du processus entourant le remplacement d'un de leurs cadres. D'autres encore retiennent leurs services parce qu'elles n'ont ni le temps ni les ressources pour s'engager dans des recrutements «hypersélectifs et bien ciblés».

Les salons et foires de l'emploi

Les opérations portes ouvertes, les rencontres d'information et les foires et salons de l'emploi sont autant de méthodes de recrutement qui favorisent la transmission de renseignements sur l'organisation et sur les possibilités d'emploi au sein de celle-ci. Une opération portes ouvertes permet au public de visiter l'entreprise, de discuter avec le personnel et parfois de regarder une vidéo sur l'entreprise afin d'en savoir davantage sur sa mission, ses produits et ses conditions de travail. Les rencontres d'information réunissent à un moment précis les personnes s'intéressant à un type de travail ou à une organisation donnée. Elles sont des occasions pour les responsables du recrutement de vérifier l'intérêt des candidats à l'égard des produits et des services de l'organisation. Chez Microsoft, par exemple, les agents de recrutement présentent aux visiteurs les nouveaux produits informatiques en développement et observent leurs réactions afin d'apprécier l'intensité de leur émerveillement. Pour ce qui est des salons et foires de l'emploi, ils réunissent les employeurs de diverses entreprises en un même endroit afin qu'ils puissent rencontrer plusieurs candidats en peu de temps, ce qui réduit les frais de déplacement.

Les entrevues éclair

C'est au cours des salons de l'emploi que la méthode des entrevues éclair (*speed jobbing*) s'est développée. Cette méthode consiste à rencontrer un défilé de candidats en peu de temps : la séance d'entrevue dure environ huit minutes ; elle doit permettre aux candidats de mettre en avant leur personnalité et leur motivation à travailler pour l'entreprise. À la fin de la séance, un signal sonore retentit, et les candidats changent de table pour passer l'entrevue suivante. Inspirée par le *speed dating*, cette approche de recrutement permet un premier contact ; l'employeur décide ensuite s'il souhaite une deuxième entrevue plus approfondie avec le candidat.

Une entrevue éclair dure environ huit minutes ; elle doit permettre aux candidats de mettre en avant leur personnalité et leur motivation à travailler pour l'entreprise.

Les établissements d'enseignement

Le recrutement externe s'effectue également auprès des universités, des collèges, des écoles professionnelles et des écoles secondaires. Les entreprises ont la possibilité d'afficher des postes dans ces établissements ou d'organiser des rencontres avec les étudiants par l'entremise du service de placement de l'établissement d'enseignement ou de formation. À l'École nationale d'aérotechnique du Collège Édouard-Montpetit, par exemple, les employeurs peuvent faire appel au service de placement pour l'embauche de diplômés en techniques de maintenance d'aéronef ou en techniques d'avionique notamment.

Regard sur la pratique

L'industrie touristique embauche

Même si la saison touristique ne commence que plus tard, la date magique étant le 1er juillet, les opérateurs touristiques, eux, sont en pleine effervescence et le recrutement va se poursuivre au cours des prochaines semaines.

Lors du salon du recrutement en tourisme, le 5 mars à Charlottetown, 32 entrepreneurs touristiques avaient un kiosque pour attirer l'attention des chercheurs d'emplois, recueillir leur curriculum vitæ et les inciter à postuler en ligne.

Les employés de cuisine sont très recherchés, étant donné le grand nombre de restaurants saisonniers et l'augmentation de clientèle dans les établissements qui fonctionnent à longueur d'année. Également, les serveurs et serveuses et le personnel de bar et de service de banquet sont très recherchés.

De nombreux établissements recherchent du personnel pour l'accueil. La connaissance des deux langues officielles du Canada est un atout, évidemment, ainsi que la connaissance d'autres langues.

La plupart du temps, les emplois en tourisme sont vus comme saisonniers et temporaires : des emplois plutôt que des carrières. Mais au Delta Prince Edward, qui fait maintenant partie de la grande chaîne Marriott, on peut facilement commencer au bas de l'échelle et gravir les échelons jusqu'à des postes permanents de grande responsabilité.

Javier Alarco, chef exécutif au Delta, et Cathy DesRoches, responsable du personnel d'entretien des chambres, estiment que quiconque veut gravir les échelons peut le faire dans la grande famille du Delta. «Nous embauchons tout le temps et pratiquement dans tous les départements. Il est possible de voyager dans le monde en obtenant des emplois dans les autres hôtels Delta, et même ceux de la grande chaîne Marriott, dont nous faisons maintenant partie», a indiqué le chef Alarco.

Source : Extrait de LA VOIX ACADIENNE, « L'industrie touristique embauche », *La Voie de l'emploi* (Summerside, IPE), 30 mars 2016, p. 1A.

Les associations professionnelles et les syndicats

Les associations professionnelles peuvent être un soutien important dès que l'on recherche des candidats ayant une qualification et une expérience professionnelles appropriées. Leur rôle est d'autant plus important que, pour certaines professions (les ingénieurs, par exemple), seuls les candidats accrédités par leur ordre professionnel peuvent être recrutés. Les associations professionnelles disposent la plupart du temps d'un site Web où elles diffusent des annonces d'emplois, des bulletins ou magazines dotés d'une section portant sur les offres d'emplois. Les informations diffusées par les ordres professionnels sont lues avec attention par leurs membres, ce qui assure un impact considérable à l'offre d'emploi. Enfin, l'utilisation des services d'un ordre permet de cibler des professionnels ayant des niveaux d'expérience variés.

Le bouche-à-oreille

Le bouche-à-oreille consiste en une méthode de recrutement directe et informelle, qui se distingue des autres par la place importante qu'elle accorde à l'initiative des employés. Elle constitue une méthode importante de recrutement externe. Selon une étude américaine de Crispin et Mehler (2004), 67,3 % du recrutement externe est fait au moyen de la consultation des candidatures spontanées recueillies sur recommandation, par l'intermédiaire du site Web de l'entreprise ou grâce au bouche-à-oreille.

Les programmes de référencement

Les personnes travaillant déjà dans une entreprise peuvent recommander l'embauche d'une de leurs connaissances ayant les qualifications requises pour un poste à pourvoir. Il s'agit alors, en quelque sorte, de faire de tous ses employés des recruteurs ou, en d'autres mots, des ambassadeurs de l'organisation qui recrute. Dans ce cas, la recommandation d'un employé est généralement suivie d'une prime ou d'un chèque cadeau, dont la valeur est modulée en fonction du niveau du poste ou de l'urgence des besoins dans un secteur particulier. Un tel programme permet à l'employeur de mobiliser ses employés (et leurs réseaux sociaux !) dans un effort de recrutement. Cette approche de recrutement favorise la cooptation pour solliciter des talents qui ne sont pas *a priori* à la recherche active d'un emploi. Mentionnons aussi que les recruteurs sont rassurés par les candidatures qui bénéficient d'une recommandation.

4.3.3 Le choix d'une méthode de recrutement

Avec la multiplication des méthodes de recrutement, surtout de recrutement externe, comment peut-on déterminer la méthode qu'il est préférable de mettre en œuvre ? À cet égard, les avis sont partagés. On ne peut dire qu'une méthode de recrutement est supérieure quel que soit le contexte. Il faut aussi reconnaître l'évolution importante des méthodes de recrutement stimulée par l'utilisation accrue des médias sociaux. Dans un tel contexte dynamique, il faut choisir en fonction de la situation, et ce, en tenant compte des expériences positives ou négatives que l'organisation a connues avec différentes méthodes. Il importe alors de choisir la méthode de recrutement qui convient le mieux au type de poste à pourvoir (personnel d'encadrement, de bureau, technique, etc.), à la politique de recrutement de l'entreprise (interne ou externe), aux conditions du marché de l'emploi ainsi qu'aux contraintes de temps et d'argent (les frais de déplacement et de séjour, le salaire du responsable du recrutement, etc.). Il peut aussi être pertinent de choisir une méthode de recrutement qui aidera l'organisation à atteindre ses cibles en matière d'équité en matière d'emploi. L'organisation qui recrute pourrait enfin adopter plusieurs méthodes de recrutement simultanément afin de pallier les limites de chacune. Elle pourrait décider, par exemple, de faire appel aux médias sociaux en complément aux outils traditionnels.

En ce qui concerne l'expérience antérieure de l'organisation avec l'une ou l'autre des méthodes de recrutement, le suivi peut se faire avec les indicateurs de performance suivants :

- le nombre de candidatures reçues ;
- le pourcentage de candidatures montrant une bonne adéquation entre les compétences du candidat et les exigences du poste ;
- le pourcentage de candidatures montrant une bonne adéquation entre les profils des personnes et les exigences du poste ;
- les délais requis pour recruter ;
- les coûts engendrés pour recruter ;
- le rendement des personnes recrutées au cours des 6 à 12 mois qui suivent leur embauche ;
- la rétention des personnes recrutées au bout de 6 à 12 mois.

Plus la campagne de recrutement attire de candidatures, plus l'employeur peut se permettre d'être sélectif. On évalue également les résultats des efforts de recrutement au moyen d'une vérification de la qualité des candidats. Par exemple, un employeur pourrait reconnaître que les candidats dont la candidature a été obtenue avec une méthode de recrutement n'ont généralement pas la qualification requise par le poste à pourvoir, alors qu'une autre méthode donne de bien meilleurs résultats. Une autre façon de porter un jugement sur la qualité des candidatures générées par différentes méthodes de recrutement consiste à faire un suivi sur le rendement des candidats au travail après leur embauche. Ainsi, on peut comparer les niveaux d'absentéisme et de rendement des employés issus de deux méthodes de recrutement différentes.

Zoom sur la PME

Huit stratégies originales pour recruter le candidat parfait

Pas évident de trouver la bonne recrue dans un monde où on s'arrache les meilleurs. Des conseils pour maximiser ses chances.

Le recrutement et la rétention d'employés sont loin d'être une sinécure pour les PME au Québec. En particulier dans les petites entreprises de moins de 100 employés, où le taux de roulement dépasse les 35 %. Les principales causes : les conditions de travail et la rémunération qui peuvent difficilement concurrencer celles des grandes entreprises. Mais l'une des plus grandes faiblesses constitue l'absence de stratégies pour bien recruter.

« Il faut savoir que les petites PME de moins de 80 employés ont rarement une personne désignée aux RH », souligne Laurent Vorelli, président du Groupe Propulsion RH. Cette réalité incite plusieurs PME à recourir aux services d'agences de recrutement ou à des consultants en RH afin d'être mieux outillées et plus attrayantes. Des exemples de solutions originales.

Utilisez le réseau de vos employés

Chez l'entreprise de fabrication de vêtements Coalision, qui embauche une trentaine de personnes par année, les employés servent d'ambassadeurs. « On leur demande d'utiliser leur réseau Facebook et LinkedIn pour nous aider à pourvoir les postes vacants », indique Véronique Lemieux, vice-présidente, RH. Elle participait à l'événement Mesurez et optimisez les performances de vos stratégies RH, présenté récemment par *Les Affaires*. Chez Coalision, on recense plus de 220 postes différents... pour 235 employés. « Ce sont des postes dotés de spécialisations particulières, comme coordonnateur de production, technicien en transports et douanes, développeur Front-End junior... Le réseau de relations de nos employés nous permet donc de faciliter notre recrutement pour ces postes plus techniques », ajoute Véronique Lemieux. Elle précise que le personnel de l'entreprise est composé à 72 % de femmes, ce qui se traduit par de nombreux congés de maternité. Pour chaque candidat qui reste en poste pendant au moins les trois mois de probation, l'employé qui l'a suggéré reçoit un crédit substantiel pour l'achat de vêtements. Un peu plus de cinq candidats par année sont embauchés grâce à ce programme de recommandation.

Source : Extrait de HÉBERT, C. « Huit stratégies originales pour recruter le candidat parfait », *Les Affaires*, 4 octobre 2014, p. A2-A3.

4.4   La sélection

En matière de sélection du personnel, l'analogie de la course d'obstacles semble très pertinente. En effet, le processus de sélection impose à chaque candidat une série d'épreuves à surmonter, de l'analyse du curriculum vitæ ou de la demande d'emploi jusqu'à la vérification des références. Dans l'optique de l'organisation qui cherche à prendre la meilleure décision possible, le défi qui se présente consiste à choisir dans un réservoir de candidats la personne qui saura le mieux répondre aux exigences du poste et aux besoins en RH de l'entreprise. À cet égard, en règle générale, plus l'information sur les candidats sera complète et juste, meilleure sera la décision de sélection.

Plusieurs instruments de sélection permettent de procéder à la collecte de l'information portant sur les critères de sélection. Bien qu'il faille choisir l'instrument en fonction de ces critères et d'exigences professionnelles justifiées, il faut aussi prendre en considération la validité, la fidélité (ou fiabilité), l'utilité et la légalité de chaque instrument.

La validité d'un instrument de sélection exprime la force de la relation entre ce que cet instrument prédit et la performance dans l'emploi. Il existe plusieurs types de validité :

- La validité de contenu porte sur la cohérence entre l'instrument de sélection et les critères définis. Par exemple, un test de raisonnement qui mesure l'aptitude à traduire en symboles mathématiques des problèmes simples présentés sous forme verbale convient aux métiers de l'informatique, mais pas nécessairement à la sélection d'un représentant médical. Autrement dit, l'instrument de sélection doit refléter les exigences du poste et les critères de sélection.

- La validité concomitante renvoie à la relation entre l'instrument de sélection et la réussite professionnelle pendant une même période. On peut ainsi examiner la relation statistique entre les résultats obtenus lors d'un test de raisonnement et le rendement actuel des employés qui occupent les postes en informatique dans le même intervalle. Si les employés qui obtiennent les meilleurs résultats au test de raisonnement sont également ceux qui offrent le meilleur rendement au travail, on peut en conclure que la validité concomitante du test est élevée.

- La validité prédictive étudie le lien entre ce que prédit l'instrument de sélection au cours de l'évaluation des candidatures et la réussite professionnelle future dans l'emploi. Par exemple, si les candidats ayant obtenu les meilleurs résultats lors d'un test de raisonnement sont, quelques mois après leur embauche, parmi les meilleurs informaticiens, le test aura prouvé sa validité prédictive.

Le tableau 4.3 montre que les instruments de sélection orientés vers les comportements et les aptitudes obtiennent les scores de validité prédictive les plus élevés. Malheureusement, ces instruments sont souvent ceux qui coûtent le plus cher et qui requièrent une bonne maîtrise des techniques de sélection. Les critères relatifs à la personnalité ou aux données biographiques sont moins coûteux à vérifier, mais leur validité est faible, voire insuffisante, lorsqu'il s'agit de prendre une décision éclairée en matière de sélection.

Tableau 4.3	Les instruments de sélection selon leur validité prédictive et leur coût	
Instrument de sélection	**Validité prédictive**	**Coût**
Test situationnel/mise en situation de travail	Élevée	Modéré/élevé
Test d'aptitudes cognitives	Élevée	Faible/modéré
Entrevue structurée	Élevée	Modéré/élevé
Évaluation par les pairs	Élevée	Faible/modéré
Évaluation au cours d'une période d'essai	Élevée	Modéré
Test de connaissances	Élevée	Modéré
Évaluation des comportements	Modérée/élevée	Modéré/élevé
Entrevue non structurée	Modérée	Faible/modéré
Centre d'évaluation du potentiel	Modérée	Très élevé
Information biographique	Modérée	Faible
Test de personnalité	Modérée/faible	Modéré
Vérification des références	Modérée/faible	Faible
Test de champs d'intérêt	Faible	Modéré
Expérience de travail	Faible	Faible
Nombre d'années d'études	Faible	Faible
Graphologie	Très faible	Modéré

La fiabilité exprime le degré de constance ou de stabilité des résultats d'une mesure. Au cours d'une démarche de sélection, il serait hasardeux de se fier à un instrument qui ne donne pas les mêmes résultats d'une mesure à l'autre dans des conditions similaires. Par exemple, on peut vérifier la fiabilité d'un test de personnalité en le faisant passer à un même groupe de sujets à deux moments différents, de manière à pouvoir analyser sa stabilité temporelle. Plus l'outil de sélection est fiable, plus les données qu'il permet de recueillir sont précises (dans notre exemple, les participants donneront par deux fois les mêmes réponses). Le recruteur réduit ainsi les risques d'erreurs.

L'utilité d'un instrument de sélection repose surtout, quant à elle, sur sa validité prédictive (Schmidt et Hunter, 1998). Du point de vue de l'analyse de l'utilité, on souhaite disposer d'un instrument de sélection permettant de prédire correctement la performance au travail et la capacité de la personne d'apprendre de nouvelles choses dans son travail. L'analyse de l'utilité impose d'assigner une valeur pécuniaire à l'amélioration qui résulte de l'utilisation d'un instrument ayant une bonne validité prédictive. Si, par exemple, l'entrevue structurée participe à l'amélioration des décisions de sélection et qu'il en résulte une amélioration de la performance au travail équivalente à un écart type de la moyenne, son utilité sera fonction de la valeur pécuniaire attribuée à cette variation. Il faudra aussi, bien sûr, relativiser ces bénéfices en fonction des coûts de l'instrument de sélection.

Mentionnons aussi qu'il est important de s'assurer de la légalité de l'instrument de sélection et des critères qu'il mesure. La principale balise à respecter est que les méthodes et les procédures de sélection ne portent pas atteinte aux droits et libertés de la personne. Le tableau 4.4 expose quelques éléments essentiels de la Charte québécoise qui sont à considérer au moment de choisir un instrument de sélection. Au Canada, les institutions de compétence fédérale doivent plutôt se référer à la Loi canadienne sur les droits de la personne.

Tableau 4.4	La Charte des droits et libertés de la personne (L.R.Q., c. C-12)	
Article 1	Droit à l'intégrité de la personne	Le droit du candidat à l'intégrité de sa personne lui permet, par exemple, de refuser de se soumettre à un examen médical, à un test psychométrique ou encore de fournir un échantillon de sang, d'urine ou autre dans le cadre de tests de dépistage. La personne humaine étant inviolable, on ne saurait exiger d'une personne qu'elle se soumette à de tels traitements sans son consentement, sous réserve d'une disposition expresse de la loi.
Article 4	Droit à la sauvegarde de la dignité, de l'honneur et de la réputation	Le droit du candidat à la sauvegarde de sa dignité, de son honneur et de sa réputation interdit à l'employeur d'adopter une conduite vexatoire, insultante ou diffamatoire à l'endroit d'un candidat, ou encore de le soumettre à des situations humiliantes et dégradantes.
Article 5	Droit au respect de la vie privée	Le droit du candidat au respect de sa vie privée limite considérablement les renseignements personnels que l'employeur est susceptible d'obtenir auprès du candidat lui-même ou auprès de tiers. L'employeur n'est généralement autorisé qu'à obtenir les renseignements personnels qui sont nécessaires à la conclusion ou à l'exécution du contrat de travail, ou encore ceux que le candidat accepte unilatéralement de lui communiquer.
Article 9.1	Atteinte aux droits fondamentaux permise dans certains cas	Des objectifs légitimes, comme le droit de l'employeur de s'assurer que le candidat peut réaliser le travail de façon efficace et sécuritaire, par exemple, peuvent justifier certaines atteintes aux droits fondamentaux. L'employeur doit toutefois justifier cette atteinte en démontrant : 1) qu'il poursuit un objectif légitime (p. ex., la sécurité des employés et celle du public) ; 2) que la mesure impliquée (p. ex., le recours à un examen médical, à un test de dépistage ou à un test psychométrique) est rationnellement liée à l'objectif en question ; 3) que les conséquences découlant de cette mesure sont proportionnelles à l'objectif visé (c'est-à-dire qu'il s'agit d'une « atteinte minimale » aux droits fondamentaux du candidat (Godbout c. Longueuil (Ville de), [1997] 3 R.C.S. 844)).
Article 10	Concept de « discrimination » et motifs de discrimination interdits	Il y a discrimination lorsqu'une distinction, exclusion ou préférence fondée sur un motif interdit a pour effet de détruire ou de compromettre le droit d'une personne à la reconnaissance et à l'exercice, en pleine égalité, des droits de la personne. Les motifs de discrimination interdits sont la race, la couleur, le sexe, la grossesse, l'orientation sexuelle, l'état civil, l'âge (sauf dans la mesure prévue par la loi), la religion, les convictions politiques, la langue, l'origine ethnique ou nationale, la condition sociale, le handicap ou l'utilisation d'un moyen pour pallier ce handicap.

Tableau 4.4	La Charte des droits et libertés de la personne (L.R.Q., c. C-12) *(suite)*	
Article 11	Interdiction de la discrimination dans une publication	Il est interdit à quiconque de diffuser, de publier ou d'exposer en public un avis qui comporte de la discrimination ou de donner une autorisation à cet effet. Un employeur ne peut donc, en principe, publier une offre d'emploi qui comporte de la discrimination.
Article 16	Interdiction de la discrimination en emploi	Il est interdit d'exercer de la discrimination dans l'embauche, l'apprentissage, la durée de la période de probation, la formation professionnelle, la promotion, la mutation, le déplacement, la mise à pied, la suspension, le renvoi ou les conditions de travail d'une personne ainsi que dans l'établissement de catégories ou de classification d'emploi.
Article 18.1	Interdiction d'obtenir des renseignements se rapportant à des motifs de discrimination interdits	Il est interdit de requérir d'un candidat des renseignements sur les motifs de discrimination interdits énoncés à l'article 10 de la C.d.l.p., que ce soit dans un formulaire, un questionnaire ou à l'occasion d'une entrevue. Il est toutefois permis d'obtenir de tels renseignements lorsqu'ils sont utiles à l'application de l'article 20 de la C.d.l.p. ou à l'application d'un programme d'accès à l'égalité en place au moment de la demande. Cette disposition s'applique également aux tests psychométriques (C.D.L.P.J. (Arsenault) c. Institut Demers Inc. et Groupe Conseil G.S.T. Inc., 1999 CanLII 51 (QC TDP)).
Article 18.2	Discrimination fondée sur les antécédents judiciaires	Seule une déclaration de culpabilité à une infraction présentant des liens étroits avec l'emploi convoité, et pour laquelle aucun pardon ou autre forme de réhabilitation administrative n'a été accordé, peut être invoquée par l'employeur pour écarter une candidature.
Article 20	Discrimination justifiée dans certaines circonstances	Un employeur peut discriminer un candidat sur la base d'un motif de discrimination interdit lorsque cette exigence est une qualité ou une aptitude requise par l'emploi (exigence professionnelle justifiée). Pour ce faire, il devra éventuellement démontrer : (1) que l'exigence a été adoptée dans un but rationnellement lié à l'exécution du travail en cause ; et (2) qu'elle est raisonnablement nécessaire pour réaliser ce but légitime lié au travail, c'est-à-dire qu'il lui est impossible d'accommoder le candidat sans subir une contrainte excessive (Colombie-Britannique (Public Service Employee Relations Commission) c. BCGSEU, [1999] 3 R.C.S. 3). En outre, le caractère charitable, philanthropique, religieux, politique ou éducatif d'une institution sans but lucratif ou vouée exclusivement au bien-être d'un groupe ethnique peut être invoqué afin de justifier certaines pratiques qui seraient autrement discriminatoires.

Source : Extrait de DENIS, P. L., F. PARÉ et S. ASSELIN. « Sélectionner des candidats en toute légalité », *Gestion*, vol. 36, n° 3, automne 2011, p. 53-54.

4.4.1 La présélection

Avant de convoquer un candidat en entrevue ou de le soumettre à un test de sélection, la plupart des employeurs procèdent à une présélection sur la base de l'analyse des curriculum vitæ (CV) ou des demandes d'emploi. Le premier tri peut aussi se faire par l'entremise d'un bref entretien téléphonique.

L'analyse des demandes d'emploi

Le formulaire de demande d'emploi, un document rédigé par l'employeur, permet d'obtenir des renseignements sur la formation et les expériences de travail de chaque candidat. Il permet aussi, par extension, d'obtenir des données sur leurs caractéristiques, leurs antécédents, leurs goûts, leurs habitudes et leurs opinions. Le formulaire de demande d'emploi a l'avantage de fournir les renseignements qui intéressent le plus l'entreprise pour le poste à pourvoir, et de le faire sous un format standardisé et similaire pour tous les candidats.

Souvent utilisé pour les emplois autres que ceux de cadres, le formulaire de demande d'emploi est de plus en plus répandu dans le recrutement en ligne. Que les entreprises aient un poste à pourvoir ou non, elles présélectionnent et formatent l'information recueillie auprès de chaque candidat. Par exemple, dès qu'un candidat veut postuler un emploi sur le site du Cirque du Soleil (qu'il ait ou non repéré un poste à pourvoir correspondant à ses attentes), il doit remplir un formulaire en ligne, ce qui prend 15 minutes environ. Cette pratique permet d'accélérer l'analyse des formulaires de

 VIDÉO

Regina Hartley, directrice des RH chez UPS, a réalisé « Why the Best Hire Might Not Have the Perfect Resume », une conférence TED sur l'intérêt de sélectionner des CV atypiques.

demande d'emploi, de déterminer rapidement si le candidat remplit les exigences du poste et de lui répondre dans de brefs délais.

Les formulaires de demande d'emploi doivent respecter la Charte des droits et libertés de la personne du Québec. Poser des questions relatives à l'âge et demander aux candidats de joindre leur photo à la demande d'emploi sont ainsi des pratiques à proscrire.

L'analyse des curriculum vitæ

Le curriculum vitæ est rédigé par le candidat et, contrairement au formulaire de demande d'emploi, il contient les renseignements que celui-ci accepte de diffuser auprès des organisations. Sa portée au moment de la présélection est fondamentale, puisqu'il constitue le principal outil sur lequel les entreprises s'appuient au cours de cette étape. C'est cette carte de visite qui donne ou non envie de recevoir un candidat en entretien.

L'analyse des CV ne permettra pas à l'employeur d'avoir une information complète sur l'ensemble de ses critères de sélection, mais il pourra au moins s'assurer que les candidats ont une formation et une expérience professionnelle pertinentes. Il pourra aussi s'intéresser aux cheminements de carrière des candidats ou même relever les informations incongrues.

L'entretien téléphonique

L'entretien téléphonique permet de prendre contact avec les candidats. Il peut fournir l'occasion à l'employeur de valider une information qui n'apparaît pas clairement dans le CV. D'une durée d'environ 15 à 30 minutes au plus, l'entretien téléphonique est aussi utilisé pour vérifier la capacité de communiquer des candidats ou d'autres critères de sélection. Cette méthode sert ainsi à établir une relation sociale avec les candidats et leur permet de s'informer sur l'organisation et sur le processus de sélection.

4.4.2   L'entrevue de sélection

L'entrevue de sélection représente un outil de sélection valide, surtout lorsqu'elle est bien planifiée (Cortina *et al.*, 2000). L'entrevue structurée consiste à rédiger une série de questions destinées à vérifier les critères de sélection déterminés, et ce, pour chaque poste à pourvoir. Le document qui formalise l'ordre et le libellé des questions est appelé « grille d'entrevue » ou « guide d'entrevue ». Un bon guide d'entrevue inclut des questions ouvertes, larges, qui permettent de vérifier les connaissances, les habiletés, les aptitudes, les traits de personnalité, les motivations et autres caractéristiques associées aux critères de sélection (*voir l'encadré 4.1*). Les mêmes questions sont posées à tous les candidats qui postulent pour le même emploi.

Afin de tirer profit de l'entrevue de sélection, on suggère de poser surtout des questions comportementales et des questions de mise en situation (Pettersen et Durivage, 2006) (*voir le tableau 4.5*). Comme les questions comportementales

Encadré 4.1	Les principales caractéristiques de l'entrevue structurée
• Les questions sont tirées de l'analyse de l'emploi. • Les questions portent sur les comportements. • Les mêmes questions sont posées à chaque candidat. • Une évaluation numérique des réponses est affectée à chaque question.	• Une grille détaillée permet d'évaluer la réponse à chaque question. • Des notes sont prises pendant l'entrevue. • La même procédure est appliquée à chaque candidat.

suscitent des réponses sur les comportements passés du candidat, elles permettent de prédire ses futures réactions dans des circonstances similaires. Par exemple, les réponses aux questions suivantes peuvent renseigner le comité de sélection sur le style de supervision qu'exercerait un candidat : «Pouvez-vous nous parler d'une interaction particulièrement difficile que vous avez eue avec un employé placé sous votre supervision ? Comment avez-vous réussi à améliorer la situation ?» Voici un autre exemple, où l'employeur peut cette fois évaluer la capacité du candidat de travailler rapidement et sous pression : «Parlez-moi d'une situation professionnelle où l'on vous a demandé de remettre un rapport ou un travail dans un délai plus court que prévu (p. ex., une semaine plus tôt). Comment avez-vous réagi ? Qu'avez-vous fait ?»

Quant aux questions de mise en situation, elles portent sur des incidents critiques susceptibles de survenir au cours des activités professionnelles du titulaire du poste. On décrit d'abord une situation hypothétique concernant un échantillon de travail ; on demande ensuite au candidat quelle serait sa réaction dans une telle situation. Voici un exemple de question de mise en situation utilisée pour la sélection à un poste d'infirmière : «Un bénéficiaire diabétique et nauséeux a vomi des aliments à trois reprises durant la journée. Il n'a pas dîné. À 16 heures, sa glycémie capillaire s'élevait à 2,0. Vous êtes l'infirmière responsable de soirée. Comment réagissez-vous dans cette situation ?» Le recruteur apprend alors quel cheminement la candidate suivrait dans la résolution d'un problème de la vie réelle, et obtient ainsi une indication sur son «jugement clinique».

Le tableau 4.5 énumère les différences entre les questions comportementales et les questions de mise en situation.

Tableau 4.5	Les distinctions entre les questions comportementales et les questions de mise en situation	
Question comportementale		**Question de mise en situation**
Situation vécue		Situation fictive
Orientée vers le passé		Orientée vers l'avenir
Se termine par : qu'avez-vous fait ?		Se termine par : que feriez-vous ?
Évoque des comportements démontrés dans une variété de situations.		Évoque des comportements dans une situation précise, celle de la mise en situation.

La réussite de l'entrevue ne se limite pas à la maîtrise du guide d'entrevue et aux questions comportementales ou de mise en situation. L'entrevue permet aussi la rencontre de l'employeur et du futur employé. Elle est une excellente occasion pour le candidat de se faire une idée de l'environnement de l'entreprise et d'acquérir de nouveaux renseignements pouvant guider sa décision d'accepter ou de refuser le poste. L'attitude des intervieweurs est aussi une condition de succès du processus et elle donne une image de professionnalisme aux candidats. Une étude menée par Monster et DDI auprès de 3 725 chercheurs d'emplois montre ainsi que, pour les deux tiers d'entre eux, l'attitude de l'intervieweur influence — de beaucoup à modérément — leur décision d'accepter ou non un poste (Laporte, 2007). Ainsi, plus de 70 % des candidats se déclarent agacés quand on ne leur accorde pas beaucoup de temps au cours de l'entrevue, quand les recruteurs sont mal préparés ou arrivent en retard ou encore quand on leur pose des questions personnelles ou sans rapport avec le poste. Pour éviter des désagréments de ce genre, le tableau 4.6, à la page suivante, expose les comportements à adopter et à éviter pendant l'entrevue de sélection. L'employeur ferait bien de passer cette liste en revue avant l'entrevue.

Tableau 4.6	Les comportements à adopter pendant l'entrevue de sélection
Comportement à adopter	**Comportement à éviter**
Accueillir le candidat.	Être désagréable.
Se présenter et présenter les membres du comité de sélection.	Utiliser un ton impatient.
Être cordial.	Meubler tous les silences.
Expliquer le déroulement de l'entrevue.	Laisser le candidat dans l'incertitude.
Être à l'écoute.	En arriver à des conclusions hâtives.
Laisser le temps de répondre.	Prendre un appel pendant l'entrevue.
Respecter les silences.	Poser des questions tendancieuses.
Au besoin, reformuler les questions.	Avoir une attitude menaçante.
Prendre des notes.	Couper la parole.
Rester neutre.	Faire des commentaires déplacés.
Garder la maîtrise de l'entrevue.	Bâiller, regarder sa montre.
Expliquer les suites de l'entrevue.	Suggérer des réponses.
Répondre aux questions du candidat.	Poser deux questions dans une même phrase.
Remercier le candidat.	Donner son opinion.

4.4.3 Les tests de sélection

Il existe un grand nombre de tests de sélection sur le marché, ce qui complexifie la tâche du recruteur, qui ne sait lequel choisir. Par ailleurs, la plupart des tests sont américains et ne conviennent pas à toutes les situations. Pour permettre de s'y retrouver, le tableau 4.7 présente les principaux tests de sélection que sont les tests d'aptitudes, les tests de personnalité, les tests situationnels et les autres types de tests. Une discussion approfondie de chacun de ces tests de sélection demanderait des développements trop longs pour un livre comme celui-ci. Nous nous en tiendrons donc aux principales caractéristiques des tests de sélection les plus répandus.

Tableau 4.7	Un panorama des principaux tests de sélection		
Tests d'aptitudes	**Tests de personnalité**	**Tests situationnels**	**Autres tests**
• Test d'aptitudes cognitives (Binet, Raven, test des dominos) • Test d'aptitudes pratiques : mécaniques (Bennett, McQuarrie, Wiesen), rapidité (Avenati) • Test d'aptitudes cognitives et pratiques (BGTA)	• Tests de leadership et de quotient émotionnel (MBTI) • Inventaire de personnalité (Big Five, Cattell, Gordon, Guilford-Zimmerman, PAPI) • Inventaire d'intérêts professionnels (Edwards, Holland, Kuder)	• Épreuve du courrier • Simulation de gestion • Jeux de rôles • Discussion de groupe	• Graphologie • Test d'honnêteté • Examen médical • Dépistage des drogues

Si l'utilisation des tests de sélection n'est pas une nouveauté, leur informatisation crée de nouvelles tendances. On trouve en effet de plus en plus de tests sur les sites de recrutement en ligne. Chez le Canadien National, les postulants passent des tests psychométriques qui mesurent les aptitudes et les compétences dès la présélection. Une première élimination est effectuée sur cette base, avant même que ne s'amorce le processus d'entrevues. Chez Bombardier, les tests de sélection ne sont pas une étape d'élimination, mais plutôt un élément supplémentaire dans la prise de décision et un outil servant à établir le plan de développement d'un employé. Ils sont corrigés par une firme extérieure pour assurer la confidentialité des résultats (Perron, 2004). Ubisoft utilise aussi les tests, mais dans une autre optique : l'entreprise invite les internautes sur son terrain de jeux *Game Design*, où ils peuvent démontrer leurs habiletés à travers une série de tests liés à la conception de jeux vidéo et faisant appel à la logique, à la créativité et à la mémoire. Ces tests permettent d'attirer des candidats potentiels en leur montrant les perspectives des métiers d'Ubisoft et servent à repérer les internautes les plus habiles (Fournier, 2007).

Les tests d'aptitudes

Plusieurs aptitudes essentielles se mesurent difficilement en entrevue de sélection ou par d'autres moyens que les tests. Dans le secteur du transport, par exemple, une entreprise de camionnage pourrait faire passer un test de conduite de façon à porter un jugement sur l'aptitude des candidats à écouter les conseils de sécurité.

Les tests d'aptitudes sont généralement considérés comme des outils de sélection valides. Les tests mesurant les aptitudes cognitives, par exemple, ont un coefficient de validité prédictive nettement plus élevé que celui associé aux tests de personnalité. Ces tests d'aptitudes cognitives mesurent le fonctionnement de l'intelligence, c'est-à-dire la compréhension et la flui-

Dans le secteur du transport, une entreprise de camionnage pourrait faire passer un test de conduite de façon à porter un jugement sur l'aptitude des candidats à suivre les conseils de sécurité.

dité verbales, la mémoire, le raisonnement par induction, l'aisance numérique, la rapidité de perception et la visualisation spatiale (Pettersen et Turcotte, 1996). Plus un individu est doué d'intelligence, plus il est susceptible d'apprendre rapidement lorsqu'il fait face à de nouvelles expériences.

Les tests d'aptitudes mécaniques mesurent pour leur part les capacités physiques, c'est-à-dire la visualisation spatiale, la dextérité, le temps de réaction, l'adresse et la précision. Dans le processus de sélection, on fait surtout appel à ces tests pour des emplois qui exigent l'utilisation de machines et d'équipements (menuisier, mécanicien, opérateur de machinerie, soudeur, électricien, couturier, dentiste, etc.) ou pour les emplois requérant des habiletés de manipulation. Le test de compréhension mécanique Bennett, qui mesure l'aptitude à percevoir et à comprendre la relation entre les forces physiques et les éléments mécaniques dans des situations pratiques, est particulièrement indiqué pour les candidats qui postulent dans les milieux industriels et dans le domaine de la mécanique. D'autres tests de sélection mesurent les aptitudes administratives, et donc la rapidité de perception et la précision dans le traitement de données verbales et numériques. Une dernière catégorie de tests d'aptitudes porte sur les aptitudes physiques, soit sur la force musculaire, l'endurance cardiovasculaire et l'équilibre.

Les tests de personnalité

De l'avis de plusieurs experts, il vaut mieux faire preuve de prudence dans l'utilisation des tests de personnalité à des fins de sélection (Morgeson *et al.*, 2007). D'une part, la validité prédictive de ces tests demeure modeste. D'autre part, les candidats peuvent répondre de façon à mettre en valeur certaines facettes désirables de la personnalité et ainsi fausser l'analyse. Ainsi, bien que les tests de personnalité puissent apporter une information supplémentaire intéressante, il ne faudrait pas leur donner un poids trop grand dans la prise de décision finale. Tandis que leur validité prédictive s'améliore pour les postes comportant une plus grande complexité (Le *et al.*, 2011), leur utilisation se justifierait surtout pour l'embauche de cadres et de professionnels dont les postes exigent un degré élevé de traitement de l'information. L'encadré 4.2, à la page suivante, présente des exemples d'énoncés susceptibles de se trouver dans un inventaire de personnalité.

Personnalité

Profil basé sur les différences individuelles dans les façons de penser, de ressentir et de se comporter.

| Encadré 4.2 | Des exemples d'énoncés pouvant faire partie d'un inventaire de personnalité |

1. Je suis souvent mes impulsions.

2. Les réunions sociales m'embêtent généralement.

3. Les gens trouvent que j'ai un bon sens pratique.

4. Il m'est facile de parler devant un grand groupe.

5. Quand je prends des vacances, j'aime partir sans avoir de plan détaillé.

6. Les difficultés personnelles d'autrui ne me préoccupent pas vraiment.

7. Les problèmes d'une très grande simplicité m'ennuient.

8. Cela ne me dérange pas de m'habiller d'une manière différente des autres.

9. Je suis doué pour comprendre ce que les gens veulent réellement.

Source : Extrait de MORIN, D., et J.-S. BOUDRIAS. « Démystifier les inventaires de personnalité », *Gestion*, vol. 36, n° 3, automne 2011, p. 61-73.

Les tests situationnels

Les tests situationnels placent les candidats dans des situations caractéristiques du travail à accomplir. Ces tests ont l'avantage de permettre une vérification directe du rendement à partir d'un échantillon de travail. Ils sont très utiles lorsqu'il s'agit d'apprécier le savoir-faire des candidats, c'est-à-dire leur capacité de faire appel à leurs connaissances et de les appliquer à des situations concrètes. Ces tests sont particulièrement utilisés dans les centres d'évaluation du potentiel, lesquels misent sur l'observation de plusieurs simulations par divers évaluateurs.

Dans le cas d'un poste administratif, les tests situationnels peuvent porter sur la prise de notes, la dactylographie ou la vérification grammaticale. Pour un poste d'ouvrier, on peut vérifier la dextérité à manipuler certains outils, à réparer un moteur, à lire des plans, à installer des courroies ou à monter un moteur. Pour un poste d'encadrement, la discussion en groupe non dirigée permet d'observer comment le candidat travaille avec les autres à la résolution d'un problème. Quant au jeu de rôle, il permet d'évaluer le comportement du candidat dans une dynamique d'interactions avec les autres.

L'exercice du courrier (*in-basket* ou corbeille d'entrée) est un test situationnel particulièrement reconnu pour sa validité et sa pertinence en milieu organisationnel. Le candidat doit y traiter le cas qui lui est soumis et s'efforcer de prendre les meilleures décisions compte tenu des renseignements qui lui sont fournis. Il peut s'agir, par exemple, de régler certaines affaires courantes (rédiger des notes de service, planifier des réunions, établir des ordres du jour) et de prendre toutes les mesures qu'il juge appropriées. Quel que soit l'exercice, le candidat gère un dossier issu d'une situation réelle, comme s'il était vraiment titulaire du poste.

Les autres types de tests

Les autres types de tests comprennent notamment l'analyse graphologique, les tests d'honnêteté, les examens médicaux avant l'embauche, les tests de dépistage des drogues et du VIH (virus d'immunodéficience humaine). Leur usage est souvent problématique, car soit ils ont une validité très faible, soit ils empiètent sur la vie privée et la liberté des personnes, ce qui rend leur utilisation délicate et critiquable sur le plan légal. Par exemple, la graphologie, c'est-à-dire l'étude de l'écriture d'un individu, prétend cerner la personnalité et même les capacités intellectuelles de son auteur. Or, sa validité prédictive est très faible. C'est pourquoi l'usage de ce test est fortement déconseillé.

Les tests d'honnêteté sont surtout utilisés pour réfréner les problèmes de vol, d'absentéisme et de violence en milieu de travail. Alors que l'usage du détecteur de mensonges a été remis en cause, surtout sur les plans psychométrique et éthique, les organisations ont de plus en plus recours aux tests d'honnêteté écrits. Ces tests sont pertinents

Regard sur la pratique

A.B.I. abandonne son test antidopage préembauche

AU QUÉBEC

Un jugement du Tribunal de la personne forcera l'Aluminerie de Bécancour Inc. (A.B.I.) à abandonner son test antidopage préembauche et à revoir le questionnaire qu'elle faisait passer à ses candidats depuis de nombreuses années.

Celui-ci fait suite à la cause d'un individu qui a porté plainte, et obtenu gain de cause, après avoir échoué à un test antidopage qu'exigeait systématiquement l'entreprise. Jugeant cette pratique discriminatoire, il a porté sa cause devant la Commission des droits de la personne et des droits de la jeunesse.

Le candidat avait déclaré avoir déjà consommé du cannabis, mais ne pas en avoir fait usage depuis cinq ans. Même le Dr Croisetière, qui a agi comme examinateur, avait confirmé que ce résultat positif n'avait pas d'impact sur sa capacité à effectuer sa tâche d'opérateur. Il avait aussi proposé de procéder à un test de confirmation pour s'assurer de la validité et de la fiabilité du résultat, ce que n'a toutefois pas fait A.B.I.

« Le test antidopage n'est pas pertinent parce qu'on ne peut pas savoir si vous êtes intoxiqué à ce moment-là, comme le ferait un ivressomètre, mais seulement que vous l'avez déjà été. C'est comme de savoir que vous avez pris un verre la semaine dernière et d'en conclure que vous risquez d'être intoxiqué au travail », précise Me Stéphanie Fournier, qui a défendu les intérêts de l'individu qu'on ne peut pas identifier.

Un précédent ?

À la suite de cette cause, l'entreprise s'est engagée à cesser de recourir à l'utilisation de tests de dépistage de drogue pré-embauche dans le cadre de son processus de sélection. Il s'agit d'un premier jugement du genre au Québec et d'un deuxième au Canada.

Source : Extrait de LACROIX, S. « A.B.I. abandonne son test antidopage pré-embauche », *Le Courrier Sud*, 1er septembre 2016, www.lecourriersud.com/Actualites/Economie/2016-09-01/article-4628623/A.B.I.-abandonne-son-test-antidopage-pre-embauche/1 (Page consultée le 8 septembre 2016).

dans le cas de postes de fiduciaires ou lorsque les employés ont accès à des objets de valeur ou à des produits pharmaceutiques, mais ils ne le sont pas dans la plupart des situations professionnelles et, à ce titre, on ne devrait pas y faire appel.

Enfin, l'employeur peut vérifier au moyen d'un examen médical avant l'embauche si un candidat est en mesure d'exécuter son travail. Pour un poste de manutentionnaire, par exemple, l'examen médical peut viser à déterminer si le candidat est apte à soulever des boîtes ou d'autres objets lourds. Cet examen permet aussi de respecter la réglementation en matière de santé et de sécurité, de limiter les primes d'assurance vie que paie l'employeur et de prévenir les malaises. Selon la nature du travail à accomplir, l'employeur peut exiger différents types d'examens médicaux, comme un test sanguin, une radiographie des poumons, un test d'acuité visuelle ou un test portant sur l'effort. Leur utilisation n'est légitime que s'ils servent à évaluer l'aptitude d'une personne à accomplir les tâches essentielles d'un emploi.

Il existe deux cas particuliers de tests médicaux : les tests de dépistage des drogues et les tests de dépistage du VIH. Dans l'industrie du transport routier, par exemple, un règlement oblige l'employeur à faire passer à un candidat un test de dépistage des drogues avant l'embauche. Quant au test de dépistage du VIH, il se justifie difficilement, le virus ne se transmettant que par des contacts sexuels, par le sang et de la femme enceinte au fœtus. L'employeur a donc peu de motifs raisonnables de craindre que le VIH ne nuise à la santé de ses autres employés.

4.4.4 La vérification des références

Le fait de vérifier minutieusement les références auprès de personnes qui ont eu l'occasion d'observer le candidat au travail (supérieur, collègues, subordonnés, professionnel des RH) ou de le côtoyer dans d'autres circonstances (anciens professeurs, amis, membres de sa famille) aide à cibler les domaines où le candidat pourrait démontrer des forces et des faiblesses dans le cadre de ses nouvelles fonctions. La vérification des références donne également l'occasion de s'assurer de l'expertise du candidat, de son expérience et de ses réalisations. Le recruteur peut aussi obtenir de l'information sur les emplois antérieurs, la personnalité, le rendement passé au travail ou les motifs pour lesquels le candidat a quitté son emploi. On utilise également les références pour s'assurer de l'exactitude de certains renseignements. Ici, l'on prête attention aux compétences, aux dates d'emploi et aux motifs de départ.

Comme instrument de sélection, les références posent toutefois certains problèmes pratiques. Le principal problème a trait au fait que les employeurs antérieurs et les gens appelés à donner des références personnelles transmettent rarement des renseignements négatifs sur le candidat, ce qui réduit la valeur de l'information obtenue. Pour pallier cette limite, l'analyse des références et des lettres de recommandation devrait porter sur des résultats et des comportements, et non sur une impression générale.

L'individu doit autoriser l'employeur potentiel à vérifier ses références. L'autorisation doit être formelle et signée par le candidat. Cela donne la permission à l'employeur de contacter uniquement les personnes citées en référence par les candidats. Le recruteur peut communiquer avec d'autres personnes seulement si le candidat y consent par écrit. Toutefois, ces autorisations concernent exclusivement des demandes relatives à l'expérience professionnelle du candidat. Elles ne permettent pas de diffuser de l'information portant atteinte à sa vie privée (vie conjugale, santé au travail, etc.), qui demeure confidentielle.

La Loi sur la protection des renseignements personnels impose donc des limites au regard de ce qu'un employeur peut divulguer sur un ancien employé. Afin de se prémunir contre l'éventualité d'une poursuite judiciaire et de réduire la crainte de l'employeur d'être poursuivi pour calomnie ou diffamation, le responsable de la dotation devrait obtenir le consentement libre et éclairé du candidat avant de s'adresser à une tierce personne. Autrement, si le responsable de la sélection procède sans le consentement du candidat, la demande d'information devrait viser uniquement la confirmation de l'exactitude des renseignements transmis par le candidat, et non l'obtention de renseignements supplémentaires.

4.4.5 La décision d'embauche

Précédemment, nous avons comparé le processus de sélection à une course d'obstacles. Selon cette analogie, à chaque obstacle tombent un certain nombre de candidats et le gagnant, soit l'individu qui réussit à franchir la ligne d'arrivée avant les autres, recevra l'offre d'emploi. Bien que cette analogie reflète la dynamique générale, il existe différentes approches de prise de décision qui s'appliquent à la sélection du personnel. L'une d'elles consiste à combiner les résultats de toutes les épreuves en fonction d'une pondération décidée d'avance. Une autre approche consiste à établir des seuils pour chaque épreuve, puis de combiner les résultats des personnes qui ont atteint le seuil à chacune des épreuves. Selon une autre encore, celle de la correspondance des profils, on évalue des individus ayant une bonne performance dans l'organisation et on recherche les mêmes résultats chez les candidats.

Dans tous les cas, le principal défi à cette étape reste de traiter une grande quantité d'informations subjectives et objectives pour en arriver à une décision juste. Et cela ne se fait pas en vase clos. En outre, le contexte peut être un facteur déterminant. Par exemple, dans un contexte d'urgence, la sélection peut se faire à la hâte, sans une analyse approfondie des candidatures. Par ailleurs, un nombre insuffisant de candidatures pourra faire en sorte qu'une organisation accepte de diminuer ses seuils de passage et ainsi d'embaucher des candidats moins qualifiés.

Le coin de la loi

La Charte des droits et libertés de la personne du Québec

En vertu de la Charte des droits et libertés de la personne du Québec, il est interdit de procéder à toute forme de discrimination fondée sur la race, la couleur, le sexe, la grossesse, l'orientation sexuelle, l'état civil, l'âge (sauf dans la mesure prévue par la loi), la religion, les convictions politiques, la langue, l'origine ethnique ou nationale, la condition sociale, le handicap ou l'utilisation d'un moyen pour pallier ce handicap.

De l'avis des experts, les principales contraintes que la Charte présente en matière de sélection ont trait aux droits fondamentaux des candidats et à l'interdiction de la discrimination en emploi (Denis *et al.*, 2011). S'ajoutent à ces éléments les dispositions relatives à la protection des renseignements personnels. Le tableau ci-dessous présente un résumé de ces dispositions.

Loi sur la protection des renseignements personnels dans le secteur privé, L.R.Q. c. P-39.1		
Article 1	Support ou forme	La nature du support ou la forme sous laquelle le renseignement personnel est accessible est sans importance.
Article 2	Définition de « renseignement personnel »	Un renseignement personnel est un renseignement qui concerne une personne physique et qui permet de l'identifier.
Article 5	Critère de nécessité	Seuls les renseignements nécessaires à l'objet du dossier peuvent être collectés et consignés au dossier.
Article 6	Collecte auprès d'un tiers	La collecte de renseignements personnels auprès d'un tiers doit être autorisée par le candidat.
Article 9(1)	Pratique interdite	Un employeur ne peut rejeter la candidature d'une personne qui refuse de fournir des renseignements personnels que si la collecte de ces renseignements est nécessaire à la conclusion ou à l'exécution du contrat de travail.
Article 13	Communication à un tiers	La transmission de renseignements personnels à un tiers doit avoir été autorisée par le candidat. De plus, ces renseignements ne peuvent être utilisés à des fins autres que l'embauche, à moins que le candidat n'y consente.
Article 14	Conditions de validité du consentement	Le consentement du candidat à la collecte et à l'utilisation d'un renseignement personnel doit être manifeste, libre, éclairé et être donné à des fins spécifiques et ce consentement ne vaut que pour la durée nécessaire à la réalisation des fins pour lesquelles il a été demandé.

Source : Extrait de DENIS, P. L., F. PARÉ et S. ASSELIN. « Sélectionner des candidats en toute légalité », *Gestion*, vol. 36, n° 3, automne 2011, p. 53-54.

Mentionnons aussi que le supérieur immédiat de la personne qui sera embauchée peut avoir son mot à dire dans la décision finale. La présence d'un programme d'accès à l'égalité en matière d'emploi représente aussi un élément du contexte qui a une influence sur la décision d'embauche. Un tel programme est réputé non discriminatoire s'il est établi conformément à la Charte des droits et libertés de la personne, tandis qu'il permet de recruter en priorité des employés visés par les critères de discrimination.

4.4.6 L'examen médical

À la suite de l'annonce de la décision d'embauche, il n'est pas rare de demander à la personne choisie de passer un examen médical, l'objectif étant de permettre à l'employeur de remplir ses obligations et d'assurer la santé et la sécurité de ses employés (Boutin, 2006). Par exemple, dans certaines conditions d'emploi ou de métier présentant un risque élevé (travail exposé à des poussières d'amiante ou de silice, travaux sous l'eau, dans des milieux où l'air est comprimé, etc.), la Loi sur la santé et la sécurité du travail impose des examens médicaux au moment de l'embauche. Cependant, l'examen médical doit se faire avec le consentement du candidat et se limiter à préciser la capacité de ce dernier d'effectuer son travail, d'autant plus que l'état de santé est considéré comme faisant partie de la vie privée d'un individu. Les tests de dépistage sont soumis à la même contrainte.

4.5 L'accueil

En arrivant dans son milieu de travail, la nouvelle recrue doit apprivoiser les comportements requis pour accomplir de nouvelles tâches et pour assumer de nouveaux rôles. Pendant cette période de transition, qui peut être relativement stressante, il importe de s'occuper de l'accueil des recrues. La réussite du processus d'accueil est fondamentale, car c'est au moment de son entrée dans l'entreprise que l'individu se fait une idée de la place qu'il peut y occuper et du sentiment de bien-être qu'il éprouvera s'il y reste durablement. L'objectif est donc de mettre en place des actions et des outils de GHR qui favoriseront l'apprentissage par la nouvelle recrue de son rôle dans l'organisation. Autrement dit, l'objectif de l'accueil est de favoriser la socialisation organisationnelle. Cette socialisation favorise la réduction de l'incertitude chez la nouvelle recrue et lui permet de se forger une identité positive dans son nouveau milieu de travail (Saks et Gruman, 2012).

L'objectif de l'accueil est de favoriser la socialisation organisationnelle.

Plusieurs mesures organisationnelles sont de nature à favoriser l'ajustement de l'individu à son milieu de travail. Dans les pages qui suivent, nous insistons sur l'importance de la première journée et des actions qui s'inscrivent dans un programme d'accueil.

4.5.1 La première journée

Commençons par la première journée du nouvel employé. À ce moment crucial, l'objectif est de faire en sorte qu'il se sente le bienvenu. Un message d'accueil de la direction des RH, la transmission de documents sur les avantages sociaux, une information sur l'entreprise, un café de bienvenue, une annonce sur le site Web et l'assignation d'une personne-ressource sont autant d'initiatives qui assurent le bon déroulement de la première journée.

Étant donné que le rôle du supérieur immédiat du nouvel employé est primordial, il est important qu'il soit présent la première journée et qu'il soit le plus disponible possible. Il lui appartient de veiller à ce que l'espace de travail de l'employé soit adéquat. Il peut aussi l'inviter à manger le midi avec ou sans ses collègues. Passer en revue avec lui la description de poste, le présenter à ses nouveaux collègues et lui faire visiter les installations sont d'autres responsabilités qui incombent normalement au supérieur immédiat. Il lui faut aussi s'assurer que le nouvel employé dispose de l'information nécessaire à son adaptation. L'encadré 4.3 énumère des éléments

Encadré 4.3	L'information à transmettre dès la première journée

- La stratégie et la mission de l'organisation
- L'organigramme de l'organisation
- Les modalités de versement des salaires
- Les avantages sociaux
- Le fonctionnement de l'ordinateur et de la messagerie vocale
- Le stationnement et le protocole de sécurité
- Les contacts en cas d'urgence
- Le plan d'évacuation en cas de désastre
- La description de poste
- Le bottin et la liste des personnes à appeler pour obtenir des réponses à différentes questions
- Le manuel de l'employé
- Les principaux services à proximité du lieu de travail
- L'endroit où se trouvent le photocopieur, les fournitures, etc.
- Les procédures de santé et de sécurité du travail

Source : Adapté de MITCHELL, B., et C. GAMLEM. *The Big Book of HR*, Prompton Plains, N.J., Career Press, 2012, p. 18.

d'information que le supérieur immédiat pourrait souhaiter transmettre au nouvel employé dès sa première journée de travail.

Au cours de la première journée, le supérieur immédiat peut signifier ses attentes relatives au travail du nouvel employé. Il peut aussi lui confier une première tâche ou assignation. Enfin, il peut prendre le temps d'expliquer au nouvel employé le déroulement du programme d'accueil.

4.5.2 Le programme d'accueil

Alors que les activités d'accueil sont surtout concentrées dans la première semaine d'entrée en fonction, le programme d'accueil vise l'intégration de la personne sur une période plus longue, censée s'achever lorsque l'employé atteint le niveau d'aisance et de performance optimal dans son poste. Tandis qu'une intégration réussie s'observe par l'adaptation de la personne à son milieu professionnel et par sa maîtrise de nouvelles compétences, certaines organisations préfèrent une approche formelle (institutionnalisée) et d'autres, une approche plutôt informelle (*voir le tableau 4.8*). Pareillement, les organisations peuvent mettre en place un programme d'accueil avec des structures formelles ou bien laisser les nouveaux employés manœuvrer dans un cadre d'accueil plutôt informel. On associe toutefois au programme d'accueil structuré un meilleur apprentissage et une adaptation réussie (Ashforth *et al.*, 2007). Voilà pourquoi les organisations ont intérêt à engager des ressources dans la conception et la mise en place d'un programme d'accueil structuré qui

Tableau 4.8	Les deux modes d'intégration du nouvel employé

Intégration formelle	Intégration informelle
Collective	Individuelle
Séquentielle (par étapes)	Aléatoire (sans étapes)
À durée fixe	À durée indéterminée
Avec un parrainage	Sans parrainage
Avec un soutien social important	Avec un faible soutien social

Le *coaching* individualisé au poste de travail permet de favoriser la réussite des nouveaux employés.

permettra au nouvel employé de se familiariser avec les diverses facettes de l'organisation et de mieux comprendre les attentes concernant les comportements à adopter.

Le programme d'accueil comprend souvent des présentations faites par les professionnels des RH, des visites guidées ainsi que la distribution de documents. Il aborde généralement certains aspects, notamment les avantages sociaux, les services mis à la disposition des employés, les produits et les services de l'entreprise, les règles et les méthodes à suivre, les programmes de formation et de mobilité de même que l'historique de l'entreprise.

Les formations liées à la tâche peuvent prendre différentes formes d'un poste à l'autre et d'un milieu de travail à l'autre : entraînement à la tâche, développement des habiletés de direction, formation aux produits et aux techniques de vente, formation pour parfaire la connaissance des produits financiers dans les banques, etc. À cela s'ajoutent des méthodes d'apprentissage comme la rotation de poste ou le *coaching* individualisé dans le poste de travail. Ces méthodes sont utiles tant pour les emplois qualifiés que pour les tâches plus manuelles. Elles permettent d'accompagner le nouvel employé et de favoriser sa réussite. Beaucoup de grandes entreprises ont privilégié la formation générale, mais on se rend compte que l'accompagnement sur le terrain s'avère tout aussi efficace pour une bonne intégration et qu'une combinaison des deux types d'activités conduit à une intégration plus rapide des employés.

Enfin, les activités sociales, également importantes, permettent à l'employé de se sentir bien dans son environnement de travail avec ses collègues et peuvent l'inciter à demeurer dans l'organisation. Le parrainage (ou mentorat), un moyen de plus en plus utilisé, conduit à des taux de satisfaction élevés chez les nouveaux employés (Cuerrier, 2004). Il s'agit de demander à un employé plus expérimenté de guider la recrue dans son intégration générale : répondre à ses questions concernant le fonctionnement de l'organisation, décrire les possibilités d'évolution à moyen terme, fournir des conseils et de la visibilité, etc. La tenue d'activités sociales volontaires représente un autre moyen d'améliorer le bien-être des recrues : la soirée de Noël, les cinq-à-sept mensuels et les activités sportives sont autant d'occasions privilégiées d'intégrer les nouveaux arrivants. Différentes études ont ainsi montré que les activités sociales augmentent la satisfaction au travail et l'intention de rester dans l'organisation.

 VIDÉO

Yves Richez, chercheur en développement du potentiel humain, propose un cours en ligne sur l'historique du mentorat : « Aux sources du mentorat, Ulysse ».

Une théorie d'intérêt

Le contrat psychologique

Le contrat psychologique assimile « les croyances individuelles concernant les termes de l'échange existant entre l'employé et son entreprise » (Rousseau, 1995). La relation d'emploi s'apparente ainsi à une relation d'échange. À l'étape de l'accueil, il est donc très important de préciser les modalités de cette relation d'échange. L'employeur doit exprimer clairement les obligations et les promesses qui s'inscrivent dans cette relation d'échange. Cela permettra au nouvel employé de mieux saisir la nature exacte des attentes réciproques qui définissent sa relation d'emploi. Il comprendra mieux notamment quelle contribution est attendue de lui et quelle rétribution il peut attendre en retour. Il se fera une meilleure idée de la progression de carrière possible et du degré d'autonomie qu'il aura dans la réalisation de son travail.

LES ENJEUX DU NUMÉRIQUE DANS LE RECRUTEMENT, LA SÉLECTION ET L'ACCUEIL

Nous avons insisté dans ce chapitre sur l'influence des réseaux sociaux dans le recrutement des RH. Il est clair que cette évolution est à maîtriser tant par les employeurs que par les candidats. Il faut notamment que chaque organisation trouve la meilleure façon d'intégrer les réseaux sociaux à sa stratégie de recrutement. À cet égard, plus claire sera la marque employeur de l'organisation, plus cette dernière aura de repères pour orienter son utilisation des réseaux sociaux à des fins de recrutement. Le chercheur d'emploi devra quant à lui suivre cette évolution et trouver le meilleur filon pour faire face à la multiplicité des offres d'emploi en ligne.

On constate également une utilisation accrue des sites de recrutement par les directions de RH qui diffusent leurs annonces sur des sites généralistes ou spécialisés. Mentionnons aussi les métamoteurs de recherche (p. ex., jobijoba.fr), qui recensent l'ensemble des annonces d'emploi publiées sur le Web. Avec en plus les offres d'emploi qui paraissent sur le site officiel de l'entreprise, il faut bien reconnaître que la personne responsable des RH dispose aujourd'hui d'une panoplie de moyens technologiques pour assurer une grande visibilité à ses offres d'emploi. À ces moyens s'ajoutent les nombreux tests en ligne, qui trouvent toute leur pertinence à l'étape de la sélection. La fonction publique du Canada, par exemple, utilise un test de raisonnement et un test de jugement, notamment, pour la présélection des demandes d'emploi. Il est aussi possible de mener des entrevues de sélection à distance par vidéoconférence ou par diverses applications comme Skype. Ces entretiens peuvent se réaliser en direct ou au moyen d'une vidéo sur laquelle le candidat répond à des questions formulées d'avance par l'entreprise. Enfin, à l'étape de l'accueil, l'entreprise peut rendre disponibles en ligne de l'information sur l'entreprise et divers outils d'apprentissage qui visent à favoriser l'adaptation de la nouvelle recrue à son milieu de travail.

LA GESTION DU RECRUTEMENT, DE LA SÉLECTION ET DE L'ACCUEIL DANS LE SECTEUR PUBLIC

Le secteur public a souvent des règles et des procédures très claires. On y insiste beaucoup sur l'impartialité de même que sur le comportement responsable et professionnel. Le recrutement, la sélection et l'accueil dans le secteur public doivent donc se faire en fonction de ces impératifs. Le traitement équitable et objectif des personnes s'avère ainsi une priorité incontournable. Il ne serait donc pas acceptable dans le secteur public d'accorder un poste à une personne en échange d'un appui politique.

L'affichage des postes dans le secteur public se fait généralement à l'interne en premier lieu. Compte tenu de la grande taille des organisations du secteur public, les possibilités de mobilité à l'interne sont très nombreuses. Si le poste ne peut pas être pourvu par une personne se trouvant déjà dans l'organisation, on procède, dans un deuxième temps seulement, à un recrutement externe. À cet égard, pour assurer la transparence et la légitimité du processus, la fonction publique recrute son personnel uniquement par concours. Notons aussi que le message de recrutement pour des postes dans la fonction publique souligne souvent sa mission sociale, qui est de contribuer à bâtir la société de demain. Les organisations du secteur public peuvent aussi faire la promotion des bonnes conditions de travail qui les caractérisent. Il ne reste qu'à les présenter sous la forme d'une image d'employeur attrayante.

LA GESTION DU RECRUTEMENT, DE LA SÉLECTION ET DE L'ACCUEIL DANS LES MILIEUX SYNDIQUÉS

Dans les milieux syndiqués, les règles édictées par une ou plusieurs conventions collectives encadrent les processus de dotation. Ainsi, si un affichage interne de deux mois est obligatoire avant de passer au recrutement externe, l'entreprise sera tenue de respecter la procédure même si certains gestionnaires pourraient souhaiter agir avec plus d'empressement. Lorsqu'elle procède au recrutement externe, la sécurité d'emploi, couplée à des avantages sociaux généreux pour ce qui est de la caisse de retraite notamment, augmente l'attrait des emplois dans les milieux syndiqués.

En contrepartie, tant dans le secteur public que dans les milieux syndiqués, les règles traditionnellement incluses dans les conventions collectives sont strictes et engendrent des processus de recrutement lents qui peuvent faire perdre de bons candidats dans un contexte de concurrence élevée entre les organisations. Toutefois, les organisations syndiquées ont d'excellents atouts sur lesquels miser pour attirer de bons candidats : les avantages sociaux et la présence de règles claires sont autant de caractéristiques susceptibles de satisfaire les attentes des employés.

Mentionnons enfin que les syndicats sont vigilants quant au respect des principes de non-discrimination et ils favorisent la mise en place de programmes d'accès à l'égalité en matière d'emploi. Notons également que l'accès à la formation fait souvent partie des préoccupations des syndicats. La formation, l'assistance professionnelle (*coaching*) et l'accompagnement sur le terrain sont autant d'activités encouragées par les syndicats et qui contribuent à l'intégration professionnelle de la personne récemment embauchée.

LA GESTION DU RECRUTEMENT, DE LA SÉLECTION ET DE L'ACCUEIL À L'INTERNATIONAL

Les organisations multinationales peuvent faire appel à trois approches de recrutement pour combler leurs besoins en RH dans leurs opérations à l'étranger. La première approche consiste à favoriser l'expatriation des personnes du pays d'origine vers le pays hôte. Ainsi, une entreprise multinationale dont le siège social est à Vancouver pourrait procéder à l'expatriation de son personnel vers ses unités de production en Chine. La deuxième approche consiste à favoriser l'expatriation de personnel travaillant pour cette multinationale ailleurs dans le monde vers le pays hôte. La même entreprise multinationale, avec son siège social à Vancouver, pourrait, selon cette approche, faire appel à certaines personnes clés de ses opérations aux États-Unis pour œuvrer dans ses unités de production en Chine. Enfin, selon la troisième approche, la même multinationale pourrait faire appel aux personnes du pays hôte. Elle embaucherait alors des gestionnaires chinois pour diriger ses opérations en Chine.

Compte tenu de la forte croissance de l'expatriation, plusieurs entreprises multinationales se demandent comment effectuer la sélection de leurs expatriés. À cet égard, les experts s'entendent pour dire que la compétence technique ne suffit pas (Cerdin, 2007 ; Sakr, Bergeron et Denis, 2011). Pour réussir une affectation à l'international, la personne doit aussi avoir de fortes capacités relationnelles. De même, elle doit être en mesure de bien s'adapter à des cultures différentes et à des façons de faire autres. La sélection de personnel pour une affectation à l'international pourrait donc se réaliser sur la base de critères comme l'ouverture d'esprit, la capacité de communiquer, le respect, la résistance au stress, la tolérance à l'ambiguïté, le sens de l'initiative et surtout l'intelligence culturelle, qui désigne les qualités nécessaires au fonctionnement dans un nouvel environnement interculturel (Cerdin, 2012).

L'adaptation de la famille à l'international s'avère un enjeu crucial. Voilà pourquoi la famille peut aussi s'inscrire dans le processus d'expatriation. Les membres de la famille peuvent participer à des rencontres d'information ou obtenir des renseignements autrement sur le système scolaire, le logement ou les possibilités d'emplois dans le lieu d'affectation. Le processus de sélection peut aussi se faire en considérant l'épineuse question de la carrière du conjoint. En somme, même si les entreprises rechignent à s'immiscer dans la vie privée des familles, les entreprises doivent tenir compte du conjoint et des enfants dans les affectations à l'international. Les répercussions du travail à l'étranger étant importantes pour l'expatrié, le conjoint et leurs enfants, les organisations ont la responsabilité de les accompagner dans ce projet.

LES CONDITIONS DU SUCCÈS DU RECRUTEMENT, DE LA SÉLECTION ET DE L'ACCUEIL

Les conditions de succès du recrutement, de la sélection et de l'accueil sont nombreuses et nous en avons souligné un certain nombre dans ce chapitre. Le tableau suivant présente une synthèse de ces conditions.

En ce qui concerne le recrutement du personnel, qui se déroule de plus en plus dans un contexte de « guerre des talents », l'employeur doit analyser et revoir régulièrement ses pratiques d'attraction, et ce, dans un cadre de marketing des RH. La sélection du personnel demande aussi un effort considérable et il est presque toujours possible d'améliorer la situation. Parfois, il s'agit simplement de remplacer un instrument de sélection coûteux par un autre moins coûteux et tout aussi valide. Dans d'autres cas, l'employeur aurait intérêt à revoir l'ensemble des étapes du processus de sélection. La décision d'embauche est suivie de l'accueil du nouvel employé. Malgré le fait que l'employé très proactif réussira mieux son intégration que l'employé moins proactif, il ne faut pas perdre de vue les nombreuses actions que peut mettre en place l'employeur pour l'aider à cette étape cruciale de son cheminement professionnel.

Les conditions de succès du recrutement, de la sélection et de l'accueil

Les conditions de succès du recrutement

- Élaborer et communiquer sa marque employeur.
- Se positionner comme un employeur de choix.
- Ne pas exagérer les mérites de l'entreprise ; le réalisme est de mise.
- Diversifier les méthodes de recrutement en faisant bon usage des réseaux sociaux.
- Engager tout le personnel dans l'effort de recrutement.
- Faire un suivi régulier sur l'efficacité des méthodes de recrutement.

Les conditions de succès de la sélection

- Se baser sur les bons critères de sélection.
- Utiliser des instruments de sélection fiables et valides.
- Préparer une entrevue structurée.
- Ne pas hésiter à utiliser plus d'un instrument de sélection.
- Respecter les lois relatives à l'équité en matière d'emploi et au respect de la vie privée.

Les conditions de succès de l'accueil

- Préparer l'arrivée des recrues.
- S'assurer du bon déroulement de la première journée.
- Sensibiliser le supérieur immédiat à l'importance de son rôle.
- Mettre en place un programme d'accueil structuré.
- Porter une attention particulière aux messages.
- Encourager le nouvel employé à être proactif.

CONCLUSION

Un défi est un appel à l'action. Le défi de l'acquisition et du développement des compétences interpelle toute organisation qui s'inscrit dans une logique de continuité et de croissance. Comme en témoigne ce chapitre, ce défi impose des efforts importants alors qu'il se vit de plus en plus dans un contexte de décalage entre les talents recherchés et les talents disponibles. L'entreprise qui souhaite avoir à sa disposition les meilleurs talents doit non seulement les attirer, mais aussi savoir les identifier dans un réservoir de candidats. Après avoir trouvé les perles rares, le processus d'intégration commence, lequel favorise leur apprentissage et leur rétention. Mais le processus de dotation exposé dans ce chapitre n'apporte qu'une partie de la réponse. Au chapitre 5, nous aborderons la question de la formation et du développement des compétences de ces personnes talentueuses.

QUESTIONS DE RÉVISION

1. En quoi consiste le positionnement employeur ?

2. En quoi est-il avantageux pour une organisation d'avoir un ratio de sélection très bas ?

3. À l'étape du recrutement, pourquoi est-il important de bien communiquer la marque employeur ?

4. En quoi consiste l'adéquation entre l'individu et l'organisation ?

5. Quel processus doit-on suivre pour définir des critères de sélection ?

6 Quelle théorie permet de comprendre pourquoi les personnes travaillant dans une organisation ont souvent des caractéristiques et des comportements similaires ?

7 Dans quelles conditions est-il préférable de privilégier le recrutement interne ? le recrutement externe ?

8 Quels avantages associe-t-on à l'utilisation des médias sociaux à des fins de recrutement ?

9 Quels sont les principaux indicateurs de performance qui permettent d'évaluer l'efficacité du recrutement ?

10 Quelle question de mise en situation pourrait être posée pendant une entrevue de sélection pour un poste de gardien de prison ?

11 Quels sont les instruments de sélection les plus valides ? les moins valides ?

12 Pourquoi recommande-t-on la mise en place d'un programme d'accueil structuré ?

QUESTIONS DE DISCUSSION

1 L'approche dite du marketing des RH gagne de nouveaux adeptes. À votre avis, s'agit-il d'une mode ou d'une évolution qui peut réellement changer les pratiques au sein des organisations ?

2 Une entreprise utilise actuellement un test de raisonnement pour l'embauche de ses manutentionnaires. La nouvelle directrice du service des RH se questionne cependant sur la validité et l'utilité de cet instrument de sélection. Comment peut-elle procéder pour confirmer ou infirmer son opinion ?

INCIDENTS CRITIQUES ET CAS

Incident critique **1**

Une candidate perplexe

Josée-Anne a répondu à une annonce d'emploi pour un poste de commis de bureau dans une petite entreprise de sa région. Avec sa formation en bureautique, sa connaissance des logiciels et ses cinq années d'expérience dans un tel poste au sein d'une grande entreprise, elle se considère comme qualifiée. Aussi, le fait de se rapprocher de son domicile et de réduire ainsi le temps passé dans les transports représente pour Josée-Anne un réel avantage. En entrevue, l'accueil du directeur et du directeur des ventes était professionnel et chaleureux, mais le malaise n'a pas tardé à s'installer. D'abord, les questions ne semblaient pas clairement reliées aux responsabilités du poste. «Pourquoi me demande-t-on si je possède un permis de conduire valide pour un poste de commis de bureau ?», s'interroge Josée-Anne. Une question sur sa situation familiale, posée par le directeur des ventes : «Avez-vous des enfants ?», lui paraissait également hors propos. En terminant, le directeur lui a demandé si elle consentait à ce qu'il obtienne des renseignements sur elle de la part de ses anciens employeurs. Bien que Josée-Anne ait un dossier impeccable chez son employeur actuel et qu'elle ait informé son supérieur immédiat de sa démarche de recherche d'emploi, elle se questionne néanmoins sur la nature des renseignements recherchés. Son salaire actuel sera-t-il révélé ? Perplexe et quelque peu déçue par le déroulement de son entretien d'embauche, la candidate attribue une partie de problème au fait qu'il s'agit d'une petite entreprise familiale, qui ne détient pas le savoir-faire d'une grande entreprise.

- Que pensez-vous des questions posées en entrevue de sélection ?
- Si une offre d'emploi était faite, Josée-Anne devrait-elle l'accepter ?

Incident critique ②

Un roulement inquiétant chez les nouvelles recrues

La direction d'Aliments Frais, chef de file canadien de la fabrication et de la commercialisation de yogourts et de produits laitiers frais, se soucie depuis quelque temps du taux de roulement élevé qui marque la première année en emploi de ses nouvelles recrues occupant les emplois de manœuvre et de préposé dans l'entrepôt. Bien que le taux de roulement pour l'ensemble de son personnel semble dans la moyenne de l'industrie, la direction a remarqué qu'il se situe à 40 % chez les nouveaux employés. Tandis que l'entreprise amorce une période de croissance, ce taux de roulement pourrait freiner ses ambitions, surtout dans un contexte où le recrutement est difficile.

Ayant sondé quelques employés sur les motifs de leur départ, le directeur du service des RH a relevé les raisons suivantes et les a exposées à l'équipe de direction :

- L'emploi et le milieu de travail ne correspondaient pas à leurs attentes.
- Le rythme de production est trop rapide.
- Il y a une surcharge de travail.
- Les pressions exercées sont trop fortes.
- Il n'y a aucune rétroaction sur la performance des recrues dans les premiers mois.
- Les possibilités de développement professionnel sont rares.
- Le superviseur n'offre aucun soutien.

Le directeur du service des RH a conclu son exposé en affirmant qu'il ne suffit pas de fournir une bonne rémunération aux nouvelles recrues pour les attirer et les retenir.

Question

Sur la base de cette information, quels ajustements pourrait envisager l'équipe de direction dans ses pratiques de recrutement, de sélection et d'accueil ?

Cas

Forte pénurie de main-d'œuvre dans l'aéronautique

L'industrie aéronautique traverse une période de forte croissance, mais pour les petites et moyennes entreprises (PME) québécoises qui veulent profiter de cette manne nouvelle, ce n'est pas si simple. La compagnie BL Aerospace compte près de 200 employés. Elle fournit des trains d'atterrissage et des composantes structurales d'aéronef aussi bien au marché commercial qu'au marché militaire du secteur aéronautique. Implantées dans la même région, trois autres PME constituent des concurrents de BL Aerospace.

Le président de BL Aerospace, Mario Asselin, mentionne qu'il désire que son entreprise ait une meilleure force de frappe sur le marché de l'aéronautique. Sa volonté est cependant freinée par la pénurie de personnel qui touche l'entreprise. « On a des capacités de production, on a des contrats et on est prêts à en prendre d'autres, mais on n'a pas suffisamment de main-d'œuvre pour honorer ces contrats », constate-t-il. « On a des besoins à tous les niveaux, renchérit Paul Martel, directeur du développement des affaires de BL Aerospace.

On manque de machinistes, de monteurs, de mécaniciens d'aéronef et de concepteurs-dessinateurs, de même que d'ingénieurs en aérospatiale, en production automatisée et en génie électrique, entre autres. On pourrait embaucher sur-le-champ au moins 30 personnes. » La pénurie est tellement grande que l'entreprise est obligée de refuser certaines demandes de ses clients.

Si la croissance est assurément au rendez-vous, BL Aerospace fait face, par contre, à de nouveaux défis en ce qui a trait à la GRH. D'une part, le taux de roulement, historiquement très bas, a commencé à augmenter, surtout chez les employés ayant moins de six mois d'expérience. Ce sont particulièrement les horaires de soir et rotatifs qui semblent poser problème. L'effet combiné de la croissance de l'entreprise et de l'augmentation du taux de roulement place l'entreprise devant un défi de taille : l'attraction de la main-d'œuvre. La réalité du marché change et il y a aujourd'hui d'autres entreprises dans le secteur ; les jeunes vont chez les concurrents dont les offres s'avèrent plus intéressantes. Sur un marché connaissant une pénurie de main-d'œuvre, les offres ne manquent pas.

La haute direction de BL Aerospace est très inquiète, car elle a peur de rater des occasions de croissance en raison d'un manque de personnel. Selon Mario Asselin, les employés sont bien payés, les relations de travail sont bonnes et la compagnie est en pleine croissance. D'après Isabelle Renaud, la vice-présidente des RH, la question des horaires de travail constitue le principal problème. La nature de la production fait que l'organisation n'a pas le choix de produire sur trois quarts de travail. Les quarts de jour et de nuit fonctionnent bien. Le roulement le plus accentué se situe dans le quart de soir, car personne ne veut travailler le soir. Les machinistes et les monteurs sont difficiles à trouver. Ils en viennent toujours à partir parce qu'après un an ou deux ils se lassent et veulent avoir un horaire de jour, même si la rémunération y est un peu moins bonne. La plupart des nouveaux ne restent pas plus de quelques mois. Dès qu'ils ont une famille, l'horaire de soir ne leur convient plus. Quant aux contremaîtres, ils restent parce qu'ils sont bien payés ; ils savent qu'ils ont de bons avantages sociaux. Les employés se disent effectivement satisfaits de leurs conditions de travail. Ils aiment le travail d'équipe et sont fiers des produits qui sont fabriqués. Cependant, ils reprochent souvent à la direction de ne pas communiquer suffisamment avec eux, surtout au sujet des projets de l'entreprise.

La vice-présidente des RH, Isabelle Renaud, a réalisé un sondage auprès des employés afin de déterminer les meilleures raisons de travailler pour l'organisation ainsi que les raisons de quitter celle-ci. Parmi les raisons de travailler pour l'organisation, il y a les salaires et les avantages sociaux, l'ambiance de travail, la proximité de la maison, le travail d'équipe, la croissance de l'entreprise et la réputation. Parmi les raisons qui amènent les employés à quitter l'organisation, citons l'espace restreint, les horaires de travail, la nature du travail (posture, surcharge, stress), le non-respect de l'ancienneté et le manque de communication entre la direction et les employés.

Mario Asselin a demandé à Isabelle Renaud de trouver des solutions. Il souligne que « découvrir les bons employés, c'est bien, être capable de les garder longtemps, c'est encore mieux ». Ne sachant trop comment aborder ce problème, Mme Renaud fait appel à votre firme de GRH pour élaborer une stratégie qui permettra à l'organisation de séduire et de garder ses employés.

Questions

- Quelles actions comptez-vous suggérer ?

- Sur quels éléments BL Aerospace devrait-elle s'appuyer pour bâtir sa marque employeur ?

Source : Denis Morin, professeur, ESG-UQAM.

POUR ALLER PLUS LOIN

Lectures suggérées

BOURHIS, A. (dir.). *Recrutement et sélection du personnel*, Montréal, 2ᵉ éd., Gaëtan Morin, 2013.

CATANO, V.M., W.H. WIESNER et R.D. HACKETT. *Recruitment and Selection in Canada*, 6ᵉ éd., Toronto, Nelson, 2015.

PETTERSEN, N., et A. DURIVAGE. *L'entrevue structurée*, Québec, Presses de l'Université du Québec, 2006.

Sites Web

Guide pratique : entrevue de sélection (UQAM)
https://vie-etudiante.uqam.ca/medias/fichiers/emploi-orientation/guide_entrevue.pdf

Exemples de tests de sélection
www.aide-emploi.net/test.htm
www.psychometric-success.com

Exemple d'une grille d'entrevue de sélection
www.technocompetences.qc.ca/gestion-rh/recrutement

Le coin de l'Ordre des CRHΛ

www.portailrh.org

Appel au contenu scientifique en gestion de la dotation
Par Xavier Thorens

Chapitre 5

ASSURER LA FORMATION ET LE DÉVELOPPEMENT DES COMPÉTENCES

Mise en situation • Définitions • L'importance de gérer la formation et le développement des compétences • Le partage des responsabilités en matière de formation et de développement des compétences

5.1 L'analyse des besoins de formation et de développement
  5.1.1 L'importance de l'analyse des besoins
  5.1.2 La nature des besoins
  5.1.3 Les outils d'aide à l'analyse des besoins

5.2 Le choix des méthodes de formation et de développement
  5.2.1 Les objectifs de la formation
  5.2.2 Des objectifs au choix de la méthode de formation
  5.2.3 Les méthodes de formation et le transfert des apprentissages
  5.2.4 Les méthodes «tendance» qui ont fait leurs preuves

5.3 L'évaluation de la formation et du développement des compétences
  5.3.1 L'évaluation des réactions
  5.3.2 L'évaluation des connaissances
  5.3.3 L'évaluation des comportements et des compétences
  5.3.4 L'évaluation des résultats

Les enjeux du numérique dans la formation et le développement des compétences • La formation et le développement des compétences dans le secteur public • La formation et le développement des compétences dans les milieux syndiqués • La formation et le développement des compétences à l'international • Les conditions du succès de la formation et du développement des compétences • Questions de révision et de discussion • Incidents critiques et cas • Pour aller plus loin

Principaux défis à relever en matière de formation et de développement des compétences

- Participer au développement des savoirs et des ressources humaines.

- Faire de la formation en fonction des besoins réels de l'organisation et des individus qui la composent.

- Optimiser le transfert des apprentissages pour que l'employé s'adapte mieux à son poste de travail.

- Évaluer les retombées de la formation et du développement pour l'employé et l'organisation.

- Permettre aux employés d'évoluer et d'apprendre dans l'organisation.

- Respecter la Loi favorisant le développement et la reconnaissance des compétences de la main-d'œuvre.

Objectifs d'apprentissage

- Justifier l'importance de la formation des ressources humaines (RH).

- Définir les responsabilités de divers acteurs en matière de formation.

- Appliquer une démarche structurée de formation.

- Connaître les différents moyens de développement et leur raison d'être.

- Mettre en place une procédure d'évaluation de la formation.

- Mieux comprendre les particularités de la formation et du développement dans le secteur public, dans les milieux syndiqués et à l'international.

- Reconnaître les conditions de succès de la formation et du développement des RH.

L'acquisition et la mise à jour des compétences des employés constituent une condition du bon fonctionnement des organisations. Ainsi, des études scientifiques ont établi que les entreprises qui investissent dans la formation sont aussi celles qui obtiennent des performances élevées, y compris durant les périodes de crise (Sheehan, 2012). Si la formation en salle est depuis longtemps un moyen privilégié de développement des compétences, il n'est plus le seul. Dans un environnement compétitif et changeant, où les nouvelles technologies de communication occupent une place croissante, les organisations diversifient de plus en plus les méthodes de développement des employés, qui incluent des activités telles que le *coaching*, le partage d'expériences dans des communautés de pratique ou l'apprentissage par l'expérience.

Ce chapitre présente tout d'abord les enjeux relatifs à la formation et au développement des compétences, en soulignant leur importance pour la société dans son ensemble, l'entreprise et l'individu, ainsi que les responsabilités des différents acteurs de la formation. Nous examinons ensuite les étapes du processus de gestion de la formation, puis nous traitons des principales méthodes de formation et de développement en vogue dans les organisations, en accordant une attention particulière aux formations qui utilisent les nouvelles technologies. Nous poursuivons avec un exposé sur les critères et les principes d'évaluation de la formation et du développement. Enfin, nous nous penchons sur les spécificités de la formation et du développement des compétences dans le secteur public, dans les milieux syndiqués et à l'international, et indiquons les conditions menant au succès de la formation et du développement des RH.

MISE EN SITUATION

Former pour développer la créativité : les leçons du Cirque du Soleil

Le Cirque du Soleil a été fondé en 1984. Trente ans plus tard, l'entreprise compte plus de 4 500 employés et propose 19 spectacles différents à travers le monde. Elle est reconnue tant pour son savoir-faire artistique que pour ses performances d'entreprise, et est marquée par une importante image de créativité. Cela l'a amenée à mettre en place un programme de recrutement et de formation des nouveaux talents qui viennent nourrir ses nombreux spectacles.

Environ 20 % des artistes du Cirque du Soleil viennent du cirque, 35 % du monde artistique (théâtre, danse, musique, chanson) et 45 % du monde du sport, en particulier de la gymnastique. Permettre la transition des athlètes vers ce qui est pour eux un environnement radicalement nouveau représente un défi pour l'entreprise. Pour un gymnaste de haut niveau, la performance présente plusieurs caractéristiques : elle est individuelle, elle intervient de façon très occasionnelle et sur une durée très courte. Un trampoliniste qui se présente aux Jeux olympiques a pour objectif d'être au meilleur de lui-même à une heure précise pendant quelques secondes. À son arrivée au Cirque du Soleil, l'artiste doit se préparer à réaliser ses performances environ 350 fois par an, plusieurs fois par jour, et il doit interagir et collaborer avec les autres artistes faisant partie de son numéro. En compétition, la performance d'un gymnaste est évaluée de façon individuelle et par un jury selon des critères de difficulté et de réalisation de figures. Au contraire, le succès d'un spectacle au Cirque du Soleil repose sur les performances collectives de la troupe et sur la capacité des artistes à provoquer une émotion chez le spectateur, quelles que soient la difficulté et la perfection des figures du numéro. L'athlète habitué à être seul sous le feu des projecteurs doit partager le succès d'un numéro et se libérer des critères d'évaluation de la performance sportive pour réussir. Enfin, un athlète s'efforce de reproduire parfaitement une figure, donc d'éliminer l'incertitude dans le contexte de la performance. Dans le cas du Cirque du Soleil, le nombre des artistes, l'importance de leurs interactions et la présence d'équipements exigent d'eux de savoir gérer l'incertitude liée à un environnement moins stable et moins prévisible.

La problématique d'acculturation à un nouveau contexte et les besoins rattachés à la multiplication du nombre de spectacles ont conduit le Cirque du Soleil à instaurer des structures d'accompagnement de la transition de la vie d'athlète à la vie d'artiste. Dans les années 1990, l'athlète qui arrivait au Cirque du Soleil était très rapidement envoyé sur la scène, ce qui provoquait certains échecs d'un point de vue artistique, voire des blessures, car l'individu n'était pas en mesure de gérer un contexte de performance sur scène. Un programme de formation a alors été mis en place au début des années 2000. Il se compose de deux temps, soit une formation générale, visant à compléter les compétences initiales des recrues par les compétences requises pour évoluer dans les spectacles, suivie d'une formation spécifique, visant à préparer à des numéros particuliers. Contrairement aux formations qui reposent sur des programmes progressifs, le Cirque du Soleil a privilégié une approche immersive. Dans les programmes progressifs, on commence par travailler les figures acrobatiques, puis on introduit la dimension artistique. Au Cirque du Soleil, la formation comprend dès le début du développement du spectacle deux entraîneurs, l'un acrobatique et l'autre artistique, pour éviter un déséquilibre entre les deux dimensions. Ils travaillent de pair, plusieurs heures par semaine, pour faciliter l'assimilation du numéro par l'artiste.

Le développement de nouvelles compétences

Dès leur arrivée, les athlètes sont plongés dans une démarche de formation à caractère artistique. Ils participent à des ateliers d'immersion sur le mouvement, la percussion, l'improvisation, la bouffonnerie ou le travail de masque. Puis, ils suivent des cours techniques, portant sur le jeu, la danse, le travail de la voix ou le rythme, qui ont pour but de les doter d'une boîte à outils et de leur forger une expérience artistique qu'ils pourront mobiliser dans leurs numéros acrobatiques.

L'acquisition d'un rôle

Les compétences initiales des athlètes recrutés au Cirque du Soleil facilitent leur intégration de la difficulté technique des numéros, qui se déroule pendant la formation spécifique. L'importance de l'acquisition de la technique d'un rôle s'accroît fortement lors du remplacement d'un artiste dans un spectacle en exploitation. Pour permettre l'acquisition des compétences spécifiques d'un rôle, l'entreprise a mis en place une formation pour les nouveaux artistes de manière à faciliter la reproduction de la performance existante.

La réappropriation des équipements

Le principal enjeu en matière de technique réside pour les nouvelles recrues dans le transfert des compétences préalablement acquises (aux anneaux, aux barres parallèles, sur la poutre, sur le trampoline, etc.) dans l'appropriation de nouveaux équipements acrobatiques comme la planche à bascule (*teeterboard*) ou de nouveaux usages de ces équipements (p. ex., le trampoline au mur). Un athlète habitué à faire des figures sur un trampoline doit s'adapter à une «bascule» de cirque, qui repose sur une technique et des usages très différents du trampoline: ce sont des acrobates qui, se positionnant de chaque côté de la bascule, font voltiger leur partenaire en donnant tour à tour l'impulsion. Dans le spectacle

Corteo, le trampoline devient un «lit-trampoline» avec des barreaux de lit et des oreillers. Les figures acrobatiques sont transformées pour que le potentiel créatif de ce nouvel équipement puisse être exploité. Les artistes jouent ainsi avec les contraintes de l'équipement en utilisant les têtes de lits pour rebondir d'un lit à l'autre. De plus, la symbolique du lit est exprimée au travers de nouvelles figures – rebondir sur le dos, se lancer des coussins, etc. – qui ne sont pas techniquement difficiles à réaliser, mais qui participent de la construction d'émotions pour le spectateur. L'acquisition d'une maîtrise technique des équipements comprenant une dimension artistique est facilitée par des commentaires que l'entraîneur fait régulièrement sur les gestes, la posture et la mécanique de la figure. Par ce moyen, l'enseignement technique intègre déjà l'apprentissage de la culture artistique.

Source: Extrait de MASSÉ, D., et T. PARIS. «Former pour entretenir et développer la créativité de l'entreprise: les leçons du Cirque du Soleil», *Gestion*, vol. 38, n° 3, 2013, p. 6-15.

DÉFINITIONS

À l'heure actuelle, dans les médias et les milieux de travail, plusieurs intervenants insistent sur l'importance de développer les compétences des RH. Acceptant cette noble mission, certaines entreprises n'hésitent pas à investir beaucoup dans la formation. D'autres tentent de développer une culture d'apprentissage suffisamment répandue au sein des employés pour se transformer en «organisations apprenantes».

La **formation des ressources humaines** désigne toutes les activités d'apprentissage ayant pour objet l'amélioration des compétences des employés en lien direct avec l'emploi occupé. Elle vise l'acquisition de connaissances, de compétences et d'habiletés requises pour réussir dans son emploi actuel (Saks et Haccoun, 2010). Dans ce cadre, la formation peut être conduite en milieu de travail ou hors du milieu de travail. On fait aussi parfois la distinction entre la formation générale, qui porte sur des compétences transférables, et la formation spécifique, qui développe des compétences propres au fonctionnement de l'entreprise.

Le **développement des compétences** s'inscrit dans une perspective d'évolution professionnelle visant un horizon plus lointain que celui de l'adaptation de l'employé à son poste de travail. Alors que la formation tend souvent à corriger des lacunes constatées dans la réalisation du

travail, le développement des compétences cherche à répondre aux besoins futurs de l'entreprise et de l'individu, comme le montre la mise en situation précédente. C'est pourquoi les activités de développement incluent la formation, mais aussi le *coaching*, l'évaluation du potentiel et certains aspects de la gestion des carrières qui seront étudiés plus en détail au chapitre 7.

On parle d'«**organisation apprenante**» lorsque les valeurs de partage des savoirs sont dominantes dans une entreprise et se traduisent par l'affectation de ressources importantes aux activités de formation. La collaboration et le partage des savoirs entre les individus et les groupes de travail s'inscrivent aussi dans le profil de l'organisation apprenante. On reconnaît également l'organisation apprenante par l'utilisation intensive qu'elle fait des technologies de l'information et de la communication, lesquelles facilitent le partage des renseignements (sites Web d'échange, banques de données, formation en ligne). Surtout, dans l'organisation apprenante, les employés apprennent comment apprendre ensemble sur une base continue, à l'intérieur de communautés de pratique formelles et informelles. Ainsi, bien que l'organisation apprenante fasse appel aux technologies, elle mise sur l'apprentissage par l'intermédiaire de relations au sein de groupes sociaux.

L'IMPORTANCE DE GÉRER LA FORMATION ET LE DÉVELOPPEMENT DES COMPÉTENCES

Dans une économie de plus en plus dominée par les nouvelles technologies et l'innovation, une main-d'œuvre qualifiée s'avère un enjeu important à l'égard de la croissance économique. C'est pourquoi les gouvernements de nombreux pays et plusieurs organisations publiques font la promotion de divers programmes de formation et veillent de près à la formation de la main-d'œuvre. Il s'agit pour eux de maintenir ou de faire progresser le niveau de vie de leur pays. En favorisant la formation et l'apprentissage en continu, on permet à chacun d'évoluer dans un environnement changeant et complexe, ce qui améliore la flexibilité du marché du travail et maintient les emplois. D'ailleurs, le gouvernement du Québec ne s'y trompe pas : en adoptant la Loi favorisant le développement et la reconnaissance des compétences de la main-d'œuvre (*voir la rubrique Le coin de la loi, à la page 158*), il exprime clairement l'importance qu'il accorde au fait de permettre à tous de se former. En effet, en vertu de cette loi (dite « loi sur les compétences » ou « loi du 1 % »), l'employeur dont la masse salariale annuelle est de plus de deux millions de dollars doit investir, au cours d'une même année civile, l'équivalent d'au moins 1 % de cette masse salariale dans la réalisation d'activités de formation visant l'amélioration des compétences de son personnel et déclarer la somme investie au ministère du Revenu du Québec. Le cadre réglementaire précise qu'à défaut d'investir ces sommes en formation des RH, l'employeur doit verser au Fonds de développement et de reconnaissance des compétences de la main-d'œuvre la somme qui n'a pas été investie. Cela témoigne de l'importance qu'accorde le gouvernement à l'adoption d'un « réflexe formation » dans les entreprises.

Pour l'employé, se former présente de nombreux avantages. Tout d'abord, cela lui permet de se perfectionner dans son emploi en l'apprenant, en le maîtrisant mieux et en développant son expertise. Grâce à la formation, l'employé demeure confiant et développe son sentiment d'efficacité personnelle, c'est-à-dire sa croyance en ses capacités à réussir les tâches qui lui sont confiées. Mais dans un monde en changement, la formation permet aussi à tout individu d'accroître ses connaissances et ses compétences, de sorte que son employabilité augmente, tant dans son organisation que sur le marché du travail en général. En se formant, la personne est soutenue et accompagnée dans ses expériences de mobilité, de changement de postes, ce qui facilite sa carrière et son bien-être au travail. C'est pourquoi chacun a intérêt à s'investir dans diverses activités de formation. Enfin, du point de vue de l'organisation, il est important d'investir dans la formation des salariés pour de multiples raisons qui sont décrites dans les lignes suivantes.

L'importance de former les RH	
Pour la société	Aider les citoyens à trouver un emploi.
	Accroître la flexibilité du marché du travail.
	Accroître la compétitivité des économies locales.
	Faire progresser le niveau de vie.
Pour l'employé	Apprendre.
	Développer son employabilité et sa polyvalence.
	Être soutenu dans sa carrière.
	Se développer personnellement et professionnellement.
	Progresser dans son métier.
	Se sentir compétent et efficace dans son emploi.
Pour l'organisation	S'adapter aux changements organisationnels.
	Attirer et retenir des RH compétentes.
	Améliorer les performances et stimuler l'innovation.
	Préparer la relève.
	Implanter une culture d'amélioration continue.

S'adapter aux changements organisationnels

Les organisations sont soumises à des changements multiples, liés aux crises et aux cycles économiques, aux changements technologiques, à l'évolution de nos sociétés. Ces changements les conduisent à devoir s'adapter rapidement en procédant à des réorganisations (fusions et acquisitions, croissance et décroissance), mais aussi à des modifications des manières de travailler (changements de style de leadership, de processus, etc.). Or, ces changements ne s'accompagnent pas toujours du succès escompté et peuvent même nuire à la mobilisation des salariés. Partant de ce constat, les organisations structurent davantage leurs processus de changement et mettent en place des activités de développement organisationnel (ou DO) coordonnées et contrôlées. Ces activités incluent, entre autres, des occasions d'échange, de partage, d'apprentissage, et donc de formation, qui améliorent le succès des changements organisationnels et aident à les rendre acceptables.

Prenons l'exemple d'une institution financière qui souhaite passer d'une culture de transactions bancaires à une culture orientée vers le service à la clientèle. Pour réussir sa transition, elle devra miser sur des activités de formation qui cibleront non seulement l'acquisition de compétences, mais aussi l'évolution des perceptions et des croyances du personnel. De ce fait, le développement des compétences accompagne le changement organisationnel et permet de mobiliser les RH autour du changement.

Attirer et retenir les ressources humaines compétentes

Les activités de développement constituent un atout pour attirer de nouvelles recrues. On constate que les entreprises identifiées au Canada comme des employeurs de choix offrent davantage de formation que l'ensemble des organisations, à l'exemple de la fonction publique fédérale qui donne accès à une grande variété de possibilités d'apprentissage. La formation représente ainsi un levier d'attraction des RH. Elle permet aussi aux entreprises qui font face à des pénuries d'emploi ou à des départs massifs à la retraite de trouver des solutions de rechange à un manque de main-d'œuvre sur le marché du travail. Grâce à la formation, il devient possible d'élargir les critères de recrutement et de préparer les nouveaux embauchés à effectuer leurs tâches à l'interne.

La formation des RH comporte aussi un avantage pour la rétention des employés, des études récentes ayant montré que les employés qui perçoivent les efforts faits par leur entreprise pour les former et les développer tendent à rester dans cette entreprise (Si et Li, 2012). Le fait d'offrir de la formation communique aux membres du personnel que la direction souhaite qu'ils progressent. Faute de possibilités d'apprentissage, de nombreux employés choisiraient autrement de poursuivre leur cheminement professionnel dans des organisations concurrentes. La formation est aussi un moyen reconnu pour faciliter l'intégration des nouvelles recrues dans les mois qui suivent leur embauche, et de ce fait pour les maintenir dans leur emploi.

Améliorer les performances et stimuler l'innovation

Un des enjeux de la formation est d'aider les employés à s'adapter à leur poste de travail et à maintenir des niveaux de performance élevés au fil du temps. Dans un environnement où les produits et les technologies évoluent vite, les compétences à maîtriser dans les métiers changent rapidement. Les organisations ont donc intérêt à former leurs employés si elles veulent les aider à accomplir leurs tâches professionnelles avec succès.

La formation n'agit pas uniquement sur les compétences techniques à court terme. Former les salariés, c'est aussi leur donner l'occasion de découvrir de nouvelles façons de penser et de travailler, ce qui peut stimuler leur créativité et encourager l'innovation. De cette manière, les organisations parviennent à se démarquer en conservant une longueur d'avance sur leurs concurrents et en offrant des produits et des services novateurs.

Enfin, les activités de formation peuvent agir sur le rendement collectif en favorisant le travail d'équipe et la polyvalence entre les salariés, en optimisant la collaboration et les chaînes de communication entre salariés. Les activités de cohésion d'équipe, de théâtre, de partage d'expériences, qui favorisent toutes la socialisation et la collaboration, participent au rendement collectif en optimisant les manières de travailler ensemble dans l'entreprise.

Préparer la relève

La préparation de la relève constitue une priorité pour bon nombre d'entreprises. À cet égard, la formation des RH représente l'un des éléments d'un programme de développement des potentiels de gestion à l'interne. Il s'agit en fait de préparer les employés à occuper des postes de cadres de différents niveaux. Ajoutons que la formation qui vise à préparer la relève s'établit à long terme, car il s'agit de développer des compétences complexes.

Implanter une culture d'apprentissage continu

Certaines organisations choisissent de ne pas simplement réagir aux changements qu'elles subissent, mais de s'y préparer et d'adopter une approche proactive en implantant une culture d'apprentissage continu. De cette manière, elles développent chez les salariés des habitudes de questionnement, de volonté de progression et de recherche d'amélioration. Le groupe Provigo, lauréat du prix Défi employeurs inspirants décerné par l'Ordre des conseillers en ressources humaines agréés (CRHA) en 2012, se démarque par ce type de culture : à tous les niveaux de l'entreprise, on offre des espaces d'échange avec les salariés, des occasions de réflexion, et on introduit des changements utiles qui facilitent le travail à chaque maillon de l'entreprise, pour que tous avancent ensemble dans la direction souhaitée. L'instauration d'une telle culture passe par la création d'un milieu de travail propice au partage d'idées nouvelles ainsi qu'à la tolérance au risque (et à l'erreur). La mise en place d'activités régulières de formation et de développement de compétences y contribue, ainsi que la détermination de valeurs et de comportements favorables aux apprentissages individuels et collectifs.

LE PARTAGE DES RESPONSABILITÉS EN MATIÈRE DE FORMATION ET DE DÉVELOPPEMENT DES COMPÉTENCES

La formation engage de nombreux acteurs dans une démarche d'acquisition de compétences jugée essentielle aux milieux de travail et aux individus.

Les responsabilités des dirigeants, des gestionnaires et des professionnels des RH sont importantes en ce qui touche à l'optimisation de la formation et du développement des compétences. Le bon déroulement de ces activités repose en partie sur leur engagement et leur capacité à assurer une saine gestion de ces dernières tant au moment de l'identification des besoins de formation qu'au moment du soutien à l'utilisation des acquis dans le travail quotidien. Ainsi, il relève de la responsabilité des dirigeants de s'assurer que les compétences des salariés sont à jour et de véhiculer des valeurs qui soulignent l'importance de la formation. De cette manière, l'entreprise assure sa compétitivité, l'atteinte de ses objectifs stratégiques et la réussite des changements qu'elle met en place.

Les gestionnaires jouent un rôle charnière dans ce processus. C'est à eux qu'incombe la responsabilité d'établir les besoins de formation pour leur équipe et pour chacun de leurs collaborateurs, ainsi que de créer un climat de travail favorable à la formation et à son intégration au quotidien.

Quant aux professionnels des RH, leur rôle consiste à structurer les activités de formation pour faciliter l'analyse des besoins de formation, à cibler les formateurs et les programmes de formation répondant à ces besoins, et à faire le suivi des activités pour vérifier leurs effets. Ce rôle, loin d'être secondaire, est de plus en plus complexe à assumer. Alors que les investissements de formation sont en forte croissance (Rivard, 2015), le nombre de professionnels RH affectés au service de la formation est en baisse constante. Ceux-ci doivent donc exercer leurs responsabilités en étant plus efficaces.

Soulignons enfin le rôle actif que joue l'employé dans tout projet de formation. Dans un contexte où l'on favorise de plus en plus la responsabilité individuelle du travailleur à l'égard de son projet de formation, chacun doit faire preuve d'initiative et recourir aux ressources internes et externes existantes. De concert avec son supérieur immédiat et la direction des RH, l'employé participe à l'établissement de ses besoins de formation au moyen de l'autoévaluation. Il discute aussi de sa formation avec son superviseur et en suit l'évolution.

Le tableau suivant illustre le partage des responsabilités entre les dirigeants, les cadres, les professionnels des RH et les employés.

	Le partage des responsabilités en matière de formation et de développement des compétences
Dirigeants	Arrimer les activités de formation à la stratégie et aux valeurs de l'entreprise. Mettre à jour les compétences des salariés pour que l'entreprise demeure compétitive. Véhiculer des valeurs qui soulignent l'importance de la formation. Accompagner les salariés dans la gestion des changements et du développement organisationnel.
Cadres	Participer au processus de gestion de la formation des RH. Créer un milieu de travail favorable au transfert des apprentissages. Encourager la participation à la formation.

	Le partage des responsabilités en matière de formation et de développement des compétences (*suite*)
Professionnels des RH	Faire la promotion de la formation des RH.
	Élaborer la politique de formation.
	Rassembler les divers acteurs autour de projets de formation des RH.
	Animer des activités de formation.
	Assurer un suivi du fonctionnement du processus de formation.
	Encourager l'entreprise à investir en formation.
	Vérifier que la loi dite du 1 % est respectée.
	Aider tous les salariés à accéder à des activités de formation.
	Encourager l'employeur à développer le « réflexe formation ».
Employés	Définir et communiquer leurs attentes et leurs besoins en matière de formation.
	Rechercher des occasions d'améliorer leurs compétences.
	Participer pleinement aux activités de formation.
	Déterminer des moyens pour appliquer la formation reçue dans leur travail.
	Discuter régulièrement avec leur supérieur immédiat de leurs projets de cheminement professionnel.

5.1   L'analyse des besoins de formation et de développement

Le processus de gestion de la formation et du développement commence par l'analyse des besoins, se poursuit avec le choix des méthodes de formation et de développement (aussi appelé «design de formation»), et se termine par l'évaluation, comme l'illustre la figure 5.1.

L'**analyse des besoins de formation** vise à déterminer dans quelle mesure la formation ou les activités de développement peuvent répondre aux défis que doivent relever l'organisation ou l'employé, comme l'arrivée de nouvelles technologies dans l'entreprise ou un écart de performance constaté en milieu de travail.

Analyse des besoins de formation

Processus qui vise à assurer une correspondance entre la situation de l'organisation ou de l'employé et la formation et le développement.

www.portailrh.org/expert

« L'analyse des besoins de formation : passage éclairé du développement des compétences », un article de N.-A. Shorteno, CRHA

5.1.1   L'importance de l'analyse des besoins

La formation et le développement ne représentent pas une fin en soi. Ils doivent répondre à des besoins réels. Prenons, par exemple, les employés d'un service administratif qui éprouvent, depuis l'installation d'un nouveau système informatique, des difficultés à respecter les délais de livraison. Le rendement inadéquat des employés de ce service peut s'expliquer par les limites du nouveau système informatique — pas encore complètement installé — ou par une insuffisance de connaissances empêchant les employés d'exploiter tout le potentiel de ce système. Si le problème de rendement est rattaché aux limites du nouveau système informatique, la mise en place d'une formation n'aura pas pour effet de réduire les délais de livraison. Afin d'éviter le

| **Figure 5.1** | **Le processus de gestion de la formation des RH** |

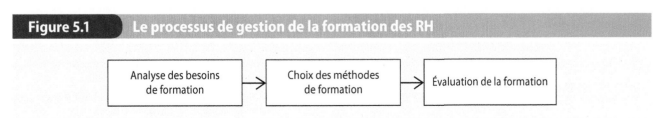

Le coin de la loi

Une loi qui favorise le développement des compétences

La Loi favorisant le développement de la formation de la main-d'œuvre a été modifiée en juin 2007. Son objectif est de lier au mieux les investissements dans la formation et le développement à l'accroissement des compétences de la main-d'œuvre et à l'amélioration de la productivité des entreprises. Par ce truchement, le gouvernement du Québec espère améliorer la qualification et les compétences de la main-d'œuvre, favoriser l'insertion dans l'emploi et l'adaptation à celui-ci ainsi que la mobilité professionnelle des individus.

Selon la Loi favorisant le développement et la reconnaissance des compétences de la main-d'œuvre, les dépenses admissibles au titre du « 1 % » sont, entre autres :

- le coût d'une formation engagé par un employeur auprès d'un établissement d'enseignement reconnu, d'un organisme formateur ou d'un formateur agréé par le ministre de l'Emploi et de la Solidarité sociale conformément à la loi ;

- le remboursement des frais de formation contractés auprès d'un établissement d'enseignement reconnu ;

- le salaire d'un employé qui donne au personnel de son employeur une formation à l'occasion d'une activité organisée par un service de formation agréé par le ministre conformément à la loi ;

- les frais de soutien pédagogique dans le cadre d'un contrat conclu entre un employeur et un établissement d'enseignement reconnu ou agréé.

Source : Emploi Québec, http://emploiquebec.gouc.qc.ca/entreprises/sinformer-sur-ses-responsabilites-legales/loi-sur-les-competences/ (Page consultée le 29 avril 2016).

gaspillage de ressources financières ou autres, il importe de se demander si la formation ou le développement peut contribuer à prévenir ou à résoudre entièrement ou en partie les problèmes qui se présentent dans un milieu de travail.

5.1.2 La nature des besoins

www.cpmt.gouv.qc.ca/
grands-dossiers/fonds

Fonds de développement et de reconnaissance des compétences de la main-d'œuvre (FDRCMO)

Le processus d'analyse des besoins vise à déterminer quelles formations sont nécessaires, à différents niveaux. Les besoins peuvent émaner des choix stratégiques de l'entreprise : on parle alors de besoins organisationnels. Ils peuvent aussi provenir d'une unité commerciale ou d'un groupe particulier de métiers : on analyse alors les besoins liés aux emplois et à l'organisation du travail. Enfin, l'analyse des besoins peut répondre à des enjeux d'ordre individuel, tels que le besoin d'un salarié de se sentir plus à l'aise dans son travail ou d'évoluer au sein de l'entreprise. Le tableau 5.1 présente ces trois types de besoins de formation et de développement.

Tableau 5.1	La nature des besoins de formation et de développement	
Type de besoins	**Objectifs**	**Exemples**
Besoins organisationnels	• Servir la stratégie et les objectifs de l'organisation. • Aider l'organisation à s'adapter à son environnement.	• Transmettre aux employés la nouvelle vision de l'entreprise à la suite d'une fusion. • Développer de nouveaux logiciels de jeux en utilisant une technologie de pointe valorisée par l'organisation.
Besoins liés aux emplois et à l'organisation du travail	• Adapter les emplois à l'environnement (évolution technologique, besoins des clients, etc.). • Améliorer la performance de l'équipe ou du service.	• Améliorer la coordination entre les membres de l'équipe par une communication et une confiance plus grandes entre les membres. • Mieux maîtriser un nouvel outil de travail.
Besoins individuels	• Satisfaire les besoins de croissance des employés. • Aider les employés à mieux effectuer leurs tâches.	• Développer les compétences de leadership afin d'envisager une évolution professionnelle. • Accroître la performance en connaissant mieux les nouveaux produits financiers offerts aux clients.

Les besoins organisationnels

Une première approche permettant d'effectuer l'analyse des besoins de formation et de développement consiste à étudier le contexte de l'organisation, et notamment ses objectifs à court et à moyen terme. Dans cette optique, l'analyse des besoins vise à optimiser l'arrimage de la formation et du développement aux décisions stratégiques de l'organisation. Il vise aussi à juger de la pertinence organisationnelle de la formation et de la présence de ressources suffisantes pour soutenir l'activité.

Il peut s'agir, par exemple, de réfléchir à la manière dont la formation et le développement peuvent améliorer la performance organisationnelle, en encourageant l'acquisition de compétences qui permettent de se distinguer de ses concurrents, en transmettant les valeurs et la vision organisationnelles ou en développant des connaissances et des réseaux qui stimulent l'innovation et aident l'entreprise à maintenir une longueur d'avance sur ses concurrents.

La formation et le développement des compétences peuvent aussi accompagner le changement et préparer l'avenir. Selon une approche prévisionnelle, on se préoccupe en effet des forces de changement présentes dans l'environnement qui transforment le profil des compétences requis des employés. Une nouvelle stratégie d'affaires, par exemple, peut faire naître des besoins de formation. Le défi consiste alors à renforcer la cohérence entre cette stratégie et les compétences des RH. L'évolution du profil de la main-d'œuvre contribue également à la manifestation de nouveaux besoins de formation. La formation en matière de gestion de la diversité culturelle apparaît ainsi comme une action cherchant à favoriser la promotion de la diversité dans l'univers du travail. L'analyse des besoins de formation peut donc s'inscrire dans une vision proactive de la croissance organisationnelle.

Les besoins liés aux emplois et à l'organisation du travail

On peut aussi dégager les besoins de développement et de formation en étudiant les emplois et l'organisation du travail. Dans cette optique, les besoins de formation peuvent être liés, par exemple, à l'évolution que connaissent les emplois ou à des insuffisances dans l'organisation du travail qui conduisent à penser qu'il faudrait revoir les manières de travailler. L'analyse peut s'effectuer pour chaque emploi, pour un groupe de personnes ou encore pour un service ou une unité d'affaires. Il devient alors possible de repérer des enjeux de développement facilitant la collaboration entre les membres de l'équipe ou la complémentarité des compétences en vue de la réalisation d'un projet ou d'un objectif commun. Les activités de **cohésion d'équipe** (*team building*) sont un exemple bien connu de formation facilitant la collaboration et la synergie entre les membres d'une équipe.

Les activités de cohésion d'équipe – ici, le rafting – sont un exemple bien connu de formation facilitant la collaboration entre les membres d'une équipe.

Cohésion d'équipe

Ensemble d'actions qui visent à améliorer le fonctionnement d'une équipe, à définir les responsabilités de ses membres et à accroître le potentiel de chacun en vue de bonifier la performance.

Les besoins individuels

L'analyse des besoins individuels vise à cibler les employés qui ont des besoins de formation et de développement tout en tenant compte des exigences des emplois et des priorités de l'organisation. Il s'agit ici d'aider l'employé à mieux exercer les tâches qui lui sont assignées, mais aussi à progresser dans l'organisation. Les employés tendent de plus en plus à prendre en charge leur développement de manière proactive et peuvent émettre des souhaits de formation en vue d'une évolution dans l'entreprise. Dans cette optique, le développement des compétences est important pour maintenir leur employabilité et encourager leur mobilité dans l'organisation. Par exemple, les entreprises identifiées comme des employeurs de choix tendent à rembourser les droits de scolarité de leurs salariés davantage que l'ensemble des organisations et à leur offrir des ressources ou un centre de carrière afin de les aider à évoluer (Boucher, 2007).

5.1.3 Les outils d'aide à l'analyse des besoins

L'analyse des besoins est fondamentale dans la réussite d'une activité de formation et de développement des compétences. C'est souvent à la suite d'une analyse erronée ou effectuée à la hâte que l'on réalise que la formation suivie ne peut aider à résoudre des problèmes rencontrés au travail. Dans un contexte où l'on cherche à optimiser les investissements en formation, la recension des besoins devient une étape centrale, qui doit être revue régulièrement en fonction des priorités et des enjeux organisationnels (Rivard, 2015).

www.fedex.com/ca_french
FedEx

Pour s'aider dans cet exercice, les responsables des RH utilisent divers outils. Par exemple, des entreprises font passer des tests destinés à évaluer les connaissances des employés relativement à leurs activités professionnelles. C'est le cas de la firme FedEx, qui soumet ses employés à un test de connaissances en lien avec leur travail tous les six mois. Les employés qui ne réussissent pas l'épreuve doivent poursuivre leur apprentissage en vue d'améliorer leur performance. Nous présentons dans les lignes qui suivent les principaux outils utilisés dans les entreprises. Certains aident à établir les besoins organisationnels (comme le plan d'effectifs), d'autres, les besoins liés aux emplois ou aux métiers (comme les référentiels de compétences), et d'autres, les besoins individuels (comme l'évaluation 360 degrés).

Le plan d'effectifs

Le chapitre 2 présente le processus conduisant à l'analyse des écarts entre les emplois requis et les emplois actuels. Cet exercice peut se faire à l'échelle d'une organisation entière, mais aussi d'un service ou même de postes précis (la planification ne touchant alors que ces postes, comme les gestionnaires ou les professionnels). Quelle que soit l'unité d'analyse choisie, la planification permet de cerner les besoins liés à des compétences à combler. Grâce à cet outil, les responsables de formation peuvent mettre sur pied des programmes qui répondent aux écarts de compétences observés. La formation est particulièrement utile en cas de pénurie qualitative et quantitative de main-d'œuvre.

L'analyse des tâches

On peut aussi analyser les tâches à effectuer dans un emploi donné. L'analyse des tâches conduit à une description détaillée de l'importance, de la fréquence et du degré de difficulté de chaque tâche associée à un emploi. Comme nous l'avons vu au chapitre 4, la description des tâches permet de préciser ce qui est attendu dans un emploi, et de déterminer ensuite les critères et les niveaux de performance attendus pour

Une théorie d'intérêt

La notion d'employabilité, au cœur des enjeux de la formation

Bien plus qu'une simple capacité à trouver un emploi équivalent à ses qualifications, le concept d'employabilité agit comme une croyance en ses capacités personnelles à affronter les défis que pose le marché du travail interne et externe. L'employabilité peut se concevoir comme la combinaison de quatre ingrédients (Fugate Kinicki et Ashforth, 2004):

1. l'importance accordée à sa carrière;
2. les capacités d'adaptation;
3. le capital humain (expérience, diplômes, etc.);
4. le capital social (réseaux).

Lorsque ces ingrédients sont réunis, les individus sont plus aptes à entreprendre des démarches de recherche d'emploi et à vivre les transitions d'emploi et de carrière de manière positive et optimiste. Or, le fait de se sentir employable est une perception qui se modèle. Offrir de la formation à ses employés est un excellent moyen de les amener à développer cette perception, pour qu'ils puissent évoluer tant au sein de l'organisation qu'à l'extérieur.

effectuer les tâches de manière efficace et soutenue. L'évaluation de la performance est un moment privilégié pour procéder à ce type d'analyse. Ainsi, pendant l'entrevue d'évaluation, il est possible de discuter avec le titulaire de l'emploi des nouvelles tâches à réaliser, d'un degré de difficulté croissant à atteindre certains objectifs, de la disparition de certaines activités ou d'une inadéquation entre les conditions de travail actuelles et les exigences de l'emploi. Ce faisant, on précise les tâches qui sont importantes et on comble les écarts observés entre la situation actuelle et la situation souhaitée.

Les référentiels de compétences

Les référentiels de compétences décrivent les composantes recherchées pour occuper avec succès un poste ou une fonction dans l'entreprise. Une compétence est formée de trois composantes qui, mises en pratique dans un contexte particulier de travail, conduisent à la réalisation optimale d'une activité :

Référentiel de compétences
Document présentant la liste des composantes recherchées pour occuper avec succès un poste ou une fonction dans l'entreprise.

1. le savoir (somme des savoirs théoriques et techniques ou des connaissances) ;

2. le savoir-faire (ou habiletés) ;

3. le savoir-être (ou qualités personnelles).

Les référentiels de compétences ne sont pas nécessairement liés à un poste : ils peuvent être associés à des fonctions ou à des responsabilités. Ainsi, il existe des référentiels de compétences pour les gestionnaires, les cadres de supervision ou de direction, quelle que soit la nature du poste occupé par les cadres. La figure 5.2 présente un extrait de référentiel de compétences de supervision. La compétence « Démontrer une vision stratégique », par exemple, suppose qu'il faut connaître avec précision la stratégie de l'organisation (le savoir), l'utiliser dans l'élaboration des objectifs de travail de son équipe (le savoir-faire) et convaincre les membres de l'équipe du bien-fondé de cette stratégie (le savoir-être).

Le référentiel de compétences fournit une grille de lecture qui servira de base pour déceler des écarts de performance entre ce qui est attendu et ce qui est obtenu dans un emploi ou une fonction. Une fois les lacunes décelées, il est souvent de la responsabilité du titulaire de l'emploi et de son superviseur de déterminer les moyens d'y remédier et de choisir la méthode de développement la plus appropriée pour y parvenir.

L'évaluation multisource ou 360 degrés

Dans divers milieux de travail, l'analyse des besoins des individus se réalise par l'entremise des systèmes d'évaluation multisource ou 360 degrés. Le principe est simple : il s'agit de présenter une liste détaillée de compétences attendues dans un poste ou dans une fonction et de demander à un ensemble de personnes qui ont un contact direct avec la personne évaluée de se prononcer sur le degré de maîtrise de chaque compétence par cette dernière.

Évaluation multisource ou 360 degrés
Processus par lequel on recueille auprès de diverses sources d'évaluation une rétroaction ou un jugement sur la contribution au travail d'un employé au cours d'une période donnée.

Figure 5.2	Un exemple de référentiel de compétences

Compétence	Insuffisante	À développer	Maîtrisée	Exceptionnelle
Faire preuve de leadership auprès de son équipe				
Démontrer une vision stratégique				
Arrimer les objectifs de son service aux objectifs d'affaires				
Concevoir et réaliser des solutions innovantes				

En questionnant diverses sources sur les compétences et les habiletés d'un individu, l'évaluation multisource permet d'obtenir le point de vue de divers collaborateurs et ainsi de mieux comprendre comment l'individu est perçu dans son entourage de travail. Grâce à cette évaluation, les individus obtiennent des cotes sur chacune de leurs compétences et peuvent se comparer avec la moyenne de l'organisation, ce qui les aide à cerner leurs points forts et les aspects de leur travail qui requièrent une amélioration. Il devient alors facile de dégager les compétences pour lesquelles un soutien est nécessaire.

L'évaluation multisource est particulièrement utile pour développer les compétences de leadership. Elle est appropriée pour aider les superviseurs à progresser dans leur rôle et pour préparer les employés qui exerceront des positions de leadership dans l'avenir.

Mentionnons que les outils d'aide à l'analyse des besoins peuvent être utilisés seuls ou conjointement. Ainsi, il est fréquent de recourir à une autoévaluation, à une évaluation psychométrique du potentiel et à une évaluation multisource pour découvrir les compétences jugées moins maîtrisées par les individus, lesquelles deviennent par la suite les objectifs prioritaires de développement de ces derniers (Codsi, 2011). Les solutions informatiques peuvent d'ailleurs s'avérer intéressantes à l'égard du développement. Cartons Saint-Laurent, par exemple, a développé un logiciel «multirelationnel» qui permet d'établir un lien entre les compétences exigées par différentes fonctions, les habiletés maîtrisées par chaque employé et des programmes de formation permettant de combler les lacunes observées. Le chapitre 7 montrera comment des outils comme l'évaluation 360 degrés peuvent aider à faciliter les transitions de carrière des individus vers des postes de leadership.

5.2 Le choix des méthodes de formation et de développement

L'analyse des besoins de formation et de développement conduit à dresser une liste de savoirs, de savoir-faire et de savoir-être à développer, soit à court terme pour démontrer une plus grande efficacité dans son travail et une plus grande aisance dans l'organisation, soit à plus long terme dans une optique de changement et de développement organisationnel. La deuxième étape du processus consiste à arrimer les objectifs et les méthodes d'apprentissage aux besoins identifiés (*voir la figure 5.1 à la page 157*). Quels sont les objectifs de la formation? Quel contenu faut-il privilégier pour s'assurer que le besoin sera effectivement comblé par la formation? Quelle méthode ou quelles méthodes de développement doit-on choisir pour optimiser l'efficacité des apprentissages? Voilà autant de questions que l'on peut se poser au cours de cette étape.

5.2.1 Les objectifs de la formation

Les objectifs de la formation sont des énoncés qui décrivent les cibles à atteindre en lien avec une activité de formation ou de développement. Un objectif relatif à l'apprentissage ou à l'acquisition d'un savoir concerne la compréhension d'un phénomène, d'un procédé ou d'une nouvelle politique de l'entreprise, c'est-à-dire des connaissances à acquérir. Un objectif relatif au savoir-faire peut traiter de la capacité de lire des plans complexes ou d'utiliser un nouveau logiciel de traitement de texte. «Être capable de réaliser des projets de finition-reliure» est un exemple d'objectif relatif au savoir-faire. Un objectif relatif au savoir-être aborde des thèmes liés aux comportements dans les interactions avec les collègues, les subordonnés, la hiérarchie, les clients ou les fournisseurs. Il peut s'agir, par exemple, d'être plus proactif avec les clients et de leur présenter les produits avec davantage de conviction ou d'améliorer sa capacité de motiver une équipe.

5.2.2 Des objectifs au choix de la méthode de formation

L'analyse des besoins conduit à établir des objectifs de développement. Chaque objectif peut être décliné sous forme d'apprentissage de savoirs, de savoir-faire ou de savoir-être. Ainsi, si un employé présente des écarts de performance en relation clientèle, les écarts peuvent être dus, par exemple, à une mauvaise connaissance des produits vendus et à un manque d'habiletés relationnelles. Ce constat permet de préciser les méthodes les plus appropriées pour répondre au besoin déterminé.

À titre d'exemple, la figure 5.3 reprend le référentiel de compétences que nous avons présenté précédemment. L'employé a été évalué sur chacune des compétences du référentiel et propose, en accord avec les cadres, une méthode de développement adaptée à ses besoins. Il offre aussi ses services en tant que *coach* parce qu'il est reconnu comme un leader exceptionnel.

On voit dans cet exemple comment un besoin (une compétence insuffisamment maîtrisée) conduit à formuler un objectif d'apprentissage ou de formation, puis à choisir la méthode qui semble permettre le mieux d'atteindre l'objectif fixé.

Avec la multiplication des nouvelles technologies de l'information et de la communication qu'on observe, il existe aujourd'hui une impressionnante variété de méthodes de formation et de développement des compétences. Dans ce contexte, comment choisir la méthode la plus appropriée? Le tableau 5.2, à la page suivante, présente les principales méthodes de formation de même que les types d'objectifs d'apprentissage pour lesquels elles s'avèrent pertinentes. En effet, certaines méthodes conviennent davantage à l'acquisition de connaissances, comme l'exposé, la conférence ou la formation diplômante. D'autres méthodes de formation favorisent plutôt le développement des compétences de leadership, à l'exemple du *coaching*, ou le développement de savoir-être et de comportements en équipe, à l'instar du mentorat ou des formations à la cohésion d'équipe.

Figure 5.3 De l'analyse des besoins au choix d'une méthode de formation

Compétence	Insuffisante	À développer	Maîtrisée	Exceptionnelle
Faire preuve de leadership auprès de son d'équipe				X
Démontrer une vision stratégique		X		
Arrimer les objectifs de son service aux objectifs d'affaires		X		
Concevoir et réaliser des solutions innovantes			X	

Peut agir comme *coach*

Objectifs de développement
Suggestions
- Participer au séminaire stratégique annuel
- Offrir plus d'occasions de rencontres avec les dirigeants

Tableau 5.2	Les principales méthodes de formation et de développement des compétences
Méthode	**Description et intérêt d'utilisation**
Présentation orale (exposé, conférence, déjeuner-causerie, etc.)	Cette méthode vise à transmettre des connaissances ou des exemples concrets à un groupe par une personne-ressource. Une discussion complète parfois l'intervention. La présentation orale permet de communiquer rapidement à plusieurs apprenants une information factuelle.
Formation diplômante	La formation diplômante est centrée sur un parcours d'enseignement menant à une certification ou à un diplôme. Les formations aux MBA pour les cadres sont un exemple bien connu de ce type de formation. Cette méthode favorise l'évolution des employés et développe leur employabilité.
Formation en ligne	La formation en ligne, ou apprentissage en ligne ou *e-learning*, s'appuie sur les nouvelles technologies de l'information et Internet pour diffuser un apprentissage interactif, pouvant inclure des informations, des tests, de l'aide face à un problème technique. Cette méthode se prête à une grande distribution et à un usage fréquent.
Formation par alternance	Il s'agit d'une formation menant à un diplôme, à une certification ou à un permis, où alternent des périodes de cours et des périodes de pratique dans le poste de travail. Certaines formations sont requises par le gouvernement pour exercer un métier, d'autres facilitent l'apprentissage des métiers et l'insertion professionnelle des diplômés.
Formation à but pratique	Il s'agit d'interventions pratiques — comme les études de cas, les jeux de rôles ou les simulations — visant à développer le savoir-faire des participants en les plaçant dans des situations proches de celles qu'ils pourront être amenés à vivre.
Apprentissage sur le lieu de travail	Cette méthode consiste en une activité d'apprentissage où un spécialiste (le supérieur, un collègue) montre une tâche à accomplir, la fait exécuter par l'employé et lui transmet une rétroaction. Elle est appropriée au transfert de compétences tacites et de savoir-faire, et permet de s'adapter rapidement à un emploi donné.
Mobilité (rotation des postes, affectations temporaires, mandats spéciaux, etc.)	Un programme de mobilité permet à l'apprenant d'évoluer dans différents postes, projets ou unités d'affaires. Le participant acquiert une meilleure compréhension de son entreprise et de diverses tâches et fonctions. Cette méthode est utilisée pour préparer les employés à accéder à des fonctions plus élevées dans la hiérarchie et pour leur permettre d'éviter d'éprouver un sentiment de plafonnement.
Coaching	Le *coaching* désigne la relation qui s'établit entre l'employé et un *coach* (souvent son supérieur) qui l'aide à progresser par l'analyse de ses propres expériences professionnelles et à acquérir des compétences centrales dans son emploi actuel. Cette méthode est surtout utilisée lorsque les compétences à développer sont liées à la gestion et aux savoir-faire humains.
Groupes de codéveloppement	Ces groupes réunissent de quatre à huit personnes afin qu'elles s'entraident à résoudre des problèmes ou à relever des défis qu'elles rencontrent au travail. Chaque individu joue le rôle de client et de consultant à tour de rôle.
Communautés de pratique	Ce sont des rencontres entre plusieurs personnes qui souhaitent échanger des idées sur une thématique. Ces rencontres favorisent le partage d'expériences et le réseautage. Les communautés regroupent des gens venant d'industries et d'entreprises diverses, ou d'unités d'affaires différentes au sein d'une même organisation.
Séminaires d'entreprise	Les séminaires regroupent un nombre restreint de participants qui réfléchissent à un enjeu organisationnel (p. ex., un séminaire de planification stratégique) ou qui établissent des liens et approfondissent leur connaissance de l'organisation (p. ex., les séminaires d'intégration ou les rencontres avec les membres de la haute direction).
Formation de cohésion d'équipe (plein air, théâtre, etc.)	Cette formation vise le développement des habiletés relatives au travail en équipe. Elle conduit en général les employés dans des lieux (formation aventure) ou des situations (théâtre) inhabituels pour forcer la collaboration ou la créativité au sein du groupe.

La tendance actuelle des entreprises est d'offrir un éventail aussi large que possible de méthodes de formation aux employés et de les combiner dans le cadre de programmes d'apprentissage et de développement. De cette manière, il devient plus aisé de trouver l'activité qui conviendra le mieux aux besoins exprimés et de développer des compétences complexes, qui ne pourraient être acquises et transférées dans diverses situations sans le recours à une multiplicité de méthodes complémentaires.

5.2.3 Les méthodes de formation et le transfert des apprentissages

Le **transfert des apprentissages** en milieu de travail constitue un enjeu majeur pour les entreprises. Sans ce transfert, on peut se questionner sur l'intérêt de former les salariés et d'investir en formation, puisqu'on est incapable d'en observer les effets concrets au travail. Malheureusement, le transfert des apprentissages demeure limité après la formation. On estime que seul un très faible pourcentage des apprentissages réalisés en formation «classique» (en classe) font l'objet d'un transfert durable en milieu de travail. Que faire pour éviter qu'une proportion importante des budgets consentis en matière de formation ne «rapporte» pas?

Transférer les apprentissages ne consiste pas à reproduire des connaissances, mais à pouvoir les adapter et les utiliser dans un ou différents contextes particuliers. Dans cette perspective, une méthode de formation qui facilite le transfert ne peut porter uniquement sur des connaissances à maîtriser; elle doit s'accompagner d'une démarche permettant à l'individu d'utiliser ces connaissances pour résoudre des problèmes directement reliés à sa réalité de travail. Le choix d'une méthode de formation doit donc tenir compte de la capacité de cette méthode à faciliter le transfert des apprentissages. Ainsi, les formations qui répondent aux besoins et aux défis que les apprenants relèvent en milieu de travail aident au transfert, de même que les plans d'action avec des objectifs de transfert. Les méthodes de formation qui offrent une rétroaction aux apprenants sur les manières de faire, qui contribuent à fixer des objectifs au travail et à cibler des pistes de progrès devraient elles aussi augmenter les possibilités de transfert. Le tableau 5.3 présente les conditions permettant d'optimiser le transfert des connaissances.

Transfert des apprentissages
Mise en pratique dans le milieu de travail du savoir et du savoir-faire acquis en cours de formation.

Tableau 5.3	Les conditions d'optimisation du transfert des apprentissages
Condition d'optimisation	**Principes**
Qualités du formateur	• Interactions de qualité et régulières entre le formateur et l'apprenant • Capacité du formateur à susciter des interactions plaisantes et constructives entre les participants • Capacité du formateur à établir un contact de qualité (regards, proximité)
Contenu de la formation	• Types de connaissances enseignées • Méthodes pédagogiques privilégiées (simulations, cas, démarches favorisant l'autoapprentissage) • Processus d'appropriation des contenus (plan d'action concret, objectifs professionnels, intégration de problèmes ou défis vécus au travail) • Rétroaction sur les savoir-faire et les compétences
Caractéristiques de l'apprenant	• Motivation à apprendre • Ouverture vers les autres • Intérêt pour l'apprentissage (et non uniquement pour les résultats) • Engagement envers son travail, son organisation
Environnement de travail	• Soutien du supérieur et des pairs • Climat d'apprentissage et de développement
Effets motivationnels de la formation	• Sentiment d'être plus efficace au travail • Perception d'utilité de la formation • Motivation à appliquer la formation au travail

Sources: Adapté de BARON, L., et L. MORIN. «The impact of executive coaching on self-efficacy related to management soft-skills», *Leadership & Organization Development Journal*, vol. 31, 2010, p. 18-38; ROUSSEL, J.-F. «L'apprentissage informel: une nouvelle donne, de nouveaux défis», *Effectif*, vol. 3, n° 3, 2010; SITZMANN, T., *et al.* «A review and meta-analysis of the nomological network of trainee reactions», *Journal of Applied Psychology*, vol. 93, 2008, p. 280-295.

Bon nombre de ces méthodes développées récemment s'appuient sur le vécu des individus pour construire les apprentissages directement reliés à leur réalité professionnelle. Le *coaching* et les communautés de pratique sont des exemples de méthodes qui, en se situant dans l'action et en répondant à des problèmes concrets vécus par les participants, tentent d'optimiser le transfert des apprentissages. D'ailleurs, les professionnels de la formation ne s'y trompent pas et recourent massivement à ces méthodes. Ainsi, chez CBC/Radio Canada, 70 % des apprentissages se font dans l'action, 20 % par l'entremise du *coaching* et 10 % seulement par des approches plus formelles, que ce soit en classe ou en ligne (Dubertrand, 2011). Un autre exemple d'application de ce type de découpage est fourni par le modèle FOCUS mis en place chez Rio Tinto Alcan : F pour la formation traditionnelle, O pour *on the job training* (formation sur les lieux de travail), C pour *coaching*, U pour apprentissage universitaire (conférences, cours) et S pour projets spéciaux ou missions temporaires. En couplant différents types des formations, et en les axant sur l'apprentissage en action basé sur des situations professionnelles, Rio Tinto Alcan espère accroître les compétences de leadership de ses nouveaux gestionnaires (Dubertrand, 2011).

Regard sur la pratique

AU QUÉBEC

Leaders à bord ! Comment la STM optimise le transfert des apprentissages

La Société de transports de Montréal (STM) a lancé un programme de développement du leadership pour ses quelque 750 gestionnaires. Elle s'est inspirée des meilleures pratiques en matière de transfert d'apprentissage pour mettre en œuvre un programme sur mesure, intitulé *Leaders à bord*. Le parcours de formation de cinq jours (trois modules) s'échelonne sur six mois. Et ça marche ! Non seulement la satisfaction des gestionnaires est au rendez-vous, mais il y aurait des résultats en termes d'acquisition de compétences, surtout concernant la communication et l'orientation vers les résultats. L'approche pratique et les contenus, collés à la réalité de la STM, facilitent la transposition au quotidien. La formation a été découpée selon des thèmes propres à la STM, des visites des formateurs sur le terrain et la prise de connaissance du plan stratégique 2020, de telle sorte que les apprenants ont eu l'impression que les formateurs provenaient de la STM. Par ailleurs, le programme s'arrime directement à la stratégie d'affaires afin de mobiliser les employés vers l'atteinte des objectifs du plan stratégique 2020. Les formateurs travaillent avec les outils STM (plan stratégique, contrat de performance, etc.) et établissent des liens constants entre les compétences attendues et le sens des actions. La plupart des gestionnaires estiment que leur participation au programme a facilité la communication avec les autres secteurs de l'entreprise et le recours à un langage commun de gestion.

Source : Adapté de LAMOUREUX, C., et H. GIGUÈRE. « Leaders à bord : défi transfert – Programme de développement du leadership à la sauce STM », *Effectif*, vol. 17, n° 5, 2014.

5.2.4 Les méthodes « tendance » qui ont fait leurs preuves

La section précédente a présenté le processus de formation permettant de transposer les besoins de formation en objectifs de formation, et de réfléchir au type de formation qui conviendrait le mieux aux besoins énoncés. Cette section s'attarde sur certaines de ces formations. En effet, plusieurs méthodes de formation et de développement ont acquis leurs lettres de noblesse depuis quelques années. Elles sont en vogue, et pour cause : elles sont perçues comme efficaces et rentables.

Grâce aux nouvelles technologies, l'apprentissage en ligne conduit aussi à développer des outils ludiques qui facilitent l'apprentissage par le jeu et peuvent même préparer les individus à adopter certains comportements. Ainsi, il devient possible de créer des jeux qui reproduisent des situations de travail et ainsi accélèrent l'acquisition de compétences professionnelles. L'exemple de l'entreprise Biomodex (*voir la rubrique Regard sur la pratique ci-contre*) montre l'étendue des apprentissages possibles grâce à des technologies telles que l'imprimante en trois dimensions.

Regard sur la pratique

L'impression 3D d'organes humains

Le domaine de la bio-impression en trois dimensions, qui a vu le jour tout récemment, offre de belles occasions d'affaires à de jeunes entreprises. Il s'appuie sur des technologies de pointe qui permettent d'«imprimer» ou de reproduire des tissus biologiques comme des cartilages, des muscles, des os ou même des organes complets. Ces impressions 3D ont été greffées avec succès sur des animaux de laboratoire, et des chercheurs de l'Université de Wake Forest, en Caroline du Nord, ont récemment surmonté l'une des dernières difficultés, qui consistait à imprimer les vaisseaux les plus fins (d'un diamètre de 100 à 200 micromètres).

Biomodex, une entreprise française de bio-impression fondée en 2015, s'apprêtait déjà, en 2016, à ouvrir un nouveau bureau à Boston. Elle se spécialise dans l'impression d'organes humains à des fins éducatives, c'est-à-dire pour permettre à des étudiants en chirurgie de pratiquer des interventions sur des organes réels sans mettre en danger la vie d'un patient. Les tissus biologiques imprimés par Biomodex servent donc à l'entraînement des chirurgiens en permettant de simuler les conditions opératoires à la perfection.

Sources : FERRUGIA, A. «Des organes imprimés en 3D pour s'entraîner», *L'ADN*, 20 juillet 2016, www.ladn.eu/innovation/homme/la-chirurgie-personnalisee-par-impression-3d ; X. D. «Biomodex mise sur la formation chirurgicale avec 3,6 M$», *Les Échos Capital Finance*, 18 avril 2016, p. 11, http://capitalfinance.lesechos.fr/lettre/1235/biomodex-mise-sur-la-formation-chirurgicale-avec-3-6-m-34645.php ; ZAFFAGNI, M. «Biomodex propose la chirurgie personnalisée… par impression 3D», *Futura-Science*, 19 juillet 2016, www.futura-sciences.com/tech/actualites/imprimante-3d-biomodex-propose-chirurgie-personnalisee-impression-3d-63601 (Pages consultées le 16 novembre 2016).

L'apprentissage en ligne

L'apprentissage en ligne (ou *e-learning*) regroupe toutes les formes d'apprentissage et de formation réalisées à l'aide d'une technologie numérique. Il permet de s'affranchir de la présence physique régulière d'un formateur et peut offrir l'aide d'un tuteur qui facilite les acquisitions. Le succès de l'apprentissage en ligne s'explique en partie par la possibilité de le diffuser de manière large et à faible coût à des employés qui disposent d'un accès facile aux outils électroniques et peuvent gérer de manière autonome le temps et le rythme de leur apprentissage.

Apprentissage en ligne
Toutes les formes d'apprentissage et de formation réalisées à l'aide d'un moyen électronique.

Toutefois, une bonne motivation et une certaine assiduité de la part de l'apprenant sont nécessaires à l'efficacité de l'apprentissage. Par ailleurs, même si le formateur n'est pas présent physiquement, son rôle demeure central, car ce sont les conditions pédagogiques qui encadrent l'usage des technologies qui favorisent l'apprentissage. Ainsi, le formateur doit désormais bâtir des modules d'apprentissage ludiques, visuels et rapides pour susciter les acquisitions à un rythme soutenu.

Grâce aux technologies du Web 2.0, il est désormais possible de recourir à des formes variées et interactives d'apprentissage en ligne. Ainsi, les réseaux de communautés apprenantes, les forums d'échange d'information ou de connaissances participent à l'amélioration des savoirs et des savoir-faire. Le Web 2.0 facilite aussi l'émergence de techniques d'apprentissage innovantes, telles que les simulateurs de vol pour les pilotes, les jeux de résolution de conflits, l'écoute et la simulation d'appels de clients dans des centres d'appel. Les logiciels offrent enfin une rétroaction automatique sur les connaissances et les compétences démontrées. Les nouvelles technologies proposent ainsi différents outils qui rendent l'apprentissage ludique, varié et efficace. Finalement, elles favorisent l'autonomie de l'apprenant, ce qui

L'apprentissage en ligne ou *e-learning* permet de s'affranchir de la présence physique régulière d'un formateur et peut offrir l'aide d'un tuteur qui facilite les acquisitions.

DANS LE MONDE

Regard sur la pratique

L'Oréal offre un concours d'apprentissage en ligne aux étudiants !

L'Oréal met à disposition des 15 000 étudiants de 57 pays inscrits à son concours Brandstorm une plateforme de contenus pédagogiques permettant de développer leur professionnalisation et leur employabilité. Ce cursus d'apprentissage en ligne nommé *Path to Win* a été développé en partenariat avec les sociétés d'apprentissage en ligne Crossknowledge et General Assembly. Le parcours de formation en 12 étapes inclut 27 modules créés spécialement par les experts de L'Oréal et de ses prestataires : créer un plan marketing, développer des solutions de conditionnement durables, tirer le meilleur parti des réseaux sociaux pour développer sa marque, renforcer ses talents de présentation, etc.

«*Path to Win* propose un apprentissage ludique, explique Jean-Claude Le Grand, directeur du développement international des RH et directeur *corporate* de la diversité. Des systèmes de jeu permettent aux étudiants de cumuler des points et de progresser dans un classement au fur et à mesure de l'acquisition des connaissances. Par ailleurs, les étudiants ont également la possibilité d'échanger directement avec les dirigeants du groupe, de recevoir des conseils et d'être *coachés* par des experts ou par d'anciens participants.»

Source : Adapté de L'ORÉAL. «L'Oréal s'engage dans la professionnalisation de 15 000 étudiants avec "Path to Win" une plateforme d'*e-learning* inédite pour booster l'employabilité», communiqué de presse, 15 avril 2016, www.loreal.fr/media/press-releases/2016/apr/pressreleas-path-to-win (Page consultée le 13 octobre 2016).

augmente les chances de maîtrise d'un sujet et de transfert des apprentissages. Pour toutes ces raisons, les nouvelles technologies devraient continuer à gagner en importance dans le domaine de la formation.

http://mooc-francophone.com
Site du MOOC francophone

La formation en ligne ouverte à tous (MOOC)   Les cours en ligne ouverts à tous, ou MOOC pour *massive open online course*, sont des modules d'enseignement accessibles gratuitement sur le Web, qui offrent des ressources éducatives en libre-service à des apprenants situés partout sur la planète. Le succès de ces cours est tel que l'on compte actuellement plus de 35 millions de participants dans le monde (Gouin, 2015). Plusieurs entreprises se sont lancées dans la création de MOOC pour former leurs employés. Par exemple, la compagnie automobile française Renault a créé un MOOC visant à former plus de 14 000 employés à la suite du lancement d'une nouvelle voiture (Karsenti, 2015). D'autres organisations célèbres telles la banque BNP Paribas ou l'entreprise de spiritueux Pernod Ricard se sont également engagées dans cette expérience.

L'apprentissage en réseaux   L'apprentissage par des forums et des réseaux sociaux est une autre tendance en matière d'enseignement en ligne ou à distance, car ces outils créent un environnement pédagogique plus riche grâce à la socialisation et au dialogue. De plus en plus d'entreprises se servent des médias sociaux pour compléter ou enrichir les formations offertes à leurs salariés. Il peut s'agir par exemple de créer une page Facebook pour partager des connaissances, échanger des informations et des ressources concernant une formation donnée. Que ce soit Twitter, LinkedIn, Facebook ou YouTube, ces technologies contribuent aussi à faire rayonner l'image d'un employeur à travers la mise en ligne de vidéos ou de formations accessibles à tous (Karsenti, 2015).

Les capsules de micro-apprentissage   Le micro-apprentissage consiste à morceler les enseignements en capsules consultables en 15 minutes environ, à tout moment, et surtout à partir de diverses technologies mobiles telles que le téléphone intelligent ou la tablette numérique. Ces capsules procurent une grande autonomie aux apprenants, qui peuvent suivre la formation au moment qui leur convient, sans avoir besoin de libérer des plages horaires importantes à cet effet.

AU CANADA

Regard sur la pratique

Uni-Sélect fait jouer ses futurs leaders!

Leader de la distribution de pièces automobiles au Canada, Uni-Sélect, avec 885 employés au Canada, a récemment développé un nouvel outil qui lui permet à la fois de mesurer et de gérer les compétences de sa main d'œuvre. Uni-Sélect a dressé une liste de compétences de leadership que tout individu doit développer dans le cadre d'un plan de développement revu tous les trimestres. Un outil, nommé «E-fUNI» a été construit à cet effet. Il s'agit d'un site Intranet qui héberge un questionnaire sous forme de jeu où les salariés peuvent recevoir des cartes cadeaux lorsqu'ils cumulent les bonnes réponses. Cet outil permet de dispenser du contenu de formation tout en vérifiant quel est le niveau de connaissance et d'apprentissage des salariés. Le contenu est personnalisable en fonction du public à qui l'on souhaite s'adresser. Et c'est un succès: les gestionnaires prennent plaisir à jouer et le font sur leur téléphone intelligent, à la maison ou dans l'autobus.

Source: Adapté de LYAN, M. «Un jeu pour se former chez Uni-Sélect», *Les Affaires*, dossier «Mesurer et optimiser vos RH», 30 octobre 2014, www.lesaffaires.com/dossier/mesurer-et-optimiser-vos-rh/un-jeu-pour-se-former-chez-uni-select/573484 (Page consultée le 5 mai 2016).

Le *coaching*

Les activités de *coaching* se sont fortement développées depuis le début des années 2000, notamment parce qu'elles apportent des réponses satisfaisantes au besoin de développer des compétences liées au leadership des employés. Centrées sur des tactiques individuelles de développement, elles offrent aux individus un encadrement personnalisé et sur mesure pour leur permettre de se développer et de s'autoformer.

Le *coaching* consiste en un accompagnement professionnel personnalisé censé conduire à des résultats concrets et mesurables, directement en lien avec la performance au travail. À ce titre, il est orienté vers l'utilisation et le transfert des apprentissages dans le poste de travail. Le *coaching* peut même viser à vérifier ce transfert et à le faciliter en donnant des conseils et des outils à l'apprenant pour qu'il mette en pratique des savoir-faire. Afin de professionnaliser les pratiques, plusieurs associations accréditent ou certifient les *coachs*, à l'exemple de l'International Coach Federation (accréditation internationale) ou de la Fédération francophone de coachs professionnels.

Le rôle du *coach* est d'accompagner un individu ou un groupe d'individus dans l'acquisition de compétences spécifiques, liées soit à des tâches techniques, soit à des tâches de leadership.

Le *coaching* est un processus qui s'apprend et qui n'est pas destiné à tous. Ainsi, les individus occupant une position élevée dans la hiérarchie ou possédant des compétences de leadership exceptionnelles ne deviennent pas forcément de bons *coachs*. Ce rôle nécessite des qualités d'écoute, d'empathie, des habiletés à transmettre une rétroaction honnête et transparente, que ne détiennent pas tous les individus. La qualité du *coach* est un facteur de succès important de ces méthodes d'apprentissage, car leur réussite dépend de la confiance entre les deux protagonistes (*coach* et *coaché*). D'autres facteurs s'avèrent cruciaux, comme la fréquence et la durée des rencontres de même que la crédibilité et la notoriété de la personne qui sert de modèle (Roussel, 2010).

En général, le *coach* n'est pas en position hiérarchique ou en contact professionnel direct avec la personne qu'il accompagne, de manière à exclure l'influence de toute relation de pouvoir susceptible d'altérer la démarche d'apprentissage. Il peut être une ressource interne ou externe de l'entreprise, selon les compétences à développer et les ressources disponibles. Il existe plusieurs formes de *coaching*, dont les principales sont présentées dans les lignes qui suivent.

Coaching
Accompagnement professionnel personnalisé devant conduire à des résultats concrets et mesurables, directement en lien avec la performance au travail.

www.coachfederation.org
International Coach Federation

www.ffcpro.org
Fédération francophone de coachs professionnels

 VIDÉO

L'Ordre des CRHA a réalisé la vidéo «Le coaching, propulseur de la performance des leaders», avec Marie-Claude Perrault, présidente fondatrice, MANGO intervention stratégique inc.

Le *coaching* de direction représente une relation d'aide entre un dirigeant ou gestionnaire et un consultant. Il s'appuie sur un ensemble de techniques et de méthodes comportementales qui aident le dirigeant à atteindre des objectifs professionnels fixés et susceptibles d'améliorer l'efficacité organisationnelle. La relation d'aide est donc plutôt axée sur la construction de solutions, donnant lieu à un processus d'autoformation qui devrait permettre au *coaché* d'acquérir des compétences qu'il pourra utiliser dans des situations similaires une fois le *coaching* achevé.

Le *cocoaching* s'effectue entre deux personnes qui s'aident mutuellement à améliorer leurs compétences dans leur domaine professionnel. Elles changent de rôle, alternant entre celui de *coach* et celui de client. C'est cette forme de *coaching* que Swarovski a implanté au Québec lorsque l'entreprise a voulu changer les fonctions de ses gestionnaires (*voir la rubrique Regard sur la pratique ci-contre*).

Enfin, le *coaching* d'équipe se pratique avec un groupe d'individus qu'un *coach* accompagne dans son fonctionnement et son processus de décision. Le groupe peut être composé de personnes travaillant ensemble de manière permanente (un comité de direction, par exemple) ou temporaire (un groupe-projet, par exemple). Pour aider le groupe, le *coach* peut utiliser des techniques de cohésion d'équipe, mais son rôle consiste principalement à accompagner l'équipe en optimisant ses processus de fonctionnement.

Les rencontres entre professionnels

Les rencontres entre professionnels revêtent principalement deux formes, dont l'usage se démocratise rapidement: les communautés de pratique et les groupes de codéveloppement.

Les communautés de pratique ou d'experts   La gestion des connaissances représente un défi de taille pour les entreprises, car leur performance peut être freinée par les marchés en rapide évolution, une concurrence féroce et la perte d'expertise occasionnée par les départs à la retraite.

Communauté de pratique

Groupe de personnes mettant en commun des idées et des expériences en vue d'enrichir les connaissances et les savoir-faire sur une pratique donnée.

Gérer, conserver et développer ces connaissances exige donc une organisation humaine, matérielle et, à présent, virtuelle. C'est ici qu'entrent en jeu les communautés de pratique. Il s'agit généralement d'un réseau virtuel d'individus volontaires partageant un même métier (informaticiens, agents en réadaptation, etc.) ou une même fonction (gestionnaires, médiateurs, etc.). Lave et Wenger définissent la communauté de pratique comme «un réseau social actif et durable d'individus qui partagent et développent un fonds de connaissances, de croyances, de valeurs, une histoire et des expériences concernant une pratique commune ou une entreprise commune» (1991, p. 14). Une telle communauté vise à faciliter l'apprentissage, à permettre la maîtrise et l'approfondissement d'un domaine d'expertise, à accélérer l'innovation, à faciliter la résolution de problèmes ou à mutualiser les ressources pour accéder à des connaissances.

Selon le principe de la communauté de pratique, le partage de connaissances informelles (expériences, stratégies, savoir-être, savoir-faire) est tout aussi important que le partage de connaissances formelles (formation universitaire, stages, conférences ou ateliers). Les connaissances partagées sont très variées. Il peut s'agir de documents, de grilles d'analyse, de présentations PowerPoint, de vidéos, en somme de tout ce qu'une personne utilise pour exercer son métier ou sa fonction.

Les rencontres de la communauté de pratique peuvent se faire en face à face, à l'occasion de réunions, de colloques, etc., ou virtuellement par le réseau intranet de l'entreprise, les blogues, etc. Pour démontrer son efficacité, une communauté de pratique doit se maintenir dans la durée afin de favoriser les échanges parmi tous ses membres et l'évolution de ces derniers.

Les groupes de codéveloppement   Un groupe de codéveloppement réunit des personnes qui pensent pouvoir s'entraider et contribuer ainsi à leur développement professionnel. Ces personnes peuvent être d'origines diverses et appartenir à différents services d'une entreprise, voire à différentes entreprises. Leur objectif est de se doter de règles de fonctionnement — en matière de temps, de fréquence de rencontres, de durée de vie, mais aussi de moyens et de procédures — pour améliorer leurs compétences professionnelles et se conseiller mutuellement. Les consultations peuvent se limiter à un métier donné, ou porter sur des défis organisationnels plus larges qui s'inscrivent dans une démarche de développement organisationnel ou de gestion du changement (p. ex., un projet d'optimisation d'un service client).

Le principe de fonctionnement consiste à agir tantôt à titre de consultant qui vient en aide un client, tantôt à titre de client qui expose à des consultants un enjeu ou un problème rencontré. À titre de consultants, les membres du groupe aident leur client à enrichir sa compréhension du problème exposé et à déterminer des voies d'action pour y remédier. Lors de la rencontre suivante, le client peut présenter l'avancement de son plan d'action et les consultants, poursuivre leurs suggestions. Par ailleurs, ces groupes sont en général animés par une personne externe, qui s'assure de réguler les discussions et de faire alterner le rôle de chacun. Son rôle d'animateur est important, puisqu'il est le garant de l'atteinte des objectifs fixés au groupe.

La durée des groupes de codéveloppement est variable, souvent estimée à un an. Mais divers cas de figure sont possibles. Chez l'Industrielle Alliance, 16 groupes de codéveloppement étaient actifs en 2015, certains ayant été constitués depuis six à sept ans (Boulet et Desjardins, 2015). Chez Vidéotron, le codéveloppement a été lancé en 2012, menant à la formation de six groupes en 2014 (Szele, 2014). Leurs conditions de succès sont liées à la qualité de l'animateur, mais aussi aux règles de volontariat et de confidentialité propres à ces groupes. Ces règles sont fondamentales pour offrir une entraide solide, qui renforce la confiance entre les membres et brise les cloisons.

Groupe de codéveloppement
Groupe de quatre à huit personnes qui se rencontrent régulièrement pour se conseiller mutuellement, sous la responsabilité d'un animateur.

www.portailrh.org/expert
« Retombées et conditions de succès du codéveloppement », un article de R. Villeneuve, CRHA.

Regard sur la pratique _____

Swarovski : le *cocoaching* comme accompagnement au changement organisationnel

AU QUÉBEC

En 2010, l'entreprise autrichienne de 26 000 employés a connu une croissance fulgurante avec le développement de son réseau de distribution. La culture de l'entreprise changeait ; mis au défi par leurs équipes, très exigeantes, les gestionnaires avaient besoin d'être accompagnés. Il fallait un style de gestion moins paternaliste pour les soutenir dans leur développement professionnel et personnel. À cela s'ajoutait l'exigence de rentabilité dans un contexte économique européen tendu et incertain. Le développement des compétences par le *cocoaching* a été choisi chez Swarovski à Montréal. Swarovski avait en effet besoin d'accompagner différemment ses gestionnaires pour que ceux-ci :

- acquièrent une posture de *coach* dans l'accompagnement quotidien de leurs équipes ;

- se remettent en question en tant que gestionnaires ;

- apprennent à travailler en réseau et non plus de façon cloisonnée ;

- et donnent des rétroactions constructives.

Grâce au *cocoaching*, les managers fonctionnent davantage en réseau, acceptent mieux les situations d'instabilité et de changement organisationnel et sont mieux armés pour prendre des décisions parfois difficiles.

_____

Source : Adapté de GRENIER, G., et C. VICTOR. « Le co-coaching, une démarche intégrée de transformation individuelle et collective pour accompagner le changement organisationnel », *Effectif,* vol. 16, n° 4, 2013, www.portailrh.org/effectif/fiche.aspx?p=549474 (Page consultée le 10 mai 2016).

Parole d'expert

Que pensent les membres de groupes de codéveloppement chez Vidéotron ?

Chez Vidéotron, le codéveloppement est une stratégie d'apprentissage de plus en plus sollicitée en vue d'optimiser le transfert des compétences et l'entraide entre gestionnaires leaders.

« La force du codév, c'est la régularité des rencontres et la possibilité d'avoir un *feedback* à la séance suivante. La synergie qui s'y rattache nous permet, autant en tant que client que consultant, d'en ressortir plus fort, de voir d'autres aspects et méthodes de gestion. » – Bryan

« Les ateliers de codéveloppement m'ont permis de grandir et d'évoluer dans mon rôle de gestionnaire. J'ai pu acquérir de nouveaux outils et de nouvelles perspectives qui m'ont aidée au quotidien dans mon travail. Le fait de pouvoir s'exprimer en toute confidentialité sur nos enjeux m'a permis de devenir une meilleure gestionnaire et "d'adresser" les vraies choses. » – Roxanne

« Le codév m'a permis de reprendre confiance en moi en découvrant que je n'étais pas le seul à vivre certaines difficultés en gestion. Je me suis rendu compte que ce qui peut être facile pour moi peut être difficile pour d'autres et vice-versa. Les ateliers sont une belle occasion de partager les meilleures pratiques et d'évoluer à partir de l'expérience des autres. C'est beaucoup plus intéressant de le faire ainsi qu'à partir de concepts théoriques tirés d'un livre. » – Sébastien

Source: Adapté de SZELE, I. « Une démarche au cœur du développement des gestionnaires chez Vidéotron », *Effectif,* vol. 17, n° 1, janvier/février/mars 2014.

5.3 L'évaluation de la formation et du développement des compétences

La troisième étape du processus de gestion de la formation et du développement des compétences est l'évaluation. Selon le modèle de Kirkpatrick (Kirkpatrick et Kirkpatrick, 2006), l'évaluation de la formation peut être effectuée sur l'un ou sur plusieurs des quatre niveaux suivants : les réactions, les connaissances, les comportements et compétences ainsi que les résultats. Même si ces quatre niveaux d'évaluation forment une certaine hiérarchie (*voir la figure 5.4*), on ne peut établir de liens de causalité entre chacun. Chaque niveau est indépendant, et le choix du type d'évaluation dépend de l'objectif donné à l'activité de développement des compétences. Si, par exemple, la formation doit aider à vendre un produit, on analysera son impact en termes de résultats (les ventes réalisées). S'il s'agit d'une formation de *coaching* visant à développer des

 VIDÉO

L'Ordre des CRHA a réalisé la vidéo « Évaluation de l'impact de la formation », avec Jean-François Roussel, professeur, CRHA.

Figure 5.4 Les quatre niveaux d'évaluation de la formation

compétences de leadership, on s'intéressera davantage à une évaluation de niveau 3 (compétences au travail). Cela dit, l'évaluation des comportements et des compétences s'avère, comme nous le verrons, une approche plus souhaitable que l'évaluation des connaissances, car la rétention de l'information et la compréhension du contenu de la formation ne conduisent pas nécessairement à une application plus satisfaisante en milieu de travail.

5.3.1 L'évaluation des réactions

Les réactions des participants sont souvent recueillies immédiatement après l'activité de formation. On mesure alors leur satisfaction envers l'intervenant, le matériel pédagogique, la structure et le déroulement de l'intervention de même que la pertinence de l'activité pour l'emploi actuel. L'évaluation des réactions prend de nouvelles formes avec l'arrivée massive des nouvelles technologies. Au moyen des réseaux sociaux, il devient facile d'exprimer ce que l'on pense d'une vidéo ou d'une capsule d'enseignement. Toutefois, ces nouvelles tendances ne remettent pas en cause la pertinence d'un questionnaire structuré et donné à tous, car c'est aussi en interrogeant un grand nombre de participants sur des éléments précis de la formation que l'on obtient une information fiable à ce sujet. Le tableau 5.4 présente un exemple de questionnaire sur la satisfaction par rapport à une formation. Ce questionnaire, que l'on peut remplir en ligne, permet de mesurer non seulement la qualité de la formation, mais aussi son utilité pour

Tableau 5.4 — Questionnaire sur la satisfaction par rapport à la formation

	Tout à fait d'accord	Assez d'accord	Indécis	Assez peu d'accord	Pas du tout d'accord
Suis-je satisfait de cette formation ?					
• Il existe des formations pour lesquelles j'étais plus motivé.					
• Les informations dont je disposais sur le contenu de la formation avant celle-ci étaient suffisantes.					
• J'avais les connaissances requises pour réussir la formation.					
• La qualité de l'animation était satisfaisante.					
• Les conditions matérielles (rythme des apprentissages, matériel mis à ma disposition, etc.) étaient satisfaisantes.					
Dans mon travail, qu'est-ce qui peut faciliter l'utilisation des nouveaux apprentissages ?					
• La formation me sera utile dans le cadre des nouvelles tâches qui me seront confiées.					
• La formation m'aidera à m'adapter aux nouvelles exigences de mon emploi.					
• J'aurai le temps et le soutien de mon gestionnaire pour utiliser les apprentissages.					
• Je me sens capable de mettre en pratique ce que j'ai appris.					
Dans mon travail, qu'est-ce qui peut freiner l'utilisation des nouveaux apprentissages ?					
• Je n'aurai pas l'occasion d'appliquer ce que j'ai appris.					
• Je n'aurai ni le temps ni les moyens d'utiliser les apprentissages.					
• Les apprentissages sont éloignés de ce que je fais dans l'entreprise.					
• Je ne me sens pas assez sûr de moi.					

Source : Adapté de GUERRERO, S. *Les outils des RH*, 2e éd., Paris, Dunod, 2009, p. 190-191.

l'individu. On peut aussi inclure dans un questionnaire d'évaluation des questions relatives au sentiment d'être mieux armé et mieux préparé à effectuer son travail avec succès. Ces questions sont importantes, car même s'il n'existe pas de lien significatif entre la satisfaction par rapport à la formation et la capacité à l'appliquer, il existe en revanche un lien très fort entre le sentiment d'utilité et d'efficacité au travail que procure la formation et les performances au travail (Sitzmann *et al.*, 2008). Cette étape d'évaluation, loin d'être anodine, peut donc apporter des réponses utiles sur l'impact de la formation aux responsables des RH.

5.3.2 L'évaluation des connaissances

Comme nous l'avons vu, la formation et le développement visent l'acquisition de savoirs, de savoir-faire ou de savoir-être. Lorsque l'objectif visé est l'acquisition de savoirs, l'évaluation porte sur la rétention d'informations et sur la compréhension du contenu de la formation, à la manière d'un examen de fin de session à l'université. À titre d'illustration, un questionnaire sur la compréhension des méthodes de travail et des règles de sécurité peut servir à évaluer une formation portant sur l'utilisation efficace et sécuritaire d'une nouvelle pièce d'équipement. L'évaluation selon l'acquisition de connaissances permet à l'individu de vérifier ses acquis. C'est le cas lorsque, à l'issue d'une formation en ligne, l'apprenant répond à un test sur ses connaissances et n'est pas autorisé à poursuivre sa formation s'il n'a pas répondu, par exemple, à 80 % des questions avec exactitude. De cette façon, on peut rapidement vérifier si les connaissances requises sont comprises et maîtrisées. Notons que ce type d'évaluation, loin d'être en décroissance, est facilité par l'usage des technologies et l'augmentation des formations en ligne. L'évaluation des connaissances permet aussi à l'intervenant qui conçoit ou anime l'activité de revoir son contenu pédagogique en fonction du degré d'apprentissage des participants.

5.3.3 L'évaluation des comportements et des compétences

L'évaluation des comportements et des compétences vise à savoir si les activités de formation et de développement se sont traduites par une modification des comportements au travail ou par l'application de nouvelles compétences. En d'autres termes, il s'agit de se demander si les employés utilisent les nouveaux acquis pour exécuter leur travail. On observe donc si l'employé applique dans son travail un comportement appris au cours de la formation et, le cas échéant, à quelle fréquence il le fait. Au service à la clientèle, par exemple, on s'interroge sur la façon d'accueillir les clients depuis la formation. On peut aussi demander à l'employé d'expliquer, exemples à l'appui, comment son comportement au travail a changé depuis la formation.

L'évaluation des comportements et des compétences fournit des renseignements sur le degré de transfert des apprentissages. Comme on le sait, la formation favorise l'apprentissage de nouvelles notions et façons de faire, ce qui augmente le potentiel de rendement. Par contre, sans le transfert de ces apprentissages, le potentiel de rendement demeure inexploité et ne se traduit pas par une amélioration du comportement au travail. De la théorie à la pratique, il y a donc un pas souvent difficile à franchir (Lévesque, 2011), et c'est pourquoi les méthodes de formation en vogue sont souvent aussi celles qui facilitent le transfert des apprentissages. D'autres actions sont de nature à améliorer le transfert des apprentissages (Saks et Haccoun, 2010). Le tableau 5.5 résume quelques-unes de ces actions.

Tableau 5.5	Des actions pour optimiser le transfert des apprentissages
Intervenant	**Actions**
Gestionnaire	• Communiquer l'importance et la pertinence de l'activité de formation. • Participer à l'activité de formation. • Offrir du soutien à l'apprenant (p. ex., réduire sa charge de travail, diminuer les interruptions). • Discuter avec l'apprenant de son plan de mise en œuvre en milieu de travail, des savoirs et savoir-faire acquis en cours de formation. • Reconnaître les progrès de l'apprenant.
Intervenant	• Élaborer l'activité en fonction d'une analyse rigoureuse des besoins de formation. • Utiliser des exemples issus du quotidien de l'apprenant. • Soutenir l'apprenant dans l'application des apprentissages en milieu de travail.
Employé	• S'informer à propos des objectifs et du déroulement de l'activité. • Discuter de l'activité suivie avec son supérieur immédiat. • Concevoir un plan d'action pour l'utilisation des apprentissages dans le milieu de travail. • Se fixer des objectifs de transfert des apprentissages. • Appliquer les apprentissages en milieu de travail aussitôt que possible.

5.3.4 L'évaluation des résultats

Le dernier niveau d'évaluation indique si l'activité de formation a réellement contribué au succès de l'organisation. A-t-elle permis d'améliorer la productivité, les ventes ou la qualité du service à la clientèle? A-t-elle contribué à réduire les coûts de production, les pertes, les temps d'arrêt des appareils en raison de bris ou les accidents du travail?

Les résultats peuvent être observés à plusieurs niveaux dans l'organisation. D'une part, il est possible de vérifier si les employés ayant bénéficié d'un programme de formation ou de développement améliorent leur performance dans les domaines visés par les activités suivies. Ainsi, les entrevues annuelles d'évaluation et le suivi des compétences sont des occasions privilégiées pour reparler d'une formation et discuter de ses effets sur le poste de travail. D'autre part, la formation peut agir au niveau du service ou du groupe d'individus. Prenons les formations d'intégration des nouveaux employés ou les formations de cohésion d'équipe. Leur objectif ne vise pas tant la performance au travail qu'une aisance à travailler au sein de l'organisation et à collaborer. Les résultats attendus de ce type d'activités ne se mesurent pas en termes de rendement, mais plutôt en termes de rétention des nouveaux employés, ou de la qualité des échanges avec leurs collègues. Dans le même esprit, les activités de développement en lien avec la carrière d'un individu ont autant pour objectif la progression de l'individu dans l'entreprise que la capacité d'occuper un poste clé de l'entreprise.

Au final, les efforts de formation et de développement mis en commun devraient se traduire par un rendement de l'investissement pour l'organisation. Comme l'indique le tableau 5.6, à la page suivante, avec des indicateurs de productivité, de qualité du service, de qualité du produit, de maîtrise des coûts, et d'autres encore, l'évaluation des résultats fournit les éléments nécessaires à l'élaboration d'un tableau de bord pour le pilotage de la formation (Le Louarn, 2008).

Tableau 5.6	Des exemples d'indicateurs pour l'évaluation des résultats au niveau de l'organisation
Dimension	**Indicateurs**
Productivité	• Chiffre d'affaires par personne • Valeur ajoutée par personne • Nombre de plaintes réglées par personne • Nombre de dossiers traités par personne • Nombre de défauts ou de qualités par personne • Perte de matière première par personne
Qualité du service	• Qualité de l'accueil • Premières impressions • Qualité du conseil de vente • Ambiance • Délais de service • Facturation • Qualité de l'écoute • Flexibilité
Qualité de produit	• Nombre de défauts de fabrication • Nombre de retours de produits défectueux • Appréciation de la qualité du produit par les clients • Classements de produits concurrents effectués par des experts
Maîtrise des coûts	• Réduction des pertes de matière première • Réduction des consommations ou des achats • Réduction des coûts de la main-d'œuvre • Réduction des achats à des services externes

Source: Adapté de LE LOUARN, J.-Y. *Les tableaux de bord ressources humaines : le pilotage de la fonction RH*, Rueil-Malmaison, Liaisons, 2008.

LES ENJEUX DU NUMÉRIQUE DANS LA FORMATION ET LE DÉVELOPPEMENT DES COMPÉTENCES

On l'a vu tout au long de ce chapitre, l'introduction des nouvelles technologies et du numérique a profondément transformé le contenu des formations, l'offre globale d'activités de développement des compétences et les manières de les évaluer. Ainsi, le recours aux formations en salle est en baisse au profit de formations en ligne ou hybrides (accessibles à un plus grand nombre de salariés, en tout temps et en tout lieu) et de formations qui favorisent les échanges et la collaboration, telles que les communautés de pratique, les blogues ou les formations de type « wiki » (Rivard, 2015).

L'introduction des outils numériques transforme également le métier des responsables de formation. Selon Patrick Rivard (2015), les demandes adressées au service de formation sont en explosion, progressant de plus de 10 % par an depuis 2011. Or, le nombre de personnes affectées au service de la formation est passé de 7 à 4,2 pour 1 000 employés depuis 2008. On demande donc aux responsables de formation de gérer de plus gros budgets avec moins de ressources. Leur tâche peut être facilitée par l'implantation de systèmes informatisés de gestion de la formation (LMS), qui permettent de réduire le temps consacré à la coordination et à la gestion des activités de formation. Près de 80 % des entreprises de plus de 1 000 employés exploiteraient un LMS au Québec (Rivard, 2015).

En conséquence, le rôle des responsables de formation évolue de plus en plus vers l'accompagnement et le soutien à l'apprentissage relié aux objectifs stratégiques. Ils consacrent davantage de leur temps à l'analyse des besoins et à l'évaluation des effets, tandis que le contenu et la diffusion des activités sont plutôt donnés en sous-traitance à des experts de contenu.

LA FORMATION ET LE DÉVELOPPEMENT DES COMPÉTENCES DANS LE SECTEUR PUBLIC

Le développement professionnel est une priorité dans le secteur public. Au moins deux raisons motivent les organisations du secteur public à investir massivement dans la formation des RH (Lemire et Gagnon, 2002). Premièrement, la qualité des services offerts aux citoyens dépend en grande partie de la compétence du personnel. Deuxièmement, les transformations qui s'opèrent dans ce secteur font émerger de nouveaux besoins de formation. La mise en place d'une gestion axée sur les résultats, par exemple, fait ressortir de nouveaux besoins de formation liés à l'évaluation des résultats et à la reddition de comptes.

Les organisations du secteur public sont par ailleurs soumises à un encadrement réglementaire plus rigide que celui qui gouverne le fonctionnement des organisations du secteur privé. Par exemple, il est requis d'offrir, dans certains ministères, une formation sur l'éthique ou sur la sécurité informatique à toute personne nouvellement embauchée. Des politiques peuvent aussi baliser l'utilisation des fonds et, par exemple, interdire le remboursement des droits de scolarité du personnel. On impose aussi, dans certaines organisations du secteur public, une analyse des besoins de formation au moins une fois par année. L'encadrement réglementaire qui régit ces organisations interdit en outre toute discrimination dans la sélection des personnes qui vont participer à la formation.

Une autre caractéristique du cadre particulier de la formation dans le secteur public est sa dimension formelle.

Souvent, dans ces organisations, des réflexions stratégiques de haut niveau guident la politique de formation des RH. Il en résulte des grilles de compétences et des stratégies formelles de développement des RH. Au Royaume-Uni, par exemple, d'importantes études ont abouti à un cadre comportemental énumérant six compétences clés du leader :

1. Donner des objectifs et une direction.
2. Avoir un impact personnel.
3. Penser de manière stratégique.
4. Motiver ses employés.
5. S'améliorer en apprenant.
6. Se concentrer sur la prestation des services.

Il existe aussi des structures permanentes de soutien à la formation du personnel des organisations du secteur public. L'École de la fonction publique du Canada répond ainsi aux besoins communs d'apprentissage et de perfectionnement de la fonction publique fédérale. Le fonctionnaire peut y suivre une formation sur l'accès à l'information et la protection des renseignements personnels ou sur l'équité en matière d'emploi, entre autres. Comme on peut le constater, le secteur public est proactif en matière de formation et de développement des compétences, y compris dans l'usage des méthodes en vogue telles que le *coaching* ou les groupes de codéveloppement.

LA FORMATION ET LE DÉVELOPPEMENT DES COMPÉTENCES DANS LES MILIEUX SYNDIQUÉS

Les syndicats ont à cœur la formation de leurs membres salariés. En effet, elle fait partie des conditions de travail qu'ils tendent à négocier, dans le souci d'accroître l'employabilité des salariés qu'ils représentent. Ainsi, des ententes entre les parties balisent la gestion de la formation des RH (Charest, 2007). Par exemple, dans la convention collective entre QIT-Fer et Titane et le Syndicat des ouvriers du fer et du titane, on trouve la clause suivante : « 18.04 Lorsque des changements technologiques se produisent, l'Employeur s'engage à ce que les salariés affectés puissent, selon le cas, avoir l'occasion de recevoir une formation ou être transférés à un travail convenable, tout en respectant les dispositions de la convention collective. »

Près de la moitié des conventions collectives du secteur privé au Québec contiennent ainsi des clauses de formation de la main-d'œuvre (Parent, 2005). Parfois, ces

clauses portent sur le fonctionnement de comités bipartites de formation de la main-d'œuvre. Il peut aussi être question de la prime à la formation de l'employé qui en assure l'animation.

D'ailleurs, il semblerait que le pouvoir de négociation du syndicat favorise l'investissement de l'employeur dans la formation. Notons enfin l'engagement direct des organisations syndicales dans la formation qui vise à préparer les syndiqués et les militants à mener leurs activités syndicales. En France, la Confédération générale du travail (CGT), par exemple, se donne comme mission de former ses membres à l'organisation de la vie syndicale pour permettre à chaque syndiqué d'exercer pleinement ses droits et ses devoirs. Le syndiqué apprend entre autres le fonctionnement de l'entreprise, le sens des décisions patronales, le rôle des syndicats et les droits des salariés.

LA FORMATION ET LE DÉVELOPPEMENT DES COMPÉTENCES À L'INTERNATIONAL

Dans une économie mondialisée où les organisations sont de plus en plus portées à travailler à l'international, les compétences interculturelles des employés constituent l'un des éléments clés de la réussite des employés à l'international (Cerdin, 2012). Les activités de formation et de développement peuvent faciliter l'acquisition de telles compétences, avant et pendant une affectation ou une mission internationale. Elles consistent souvent en une formation formelle ou en des conférences qui fournissent des informations concernant l'économie et la culture du pays d'accueil et les codes de la vie personnelle et professionnelle. Le développement des compétences interculturelles peut aussi se faire sous forme d'accompagnement individuel ou en famille, de manière à répondre aux préoccupations propres à chaque employé et à son conjoint. On parle alors de « *coaching* interculturel » (Cerdin, 2012). Ce *coaching* est particulièrement utile pendant la mission à l'étranger, pour répondre aux besoins des individus dans l'action, et les aider lorsqu'ils éprouvent des difficultés de compréhension de l'environnement ou de gestion d'équipe. Mendenhall (2006) invite à combiner ces méthodes avec d'autres méthodes informelles de développement pour faciliter le développement des compétences interculturelles, comme les expériences internationales de courte durée, les contacts avec les membres d'autres cultures ou le parrainage par une personne d'une autre culture.

Finalement, les méthodes de développement restent analogues à celles que l'on rencontre pour le développement d'autres compétences. Ce qui fait la particularité de la formation à l'international est le contenu de la formation, les personnes concernées (la famille notamment) et la difficulté à organiser un *coaching* interculturel à distance. L'évaluation de la formation se fait aussi avec des critères distincts, tels que l'adaptation anticipée de l'expatrié, sa capacité de gérer le choc culturel ou sa capacité de mener à bien la mission confiée.

LES CONDITIONS DU SUCCÈS DE LA FORMATION ET DU DÉVELOPPEMENT DES COMPÉTENCES

Nombreux sont les intervenants qui souhaitent une augmentation des budgets alloués à la formation, mais moins nombreux sont ceux qui peuvent gérer l'activité de formation avec soin, assurer le transfert des apprentissages, évaluer la formation et, finalement, présenter de façon convaincante les résultats de cette évaluation.

Bien qu'il soit difficile de condenser l'ensemble des conditions de succès de la gestion de la formation des RH, nous en présentons un certain nombre dans le tableau suivant. Certaines conditions ont trait au contexte dans lequel se fait la gestion de la formation, alors que d'autres concernent les éléments du processus.

Les conditions de succès de la gestion de la formation des RH	
Étape	**Conditions de succès**
Contexte de la formation	Créer une culture d'ouverture à l'apprentissage. Recevoir l'appui financier de la direction. Maintenir un climat favorable au transfert des apprentissages. Obtenir l'engagement des dirigeants et des cadres à soutenir les activités de formation auprès des salariés. Faire appel au potentiel des technologies de l'information et de la communication. Valoriser le partage des savoirs.
Analyse des besoins de formation	Répondre à de réels besoins de formation. Aligner le développement des compétences sur la stratégie d'entreprise. S'assurer d'avoir une information complète et précise sur les tâches et leurs exigences.

Les conditions de succès de la gestion de la formation des RH (*suite*)	
Étape	**Conditions de succès**
Choix des méthodes de formation	Formuler des objectifs de formation précis et mesurables. Choisir un contenu de formation approprié. Choisir la méthode de formation qui répond à des critères bien définis. Respecter les principes de l'apprentissage adulte.
Évaluation de la formation	Vérifier si les apprenants utilisent les acquis de leur formation. Prendre des mesures concrètes pour augmenter le transfert des apprentissages. Évaluer les résultats de la formation.

CONCLUSION

Dans «la course au savoir», la compétence représente avant tout ce qui peut être gagné par l'entreprise. Le développement de compétences particulières et difficilement imitables lui apporte en effet un avantage concurrentiel certain. Voilà pourquoi les entreprises ne doivent pas se contenter de «gérer un budget captif», mais doivent gérer la formation de façon à «optimiser son efficience, c'est-à-dire le rapport entre son coût et les avantages qu'elle procure» (Meignant, 2003).

Rappelons en terminant la convergence des intérêts en matière de formation. Les personnes qui bénéficient d'une formation professionnelle sont généralement plus satisfaites de leur travail et plus engagées envers leur employeur (Birdi, Allan et Warr, 1997). Par ailleurs, comme en témoignent les palmarès, les «employeurs de choix» sont souvent ceux qui investissent dans la formation et le développement de leurs RH. Alors, si le bien-être des personnes s'améliore en fonction de la formation reçue et que les entreprises tirent profit de cette situation, il n'y a finalement que des avantages à développer les compétences de ces ressources.

QUESTIONS DE RÉVISION

1 En quoi la formation se distingue-t-elle du développement des compétences?

2 Du point de vue de l'organisation, quels sont les principaux avantages liés à l'investissement dans la formation?

3 Quelles sont les trois principales étapes du processus de gestion de la formation?

4 Quels sont les trois niveaux de l'analyse des besoins de formation?

5 Quelle est la pertinence de l'analyse des tâches à l'intérieur du processus de gestion de la formation?

6 Quelles sont les méthodes d'évaluation à la mode qui se développent grâce au numérique?

7 Quelles distinctions faut-il faire entre les communautés de pratique et les groupes de codéveloppement comme méthodes de formation?

8 Quels sont les quatre niveaux de l'évaluation de la formation des RH?

QUESTIONS DE DISCUSSION

1. Pourquoi la loi exige-t-elle des organisations qu'elles dépensent 1 % de leur masse salariale dans la formation ? Pensez-vous que ce type de loi est de nature à améliorer les pratiques des organisations en la matière ?

2. Offrir plus de formation ne signifie pas offrir une meilleure formation. En quoi ce constat pourrait-il guider la gestion de la formation et du développement des compétences ?

3. « Ce qui permet le mieux de développer les leaders de demain, ce sont le *coaching* et la formation en ligne. » Que pensez-vous de cette affirmation ?

4. « Depuis 10 ans, nous investissons régulièrement dans la formation et le développement, et nous voulons mesurer son efficacité. Nous avons élaboré une grille de satisfaction que les employés ayant participé à l'un de nos programmes remplissent une semaine après l'activité. Elle mesure le sentiment d'utilité de la formation et demande aux participants de relever de trois à cinq actions qu'ils comptent accomplir pour appliquer les acquis dans leur travail. » Que pensez-vous de l'outil d'évaluation conçu par ce responsable des RH ?

INCIDENTS CRITIQUES ET CAS

Incident critique 1

La difficile implantation d'un nouveau système de gestion de la production

Depuis son arrivée en poste à l'usine d'assemblage Fabitech inc., Gilbert Marceau peine à mettre en place un nouveau système de gestion de la production tant souhaité par la direction. Un dysfonctionnement de la communication serait à l'origine de l'échec de l'implantation. Certains ouvriers ne semblent pas comprendre le nouveau système. D'autres n'arrivent pas à lire les plans et les instructions ou à communiquer par écrit les besoins d'entretien.

Gilbert Marceau se demande comment il peut faire face à la situation. À court terme, il doit terminer l'installation du nouveau système de gestion de la production pour améliorer les ratios de performance. Mais à moyen et à long terme, l'illettrisme d'une large portion de ses ouvriers de production pourrait s'avérer un frein important à l'accroissement de la capacité de l'entreprise de s'adapter pour affronter la concurrence internationale. Par ailleurs, ces ouvriers vieillissants ne semblent pas voir d'un bon œil le besoin de fournir des renseignements sur des procédures par écrit et de coordonner leur travail avec d'autres de manière plus formelle. Or, Gilbert Marceau sait que ces procédures sont incontournables pour atteindre des standards de performance compétitifs, mais aussi pour mettre en place des modes de travail qui facilitent le transfert des connaissances entre salariés.

Questions

Que pourrait faire Gilbert Marceau pour amener ses ouvriers à revoir leur position ?

À moyen terme, quelles méthodes de formation préconisez-vous pour faciliter l'adaptation des ouvriers au nouvel environnement de travail ?

Incident critique 2

La clé : l'innovation

Mark Humphrey, le directeur du service des RH, est perplexe : il se demande comment satisfaire à une nouvelle demande de son directeur général qui, en réponse à l'érosion des parts de marché de l'entreprise, déclare que la solution se trouve dans l'innovation. « Il faut encourager l'initiative et découvrir de nouvelles façons de répondre aux besoins de nos clients. Nous devons sortir de notre zone de confort et imaginer de nouvelles approches pour conquérir de nouveaux marchés », a-t-il dit à la réunion extraordinaire de l'équipe de direction. Regardant Mark Humphrey, il a renchéri : « Ce sont les personnes qui innovent, pas les entreprises. Voilà pourquoi je compte sur toi, Mark, pour développer notre capacité d'innovation. »

Mais comment peut-on s'y prendre pour innover dans une entreprise spécialisée dans la distribution de pièces de rechange pour véhicules motorisés ? Quelles actions faut-il entreprendre pour créer une culture qui encourage l'innovation ? Quelles activités de formation pourraient soutenir ce changement de culture ? Le lendemain, Mark Humphrey vous convoque à une séance de remue-méninges et demande à chacun des membres du groupe de lui faire des suggestions.

Question

Que pouvez-vous suggérer à Mark Humphrey ?

Cas

On compte sur vous !

Bomodule, une grande entreprise québécoise du secteur manufacturier, conçoit, produit et vend sur le marché international des modules en plastique de diverses formes servant à l'aménagement des lieux publics. Elle emploie près de 450 personnes réparties dans quatre grandes fonctions : la production, les ventes, la recherche et le développement ainsi que l'administration, cette dernière fonction comprenant à son tour les services des finances, de la comptabilité, des RH et des technologies de l'information et de la communication. Les employés de la production ainsi qu'une partie des employés de l'administration sont syndiqués. L'entreprise Bomodule est située en région et fait face à une pénurie de main-d'œuvre qualifiée.

Depuis quelque temps, le président de l'entreprise, M. Nadeau, se questionne sur les RH de Bomodule. Il comprend que cet actif intangible ajoute de la valeur à l'entreprise, mais il craint aussi la loi de l'obsolescence… Au fil du temps, toute compétence perd irrémédiablement de sa pertinence et de sa valeur. M. Nadeau se questionne aussi sur le niveau de qualification des postes. Plusieurs choses ont changé depuis la fondation de Bomodule en 1992, mais à sa connaissance, aucun ajustement n'a été fait en ce qui concerne les compétences requises pour occuper un poste. Devrait-on augmenter celles-ci ? Quel serait l'impact de cette action sur les RH de Bomodule ?

Préconisant la théorie des petits pas, M. Nadeau suggère de commencer par cibler un service en particulier. Une analyse des quatre grandes fonctions effectuée par le service des RH conjointement avec la direction recommande le service de la comptabilité pour les raisons suivantes :

- L'implantation prochaine d'un système de gestion intégré dans l'entreprise entraînera une réorganisation importante des tâches ainsi qu'une augmentation des responsabilités de certains employés.

- Des expériences passées ont démontré que le personnel de ce service est ouvert au changement.

- Le syndicat qui représente ces employés est plus flexible que celui qui représente les employés de la production.

Outre la direction, le service de la comptabilité compte six employés, occupant tous un poste de commis-comptable. Parmi ces employés, cinq détiennent un diplôme d'études secondaires (DES) ou l'équivalent et un détient un diplôme d'études collégiales (DEC) en comptabilité. La moyenne d'âge des employés est de 40 ans et celle de leur ancienneté, de 20 ans. Cependant, ces chiffres sont trompeurs si l'on se fie aux détails suivants : la doyenne Marie-Ange, qui prendra bientôt sa retraite, a 55 ans et 29 ans d'ancienneté ; Pierre a 47 ans et 27 ans d'ancienneté ; Jules a 43 ans et 25 ans d'ancienneté ; Hélène a 37 ans et 18 ans d'ancienneté ; Marie a 35 ans et 16 ans d'ancienneté ; enfin, Marc-André, le détenteur du DEC en comptabilité, vient d'avoir 23 ans et travaille chez Bomodule depuis 3 ans.

L'analyse des besoins suggère de rehausser le niveau de compétences requises pour le poste de commis-comptable. Cette recommandation fait bondir le syndicat représentant les employés du service de la comptabilité. A-t-on pensé aux cinq employés détenant un DES ? Quelle sera leur motivation sachant que, s'ils ne s'occupent pas de rehausser leurs compétences, ils n'auront pas accès à des promotions ? Ces employés ont toujours démontré un bon rendement et collaboré activement aux projets d'amélioration proposés par la direction. Bomodule ne peut pas les laisser tomber. De plus, selon le syndicat, Bomodule a la responsabilité de maintenir à jour ses RH.

Le syndicat fait donc à M. Nadeau les recommandations suivantes :

- Offrir, sur une base volontaire, un programme de formation aux employés du service de la comptabilité afin que ceux-ci mettent à niveau leurs compétences en comptabilité tout en restant au service de Bomodule.

- S'assurer, par souci d'équité, que ce programme sera flexible afin d'accommoder les employés ayant une famille. Pierre agit comme aidant naturel auprès de ses parents et Jules et Hélène ont de jeunes enfants.

- Voir à ce que le programme de formation comporte un mécanisme de reconnaissance des acquis afin d'éviter que les employés ne suivent des cours portant sur des compétences qu'ils possèdent déjà.

- S'assurer que le programme de formation, en plus de mener à un diplôme reconnu, sera adapté aux besoins de Bomodule.

Questions

- M. Nadeau devrait-il être en accord ou en désaccord avec la formation proposée ?

- Quels sont les principaux acteurs engagés dans le projet de formation proposé par le syndicat ? Quels sont leurs intérêts et leurs rôles respectifs ?

- Comment devrait-on effectuer l'analyse des besoins de formation pour guider le mieux possible l'élaboration du programme de formation des employés du service de la comptabilité ?

- Quels peuvent être les effets positifs et négatifs d'une augmentation du niveau de compétences ? Ces effets seraient-ils les mêmes si les employés visés n'étaient pas syndiqués ?

- Outre ce projet de formation, que devrait faire Bomodule pour s'assurer que ses RH garderont leur pertinence et leur valeur au fil du temps ?

Source : Lucie Morin, professeure à l'École des sciences de la gestion de l'Université du Québec à Montréal.

POUR ALLER PLUS LOIN

Lectures suggérées

BERNIER, P. (2015). *Toute la fonction Formation : savoirs, savoir-être, savoir-faire*. Paris, Dunod.

BOUTEILLER, D. et MORIN, L. (2012). *Développer les compétences au travail*, Montréal, Presse HEC Montréal.

CHARETTE, L. (2014). *Déterminer et acquérir des compétences collectives au sein des équipes de travail*, site de l'Ordre des conseillers en ressources humaines agréés. www.portailrh.org/expert/ficheSA.aspx?p=598831 (Page consultée le 10 mai 2016).

NOE, R.A. *Employee Training & Development*, 6e éd., New York, McGraw-Hill, 2010.

Le coin de l'Ordre des CRHA

www.portailrh.org

Apprendre à gérer un budget de formation : mission possible pour l'organisation ?
Rénald Rousseau, président, Amarrage-RH inc.

Le *coaching*, propulseur de la performance des leaders
Marie-Claude Perrault, présidente fondatrice, MANGO intervention stratégique inc.

De formateurs à transformateurs
Louise Charette, c.o., présidente, Multi Aspects Groupe inc.

De l'utilité de comprendre et d'intégrer les nouvelles technologies afin de les adapter en formation Rénald Rousseau, président, Amarrage-RH inc.

Évaluation de l'impact de la formation
Jean-François Roussel, professeur, gestion de la formation, Faculté de l'éducation, Université de Sherbrooke

Chapitre 6

GÉRER LA PERFORMANCE

Principaux défis à relever en matière de gestion de la performance

- Gérer la performance au quotidien et tout au long de l'année.

- Aligner la gestion de la performance sur la stratégie d'affaires et les valeurs de l'organisation.

- Adopter des méthodes et des outils de gestion de la performance qui sont pertinents, justes et efficaces.

- Adopter une supervision privilégiant le *coaching* et la reconnaissance.

- Intervenir efficacement et légalement dans les cas de sous-performance.

Objectifs d'apprentissage

- Comprendre l'utilité de gérer la performance au quotidien et tout au long de l'année.
- Comprendre l'importance de lier la gestion de la performance à la stratégie et aux valeurs de l'organisation.
- Connaître les méthodes, les critères et les outils d'évaluation de la performance.
- Savoir comment se préparer pour un entretien d'évaluation de la performance.
- Comprendre l'importance du développement et de la reconnaissance comme source d'amélioration de la performance.
- Comprendre les principes à respecter lorsqu'on intervient pour résoudre des cas de sous-performance.
- Comprendre ce qui distingue la gestion de la performance dans le secteur public, les milieux syndiqués et à l'international.
- Connaître les conditions à respecter pour optimiser la gestion de la performance et l'élaboration d'un programme de gestion de la performance.

Dans un contexte de concurrence accrue, tant sur le marché des produits et des services que sur celui de l'emploi, il devient de plus en plus important de gérer la performance au travail. La gestion de la performance des employés s'avère une activité clé non seulement parce qu'elle alimente bien des décisions de gestion des ressources humaines (GRH), mais aussi parce qu'au quotidien, elle relève d'abord et avant tout de l'ensemble des cadres de l'organisation. En effet, quel que soit leur niveau hiérarchique, tous les superviseurs sont amenés à gérer la performance de leurs employés. Ils gagnent donc à accroître leurs connaissances, leurs compétences et leur motivation au regard de cette importante responsabilité qui leur incombe.

Dans ce chapitre, après avoir défini la gestion de la performance et traité de son utilité, nous présentons les étapes de ce processus. Puis, nous nous penchons sur les formulaires ainsi que sur les critères et les méthodes d'évaluation de la performance. Nous faisons ensuite état des règles à respecter pour optimiser le déroulement des entretiens d'évaluation de la performance. Il est par la suite question de la reconnaissance de la performance, de son importance et des avantages qu'il y a à mieux y recourir pour optimiser la performance des personnes et des équipes. Quoique les employés difficiles soient peu nombreux, il importe de savoir intervenir auprès d'eux tant en matière de discipline qu'en matière de relation d'aide. Nous donnons alors des conseils clés en la matière. Ensuite, nous traitons des incidences de l'informatique, du Web et des réseaux sociaux sur la gestion de la performance. Finalement, nous voyons que la gestion de la performance, influencée par les développements du Web, est fonction des contextes (le secteur public, les milieux syndiqués et l'international) et examinons les principales conditions à respecter pour optimiser son efficacité.

Gestion de la performance au travail : faire autrement sans jeter le bébé avec l'eau du bain

Selon un sondage mené par la firme Towers Watson en 2015, seulement 37 % des entreprises nord-américaines considèrent leurs programmes de gestion du rendement efficaces, et seulement 26 % d'entre elles pensent que leurs gestionnaires et leurs employés sont satisfaits de ces programmes. Une autre étude réalisée en 2015 par la firme de recherche en gestion CEB révèle que 6 % des entreprises du Fortune 500 ont procédé à une importante révision du processus d'évaluation annuelle de la performance de leurs employés. Selon CEB, les mauvaises pratiques de gestion de la performance peuvent coûter jusqu'à 35 millions de dollars en perte de productivité pour une entreprise de 10 000 employés !

Dans bien des secteurs, notamment dans celui des services ou du savoir, la performance est plutôt tributaire d'habiletés (à innover, à gérer le changement, etc.), d'attitudes (la résilience, la capacité à tirer des leçons de situations difficiles, etc.) et de savoir-être (l'empathie, la capacité à collaborer, etc.). Aussi, la gestion de la performance devrait être davantage centrée sur le développement continu plutôt que sur une simple mesure annuelle quantitative. Plusieurs entreprises ont développé des formulaires très élaborés quantifiant les réalisations annuelles, l'atteinte des objectifs individuels de même que la conformité à des profils de compétences. Résultat ? Des centaines d'heures consacrées à remplir des formulaires et à faire des rencontres pour lesquelles bien des gestionnaires sont peu formés et dans le cadre desquelles ils vont mettre l'accent sur la performance passée et les faiblesses des employés plutôt que sur leur performance future et les défis à relever pour les mobiliser. Certaines entreprises ont aussi adopté des formules complexes pour quantifier les contributions individuelles et d'équipe dans le but de partager des primes de rendement alors que plusieurs gestionnaires n'y voient aucune valeur ajoutée et croient qu'elles démobilisent le personnel et alimentent des insatisfactions.

Avons-nous fait fausse route ? À l'origine, l'intention est bonne : vouloir formaliser une rétroaction employeur-employé au moins une fois par année, ce n'est pas un gros luxe ! C'est une nécessité de vouloir communiquer des attentes claires annuellement à chaque membre de l'équipe et attirer son attention sur les compétences clés à maîtriser en fonction des valeurs organisationnelles. Il est louable de considérer bonifier la rémunération des employés les plus performants de façon équitable. Attirer l'attention d'un collaborateur sur un écart de performance et mettre en place un plan d'action, c'est nécessaire. Mais est-ce qu'un seul et unique processus peut permettre d'atteindre simultanément tous ces objectifs ? Un des premiers réflexes que peuvent avoir certains dirigeants serait de dire « exit » aux évaluations de la performance. Surtout pas ! Si ce processus est bien géré, il peut être drôlement utile à la mobilisation et à la performance des employés. Toutefois, il importe de nous questionner sur nos façons de faire.

Réviser nos façons de faire selon notre contexte

Dans un contexte de changements environnementaux rapides et de multiples projets, est-ce que la conversation sur la performance ne gagnerait pas à se tenir plus régulièrement entre un patron et son collaborateur et à porter sur ce qui peut être fait pour améliorer la performance en temps réel, ou renforcer les stratégies pour atteindre les objectifs, et sur ce qui mobilise vraiment l'employé, au moment présent ? Est-ce que toutes les rubriques du formulaire sont vraiment nécessaires ? Quels sont les objectifs poursuivis par le processus de gestion de la performance : la mobilisation du personnel ? Permettre aux employés de recevoir de la rétroaction de leur supérieur immédiat ? Bâtir des plans individuels de développement ? Mesurer la performance individuelle, d'équipe et organisationnelle ? Ajuster la rémunération en fonction de la performance ? Identifier la relève de gestion ? Assurer la rétention du personnel ? Est-ce que certains objectifs devaient être atteints autrement que par l'évaluation de la performance et, si oui, comment ? Il n'existe pas de solutions universelles applicables dans tous les milieux, mais de nouvelles tendances méritent d'être considérées.

1. Une simplification du processus et des conversations au quotidien sur la performance : Fini les longs formulaires complexes et place à des rencontres de courte durée, plus fréquentes et centrées surtout sur le « ici et maintenant » et sur les stratégies pour améliorer les performances futures plutôt que sur le passé. Face à un employé qui sous-performe, le gestionnaire sera formé et agira courageusement, rapidement et progressivement en adoptant un mode de recherche de solutions. Si les avenues discutées ne donnent pas de résultats, il encadrera progressivement son employé, avec une juste gradation de mesures, pour obtenir les changements souhaités. En agissant ainsi, les employés mobilisés continuent de performer, ceux en difficulté obtiennent du soutien et ceux qui ne veulent pas se conformer aux attentes sentent rapidement qu'ils ne pourront pas continuer bien longtemps dans cette avenue sans avoir à rencontrer leur patron plus régulièrement !

2. Un *coaching* au quotidien offert par les gestionnaires : Il importe de former les gestionnaires pour les amener à avoir des « conversations de performance » avec leurs employés sur la base d'un *coaching* individuel. En les questionnant, les gestionnaires permettent à leurs employés (ou à leurs collaborateurs) de trouver la réponse la mieux adaptée à leur contexte et d'atteindre leurs objectifs. Ces conversations, en temps réel et sans rendez-vous, ont bien plus d'impact sur la performance des employés et des équipes qu'une seule rencontre annuelle.

3. Une réelle mesure de la performance : Les gestionnaires disposent de multiples données permettant d'offrir une rétroaction quantitative et qualitative de qualité : la rétroaction de collaborateurs, de collègues de travail, de sondages clientèle, l'atteinte d'objectifs mesurables, des statistiques ou indicateurs, etc.

En somme, il ne tient qu'aux dirigeants et aux professionnels des ressources humaines (RH) de faire preuve d'innovation pour rendre le processus mobilisateur, simple, performant et, surtout, utile pour l'organisation !

Source : Adapté de CÔTÉ, M. « Innovation en gestion de la performance au travail », *La référence RH, Bulletin en ressources humaines*, Éditions Yvon Blais, 2016.

DÉFINITIONS

La gestion de la performance couvre l'ensemble des activités de planification, de direction, de suivi, de contrôle, de développement et de reconnaissance visant à optimiser les contributions des personnes au travail.

Sur le plan de la langue, le **rendement** renvoie au produit ou au travail d'un employé, alors que la **performance** fait surtout référence à des exploits sportifs. Toutefois, il est de plus en plus courant, au sein des organisations nord-américaines et européennes, de préférer le terme « performance » à celui de « rendement » pour diverses raisons, par exemple parce que « performance » se dit aussi bien en français qu'en anglais ou que le mot « rendement » peut être également utilisé pour une machine. Au fil de ce chapitre, nous privilégions le terme « performance », qui sert à qualifier les divers niveaux de performance : individuelle, d'équipe, collective et organisationnelle.

Ainsi, l'expression « gestion de la performance » est adoptée pour des raisons pratiques. En effet, le terme « performance » est couramment employé dans les organisations dont les unités d'affaires sont situées dans des provinces ou des pays où la langue d'affaires est le français ou l'anglais. De plus, l'expression « gestion de la performance » évoque davantage l'idée que la performance peut être gérée d'un point de vue de l'individu (la performance de chaque employé), du groupe (la performance d'une équipe, d'un service, d'une unité) ou de l'organisation (la performance de l'organisation). Par contre, il faut reconnaître que de nombreuses organisations emploient pour d'autres raisons, tout aussi valables, l'expression « gestion du rendement ». Les personnes qui privilégient ce concept doivent donc aborder la lecture de ce chapitre en sachant que nous considérons comme des synonymes les expressions « gestion de la performance » et « gestion du rendement ».

Comme l'illustre la figure de la page suivante, d'un point de vue individuel, de groupe ou organisationnel, la gestion de la performance correspond à un processus continu d'activités réparties selon les catégories suivantes :

- les activités liées à la détermination ou à la planification de la performance à atteindre (attentes, objectifs et priorités) ;
- celles liées au suivi des opérations en vue d'aider les individus, les équipes ou les groupes à se conformer aux attentes en matière de performance ;
- celles liées à l'évaluation ou à l'appréciation de la performance au cours de l'année ;
- celles liées aux actions visant à reconnaître la performance atteinte, à développer le potentiel des individus ou à apporter les correctifs nécessaires à l'atteinte de la performance visée (discipline, relation d'aide, etc.).

Le processus de gestion des performances

```
                    ┌─────────────────────────────┐
                    │  Planification des performances │
                    │  (attentes, objectifs, priorités) │
                    └─────────────────────────────┘

┌──────────────────┐                                    ┌──────────────────┐
│  Reconnaissance, │          ◯ (cycle)                 │  Suivi et coaching │
│  formation et    │                                    │  des performances │
│  contrôle des    │                                    └──────────────────┘
│  performances    │
└──────────────────┘
                    ┌─────────────────────────────┐
                    │  Évaluation et rétroaction  │
                    │  des performances           │
                    └─────────────────────────────┘
```

Ainsi définie, la performance des employés doit être gérée au quotidien, sur une base continue. Or, c'est souvent là que le bât blesse. Il arrive fréquemment que des superviseurs ne mènent des entretiens annuels que parce que la direction le leur demande. Pour d'autres, de telles discussions sur la performance ne se tiennent que lorsqu'il s'agit de cas particuliers d'employés. L'évaluation de la contribution d'une personne ou d'un groupe ne représente pourtant qu'une seule étape du cycle de gestion de la performance. En effet, il ne suffit pas de « mettre des individus ensemble » et de leur dire qu'ils font partie d'une équipe pour que ceux-ci collaborent efficacement entre eux : il faut planifier leur travail, exercer un suivi ainsi qu'implanter, diriger, évaluer et reconnaître le travail d'équipe.

Alors que l'évaluation de la performance d'un employé consiste à porter un jugement sur son travail *a posteriori*, l'évaluation du potentiel consiste à porter un jugement sur sa capacité d'assumer des responsabilités futures différentes de celles qu'il a assumées à ce jour ou supérieures à celles-ci (*voir le tableau ci-dessous*). L'évaluation du potentiel est d'ailleurs inhérente à toute décision de sélection et de promotion au cours de laquelle on tente de mesurer la capacité d'un candidat d'endosser les responsabilités d'un poste donné.

La distinction entre potentiel et performance		
	Potentiel	**Performance**
Regard sur…	l'avenir plus ou moins lointain	le passé immédiat
Jugement sur…	la capacité d'assumer des responsabilités différentes ou supérieures dans l'avenir, soit les aptitudes, les traits de personnalité et la performance dans des postes antérieurs semblables à celui envisagé	la contribution concrète au travail pendant une période donnée : les résultats, les comportements ou compétences observables, les activités et habiletés démontrées
Au moment…	des décisions de sélection et de promotion, de gestion des carrières	des décisions de gestion de la performance dans le poste actuel, soit le suivi, la reconnaissance, la rémunération variable, la formation, le *counselling* et la discipline

La performance des employés est toujours gérée. Ce qui varie, c'est dans quelle mesure ce processus de gestion prend un caractère plus ou moins officiel.

Ainsi, dans bien des organisations, la gestion de la performance est « officieuse », c'est-à-dire qu'elle est gérée au jour le jour sans qu'elle se fonde sur une politique, des principes, un formulaire ou des critères connus et communs.

Toutefois, l'absence de formalisation dans la gestion de la performance du personnel peut engendrer des iniquités, puisque chaque cadre évalue ses subalternes comme il le veut, quand il le veut, à partir de ses propres critères, qui peuvent changer au gré des subordonnés et du moment.

Voilà pourquoi il devient souvent important de compter sur un processus officiel de gestion de la performance qui se base sur des politiques et des procédures écrites. En effet, lorsque l'évaluation de la performance est officielle, les critères sont standardisés et communiqués aux employés au moyen d'un formulaire d'évaluation de la performance qui doit généralement être rempli une fois par année, à un moment préétabli. Un programme

officiel (écrit) appuie le personnel dans l'application du processus complet de gestion de la performance, soit dans la planification, le suivi, l'évaluation et les actions de reconnaissance, de formation et de correction qui s'ensuivent.

Dans ce chapitre, nous entendons par « programme de gestion de la performance » l'ensemble des activités de gestion qui visent à optimiser les contributions d'une partie ou de l'ensemble des personnes au travail. Un tel programme comprend, par exemple, les orientations, les valeurs ou les priorités exprimées officiellement par les dirigeants en matière de performance, les formulaires d'évaluation, les guides ou les manuels d'utilisation à l'intention des évaluateurs et des personnes évaluées, les régimes de rémunération variable, les règles de gestion de la discipline ou de cas particuliers.

L'IMPORTANCE DE GÉRER LA PERFORMANCE

Prendre part à un processus de gestion de la performance présente plusieurs atouts, tant pour les employés que pour leurs superviseurs, comme le démontre le tableau de la page suivante.

Pour les organisations, la gestion de la performance au travail est importante d'un point de vue stratégique. Il s'agit d'une activité clé qui est une source d'avantages concurrentiels et qui est inhérente à la révision des critères de performance et donc à l'amélioration continue. Ainsi, une enquête menée au Québec montre que les responsables de la GRH travaillant dans des entreprises québécoises comptant 200 employés et plus estiment leurs programmes de gestion de la performance du personnel efficaces pour atteindre, dans l'ordre, l'amélioration des attitudes, des comportements et des résultats des employés ; la formation du personnel en vue d'appuyer un changement organisationnel ; l'amélioration de la performance organisationnelle ; l'attraction et la fidélisation des meilleurs employés (St-Onge et Haines, 2001). Plusieurs enquêtes (WorldatWork et Sibson Consulting, 2007 ; Watson Wyatt, 2007-2008) rapportent que, comparativement aux organisations peu performantes, les organisations très performantes :

- considèrent leur programme de gestion de la performance comme plus efficace ;
- établissent une différenciation appropriée entre les cotes de rendement et les décisions de rémunération ;

- présentent un programme de gestion de la performance qui aide à atteindre les objectifs stratégiques ;
- estiment que les cadres remplissent leurs évaluations à temps et de manière plus consciencieuse, qu'ils font plus de *coaching*, qu'ils donnent plus directement et régulièrement de la rétroaction à leurs subordonnés afin d'améliorer le rendement et que les objectifs individuels qu'ils fixent découlent davantage de la performance organisationnelle ;
- parviennent à rendre leur personnel plus confiant dans le programme de gestion de la performance ;
- tendent à récompenser davantage les performances individuelles et collectives ;
- communiquent plus librement leurs attentes à l'égard de la performance financière.

Finalement, des études menées chez Mercer ont permis de constater que

les employés qui ont reçu une évaluation de rendement au cours de l'année précédente avaient un degré d'engagement supérieur. L'évaluation permet d'établir un dialogue avec l'employé. Elle a un impact important sur sa perception globale de l'employeur et lui permet de se sentir partie prenante de l'organisation. Généralement, elle donne une tournure plus positive à ce qu'il pense. C'est une belle piste de solution à suivre pour les organisations qui veulent améliorer l'engagement de leur personnel. (Rodgers, 2011, p. 6).

L'importance de bien gérer la performance	
Pour les organisations	Permettre d'améliorer la performance organisationnelle.
	Constituer une source d'avantages concurrentiels.
	Correspondre à un levier d'amélioration continue, de changement ou de développement organisationnel.
	Permettre d'améliorer les compétences, les habiletés, les attitudes, les comportements et les résultats des employés.
	Procurer des renseignements utiles à la prise de nombreuses décisions de GRH, comme la planification des RH, la formation, la gestion des carrières, la rémunération ou la discipline.
Pour les cadres évaluateurs	Faciliter et améliorer la supervision des membres de leur équipe.
	Justifier les décisions et les actions (p. ex., augmentations de salaire, primes, discipline, formation).
	Mieux conseiller et appuyer les membres de leur équipe.
	Favoriser la discussion sur le développement et le cheminement de carrière des membres de leur équipe.
	Favoriser les échanges avec les membres de leur équipe pour connaître leurs points de vue.
	Améliorer la motivation des membres de leur équipe.
Pour les employés évalués	Mieux comprendre l'importance et la valeur de leur travail
	Savoir ce que l'on attend d'eux, connaître les priorités, les critères d'évaluation (résultats, comportements, compétences, etc.).
	Faciliter leur participation et l'expression de leurs idées, de leurs besoins, de leurs préoccupations, etc.
	Partager leurs attentes en matière de développement et de cheminement professionnels.
	Favoriser la reconnaissance de leurs contributions.
Pour les professionnels en RH	Faciliter l'accueil et l'intégration des nouveaux employés.
	Valider la qualité des décisions de dotation (sélection, promotion) et de formation.
	Déterminer les besoins de formation.
	Faciliter la planification des effectifs et la gestion de la relève.
	Favoriser l'équité des décisions en matière de rémunération variable.
	Favoriser l'équité des décisions dans les cas de sous-performance.

La gestion de la performance est aussi une activité clé, puisqu'elle fournit des renseignements utiles à la prise de décisions quant à de multiples activités de GRH, comme l'illustre la figure suivante. Par exemple, bon nombre d'entreprises utilisent les résultats de l'évaluation de la performance pour déterminer les augmentations de salaire au mérite et pour conseiller les employés en matière de formation. De plus, le profil de performance de l'ensemble du personnel aide à préciser les besoins en formation ou à évaluer l'efficacité du plan de formation, du processus de sélection ou du processus de promotion. En outre, des données portant sur le nombre quotidien moyen de dossiers terminés par employé permettent de planifier les besoins en personnel selon les commandes à remplir. Une gestion adéquate de la performance des employés à l'échelle de l'entreprise favorise aussi une application plus rapide et plus équitable d'une politique de gradation des mesures disciplinaires lorsqu'elle est requise.

Finalement, quoique le nombre de cas de sous-performance soit souvent peu élevé, il ne faut pas pour autant négliger de faire face à cette problématique. En effet, de telles situations ont de multiples conséquences négatives et coûteuses, tant pour l'employé ou les employés visés, leur famille, leurs collègues et la clientèle que pour le climat de travail, le recrutement et la fidélisation du personnel. L'absence d'intervention dans les cas de sous-performance mine la crédibilité des cadres et alimente les perceptions d'iniquité ou d'injustice au sein de leur équipe, nuit au climat de travail et à la productivité de l'organisation. Par ailleurs, il faut non seulement intervenir, mais savoir comment le faire, sinon des actions inappropriées entraîneront des coûts, des plaintes, de la perte de temps, etc.

Les liens entre la gestion de la performance et les autres activités de GRH

Source : ST-ONGE, S. *Gestion de la performance*, Montréal, Chenelière Éducation, 2012, p. 5.

LE PARTAGE DES RESPONSABILITÉS EN MATIÈRE DE GESTION DE LA PERFORMANCE

Comme le démontre le tableau suivant, la gestion de la performance est une activité à laquelle participent divers acteurs. Les dirigeants et les cadres assument cependant une responsabilité cruciale. Pourtant, bon nombre de cadres tendent à s'y soustraire pour diverses raisons :

- Ils n'ont pas les compétences ou se croient incapables de gérer la performance.

- Ils ne sont pas convaincus de l'utilité de leur évaluation ; elle n'est de toute façon pas considérée lors de la prise de décisions en matière de personnel.

- Ils estiment ne pas disposer de ressources adéquates (temps, formulaires, etc.) pour évaluer et gérer la performance de leurs subordonnés.

- Ils ne sont ni évalués ni reconnus pour le soin apporté à gérer et à évaluer les performances.

- Ils ne sont ni mobilisés ni consultés par les professionnels des RH dans la conception de formulaires d'évaluation de la performance et dans l'élaboration du processus de gestion de la performance.

Il importe donc que les professionnels des RH ne conçoivent pas les outils et les programmes de gestion de la performance en vase clos, et qu'ils offrent une formation adéquate aux cadres sur une base régulière. Finalement, en ce qui a trait aux employés évalués, il leur incombe de préparer leur entretien d'évaluation, de procéder à leur autoévaluation, de s'informer de l'objet de l'évaluation, de discuter des difficultés qu'ils éprouvent, de demander de l'aide, etc.

Le partage des responsabilités en matière de gestion de la performance

Dirigeants	Aligner les processus de gestion de la performance sur les valeurs, la stratégie et les objectifs d'affaires.
	Appuyer clairement les programmes de gestion de la performance en y accordant les ressources requises (p. ex., argent, RH, temps, techniques adéquates, formation du personnel).
	Évaluer les cadres sur l'importance qu'ils accordent à la gestion de la performance (et des cas de sous-performance) de leur personnel et tenir compte de leurs habiletés à cet égard dans les décisions liées aux promotions.
	S'assurer que les résultats des évaluations faites par les cadres sont utiles et pris en compte au moment des décisions de gestion.
	Déployer une culture favorable à la performance.

	Le partage des responsabilités en matière de gestion de la performance (*suite*)
Cadres	Gérer la performance de leurs subordonnés au quotidien, selon un processus continu (attentes, suivi, évaluation, reconnaissance, développement, contrôle). Participer à l'élaboration, à l'implantation, à la gestion et à la révision des programmes de gestion de la performance. Donner l'exemple au quotidien (décisions et comportements). Assumer leurs responsabilités en intervenant dans les cas de sous-performance : constater le problème, documenter ou enquêter et intervenir dans le respect des lois, de la convention collective, etc.
Professionnels des RH	Concevoir, implanter et gérer des programmes de gestion de la performance efficients, simples et alignés sur les valeurs et les objectifs d'affaires. Concevoir et communiquer des programmes, des politiques et des mesures en accord avec les lois et le contexte, et les gérer équitablement. Former, conseiller, faire participer et appuyer le personnel au regard de la gestion de la performance et du traitement des cas de sous-performance, notamment dans la conception et l'utilisation des outils connexes (grille d'augmentations de salaire, formulaire, compilation d'un dossier, etc.). Appliquer la discipline de manière équitable dans le respect des règles, des conventions et des principes disciplinaires (neutralité, proportionnalité, progression, etc.). S'assurer que le syndicat et les employés participent à l'établissement des normes ou des politiques afin qu'ils y adhèrent davantage.
Syndicats	S'assurer que le processus disciplinaire et de *counselling* en cas de sous-performance est équitablement géré, respectueux de la loi et fidèle à la convention collective. Veiller à ce que les mesures d'intervention envers les employés présentant une sous-performance soient appliquées uniformément et équitablement. Collaborer avec les employés à l'élaboration, à l'implantation et à la communication des mesures et des politiques liées aux interventions à l'égard de la sous-performance. Défendre des membres en déposant des griefs. Sensibiliser les employés aux politiques et au contenu de la convention collective au regard de leurs droits et de leurs responsabilités.
Employés	S'engager dans toutes les étapes du programme de gestion de la performance : se mettre d'accord sur les attentes, participer à l'atteinte de leurs objectifs, communiquer régulièrement avec leur superviseur, se préparer à l'entretien d'évaluation, parler de leurs difficultés, demander de l'aide et solliciter de la rétroaction. Respecter le programme de gestion de la performance. Agir conformément aux politiques et aux codes de conduite de leur employeur.

6.1 Les objectifs et les besoins de l'organisation en matière de gestion de la performance

Une enquête menée auprès de 750 premiers responsables RH d'organisations localisées aux États-Unis montre que 91 % d'entre eux gèrent un programme formel de gestion des performances (WorldatWork et Sibson Consulting, 2010). Toutefois, comme les programmes varient d'une organisation à l'autre, il importe qu'ils soient adaptés à leurs besoins et à leurs caractéristiques contextuelles.

6.1.1 Établir les objectifs clés du programme de gestion de la performance

Les organisations peuvent décider de gérer un programme de gestion de la performance pour atteindre différents objectifs, entre autres :

- Inciter le personnel à adopter des attitudes et des comportements contribuant à l'atteinte des objectifs organisationnels et à la réalisation de sa stratégie d'affaires.

- Mieux reconnaître ou rémunérer les performances individuelles et collectives.

- Améliorer le lien entre les performances individuelles et la performance organisationnelle ainsi que la perception que le personnel a de ce lien.

- Favoriser la communication et les échanges sur la mission, la vision, les objectifs, les valeurs et les orientations stratégiques de l'organisation.

- Améliorer la performance de l'organisation selon divers indicateurs tels que la qualité des services et des produits, la quantité produite, le service à la clientèle, etc.

- Faciliter le recrutement et fidéliser les meilleurs employés.

- Faciliter l'intégration, la formation, le développement et le perfectionnement du personnel.

- Instaurer une culture d'amélioration continue favorable au développement de l'organisation.

Inévitablement, le nombre et l'importance relative des objectifs d'un tel programme varieront d'une organisation à l'autre. Selon le contexte et les catégories de personnel visées, les dirigeants d'entreprise établiront diverses priorités en matière de gestion des performances. Par exemple, il est impératif de tenir compte des objectifs de recrutement et de rétention lorsqu'on gère la performance du personnel de recherche et de développement. Dans ce cas, il s'avère important d'adopter une gestion des performances orientée vers le développement des employés. Par contre, pour le personnel de vente, il convient mieux de développer un système d'évaluation des performances en lien étroit avec la rémunération variable (salaire, primes, commissions).

Cependant, les dirigeants ne peuvent pas tout faire. Il importe de clarifier deux ou trois objectifs clés du programme parce qu'ils auront une incidence sur le choix de ses diverses composantes. Les critères, les méthodes et le formulaire d'évaluation de même que la gestion du processus varient en fonction des buts poursuivis. Par exemple, une organisation qui veut motiver sa main-d'œuvre à améliorer sa productivité peut utiliser des régimes de rémunération basés sur les performances individuelles et collectives. Si elle considère comme crucial d'avoir une main-d'œuvre polyvalente et désireuse d'accroître ses connaissances et son savoir-faire, elle pourra juger préférable d'évaluer et de développer ses compétences. Une entreprise peut, par exemple, décider de privilégier la reconnaissance des contributions exceptionnelles afin de favoriser l'innovation ; une autre peut chercher à susciter un esprit de collaboration parmi les employés ou, à l'opposé, une certaine compétition.

De plus, certains objectifs peuvent être perçus comme conflictuels aux yeux du personnel, notamment celui de rémunérer les meilleurs (ce qui exige de se montrer sous son meilleur jour) et de développer les personnes (ce qui exige de reconnaître ses faiblesses). En outre, privilégier l'un ou l'autre de ces objectifs aura des répercussions importantes sur toutes les composantes du programme. En effet, un objectif de formation met l'accent sur l'évaluation particulière de certains comportements et compétences alors qu'un objectif de rémunération met en relief les résultats et nécessite la détermination d'une cote globale de performance. De plus, si les augmentations annuelles de salaire sont accordées au mérite, la direction exige souvent, afin d'anticiper les coûts de ces augmentations, que tout le personnel visé soit évalué en même temps, de manière à ce qu'elle reçoive l'ensemble des cotes de performance des employés à un moment précis.

 VIDÉO

L'Ordre des CRHA a réalisé la vidéo « L'effet de la gestion du rendement sur la mobilisation des ressources humaines » avec Denis Morin, CRHA.

Regard sur la pratique

Les tendances et les meilleures pratiques en gestion de la performance

Quelle forme prend un système de gestion de la performance qui crée l'alignement sur les priorités et qui se révèle un levier pour l'entreprise?

1 **Il puise dans les forces des personnes:** Les études prouvent que les humains tendent à croître et à apprendre davantage lorsque l'on fait appel à leurs forces et à leurs aires de compétences que lorsque sont soulignées leurs faiblesses en vue d'une amélioration.

2 **Il va au-delà d'une note:** Au-delà de noter la performance, le système doit l'encourager et permettre de l'améliorer! L'idée est donc que les évaluations soient axées non pas exclusivement sur les livrables, les indicateurs clés de performance et les objectifs globaux et départementaux, mais aussi et surtout sur la contribution de la personne à la performance de l'organisation.

3 **Il fait place au *coaching*:** Parmi une trentaine de grandes entreprises qui ont décidé de revoir leur système en 2015, toutes s'entendent pour dire qu'il est primordial de donner à l'employé une rétroaction fréquente afin qu'il développe les compétences recherchées et utiles à la croissance de l'organisation.

4 **Il donne moins de place à la subjectivité:** Dans certains cas, le nouveau système prévoit de courtes questions axées sur les actions que prendraient les évaluateurs par rapport à l'employé plutôt que sur ce qu'ils pensent de l'employé.

5 **Il est plus fréquent:** Conduite une fois par année, l'évaluation devient obsolète et ne permet pas de correction en cours de route. Des rencontres plus fréquentes permettent de s'adapter et de mesurer davantage en temps réel l'atteinte des objectifs, les améliorations possibles et les besoins en matière de développement. On voit maintenant des outils de gestion de la performance qui s'appliquent en fonction des projets ou tous les trois mois. Des rencontres hebdomadaires pour communiquer les attentes pour la semaine à venir, corriger les écarts en cours de route, réviser les priorités et commenter le travail sont aussi de plus en plus préconisées.

Source: GRÉGOIRE, S., L. MICHAUD-VERREAULT et J. BROUILLARD. «Les tendances et les meilleures pratiques en gestion de la performance humaine», *Le coin de l'expert*, Ordre des conseillers en ressources humaines agréés, 2015, www.portailrh.org/expert/ficheSA.aspx?p=626004 (Page consultée le 8 septembre 2016).

6.1.2   Cerner le problème, les besoins et les attentes du personnel

Il est évident que bien des changements organisationnels et environnementaux majeurs font en sorte que les organisations doivent ajuster et revoir leurs modes traditionnels de gestion des performances. Pensons à l'aplatissement des structures hiérarchiques, faisant en sorte que les cadres ont des équipes plus grandes à superviser, à l'adoption plus répandue de modes de travail en équipe, au travail à distance plus fréquent, à la mondialisation des affaires, à l'impact des nouvelles technologies de l'information (informatisation, numérisation, rapidité d'action), à une main-d'œuvre qui devient plus diversifiée et qui affiche de nouvelles valeurs, à la réduction des ressources sur le plan de la gestion, aux lois plus contraignantes, etc. Dans ce contexte, la presse a récemment mis en lumière le cas de grandes entreprises qui ont entrepris des changements importants dans leur programme de gestion du rendement: Accenture, Amazon, Google, Gap, Deloitte, Sony, Yahoo, Microsoft, GE, etc. Afin d'en savoir plus sur ces pratiques émergentes en gestion du rendement, Ledford et Lawler (2016) ont mené une enquête, dont les résultats sont résumés au tableau 6.1.

Tableau 6.1	Trois pratiques émergentes en gestion de la performance		
	Pratiques	**Nombre d'organisations (N = 244)**	**Pourcentage (%) des organisations**
Pratiques seules	1. Rétroaction continue	89	37
	2. Abolition des cotes de rendement	7	3
	3. Rétroaction participative	1	< 1
Combinaisons de pratiques	Rétroaction continue et abolition des cotes de rendement (1 + 2)	82	34
	Rétroaction continue et participative (1 + 3)	29	12
	Combinaison des trois pratiques (1 + 2 + 3)	36	15

Source : LEDFORD, G., G.S. BENSON et E.E. LAWLER III. « A study of cutting-edge performance management practice : Ongoing feedback, ratingless reviews and crowdsourced feedback », *WorldatWork Journal*, vol. 25, n° 2, 2016, p. 8-24.

L'enquête montre que trois pratiques émergentes sont implantées seules ou en combinaison :

1. La rétroaction continue : Cette pratique consiste en la tenue d'au moins quatre rencontres par année avec son supérieur pour discuter de performance. En somme, c'est LE changement le plus fréquent (34 %), un changement qui est cohérent avec une condition de succès traditionnellement mise de l'avant par la documentation. De fait, 97 % des organisations participantes qui disaient avoir apporté des changements à leur programme de gestion de la performance utilisent la rétroaction continue.

2. L'abolition des cotes : Selon cette pratique, l'employé ne reçoit pas de cote (numérique, alphabétique) sur sa performance. Environ 50 % des organisations participantes qui disaient avoir apporté des changements à leur programme de gestion de la performance utilisent l'abolition des cotes.

3. Rétroaction participative : Cette pratique, très rarement adoptée, consiste à colliger par les réseaux sociaux des rétroactions — de tout un chacun, en tout temps et de partout — afin de les utiliser de manière systématique comme intrants pour gérer la performance. De fait, 27 % des organisations participantes qui disaient avoir apporté des changements à leur programme de gestion de la performance utilisent la rétroaction participative.

En somme, si l'idée d'abolir les cotes de performance a fait l'objet d'un certain engouement médiatique récemment, elle est encore assez marginalement adoptée par de rares grandes entreprises américaines. Les pratiques d'avant-garde sont plus fréquentes dans les PME que dans les grandes organisations de l'échantillon (Ledford et Lawler, 2015). Avant de procéder à l'abandon des cotes ou même du programme de gestion de la performance, il est préférable d'établir un diagnostic de la situation afin de bien identifier les problèmes ou les besoins. Il est probable que d'autres changements plus modestes seraient davantage adaptés à la situation et qu'ils permettraient de préserver les perceptions de justice envers la gestion de la performance. Par exemple, il est possible que le programme actuel n'ait besoin que de minimes changements si l'on se rend compte que le problème découle d'un manque de compétences ou de motivation des cadres à gérer les performances, ou encore du fait que la gestion de la performance n'est pas assez liée avec les autres activités de GRH, comme la rémunération. Dans de tels cas, des interventions sur la formation des cadres ou encore sur l'arrimage des diverses activités de GRH s'avèrent plus appropriées.

Parole d'expert

L'abandon de l'évaluation annuelle de la performance ? Prudence !

L'entreprise entretient-elle une culture de méritocratie ? À quel point l'excellence et les accomplissements individuels sont-ils valorisés au sein de l'organisation ? Dans quelle mesure ces résultats sont-ils associés fortement à des primes et à des bonis individuels à la performance, à des décisions de promotion ? Dans un tel cas, l'absence d'évaluation annuelle ou de critères objectifs et précis sur lesquels faire reposer notre jugement peut poser de sérieux problèmes d'équité auprès des employés. En laissant ainsi la porte ouverte à des jugements plus subjectifs quant à la performance des employés, de même qu'aux récompenses et avantages qui en découlent, on s'expose à des si-tuations potentiellement explosives en matière de conflits, de démobilisation et même de roulement. (Doucet, 2016, p. 38)

Les cotes de performance peuvent apporter des résultats importants lorsqu'elles sont implantées efficacement. Elles peuvent limiter les biais des superviseurs et introduire de la discipline dans l'octroi des opportunités de carrière et des récompenses qui peuvent être appréciées par les employés. Plutôt que d'abolir ces cotes, de meilleures solutions à des insatisfactions peuvent être de réviser les critères d'évaluation ou de revoir le processus d'évaluation. (Levine et Chen, 2016, p. 24)

Sources : Extraits de DOUCET, O. (2016). « L'abandon de l'évaluation annuelle de performance : mode passagère ou approche novatrice ? », *Gestion*, HEC Montréal, vol. 41, n° 2, p. 38 ; LEVINE, B., et L. CHEN. « Abandon performance ratings with caution », *Workspan*, vol. 59, juin 2016, p. 24 (traduction des auteurs).

6.2   La détermination des attentes en matière de performance

Performance

Ensemble des contributions fournies par une ou plusieurs personnes dans leur travail au cours d'une période (comportements, résultats, etc.).

Pour tous les cadres, planifier la **performance** peut se faire avec chacun de leurs subordonnés, mais aussi avec leur équipe entière. Cela implique d'établir des indicateurs ou des critères qui seront utilisés pour faire un suivi et pour évaluer la performance de chacun des membres de l'équipe.

Avant de gérer la performance individuelle, un superviseur doit déterminer les résultats et les opérations à réaliser par son équipe ou son service. À l'étape de la planification des résultats à atteindre par le groupe, il est important de considérer les priorités de l'organisation et de recueillir les opinions et les suggestions des employés. Comme ce sont les employés qui font le travail, ils ont évidemment des renseignements pertinents à communiquer. De plus, les coéquipiers ont plus de chances de s'approprier les objectifs du groupe dans la mesure où ils ont été consultés au moment de la définition de ces objectifs et où l'on a discuté avec eux des moyens (stratégies, plans) de les atteindre. Les objectifs établis pour une équipe ou un service sont variés. Il peut s'agir, notamment, de réduire le taux de rebuts, d'améliorer la qualité du service, de diminuer le taux d'absentéisme ou d'accroître les ventes. À l'étape de la planification des activités ou des objectifs à atteindre pour son groupe, le cadre doit apprendre à déléguer correctement, en précisant les responsabilités et les pouvoirs de chacun.

Gestion de la performance

Ensemble des activités de planification, de direction, de suivi, de contrôle, de développement et de reconnaissance visant à optimiser la contribution des personnes au travail.

Sur le plan individuel, le processus de **gestion de la performance** requiert du cadre qu'il s'entende avec chacun de ses subordonnés sur les résultats, les activités et les comportements attendus au cours d'une période donnée. Par exemple, les responsabilités d'un représentant commercial peuvent toucher aux ventes, à la croissance de la clientèle, à la gestion et aux relations avec d'autres acteurs de l'entreprise. L'objectif à l'égard des ventes peut être une augmentation de 5 % au cours de la prochaine année, alors qu'à l'égard de la croissance de la clientèle, il sera de 3 % pour la même période. En ce qui concerne les comportements, il peut s'agir de la qualité du suivi après-vente que le

Zoom sur la PME

Être petit, mais voir grand...

«Les gestionnaires d'entreprise n'ayant pas de programme de gestion de la performance croient souvent qu'un tel programme sera trop lourd. Or, c'est faux. Un programme de gestion de la performance peut être fort simple, très flexible et extrêmement performant, précisent Jean-François Dumais et Benoît Leduc, consultants chez Humanoïde Conseil. Le bénéfice [d'un tel programme] est aussi intéressant pour une PME qui peut se différencier grâce à cette gestion efficace du rendement et ainsi avoir un avantage concurrentiel pour conserver ses employés.»

Source: DUMAIS, J.-F., et B. LEDUC. «L'efficacité organisationnelle grâce à la gestion de la performance!», *Le coin de l'expert*, Ordre des conseillers en ressources humaines agréés, 2009, www.portailrh.org/expert/fiche.aspx?p=344947 (Page consultée le 14 septembre 2012).

représentant assure auprès de ses clients. Une fois que les objectifs et les comportements désirés ont été déterminés, la discussion devrait porter sur le plan d'action, c'est-à-dire sur les moyens à prendre pour atteindre les objectifs ou pour améliorer les comportements. Comment le représentant devrait-il s'y prendre pour augmenter ses ventes, pour accroître sa clientèle ou pour améliorer la qualité de son suivi auprès des clients? De quel type d'appui de son organisation et de son supérieur immédiat a-t-il besoin? Les réponses à ces questions sur les responsabilités, les objectifs, les comportements attendus et le plan d'action devraient faire l'objet de notes. Dans la mesure où le superviseur se donne la peine de prendre des notes sur les sujets discutés, ses subordonnés seront plus enclins à réfléchir sur ce qu'on attend d'eux. En effet, la prise de notes diminue les risques que les paroles soient oubliées ou interprétées différemment au fil du temps.

6.3 Le suivi et le *coaching* de la performance

Les cadres ont la responsabilité de préciser leurs attentes en matière de performance, de les communiquer aux employés et de les clarifier, mais ils doivent surtout assurer le suivi quant au déroulement du travail, et ce, durant toute l'année. En d'autres termes, ils doivent rencontrer régulièrement leurs employés — que ce soit de manière formelle ou informelle, individuellement ou en groupe — pour discuter de l'avancement des activités prévues.

Le fait de s'assurer que les opérations de son équipe de travail se réalisent selon ce qui a été planifié — et apporter éventuellement les correctifs requis — doit être considéré comme une tâche quotidienne, et non comme une responsabilité que l'on exerce au terme d'une quelconque période. En effet, les cadres doivent assurer un suivi constant afin de cerner rapidement les écarts possibles par rapport à la planification. Cela permet d'en minimiser les conséquences négatives, de faciliter les corrections à apporter ou d'ajuster les cibles et les objectifs en conséquence. Exercer un suivi signifie aussi informer les membres de son équipe ou leur fournir régulièrement une rétroaction de manière à les mobiliser et à reconnaître leurs contributions. Pour cela, il faut bien entendu faire un suivi «positif», c'est-à-dire orienté vers l'avenir, la correction et l'amélioration, par opposition à un suivi «punitif» orienté vers le passé, les blâmes et la recherche de coupables.

Dans les rapports des cadres avec leur équipe ou avec chacun de ses membres, on prône de plus en plus l'exercice d'une supervision de type *coaching*, par opposition au mode traditionnel de supervision plus autoritaire, où les cadres ne font que donner des directives à des employés tenus de les appliquer. Les principales fonctions associées au *coaching* qui facilitent la performance des employés peuvent être résumées comme suit (Aguinis, 2014) :

• Donner des conseils pour améliorer la performance.
• Guider et faciliter la performance.
• Appuyer et motiver l'acquisition des compétences et l'amélioration de la performance.
• Exprimer de la confiance dans les compétences.

En pratique toutefois, 65 % des entreprises estiment que «les habiletés de *coaching* des cadres» et le fait de «rendre les cadres responsables de la performance de leur équipe» s'avèrent les deux principales sources d'amélioration à apporter pour mieux gérer les performances au travail (Hewitt & Associates, 2010).

Le suivi des employés est important, car il donne au superviseur l'occasion d'inciter chacun d'eux à poursuivre ses efforts et de modifier au besoin certains objectifs en raison de changements survenus dans l'environnement. Nombre de problèmes de performance en matière de personnel sont en grande partie dus à un manque de suivi du superviseur. Cela explique d'ailleurs l'effet de surprise ressenti pendant l'entretien annuel, dont plusieurs employés se plaignent. Le suivi favorise la compréhension mutuelle du travail, l'ajustement du tir selon les événements et la motivation de l'employé au regard de la réalisation de son travail. La prise de notes par le superviseur au moment des rencontres de suivi avec les employés de même que la description de bons et de moins bons comportements ou résultats au cours de l'année s'avèrent essentielles.

La prise de notes par le superviseur au moment des rencontres de suivi avec les employés est essentielle.

Pour que le suivi de la performance soit fait de manière optimale, cela requiert, d'une part, que les cadres évaluateurs assument certaines responsabilités sur une base continue et, d'autre part, que tous les employés prennent également leurs responsabilités dans l'exécution et le suivi du travail (*voir le tableau 6.2*).

Regard sur la pratique

Les tendances en gestion de la performance au sein des organisations européennes

Une étude du cabinet de conseil Towers Watson montre que pour 88 % des entreprises européennes, la gestion de la performance est identifiée comme un levier indispensable pour aligner performance individuelle et priorités stratégiques de l'entreprise. Malgré tout, un collaborateur (*managers* et salariés) sur trois se déclare encore insatisfait du dispositif mis en place dans son entreprise. Pourtant les choses changent, car 70 % des entreprises ont déjà ou ont l'intention d'entamer des changements autour de la gestion de la performance qui se focalisent surtout sur le recours aux nouvelles technologies, aux actions plus ciblées pour améliorer les performances et à la mesure de l'efficacité de la gestion de la performance. Les entreprises souhaitent aussi aborder plus souvent le sujet de la performance avec leurs employés pour en faire un objectif commun en privilégiant l'empathie, le collaboratif et le management de proximité.

Source : Extrait de SHORTWAYS. *Gestion de la performance : simple évolution ou véritable révolution ?*, 2015, http://shortways.com/fr/blog/general/gestion-de-la-performance-simple-evolution-ou-veritable-revolution (Page consultée le 8 septembre 2016).

Tableau 6.2	Les responsabilités des cadres évaluateurs et des employés évalués pendant l'exécution et le suivi du travail
Responsabilités des évaluateurs	**Responsabilités des employés évalués**
• Créer des conditions de travail motivantes et reconnaître les progrès. • Observer et documenter le rendement. • Fournir une rétroaction et agir comme un *coach*. • Réviser les critères de rendement lorsque les conditions de travail changent. • Fournir des expériences de développement.	• S'engager dans l'atteinte des objectifs. • Solliciter une rétroaction et un suivi en matière de rendement. • Communiquer régulièrement avec leur superviseur. • Colliger et partager l'information sur le rendement. • Se préparer pour les entretiens de rendement.

Source : Adapté de ST-ONGE, S. *Gestion de la performance*, Montréal, Chenelière Éducation, 2012, p. 190.

6.4 La mesure de la performance

Un processus de gestion de la performance au travail nécessite que l'on procède à une ou plusieurs évaluations en cours d'année. À ce titre, les dirigeants et les cadres de tous les niveaux hiérarchiques ont la responsabilité de communiquer cette information sur les performances des équipes, des secteurs, des divisions, des unités et, ultimement, de l'ensemble de l'organisation. Cette rétroaction continue sur les performances peut se faire verbalement ou par écrit, par l'intermédiaire de divers moyens (lettre, courriel, etc.), et ce, que ce soit au niveau de l'organisation, des équipes de travail ou de chaque employé. Prenons le cas de l'usine de GE Aviation située à Bromont, qui exerce un suivi sur l'atteinte de critères précis concernant la productivité, la qualité et l'amélioration continue (en matière de santé et sécurité, d'environnement, de service, d'approvisionnement, de coûts, de production, de livraison, d'investissement, de projets clés, de RH, etc.). Pour ce faire, des indicateurs de performance et leurs tendances sont affichés tous les jours sur la télévision en circuit fermé et sur l'intranet. De plus, des notes de communication électronique quasi quotidiennes, des tableaux sur la production et des panneaux d'affichage situés à l'entrée de la cafétéria sont autant de moyens utilisés pour informer tous les employés des résultats de l'entreprise et des secteurs. Au cours de l'année, tous les indicateurs de performance de l'usine sont comparés avec ceux des autres usines de la division GE Aviation (St-Onge, 2010).

Depuis plus d'une dizaine d'années, les enquêtes confirment que la plupart des organisations canadiennes et québécoises gèrent des systèmes ou des programmes d'évaluation et de gestion de la performance impliquant l'utilisation d'au moins un formulaire (St-Onge et Haines, 2001 ; Stewart, 2012). Nous examinerons dans cette section les critères, les méthodes et les formulaires de gestion de la performance.

6.4.1 Les critères de performance

Pour évaluer les contributions au travail des employés, on doit établir des **critères d'évaluation de la performance**. Il s'agit de caractéristiques qui permettent de porter un jugement sur la contribution ou la performance d'une personne ou d'un groupe au travail. Il existe différents types de critères, certains étant moins adéquats ou plus risqués que d'autres (*voir le tableau 6.3 à la page suivante*).

Critère d'évaluation de la performance

Caractéristique qui permet de porter un jugement sur la contribution ou la performance d'une personne ou d'un groupe au travail.

Les traits de personnalité

Les traits de personnalité ou les compétences «non observables» correspondent à des critères comme l'enthousiasme, la sociabilité, le dynamisme, l'intelligence, la

Tableau 6.3	Les critères de gestion de la performance	
Quoi privilégier ?	**Quoi éviter ?**	
• Responsabilités, rôles et fonctions	• Personnalité	
• Comportements ou compétences observables	• Compétences non observables	
• Résultats : objectifs à atteindre	• Potentiel ou capacités	

Source : Extrait de ST-ONGE, S. *Gestion de la performance*, Montréal, Chenelière Éducation, 2012, p. 93.

créativité, le leadership, l'initiative, la persévérance, l'entregent, le souci du détail, l'orientation vers le client, vers l'équipe ou vers les résultats, l'adaptabilité, l'innovation ou la coopération.

Idéalement, l'évaluation de la performance ne devrait pas porter sur de tels critères. En pratique toutefois, on y a encore souvent recours parce qu'il est facile de définir et de lister des traits socialement désirables, et qu'il est possible d'évaluer tous les employés d'une organisation sur la base d'une même liste de traits. Cependant, évaluer la performance sur la base de la personnalité d'un employé n'est pas utile ; pire, cette pratique est nuisible, tant dans la conception du formulaire que dans l'entretien d'évaluation de la performance, et ce, pour plusieurs raisons (*voir l'encadré 6.1*).

Les connaissances, les habiletés, les activités ou les responsabilités liées à l'emploi

On peut aussi évaluer les employés sur la base de critères qui découlent directement de leur description d'emploi ou du profil de qualification de l'emploi (approuver les budgets, diriger les réunions d'équipe, maîtriser des logiciels, connaître les produits de l'entreprise, connaître des stratégies de vente, etc.). On détermine alors si la personne évaluée exécute réellement les opérations, les activités ou les tâches quotidiennes détaillées dans sa description de poste.

Il faut toutefois se garder de calquer la description de l'emploi lorsqu'on évalue la performance. Certes, la description d'un emploi et des compétences requises pour l'exécuter est utile pour la prise de décision d'embauche. Il est évident que le titulaire

Encadré 6.1	Les limites des traits de personnalité comme critères de gestion de la performance

- Ils sont difficiles à définir et à mesurer. Qu'est-ce qu'une personne sympathique et comment peut-on différencier le fait d'être un peu, moyennement ou très sympathique ? Cette difficulté demeure même si l'on accompagne le trait d'une définition. De plus, les cadres sont rarement qualifiés pour porter un jugement sur la personnalité des employés. Même les psychologues ciblent les comportements, et non la personnalité, en matière de relation d'aide.

- Ils sont difficiles à communiquer et engendrent des problèmes d'interprétation.

- Ils menacent l'estime de soi des personnes évaluées.

- Ils nuisent à la qualité des relations avec le personnel.

- Ils sont peu liés à la performance, puisqu'ils n'en sont qu'un déterminant : la présence ou l'absence de traits de personnalité n'aide pas à prédire ou à mesurer la contribution sous l'angle des comportements et des résultats. Les fraudeurs, les criminels et les voleurs peuvent être très intelligents, sympathiques et créatifs, mais ils utilisent ces traits à des fins abusives et en prenant des moyens illégaux.

- Ils rendent les cadres plus sujets aux erreurs et aux biais d'évaluation.

- Ils sont peu utiles pour la formation, puisqu'ils n'indiquent pas comment s'améliorer, et ressemblent plus à un verdict irréversible.

- Ils ne favorisent pas la participation des personnes évaluées au processus d'évaluation.

- Ils ne sont pas considérés comme valides, pertinents et utiles devant les tribunaux.

d'un poste doit réussir à faire ce qui est prévu dans sa description d'emploi, et il est tout aussi évident qu'il doit posséder les compétences prévues pour le poste. Par contre, l'évaluation de la performance d'un titulaire doit élever les critères à un cran supérieur pour permettre d'apprécier la qualité de l'exécution de son travail, et pas seulement de vérifier s'il exécute celui-ci.

Les résultats, les objectifs et les normes

On évalue souvent les contributions des employés en portant un jugement sur leurs résultats, c'est-à-dire sur les normes (standards) à respecter ou les objectifs à atteindre. De fait, pratiquement toutes les organisations estiment que l'évaluation de la performance de leur personnel tient compte, du moins en partie, de l'atteinte d'objectifs ou du respect de normes.

Un résultat peut être une norme ou un standard à respecter, comme un nombre d'unités à produire à l'heure, un coût par unité fabriquée, un nombre minimal de dossiers à traiter par jour, un nombre de rapports à rédiger par jour, un taux de rejets à respecter, un nombre d'appels auxquels un employé doit répondre à l'heure ou un temps moyen de réponse. Ces normes ou ces indicateurs sont souvent établis à partir d'analyses de temps et de mouvements ou encore de données historiques des opérations. Elles servent dans de nombreux cas à évaluer la performance des employés des opérations et des employés de bureau. Ces normes ou ces standards doivent bien entendu être révisés quand d'importants changements se produisent dans le travail, que ce soit sur le plan technologique, sur le plan de la répartition des tâches, etc.

DANS LE MONDE

Regard sur la pratique

Et si tout le monde y gagnait : l'entreprise, les employés et la société tout entière !

Les entreprises qui veulent atteindre une réelle performance à long terme seront contraintes de voir au-delà de leurs intérêts économiques à court terme et de percevoir la gestion des personnes comme une manière d'assurer la bonne santé de l'entreprise en prenant soin de ses employés et de la société dans laquelle ils évoluent. Tout le monde y gagne. Ainsi, on pourrait permettre aux salariés de s'engager (sur leur temps de travail) dans des actions de bénévolat. Aramex, entreprise de transport et de logistique leader dans les pays arabes, qui prend position sur le continent africain, est avant-gardiste en la matière. En faisant du développement durable un axe stratégique partout où elle s'implante, l'entreprise cherche à prendre en compte le bien-être global de ses employés, de ses clients, de la société en général et de l'environnement local du pays d'implantation. Ainsi, Aramex a développé une politique d'investissement destinée aux communautés locales totalement intégrée à sa stratégie d'affaires et de GRH, qui permet de soutenir les initiatives entrepreneuriales, l'éducation, l'implication des jeunes et le développement local. L'entreprise s'y retrouve à double titre : les actions menées portent de beaux fruits et les salariés se montrent réellement impliqués et fidèles.

Source : AL ARISS, A. « Comment gérer efficacement les talents à l'international », *Harvard Business Review France*, 29 juin 2016, www.hbrfrance.fr/chroniques-experts/2016/06/11478-comment-gerer-efficacement-les-talents-a-linternational (Page consultée le 2 août 2016).

Un résultat peut aussi être un objectif à atteindre, comme augmenter les ventes de 10 % ou accroître les parts de marché de 2 %. Les objectifs de performance correspondent à des résultats attendus d'une personne ou d'un groupe. Ils prescrivent les finalités et les priorités en vue d'orienter les efforts, et ils sont donc moins orientés vers les tâches ou les moyens. Selon les niveaux hiérarchiques et les emplois, le contenu des objectifs peut varier grandement. On peut cibler des objectifs liés à des fonctions (p. ex., l'augmentation des ventes), au développement des affaires (p. ex., la conception d'un projet) ou à l'amélioration de l'employé (p. ex., la réduction des erreurs). Aux cadres supérieurs on attribue davantage d'objectifs ayant une portée organisationnelle (p. ex., accroître la productivité ou les parts de marché d'un certain pourcentage au cours des 12 prochains mois), alors qu'à un employé régulier on tend à fixer plus d'objectifs ayant une portée individuelle (diminuer ses erreurs ou ses retards, achever un projet de révision d'un système de classement d'ici trois mois, etc.). Les objectifs sont très fréquemment utilisés comme critères de gestion de la performance. Ils correspondent d'ailleurs à une méthode appelée «direction ou gestion par objectifs» (*management by objectives* — MBO), que nous décrirons plus loin. Selon les résultats d'une enquête réalisée par le Conference Board du Canada, presque toutes les organisations sondées (97 %) intègrent des objectifs de performance individuelle dans leurs évaluations (Stewart, 2012).

Les comportements ou les compétences observables

Bon nombre d'organisations tiennent compte de la fréquence ou du caractère satisfaisant de l'adoption de comportements (ou de compétences observables) pour évaluer la performance des employés. Le superviseur qui fait appel à cette méthode d'évaluation doit toutefois être en mesure d'observer l'employé au travail afin de lui accorder une cote.

Les critères comportementaux ont des avantages certains :
- Ils permettent de déterminer la «bonne» manière de faire son travail.
- Ils permettent de refléter les valeurs de l'organisation.
- Ils permettent une rétroaction claire et précise de la performance.
- Ils sont utiles pour le développement : ils offrent une rétroaction sur les comportements à changer ou à adopter.
- Ils sont faciles à comprendre et souvent acceptés et appréciés des évaluateurs comme des personnes évaluées.
- Ils sont prônés par les tribunaux, puisqu'ils réduisent l'ambiguïté et la subjectivité ainsi que les problèmes d'interprétation, de partialité et de généralisation abusive.

Par ailleurs, il est plus approprié d'évaluer les comportements dans les cas suivants :
- Les résultats sont difficiles à déterminer et à mesurer à court terme.
- La contribution individuelle est difficile à mesurer, car le travail nécessite de la collaboration.
- Le respect des valeurs organisationnelles ou des «façons de se comporter» est important.
- Le travail des personnes évaluées comprend beaucoup plus de tâches et d'activités quotidiennes que de projets.

Regard sur la pratique _____

AU QUÉBEC

Alpha Assurances : l'évaluation des compétences menant à la performance

Afin de soutenir sa croissance et d'assurer la satisfaction de ses clients, l'assureur de dommages Alpha a implanté un nouveau système de gestion de la performance basé sur les compétences. Selon Geneviève Verrier, vice-présidente directrice et chef de l'exploitation, plutôt que d'apprécier la qualité de l'accomplissement des tâches de l'employé, «notre système évalue l'acquisition de compétences liées au poste. Par exemple, on évalue le degré de ténacité. S'il est très élevé, on sait qu'il est lié à la réussite dans la vente. Ainsi, le système propose un profil de 12 compétences clés (spécifiques et transversales) pour les postes en lien direct avec la clientèle. Chaque compétence est mesurée par des indicateurs observables et mesurables. Nous avons des indicateurs qui permettent aux directeurs de suivre de semaine en semaine les personnes dans les compétences qu'elles doivent développer. Nous saisissons plus rapidement les situations qui pourraient nuire à la qualité des services. Se doter d'un profil de compétences qui soit en lien avec les valeurs et la philosophie de l'entreprise permet de donner un sens au travail et à l'intervention du supérieur.»

Sources : Entrevue téléphonique réalisée par les auteurs auprès de Geneviève VERRIER, Montréal, 6 avril 2011.

Notons toutefois qu'à eux seuls, les comportements suffisent rarement à l'évaluation de la performance, puisqu'ils ne mesurent pas l'obtention de résultats. En effet, on peut adopter tous les comportements prescrits sans parvenir à des résultats satisfaisants (et vice versa).

L'expérience nous enseigne qu'il est souvent préférable de recourir à la fois aux résultats et aux comportements pour évaluer la performance. Les enquêtes confirment aussi que les organisations tiennent souvent compte de ces deux aspects dans l'évaluation de la performance (Towers Perrin, 2007-2008) parce qu'ils se complètent (*voir la figure 6.1*). Ainsi, lorsque seule l'atteinte de résultats compte, les employés sont plus tentés de prendre n'importe quel moyen pour parvenir à ces fins. C'est le cas de représentants commerciaux qui exercent une forte pression sur les clients pour conclure des ventes ou d'employés qui négligent la qualité afin de se conformer aux normes de production. *A contrario*, lorsque seule l'adoption de certains comportements compte, les employés risquent de négliger l'atteinte de résultats.

Certes, il peut s'avérer difficile de prescrire à certains employés des résultats ou des comportements. Pensons, par exemple, aux travailleurs sociaux, aux psychologues ou aux psychiatres, dont il est hasardeux d'évaluer la performance sur la base du nombre de clients rencontrés dans une semaine ou du nombre de dossiers menés à terme durant l'année. En outre, il n'est pas pertinent d'évaluer la performance de chercheurs sur la base du nombre de découvertes faites durant l'année, de leur ponctualité ou de leur assiduité aux réunions. Il s'avère tout aussi ardu d'évaluer des comportements lorsque les évaluateurs ne sont pas en mesure d'observer les employés évalués au travail. Songeons ici aux représentants qui travaillent sur la route ou aux travailleurs à domicile qu'on peut mieux évaluer sur la base de résultats.

Figure 6.1	**L'importance relative des résultats et des comportements dans la gestion de la performance**

Résultats

Prise en compte de la finalité atteinte

Comportements

Prise en compte des moyens utilisés

Atouts :
- Reposent sur des critères individualisés et flexibles (difficiles à comparer).
- Prescrivent des buts à atteindre.
- Communiquent les priorités : utiles à l'orientation des efforts.

Atouts :
- Reposent sur des critères standardisés et invariables (faciles à comparer).
- Prescrivent des moyens à adopter.
- Communiquent les valeurs : utiles à la socialisation et à la formation.

6.4.2 Les méthodes de gestion de la performance

Essentiellement, les formulaires d'évaluation de la performance utilisés dans les organisations proposent des variantes de deux grandes méthodes d'évaluation de la performance : la gestion par objectifs et les échelles de notation. Par contre, certaines parties des formulaires ou encore du processus de gestion de la performance peuvent faire appel à d'autres méthodes, qui sont énumérées dans l'encadré 6.2.

La gestion par objectifs

Gestion par objectifs

Processus de gestion de la performance qui établit d'abord des objectifs d'affaires, ensuite des objectifs par unité d'exploitation et enfin des objectifs pour chaque employé.

La **gestion par objectifs** est plus qu'une méthode en soi. Elle décrit un processus de gestion de la performance qui établit d'abord des objectifs d'affaires, puis des objectifs par unité d'exploitation (secteur, service, usine, etc.) et, enfin, des objectifs pour chaque employé. En pratique, la gestion par objectifs prend une variété de formes selon son caractère plus ou moins officiel, le taux de participation des subordonnés à la détermination des objectifs, la qualité du suivi, etc. Au-delà de ces différences, la gestion par objectifs comporte trois étapes :

1. En début de période, le supérieur et son subordonné s'entendent sur des objectifs de performance et discutent des moyens à prendre pour les atteindre.

2. En cours de période, le cadre et l'employé se rencontrent régulièrement pour discuter de la réalisation des objectifs et pour décider ensemble d'éventuelles mesures correctives ou d'ajustements.

3. En fin de période, le superviseur et l'employé se rencontrent pour examiner l'atteinte des objectifs préétablis.

Le recours aux objectifs pour évaluer la performance des personnes est très fréquent. La plupart des organisations en tiennent compte au moins en partie, sinon exclusivement, dans l'évaluation de la performance de leurs employés. Lorsqu'un formulaire ou une section de formulaire prend en considération les objectifs de travail, cette partie doit être remplie par le cadre et chaque employé. C'est normal, puisque cette approche exige que les cadres y indiquent, en accord avec chaque employé, les objectifs, leurs priorités et leur atteinte.

L'approche par objectifs est surtout utilisée pour la gestion de la performance des cadres, la notion d'objectifs étant davantage associée à la réalisation de projets particuliers. Toutefois, il est possible d'étendre son utilisation aux professionnels ainsi qu'aux employés de production et de bureau en établissant des objectifs dits d'« amélioration ». Comparée aux énoncés de comportements standardisés, la gestion par objectifs permet d'individualiser les critères de performance, chaque employé ayant ses propres objectifs.

La quasi-totalité des études portant sur la gestion par objectifs révèle qu'elle entraîne un gain de productivité (Morin *et al.*, 2007). Le tableau 6.4 résume les avantages et les limites de cette méthode. Sur le plan des atouts, elle s'avère simple, facile à expliquer. Elle est orientée vers l'avenir et alignée sur les objectifs organisationnels. De plus, elle permet d'individualiser les critères d'évaluation pour des employés de diverses catégories de personnel. Par contre, en pratique, elle incite le personnel à prendre principalement en compte ce qui se mesure quantitativement et à court terme

---

Encadré 6.2	**Les principales méthodes de gestion de la performance**

- La gestion ou la direction par objectifs
- Les échelles de notation de format varié
- Les méthodes basées sur les comparaisons (rangement, distribution forcée, étalonnage)
- Les méthodes ouvertes basées sur les notes ou les observations des évaluateurs
- L'évaluation multisource ou 360 degrés

Tableau 6.4	La gestion par objectifs : avantages et limites
Avantages	**Limites**
• Elle est simple et facile à expliquer. • Elle est orientée vers l'avenir. • Elle peut être utilisée pour toutes les catégories de personnel. • Elle individualise l'évaluation de la performance. • Elle lie la gestion de la performance aux objectifs d'affaires. • Elle communique les priorités.	• Elle risque de privilégier des objectifs de quantité au détriment de la qualité. • Elle risque d'établir des objectifs trop facilement atteignables. • Elle risque d'adopter des moyens ou des comportements dysfonctionnels pour atteindre les objectifs. • Elle alimente l'esprit de compétition.

(comme les ventes), négligeant des facettes plus qualitatives de la performance (comme le service à la clientèle et son développement) et les effets à long terme (comme la perte de clients ou de marchés). De plus, elle porte les employés à se fixer des objectifs peu exigeants (afin de maximiser leur atteinte ou dépassement), à se concurrencer entre eux et à adopter des comportements dysfonctionnels ou néfastes à long terme (p. ex., en exerçant une supervision malsaine pour atteindre les objectifs de l'unité).

Finalement, il faut reconnaître que les avantages de la direction par objectifs sont fonction du respect de certaines conditions de succès, principalement en ce qui a trait à la détermination des objectifs. On parle alors souvent de l'importance d'établir des objectifs SMART (pour Spécifiques, Mesurables, décidés en Accord, Réalistes et dans un Temps déterminé). Par exemple, plutôt que de se fixer un objectif vague du genre « Améliorer les bénéfices », il est préférable de viser un objectif consistant à « Atteindre un rendement de l'investissement de 14 % d'ici le 31 décembre 2019 ». De même, l'objectif « Mener une étude de marché sur le produit Z » pourrait devenir « D'ici le 1er octobre, terminer une étude de marché permettant d'obtenir les informations A, B et C sur le produit Z, et ce, à un coût maximal de 20 000 $ ».

www.tbs-sct.gc.ca/psm-fpfm/ learning-apprentissage/ptm- grt/pmc-dgr/smart-fra.asp
Objectifs SMART : exemples et conseils offerts par le Gouvernement du Canada

L'encadré 6.3 liste les qualités d'un bon objectif et, plus généralement, d'un bon programme de gestion des performances. Notamment, il importe de lier le plus possible les objectifs de performance des employés à la stratégie d'affaires de l'organisation. À cet égard, près du tiers des entreprises déclarent qu'il faudrait renforcer ce lien afin de mieux mettre à profit les efforts de chacun (Hewitt Associates, 2010). Par

Encadré 6.3	Les conditions du succès de la gestion de la performance

- Les objectifs doivent répondre aux critères suivants :
  - être décidés en accord avec l'employé ;
  - être énoncés de manière précise, claire et mesurable ;
  - appuyer les objectifs de l'équipe, de la division et de l'organisation ;
  - comporter un défi tout en étant réalistes ;
  - être peu nombreux et pondérés selon leur importance relative ;
  - être associés à un échéancier ;
  - être révisés selon l'évolution du contexte ;
  - porter sur des éléments que les employés maîtrisent en partie ;
  - être valorisés ou jugés importants et pertinents par les personnes ;
  - être équilibrés :
    - à court et à long terme ;
    - en matière de quantité et de qualité ;
    - en matière de coûts et de services.
- Les moyens d'atteindre les objectifs doivent être discutés.
- La progression du travail doit faire l'objet d'un suivi.
- L'évaluation doit tenir compte d'autres critères, comme les comportements.

ailleurs, au-delà de la fixation d'objectifs adéquats, il faut aussi discuter avec les employés des moyens de les atteindre, suivre la progression du travail et prendre en compte d'autres critères, comme les comportements, dans l'évaluation.

Les échelles de notation

Échelle de notation

Appréciation, par un évaluateur, de la manifestation ou de l'atteinte d'un critère de performance (souvent un comportement, un trait de personnalité, une activité, etc.) en fonction d'échelles variables.

L'échelle de notation consiste à demander à l'évaluateur d'apprécier la manifestation ou l'atteinte d'un critère de performance (souvent un comportement, un trait de personnalité, une activité, etc.). Dans la plupart des cas, cette méthode consiste en une liste d'énoncés sur lesquels l'évaluateur doit porter un jugement en fonction d'échelles dont le format peut varier considérablement. Par exemple, l'échelle peut aller de «insatisfaisant» (1) à «excellent» (5); de «toujours» (1) à «jamais» (4); de «moins de 20 %» à «plus de 100 % de l'objectif atteint», de «au-delà des attentes» à «en deçà des attentes» (*voir l'encadré 6.4*).

Plus de la moitié des organisations (54 %) disent évaluer la performance selon une échelle à cinq niveaux de performance, 25 % d'entre elles effectuent cette évaluation selon une échelle à quatre niveaux et 15 %, selon une échelle à trois niveaux (Stewart, 2012). Pour qu'ils soient adéquats et qu'ils puissent évaluer les multiples éléments relatifs aux responsabilités, les énoncés comportementaux doivent être en quantité suffisante; toutefois, s'ils s'avèrent trop nombreux, ils risquent de présenter des redondances. Autant que possible, chaque énoncé doit correspondre à un seul comportement ou à un seul élément à évaluer.

Encadré 6.4 **Un exemple d'échelle de notation visant à évaluer la qualité de la supervision**

Pour chacun des énoncés, encerclez le chiffre qui reflète le mieux votre opinion selon l'échelle suivante :

Adopte ce comportement de façon : 1) nettement insatisfaisante; 2) insatisfaisante; 3) satisfaisante; 4) supérieure; 5) excellente.

s. o. : ne s'applique pas; n'est pas pertinent; en période d'essai; nouveau dans son poste.

Transmet régulièrement de l'information sur le fonctionnement de l'organisation, de la division ou du service afin d'aider son personnel à exécuter efficacement son travail.	1 2 3 4 5 s. o.
Répartit efficacement et équitablement le travail parmi les membres de son équipe.	1 2 3 4 5 s. o.
Propose des mesures qui visent à améliorer la productivité de son service ou de sa division.	1 2 3 4 5 s. o.
Veille à ce que les compétences et l'expertise de son personnel soient maintenues à jour.	1 2 3 4 5 s. o.
Gère la performance de son personnel en respectant le processus de gestion de la performance prôné.	1 2 3 4 5 s. o.
Fixe des objectifs de performance adéquats (précis, mesurables, réalistes) pour son personnel.	1 2 3 4 5 s. o.
Donne régulièrement à son personnel une rétroaction sur sa performance.	1 2 3 4 5 s. o.
Cerne les problèmes de performance de son personnel et propose des solutions.	1 2 3 4 5 s. o.
Exerce un suivi sur la performance au travail de son personnel.	1 2 3 4 5 s. o.
Maintient des relations efficaces avec ses pairs et ses supérieurs.	1 2 3 4 5 s. o.
Fait régner un climat de collaboration et un esprit d'équipe.	1 2 3 4 5 s. o.
Délègue des responsabilités de manière à favoriser l'esprit d'initiative parmi les membres de son équipe.	1 2 3 4 5 s. o.

Comme le montre le tableau 6.5, d'autres organisations recourent à des échelles gra-
duées de comportements qui prennent une forme verticale et qui décrivent les comportements souhaitables (positifs), neutres et non désirables (négatifs). On peut aussi
présenter des échelles du type «liste de contrôle» dans lesquelles l'évaluateur coche
l'activité accomplie ou l'étape franchie.

Les échelles de notation comportent plusieurs atouts (*voir le tableau 6.6*). Comme les
énoncés sont standardisés, les évaluations ont l'avantage d'être comparables. Toutefois,
la qualité des échelles de notation est fonction de la nature des critères. Il est donc
conseillé de ne pas recourir aux échelles basées sur des traits de personnalité, mais de
privilégier des énoncés comportementaux. Par exemple, au lieu d'évaluer la sociabilité
d'un vendeur, il est plus fructueux de relever les comportements qu'on souhaite le voir
adopter: «Accueillir les clients avec le sourire», «Partager les tâches d'entretien avec
les autres vendeurs», «Exercer un suivi après-vente auprès des clients», etc. Plutôt que
d'évaluer le sens de l'initiative d'un employé, il est préférable de définir des compétences ou des comportements observables liés à ce trait, comme «Propose des idées
constructives», «Offre promptement son aide lorsque cela s'avère nécessaire» et
«Assume des responsabilités sans qu'on le lui demande». Au lieu d'évaluer le leadership
d'un gestionnaire, il faut déterminer les comportements visés, comme «Établit des
priorités» et «Obtient rapidement la collaboration des autres».

Les méthodes basées sur les comparaisons

Selon les finalités de l'exercice d'évaluation de la performance, on peut aussi demander
aux cadres de ranger leurs employés selon leur performance relative les uns par
rapport aux autres. Sans trop s'en rendre compte, les cadres utilisent déjà cette
méthode du **rangement** lorsqu'ils doivent répartir un certain budget total d'augmentations de salaire ou de primes entre leurs employés, ou encore lorsqu'on leur
demande de nommer les deux ou trois meilleurs employés à des fins de reconnaissance
ou de promotion. Pour classer les performances des membres d'une équipe, il est
possible d'utiliser diverses techniques de rangement, comme le rangement simple,
le rangement alternatif ou le rangement par paire.

Rangement

Méthode qui consiste à classer les employés selon leurs performances les uns par rapport aux autres.

Tableau 6.5	Une échelle graduée de comportements visant à évaluer la communication
Communication	**Cocher un énoncé**
Est capable d'écouter de façon attentive et d'exprimer son point de vue avec clarté même dans des situations officielles. Sait discerner ce qui est dit de ce qui est sous-entendu. Présente ses idées de façon efficace et convaincante.	☐
Écoute bien et fait valoir son point de vue avec habileté. Est capable de rallier les autres à ses idées dans des situations normales. L'habileté à communiquer est un actif pour cet employé.	☐
De façon générale, communique bien et écoute de façon attentive. Comprend et se fait comprendre quand cet employé est en relation avec des gens qui lui sont familiers.	☐
Trop souvent, cet employé ne prête pas attention à ce que les autres lui disent ou communique avec difficulté avec son superviseur ou des collègues; ce comportement nuit à sa performance au travail.	☐
Est trop souvent bloqué quand il s'agit de s'exprimer ou de faire valoir son point de vue. Est plutôt renfermé, ce comportement nuisant à sa performance ou à celle des autres.	☐

Tableau 6.6	Les avantages et les conditions de succès des échelles de notation	
Avantages		**Conditions de succès**
• Elles sont faciles à concevoir, à comprendre et à remplir.		• Il faut les éviter si elles sont basées sur les traits de personnalité.
• Elles permettent d'évaluer tous les employés sur les mêmes critères (standardisation).		• On doit leur préférer celles qui s'appuient sur des comportements observables.
• Elles peuvent communiquer les valeurs de l'organisation.		

Certaines organisations conseillent aussi à leurs cadres de respecter une certaine distribution des cotes de performance au sein de leur équipe (p. ex., 10 % : excellent, 20 %, très bien, etc.). C'est ce qu'on appelle la distribution forcée. Au Canada, cette directive est souvent donnée sans être imposée de manière rigide, ce qui s'avère d'ailleurs souhaitable. On veut tout simplement éviter que les cadres ne fassent preuve d'une trop grande clémence ou d'une trop grande sévérité, ou encore que les augmentations de salaire ou les primes basées sur la performance individuelle ne soient trop généreuses.

Plus récemment, des organisations ont commencé à recourir à des sessions de calibrage au cours desquelles plusieurs gestionnaires se rencontrent pour discuter de l'attribution des cotes de performance dans le souci de favoriser une certaine cohésion quant à l'interprétation, à l'attribution et à la distribution des cotes de performance qu'ils accordent aux employés, appartenant souvent à des groupes ou à des services différents (Towers Perrin, 2007-2008). Selon une enquête du Conference Board du Canada, la moitié des organisations sondées avaient adopté le calibrage pour éliminer une part de subjectivité dans l'attribution des cotes de performance (Stewart, 2012). Une autre enquête, menée par la société Hewitt Associates (2010), montre d'une part que 43 % des entreprises sondées tiennent des réunions pendant lesquelles les cadres comparent les objectifs des employés, les cotes de performance ou les décisions de rémunération et s'engagent à les respecter comme groupe ; et d'autre part que 18 % d'entre elles confirment qu'elles tiennent de telles rencontres de calibrage, mais seulement pour guider leurs cadres afin de leur permettre de prendre de meilleures décisions sur une base individuelle. Finalement, 39 % des organisations répondantes disent ne pas conduire de sessions de calibrage.

Finalement, surtout en ce qui concerne les performances des équipes et de l'organisation, on peut recourir à l'étalonnage, c'est-à-dire à leur comparaison par rapport à une référence. Il peut s'agir de comparer entre elles les performances des équipes de production (équipes de jour, de soir et de nuit), celles des divisions ou des unités d'une même entreprise ou encore la performance de l'organisation avec celle de firmes concurrentes.

Les méthodes ouvertes basées sur les notes ou les observations des évaluateurs

Pour évaluer la performance, on peut aussi tout simplement demander aux cadres de la commenter en rédigeant un texte. Les formulaires d'évaluation de la performance comportent d'ailleurs souvent des espaces «ouverts» où les évaluateurs peuvent expliquer et illustrer leur appréciation.

Dans cette catégorie, on trouve aussi la méthode des incidents critiques, qui consiste, pour les cadres, à observer, à colliger et à décrire des comportements, tant positifs que négatifs, qui influent sur la performance des employés. L'application de cette méthode est particulièrement utile à l'égard des employés difficiles ou dans le cadre d'une démarche disciplinaire. Elle est aussi adoptée par bien des cadres soucieux de prendre des notes au quotidien afin de ne pas oublier certains faits et de mieux illustrer les points forts et les points faibles d'un employé.

L'évaluation multisource ou 360 degrés

L'expression «évaluation multisource ou 360 degrés» désigne le processus par lequel on recueille une rétroaction ou un jugement sur la contribution au travail d'un employé au cours d'une période donnée ; cette collecte s'effectue auprès de diverses sources, tant à l'intérieur qu'à l'extérieur de l'organisation. Les sources d'évaluation potentielles sont multiples : le supérieur immédiat, les collègues, les subordonnés de la personne évaluée, l'employé évalué lui-même (on parle alors d'«autoévaluation»), les clients internes ou externes, les fournisseurs, la surveillance électronique, etc. En somme, dès qu'une organisation consulte une autre source que le supérieur immédiat, elle fait une évaluation multisource.

Quoique le supérieur immédiat constitue la source d'évaluation de la performance dans laquelle les employés ont le plus confiance, le recours à d'autres sources est plus fréquent pour diverses raisons. Premièrement, avec les nouvelles approches de gestion axées sur la qualité totale, l'amélioration continue, les équipes de travail et la participation des employés, il devient plus important de consulter l'employé lui-même, ses collègues, les clients et les subordonnés afin de juger des diverses facettes de sa performance. Deuxièmement, la crédibilité d'une rétroaction se trouve améliorée lorsque le message est exprimé par plusieurs sources d'évaluation. Finalement, les technologies informatiques (Internet, systèmes téléphoniques) permettent de recueillir et de compiler rapidement des renseignements provenant d'un grand nombre de personnes.

Une évaluation multisource est-elle efficace? Cela dépend du type d'évaluation, du contexte et de la manière dont elle est gérée. Bien des auteurs pensent que le recours à l'évaluation multisource en matière de décisions administratives (comme l'attribution de primes, d'augmentations ou de promotions) mène à la politisation du processus et à l'inflation des cotes.

Le tableau 6.7 détaille les éléments dont il faut tenir compte si l'on recourt à d'autres sources d'évaluation que le supérieur immédiat et l'employé lui-même. Aujourd'hui, il est généralement accepté que l'employé participe à sa propre évaluation afin qu'il soit plus réceptif et plus engagé dans son travail, et qu'il puisse en outre faire part de ses connaissances et de son point de vue. À l'égard de l'évaluation des employés par les pairs ou encore de l'évaluation des cadres par leurs subordonnés (évaluation ascendante), il importe surtout d'assurer la confidentialité et de respecter le processus de collecte et d'analyse des données, lequel est souvent confié à une firme externe spécialisée. Il faut bien sûr transmettre les résultats de l'évaluation aux employés, mais surtout leur proposer des pistes d'amélioration (p. ex., de la formation, des conseils, etc.). Finalement, il semble qu'environ la moitié des organisations qui recourent à l'évaluation multisource le font dans une optique de croissance individuelle, alors que 40 % l'utilisent pour appuyer des décisions administratives comme les promotions et les primes (Brutus et Brassard, 2005). Ainsi, l'évaluation multisource sert d'abord comme outil de développement à des fins de cheminement de carrière. Le chapitre 7 traitera de cette méthode plus en détail.

Tableau 6.7	**Les précautions à prendre à l'égard de sources d'évaluation autres que les supérieurs immédiats**		
Évaluations par			
Les collègues	**Les subordonnés**	**Les clients**	**Les technologies**
• Assurer la confidentialité des évaluations. • Faire appel aux collègues au sein de grands groupes. • Y faire appel à des fins de développement et non de rémunération ou de promotion. • Les considérer si le superviseur est peu en contact avec ses employés. • Tenir compte du climat de travail: se méfier des règlements de comptes, des jeux politiques, des préjugés positifs.	• Assurer la confidentialité des évaluations (peur des représailles). • Faire appel aux subordonnés à des fins d'acquisition des habiletés de supervision des cadres. • Leur demander d'évaluer des critères qu'ils sont à même d'apprécier. • Aider les personnes évaluées à interpréter les cotes et à y réagir.	• Sonder un échantillon représentatif, quels que soient les moyens (téléphone, fiche de commentaires, etc.). • Considérer les clients si le superviseur est peu en contact avec ses employés. • Leur demander d'évaluer des éléments qu'ils sont à même d'apprécier.	• Ne pas en abuser (risques d'occasionner du stress, de constituer une intrusion dans la vie privée). • Les utiliser à des fins de formation. • Tenir compte d'autres critères, tels que les comportements.

6.4.3 Les formulaires de gestion de la performance

L'utilisation d'un formulaire a l'avantage de standardiser les critères d'évaluation de la performance pris en compte officiellement, en plus d'assurer une certaine équité et une certaine transparence. Un formulaire adéquat est par ailleurs recommandé sur le plan légal. En pratique, toutefois, trop de formulaires sont inadéquats parce qu'ils sont trop longs ou complexes. Ils nuisent ainsi aux cadres plus qu'ils ne les aident à bien évaluer la performance de leurs subordonnés. Certes, si aucun formulaire n'est parfait, il est néanmoins nécessaire de s'assurer que celui qu'on utilise respecte certains critères essentiels.

Les formulaires « maison »

Lorsque l'on conçoit un formulaire pour évaluer la performance d'une catégorie de personnel, il faut prendre soin de suivre certains principes. Il s'agit non seulement de se préoccuper de la pertinence (évaluer la bonne chose) et de la validité (bien évaluer la chose) des critères de performance, mais aussi d'examiner d'autres caractéristiques comme la facilité d'emploi, le temps pour remplir le formulaire et son acceptation ou son appropriation par les cadres utilisateurs et les personnes évaluées. Les formulaires d'évaluation varient grandement en ce qui a trait au contenu et à la forme. L'encadré 6.5 donne, à titre d'exemple, quelques adresses de sites Web qui proposent des formulaires d'évaluation.

Un formulaire d'évaluation de la performance doit être jugé satisfaisant par les dirigeants d'entreprise. En effet, pour maximiser les chances que les dirigeants apportent un appui ferme au processus de gestion de la performance, il faut qu'ils estiment que

Une théorie d'intérêt

La théorie de la justice organisationnelle

Selon la théorie de la justice organisationnelle, il importe de toujours gérer le personnel en tenant compte des perceptions de celui-ci à l'égard de trois dimensions de la justice : la justice distributive, la justice du processus et la justice interpersonnelle ou interactionnelle (Folger *et al.*, 1992). La justice distributive s'intéresse au caractère équitable des résultats découlant des décisions prises au sein des organisations (le quoi et le combien).

De son côté, la justice du processus fait référence aux perceptions d'équité à l'égard des procédures et des politiques de gestion et d'évaluation de la performance (le comment), qui ultimement influeront sur la nature des résultats d'évaluation. Enfin, la justice interpersonnelle ou interactionnelle renvoie à la mise en valeur du respect et de la dignité au cours du traitement interpersonnel des personnes.

| Encadré 6.5 | Des exemples de formulaires d'évaluation de la performance |

- Formulaire d'évaluation des employés de soutien de l'École Polytechnique de Montréal
  www.polymtl.ca/srh/formulaire/

- Formulaire d'évaluation des employés de production d'usine
  http://pages.videotron.com/bergloui/

- Exemples de formulaires et de lettre d'avertissement
  www.caoutchouc.qc.ca/pdf/Module_08_Evaluer_performance.pdf

- Description du système d'évaluation de la performance du personnel enseignant de la province de l'Ontario
  www.edu.gov.on.ca/enseignement/

- Extrait du guide de formation en GRH pour les PME et formulaire d'évaluation de rendement (outil n° 51)
  www.csmotextile.qc.ca/accueil

le formulaire véhicule clairement les facteurs de succès, les objectifs d'affaires et les valeurs de l'entreprise. Le formulaire doit aussi satisfaire les cadres, qui devront l'utiliser pour évaluer la performance de leurs employés, ainsi que les employés, qui seront évalués à partir des critères qui y sont établis. Aussi, les professionnels des RH devront faire des compromis entre, d'une part, la qualité et la quantité de l'information sur la performance et, d'autre part, les autres caractéristiques recherchées par tous les intervenants dans un tel formulaire. Il s'avère de plus en plus nécessaire d'offrir la possibilité de remplir le formulaire à l'écran, d'informatiser sa gestion, de sécuriser le processus et d'en assurer la confidentialité.

L'encadré 6.6 résume les principales qualités d'un formulaire d'évaluation de la performance.

Les formulaires préétablis informatisés

Depuis quelques années, il est possible d'acheter des logiciels d'évaluation de la performance des employés, que l'on peut plus ou moins adapter selon les cas (p. ex., eAppraisal, de la firme Halogen Software, ou Performance Appraisal Software, de Promantek). Ces programmes présentent certains atouts :

- Ils sont souvent faciles à utiliser.
- Ils peuvent vérifier l'usage de termes illégaux.
- Ils présentent des formats et des contenus de textes d'évaluation variés selon les catégories de personnel que les superviseurs peuvent facilement reprendre.
- Ils peuvent donner des exemples pour exprimer des félicitations ou des critiques.
- Ils peuvent donner des recommandations et des conseils.
- Ils peuvent suggérer des habiletés ou des compétences à acquérir pour des catégories de personnel.
- Ils permettent de compiler de façon continue de l'information sur la performance des employés.

Encadré 6.6 **Les qualités d'un formulaire d'évaluation**

- Il a été conçu sur mesure en fonction d'une analyse des exigences de l'emploi et du contexte organisationnel.
- Il est révisé à la lumière des suggestions des utilisateurs et de l'évolution du contexte.
- Il est simple à faire passer, facile à comprendre et assez rapide à remplir.
- Il obtient l'adhésion des dirigeants et il est accepté par les utilisateurs, tant les cadres que les employés, qui se l'approprient.
- Il est traité de manière confidentielle et sécuritaire, surtout lorsque sa gestion est informatisée.
- Il est utile pour fournir une rétroaction et assurer le suivi de la performance.
- Il favorise la responsabilisation des évaluateurs et des personnes évaluées ainsi que les échanges constructifs entre eux.
- Il s'appuie sur des critères d'évaluation de la performance :
  - pertinents, car ils mesurent les bonnes choses en même temps qu'ils appuient les facteurs de succès, les objectifs d'affaires et les valeurs des dirigeants;

- valides, en ce sens qu'ils mesurent bien et de manière fiable ce qu'ils visent à mesurer;
- exhaustifs, car ils mesurent les facettes importantes et variées de la performance (p. ex., qualité/quantité, coûts/services, court terme/long terme, résultats/moyens);
- non redondants, car ils ne mesurent pas plusieurs fois des éléments corrélés ou similaires, ce qui aurait pour effet de leur donner un poids indu dans l'évaluation;
- objectifs et observables (faits, comportements) plutôt que subjectifs (traits de personnalité);
- précis, clairs et maîtrisés par les employés;
- communiqués rapidement aux employés et compris et acceptés par eux;
- raisonnables, car ils comportent un défi réaliste;
- discriminants, puisqu'ils permettent de distinguer les performances;
- légaux, car ils ne comportent pas de motifs discriminatoires illicites (p. ex., l'origine ethnique, les convictions politiques ou le sexe).

Toutefois, étant donné que ces logiciels sont conçus pour satisfaire la plus large clientèle possible, il y a des risques qu'ils soient peu appropriés à certains contextes ou à certaines situations et que l'on doive déployer des efforts pour les adapter à la réalité d'une organisation et de ses emplois.

6.4.4   Les nouvelles technologies en gestion de la performance

Les nouvelles technologies en gestion de la performance comportent des atouts, mais aussi des limites ou des risques à gérer (*voir la rubrique Regard sur la pratique ci-dessous*). Sur le plan des atouts, les technologies en matière de gestion de la performance ont le potentiel d'arrimer davantage la gestion de la performance aux autres activités de GRH comme la rémunération, le développement, la carrière, etc. Les fournisseurs sont nombreux, par exemple Workday, Oracle HCM, SAP SuccessFactors, Cornerstone on Demand, Saba et Halogen. Leurs programmes permettent, en ligne, de remplir un formulaire et d'accéder à du matériel de formation ou à des conseils. En outre, tous les acteurs (cadres, employés, professionnels en RH et dirigeants) ont un accès direct et immédiat aux outils et aux évaluations, quelle que soit leur source (superviseurs, clients, collègues, etc.) de manière structurée ou informelle (par les réseaux sociaux). Dans la foulée des pratiques d'avant-garde en matière de rétroaction continue, SAP (avec son SuccessFactors) révise actuellement ses technologies pour faciliter la rétroaction continue, le *coaching* et le développement des talents clés (SAP Talk, rencontres de groupes, calibration), mais l'entreprise compte maintenir la différentiation des employés sur la base de leur rendement et de leur potentiel (cotes) (Hunt, 2016).

Regard sur la pratique

DANS LE MONDE

L'émergence importante des technologies dans la gestion de la performance

Une étude menée par Deloitte en 2015 montre que 67 % des sociétés qui disaient vouloir acheter de nouvelles plateformes informatiques en gestion du capital humain planifiaient le faire en vue de la gestion de la performance de leurs employés. Les avantages potentiels des nouvelles technologies sont nombreux: elles améliorent le processus de gestion, la cascade des buts et la fréquence des revues, elles facilitent la rétroaction 360 degrés, elles permettent la rétroaction participative dans les médias sociaux, elles permettent une meilleure calibration et elles permettent aux cadres d'avoir des conseils ou l'aide d'experts. Par contre, les technologies peuvent aussi entraîner des problèmes si elles sont mal gérées, notamment si elles réduisent les interactions face à face, si elles entraînent un recours abusif à la rétroaction 360 degrés, si elles mènent à une complexité accrue (un exercice d'ingénierie ou de mathématique) et si elles entraînent une perte de confidentialité des informations.

Source: Adapté de LEDFORD, G.E., et E.E. LAWLER III. «Can technology save performance management?», *WorldatWork Journal*, avril 2015, p. 7.

Évidemment, l'usage de l'informatique entraîne des coûts sur le plan de l'expertise, de la formation et de l'accès aux technologies. De plus, il importe que les technologies ne rendent pas ce processus inhumain en menant à une baisse des rapports interpersonnels et à des calculs complexes nuisant à l'essence même de l'exercice, celui de reconnaître, de mobiliser et de développer les performances. En effet, si les technologies permettent aux employeurs de suivre un nombre élevé d'indicateurs de performance, cela n'est pas garant d'une productivité accrue.

C'est pourquoi il faut trouver un équilibre raisonnable. Par exemple, dans le souci de réduire les coûts, certains centres d'appels tentent d'intensifier le traitement technologique des relations avec leurs clients, à un point tel que cela engendre d'autres coûts : le travail des agents, plus routinier et ennuyeux, augmente le stress, l'insatisfaction, l'absentéisme et le roulement du personnel. La qualité des services diminue en même temps que les clients sont frustrés des menus trop standardisés. Ainsi, pour optimiser la productivité et la qualité des centres d'appels, il faut veiller à ce que les agents aient un contenu de travail suffisamment varié (plus d'autonomie, moins de textes déjà préparés) et ne soient pas contrôlés abusivement sur la base d'indicateurs quantitatifs rendus possibles par les outils informatiques et électroniques.

6.5 La communication en matière de performance

Bien au-delà des outils, la gestion de la performance reste un enjeu interpersonnel marqué par des entretiens, pour lesquels les cadres et les employeurs doivent être formés et préparés afin de tenir compte des effets du contexte sur la performance et d'éviter les erreurs.

6.5.1 L'entretien de gestion de la performance

Il arrive souvent qu'on demande aux cadres de conduire des entretiens avec leurs employés pour faire, en fin de période, un constat global et sommaire de leur performance. En plus de représenter pour le gestionnaire un moment privilégié où il peut exprimer sa reconnaissance à l'employé, l'entretien lui permet de discuter avec ce dernier de l'amélioration de son travail. Afin que les retombées positives soient optimisées tant pour les évaluateurs que pour les employés évalués, les uns et les autres doivent respecter certaines règles, qui sont énumérées dans les encadrés 6.7 et 6.8, aux pages suivantes.

6.5.2 La prise en compte des erreurs et du contexte dans l'évaluation de la performance

Les erreurs d'évaluation et les moyens de les contrer

De nombreux préjugés peuvent influer sur les cotes d'évaluation de la performance, comme l'indique l'encadré 6.9, à la page 216. Ainsi, il est fréquent que les cadres se montrent indulgents avec leurs subordonnés afin d'éviter diverses conséquences négatives liées notamment au climat de travail, aux relations de travail de même qu'à la motivation et à la satisfaction au travail des employés. S'il existe de multiples erreurs d'évaluation possibles, nombre de stratégies ou de moyens peuvent toutefois être mis en place pour limiter la portée de ces erreurs.

Néanmoins, la meilleure méthode consiste sans doute à former les cadres à faire une bonne évaluation, notamment en les sensibilisant aux aspects suivants :

- Appuyer leurs évaluations sur des critères objectifs (résultats et comportements) et pertinents.
- Ne pas comparer l'employé avec eux-mêmes.
- Ne pas comparer les performances des employés entre eux.
- Se méfier des rumeurs et des ouï-dire.

- Sonder leurs jugements en consultant d'autres sources d'évaluation (p. ex., des clients, des fournisseurs, des collègues).
- Évaluer une facette de la performance à la fois avant de porter un jugement global et prendre régulièrement des notes sur la performance.
- Tenir compte de divers critères comme l'atteinte des objectifs et l'adoption de comportements.
- Tenir compte du contexte dans l'évaluation de la performance.
- Participer à l'élaboration des outils d'évaluation.
- Évaluer et récompenser les évaluateurs qui gèrent et évaluent avec soin leur personnel.
- Ne pas craindre de donner une cote défavorable mais juste, en minimisant les inconvénients réels ou perçus (p. ex., une mauvaise image de *coach*, une promotion en péril).

Encadré 6.7	Des conseils offerts au superviseur pour optimiser l'efficacité de l'entretien d'évaluation de la performance

Avant l'entretien

- Fixer le moment et le lieu de la rencontre : choisir un environnement tranquille, privé et propice à la discussion où l'on ne sera pas interrompu par le téléphone, des visites, etc.
- Allouer suffisamment de temps au subordonné pour s'autoévaluer et se préparer (minimum une semaine).
- Consulter d'autres sources d'évaluation, s'il y a lieu (p. ex., clients, fournisseurs, collègues).
- Analyser le formulaire, les notes de suivi, les objectifs préétablis, l'autoévaluation de l'employé, etc.

Pendant l'entretien

- Préciser que l'objectif de l'entretien est une discussion ouverte et constructive.
- Poser des questions, encourager la personne évaluée à exprimer ses idées et écouter sans interrompre.
- Clarifier des points, au besoin.
- S'assurer d'avoir bien compris les propos de l'employé et en tenir compte.
- Éviter les commentaires vagues et les généralités.
- Traiter de faits précis (des comportements et des résultats) et non de la personnalité de l'employé.
- Respecter la confidentialité des éléments colligés auprès d'autres sources (p. ex., clients, collègues).
- Traiter de ce qui se passe actuellement ou du passé récent sans revenir sur le passé lointain.
- Insister sur les points forts de l'employé, lui exprimer de la reconnaissance et le féliciter.
- Ne pas se concentrer sur les erreurs et les problèmes.
- S'abstenir de faire des comparaisons avec les collègues.

- Centrer la discussion sur l'aide, les progrès, la résolution des problèmes, les moyens d'amélioration.
- Se comporter comme un *coach*, un facilitateur, un guide, un conseiller, et donc ne pas blâmer, menacer, jouer au détective ou au juge, ne pas chercher à tout contrôler ou à être en désaccord avec ce que le subordonné dit.
- Maîtriser ses émotions : ne pas se fâcher, ne pas perdre le contrôle de la situation.
- Se préparer à entendre des commentaires négatifs, confus et des critiques.
- Établir en accord avec l'employé les objectifs de travail, le plan d'action et les moyens de s'améliorer.
- Se mettre d'accord sur seulement deux ou trois éléments à améliorer.
- Éviter tout engagement verbal ou écrit sur les possibilités de carrière et de promotion.
- Résumer l'entretien et, en cas de désaccord, revoir l'entente ou permettre aux personnes d'indiquer leur désaccord sur le formulaire.
- Prendre en note l'entente et tout point de vue divergent, s'il y a lieu.
- Manifester de la reconnaissance à l'employé et le remercier.

Après l'entretien

- Consigner les notes prises lors de l'entretien.
- Signer le formulaire et le faire signer par l'employé.
- Transmettre l'évaluation aux instances désignées (supérieur, service des RH).
- En cours d'année, faire un suivi régulier avec l'employé et réviser les objectifs de performance au besoin.

| Encadré 6.8 | Des conseils offerts au subordonné pour optimiser l'efficacité de l'entretien d'évaluation de la performance |

Avant l'entretien

- Revoir le formulaire, le guide, les objectifs préétablis, ses notes, s'il y a lieu.
- S'autoévaluer de manière réaliste selon les objectifs de travail ou les standards préétablis en tenant compte des conditions ou des caractéristiques qui ont influé sur sa performance.
- S'assurer que le lieu et le moment de l'entretien sont propices.

Pendant l'entretien

- Se montrer ouvert à la discussion : poser des questions et participer.
- Se montrer réaliste et être prêt à discuter de ses forces et de ses faiblesses.
- Accepter les critiques constructives sans les nier, éviter d'accuser ou de dénigrer les autres.
- Maîtriser ses émotions : éviter les cris, les pleurs, les menaces, etc. Ne pas se montrer agressif, apathique ou sur la défensive.
- Se comporter en employé responsable et raisonnable : être attentif, faire preuve de respect, expliquer ses désaccords et demander des précisions.
- Écouter les conseils offerts.
- Éviter de s'exprimer de manière vague, de dire des généralités. Traiter de faits et de comportements observables.
- Ne pas qualifier la personnalité des autres et ne pas exprimer de jugements de valeur.

- Exprimer de la reconnaissance envers son supérieur ou d'autres personnes, s'il y a lieu.
- Se centrer sur sa propre performance sans se comparer avec les autres.
- Se montrer préoccupé par les progrès, la résolution des problèmes, le développement et la recherche de solutions.
- Traiter de ce qui se passe actuellement ou du passé récent sans revenir sur le passé lointain.
- Se montrer ouvert à établir, en accord avec son superviseur, les objectifs de travail, le plan d'action et les moyens de s'améliorer.
- Offrir sa collaboration.
- Prendre des notes.

Après l'entretien

- Consigner ce qui a été convenu avec le superviseur, lui remettre une copie de ses notes.
- Signer le formulaire d'évaluation et en garder une copie.
- Se montrer proactif dans la gestion de sa performance : demander à son superviseur d'avoir des rencontres de suivi.
- Prendre des notes sur sa performance au cours de l'année et consigner la rétroaction reçue par d'autres personnes.
- Informer son supérieur du déroulement du travail, de tout problème ou imprévu.

La prise en compte du contexte dans l'évaluation de la performance

Une erreur importante dont il faut se méfier en matière de gestion de la performance consiste à ne pas analyser les caractéristiques du contexte dans lequel travaillent les employés. En effet, les cadres doivent analyser l'ensemble d'une situation ou d'un contexte de travail afin d'éviter d'attribuer à leur équipe ou à des employés certains problèmes de performance dont les causes leur échappent en partie, sinon totalement. Comme l'illustre la figure 6.2, à la page suivante, la performance des employés est influencée non seulement par leurs caractéristiques individuelles (leurs compétences et leurs efforts), mais surtout par la qualité de la supervision ainsi que par les caractéristiques organisationnelles (ressources, groupe de travail, équipements, organisation du travail et qualité des biens et des services) et environnementales (économie, secteur d'activité et concurrence).

Ainsi, au cours de l'entrevue d'évaluation, il faut aborder autant des changements que l'employé doit mettre en œuvre que des changements à apporter aux systèmes et aux procédés pour améliorer la performance (organisation du travail, outils et équipements, etc.). Il est donc nécessaire, si la performance n'est pas au rendez-vous, de se questionner et de corriger le tir en orientant les efforts sur les causes d'inefficience les plus importantes et en s'attaquant aux problèmes de fond.

Encadré 6.9   Les erreurs ou les biais dans l'évaluation de la performance

Biais de l'information récente : tendance à évaluer la performance en tenant compte davantage des événements récents, qu'ils soient positifs ou négatifs.

Première impression : biais positif ou négatif lié à la prégnance d'une sensation immédiate qui déteint sur la cote d'évaluation octroyée, sans égard à la performance réelle de l'employé au cours de la période.

Effet de halo : opinion globale de la performance d'une personne en s'appuyant uniquement sur un aspect de sa performance.

Effet de miroir ou erreur de similarité : tendance à évaluer favorablement les personnes qui nous ressemblent, qui agissent comme nous.

Négativisme : importance plus grande accordée aux erreurs et aux problèmes de performance d'une personne qu'à ses succès ou à ses exploits.

Clémence ou sévérité : tendance à surévaluer ou à sous-évaluer la performance.

Erreur de la tendance centrale : propension à donner une cote de performance se situant autour de la moyenne.

Effet de contraste : jugement de la performance d'un employé comme «exceptionnelle» en comparaison de celle d'employés médiocres, ou jugement de la performance comme «insatisfaisante» en comparaison de la performance exceptionnelle d'employés.

Erreur de déversement : influence injuste (positive ou négative) exercée par les résultats d'évaluation qu'une personne a obtenus dans le passé sur l'évaluation que l'on fait actuellement.

Erreur de stéréotype : évaluation de la performance d'un employé sur la base de préjugés attribués à son appartenance à un groupe (p. ex., sexe, nationalité, race, religion).

Erreur d'attribution : attribution d'une mauvaise performance à l'employé évalué (en raison, par exemple, de ses compétences, de sa volonté), alors qu'elle dépend du contexte (p. ex., un manque de ressources, des équipements désuets).

Figure 6.2   Quelques déterminants de la performance individuelle

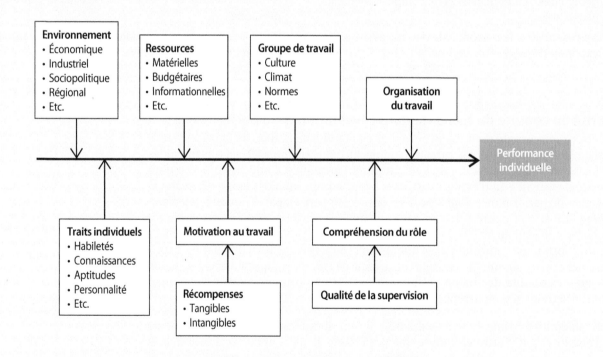

Il est alors essentiel d'intégrer une **approche systémique**, laquelle se préoccupe de l'optimisation et de l'amélioration continue de la performance du groupe, des systèmes, des structures ou des processus. Pour accroître la productivité, il faut par conséquent s'interroger sur le travail à faire et éliminer les tâches superflues. En outre, il est probable que les problèmes de performance et de productivité au sein des organisations s'expliquent avant tout par le fait que les produits et les services sont désuets, que les équipements sont inadéquats ou que les employés ne sont pas assez nombreux. Par ailleurs, il est possible que la contribution des employés ne soit pas optimale parce que les salaires sont insuffisants, qu'il n'y a pas de possibilités d'avancement ou que la sélection est inadéquate. Est-ce que des normes de groupe sont contraignantes et nuisent aux performances ? Si tel est le cas, les dirigeants et les cadres doivent veiller au maintien d'un climat où les employés qui produisent « de la qualité en bonne quantité » sont respectés, et où chacun se sent responsable de sa propre performance et de celle de l'entreprise. Il faut reconnaître qu'un tel examen des causes de la performance des employés peut aussi être une source de croissance et de remise en question pour les cadres si les problèmes de performance sont dus au fait que les employés n'ont pas reçu de leur part une rétroaction ou un suivi adéquat. Ainsi que le montre l'encadré 6.10, une multitude de facteurs dont le contrôle ne dépend pas de l'employé peuvent exercer une influence sur sa performance.

Approche systémique

Perspective de gestion de la performance qui consiste à gérer et à optimiser les performances individuelles, de groupe, des systèmes, des structures, des processus et de l'organisation en reconnaissant les interrelations entre ces divers niveaux de performance.

Encadré 6.10	**Des exemples de facteurs influant sur la performance des employés, mais échappant à leur contrôle**

- Équipements de travail inadéquats
- Bureaucratie excessive : lenteur et lourdeur
- Nombre insuffisant ou excessif d'employés
- Pénurie ou mauvaise qualité des matières premières
- Contrôle excessif des dépenses de fonctionnement
- Environnement physique de travail inadéquat
- Manque de personnel compétent

- Structure organisationnelle inefficace ou mal comprise
- Mauvaise organisation du travail
- Mauvaise supervision
- Conditions économiques défavorables
- Marketing et image déficients des produits et des services
- Concurrence accrue

6.6   La reconnaissance de la performance

Comme nous l'avons mentionné au début de ce chapitre, le processus de gestion de la performance est étroitement lié à plusieurs activités de GRH. Ainsi, selon l'écart entre les performances attendues et celles réalisées, des activités de formation, de développement, de reconnaissance et de discipline peuvent être organisées. Dans cette section, nous insistons sur la reconnaissance des bonnes performances, alors que dans la section suivante, nous traitons des interventions à mener dans les cas de sous-performance.

6.6.1   L'importance de la reconnaissance

Selon Morin, Aubé et Johnson (2015, p. 143), « la motivation correspond aux forces qui entraînent des comportements orientés vers un objectif, forces qui permettent de maintenir ces comportements jusqu'à ce que l'objectif soit atteint [...]. La motivation confère trois caractéristiques aux comportements humains, quels qu'ils soient : la force, la direction et la persistance.» Bien qu'il existe des dizaines de théories de la motivation, la théorie des attentes (Vroom, 1964) est la plus pertinente pour comprendre l'importance de la reconnaissance. Selon cette théorie, les employés sont motivés à améliorer leur rendement dans la mesure où ils ont l'impression que leurs efforts ont un effet sur celui-ci, qu'il existe un lien entre leur rendement et les récompenses (la reconnaissance) et que les récompenses qu'ils obtiennent ont une valeur à leurs yeux. En outre, en exprimant simplement des félicitations, de la gratitude et du respect à une personne, on renforce son estime de soi, un déterminant important de sa motivation au travail. Selon une autre théorie de la motivation très connue, soit la théorie des objectifs (Locke et Latham, 1990), les récompenses ou la reconnaissance auraient un autre effet positif, celui d'influencer positivement l'engagement des employés dans la réalisation de leurs objectifs au travail.

6.6.2 Les formes de reconnaissance

Les formes de reconnaissance peuvent être regroupées en sept catégories (*voir le tableau 6.8*): la communication; les comportements; les symboles honorifiques; la visibilité; les biens, les services et les primes ponctuelles; les conditions de travail; la **rémunération variable**. Selon Brun (2008, p. 22), «la reconnaissance au travail est une pratique qui consiste à témoigner, de façon authentique et constructive, de l'appréciation. La reconnaissance porte notamment sur la façon dont la personne s'acquitte de ses tâches, sur l'effort et l'énergie qu'elle déploie, sur les résultats qu'elle obtient, sur sa contribution au sein de l'entreprise ou encore sur sa façon d'être en tant qu'être humain.» Par ailleurs, pour Brun et Dugas (2005), la reconnaissance peut:

- se pratiquer sur une base quotidienne, régulière ou ponctuelle;
- se manifester de manière officielle ou non officielle;
- s'octroyer sur une base individuelle ou collective;
- se transmettre en privé ou en public;
- être pécuniaire ou non pécuniaire;
- avoir une valeur symbolique, affective, concrète ou pécuniaire pour la personne qui la reçoit.

Rémunération variable

Forme de reconnaissance qui regroupe des programmes individuels et collectifs de rémunération, comme les salaires, les primes au mérite, les commissions, la participation aux bénéfices et à la propriété ou le partage des gains.

Tableau 6.8	Les formes de reconnaissance pécuniaires et non pécuniaires au travail
La communication	Elle concerne divers gestes souvent informels et spontanés envers des personnes: par exemple, en allant les voir, en leur téléphonant, en leur envoyant une note écrite ou un courriel pour leur dire «félicitations», «merci», «bon travail», «continuez», etc.
Les comportements	Ils comprennent divers comportements témoignant notre appréciation de la contribution (compétences, expertise, résultats, etc.) d'une personne ou notre confiance en elle: donner une tape dans le dos, une poignée de main, se montrer prêt à l'aider lorsqu'elle en a besoin, s'informer de ce qu'elle vit, lui communiquer une information privilégiée, lui demander son avis sur un projet, solliciter son engagement dans un dossier, lui déléguer la présentation d'un document à l'occasion d'une réunion, l'accueillir et la saluer avec un sourire, manifester du plaisir à travailler avec elle, lui témoigner de l'empathie ou de l'intérêt, agir comme un mentor à son égard, la traiter avec respect, etc. De même, les activités sociales (pique-nique, soirée des fêtes, etc.) démontrent la valeur des employés.
Les symboles honorifiques	Ils incluent les trophées, les prix, les titres et les diplômes honorifiques ou les plaques murales. Des stylos, des certificats et des voyages peuvent également être offerts aux employés méritants. Certaines firmes commanditent une série d'œuvres d'art (sculptures, peintures, sérigraphies) pour reconnaître des réalisations exceptionnelles.
La visibilité	Elle porte sur diverses actions telles que féliciter un employé devant ses pairs, souligner les réalisations particulières d'un employé ou d'un groupe d'employés au cours d'une réunion, joindre au dossier de l'employé une lettre de reconnaissance, communiquer les exploits d'une personne dans le journal interne ou les tableaux d'affichage de l'entreprise, permettre aux meilleurs employés de faire un exposé sur les trucs du métier.

➔

Tableau 6.8	**Les formes de reconnaissance pécuniaires et non pécuniaires au travail (*suite*)**
Les biens, les services et les primes ponctuelles	Ils comprennent des actions comme reconnaître le rendement en accordant des objets, des services, des montants forfaitaires, des congés supplémentaires. Ces récompenses prennent la forme de cadeaux (chandails, montres, bijoux, etc.), de prise en charge de frais (repas, voyages, sorties, etc.), de billets pour des événements culturels ou sportifs, d'abonnements à des clubs d'entraînement physique, de prix en argent, de billets liés à un catalogue de cadeaux, etc. On peut aussi offrir une place de stationnement ou permettre l'accès à un matériel de bureau privilégié. Par ailleurs, il existe des programmes de primes qualifiées de « stimulation », à l'intention notamment du personnel de vente et des conjoints, qui peuvent inclure toutes sortes de biens de consommation, des voyages, des services, etc. Au-delà d'un certain montant et à moins que cela ne soit requis par le travail, de tels biens, services, voyages ou primes constituent un avantage imposable.
Les conditions de travail	Elles touchent la reconnaissance du potentiel par l'octroi de promotions ou des actions permettant de reconnaître des employés méritants en leur attribuant une responsabilité supplémentaire ou en leur offrant la possibilité d'avoir un horaire flexible, le choix du quart de travail, l'accès à une formation, la participation à une conférence ou à un colloque, le droit à une journée de congé supplémentaire, etc. Toutes les approches relatives à la réorganisation du travail — l'enrichissement des tâches, la rotation de postes, les groupes autonomes, les cercles de qualité, etc. — peuvent être considérées comme une marque de reconnaissance envers les compétences du personnel.
La rémunération variable	Elle regroupe la variété de programmes individuels et collectifs de rémunération variable, comme les salaires ou les primes au mérite, les commissions, la participation aux bénéfices et à la propriété ou le partage des gains.

Source : ST-ONGE, S. *Gestion de la performance*, Montréal, Chenelière Éducation, 2012, p. 281.

6.7 L'intervention dans les cas de sous-performance

Si la grande majorité des employés ont besoin de reconnaissance pour être davantage motivés à améliorer leur performance, certains cas de **sous-performance** surviennent et doivent être gérés. Dans cette section, nous montrons d'abord que les cas de sous-performance sont très variés et qu'ils exigent des solutions individuelles. Ensuite, nous décrivons les deux approches à mettre en œuvre envers les employés difficiles, soit l'approche disciplinaire et l'approche administrative.

Sous-performance

Ensemble des problèmes individuels, interpersonnels ou collectifs, en ce qui touche aux attitudes, aux compétences et aux comportements, qui nuisent à divers indicateurs de performance et de bien-être au travail.

6.7.1 La variété des cas de sous-performance

La sous-performance désigne souvent des comportements déviants : des problèmes d'assiduité, des retards fréquents, des départs hâtifs, le non-respect des temps de pause et des périodes de repas ou le refus de travailler. Il peut aussi être question d'une qualité ou d'une quantité de travail insatisfaisante, de manquements à la sécurité, comme la consommation de drogue ou d'alcool sur les lieux de travail, et du non-respect des normes de sécurité (p. ex., le port de lunettes ou d'un casque). D'autres attitudes et comportements au travail, au même titre que la façon dont l'employé endosse son rôle, peuvent être jugés incompatibles avec ce que l'on attend normalement du titulaire d'un poste donné. Citons, par exemple, les problèmes de personnalité (comme l'agressivité ou l'hostilité), les attitudes indésirables (comme la passivité ou le manque de motivation) ou les problèmes comportementaux tels que l'insubordination, le manque de respect, le langage abusif, le vandalisme ou le manque d'hygiène personnelle.

La sous-performance inclut également les cas variés de vol d'argent, de biens, d'équipements, de produits, de temps, etc. Le vol peut prendre de nombreuses formes : l'utilisation d'équipements à des fins personnelles (p. ex., une voiture de service), le paiement d'heures non travaillées (p. ex., une fausse déclaration sur l'emploi du temps ou les disponibilités), la falsification des rapports de remboursement de dépenses ou de factures de clients, la consommation au travail ou ailleurs des biens de l'employeur (nourriture, boissons, papeterie, équipements de sécurité, etc.).

En outre, les nouvelles technologies de l'information ont entraîné des problèmes d'utilisation abusive des équipements informatiques dans les cas d'envoi de courriels, d'usage du réseau Internet, de transmission de virus, d'exécution de jeux, de téléchargement de logiciels, d'activités personnelles, etc.

Enfin, la sous-performance a également trait aux divers cas de violence ou d'agression en milieu de travail : harcèlement psychologique, violence relationnelle, racisme, harcèlement sexuel, violence criminelle, homicide sur les lieux de travail. Depuis 2004, la Loi sur les normes du travail du Québec rend illégal le harcèlement psychologique, défini comme une conduite vexatoire se manifestant par des comportements, des paroles, des actes ou des gestes répétés, hostiles ou non désirés. Le chapitre 10 traite du harcèlement psychologique comme problème de contre-performance. Le tableau 6.9 montre que les cas de sous-performance sont très variés, allant de manquements plus ou moins graves à des manquements importants, pouvant verser dans l'illégalité.

Tableau 6.9	Une classification des cas de sous-performance
Problèmes	**Exemples**
Performance insuffisante	Mauvaise qualité, quantité insuffisante, erreurs fréquentes et récurrentes, rendement insatisfaisant, rythme de travail trop lent, rejets, etc.
Nuisances à la production	Retards et absences non justifiés, départs hâtifs, dépassement du temps de pause et de la période du repas, présentéisme, refus de collaborer, paresse, flânerie, négligence, manque de disponibilité, utilisation inadéquate de l'équipement, absence ou non-participation aux réunions stratégiques, refus de s'adapter à l'évolution du travail, refus d'exécuter un travail, etc.
Problèmes personnels	Consommation de substances (alcool, drogues, etc.), manque d'hygiène personnelle, problèmes de la personnalité, incompétence, incapacité physique ou psychologique, manque d'habiletés et de connaissances, perte du permis de conduire, etc.
Problèmes interpersonnels	Manque de respect ou de courtoisie envers les clients, manque de civilité, insubordination, insultes, menaces, contestation abusive de l'autorité, agression envers le supérieur, refus d'obéir aux ordres, vengeance, intimidation, harcèlement psychologique, violence relationnelle, racisme, harcèlement sexuel, violence criminelle, relations de groupe malsaines, difficulté à travailler en équipe, abus de pouvoir, favoritisme, batailles, etc.
Non-respect des politiques organisationnelles	Non-respect des normes de sécurité, des règles ou des procédures de travail, refus d'utiliser les vêtements ou les équipements de sécurité, violation des règles de confidentialité, longues conversations personnelles au bureau, etc.
Problèmes de loyauté ou abus envers la propriété de l'organisation	Vandalisme, fraude, manipulation ou falsification de l'information ou de documents, déclarations mensongères, conflits d'intérêts, utilisation abusive ou à des fins personnelles des équipements informatiques, diverses formes de vol (temps, argent, informations, matériel, équipements), flippage de factures de clients, manque de loyauté, falsification de rapports de remboursement de dépenses, fautes hors du travail qui ont un effet sur le travail (comme des actes criminels), etc.

Source : Extrait de ST-ONGE, S. *Gestion de la performance*, Montréal, Chenelière Éducation, 2012, p. 286.

6.7.2 L'approche disciplinaire dans les cas de sous-performance

Lorsqu'une situation de sous-performance se présente, il est souhaitable d'adopter les mesures suivantes : enquêter en colligeant et en analysant les faits ; appliquer des normes de performance raisonnables et reconnues ainsi que des sanctions de manière objective et constante ; adopter une démarche disciplinaire basée sur le principe de gradation ou de progression des sanctions.

Enquêter en colligeant et en analysant les faits

Lorsqu'une enquête disciplinaire doit être menée, il importe de colliger les renseignements permettant de répondre aux questions : qui ? quoi ? comment ? quand ? pourquoi ? Tous les faits invoqués pour justifier une mesure disciplinaire doivent avoir été confirmés ; les rumeurs et les ouï-dire, même probables, ne doivent pas être considérés sans avoir été préalablement vérifiés. Il est essentiel d'accumuler des preuves solides et détaillées au sujet de l'événement, qu'il s'agisse des lieux, du moment ou des déclarations de collègues. Surtout, l'employeur doit éviter de porter des accusations ou d'appliquer des sanctions sur la base de présomptions, de doutes ou d'approximations, car il s'expose ainsi à des poursuites pour diffamation ou atteinte à la réputation.

Si des témoins (cadres, collègues, clients, etc.) étaient présents au moment de l'incident en question, il s'avère nécessaire de les rencontrer le plus tôt possible. Il faut les laisser raconter l'ensemble des faits, consigner leurs propos et, si possible, leur demander de signer une copie de ce document. Comme la mémoire est une faculté qui oublie, il est important de noter tous les détails pertinents (l'heure et le jour de l'incident, ce que les témoins ont vu et entendu, les coordonnées des personnes en cause, etc.). En effet, dans un contexte où un syndicat est présent, un arbitrage sur une mesure disciplinaire peut survenir plusieurs mois après l'adoption de celle-ci. La procédure nécessite également que l'on conserve et regroupe les divers documents, pièces ou objets permettant de faire la preuve d'un manquement (p. ex., courriels, rapports, feuilles de présence, photos, vidéos ou seringues).

Finalement, il arrive que des situations de sous-performance soient très particulières, soit lorsque des accusations graves (p. ex., de vol) sont portées ou lorsque le maintien en emploi d'un salarié est risqué pour la santé et la sécurité de ses collègues ou menace les intérêts de l'entreprise. En cas de doute ou d'hésitation quant à la sanction à appliquer, l'employeur peut décider de relever provisoirement l'employé de ses fonctions, le temps de lui permettre d'enquêter et d'analyser la situation. Une telle suspension pour enquête (quelquefois qualifiée d'« indéfinie ») est une mesure administrative ; ce n'est pas une sanction. Selon le *Dictionnaire canadien des relations du travail*, une **suspension administrative** est une « cessation temporaire d'emploi décidée par l'employeur en attendant l'enquête portant sur les circonstances d'un manquement à la discipline » (Dion, 1986, p. 458). Le retrait provisoire des fonctions s'avère toujours préférable à l'application hâtive d'une mauvaise sanction. Toutefois, l'employé qui est suspendu pour enquête doit être avisé des raisons de cette mesure et doit pouvoir exprimer sa version des faits.

Suspension administrative
Cessation temporaire d'emploi décidée par l'employeur en attendant l'enquête portant sur les circonstances d'un manquement à la discipline (Dion, 1975).

Appliquer des normes de performance raisonnables et reconnues ainsi que des sanctions de manière objective et constante

Pour démontrer qu'une mesure disciplinaire est juste, l'employeur doit s'assurer qu'il a établi et communiqué des règles raisonnables au sujet du comportement à adopter. Ce qui est demandé à l'employé doit être atteignable et comparable à ce qu'il est courant de demander dans l'organisation ou ailleurs pour un poste semblable. L'employé doit aussi être au courant des attentes. En somme, la sanction ne doit pas être considérée comme arbitraire et résultant du caprice d'un cadre.

La sanction doit suivre immédiatement le manquement. Elle doit aussi être impersonnelle, c'est-à-dire ne pas tenir compte de la personnalité de l'employé fautif. Une mesure disciplinaire doit résulter d'une enquête objective du cadre dans laquelle l'employé a eu la possibilité de donner sa version des faits. La nature de la sanction doit alors être justifiée. Par ailleurs, dans des cas problématiques similaires, l'organisation doit s'assurer d'une certaine constance dans les interventions de tous ses cadres afin que celles-ci soient considérées par les autres employés comme équitables. Une application différente des mesures disciplinaires d'un gestionnaire à l'autre en cas de problèmes semblables réduit en effet la crédibilité ou l'équité du processus disciplinaire d'une organisation auprès des employés.

Le coin de la loi

Le cadre légal de la gestion de la performance

Quelques législations, règlements et organismes balisent la gestion des performances au Québec et au Canada. Voici un aperçu des incidences de ces textes législatifs sur cet aspect de la GRH.

Loi sur les normes du travail

L'employé ne peut subir de représailles pour une revendication ou une activité syndicale légale ou encore pour un droit prévu à la Loi. En cas de congédiement, tout salarié non syndiqué qui compte deux ans de service continu auprès d'un même employeur a droit, sans frais ni cotisation, à un avocat spécialiste de la Commission; l'employeur a alors le fardeau de la preuve. Si ce dernier peut prouver qu'il a été remplacé dès que son poste a soi-disant été aboli, cela sera considéré comme un congédiement injuste. Tout salarié a droit à un milieu de travail exempt de harcèlement psychologique. L'employeur doit prendre les moyens raisonnables pour le prévenir et, lorsqu'une telle conduite est portée à sa connaissance, pour la faire cesser.

Chartes canadienne et québécoise des droits et libertés

Les Chartes interdisent toute discrimination dans les décisions relatives à la GRH, aux mises à pied, aux suspensions et aux renvois sur la base de motifs illicites (p. ex., âge, religion, sexe, origine ethnique ou nationale, couleur, orientation sexuelle, convictions politiques, grossesse, état civil, condition sociale, handicap physique ou mental, dossier criminel, langue). Les employeurs doivent faire en sorte que personne ne soit désavantagé pour des motifs de discrimination illicites. Toute personne a droit à des conditions de travail justes et raisonnables et qui respectent sa santé, sa sécurité et son intégrité physique ainsi qu'à la sauvegarde de sa dignité, de son honneur et de sa réputation.

Charte de la langue française

L'employé peut porter plainte s'il fait l'objet d'une mesure disciplinaire parce qu'il ne connaît pas l'anglais ou une autre langue que le français, sauf lors de circonstances précises et après avoir suivi une procédure donnée.

Code civil du Québec et Code criminel

L'employeur a l'obligation d'assurer le bien-être et la sécurité de son personnel et il doit intervenir afin de faire cesser tout comportement susceptible de causer un préjudice à ses employés. L'employeur doit prendre des mesures appropriées à la nature du travail en vue de protéger la santé, la sécurité et la dignité du salarié, et il doit réparer le préjudice causé par sa faute.

Loi sur la santé et la sécurité du travail

L'employeur doit prendre les mesures nécessaires pour protéger la santé et assurer la sécurité et l'intégrité physique du travailleur. Ce dernier peut refuser d'exécuter un travail s'il a des motifs raisonnables de croire que l'exécution de ce travail l'expose à un danger pour sa santé, sa sécurité ou son intégrité physique.

Règlement sur les établissements industriels et commerciaux

L'employeur doit s'assurer que tout travailleur n'effectue aucun travail lorsque ses facultés sont affaiblies par l'alcool, la drogue ou toute autre substance pouvant mettre en péril sa sécurité ou celle de ses collègues.

Code du travail et convention collective

Un salarié syndiqué peut déposer une plainte s'il croit avoir été congédié, suspendu, déplacé ou victime d'une mesure discriminatoire à cause d'un droit ou d'une activité protégé par le Code. Une procédure d'arbitrage de griefs permet au syndicat de contester, au nom du salarié, le bien-fondé de mesures disciplinaires (p. ex., une suspension ou un licenciement) dans un délai minimal de 15 jours. L'employeur a l'obligation de prouver que la sanction repose sur une cause juste et suffisante.

Loi de l'impôt, mesures ou politiques fiscales

Les employeurs vont décider de la nature et du montant des récompenses et de la rémunération variable accordé selon leur traitement fiscal.

www.cbc.radio-canada.ca/ fr/rendre-des-comptes-aux- canadiens/lois-et-politiques/ gestion/ressources- humaines/2-2-10

Exemple de politique et de lignes directrices relatives aux mesures disciplinaires en vigueur à Radio-Canada/CBC

L'existence de dispositions claires et non équivoques dans une convention collective ou dans une politique de l'entreprise peut s'avérer un outil efficace. Ces dispositions sont susceptibles de faire cesser la sous-performance dans le milieu de travail et de limiter la latitude de l'arbitre lorsque celui-ci se prononce sur la validité d'une sanction : par exemple, une convention collective peut stipuler que le fait de se battre sur le lieu de travail constitue un motif valable de congédiement. De telles politiques peuvent être de nature diverse : politique disciplinaire, politique visant à contrer le harcèlement psychologique, politique d'absentéisme, politique à l'égard de l'alcoolisme et de la toxicomanie, politique à l'égard de l'utilisation des équipements, code de conduite, code de déontologie, etc.

Adopter une démarche disciplinaire basée sur le principe de gradation ou de progression des sanctions

Dans une démarche disciplinaire, la sanction doit en quelque sorte constituer une solution (et non seulement une punition) qu'on adopte au nom de l'employeur pour amener l'employé à améliorer son rendement ou son comportement. La plupart des entreprises disposent d'un processus, officiel ou non, d'approbation de mesures disciplinaires qui varie selon le niveau hiérarchique du cadre et la sévérité de la sanction envisagée.

Les interventions et les enquêtes dans les cas de sous-performance doivent aussi être neutres, objectives et dépourvues d'émotion. Rappelons qu'à l'égard de fautes semblables, il faut s'assurer d'appliquer des sanctions constantes et de manière uniforme.

Par ailleurs, on commettrait une erreur importante en congédiant un employé trop rapidement. Diverses raisons peuvent presser des cadres à agir de la sorte. Ainsi, ils exigent que l'employé obéisse inconditionnellement aux règles établies ou veulent qu'une situation serve d'exemple aux autres employés. Un autre cas se présente fréquemment lorsque des cadres, qui ne font pas d'interventions progressives, se sentent forcés de congédier l'employé au moment où le problème prend trop d'ampleur. Pourtant, un congédiement trop rapide va à l'encontre des règles de justice, ne serait-ce que le droit d'être entendu. Il ébranle aussi le sentiment de sécurité des autres employés (subiront-ils le même sort sans préavis?). De plus, un tel congédiement risque de ne pas être approuvé par les dirigeants, les professionnels des RH et le syndicat. Le cadre fautif devra alors revenir sur sa décision, avec la perte de crédibilité qui s'ensuit, et amorcer une démarche disciplinaire préétablie.

En matière disciplinaire, un principe important doit être respecté : celui de la gradation des mesures. Selon ce principe, lorsque l'employeur recourt à des sanctions, celles-ci doivent être d'une sévérité croissante. Les mesures disciplinaires les plus courantes sont la réprimande verbale, la réprimande écrite, la suspension sans salaire à court ou à long terme et le congédiement (*voir le tableau 6.10*). Il faut retenir que la progression des sanctions ne nécessite pas inévitablement une faute plus grave.

Tableau 6.10	La progression des mesures administratives et disciplinaires
Mesures administratives (non disciplinaires)	
Avis verbal	C'est la forme de sanction la moins sévère ; sa portée est seulement corrective et elle peut être répétée. Toutefois, lorsque le cadre a averti pour la troisième fois le même employé pour la même faute, il doit songer à d'autres mesures disciplinaires formelles. L'objet et la date d'un avertissement déjà donné verbalement peuvent aussi être transmis à l'employé sous forme d'un avis écrit de correction que le cadre et l'employé seront invités à signer.
Avis écrit	Il s'agit d'un avis essentiellement correctif, souvent utilisé à la suite d'infractions mineures répétées telles que des retards, le non-respect du temps des pauses ou des absences. En insistant sur le sérieux de la situation, le caractère officiel de l'écrit vise à provoquer un changement. Un avis écrit de correction précise le problème reproché sous forme de faits, la correction attendue et l'expression de la confiance dans le fait que l'employé est en mesure d'apporter cette correction. Une copie de cet avis peut être consignée au dossier de l'employé.
Mesures disciplinaires	
Avertissement disciplinaire écrit	Un avertissement écrit comme mesure initiale d'une démarche disciplinaire permet de mieux défendre un éventuel congédiement devant les tribunaux, qui accordent peu de valeur aux reproches verbaux, ces derniers étant plus susceptibles d'être « oubliés » ou niés par l'employé. La réprimande écrite peut être répétée plusieurs fois selon les caractéristiques de l'employé ou de sa faute, ou selon les pratiques de l'entreprise. En règle générale, après deux ou trois avertissements, on peut passer à une suspension.

Tableau 6.10	La progression des mesures administratives et disciplinaires (*suite*)
Mesures disciplinaires	
Suspension sans salaire à court ou à long terme	La suspension a un caractère à la fois punitif et correctif. En général, on recourt à de courtes suspensions (un jour, trois jours ou une semaine selon la gravité de la faute, sa répétition et le dossier de l'employé). La suspension peut être répétée plusieurs fois (soit successivement un, trois et cinq jours plus tard) selon les caractéristiques de l'employé ou de sa faute, ou selon les pratiques de l'entreprise. Chaque suspension doit être communiquée à la fois oralement et par écrit, au moyen d'un avis disciplinaire. Lorsqu'on n'observe aucune amélioration de la situation après deux ou trois suspensions, le congédiement peut être envisagé.
Congédiement[1]	Cette sanction s'avère strictement punitive pour l'employé. Elle survient ordinairement lorsque l'employeur a épuisé les précédentes mesures disciplinaires sans obtenir de résultats ou lorsque la faute est telle que l'employeur ne peut plus faire confiance à l'employé. Il y a congédiement immédiat lorsque la faute est particulièrement grave. En général, un congédiement est communiqué oralement et par écrit, au moyen d'un avis disciplinaire.

1. Il importe ici de distinguer le congédiement du licenciement. Un congédiement est une mesure prise pour se départir d'un employé qui ne répond pas aux normes de rendement de son poste pour diverses raisons, comme l'incompétence ou des comportements inadéquats. Quant au licenciement, il correspond davantage à une mesure administrative associée à l'abolition d'un poste et liée à une réorganisation, à une rationalisation ou à une réduction d'effectifs.

La punition est inhérente au principe de progression des mesures disciplinaires. Ainsi, les arbitres considèrent que la punition doit être proportionnelle à la faute. Une faute bénigne entraîne une sanction légère ou un avis, alors qu'une faute grave encourt une lourde punition. Une analyse des sentences arbitrales montre que les principaux facteurs ou critères retenus pour évaluer la sévérité d'une sanction disciplinaire peuvent être regroupés en cinq catégories de caractéristiques : celles de la faute, de la sanction, de l'employé, de l'organisation et de la gestion de la performance (*voir le tableau 6.11*).

Ainsi, la gravité d'un manquement ou d'une faute peut justifier le non-respect de la gradation et le choix d'une sanction plus sévère. De plus, certains comportements peuvent à eux seuls justifier une suspension sans avertissement écrit préalable. Pensons, par exemple, à l'employé qui menace son supérieur, qui consomme de la drogue ou de l'alcool au travail, qui met en péril la sécurité d'autrui, qui occupe un emploi en conflit d'intérêts avec son employeur ou qui injurie un client. On peut aussi procéder à un congédiement sans gradation préalable des sanctions pour des raisons de harcèlement sexuel au travail, d'agression à l'égard d'un supérieur, de fraude ou de vol d'un bien important, de sabotage ou d'atteinte à la sécurité d'autrui en raison d'une négligence grossière. En général, et sauf s'il y a une preuve de provocation et de mauvaise foi de la part du supérieur, les gestes de violence exécutés à l'égard d'un supérieur entraînent le congédiement immédiat du fautif parce qu'ils impliquent un comportement d'insubordination.

Par ailleurs, il est important que la mesure disciplinaire imposée à un employé n'entre pas en contradiction avec le contexte. Par exemple, l'employé a-t-il reçu une lettre de félicitations d'un cadre supérieur ? A-t-il obtenu une bonne évaluation annuelle ? En outre, ainsi que le considèrent les arbitres du travail, il faut envisager la possibilité que le fait reproché à l'employé puisse être attribuable en partie à des problèmes personnels (comme un divorce ou la maladie d'un proche) ou à la provocation d'un collègue ou d'un client. Finalement, les arbitres tiennent aussi compte de la présence d'un règlement, d'une convention collective ou d'une politique disciplinaire qui précise des sanctions particulières pour certaines fautes. Par exemple, une politique peut stipuler que l'employeur est en droit de transmettre une réprimande écrite sans avertissement oral préalable lorsqu'un employé dissimule un travail incorrect, falsifie les données d'un rapport ou ne se conforme pas aux consignes de sécurité de l'entreprise.

Tableau 6.11	Les facteurs pris en compte pour évaluer l'équité d'une sanction disciplinaire
Caractéristiques de la faute	• Gravité (retards, vol d'équipement, insubordination, etc.) • Conséquences ou préjudices causés (coûts, réputation de l'employeur ou d'un collègue, image de l'organisation, etc.) • Caractère public de la faute (visibilité), nombre de personnes présentes, cas isolé, répétitif, intentionnel, caractère prémédité, intérêt de faire le geste, perte subite ou momentanée de contrôle • Identité de la victime
Caractéristiques de la sanction disciplinaire	• Sanction prévue dans la convention collective ou résultant d'une politique organisationnelle • Respect de la gradation des sanctions • Caractère discriminatoire • Exemplarité de la sanction • Conséquences économiques pour le salarié • Écoulement du temps entre les sanctions
Caractéristiques de l'employé ayant commis la faute	• Poste (autonomie, responsabilités, lien de confiance requis, statut, nature des fonctions, niveau hiérarchique) • Dossier (années de service, évaluation de la performance, félicitations, avis disciplinaire, augmentations de salaire au mérite, compliments reçus, mesures disciplinaires antérieures, récidives, etc.) • Situation ou état d'esprit : divorce, décès d'un proche, problèmes personnels, retour d'un congé de maladie, intoxication (médicaments, alcool, drogue) • Comportements après le manquement (remords, regrets, excuses, reconnaissance des torts, etc.) • Probabilités de réhabilitation ou de récidive • Problèmes ou maladies (alcoolisme, toxicomanie, jeu pathologique, dépression, etc.) et volonté de suivre une thérapie
Caractéristiques de l'organisation	• Comportement des autres employés ou des clients (provocation) • Politique, normes et culture (tolérance envers les fautes similaires) • Secteur d'activité (nature, clientèle, réputation)
Caractéristiques de la gestion de la performance	• Nature de l'évaluation : formelle (documentée) ou non • Méthodes basées sur des résultats, des comportements et non sur des traits de caractère • Erreurs et préjugés (sévérité, clémence, etc.) • Évaluateurs (compétences, nombre, tolérance antérieure, etc.) • Soutien offert (type, délai accordé, etc.) • Mécanismes d'appel

6.7.3 L'approche administrative dans les cas de sous-performance

L'approche administrative à l'endroit des employés présentant une sous-performance est souvent orientée vers la relation d'aide (qualifiée couramment de *counselling*), le développement, la gestion des carrières ou les accommodements. Dans bien des situations de sous-performance, notamment dans des situations d'intoxication (alcool, drogues, médicaments) et de problèmes personnels (financiers, matrimoniaux, familiaux), l'employeur se doit de proposer de l'aide à l'employé.

Le *counselling* offert par les cadres

Le *counselling* consiste à aider l'employé à mieux gérer sa situation afin qu'il puisse accroître son efficacité. Toutefois, le fait de vouloir outiller les cadres en matière de *counselling* peut les inciter à chercher eux-mêmes la cause d'un problème et à tenter de la traiter, alors que leur véritable rôle est de se préoccuper des effets de ce problème sur le plan organisationnel. Les cadres ne possèdent pas des compétences de thérapeutes, de psychologues ou de psychiatres, leur domaine d'intervention étant tout autre. Néanmoins, lorsque les employés ont confiance en leur patron et le

Counselling

Aide offerte à l'employé pour qu'il puisse mieux gérer sa situation de manière à accroître son efficacité.

respectent, ils ont tendance à lui demander son avis sur différents aspects de leur vie. De plus, les cadres font face à une question délicate : jusqu'où est-il possible d'aller dans le *counselling* ? Comme le montre le tableau 6.12, le *counselling* offert par les cadres comporte des atouts, mais aussi de nombreuses limites. Ces derniers doivent donc faire preuve de prudence et ne pas hésiter à conseiller à un employé aux prises avec des problèmes personnels complexes de consulter un professionnel à l'extérieur de l'entreprise.

Tableau 6.12 — Les atouts et les limites du *counselling* offert par les cadres	
Atouts	**Limites**
• Les cadres connaissent bien l'employé (rendement, habiletés, forces, ambitions, besoins, vie personnelle, etc.).	• Les cadres n'ont pas l'objectivité et le détachement d'un professionnel.
• Ils sont généralement les premiers informés des difficultés d'un employé ou les premiers à constater que celui-ci a un problème.	• Ils n'ont pas les compétences pour aborder une situation personnelle particulièrement difficile : leurs conseils risquent d'être inadéquats ou d'aggraver le problème.
• Ils sont souvent disponibles, accessibles et ne nécessitent pas de débours.	• Ils ne doivent pas s'ingérer dans la vie privée des employés : les conseils personnels doivent être prodigués avec prudence.
• Ils peuvent intervenir sur diverses caractéristiques situationnelles et organisationnelles qui aideront l'employé à respecter les normes de rendement.	• Ils peuvent être placés devant d'habiles manipulateurs qui ne veulent que profiter de mesures d'accommodement ou de privilèges, ou encore devant des employés aux prises avec des problèmes profonds ou graves qui requièrent les services de spécialistes.
• Ils sont souvent enclins à aider leurs subordonnés.	• Ils risquent de tenir compte, consciemment ou non, au cours de décisions ultérieures (promotions, nominations, etc.), d'informations confiées par l'employé et susceptibles de lui nuire.

Le *counselling* offert par des professionnels

Programme d'aide aux employés (PAE)

Ensemble d'interventions visant à aider les personnes aux prises avec des problèmes personnels qui compromettent ou qui sont susceptibles de compromettre leur santé, leur équilibre psychologique et leur rendement au travail.

En matière de *counselling*, de nombreuses organisations proposent un **programme d'aide aux employés (PAE)**. Un PAE offre un ensemble d'interventions visant à appuyer les personnes aux prises avec des problèmes personnels qui compromettent ou qui sont susceptibles de compromettre leur santé, leur équilibre psychologique et leur rendement au travail. L'objectif principal d'un PAE est d'aider un employé à retrouver une performance et un comportement satisfaisants au travail. Comme l'explique plus à fond le chapitre 10, le PAE est un service offert dans nombre d'organisations afin d'aider les employés à résoudre des problèmes de performance ou à les prévenir.

Les autres formes d'appui : la formation, le développement et les accommodements

Selon les cas de sous-performance, l'aide à offrir aux employés peut aussi provenir d'autres pistes d'intervention que le *counselling*. Diverses solutions consistent à offrir une formation particulière (*voir le chapitre 5*), à réorienter la carrière ou à faire un bilan de compétences (*voir le chapitre 7*). Un ingénieur peut voir sa performance s'améliorer grâce à une réorientation vers un poste administratif. Certains employés qui constatent qu'un problème temporaire (p. ex., des allergies ou des épisodes de dépression saisonnière) nuit à leur performance doivent se faire proposer des accommodements par leur employeur (*voir le chapitre 11*). Un concepteur de publicité dont la performance a toujours été bonne peut ne plus éprouver la «passion» du métier, et ce manque d'intérêt risque de réduire grandement sa performance (projets peu créatifs et peu innovateurs). Dans tous ces cas, les problèmes de sous-performance relèvent non pas de l'application de la discipline ou de la relation d'aide, mais plutôt de l'offre de développement, de possibilités de carrière ou d'accommodements (p. ex., modification des horaires, du temps ou du lieu de travail).

LES ENJEUX DU NUMÉRIQUE DANS LA GESTION DE LA PERFORMANCE

Les technologies numériques peuvent entraîner des problèmes de performance. En effet, les travailleurs passent souvent beaucoup de leur temps quotidien à surfer sur le Web à des fins personnelles, ce que l'on appelle du «cyberflânage». Pour les entreprises, cela entraîne une perte de productivité ainsi qu'une diminution de la sécurité et de l'efficacité de leur réseau d'information. De plus, un employé peut nuire à une entreprise ou à des collègues de travail en diffusant des informations sur les réseaux sociaux et dans ses courriels tant personnels que professionnels. C'est pourquoi les avocats en droit du travail conseillent aux entreprises d'adopter une politique relative à l'utilisation des outils informatiques, qui clarifient les éléments suivants (Côté, 2012; Letarte, 2015; Perreault et Laberge, 2008; St-Onge, 2012):

- L'équipement informatique que les employés utilisent au travail et l'information sur le réseau appartiennent à l'organisation.

- Le courrier électronique ou l'Internet sont à la disposition des employés pour l'exécution de leur travail et non à des fins personnelles. Même si la plupart des employeurs permettent l'usage des réseaux sociaux, de la navigation sur Internet, des courriels et des textos personnels, ils sont en droit de s'attendre à ce que les employés consacrent leurs heures de travail à leurs activités professionnelles.

- La consultation, la détention et la distribution de tout matériel pornographique, légal ou non, sont interdites.

- L'utilisation du courrier électronique ou d'Internet doit se faire dans le respect de la dignité d'autrui et de manière à contribuer au maintien d'un milieu de travail exempt de discrimination et de harcèlement.

- L'employeur a le droit de protéger sa réputation et son image ainsi que l'obligation de protéger les renseignements confidentiels sur l'entreprise et ses employés, notamment en ce qui a trait à leur diffusion sur les réseaux sociaux.

- L'organisation se réserve le droit d'effectuer des vérifications, des suivis ou des contrôles sporadiques ou une surveillance plus poussée de l'utilisation du courrier électronique, d'Internet ou des réseaux sociaux, de gérer les abus et d'appliquer des sanctions, au besoin.

- Des conséquences s'appliqueront en cas de manquement aux obligations précédemment énoncées.

L'employeur doit prévoir des sanctions pouvant mener au congédiement en cas de non-respect des règlements en matière de technologies informatiques, les appliquer de façon uniforme et constante et préciser qu'il pourra exercer des recours en dommages contre un employé qui contrevient à un règlement.

LA GESTION DE LA PERFORMANCE DANS LE SECTEUR PUBLIC

Dans le secteur public, la majorité des personnes sont syndiquées et la sécurité d'emploi est présente. Aussi, en général, le secteur public accorde plus d'importance aux tests de connaissances qu'aux résultats de l'évaluation de la performance dans les décisions de promotion. L'évaluation de la performance y est souvent menée dans un but de formation et de communication, sans qu'il y ait d'effet sur la rémunération et sur les décisions en matière de promotions, sauf pour certains cadres et professionnels. Les outils d'évaluation de la performance sont souvent exprimés en termes généraux du fait qu'ils couvrent un grand nombre de catégories de personnel.

À l'égard des interventions dans les cas de sous-performance, le législateur demande aux employeurs du secteur public et parapublic d'intervenir de manière exemplaire face à la sous-performance compte tenu de la taille et des moyens de ces derniers. L'évaluation de la performance individuelle dans le secteur public présente également des particularités pour diverses raisons: le travail est souvent le fruit d'une équipe ou de plusieurs personnes (p. ex., les soins prodigués à un malade); les services sont intangibles, donc plus difficiles à mesurer; il n'y a pas d'objectifs de rentabilité ou de valeur des actions à atteindre ultimement au niveau de l'organisation; les services offerts font souvent l'objet d'un monopole (la faible concurrence ne vient pas hausser la barre) et les priorités varient davantage en fonction des aléas politiques ou des élus.

LA GESTION DE LA PERFORMANCE DANS LES MILIEUX SYNDIQUÉS

Une enquête menée au Canada montre que, en moyenne, la grande majorité des employés non syndiqués voient leur performance évaluée (85 % dans le secteur public et 99 % dans le secteur privé), alors que c'est le cas de seulement 30 % des employés syndiqués (Conference Board du Canada, 2010).

Dans les entreprises où il y a un syndicat, les mesures disciplinaires font l'objet de dispositions particulières dans la convention collective. Une telle clause impose à l'employeur un cadre qu'il doit respecter et à l'intérieur duquel il doit procéder pour imposer des mesures disciplinaires. En somme, ces dispositions assurent les salariés d'être traités avec équité et une certaine justice lorsque l'employeur entreprend une démarche disciplinaire.

Les syndicats ne s'opposent pas aux mesures disciplinaires imposées aux employés, pourvu qu'elles se fondent sur des règles raisonnables et connues, sur une cause juste et suffisante, et qu'elles soient appliquées uniformément. Une procédure d'arbitrage de griefs, qui est prévue dans presque toutes les conventions collectives, permet au syndicat de contester dans un certain délai, au nom du salarié, le bien-fondé de mesures disciplinaires telles qu'une suspension ou un licenciement. Si l'employeur ne démontre pas le bien-fondé de la cause ou si l'arbitre juge la sanction trop sévère, il peut revoir la sanction (p. ex., en réintégrant un employé congédié) et demander une indemnisation pour l'employé. De plus, en vertu du Code du travail, un salarié syndiqué peut déposer une plainte s'il croit avoir été congédié, suspendu, déplacé ou victime d'une mesure discriminatoire à cause d'une activité ou d'un droit protégé par le Code,

comme la participation à une campagne syndicale, l'élection à un poste syndical, la participation à toute procédure liée à une convention collective, au Code du travail ou à un grief, l'exercice d'une grève légale, le fait d'avoir fait signer des cartes de membres et celui d'avoir assisté à une réunion convoquée par un syndicat qui tente de s'implanter dans l'entreprise.

En conclusion, les syndicats veulent surtout protéger les employés des jugements arbitraires des cadres. Aussi, leur réceptivité à l'égard d'un processus de gestion de la performance est susceptible d'être plus grande dans les conditions suivantes :

- Les critères de performance sont objectifs, standardisés et s'appuient sur des données historiques.
- Les résultats des évaluations de la performance individuelle n'influent pas sur la rémunération des employés et sont utilisés dans un but de formation seulement.
- Le climat de travail est bon.
- Les dirigeants exercent un style de gestion transparent, communiquent de l'information sur les résultats de l'entreprise et veulent partager les gains de performance sous forme de régimes collectifs de rémunération.

LA GESTION DE LA PERFORMANCE À L'INTERNATIONAL

La gestion de la performance des expatriés pose un réel défi parce qu'il est difficile de définir ce qui constitue une bonne performance, de la suivre en cours d'année et d'ajuster les attentes à cet égard. De fait, les programmes rigoureux et officiels d'évaluation de la performance des expatriés sont loin d'être universels. En effet, les choix à privilégier en matière de méthodes et de critères de gestion de la performance des expatriés dépendent du contexte d'affaires et du pays dans lequel ils sont expatriés. Dans la plupart des cas, l'évaluation s'appuie sur l'atteinte d'objectifs généraux ou sur la réalisation d'un mandat défini de manière large, puisque plusieurs éléments contextuels sont difficiles à prévoir. Il faut aussi penser que les expatriés doivent faire preuve de plus d'autonomie étant donné que le suivi, qui se fait à distance, s'avère beaucoup moins serré. De plus,

l'expatriation entraîne un bouleversement dans la vie personnelle et familiale, ce qui a un effet sur la performance. L'expatrié doit en effet s'adapter à divers changements : nouvelles responsabilités, nouvelle culture, nouvelle langue, etc. Il arrive même que certains expatriés s'exposent à des risques pour leur santé et leur sécurité, ce qui représente des facteurs de stress susceptibles de perturber leur performance à l'étranger.

Selon Cerdin (2012), pour réussir à l'international, il faut développer sa perspective mondiale (*global mindset*) et son intelligence culturelle, que mesurent de nombreux indicateurs tels que la capacité d'apprendre, l'ouverture à la différence et au changement, la capacité d'interagir avec des personnes d'autres cultures, d'adapter son comportement en fonction de la culture des personnes et de garder son sang-froid face à des environnements incertains.

LES CONDITIONS DU SUCCÈS D'UN PROGRAMME DE GESTION DE LA PERFORMANCE

Pour optimiser le succès d'un programme de gestion de la performance, plusieurs préalables sont nécessaires tant sur le plan technique que sur le plan des acteurs ou sur

celui du contexte (*voir le tableau suivant*). Il faut bien sûr disposer d'un formulaire adéquat que les utilisateurs apprécient, mais il faut surtout consacrer des efforts (et donc du temps et de l'argent) en vue de le promouvoir et de l'expliquer aux employés évalués et à leurs supérieurs au moyen d'activités régulières de formation et de communication. Il est nécessaire d'insister ici sur le rôle crucial des acteurs, surtout les évaluateurs, notamment sur leurs habiletés à évaluer la performance et sur leur motivation à le faire. Il est tout aussi important que la direction récompense les cadres qui savent juger de la performance de leurs employés, et qu'elle tienne compte de la façon dont ils s'acquittent de leur tâche d'évaluation de la performance lorsque, à leur tour, ils sont évalués par leurs superviseurs immédiats. Finalement, sur le plan contextuel, signalons l'importance d'une culture organisationnelle propice à la performance où les employés qui produisent «de la qualité en bonne quantité» sont respectés et où chacun se sent responsable de sa propre performance autant que de la productivité de l'entreprise. À ce sujet, il faut souligner le rôle d'une gestion de la performance cohérente et complémentaire avec les autres activités de GRH (notamment la sélection, la formation et la rémunération). En effet, les atouts d'une gestion minutieuse de la performance sont probablement moindres dans un contexte où l'entreprise accorde peu de soin à attirer et à recruter des candidats compétents, investit peu dans leur développement et rémunère peu la performance.

Les conditions du succès d'un programme de gestion de la performance	
Conditions techniques	Veiller à ce que les critères, les méthodes et les formulaires soient ciblés, pertinents, valides, pratiques, appliqués uniformément
	Valoriser, évaluer et récompenser les bonnes choses
	Donner une rétroaction constructive régulière
	Évaluer le rendement et non le potentiel
	Évaluer les comportements et les résultats et non la personnalité
	S'assurer que les utilisateurs s'approprient les outils
Acteurs	Participation des cadres et des employés à la conception, à l'implantation et à la gestion du programme
	Évaluateurs: compétences, habiletés de *coaching*, motivation, soin apporté à la gestion de la performance, minimisation des biais et des erreurs
	Employés évalués: formation, engagement, motivation
Contexte	Appui manifeste de la direction
	Culture d'amélioration continue
	Climat de confiance
	Communication transparente au sujet de la gestion
	Respect des règles d'équité et de justice organisationnelle
	Lien avec la mission, les valeurs, les facteurs de succès, la stratégie d'affaires
	Lien avec les autres activités de GRH
	Efficacité des autres systèmes et fonctions de gestion
	Soutien des professionnels des RH
	Élimination ou réduction des freins à la performance qui ne sont pas à mettre sur le compte des employés

CONCLUSION

La gestion de la performance est au cœur de nombreuses décisions, non seulement en matière de GRH, mais aussi dans la gestion globale et stratégique des organisations. En ce sens, tous les superviseurs, quel que soit leur niveau hiérarchique, gagnent à parfaire leurs connaissances, puisque la performance de leur équipe relève en bonne partie de la qualité de leur gestion quotidienne et du cycle continu de planification, de suivi, d'évaluation, de reconnaissance, de formation et de contrôle. Ce chapitre a montré qu'il est important que la performance soit bien gérée afin de motiver les personnes et de mobiliser les équipes. Pour cela, il faut avoir des outils appropriés, des acteurs compétents et motivés à bien gérer la performance ainsi qu'un contexte organisationnel favorable à la productivité. Le chapitre 7 traitera de la gestion des carrières, une autre activité de GRH qui exerce une influence sur la motivation et la mobilisation des personnes au travail.

QUESTIONS DE RÉVISION

1. Qu'est-ce qui distingue l'évaluation de la performance du processus de gestion de la performance ?

2. Quelle est la différence entre le potentiel et la performance ?

3. Quelle est l'utilité de bien gérer la performance des employés ? Pourquoi est-il important d'intervenir à l'égard de la sous-performance plus particulièrement ?

4. Quelles sont les caractéristiques souhaitables d'un formulaire d'évaluation de la performance ?

5. Quels critères les organisations peuvent-elles utiliser pour évaluer la performance des employés ? Quels sont leurs atouts et leurs limites ?

6. Quelles méthodes les organisations peuvent-elles utiliser pour évaluer la performance de leurs employés ? Quels sont leurs atouts et leurs limites ?

7. Quels conseils peut-on donner aux évaluateurs et aux personnes évaluées pour optimiser le succès des entretiens d'évaluation de la performance ?

8. De quelles erreurs les cadres doivent-ils se méfier lorsqu'ils évaluent la performance de leurs employés ? Comment peuvent-ils minimiser la possibilité de faire de telles erreurs ?

9. Quelles sont les principales formes de reconnaissance ? Décrivez-les.

10. Quelles sont les formes de sous-performance en milieu de travail ?

11. Quels principes les employeurs doivent-ils respecter lorsqu'ils entreprennent une démarche disciplinaire ?

12. Résumez les avantages et les inconvénients du *counselling* offert par les cadres. Quels conseils pourriez-vous donner à cet égard ?

13. Quelles sont les particularités des interventions à l'égard des cas de sous-performance dans les milieux syndiqués et dans le secteur public ?

14. Quelles sont les conditions de succès d'un programme de gestion de la performance ? Dans votre réponse, tenez compte de la théorie de justice organisationnelle et de ses implications sur la gestion de la performance.

QUESTIONS DE DISCUSSION

1. « Étant donné que l'évaluation de la performance est par définition une activité subjective, il est préférable d'éviter d'y recourir. » Commentez cette opinion.

2. « Il faut mettre en place un programme d'évaluation de la performance, accompagné d'un formulaire à remplir une fois par année, afin d'intervenir auprès des employés difficiles. C'est là la raison d'être du programme de gestion de la performance. » Que pensez-vous de cette affirmation ?

3. « Exception faite de l'argent obtenu en vertu des programmes de rémunération variable, les récompenses que les employés peuvent recevoir ne sont que des gadgets inutiles et inefficaces. » Commentez cette opinion.

④ « Le fait de récompenser la performance des employés a toujours un effet positif sur celle-ci. » Commentez cette assertion.

⑤ « Il n'y a pas d'employés difficiles, il n'y a que des superviseurs déficients ! » Commentez cet énoncé.

INCIDENTS CRITIQUES ET CAS

Incident critique

Bien mouvementée, cette fin d'année…

Donna, adjointe à la directrice d'une boutique de prêt-à-porter, en a plein les bras. Dans quelques jours, elle doit rendre les formulaires d'évaluation de la performance dûment remplis et signés par chacun des cinq conseillers-vendeurs. « Au moins, je n'ai à faire cet exercice bureaucratique et encombrant qu'une seule fois par année… » Elle anticipe ces rencontres et trouve agaçant d'avoir à justifier les cotes de performance qu'elle attribue. « Chaque fois, c'est comme si je leur apprenais quelque chose de nouveau ! Pourtant, c'est de leur rendement à eux qu'il est question et les critères d'évaluation ne changent pas d'une année à l'autre. »

Un peu d'uniformité, s'il vous plaît

À ses débuts, Multi-Jeux était une petite firme de conception de jeux vidéo. Son personnel comptait au total quatre concepteurs se rapportant tous au propriétaire de la boîte, M. Paiement. Au cours de la dernière année, le nombre d'employés n'a cessé d'augmenter. Multi-Jeux compte désormais 12 concepteurs, répartis en deux équipes ayant chacune son propre superviseur. Ces derniers mois, les employés ont commencé à se plaindre d'un manque d'uniformité dans la gestion de la performance. En effet, les concepteurs se rendent compte que les critères de performance varient d'une équipe à l'autre, voire d'un employé à l'autre. Ils s'inquiètent aussi des conséquences que cette absence de formalisation pourra avoir au moment de statuer sur l'octroi des primes à la performance.

Question

Commentez ce qui ne va pas dans ces deux mises en situation et suggérez des façons de faire plus productives.

Incident critique

Deux poids, deux mesures

Mme Larue, chef du service de recherche en marketing chez Aliments Santé, est très anxieuse. Elle doit évaluer la performance de deux nouvelles recrues universitaires, Sophie Ladouce et Louise Bontant, engagées il y a six mois pour occuper deux postes similaires de professionnels. Cette évaluation vise principalement à transmettre aux nouveaux employés de l'information en vue de l'obtention d'une cote de performance satisfaisante à la fin de leur période d'essai d'une année.

Les commentaires que Mme Larue adresse à Sophie sont, dans l'ensemble, fort élogieux. Elle a atteint les objectifs fixés. À ses yeux, Sophie est créatrice, dynamique et fait preuve d'un professionnalisme exemplaire. Sa tenue vestimentaire est soignée ; elle porte souvent un tailleur agencé avec d'élégants accessoires. En fait, Mme Larue croit qu'elle est destinée à un brillant avenir chez Aliments Santé étant donné qu'elle lui ressemble un peu et qu'elle se comporte comme bien d'autres cadres de la société.

L'évaluation de Louise est différente. Louise a atteint les objectifs de performance établis, mais son attitude agace Mme Larue, bien qu'elle ne puisse rien lui reprocher de particulier. Louise ne se gêne pas pour dire ce qu'elle pense. Son imagination et sa grande force créatrice la conduisent souvent à remettre en question les pratiques établies. Louise a très rarement l'occasion de rencontrer des clients ou d'autres intervenants extérieurs. Elle aime aussi s'habiller confortablement. Or, Mme Larue conçoit que cette apparence décontractée cadre difficilement avec la culture prônée par les dirigeants de l'entreprise.

Mme Larue sait que Louise et Sophie sont plus que deux collègues de travail. Elles viennent de la même région, ont obtenu leur B.A.A. à la même université et ont emménagé ensemble, à Montréal, après avoir été engagées chez Aliments Santé. Elle se demande d'ailleurs comment deux filles si différentes peuvent être de si bonnes amies.

Questions

- Les critères qu'utilise Mme Larue pour évaluer la performance de Sophie et de Louise sont-ils appropriés ? Quels préjugés ou erreurs semblent se manifester ? Expliquez votre réponse.

- Mme Larue devrait-elle discuter avec Louise des traits de sa personnalité qui l'irritent ? Justifiez votre réponse.

- Que peut faire une entreprise pour aider des gestionnaires comme Mme Larue à gérer et à évaluer la performance de leurs subordonnés ?

Source : Adapté d'un cas rédigé par Mario Giroux, Centre de cas de HEC Montréal.

Cas

Je n'en peux plus !

Claude est un employé de production ayant 10 ans d'ancienneté dont les comportements et le rendement avaient toujours été exemplaires. Au cours de la dernière année, il a éprouvé de graves problèmes financiers. Selon une rumeur qui circule, il boit beaucoup en dehors du travail. Il s'absente du travail plus souvent et sa productivité est plus faible tant sur le plan de la qualité que sur celui de la quantité. Lors de la dernière période d'évaluation, son superviseur, M. Lafleur, a voulu aider Claude et ne pas empirer sa situation en lui accordant les cotes « très bon » ou « bon » pour tous les critères du formulaire. Toutefois, pendant l'entretien d'évaluation, il a relevé clairement les problèmes de Claude au travail et il a insisté sur le fait que son employé devait y remédier dans les plus brefs délais.

Au cours des mois suivants, Claude commet de plus en plus d'erreurs dans son travail ; ses absences et ses retards se multiplient. Les autres membres de l'équipe ne peuvent plus supporter cette situation et pressent leur superviseur d'intervenir. M. Lafleur n'a pas le choix : il doit s'adresser au service des RH. Dès qu'il se trouve dans le bureau du directeur des RH, il lui dit : « Écoute, je n'en peux plus : Claude doit être congédié immédiatement ! »

Questions

- Commentez la manière dont M. Lafleur a géré le cas de Claude. Quelles erreurs a-t-il commises ? Comment aurait-il dû gérer la situation ?

- Vous êtes directeur des RH dans cette organisation. Qu'est-ce que ce cas vous enseigne quant à la gestion des employés difficiles dans votre organisation ? Qu'est-ce que la direction de l'organisation — incluant le directeur des RH — peut faire pour éviter qu'un tel cas ne se reproduise ?

Source : Adapté d'un cas rédigé par Annabelle Paquet-Gagnon, Centre de cas de HEC Montréal.

POUR ALLER PLUS LOIN

Lectures suggérées

AGUINIS, H. *Performance Management*, 3ᵉ éd., Upper Saddle River, N.J., Pearson Education, 2014.

DROLET, M., et M.-J. DOUVILLE. *Comment gérer un employé difficile*, Montréal, Éditions Transcontinental, 2004.

ST-ONGE, S. *Gestion de la performance*, Montréal, Chenelière Éducation, 2012.

ST-ONGE, S. (dir.). *Gestion de la performance au travail : défis et tendances*, Montréal, Collection Gestion & Savoirs, 2011.

ST-ONGE, S., et V. HAINES (dir.). *La gestion des performances au travail : bilan des connaissances*, Bruxelles, Éditions de Boeck, 2007.

Site Web

La reconnaissance au travail par la Chaire de la santé et de la sécurité du travail de l'Université Laval
www.cgsst.com/fra/accueil-reconaissance-travail.asp

Le coin de l'Ordre des CRHΛ

www.portailrh.org

Performance sans limites
Par Julie Carignan, CRHA, psychologue organisationnelle, associée chez SPB Psychologie organisationnelle inc.

Quête de sens et performance
Par Lyne Leblanc, CRHA, *coach* professionnelle accréditée

La gestion de la performance
Par Christine Corbeil, directrice, Développement organisationnel et partenariat d'affaires, Ressources humaines, Québecor inc.

Chapitre 7

GÉRER LES CARRIÈRES

Principaux défis à relever en matière de gestion des carrières

- Constituer un réservoir de talents pour la relève et la succession à court et à moyen terme.

- S'assurer que les employés assument avec succès les fonctions qu'on leur attribue tout au long de leur parcours dans l'organisation.

- Offrir aux employés des occasions d'évolution qui les motivent et les retiennent au sein de l'organisation.

- Accompagner l'individu dans ses choix de carrière et l'aider à se construire un parcours sur mesure.

- Mettre en place des pratiques de gestion des carrières adaptées aux besoins des différents types d'employés (femmes, travailleurs d'expérience, expatriés, etc.).

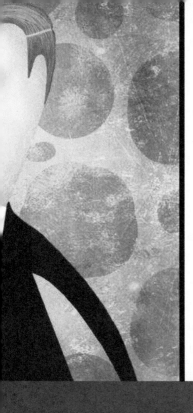

Objectifs d'apprentissage

- Comprendre les enjeux liés à la gestion des carrières.

- Décrire les principaux outils à la disposition des gestionnaires pour gérer les carrières des salariés.

- Connaître les principaux moyens de développement du potentiel et comprendre leur lien avec le développement des compétences.

- Comprendre les différents processus menant au succès de carrières.

- Situer les différentes pratiques de gestion des carrières, notamment en fonction des caractéristiques particulières des employés.

L a difficulté à offrir une sécurité d'emploi, la précarité du lien d'emploi et l'effritement de la loyauté organisationnelle sont des raisons souvent invoquées pour discréditer la gestion des carrières dans les organisations. Pourtant, on observe un intérêt marqué de la part de nombreuses organisations pour cette activité : elles mettent en place une gestion plus stratégique des ressources humaines (RH) qui s'appuie sur la gestion des carrières pour cibler les postes vacants et préparer les employés à la relève.

La gestion des carrières, loin d'être démodée, est donc revenue au cœur des préoccupations des responsables des RH et des gestionnaires, comme en témoignent les sites Web des entreprises qui mettent l'accent sur les carrières à l'interne, ou encore les publications tant professionnelles que scientifiques sur ce sujet.

Dans ce chapitre, nous abordons d'abord les outils et les méthodes de gestion des carrières utilisés en entreprise et qui ont comme fonction de structurer, d'encadrer et de préciser les règles de mobilité organisationnelle. Nous présentons ensuite les principaux moyens utilisés pour déceler le potentiel des individus et les accompagner dans leur développement professionnel. Enfin, la dernière partie fait état des pratiques de gestion des carrières des diverses catégories de salariés.

MISE EN SITUATION

L'Oréal Canada - Parce qu'ils le valent bien !

L'Oréal Canada, c'est 1 200 employés, dont 350 au siège social de Montréal, 33 marques et quatre divisions : produits professionnels, produits grand public, produits de luxe et cosmétique active. Le groupe réalise un milliard en chiffre d'affaires annuel. Au cours des cinq dernières années, L'Oréal Canada a fracassé des records de vente, battant coup sur coup la croissance du marché. Pour Javier San Juan, qui était au moment de cette entrevue président-directeur général de l'entreprise, le secret de cette ascension fulgurante réside dans les talents mis à contribution.

La gestion des talents

Plus qu'une philosophie, la gestion des talents fait partie du quotidien de l'entreprise. Plans de carrière personnalisés, nominations, promotions, formation, rien n'est laissé au hasard. « Beaucoup d'entreprises parlent de gestion des talents, mais en réalité, peu d'entre elles en font une véritable priorité. Chez L'Oréal, affirme Catherine Bédard, CRHA, vice-présidente, ressources humaines, l'intérêt porté au talent est réel et concret. Comme responsable RH, mon rôle est de connaître les employés, de savoir quelles sont leurs aspirations pour les accompagner dans leur développement. Et la beauté de l'histoire, ajoute-t-elle, c'est que je ne le fais pas seule. Tous les membres du comité exécutif sont très près des collaborateurs eux aussi. »

Signe tangible de cette affirmation, tous les directeurs de division et de marque sont invités deux fois l'an à présenter au président et à son équipe de conseillers le profil des gens qui composent leurs équipes. Objectif avoué : évaluer le succès remporté par les collaborateurs, identifier les plus performants et discuter des prochaines options qui s'offrent à eux dans l'organisation pour favoriser leur progression. Exigeant, l'exercice représente chaque fois quatre ou cinq jours de travail intensif en plus de générer un nombre important d'actions dans les semaines et mois qui suivent.

Le culte de la mobilité

Environ un collaborateur par jour ouvrable a fait l'objet d'une nomination à l'interne, et d'autres ont été promus vers l'international. Le tout sans affichage. « Le fait que nous ayons beaucoup de marques et de divisions nous permet de faire en sorte qu'un responsable du marketing, par exemple, travaille pendant deux ans pour les produits de luxe et qu'il mette ensuite son talent au service des produits professionnels ou grand public. Nous forçons cette prise de risque parce que nous croyons que c'est la meilleure façon de permettre aux gens de se développer. Plus encore, insiste Javier San Juan, il y a une sorte d'accord tacite entre le collaborateur et nous qui veut que nous prenions ce risque juste un peu avant qu'il se sente vraiment prêt à le faire. »

Si le pari apparaît risqué, les résultats ne trompent pas. Bien que l'âge moyen des employés soit de trente-sept ans, la moyenne des années de service dans l'entreprise atteint pratiquement la décennie. Une éternité dans un secteur aussi concurrentiel. Des risques, l'entreprise en prend aussi beaucoup en favorisant la mobilité. Le premier de ces risques est d'accepter de se départir de talents d'exception en leur ouvrant les portes de l'international.

La mobilité extrême met aussi une pression supplémentaire sur les gestionnaires. « Quand un de vos employés part tous les mois pour occuper d'autres fonctions, ça signifie qu'il faudra non seulement *coacher* les nouvelles recrues, mais aussi garder les buts ou même marquer soi-même des points, le temps que tout le monde ait pris ses repères. C'est extrêmement exigeant et il faut beaucoup de générosité pour accepter de se prêter au jeu. C'est le prix à payer pour le fait de miser sur le talent d'abord et avant tout », résume Javier San Juan.

Un choix « payant »

Pour Javier San Juan, la création d'un milieu propice à l'épanouissement des personnes de grand talent est de loin la plus grande réussite de l'entreprise en matière de ressources humaines. « Lorsqu'on se compare avec les autres filiales du groupe, nous avons plus ou moins les mêmes marques, plus ou moins les mêmes produits, une communication qui est similaire, etc. La seule chose qui diffère, ce sont les hommes et les femmes qui travaillent chez nous. Ce sont les talents, leurs talents qui font une différence. C'est vrai aujourd'hui et ce sera encore vrai demain. La grande bataille de l'avenir, c'est la bataille des talents. Vous pouvez tout faire avec des gens talentueux si vous leur donnez l'espace et les outils dont ils ont besoin. C'est ce que nous nous évertuons à faire chaque jour. C'est complexe et exigeant, mais je suis persuadé que c'est ce qui permettra à L'Oréal Canada de poursuivre sa croissance l'an prochain et l'année suivante encore. »

Source : BOUCHER, G. « L'Oréal Canada – Parce qu'ils le valent bien », *Effectif*, vol. 17, n° 3, juin/juillet/août 2014, www.portailrh.org/effectif/fiche.aspx?p = 583451 (Page consultée le 27 mai 2016).

DÉFINITIONS

La **carrière** représente l'ensemble des étapes qui jalonnent la vie professionnelle d'un individu. La **gestion des carrières** dans les organisations regroupe les activités et les processus mis en place par l'employeur pour faciliter l'évolution professionnelle de ses employés.

Offrir une évolution à un employé, c'est miser sur sa capacité à assumer avec succès une tâche qu'il n'a pas encore effectuée ou, en d'autres termes, miser sur son potentiel. Le potentiel représente l'aptitude à acquérir des capacités dans l'avenir, et à cause de cela, il n'est pas possible de déterminer ce potentiel à partir de ce qu'une personne fait à un moment donné comme c'est le cas pour la performance. C'est plutôt à partir des preuves de ce qu'une personne sera en mesure d'apprendre de l'expérience au cours de sa **carrière** que l'on peut repérer le potentiel d'évolution d'un employé.

L'un des enjeux de la gestion des carrières est de savoir «qui» a du potentiel dans l'organisation. En réponse à cette question, les organisations tendent à orienter leurs efforts vers la recherche d'employés considérés comme capables d'occuper des postes qui assurent le succès organisationnel à court et à moyen terme. On décrit ces employés comme les talents, la relève ou encore les hauts potentiels de l'organisation.

Les termes **talents** et **hauts potentiels** sont parfois utilisés comme synonymes. Pourtant, la notion de talents est plus large et vise l'ensemble des employés ayant des qualités et des dispositions naturelles qui pourraient leur permettre d'évoluer professionnellement à différents niveaux, alors que les hauts potentiels représentent les individus qui ont de bonnes chances d'occuper un poste crucial dans l'organisation (et souvent élevé dans la hiérarchie). Les talents et les hauts potentiels forment ce que l'on appelle la relève.

L'IMPORTANCE DE GÉRER LES CARRIÈRES

Pourquoi la gestion des carrières est-elle importante pour nos sociétés? Tout d'abord, parce que bon nombre d'entrepreneurs et de directeurs de petites entreprises vont partir à la retraite (Fondation de l'entrepreneurship, 2010). Il devient primordial de préparer leur relève si l'on veut éviter que ces entreprises cessent leurs activités, soit par absence de repreneur, soit parce que la succession se passe mal. Ainsi la gestion des carrières permet, à l'échelle de la société, de maintenir un tissu économique dynamique, stable et créateur d'emplois.

Pour les organisations, gérer les carrières est une pratique importante dans un contexte où l'on accorde de plus en plus de place à la gestion des talents. Pour augmenter sa compétitivité, une organisation devrait cibler des collaborateurs dotés de qualités naturelles utiles au fonctionnement de l'entreprise et les préparer à prendre la relève dans les postes clés de l'organisation. La gestion des carrières est aussi un excellent moyen de motiver et

de retenir le personnel. Par exemple, des études scientifiques ont démontré que les gestionnaires qui reçoivent des promotions et des augmentations de salaire rapides sont aussi ceux qui souhaitent rester dans une entreprise (Weng et McElroy, 2012).

Enfin, la gestion des carrières joue un rôle important sur le plan individuel dans l'entreprise. Elle permet à chacun de satisfaire son besoin d'apprendre et de progresser en lui offrant des perspectives à court et à moyen terme pour qu'il puisse assumer de nouvelles responsabilités et relever de nouveaux défis. En fin de compte, on réalise que les personnes qui ont le sentiment de réussir leur carrière et de détenir un bon niveau d'employabilité sont aussi celles qui évoluent dans les entreprises soutenant la croissance professionnelle de leurs salariés (Ng et Feldman, 2014). Le tableau suivant énumère l'ensemble des éléments qui font de la gestion des carrières un enjeu d'importance pour les organisations.

L'importance de la gestion des carrières	
Pour la société	Pérenniser le tissu industriel et économique. Assurer la relève des entrepreneurs et des entreprises familiales.
Pour l'organisation	Améliorer sa compétitivité. Préparer la succession aux postes clés. Motiver et retenir les salariés
Pour l'employé	Satisfaire ses besoins de croissance professionnelle. Relever de nouveaux défis.

LE PARTAGE DES RESPONSABILITÉS EN MATIÈRE DE GESTION DES CARRIÈRES

En matière de gestion des carrières, les responsabilités de l'employeur sont multiples, comme en témoigne le tableau qui suit. Ainsi, il relève des dirigeants d'une organisation de promouvoir les pratiques de gestion des carrières et d'insuffler une culture qui encourage la reconnaissance et le développement des talents. Toutefois, même si les organisations ont intérêt à jouer un rôle moteur, les employés ont également des responsabilités en matière de carrière. L'individu ne peut plus se contenter d'attendre un soutien organisationnel pour progresser : il se doit d'être proactif dans son cheminement afin de maintenir son employabilité et de se protéger contre les incertitudes économiques. Les organisations peuvent faciliter la réflexion de leurs employés en les aidant à mieux connaître leurs forces et leurs faiblesses (par l'intermédiaire des centres d'évaluation, par exemple), et à construire leurs réseaux de relations (au moyen du mentorat, par exemple). Les médias sociaux contribuent à répandre l'usage des tactiques individuelles de gestion des carrières : ils peuvent aider à chercher un emploi, à faire connaître son expertise, à entretenir son réseau professionnel ou encore à s'engager activement dans sa profession.

Le partage des responsabilités en matière de gestion des carrières	
Dirigeants	Décider de l'importance à accorder au plan de relève et à la gestion des carrières. Développer une culture orientée vers la gestion des talents. Proposer une stratégie d'affaires et cibler les postes clés pour préparer la relève.
Cadres	Reconnaître le talent et le potentiel des employés. Encourager la réflexion des individus sur leur évolution professionnelle. Évaluer les besoins de formation et chercher à les combler. Agir en tant que *coach*, mentor ou leader pour aiguiller l'individu dans sa carrière et l'accompagner dans les différents rôles qu'il assume.
Professionnels des RH	Concevoir et mettre en place les activités et les outils de carrière. Planifier la relève. Former les cadres à l'utilisation des outils de carrière (évaluation du potentiel, entrevue de carrière, etc.). Vérifier l'adéquation entre la gestion des carrières et les autres pratiques de GRH (recrutement, formation).
Syndicats	Garantir l'équité en matière d'emploi selon des critères clairement établis.
Employés	Définir ses objectifs professionnels. Apprendre à se connaître pour progresser dans le cadre de ses aptitudes personnelles. Savoir réseauter et faire valoir son image. Être proactif pour se développer et relever les possibilités de carrière dans son domaine.

7.1 Les outils et les méthodes de gestion des carrières

 VIDÉO

L'Ordre des CRHA a réalisé la vidéo « LinkedIn, vos employés et vos clients : gérez-vous les risques ? », par Me Robert E. Boyd, CRIA.

La gestion des carrières s'organise autour de la rencontre entre les besoins organisationnels et les talents des individus. Les activités de gestion des carrières visent à planifier et à organiser les mouvements de main-d'œuvre pour arrimer ces mouvements aux besoins de l'organisation.

Pour y parvenir, il faut se doter d'outils et de méthodes qui facilitent la reconnaissance d'employés ayant le potentiel d'occuper de nouveaux postes à court et à moyen terme. Fort heureusement, les systèmes informatisés simplifient l'utilisation de ces outils. Ainsi, les applications Web 2.0 permettent la mise sur pied de bases de données concernant les organigrammes de remplacement, les hauts potentiels, et plus largement l'ensemble des outils et méthodes de gestion des carrières présentés dans cette section. Ces applications permettent aussi de rendre plus visible la gestion des carrières au moyen de sites d'affichage des postes.

7.1.1 La planification des carrières

La planification des carrières vise la constitution d'un réservoir de successeurs désignés pour des niveaux ou des types de postes vacants ou pouvant devenir vacants dans l'organisation. Elle s'appuie notamment sur la détection du potentiel des employés, c'est-à-dire sur l'anticipation de leur aptitude à accomplir avec succès des fonctions d'une autre nature ou d'un niveau plus élevé. Le processus de planification des carrières comprend trois étapes : l'étude et la détermination des besoins organisationnels, la constitution d'un réservoir de talents et la préparation de la relève (*voir la figure 7.1*).

Figure 7.1 — **Le processus de planification des carrières**

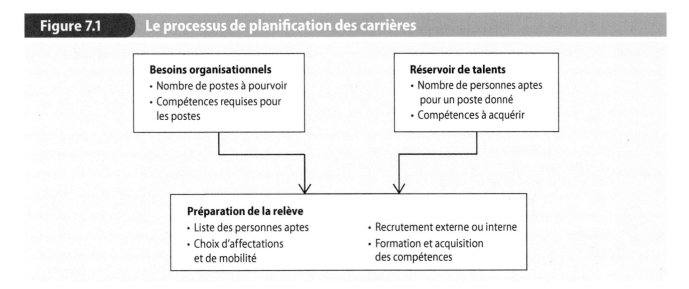

L'étude et la détermination des besoins organisationnels

L'étude et la détermination des besoins organisationnels ciblent les emplois et les métiers ou professions stratégiques par rapport aux objectifs d'affaires de l'organisation. Cette étape doit conduire à repérer les postes clés au sein de l'organisation, à évaluer si leur nombre ira croissant ou décroissant, puis à désigner les titulaires actuels de ces postes. Ce faisant, les organisations peuvent anticiper le niveau de risque associé à des départs dans les postes clés et envisager des solutions. Selon le nombre de postes qui seront créés ou les départs anticipés de certains titulaires (départs pour cause de mobilité, de roulement ou de retraite), il est possible de prédire les postes vacants. Cette première étape du processus de planification est analogue à celle présentée au chapitre 2. Mais dans le cas de la gestion des carrières, le processus revêt une forte dimension stratégique : par exemple, l'équipe de direction de Bombardier Aéronautique se rencontre pendant deux jours pour discuter des enjeux stratégiques de l'entreprise et déceler les talents dans les postes clés. Cette rencontre est intégrée à l'ordre du jour des revues opérationnelles trimestrielles, de manière à intégrer la gestion des carrières aux besoins organisationnels. Au cours de cette étape, les organisations peuvent aussi étudier les pyramides des âges et les départs à la retraite. En faisant des projections selon l'une ou l'autre des méthodes exposées au chapitre 2, il est ainsi possible de savoir où seront les besoins organisationnels dans les années à venir. C'est en procédant ainsi que l'on a constaté les besoins criants de remplacement des entrepreneurs et dirigeants d'entreprises familiales au Québec (Pineault, 2012).

La constitution d'un réservoir de talents

La constitution d'un réservoir de talents consiste à cibler, à l'interne, les personnes susceptibles d'occuper les postes qui seront vacants, et ce, immédiatement ou à moyen terme. Cette étape suppose une bonne connaissance du potentiel d'évolution des employés, de leurs compétences et de leur rendement actuel, ainsi que des compétences qu'ils devront acquérir pour répondre aux exigences des postes à pourvoir. La constitution d'un réservoir de talents peut se faire dans le cadre de «revues de personnel», c'est-à-dire de rencontres entre cadres dirigeants et cadres supérieurs où il s'agit de repérer les talents de demain, ou par le truchement de systèmes informatisés qui permettent à chaque employé de s'autoévaluer et de faire connaître ses aspirations de carrière.

Zoom sur la PME

La relève : un enjeu majeur pour les PME

Denis Karpicek est encore sous le choc : l'expert en achat et vente d'entreprise a assisté à la mort d'une entreprise qui n'a pas trouvé de relève. Au départ de son dirigeant, la famille n'a pas voulu racheter la PME en fabrication, légèrement déficitaire. La firme n'a pas non plus trouvé preneur sur le marché des releveurs potentiels, pourtant estimé à plus de 200 personnes selon l'expert, et ce, malgré un prix de vente limité à la valeur des biens tangibles.

De 5 700 à 10 000 PME québécoises pourraient fermer leurs portes faute de relève dans les 10 prochaines années, selon une étude de 2014 de la Chambre de commerce du Montréal métropolitain et Raymond Chabot Grant Thornton. Les plus petites PME sont particulièrement vulnérables, notamment parce que leur fonctionnement dépend beaucoup de l'entrepreneur, qui est multitâches et très impliqué.

Le manque de planification de la relève – 51 % des PME n'ont pas de plan et 40 % en a un informel, selon des travaux de recherche de 2012 de la Fédération canadienne de l'entreprise indépendante – ne fait qu'empirer le risque. La disparition d'entreprises faute de relève entraînerait des pertes économiques de 8,2 à 12 milliards de dollars en PIB au Québec, selon l'étude citée plus haut.

C'est ce qui aurait pu arriver à Produits RLC de Laurier Station si le cédant n'avait finalement pas vendu son entreprise spécialisée dans la distribution, la revalorisation et le recyclage de minéraux industriels et de produits complémentaires à trois actionnaires : le fils du propriétaire, un employé et l'actuel PDG. «La vente d'une entreprise par son fondateur est chargée d'émotion. Tout est à prendre avec des pincettes. Ça aurait été un échec sans l'apport de consultants externes qui ont contribué à dépassionner les débats», raconte Ghislain Hamel, l'actuel PDG. Six mois après le rachat, l'ancien propriétaire est toujours dans l'entreprise au poste de directeur du développement des affaires. Reste donc à gérer cette nouvelle transition quand il quittera son poste, ce qui n'est pas encore prévu.

Source : Adapté de GAIGNAIRE, A. «La relève : un enjeu majeur pour les PME», *Les Affaires*, 17 août 2015, www.lesaffaires.com/dossier/petites-entreprises-grands-defis/apprendre-a-danser-le-tango-de-la-releve-/580898 (Page consultée le 6 juin 2016).

La préparation de la relève

La dernière étape du processus de planification des carrières vise à déterminer les actions à entreprendre pour assurer que les postes clés, une fois vacants, pourront être occupés par des personnes capables de les assumer. Ces actions conduisent en général à établir un parcours individuel de formation (changement de poste préalable, affectation à l'international, formation au leadership, formation à la culture d'entreprise, formations techniques propres à certains métiers, etc.).

Comme l'illustre la figure 7.1, à la page précédente, la planification des carrières s'effectue en lien avec les autres pratiques de gestion des ressources humaines (GRH). Ainsi, elle demande de faire un pont avec l'information générée par la planification des RH (le bilan de l'offre et de la demande de travail et l'analyse des déséquilibres), l'analyse des postes (les exigences et le profil des postes), l'évaluation des employés (le rendement et le potentiel) et les pratiques de développement des employés. La connexion entre différentes grandes pratiques de GRH peut devenir complexe, et les systèmes informatiques sont souvent utiles pour synthétiser l'information et la traiter. Les responsables des RH peuvent s'appuyer sur des logiciels tels que le logiciel de planification de la succession proposé par Taleo ou ceux conçus par Technomedia, qui offrent à la fois des possibilités d'autoévaluation par l'individu et d'aide à la détermination des besoins pour l'organisation.

7.1.2 Les organigrammes de remplacement ou les plans de succession

Les organigrammes de remplacement permettent de visualiser la disponibilité interne de personnes qui pourraient occuper des postes clés devenant vacants. Ces organigrammes ou tableaux sont construits dans le cadre de la démarche de planification des carrières vue précédemment. Ils permettent de visualiser les postes pour lesquels l'entreprise a une relève suffisante et ceux pour lesquels la relève semble insuffisante ou inexistante. La figure 7.2 illustre ces organigrammes ou tableaux de remplacement.

Figure 7.2   **Un exemple de tableau de remplacement**

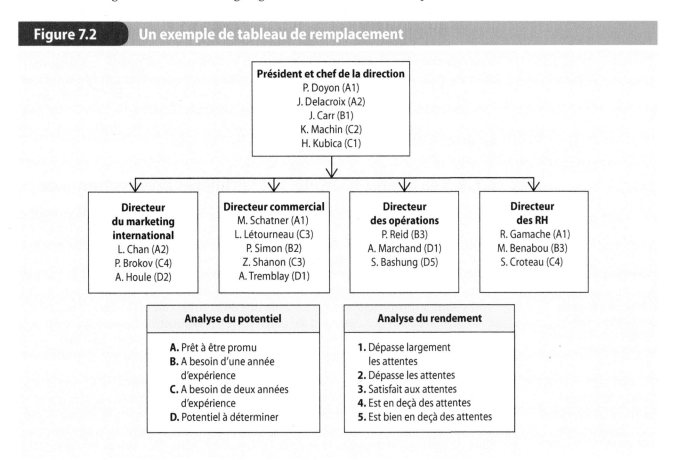

7.1.3 La liste des cadres à haut potentiel

La liste des cadres à haut potentiel est un autre outil de planification des carrières. C'est au sein de groupes restreints, constitués des principaux gestionnaires et cadres dirigeants de l'organisation, que se dresse la liste des hauts potentiels susceptibles de prendre la relève à des niveaux hiérarchiques élevés. On y désigne nominativement les employés, en précisant le type de postes qu'ils pourraient occuper et les délais dans lesquels ils seraient prêts à y accéder (court ou moyen terme). Par exemple, un haut potentiel peut être susceptible de devenir directeur ou vice-président dans les trois années à venir, ou être apte à gravir un ou deux échelons et à gérer une fonction globale de l'organisation d'ici un an.

7.1.4 Les politiques de gestion des carrières

Chaque entreprise effectue des choix différents en matière de gestion des carrières, selon la priorité que les dirigeants accordent à cette pratique. Certaines mettent sur pied une politique de gestion des carrières qui précise les droits et les privilèges accordés aux salariés pour favoriser leur croissance professionnelle. Il peut s'agir, à titre d'exemple, de donner la possibilité à tous de bénéficier de congés pour études, de financer leurs frais d'inscription pour toute formation diplômante ou de leur faire bénéficier de congés sans solde pour se réorienter. Toutes ces décisions témoignent de l'importance que l'on donne à la gestion des carrières, encourageant les salariés à croître et à suivre leur propre cheminement de carrière au sein de l'entreprise.

Un autre enjeu de la politique de gestion des carrières est de démontrer la place accordée à la promotion interne lors des affichages de poste. Lorsqu'un poste devient vacant, il est possible de le pourvoir à l'interne ou à l'externe. Le choix de la promotion externe, d'une part, favorise l'accès à des compétences distinctives, souvent absentes au sein de l'organisation, et à des manières de penser nouvelles et différentes. La promotion interne, d'autre part, valorise la progression des personnes déjà présentes dans l'organisation. Elle favorise la reconnaissance des compétences et des réalisations, offre des perspectives de progression qui retiennent et motivent les salariés, et permet ainsi de conserver les employés de talent en les faisant croître. Les personnes promues connaissent bien la culture et les rouages de l'organisation, de sorte que leur apprentissage dans le nouvel emploi est souvent plus rapide. Les politiques de gestion des carrières peuvent préciser les règles en matière de promotion, par exemple en exigeant que, pour tout poste vacant, l'on effectue un affichage de poste et que l'on accorde la priorité aux candidatures internes.

7.1.5 Les filières d'emplois et les filières professionnelles

Certains outils de gestion de carrière visent à clarifier les perspectives d'évolution qui s'offrent aux salariés, selon le type d'emplois qu'ils occupent. Ces outils sont surtout utiles dans de grandes organisations, pour aider les individus à repérer des chemins ou voies de progression possibles pour eux, appelés des « filières ». La **filière d'emplois** consiste en la reconnaissance d'une filière hiérarchique qui permet de passer d'un emploi à l'autre ; elle montre les cheminements qui conduisent à des postes ayant des niveaux de complexité et de compétences de plus en plus élevés. Elle permet de clarifier les possibilités d'évolution verticale pour un groupe d'emplois donné et de préciser l'évolution possible qu'offre l'organisation en fonction des besoins de compétences nécessaires au bon déroulement de ses activités.

Filière d'emplois

Détermination des cheminements qui conduisent à des postes nécessitant des niveaux de complexité et de responsabilités de plus en plus élevés.

La **filière professionnelle** facilite, quant à elle, la progression de la carrière au sein d'un même métier. Contrairement à ce qu'on observe dans la filière hiérarchique, une personne peut faire carrière sans jamais occuper un poste comportant des responsabilités de gestion. On trouve ce type de filière dans l'industrie des services informatiques, dans celle des produits pharmaceutiques, dans les milieux universitaires, bref, dans des postes de professionnels associés principalement à la recherche et au développement (ingénieurs, analystes-programmeurs, chercheurs, professeurs d'université), lesquels dépendent principalement de la mise à jour continue des compétences.

Filière professionnelle

Détermination des cheminements qui conduisent à des postes nécessitant des niveaux d'expertise élevés.

7.1.6 L'entrevue de carrière

L'entrevue de carrière consiste à recevoir un salarié et à discuter des perspectives d'évolution qui se présentent à lui à court et moyen terme. Il s'agit d'une entrevue bien spécifique, différente des autres formes d'entrevues portant sur l'évaluation du rendement ou le recrutement, comme le montre le tableau 7.1. En général, elle est réalisée par un spécialiste des RH, parfois en collaboration avec le supérieur hiérarchique.

Tableau 7.1	Trois types d'entrevue aux finalités bien distinctes	
Entrevue d'évaluation	**Entrevue de recrutement/ de promotion**	**Entrevue de carrière**
• Basée sur les performances passées	• Basée sur l'adéquation entre les compétences de l'individu et les besoins de l'organisation	• Basée sur le potentiel et les perspectives d'évolution
• Reliée au poste actuel	• Reliée à un poste futur	• Reliée à différents postes susceptibles de devenir vacants
• Encadrée par le supérieur direct	• Encadrée par le supérieur direct et le responsable RH	• Encadrée par le responsable RH

L'intérêt de l'entrevue de carrière est d'aider le salarié à se projeter et à anticiper son évolution dans l'organisation, pour le rendre plus proactif dans la gestion de sa carrière et, ce faisant, l'orienter et le préparer à évoluer avec succès. L'entrevue de carrière peut être réalisée à la demande d'un salarié désireux de progresser, mais peut aussi être institutionnalisée et intégrée dans la politique de gestion des carrières d'une entreprise. Dans ce cas, il peut être prévu, par exemple, que chaque salarié soit entendu tous les trois ans sur ses possibilités d'évolution. En France, notamment, depuis 2014, les organisations ont l'obligation de réaliser tous les deux ans un «entretien professionnel» avec chacun de leurs collaborateurs, consacré à l'étude des perspectives d'évolution professionnelle en matière de qualifications et d'emploi.

7.2   La reconnaissance et le développement des potentiels

La section précédente présentait un aperçu des outils et des méthodes qui facilitent la compréhension des trajectoires et des perspectives de carrière. Ces outils sont utiles pour mieux cerner les besoins organisationnels et les faire connaître aux salariés. Cependant, le rôle des gestionnaires des RH ne s'arrête pas là. Ils doivent aussi aider à déceler les talents de demain et à les préparer à exercer de nouvelles fonctions en les accompagnant dans l'acquisition des compétences requises. Cette section présente les principaux outils de reconnaissance et de développement des potentiels. Ils prolongent et complètent les outils de développement abordés au chapitre 5.

7.2.1   Les évaluations du rendement

Même si l'évaluation du rendement sert avant tout à faire le point sur des résultats passés, elle contient en général un volet consacré à la détermination des possibilités de développement de l'individu, par rapport au poste actuel ou à un futur poste potentiel. Les éléments liés au contenu de ces évaluations ont été détaillés au chapitre 6. En matière de gestion des carrières, les évaluations antérieures du rendement sont souvent utilisées pour effectuer des choix de mobilité, de promotion ou pour détecter la relève. Cette approche est efficace, car il existe un lien significatif entre le résultat des évaluations du rendement et la capacité à occuper un poste futur. Toutefois, potentiel et rendement sont deux notions bien distinctes, comme nous l'avons vu dans l'introduction de ce chapitre. C'est pourquoi, même si les évaluations du rendement sont utiles pour préciser les compétences et les capacités d'un individu, elles ne suffisent pas pour déterminer son potentiel. Par exemple, un excellent professionnel peut se révéler un piètre gestionnaire; et, à l'inverse, une personne peut exceller dans la gestion d'une équipe tout en se sentant moins à l'aise dans un poste plus technique. Il est donc important d'utiliser les évaluations de rendement en complément des autres outils de détection du potentiel.

7.2.2 Les revues du personnel

Les revues du personnel sont des rencontres entre pairs organisées sur une base régulière pour désigner nominativement les employés pouvant offrir une relève, soit de manière générale, soit par rapport à des postes précis qui seront ou sont à pourvoir. Les revues conduisant aux listes de cadres que nous avons décrites précédemment en sont un exemple particulier. Elles peuvent porter sur tout type de salarié et concerner tout niveau de poste. Nombreuses sont les entreprises qui y recourent, telles Adecco, Air Transat, Bell ou Bombardier, car c'est un outil qui leur permet de connaître les noms des personnes pouvant faire partie de la relève.

AU QUÉBEC

Regard sur la pratique

Le Cercle des jeunes leaders de l'administration publique : pour accompagner la relève des gestionnaires

Le Cercle des jeunes leaders de l'administration publique est un programme de développement destiné à des salariés la fonction publique ayant le potentiel de devenir cadre supérieur. Pendant 18 mois, il allie mentorat, recherche, parrainage, formation, *coaching* 360° et exercices pédagogiques. Le Secrétariat du Conseil du trésor reconnaît que ce programme de développement est une réponse structurante au défi que posent les nombreux départs à la retraite des gestionnaires publics. Pour sa part, le Secrétariat aux emplois supérieurs, également concerné par la problématique de renouvellement des gestionnaires, propose des mentors issus du bassin de son propre programme de relève. Ces derniers, qui participent sur une base volontaire, évoluent dans un ministère différent de celui des participants, créant des maillages entre des organisations auxquelles il est souvent reproché de travailler en vase clos.

Le programme est un succès. En plus de faciliter le transfert de connaissances, le mentorat favorise la création de nouveaux réseaux et la compréhension des enjeux liés à un poste d'encadrement supérieur. Les jeunes leaders, en plus de faire des apprentissages et d'élargir leur réseau de manière accélérée, sentent que le fait d'être sélectionnés pour participer au Cercle est non seulement une reconnaissance de leur talent, mais aussi de leur souci de bâtir une administration publique qui s'améliore constamment au bénéfice du citoyen. Être en contact avec de hauts dirigeants durant 18 mois améliore aussi leur vision stratégique. Et les effets commencent à se voir : les participants ont commencé à gravir les échelons et semblent y avoir été bien préparés...

Source : Adapté de LAGACÉ, M.-C. et N. RINFRET. (2014). « Le Cercle des jeunes leaders de l'administration publique : pour accompagner la relève des gestionnaires », *Effectif*, vol. 17, n° 1, janvier/février/mars 2014, www.portailrh.org/effectif/fiche.aspx?p=563871 (Page consultée le 25 avril 2016).

7.2.3 Les référentiels et les bilans de compétences

Les entreprises utilisent aussi des listes de compétences pour déceler les potentiels. Les référentiels de compétences regroupent des compétences considérées comme importantes pour réussir dans un poste ou une fonction donnée. Par exemple, les critères d'évaluation du potentiel retenus par le groupe de travail intérimaire Adecco pour reconnaître ses talents reflètent les valeurs du groupe et ses orientations stratégiques, et sont donc uniques à cette organisation. Ces critères représentent des compétences managériales que toute personne susceptible d'occuper des postes à haute responsabilité est appelée à maîtriser chez Adecco. Pour déceler les potentiels, les superviseurs évaluent les membres de leur équipe selon ces critères et justifient leurs choix. Les personnes qui obtiennent les meilleurs scores sont celles qui sont considérées comme ayant un potentiel d'évolution dans le groupe (Guerrero, 2014).

Les entreprises peuvent aussi offrir à leurs salariés d'effectuer des **bilans de compétences**. Cet outil diffère du référentiel de compétences du fait qu'il ne porte pas sur des compétences à maîtriser, mais sur des compétences déjà maîtrisées. Son intérêt est d'aider l'individu à mieux comprendre ce qu'il est capable d'accomplir et

Adecco
www.adecco.ca

Bilan de compétences
Processus qui permet à un salarié d'analyser ses compétences professionnelles, ses aptitudes et ses motivations en emploi, en vue de définir un projet professionnel

de préciser ses possibilités d'évolution. Il peut être vu comme un outil d'autoéva-luation ou de bilan personnel, aidant à préciser les avenues possibles d'évolution professionnelle.

Regard sur la pratique

Relevez le Défi en développement de carrière!

De nombreuses sources démontrent la valeur croissante que les Canadiens accordent à leur carrière, à son développement et, ultimement, à leur bonheur professionnel. La mission du Conseil canadien pour le développement de carrière (CCDC) est de contribuer à l'amélioration de la qualité des services de développement de carrière offerts au Canada. Le CCDC a lancé son tout premier outil de sensibilisation et de mobilisation: le Défi en développement de carrière. Le Défi prend la forme d'un jeu-questionnaire interactif, engageant et informatif, qui explore les compétences et la motivation des Canadiens face à leur carrière. Il s'agit d'un outil gratuit et ouvert à tous qui prend de cinq à dix minutes à remplir. En plus d'offrir une rétroaction personnalisée,

le jeu-questionnaire suggère plusieurs services, ressources et astuces en lien avec l'exploration et le développement de carrière. En répondant à une série de questions, le «joueur» découvre ses compétences et sa motivation en lien avec le développement de sa carrière. Les réponses demeurent confidentielles. Pour que le questionnaire soit valide pour le répondant, ce dernier doit répondre de la façon la plus honnête et complète possible, ce qui exige une certaine connaissance de soi et, à tout le moins, un questionnement approfondi. Il recevra une rétroaction immédiate après chaque question, en plus d'obtenir un pointage global à la fin du jeu-questionnaire. Pour relever le Défi en développement de carrière, visitez le www.careerchallenge.ca.

Source: Adapté de LA VOIX ACADIENNE. «Relever le défi en développement de carrière», *La Voie de l'emploi*, vol. 8, n° 8, 26 novembre 2014, www.lavoixacadienne.com/index.php/archives/voie-emploi/category/55-emploi-2014?download=2159:la-voie-de-emploi-2014-11 (Page consultée le 7 juin 2016).

7.2.4 L'évaluation multisource ou 360 degrés

L'expression évaluation multisource ou 360 degrés désigne le processus par lequel on recueille une rétroaction ou un jugement sur les compétences d'un employé au cours d'une période donnée. Cette collecte peut s'effectuer auprès de diverses sources, tant à l'intérieur qu'à l'extérieur de l'organisation: le supérieur immédiat, les collègues, les subordonnés de la personne évaluée, l'employé évalué lui-même (on parle alors d'«autoévaluation»), les clients internes ou externes, les fournisseurs, la surveillance électronique, etc. En somme, dès qu'une organisation consulte une autre source que le supérieur immédiat, il s'agit d'une évaluation multisource.

Le recours à l'évaluation 360 degrés est fréquent lorsque l'on souhaite déterminer et développer le potentiel d'un individu. La consultation de l'employé lui-même, de ses collègues, des clients et des subordonnés permet de juger des diverses facettes de ses compétences et de sa performance et offre une vision globale de la manière dont ses compétences sont perçues par différentes parties prenantes de l'organisation. Par ailleurs, la crédibilité de la rétroaction s'en trouve améliorée, car le message provient de plusieurs sources d'évaluation, et il devient plus facile d'accompagner la personne dans le développement des compétences qu'elle maîtrise moins. Pour ces raisons, le 360 degrés est un outil qui a démontré son efficacité dans une optique de croissance professionnelle des individus.

Toutefois, comme cet outil suscite des controverses, il est important de prendre plusieurs précautions lors de son utilisation, qui sont détaillées dans le tableau 7.2, à la page suivante. Il est généralement acquis que l'employé participe à sa propre évaluation afin qu'il soit plus réceptif et plus engagé dans son développement professionnel, et qu'il puisse en outre faire part de ses connaissances et de son point de vue. À l'égard de l'évaluation par les pairs ou par les subordonnés (évaluation ascendante), il importe surtout d'en assurer la confidentialité et de respecter le processus de collecte et

Tableau 7.2	Les précautions à prendre à l'égard de sources d'évaluation autres que les supérieurs immédiats		
Évaluations par			
les collègues	**les subordonnés**	**les clients**	**les technologies**
• Assurer la confidentialité des évaluations. • Faire appel aux collègues au sein de grands groupes. • Y faire appel à des fins de développement et non de rémunération ou de promotion. • Les considérer si le superviseur est peu en contact avec ses employés. • Tenir compte du climat de travail : se méfier des règlements de comptes, des jeux politiques, des préjugés positifs.	• Assurer la confidentialité des évaluations (peur des représailles). • Faire appel aux subordonnés à des fins d'acquisition des habiletés de supervision des cadres. • Leur demander d'évaluer des critères qu'ils sont à même d'apprécier. • Aider les personnes évaluées à interpréter les cotes et à y réagir.	• Sonder un échantillon représentatif par divers moyens (téléphone, fiche de commentaires, etc.). • Considérer les clients si le superviseur est peu en contact avec ses employés. • Leur demander d'évaluer des éléments qu'ils sont à même d'apprécier.	• Ne pas en abuser (risques d'occasionner du stress, de constituer une intrusion dans la vie privée). • Les utiliser à des fins de formation. • Tenir compte d'autres critères, tels que les comportements.

d'analyse des données, lequel est souvent confié à une firme externe spécialisée. Il faut bien sûr transmettre les résultats de l'évaluation à l'employé, mais surtout lui proposer des pistes d'amélioration (p. ex., de la formation, des conseils, etc.).

Lorsque ces précautions sont prises, l'évaluation 360 degrés peut se révéler un outil extraordinaire de croissance, car elle permet de cibler de manière précise les types de compétences à développer. Il devient alors possible de bâtir un plan de développement avec des cheminements de carrière personnalisés. La figure 7.3 présente un exemple de résultats obtenus grâce à cet outil. Dans ce cas, 11 personnes ont participé

| Figure 7.3 | Les résultats obtenus lors d'une évaluation 360 degrés |

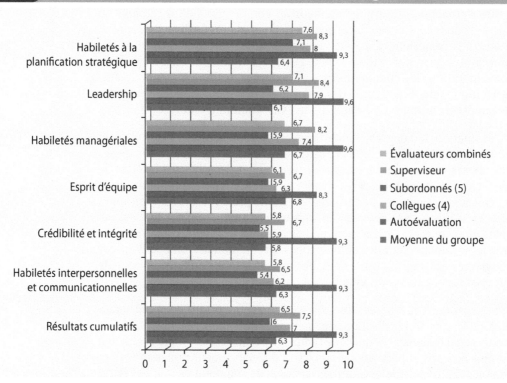

Source : ST-ONGE, S., et S. GUERRERO. « L'approche multisource ou la rétroaction 360 degrés comme outil de gestion des carrières », dans S. ST-ONGE et S. GUERRERO (dir.), *Gérer les carrières*, Collection gestion et savoirs, Montréal, Presses d'HEC Montréal, 2013, p. 255-278.

à l'évaluation des compétences du collaborateur : l'employé lui-même, son supérieur, cinq subordonnés et quatre collègues. Pour chaque groupe de compétences stratégiques jugées importantes pour progresser dans l'entreprise, l'individu peut savoir comment chaque répondant s'est positionné et constater les écarts d'un répondant à l'autre.

7.2.5 Les centres d'évaluation du potentiel

La méthode du centre d'évaluation du potentiel s'est répandue au cours des dernières années dans les secteurs public et privé, de sorte qu'elle est devenue un outil d'évaluation crucial pour diverses entreprises telles que AT IBM, Nortel, PepsiCo, Sun Life ou Texas Instruments. Ainsi, cette dernière entreprise a implanté huit centres d'évaluation personnalisés, qui procèdent à plus de 500 évaluations aux États-Unis, en Europe et en Asie (Commission de la fonction publique du Canada, 2016).

Texas Instruments
www.ti.com/careers

Le succès des centres d'évaluation du potentiel tient au fait qu'ils fournissent des données variées et complexes, qui ont une excellente validité prédictive des comportements futurs en emploi. Ils permettent d'évaluer le potentiel d'une personne à l'aide d'une batterie de tests et de mises en situation qui la projettent dans l'emploi qu'elle pourrait exercer dans le futur. En reproduisant des situations et des activités réelles, les centres d'évaluation fournissent des données sur les forces et les points à améliorer d'une personne, afin de la préparer à occuper l'emploi ou le poste visé. La variété des mises en situation, des simulations et des tests proposés offre une vision complète des compétences et des styles de gestion de chaque individu, que les autres méthodes de reconnaissance des potentiels ne peuvent cerner avec autant de finesse. Ainsi, le diagnostic obtenu à l'issue du processus d'évaluation facilite la détection de la relève ainsi que des objectifs de perfectionnement et de développement qui doivent être fixés pour que cette relève évolue. Une autre raison du succès de ces centres est leur acceptabilité aux yeux des candidats. Leur utilisation augmente la perception de justice des processus de promotion et de recrutement interne. La rétroaction fournie à la suite du processus aide chaque participant à orienter sa carrière, à préciser ses choix professionnels et à cibler les activités de développement qui lui seront utiles.

Cose
www.cose.ca

Matte Groupe Conseil
www.matteiic.com

Mentorat

Accompagnement personnel, à caractère confidentiel, apporté sur une longue période par une personne d'expérience (le mentor ou parrain) pour soutenir les objectifs de progression professionnelle d'un individu (le mentoré)

En revanche, l'utilisation de cette méthode étant coûteuse, seules les grandes organisations, dotées de ressources financières importantes et traitant un grand nombre de candidats, la mettent sur pied. Pour les autres entreprises, il existe de nombreux cabinets de consultation qui offrent un service similaire, tels que Cose ou Matte Groupe Conseil.

7.2.6 Le parrainage ou mentorat

Le **mentorat** vise à offrir un accompagnement individualisé de la gestion des carrières. Un de ses objectifs est de faciliter le transfert des connaissances et des expériences entre une personne expérimentée qui sert de guide et de modèle (le mentor) et un employé plus jeune (le mentoré). Il appartient également au mentor de donner des conseils pour mieux orienter l'individu dans ses choix de carrière et l'aider à éviter les faux pas. Il lui permet de grandir, de mieux comprendre les règles de la gestion des carrières et les qualités requises pour progresser dans l'entreprise. Les rôles du mentor sont multiples : bien orienter le mentoré dans ses choix de carrière ; introduire le mentoré dans des réseaux décisionnels et lui assurer une certaine visibilité ; faire preuve d'écoute, d'encouragement et d'empathie pour saisir les difficultés vécues et y répondre.

Il appartient au mentor de donner des conseils pour mieux orienter l'individu dans ses choix de carrière et l'aider à éviter les faux pas.

L'efficacité du mentorat dépend de différents facteurs, dont la préparation initiale du mentor, et la qualité de la relation entre mentor et mentoré. Ainsi, on constate que les programmes de mentorat incluant une formation préalable des mentors sont perçus comme plus efficaces par les mentorés que ceux qui n'en incluent pas. Par ailleurs, la confiance entre les deux parties est fondamentale pour que le « duo » fonctionne.

7.2.7 Le *coaching* de carrière

L'accompagnement de gestionnaires (*coaching* de carrière) offre un soutien complémentaire au mentorat : il s'effectue dans le cadre de rencontres avec un spécialiste et a pour but, notamment, de répondre aux questions que se posent les employés rencontrés sur leur carrière et leur évolution professionnelle. Il est largement utilisé pour aider les gestionnaires actuels ou futurs à mieux effectuer leurs tâches et à comprendre comment amener leur équipe à acquérir de hautes compétences. Au lieu d'être centré sur un parcours de progression, l'accompagnement de gestionnaires se focalise sur le soutien à la réalisation du parcours désigné et vise en priorité le développement de compétences de leadership.

Les entreprises tendent à utiliser à la fois le mentorat et le *coaching* pour favoriser la croissance de leurs employés. Par exemple, le plan de développement de la relève mis en place par le Mouvement Desjardins comporte des suivis structurés avec un *coach*, lequel facilite l'adaptation et guide l'élaboration du plan de développement. Le *coach* dispose notamment de tests portant sur le style d'apprentissage et de communication, qui aident les employés à préciser leurs possibilités d'évolution.

7.2.8 L'aménagement de parcours de mobilité

Les structures hiérarchiques étant de plus en plus aplanies, il devient difficile d'offrir des possibilités de promotion à tous. En outre, l'obtention de postes clés passe souvent par des phases d'apprentissage et des cheminements d'acquisition de compétences horizontaux qui permettent de pourvoir des postes comportant de grandes responsabilités. L'organisation a donc intérêt à structurer les mouvements horizontaux de carrière pour éviter le plafonnement de ses employés.

Les entrevues de carrière sont des moments privilégiés pour réfléchir à l'aménagement des parcours de mobilité avec chaque individu.

La rotation des postes et les affectations temporaires permettent de multiplier les mouvements sur le marché interne, comme l'a bien compris le groupe L'Oréal au Canada (*voir la mise en situation à la page 236*). Les affectations comportant des défis, des épreuves personnelles et des tâches élargies de même que le contact avec des individus marquants constituent aussi des activités qui contrent le sentiment de plafonnement chez l'employé. Elles lui donnent l'impression d'apprendre et de progresser. Elles permettent de compenser les goulets d'étranglement liés aux structures hiérarchiques aplanies et offrent des défis à relever en l'absence d'occasions de carrière à court ou à moyen terme.

Parole d'expert

La détection des hauts potentiels : attention aux « outils miracles »

Coaching, mentorat, tutorat, évaluation à 360 degrés, accompagnement à la prise de poste : ces techniques d'individualisation des parcours professionnels se diffusent depuis quelques années, y compris dans la haute administration. Innovation managériale ou gadgets ?

« Ces éléments d'individualisation des carrières n'ont aucun sens s'ils ne sont pas appréhendés dans un système global de gestion RH des managers, prévient Gilles Jeannot, chercheur au Laboratoire techniques territoires et sociétés (Latts) et membre du conseil scientifique de la fonction publique. Ils peuvent même entraîner quelques dérives : le

tutorat peut virer au "gourou", le 360 degrés être apparenté à de la délation, l'accompagnement à la prise de poste à un manque de confiance. »

« Les outils RH de management se sont d'abord développés dans le privé pour répondre aux stratégies mises en place par les entreprises, prolonge Jean-Paul Charlez, président de l'Association nationale des directeurs de ressources humaines (DRH) et DRH d'Etam (réseau de boutiques de vêtements et sous-vêtements). Ils ne seront vraiment efficaces que s'ils sont la déclinaison d'une vision de l'entreprise ou en l'occurrence de l'administration à moyen et long termes. »

Source : Adapté de HENRY, S. (2015). « Enquête : comment l'État détecte ses hauts potentiels », *Acteurs Publics*, 26 mai 2015, www.acteurspublics. com/2015/05/26/enquete-comment-l-etat-detecte-ses-hauts-potentiels (Page consultée le 7 juin 2016).

7.3 La gestion des carrières selon les catégories de personnel

Nous avons vu que la carrière est au cœur de l'arrimage entre les besoins organisationnels et les potentiels individuels. Or, selon les cycles de vie, tant professionnelle que personnelle, les choix et les possibilités de cheminement peuvent changer d'un individu à l'autre et ne permettent pas de considérer les attentes des employés en matière de carrière comme un tout homogène. Partant de ce constat, les organisations réfléchissent à l'adaptation des parcours de carrière aux catégories particulières de personnel.

7.3.1 La gestion des carrières des femmes

Les femmes représentent près de 50 % de la population active. Puisqu'elles sont en moyenne un peu plus diplômées que les hommes, on pourrait s'attendre à les retrouver à des postes de grandes responsabilités dans la même proportion qu'eux. Or, comme on le constate aisément en observant le monde du travail en Amérique du Nord, ce n'est pas le cas. Deux métaphores illustrent ce phénomène : le labyrinthe des femmes et le **plafond de verre**. Cette dernière évoque l'idée qu'il existe des barrières invisibles qui empêchent les femmes d'accéder à certains postes de management. Ces barrières sont liées à la perception et aux stéréotypes dont les femmes sont victimes. On perçoit notamment les femmes comme souffrant davantage que les hommes du conflit travail-famille, et l'on reconnaît avant tout chez elles des compétences de soin et

Les femmes représentent près de 50 % de la population active.

Plafond de verre

Barrières invisibles, créées par des préjugés comportementaux et organisationnels, qui empêchent les femmes d'accéder aux postes de direction (De Bry, 2004).

d'éducation (associées à leur rôle social de mère) plutôt que des compétences valorisées dans les milieux professionnels. La métaphore du «labyrinthe» évoque quant à elle l'idée que les femmes doivent suivre un parcours complexe, tortueux et semé d'embûches pour arriver à occuper des postes importants. Ce parcours exige beaucoup de persévérance et de confiance en sa capacité à résoudre les obstacles à venir. Cette métaphore souligne ainsi que la rareté des femmes dans les postes de responsabilité est aussi liée aux contraintes subtiles et indirectes qui les freinent tout au long de leur carrière, de sorte qu'elles s'épuisent ou décident de s'arrêter en cours de route.

Bien que la Loi sur l'équité en matière d'emploi (*voir la rubrique Le coin de la loi à la page suivante*) constitue un premier pas dans la lutte contre le plafond de verre, elle demeure insuffisante. On constate que les obstacles à la carrière des femmes demeurent présents, notamment parce que les habitudes de travail sont difficilement compatibles avec un bon équilibre vie personnelle-travail (horaires lourds, déplacements fréquents, disponibilité demandée les fins de semaine ou en soirée, etc.). Par ailleurs, dans les couples à double carrière, c'est-à-dire les couples dont l'emploi et les ambitions de carrière exigent un haut niveau d'engagement des deux partenaires dans la sphère professionnelle, les femmes éprouvent plus de difficultés à concilier leur rôle professionnel et leur rôle familial.

Regard sur la pratique

L'industrie automobile se féminise à petite vitesse

DANS LE MONDE

On pourrait croire que le milieu de l'automobile est un monde marqué du sceau de la masculinité. S'il est vrai que parmi les détaillants, notamment chez les garagistes, le personnel est majoritairement composé d'hommes, la tendance semble vouloir s'inverser dans le monde de la gestion. Ainsi, les femmes comptent pour moins de 3% de la main-d'œuvre dans les ateliers de mécanique du Québec, mais pour plus de 50% des employés dans les secteurs de gestion de l'industrie. Un coup de sonde a permis de constater que, depuis une dizaine d'années, les femmes sont de plus en plus nombreuses à assurer des postes de gestionnaires de haut niveau dans l'industrie automobile, alors qu'auparavant, elles occupaient essentiellement des postes administratifs.

Ainsi, chez Ford Canada, plus de 34% des postes de cadre ont été confiés à des femmes, une augmentation de plus 15% en 10 ans. Au Canada, cependant, une seule femme, Diane Craig, chez Ford, occupe un poste de présidente. Originaire de Buffalo, diplômée en mathématiques, Diane Craig a passé toute sa carrière chez Ford. Elle a fait ses débuts à un poste en relation avec les concessionnaires et la gestion des incitatifs. Elle a gravi les échelons d'abord comme directrice régionale dans la région de Pittsburgh,

ensuite à la gestion du marketing chez Ford à Detroit, puis à la présidence de Ford Canada. Avant elle, aucune autre femme n'avait atteint un tel niveau hiérarchique au Canada.

Aux États-Unis, les statistiques ne sont guère meilleures : seule Mary Barra, nommée présidente de General Motors en 2013, est alors devenue la première femme à occuper d'aussi hautes fonctions. Une situation que Mary Barra a voulu faire évoluer, notamment en mettant en place des programmes nationaux et locaux d'intégration des femmes, en particulier chez les concessionnaires. Sa vision : «C'est la force du travail qui garantira l'avenir des travailleurs, pas leur sexe. Il faut apprendre à se tenir debout et à s'affirmer. Si quelqu'un n'aime pas ça, eh bien, c'est son choix», a-t-elle expliqué dans une entrevue sur le sujet accordée au magazine américain *Refinery 29*.

La grande difficulté pour les femmes est d'abord et avant tout le fait d'intégrer le monde de l'automobile. Même si des entreprises comme General Motors ou Ford ont mis sur pied des programmes incitatifs d'embauche pour les femmes, en collaboration avec les grandes universités américaines dans les secteurs de haute technologie et du multimédia, entre autres, la tâche reste ardue dans les services.

Source : BOUCHARD, M. «L'industrie automobile se féminise à petite vitesse», *Les Affaires*, n° 29, 12 septembre 2015, p. A4-A5.

Les entreprises peuvent gagner à prendre en considération les contraintes familiales des employés, et notamment des femmes, pour leur permettre de mieux gérer l'équilibre entre la vie professionnelle et la vie de famille. Les pratiques de conciliation travail-famille ont été implantées dans cet objectif : elles visent une flexibilité de la gestion du temps de travail, un soutien dans la prise en charge des personnes dépendantes et un soutien à la mobilité par une aide à la famille dans le cas des couples à double carrière. Notons que ces pratiques n'ont pas toutes le même effet. La gestion des tâches au quotidien et, au-delà des pratiques, l'instauration d'une culture d'acceptation de la conciliation des impératifs familiaux seraient les moyens pouvant le mieux faciliter l'équilibre travail-famille au quotidien. Le chapitre 11 revient plus en détail sur ce type de pratiques.

Le coin de la loi

La Loi et le Règlement sur l'équité en matière d'emploi

Le gouvernement du Canada a adopté la Loi et le Règlement sur l'équité en matière d'emploi, qui sont entrés en vigueur le 24 octobre 1996. La Loi s'applique aux employeurs du secteur privé et à des sociétés d'État de compétence fédérale (banques, communications, transports). L'employeur soumis à la Loi est tenu de réaliser l'équité en matière d'emploi pour les femmes, les Autochtones, les membres des minorités visibles et les personnes handicapées, notamment en déterminant et en supprimant les obstacles à la carrière des membres des groupes désignés.

Source : GOUVERNEMENT DU CANADA. *Loi sur l'équité en matière d'emploi (L.C. 1995, ch. 44)*, http://lois-laws.justice.gc.ca/fra/lois/e-5.401/TexteComplet.html (Page consultée le 7 juin 2016).

Les autres pratiques propres à la gestion des carrières des femmes visent à briser le plafond de verre. Il peut s'agir de sensibiliser les gestionnaires aux stéréotypes qui nuisent aux promotions des femmes en les formant, en modifiant la culture de gestion et en l'orientant vers la maîtrise de compétences, sans tenir compte du genre (p. ex., en rendant les dossiers des personnes anonymes lors de certaines décisions de promotion, lorsque c'est possible). L'idée générale est de développer des modes de promotion centrés sur la mobilité par concours, relative aux résultats et aux compétences. Dans l'esprit de la Loi sur l'équité en matière d'emploi, il est également possible de fixer des quotas d'accès des femmes à certains postes pour démontrer qu'elles sont véritablement incluses dans les processus de promotion et qu'elles accèdent aux postes jusqu'alors réservés aux hommes. Le mentorat et le *coaching* sont aussi largement utilisés pour faciliter l'accès des femmes aux postes de direction. Ces deux pratiques de gestion des carrières offrent de la visibilité et des appuis politiques aux femmes, ce qui peut faciliter leur promotion et leur intégration dans les «milieux d'hommes».

7.3.2 La gestion des carrières des jeunes employés

Chaque individu progresse tout au long de sa vie au travail en passant par un certain nombre de **stades de la vie professionnelle** qui forment un processus continu et progressif d'apprentissage. Selon D.E. Super (1957), ces stades incluent l'exploration (ou début de carrière), l'établissement et le maintien (ou milieu de carrière) ainsi que le désengagement (ou fin de carrière). À chaque stade, les employés tendent à éprouver des préoccupations et des attentes spécifiques concernant leur carrière, dont chaque organisation devrait avoir conscience pour maintenir la motivation et le lien d'emploi avec ses employés.

Stades de la vie professionnelle

Étapes de la vie, s'étalant sur plusieurs années, associées à un défi précis (p. ex., entrer dans la vie active ou accepter de laisser la place aux jeunes).

Ainsi, le début de carrière est jalonné par le besoin d'apprendre et de progresser, et le souci de bien comprendre l'environnement dans lequel on évolue pour mieux y trouver sa place. Ce besoin explique en partie les comportements observés chez les jeunes employés de la génération Y, que l'on dit exigeants, prompts à négocier leur carrière et à poser des questions.

Le tableau 7.3, à la page suivante, présente les principales pratiques adaptées aux attentes des jeunes employés.

Une théorie d'intérêt

La mobilité sociale : deux visions s'affrontent

Depuis les travaux précurseurs de Turner (1960), les chercheurs reconnaissent que deux modèles de mobilité sociale sont pertinents pour comprendre les décisions de carrière dans les entreprises, et plus généralement le succès de carrière des individus. Selon le modèle de la mobilité par concours, la carrière se déroule en mode « compétition ouverte » dans laquelle le mérite, la compétence et l'effort comptent pour beaucoup. C'est l'expérience sur le marché du travail, l'implication dans le travail, l'ancienneté, le niveau de scolarité, la volonté à accepter un transfert, ou le capital social, qui sont alors les critères déterminants de la réussite d'un individu. Selon la perspective de la mobilité commanditée, en revanche, le succès de carrière résulte du soutien offert par l'organisation à un groupe restreint de personnes qui reçoivent tous les privilèges. Le soutien du superviseur, les opportunités de formation et de développement des compétences ainsi que l'accès aux ressources de l'organisation sont déterminants dans le succès d'un individu. Les élites de l'organisation choisissent ainsi de fournir leur soutien à des personnes qui leur ressemblent, ce qui favorise leur avancement de carrière et les propulse vers des fonctions prestigieuses.

Source : Adapté de HAMOUCHE, S., V. HAINES et T. SABA. « Le succès de carrière : deux visions s'affrontent… », *Effectif*, vol. 16, n° 3, 2013.

Tableau 7.3	Des pratiques de gestion adaptées aux débuts de la vie professionnelle	
Stade de la vie professionnelle	**Enjeux**	**Pratiques à privilégier**
Exploration	Engager, retenir et orienter les jeunes recrues	• Parrainage sur les tâches (soutien du superviseur, *coaching*, etc.) • *Counseling* sur la carrière (mentorat, entretien de carrière) • Clarification des perspectives réalistes d'évolution (évaluation du rendement, utilisation des outils d'aide à la gestion des carrières) • Activités de développement (formation, réseautage, etc.)
Désengagement	Maintenir l'engagement au travail	• Aménagement et réduction du temps de travail (flexibilité des horaires, travail à domicile, congés pour raisons personnelles) • Reconnaissance (rétroaction sur le rendement, entretien périodique de carrière, gratifications salariales hors classe) • Attribution de nouveaux rôles (affectation à des projets spéciaux, consultant interne, formateur, mentor, promotion, travail enrichi) • Formation (programmes de formation en informatique et en gestion adaptés aux besoins et au développement des compétences)

En début de carrière, les pratiques en matière de RH privilégient l'intégration des jeunes recrues et leur compréhension des parcours possibles de carrière qui s'offrent à eux. Le supérieur joue un rôle crucial dans ce processus. Bon nombre d'organisations misent aussi sur des formations présentant la culture d'entreprise et favorisant le sentiment d'appartenance à l'organisation pour retenir les jeunes recrues. Le chapitre 4 détaille davantage ces pratiques.

7.3.3 La gestion des carrières des employés seniors

Les pratiques de gestion des carrières des travailleurs d'expérience, aussi appelés « seniors », doivent relever le défi de maintenir l'engagement au travail. Utilisées conjointement, les pratiques mentionnées dans le tableau 7.3 peuvent s'avérer très efficaces en vue d'attirer et de conserver les aînés.

Les pratiques de gestion de carrière des seniors consistent tout d'abord à aménager le temps de travail en vue de réduire les charges de travail trop lourdes, qu'elles soient physiques, cognitives ou émotionnelles. Dans ce cadre, on peut prévoir des pratiques de flexibilité telles que l'aménagement des horaires, le télétravail ou l'accord de congés complémentaires. Il est aussi possible d'attribuer de nouveaux rôles aux seniors, en leur demandant d'agir à titre de mentor ou de parrain, ou en les investissant dans des programmes de transfert intergénérationnel de compétences. C'est ce qu'ont fait de nombreuses entreprises manufacturières qui, vis-à-vis à leur main-d'œuvre vieillissante, ont décidé de documenter les savoir-faire par écrit et de rédiger des guides pour les postes de travail clés. Ces pratiques de gestion des carrières sont importantes, car elles apportent des formes de reconnaissance et de valorisation aux employés d'expérience tout en facilitant l'intégration des plus jeunes et la création de liens intergénérationnels au sein de l'entreprise.

Cependant, les pratiques de gestion des carrières destinées aux seniors ne favorisent pas toutes leur maintien dans l'entreprise. Celles qui visent un accompagnement et une préparation à la retraite ont un effet négatif sur le maintien en poste, et tendent plutôt à encourager le départ de l'entreprise, comme l'illustre la rubrique Regard sur la pratique chez Nestlé France (*ci-dessous*). Il est donc important de bien réfléchir aux pratiques que l'on met en place pour obtenir les effets escomptés.

Regard sur la pratique

Chez Nestlé, le temps partiel simplifie les fins de carrière

DANS LE MONDE

Nestlé France a signé un accord de gestion prévisionnelle de l'emploi et des compétences pour favoriser le départ en douceur des seniors. Tassement de la croissance, inflation zéro, pression à la baisse des prix de vente, c'est clairement le contexte économique qui a conduit Nestlé France – Nescafé, Nesquik, Kit Kat, Guigoz, etc. – à se pencher sur l'aménagement des fins de carrière. « Bien sûr, nous aurions pu attendre les départs naturels, d'autant que la pyramide des âges est favorable. Avec un risque majeur, le trou dans la raquette, autrement dit le défaut de compétences stratégiques », confie Alain Châtaignier, directeur des ressources humaines. Car si le DRH cible 480 départs à l'horizon de 2017 – dont une majorité de cadres –, il table également sur 180 embauches et environ 100 mobilités internes par an: « Alléger l'effectif de 10 % implique de remplacer les départs par des profils qui permettront de modifier l'organisation du travail qui, de fait, ne pourra rester identique. » Nestlé France a ainsi négocié avec les organisations syndicales un accord triennal de gestion prévisionnelle de l'emploi et des compétences (GPEC), visant notamment à aménager les fins de carrière. Il concerne les salariés susceptibles de prendre leur retraite au plus tard le 1er juillet 2018. Le temps partiel proposé réduit le temps de travail du salarié de 50 % sur une période de 6 à 12 mois au cours de laquelle la rémunération est maintenue à 85 %. Cette période permet d'enchaîner une phase d'activité à temps plein et une autre, équivalente en durée, en dispense totale jusqu'au départ effectif en retraite.

Source: Extrait de RAMSPACHER, M.-S. « Le temps partiel simplifie les fins de carrière », *Les Échos Business Directions ressources humaines*, 2 novembre 2015, p. 4, http://business.lesechos.fr/directions-ressources-humaines/ressources-humaines/gestion-de-carriere/021401226992-le-temps-partiel-simplifie-les-fins-de-carriere-203752.php (Page consultée le 7 juin 2016).

7.3.4 La gestion des carrières des expatriés/rapatriés

L'expatriation, c'est-à-dire le fait d'aller travailler pour une organisation dans un pays étranger pour une durée conséquente, est une voie originale de promotion de sa carrière, qui est fortement encouragée par certains groupes d'envergure mondiale. L'expatriation permet de s'assurer que les valeurs et les processus organisationnels de la maison mère sont implantés dans toutes les entités du groupe et respectent ses attentes partout dans le monde. Elle crée également une unité entre des filiales éloignées, qui évoluent dans des réalités souvent fort différentes les unes des autres.

Pour l'individu, elle facilite l'acquisition de compétences uniques, telles que l'adaptation à un environnement complexe, la gestion multiculturelle, la compréhension des obstacles à l'implantation de certains procédés, la vision globale d'une organisation, etc. Toutes ces compétences peuvent ensuite lui être utiles lors de son rapatriement dans son pays d'origine et accélérer sa carrière.

Toutefois, les affectations à l'international ne sont pas toujours couronnées de succès et les taux d'échec, se traduisant notamment par un retour prématuré au pays, sont élevés. Une bonne gestion de la carrière des expatriés est donc importante. Les pratiques se centrent en général sur la formation précédant l'affectation (formation multiculturelle et technique), le mentorat et une rémunération attractive. Une pratique importante consiste aussi à prévoir des évolutions de carrière lors du rapatriement, avant même que l'employé ne s'expatrie. De cette manière, l'individu peut se projeter et comprendre comment une affectation peut l'aider à bâtir un plan de croissance à plus long terme. Le tableau 7.4 présente une synthèse des principales pratiques facilitant la carrière des expatriés.

Tableau 7.4	Les pratiques de soutien à la gestion des carrières internationales
Type de soutien	**Moyens**
Soutien logistique (expatrié et famille)	Déménagement, transfert des enfants dans une école, déplacements, papiers administratifs (permis de travail, visa, etc.), vaccins, assurances, attribution de personnel sur place (chauffeur, gardien, etc.)
Soutien financier (expatrié et famille)	Rémunération de base attrayante, indemnités (logement, déplacements, droits de scolarité, impôts locaux), primes (coût de la vie, difficultés de vie), primes au conjoint, avantages sociaux (assurances supplémentaires, adhésion à des clubs, etc.)
Soutien à la socialisation culturelle (expatrié et parfois famille)	Formation interculturelle de sensibilisation avant le départ, formation culturelle sur place (cours de langue ou autres)
Soutien à la réussite dans son poste (expatrié)	Formation aux compétences qui devront être démontrées sur place, formation aux tâches à effectuer, etc.
Soutien au retour (expatrié et famille)	Programme préétabli pour maintenir les liens avec le siège social, pour relier le mandat à un plan de carrière à moyen terme, pour garantir un poste au retour

Source: Adapté de SCOTT, C. «Proposition d'un cadre conceptuel expliquant les relations d'échanges entre l'organisation et un expatrié», Actes du Congrès de l'ASAC, cédérom, Banff, 2006.

LES ENJEUX DU NUMÉRIQUE DANS LA GESTION DES CARRIÈRES

Le numérique facilite la clarification des parcours de carrière existant dans une entreprise, ce qui le rend fort utile pour les grandes organisations qui souhaitent informer les salariés de façon transparente sur leurs possibilités d'évolution professionnelle (les principales filières d'emploi, postes à pourvoir à l'interne). Il permet aussi de mieux structurer les outils et les méthodes de développement de carrière et, ce faisant, d'offrir des ressources telles que les jeux-questionnaires d'autoévaluation. Un autre atout du numérique est de faciliter la collecte des informations sur les compétences et les talents des salariés, ce qui simplifie la planification des carrières, la constitution de listes de potentiels et l'implantation de processus interactifs de gestion des carrières. Finalement, notons que les réseaux sociaux tels que LinkedIn sont utiles tant à l'individu, pour promouvoir sa propre carrière, qu'aux organisations, qui peuvent y faire valoir leurs pratiques en matière de gestion des carrières.

LA GESTION DES CARRIÈRES DANS LE SECTEUR PUBLIC

Le contexte contemporain a fait évoluer la gestion des carrières dans le secteur public. Les nombreux départs à la retraite poussent les administrations à mettre sur pied des programmes de promotion accélérés pour pourvoir aux postes clés. Par ailleurs, les tensions budgétaires les incitent à disposer des meilleurs profils pour piloter les réformes et faire mieux en dépensant moins. Certaines organisations du secteur public se sont ainsi dotées de mécanismes de détection, de fidélisation et d'accompagnement des hauts potentiels, un exercice auquel la fonction publique n'était guère habituée puisqu'elle a longtemps suivi des règles de garantie d'emploi et de statut.

Au Québec, ces efforts se sont notamment traduits par le programme du Cercle des jeunes leaders, que nous avons présenté dans ce chapitre (*voir la page 244*). On constate cette tendance dans d'autres pays comme en France, où les hauts fonctionnaires occupant ou appelés à occuper les postes clés de l'administration bénéficient de parcours sur mesure les aidant à travailler leur style de management, à développer leur réseau, ou encore à s'entraîner à répondre à la presse (Henry, 2015). Ils sont soumis à des évaluations multisource pour détecter leur potentiel et préciser les compétences à améliorer. Les viviers de hauts potentiels se retrouvent dans une CVthèque interministérielle permettant de s'informer sur les profils les plus talentueux des autres administrations, et notamment d'augmenter la féminisation des ministères. Toutes ces initiatives traduisent un changement de cap dans la gestion des carrières, qui pourrait s'étendre à d'autres fonctions ou postes du secteur public.

LA GESTION DES CARRIÈRES DANS LES MILIEUX SYNDIQUÉS

Dans les milieux syndiqués, la convention collective définit les diverses progressions de carrière possibles en précisant notamment leurs critères. Cette pratique a l'avantage de rendre plus transparentes les bases en fonction desquelles chaque demande d'avancement est analysée. La perception des employés quant à la justice du procédé s'en trouve améliorée, puisqu'ils connaissent les «règles du jeu». Lorsqu'un lien existe entre la grille de salaires, les échelons et les postes, les employés peuvent se représenter le type de progression qui leur est accessible (de quel poste vers quel poste, de quel échelon vers quel échelon) et les hausses salariales auxquelles ils peuvent prétendre.

La primauté de l'ancienneté dans les choix de promotion est une autre caractéristique des cheminements de carrière dans les milieux syndiqués. Les décisions relatives à la progression sont souvent centralisées et l'ancienneté des employés peut l'emporter sur les compétences détenues par les individus au moment des choix d'affectation. C'est le cas des éducateurs spécialisés, parfois contraints à une mobilité géographique qui ne leur convient pas puisque la priorité des choixest uniquement fonction de l'ancienneté. Cette règle contraint les entreprises dans leur choix d'attribution des promotions et peut créer des frustrations autant chez les individus qui démontrent une performance supérieure à la moyenne que chez les dirigeants qui ne sont pas aussi libres qu'ils le souhaiteraient de choisir les employés qui formeront la relève.

LA GESTION DES CARRIÈRES À L'INTERNATIONAL

Le succès des carrières internationales est d'autant plus important que les entreprises, dans une économie mondialisée, tendent de plus en plus à envoyer leurs employés dans un autre pays pour y accomplir une mission. Les occasions de carrière à l'international se multiplient donc, pouvant prendre la forme de l'expatriation, de missions courtes de moins d'un an à l'étranger, de voyages d'affaires fréquents, avec ou sans retour au pays d'origine pendant l'affectation.

Dans ce contexte, construire sa carrière à l'aide d'affectations internationales peut être un accélérateur de carrière pour une personne. La réussite de la carrière internationale englobe l'acceptation de la mobilité pour quelques années, l'adaptation, la réussite de la mission jusqu'à son terme, puis le retour. Une première condition de la réussite de ce processus concerne l'adaptation à la culture du pays d'accueil. Si elle dépend des qualités et des caractéristiques individuelles (ouverture, sociabilité), elle peut aussi être favorisée par des méthodes de gestion des carrières appropriées aux expatriés, telles que celles vues dans ce chapitre.

LES CONDITIONS DU SUCCÈS DE LA GESTION DES CARRIÈRES

Les pratiques de gestion des carrières présentées dans ce chapitre ne pourraient être mises en place avec succès sans le recours à des conditions gagnantes. On constate, dans le tableau suivant, que bien gérer les carrières suppose une forte implication de la part des dirigeants, mais aussi un climat favorable à la mobilité (mutation, rotation, mobilité des meilleurs, etc.) et au développement professionnel (logique de progression, soutien aux individus, etc.). Un tel climat passe aussi par l'acceptation des différences individuelles et la capacité à offrir des chances de progression à tous, quels que soient leur âge, leur genre ou leurs caractéristiques spécifiques.

Les conditions de succès des pratiques de gestion des carrières	
Modalités de pratiques	**Conditions de succès**
La gestion des carrières	• Reconnaître la nécessité pour la direction de s'impliquer dans la gestion des carrières et de la relève. • Offrir des solutions de remplacement à la logique de la progression ascendante : mutation, rotation, enrichissement des tâches, nouveaux rôles, etc. • Laisser partir les meilleurs de son équipe pour qu'ils puissent continuer à évoluer.
La reconnaissance et le développement du potentiel	• Favoriser la participation active des gestionnaires à la détection des talents. • Développer une culture d'amélioration continue tournée vers le développement des compétences. • Utiliser les outils à des fins de progression (et non d'évaluation formelle). • Aider les employés à bien se connaître et à prendre en charge leur carrière.
La gestion des carrières des catégories de personnel	• Comprendre les caractéristiques et les besoins de carrière propres aux différentes catégories de personnel. • Accepter que chaque catégorie suive une trajectoire qui lui est propre. • Maintenir un climat qui valorise les différentes catégories et ne les stigmatise pas.

CONCLUSION

Dans un contexte de bouleversement démographique qui fait planer la menace d'une pénurie de talents, la gestion des carrières s'avère une pratique déterminante en matière de GRH. Les organisations d'avant-garde, qui mettent l'accent sur les compétences individuelles et collectives, sont forcées d'innover dans la gestion des trajectoires professionnelles de leurs employés clés. Afin de maintenir la motivation de leurs employés et de les retenir durablement de manière à se constituer un réservoir de talents, elles se tournent aujourd'hui vers des pratiques de gestion des carrières novatrices. Il s'agit non seulement de planifier la relève, mais aussi de soutenir la progression de ses employés : c'est dans cette optique que le mentorat, le conseil individualisé et la simplification des filières d'emplois tendent à s'intensifier.

Les organisations doivent par ailleurs comprendre que les attentes des individus diffèrent selon l'âge, le cycle de vie professionnelle ou encore le sexe. Prévoir des solutions de rechange qui répondent aux souhaits de chaque employé, selon ses caractéristiques personnelles, est donc un atout à ne pas négliger si l'on veut les retenir et leur offrir des conditions de travail agréables et motivantes. L'aménagement du temps de travail, la conciliation travail-famille et l'équité en matière d'emploi sont autant d'exemples d'actions que peut mettre en place une organisation pour répondre aux besoins du plus grand nombre relativement à la carrière.

QUESTIONS DE RÉVISION

1. Qu'est-ce que la gestion des carrières ?

2. Quelles relations établissez-vous entre la planification des carrières et les autres pratiques de GRH ?

3 Pourquoi est-il important de gérer les carrières au sein des organisations ?

4 Qu'est-ce que la gestion des hauts potentiels ? Comment peut-on mesurer le potentiel d'un employé ?

5 Quelles sont les principales activités auxquelles les entreprises recourent pour déceler les talents ?

6 Qu'est-ce que le mentorat et pourquoi est-il utile en matière de gestion des carrières ?

7 Expliquez pourquoi on utilise les métaphores du plafond de verre et du labyrinthe pour décrire les obstacles à la carrière des femmes.

8 Quelles sont les pratiques de gestion de fin de carrière ? Pourquoi une organisation a-t-elle avantage à les mettre en place ?

9 Comment le numérique transforme-t-il les pratiques de gestion des carrières ?

10 Quelles sont les nouveautés en matière de gestion des carrières dans le secteur public ?

QUESTIONS DE DISCUSSION

1 Faire carrière a-t-il encore du sens dans le contexte actuel du marché du travail ?

2 La planification des carrières peut-elle s'adapter à tous les types d'entreprises ?

3 Les jeunes de la génération Y qui ont choisi de faire carrière dans la fonction publique seront-ils déçus ou ravis d'avoir fait ce choix professionnel ?

4 Quels indicateurs une entreprise peut-elle créer pour mesurer l'efficacité de sa gestion des carrières ?

INCIDENTS CRITIQUES ET CAS

Incident critique **1**

Que dire à Pierre ?

Vous devez mener une entrevue de carrière avec Pierre, un employé qui s'occupe du rayon électricité de votre magasin de bricolage. Pierre a commencé comme magasinier il y a 18 ans, puis il a obtenu une promotion en tant que vendeur et responsable de rayon. C'est votre première rencontre avec Pierre, mais vous savez qu'il souhaite évoluer et occuper un poste supérieur dans l'entreprise. Pour vous préparer à bien le conseiller, vous avez appelé le directeur technique (et responsable hiérarchique de Pierre), qui vous a fait savoir que son potentiel est assez limité : Pierre n'a qu'un diplôme d'études secondaires et il ne semble pas maîtriser certains éléments de gestion et de comptabilité ; en revanche, il est à l'aise avec ses collègues et c'est un bon communicateur.

Questions

Qu'allez-vous dire à Pierre au cours de l'entrevue de carrière ? Quel type de cheminement pouvez-vous lui proposer ? Quels sont les pièges à éviter ?

Incident critique ②

Encourager l'expatriation des jeunes employés

Votre entreprise est une multinationale qui gère un réservoir de plus de 100 expatriés, répartis dans 30 pays à travers le monde. Depuis cinq ans, vous avez de plus en plus de mal à trouver des candidats à l'expatriation : les candidats s'intéressent à des mandats de un an, mais rarement à des mandats de trois ans. Une des raisons invoquées est l'impossibilité pour le conjoint ou son absence de désir d'accompagner le candidat pour une période supérieure à un an. En outre, la plupart des personnes intéressées ont moins de 30 ans et manquent souvent d'expérience pour occuper certains postes de direction à l'international. De plus, beaucoup d'employés ont envie d'expériences à l'étranger, sans toutefois vouloir y demeurer de manière stable : les retours au pays d'origine sont souhaités et un engagement pour un éloignement durable fait peur à plusieurs d'entre eux.

Vous décidez de mettre en place un ensemble d'actions pour encourager l'expatriation de vos employés.

Questions

Quelles actions proposez-vous pour motiver les candidats à l'expatriation ? pour réduire leurs réticences ?

Cas

La conciliation travail-famille chez Comptables Agréés inc.

Le cabinet de vérification Comptables Agréés inc. fait partie des grands cabinets mondiaux d'expertise comptable. À Montréal, il compte près de 230 collaborateurs, des jeunes professionnels pour la plupart (l'âge moyen est de 30,5 ans et l'ancienneté, de 5,3 ans). Comme bon nombre d'entreprises de son secteur, le cabinet retient difficilement ses employés, notamment à moyen terme. Les postes de consultants expérimentés (*seniors*) requièrent une ancienneté d'au moins trois ans, tandis que ceux de gestionnaires d'équipe (*managers*) sont en général réservés aux auditeurs ayant une ancienneté d'environ cinq ans.

Le roulement chez Comptables Agréés inc. est élevé, mais pas plus que celui de ses concurrents. Il est surtout lié aux départs des jeunes recrues au cours de leurs trois premières années d'expérience. Un des défis de l'organisation consiste à retenir suffisamment de comptables débutants (*juniors*) afin de constituer un réservoir de relève assez important pour pourvoir les postes de consultants expérimentés et de gestionnaires d'équipe. Cet enjeu s'applique particulièrement aux jeunes femmes recrutées, chez qui on observe les tendances suivantes :

- Depuis les cinq dernières années, elles représentent 65 % des personnes embauchées, contre 45 % pour les hommes.

- Au bout de trois ans, seulement 20 % des consultants recrutés sont toujours en poste, et sur ces 20 %, plus de 60 % sont des femmes.

- Les femmes acceptent autant que les hommes les postes de consultants expérimentés. Actuellement, ces postes sont en effet occupés par 50 % de femmes. En revanche, elles ne sont plus que 5 % à occuper les postes de gestionnaires d'équipe, contre 95 % d'hommes.

On sait que l'entreprise peine à désigner une relève pour les postes de gestionnaires d'équipe. Or, il semble qu'elle se prive d'une partie des employés qui seraient aptes à occuper ces postes, notamment parce que les femmes semblent exclues des possibilités de promotion (ou s'en excluent elles-mêmes).

En tant que responsable des RH, vous souhaitez comprendre ce qui crée ce « plafond de verre ». Vous avez interrogé toutes les employées ayant trois ans d'ancienneté et plus afin de comprendre leurs motivations ou leurs démotivations. Elles précisent qu'elles souhaiteraient un meilleur équilibre travail-famille et que les horaires extrêmement lourds des gestionnaires d'équipe ne sont pas compatibles avec leur style de vie. La charge de travail semble se coupler à un niveau de stress nettement plus élevé que pour les postes de consultants expérimentés. Être gestionnaire suppose de gérer des équipes, de former les employés, de les évaluer, de gérer directement les relations avec des clients exigeants et réputés fins négociateurs. Toutes ces tâches, que les femmes qualifient de «missions d'hommes», les effraient un peu. Récemment, une des rares femmes gestionnaires d'équipe a même négocié son départ en invoquant des difficultés à s'entendre avec certains clients, ce qui confirmerait les craintes des femmes à l'égard de ce type de poste. D'ailleurs, vous savez vous-même que les associés du cabinet évitent de donner des responsabilités trop lourdes aux femmes, lesquelles ont la réputation de «ne pas tenir le coup». Pourtant, les femmes que vous avez rencontrées aiment l'ambiance du cabinet et souhaiteraient y rester si la charge de travail était moins lourde.

Questions

- Vous décidez de présenter un projet novateur de conciliation travail-famille à la direction du cabinet. Quels types de pratiques proposez-vous?

- Pourquoi pensez-vous que ces pratiques vont encourager les femmes à occuper des postes de gestionnaires d'équipe?

- Quelles retombées escomptez-vous de ces pratiques?

POUR ALLER PLUS LOIN

Lectures suggérées

GREENHAUS, J.H., G.A. CALLANAN et V.M. GODSHALK. *Career Management*, Sage Publications, 2009.

SCULLION, H., et D. COLLINGS. *Global Talent Management*, New York, Routledge, 2010.

Sites Web

L'usine Filature Lemieux, située en Beauce, offre un bon exemple de documentation des postes clés en vue de préparer la relève. Cette démarche est résumée dans la vidéo suivante: www.youtube.com/watch?v=3UFUn3phTS0

Les obstacles à la présence des femmes aux postes de direction sont analysés par Sheryl Sandberg, directrice des opérations de Facebook, dans cette conférence TED: www.ted.com/talks/sheryl_sandberg_why_we_have_too_few_women_leaders?language=fr

Le coin de l'Ordre des CRHΛ

www.portailrh.org

Le plan de relève
Par Pauline Brassard, CRHA, présidente, PB Conseils RH

Le mentorat: le puits inexploité de l'expérience
Par Yvon Chouinard, CRHA, ACC, président, Isotope Conseil inc.

La politique et la gestion du talent
Par Pascal Savard, CRHA, psychologue, propriétaire, Phénix Conseil

Chapitre 8

GÉRER LA RÉMUNÉRATION

Principaux défis à relever en matière de gestion de la rémunération

- Adopter, implanter et communiquer une politique de rémunération compétitive qui permet d'attirer, de retenir et de mobiliser les employés.

- Respecter les lois et les principes d'équité en matière de gestion de la rémunération.

- Aligner la gestion des diverses composantes de la rémunération sur la stratégie d'affaires et les valeurs de gestion.

- Faire en sorte que la gestion de la rémunération variable motive les employés à atteindre les objectifs en adoptant des comportements productifs.

- Contrôler les coûts des avantages et des régimes de retraite.

Objectifs d'apprentissage

- Comprendre l'importance de gérer les composantes de la rémunération directe et indirecte alignée sur la stratégie d'affaires et la culture de l'organisation.
- Définir les responsabilités de divers acteurs en matière de gestion de la rémunération.
- Distinguer les différents principes d'équité en matière de gestion de la rémunération.
- Expliquer les divers outils ou moyens qui permettent d'optimiser le caractère équitable et légal de la rémunération.
- Connaître les divers programmes de rémunération basés sur les performances individuelles et collectives.
- Comprendre comment la gestion de la rémunération se distingue dans le secteur public, les milieux syndiqués et à l'international.
- Connaître les principales conditions à respecter pour optimiser l'efficacité de la gestion de la rémunération.

Ce chapitre traite du défi de gérer de façon optimale les diverses composantes de la rémunération offerte aux employés, de manière à les attirer, à les fidéliser et à les inciter à adopter les attitudes et les comportements désirés, mais aussi à respecter divers principes d'équité de même que les lois.

Nous présentons d'abord les diverses composantes de la rémunération. Nous traitons ensuite de l'importance de bien gérer celles-ci. Puis, nous nous attardons aux principes d'équité en matière de rémunération ainsi qu'aux techniques et méthodes couramment utilisées pour veiller à leur respect. Puis, nous décrivons les divers programmes de rémunération visant à récompenser les contributions ou les réalisations. Ensuite, nous traitons des régimes d'avantages sociaux et des régimes de retraite offerts par certains employeurs. Cela nous amène à aborder les particularités de la gestion de la rémunération dans le secteur public, les milieux syndiqués et à l'international ainsi qu'à traiter des enjeux du numérique en la matière. Finalement, nous énumérons les conditions de succès à respecter afin d'optimiser les retombées de la gestion de la rémunération totale.

MISE EN SITUATION

Air Liquide révise sa stratégie de rémunération pour fidéliser et stimuler la performance des jeunes recrues comme des employés d'expérience

Avec plus d'une quarantaine de départs à la retraite chaque année, combinés à un taux de roulement élevé, l'entreprise qui compte 2 600 employés au Canada, dont 600 au Québec, n'avait d'autre choix que de renflouer ses rangs. Seulement au sein de la division industrielle, où travaillent 1 600 personnes et où la moyenne d'âge des employés est de 46 ans, environ 10 % des postes sont à pourvoir chaque année, exprime Éric Gagnon, directeur de la rémunération globale. « On embauchait des jeunes pour remplacer les départs à la retraite, mais on a remarqué qu'ils ne restaient pas en poste plus de trois ans. On s'est donc demandé comment fidéliser ces recrues tout en tenant compte des besoins de nos travailleurs qui approchent de la retraite. » Les employés nés entre 1981 et 1995, associés à la génération Y, représentent 21 % de l'effectif de l'entreprise.

Air Liquide Canada a donc dépoussiéré ses modes de rémunération pour qu'ils soient attrayants pour tous. Par exemple, les employés ont droit à trois semaines de vacances dès la première année, en plus d'avoir accès à une banque de congés à leur entrée en poste. Les travailleurs peuvent aussi s'acheter cinq jours de repos supplémentaires. L'entreprise a aussi simplifié son régime de retraite en faisant en sorte que les cotisations soient les mêmes pour tous, alors qu'avant elles augmentaient avec l'âge et les années de service. Ceux qui le désirent peuvent aussi investir un peu plus, puis recevoir une contribution supplémentaire de la part de l'entreprise.

Air Liquide s'est aussi offert une cure de rajeunissement sur le plan informatique en adoptant les outils Google et Workday pour ses activités de ressources humaines (RH). « Avec 50 000 employés dans 80 pays, notre entreprise est l'une des plus grandes du monde à utiliser ces outils. Ils permettent de faciliter l'accès à l'information et de favoriser le travail à distance, en plus de rendre le travail plus intéressant ! » Une façon de moderniser l'image de la multinationale, établie à Montréal depuis 110 ans, tout en facilitant la conciliation travail-vie personnelle chère à la génération Y.

S'ajoute à cela toute une série de mesures personnalisées : remboursement des frais d'activités sportives, participation à des REER et des CELI collectifs, horaires flexibles, travail à distance ou à temps partiel, programme de préretraite, etc. Même le programme d'assurances collectives est modulable. « Nous offrons plus de choix de couvertures qui s'adaptent aux différentes réalités de la vie », précise M. Gagnon. Ainsi, les primes coûtent moins cher aux parents en solo ou encore aux couples dont la progéniture a quitté le nid familial. L'entreprise paie un salaire fixe à l'employé et l'invite à sélectionner des avantages selon ses besoins tout en respectant un certain budget.

Pour que le succès soit au rendez-vous, les mesures implantées doivent être équitables, transparentes et apporter des avantages réels à l'entreprise, en améliorant sa performance, par exemple. Mais les changements ne doivent pas être que cosmétiques. « Si on permet de travailler à distance, il faut que les gestionnaires gèrent des livrables et des résultats, non une présence au travail », illustre-t-il. La bonne nouvelle, c'est qu'il est possible d'insuffler de la flexibilité dans les conditions de travail des employés sans faire exploser les budgets. « Notre enveloppe globale est restée la même, car les économies qui ont découlé de certains changements nous ont permis d'investir ailleurs », explique Éric Gagnon. Par exemple, la bonification des vacances permet d'économiser si une personne prend une semaine à ses frais, ou encore si elle opte pour du travail à temps partiel. L'entreprise a aussi renégocié ses primes d'assurance. Même si la rémunération ne règle pas tout, selon Éric Gagnon, c'est un pas dans la bonne direction.

Source : Adapté de TREMBLAY, A.-M. « Air Liquide mise sur la reconnaissance rapide pour fidéliser les Y », *Les Affaires*, « Stratégies », 12 mars 2016, p.14.

DÉFINITIONS

Comme l'illustre la figure suivante, les employés sont rémunérés de diverses façons pour les multiples contributions qu'ils offrent à leur employeur.

La **rémunération directe** couvre des composantes versées en espèces telles que les salaires, les primes d'inconvénients et la rémunération variable à court terme.

Les composantes de la rémunération globale tangible et intangible

Types de rémunération					Composantes	Exemples
Intangible ou intrinsèque	Globale				Conditions de travail	• Climat de travail • Conciliation travail/vie personnelle • Défis • Possibilité de carrière et de développement
		Totale (directe et indirecte)			Gratifications	• Voiture • Clubs • Conseils juridiques
					Avantages sociaux et retraite	• Retraite • Santé/bien-être • Congés payés • Remplacement du revenu
Tangible ou extrinsèque			Directe (en espèces ou en actions)		Rémunération variable à long terme	• Actions • Unités de rendement
				En espèces	Rémunération variable à court et à moyen terme	• Prime selon la performance individuelle, de groupe et/ou de l'organisation
					Rémunération en espèces de base	• Salaire • Allocation et primes diverses

Source : Adapté de McMULLEN, T., M. STARK et J. CÔTÉ. « Faire de la rémunération un investissement », *Gestion*, vol. 34, n° 2, 2009, p. 34.

Le **salaire** correspond à la somme d'argent qu'un employé reçoit pour son travail sur une base annuelle, mensuelle, hebdomadaire ou horaire. Certains employés peuvent recevoir des **primes d'inconvénients** ou des montants forfaitaires parce qu'ils réalisent leur travail dans des conditions particulières : des heures supplémentaires, un quart de travail de soir ou de nuit, un travail dans des lieux éloignés ou à l'étranger (pensons aux employés expatriés), un travail de fin de semaine ou pendant des congés, un travail dans des conditions dangereuses, etc. Cette composante peut aussi comporter diverses **allocations** (p. ex., logement, éducation) pour le différentiel du coût de la vie qu'un employé doit assumer en travaillant dans un autre lieu de travail.

Par ailleurs, la rémunération directe couvre aussi des composantes liées à la **rémunération variable** à court, à moyen et à long terme. La rémunération variable à court et à moyen terme comprend toutes les formes pécuniaires de reconnaissance versées au moyen d'augmentations, de primes (montants forfaitaires ou bonis) et de commissions que l'employé peut recevoir en vertu de régimes de rémunération qui tiennent compte du rendement individuel ou collectif, comme les régimes de participation aux bénéfices, de partage des gains de productivité, de partage de la réalisation des objectifs et des équipes de travail.

La rémunération variable à long terme est principalement versée en actions, en options d'achat d'actions (ou en unités de rendement) que l'employé peut recevoir selon des régimes de rémunération tenant compte de la performance boursière (ou de mesures de la performance comptable à long terme), tels que les régimes d'octroi ou d'achat d'actions ou encore d'options d'achat d'actions.

La rémunération tangible compte aussi une partie, souvent qualifiée de « **rémunération indirecte** », qui n'est pas versée en espèces mais sous forme d'avantages sociaux, de régime de retraite, de vacances, de divers congés rémunérés ainsi que de gratifications qui correspondent à des avantages complémentaires (p. ex., le remboursement de diverses dépenses).

Aux fins de ce chapitre, nous analyserons seulement ces dernières composantes tangibles de la rémunération tant directe qu'indirecte. Toutefois, comme les chapitres précédents l'ont fait ressortir, les composantes intangibles de la rémunération sont très importantes : le climat de travail, les possibilités de carrière et de développement, les pratiques favorisant la conciliation entre les vies professionnelle et personnelle, etc. Les employés les prennent en considération lorsqu'ils décident de se joindre à l'entreprise. Les dirigeants gèrent leur marque employeur en misant sur ces composantes intangibles de la rémunération, comme le montre le cas de la société Air Liquide dans la mise en situation en début de chapitre.

L'IMPORTANCE DE GÉRER LA RÉMUNÉRATION

Comme l'illustre le tableau ci-dessous, la gestion de la rémunération a de multiples incidences tant sur les organisations que sur les employés. En ce qui a trait aux employeurs, elle a un effet sur les coûts et la compétitivité de l'entreprise, de même que sur sa capacité d'attirer et de retenir son personnel. La gestion de la rémunération totale — un aspect important de sa marque employeur — influe aussi sur le profil des candidats (p. ex., les besoins et les attentes) que l'organisation parvient à attirer et à retenir.

La rémunération a également des répercussions sur les attitudes, les comportements et la performance des employés. Songeons, par exemple, à leur satisfaction à l'égard de leur salaire, à leur intention de quitter l'organisation ou de se syndiquer, à leur motivation à améliorer leur performance, à la qualité de leur travail et du service qu'ils offrent aux clients, à leur volonté d'acquérir de nouvelles compétences, à leur esprit de collaboration ainsi qu'à leur désir d'adopter des comportements éthiques et professionnels.

L'importance de gérer les composantes de la rémunération	
Pour les organisations	Favoriser l'attraction, l'assiduité, la fidélisation, la motivation et la mobilisation du personnel.
	Obtenir un meilleur rendement des investissements ou un meilleur rapport coûts-bénéfices.
	Améliorer la performance, la productivité et la compétitivité et favoriser la réalisation de la stratégie d'affaires.
	Faciliter le changement et le développement organisationnels.
	Éviter ou limiter la syndicalisation de leur personnel.
	Respecter les lois et promouvoir un climat favorable à l'intégrité et à l'éthique.
Pour les employés	Améliorer les attitudes au travail : mobilisation, satisfaction et motivation au travail, engagement dans le travail et au sein de l'organisation, etc.
	Améliorer les perceptions d'équité, de justice, de compétence, de reconnaissance, etc.
	Favoriser leur attraction et leur fidélité.
	Favoriser l'acceptation d'une promotion ou d'une mutation.
	Favoriser l'adoption de comportements de « bons citoyens organisationnels » et limiter l'adoption de comportements dysfonctionnels ou frauduleux.

LE PARTAGE DES RESPONSABILITÉS EN MATIÈRE DE GESTION DE LA RÉMUNÉRATION

La gestion de la rémunération est une activité où le partage des responsabilités entre divers acteurs — les dirigeants, les professionnels des RH les syndicats, etc. — est particulièrement important (*voir le tableau suivant*).

Le partage des responsabilités en matière de gestion de la rémunération	
Dirigeants	Définir et communiquer la ou les politiques ainsi que les choix stratégiques de l'organisation en la matière.
	S'assurer que la gestion des composantes de la rémunération est optimale aux yeux des diverses parties prenantes : actionnaires et propriétaires, clients et employés.
Cadres	S'assurer de bien comprendre, de respecter et d'être en mesure de communiquer, d'expliquer et d'appliquer les choix en matière de rémunération faits par la direction ou négociés avec le ou les syndicats, s'il y a lieu.
	Participer à l'élaboration, à l'implantation, à la gestion et à la révision des composantes de la rémunération.
Professionnels des RH	Élaborer, implanter et gérer des politiques et des pratiques de rémunération efficientes et alignées sur le contexte, les valeurs et les stratégies de l'organisation.
	Former, conseiller, faire participer et soutenir le personnel au regard de la gestion des diverses composantes de la rémunération.
	Travailler avec les cadres pour les aider à comprendre, à communiquer et à gérer la rémunération, à adopter une vision globale de la rémunération et à mieux évaluer et reconnaître la performance du personnel.
	Mener des enquêtes de rémunération et des sondages à l'égard de diverses composantes de la rémunération globale, colliger et analyser les résultats.
	Constituer ou piloter des comités de travail sur la gestion des diverses composantes de la rémunération.

Le partage des responsabilités en matière de gestion de la rémunération (*suite*)	
Syndicats	Mener des enquêtes de rémunération, colliger et analyser des données sur la rémunération.
	Participer à des comités de travail sur la gestion de la rémunération.
	Négocier les conditions de rémunération du personnel syndiqué.
Employés	Comprendre et respecter les politiques, les pratiques et les règles à la base de la gestion des diverses composantes de la rémunération.
	Exprimer leurs attentes et leur satisfaction à l'égard des diverses composantes de la rémunération et de leur gestion.
	Participer à des sondages ou à des comités sur divers aspects de la gestion de la rémunération (p. ex., l'évaluation des emplois, la satisfaction envers les avantages sociaux).

Par ailleurs, la rémunération, une activité clé de gérance, requiert des dirigeants qu'ils se montrent capables de faire des choix importants qui exerceront une influence sur les attitudes, les comportements et les résultats des employés. Pensons, par exemple, au fait de tenir compte de l'ancienneté plutôt que de la performance dans la détermination des salaires, à l'adoption d'un régime de primes reconnaissant la performance individuelle plutôt que la performance de l'organisation ou encore au caractère plus ou moins transparent de la gestion des composantes de la rémunération.

Les responsabilités des cadres revêtent une importance cruciale. En effet, il apparaît que les employés donnent plus de valeur à l'information transmise par leurs supérieurs immédiats qu'à celle venant des dirigeants et des professionnels des RH en matière de rémunération (McMullen, Stark et Côté, 2009). Toutefois, seulement 35 % des organisations estiment que leurs cadres communiquent efficacement à leurs employés les liens entre leur travail et les résultats d'affaires.

Les professionnels des RH devraient donc travailler en collaboration avec les cadres pour les aider à comprendre, à communiquer, à gérer la rémunération, à adopter une vision globale de la rémunération et à mieux évaluer et reconnaître la performance du personnel. En somme, si ces professionnels sont responsables de l'élaboration, de l'implantation et du respect des politiques et des programmes régissant la gestion des diverses composantes de la rémunération, ce sont les dirigeants et les cadres hiérarchiques qui doivent répondre de leur efficacité, de leur intégrité et de leur crédibilité. À l'égard d'un personnel syndiqué, nous verrons, à la fin de ce chapitre mais aussi au chapitre 9, que les clauses de rémunération sont un aspect important à négocier avec le syndicat.

8.1 La gestion de la rémunération : objectifs et principes d'équité

La gestion de la rémunération comporte de nombreux aspects techniques. Pour s'y retrouver, il y a lieu de s'interroger sur l'importance relative de ses divers objectifs. Il s'avère aussi primordial de comprendre les principes d'équité à respecter et leur importance relative pour l'organisation et ses diverses catégories de personnel.

8.1.1 Les objectifs en matière de gestion de la rémunération

Comme présenté dans l'encadré 8.1, à la page suivante, les objectifs des employeurs en ce qui concerne la gestion de la rémunération de leur personnel sont non seulement variés et multiples, mais ils peuvent être conflictuels, la réalisation de l'un risquant d'empêcher celle de l'autre. Par exemple, pour attirer et retenir des experts, une organisation peut être contrainte d'augmenter ses salaires et ses avantages sociaux, ce qui va à l'encontre de son souci de limiter ses coûts.

| Encadré 8.1 | Des exemples d'objectifs en matière de gestion de la rémunération |

- Favoriser l'atteinte des objectifs de l'organisation et la réalisation de sa stratégie.
- Appuyer la culture et les valeurs de gestion.
- Attirer, recruter et retenir les meilleurs candidats ou employés.
- Inciter le personnel à adopter des attitudes et des comportements tels que l'innovation et la créativité, la collaboration ou l'esprit d'équipe, le développement, etc.
- Offrir des rétributions perçues comme justes, gérées équitablement et conformes aux lois, et ce, pour tous les emplois et toutes les catégories d'emplois.
- Reconnaître les contributions individuelles ou collectives afin de motiver et de mobiliser le personnel.

- Favoriser la satisfaction et les perceptions de justice des employés.
- Améliorer la performance selon divers indicateurs : qualité des produits et des services, quantité produite, service à la clientèle, satisfaction des clients, indicateurs financiers, etc.
- Accorder une rémunération compétitive et respectueuse des capacités de payer de l'organisation.
- Gérer la rémunération de manière efficace, équitable, juste, simple, flexible et en optimisant le rapport coûts-bénéfices (efficience).

Par ailleurs, il faut noter que l'importance relative des objectifs de rémunération variera d'une organisation à l'autre, d'une unité d'affaires à l'autre, d'une catégorie de personnel à l'autre et même d'un emploi à l'autre. Une entreprise peut, par exemple, décider de privilégier la reconnaissance des contributions exceptionnelles afin de favoriser l'innovation ; une deuxième peut se préoccuper principalement de la compétitivité de la rémunération afin d'attirer et de retenir le personnel clé ; une troisième peut chercher à susciter un esprit de collaboration parmi les employés ou, à l'opposé, une certaine compétition. Pour les dirigeants d'une organisation, la détermination des objectifs en matière de gestion de la rémunération s'avère importante parce qu'elle leur permet de décider quels principes d'équité sont privilégiés et quelle importance prendront divers aspects de la gestion de la rémunération tels que les enquêtes de rémunération, les régimes de primes individuelles, les régimes collectifs de rémunération, les régimes de retraite, les avantages sociaux et l'évaluation des emplois.

8.1.2 Les principes d'équité ou de justice

Parmi les défis que doivent relever les organisations en gestion de la rémunération, celui qui consiste à payer les employés d'une façon qui sera perçue comme juste ou équitable s'avère sans doute le plus exigeant. Selon la théorie de l'équité (Adams, 1965), les employés peuvent juger de l'équité de leur ratio contribution-rétribution en le comparant avec divers référents et en associant différentes définitions aux termes « contribution » et « rétribution ». Ainsi, la contribution inclut tout ce qu'une personne fournit dans l'échange comme son expérience, sa scolarité, ses efforts, son rendement, son assiduité et ses compétences. Quant à la rétribution, elle comprend tout ce qu'elle reçoit dans l'échange comme son salaire, ses avantages sociaux, son statut social, son pouvoir, ses possibilités de carrière, les défis, la flexibilité de ses horaires, etc.

Les référents avec lesquels une personne compare sa rémunération sont variés. Il peut s'agir des personnes qui occupent un même poste ou des postes différents dans la même entreprise, dans d'autres entreprises ou même dans sa famille. Un employé peut aussi se prendre lui-même comme référent pour juger de sa rémunération, en l'analysant sur la base de critères comme son cheminement professionnel, sa

Parole d'expert

Stratégie de rémunération totale : un levier pour bâtir une marque employeur dans la mesure où elle est communiquée

D'après Marc Chartrand et Christine Potvin de Perrault Conseil inc. (PCI), lorsqu'une entreprise gère la rémunération de façon stratégique, la formation des gestionnaires est nécessaire à la mise en œuvre et au déploiement de cette stratégie. La communication de l'enveloppe de toutes les composantes de la rémunération permet de faire la promotion de sa marque employeur. Si l'entreprise ne fait pas le marketing de ce qu'elle offre, tout deviendra rapidement acquis pour ses employés et ils oublieront ce qu'ils reçoivent de distinctif sur le plan de la rémunération, que ce soit les salaires de base élevés, le régime de rémunération variable avantageux, les assurances collectives complètes, le régime de retraite, les opportunités de formation, les conditions de travail flexibles, etc. Non seulement ils oublieront, mais ils tenteront de vous démontrer que l'herbe est plus verte chez le voisin. Pensons au gestionnaire à qui des employés disent avoir des amis qui font le même travail qu'eux dans d'autres entreprises pour 5 000 $ de plus par année, ou à celui à qui une nouvelle recrue réclame une semaine de vacances de plus. Dans ces situations, si le gestionnaire comprend la stratégie de rémunération globale (ou totale) de l'entreprise, il pourra en défendre les principes et le caractère concurrentiel et équitable.

Pris isolément, il y a fort à parier que certains éléments de rémunération peuvent être moins concurrentiels que d'autres. L'idée est d'être en mesure de faire valoir à un employé insatisfait ce que l'entreprise offre globalement : le compétiteur offre peut-être 5 000 $ de plus en salaire de base, mais il n'a pas de régime de retraite ou de régime d'achat d'actions ou d'avantages sociaux aussi intéressants. Aussi, il importe de s'assurer que le contenu de la stratégie de rémunération globale est adéquat et, ensuite, d'informer et de former les gestionnaires sur tout ce qu'offre l'entreprise comme avantages, tant extrinsèques qu'intrinsèques. Il faut communiquer et publiciser ce que l'organisation offre en mettant les gestionnaires dans le coup.

Source : Adapté de CHARTRAND, M., et C. POTVIN. « La rémunération globale : le rôle des gestionnaires », *CRHA*, 2016, www.portailrh.org/gestionnaire/fiche.aspx?p=467402 (Page consultée le 23 septembre 2016).

---

rémunération passée, ses attentes, la rémunération de ses parents, etc. Ainsi, il faut reconnaître que l'équité dans le domaine de la rémunération s'avère une question de perception, qui varie d'une personne à l'autre selon ses critères et ses référents. Aux fins de la gestion de la rémunération, comme le résume le tableau 8.1, à la page suivante, on tente toutefois de mettre de l'avant certains principes d'équité, auxquels on associe des pratiques ou des outils particuliers : l'équité légale, interne, externe, individuelle et collective.

La particularité de l'équité légale (ou du respect des lois) repose sur le fait que les employeurs n'ont pas le choix de s'y conformer. La gestion de la rémunération des employés est circonscrite par des lois et des règlements que les employeurs sont tenus de respecter. Au Québec, employés et employeurs se familiarisent rapidement avec la Loi sur les normes du travail, qui balise le salaire minimum, les vacances et les congés. En gestion de la rémunération, l'équité légale est au-dessus de toutes les autres formes d'équité (interne, externe, individuelle ou collective). Ainsi, un employeur ne peut décider d'offrir moins que le salaire minimum à un employé sous prétexte que sa contribution au travail est moins importante que celle du titulaire d'un autre emploi payé au taux minimum.

Notons aussi que certaines lois contraignent plus ou moins la gestion de la rémunération des entreprises en fonction de leurs caractéristiques : leur nature (entreprise

Tableau 8.1	Les principaux types d'équité pris en compte dans la gestion de la rémunération	
Type d'équité	**Définition**	**Principales balises**
Légale	Gestion de la rémunération qui respecte les lois et les règlements en vigueur.	Prise en compte des normes, des lois et des règlements afin que les décisions et les activités de gestion de la rémunération les respectent.
Interne	Rémunération juste d'un emploi en regard de ses exigences et en comparaison de la rémunération et des exigences d'autres emplois au sein d'une organisation.	Analyse, description et évaluation des emplois afin de s'assurer que l'organisation accorde une rémunération liée à la valeur relative des emplois (hiérarchie des emplois).
Externe	Rémunération juste d'un emploi en comparaison de la rémunération versée par d'autres organisations pour des emplois similaires.	Enquêtes de rémunération afin de s'assurer que l'entreprise offre une rémunération comparable à celle offerte par d'autres organisations pour des emplois semblables et conforme aux politiques de rémunération de l'entreprise.
Individuelle	Rémunération qui varie en fonction des contributions individuelles du titulaire d'un poste comme ses années de service, sa performance, ses compétences, son expérience et son potentiel.	Gestion des échelles salariales ou octroi de primes, de commissions, d'actions ou d'autres formes de reconnaissance ou de récompenses en tenant compte des caractéristiques individuelles des employés.
Collective	Rémunération qui varie en fonction de la performance d'un groupe, d'une unité ou de l'entreprise.	Régimes collectifs de rémunération variable à court terme et à long terme afin de s'assurer que la rémunération des employés tient compte de la performance de leur équipe, de leur unité ou de l'entreprise.
Justice du processus	Gestion de la rémunération qui respecte les politiques organisationnelles et les règles de justice standards telles que des décideurs compétents, des critères connus et pertinents, l'absence de biais, le droit d'appel, la possibilité de questionner, etc.	Processus standardisé et uniforme, non biaisé, communiqué et expliqué, possibilité d'appel, participation des employés, formation et compétences des gestionnaires.

privée ou publique, taille de l'entreprise, etc.), la composition de la main-d'œuvre (syndiquée ou non), les types d'emplois (de bureau, de production, etc.), et ainsi de suite. Par exemple, selon qu'une entreprise est de compétence provinciale ou fédérale, certaines lois particulières seront applicables — notamment la Loi sur les normes du travail et le Code canadien du travail. Les pays ont aussi des lois différentes en constante évolution. Pensons par exemple aux lois sur la divulgation de la rémunération des dirigeants d'entreprise qui ont été adoptées par de nombreux pays au cours des dernières décennies ainsi qu'aux balises légales qui encadrent la gestion des régimes de retraite. Le Canada fait figure de proue dans le monde avec ses lois provinciales visant l'équité dite « salariale ». Par exemple, les prescriptions de la Loi sur l'équité salariale, entrée en vigueur en 1997 au Québec, ont pour objet de corriger les écarts salariaux dus à la discrimination systémique fondée sur le sexe à l'endroit des salariés qui occupent des emplois à prédominance féminine (*voir la rubrique Le coin de la loi suivante*).

www.csst.qc.ca/Pages/index.aspx

Commission des normes, de l'équité, de la santé et de la sécurité du travail du Québec

Dans les sections suivantes, nous décrirons succinctement comment les professionnels de la rémunération s'assurent de respecter l'ensemble de ces principes d'équité (légale, interne, externe, individuelle, collective, de la justice du processus) dans la gestion des salaires et, notamment, de la rémunération.

Le coin de la loi

La gestion de la rémunération est balisée par de multiples lois et règlements

Les employeurs sont tenus de respecter de multiples lois et règlements qui contraignent leurs décisions à l'égard de diverses composantes de la rémunération, notamment la Loi sur les normes du travail, la Charte des droits et libertés de la personne du Québec, le Code du travail, la Loi sur les accidents du travail et les maladies professionnelles, la Loi sur la santé et la sécurité du travail, la Loi sur les impôts, la Loi sur le régime de rentes du Québec, la Loi sur le régime de pensions du Canada, la Loi sur l'assurance médicaments, la Loi sur la gratuité des médicaments sur ordonnance, la Loi sur les régimes complémentaires de retraite, la Loi sur l'équité salariale et la Loi facilitant le paiement des pensions alimentaires, la Loi sur les régimes volontaires d'épargne-retraite (RVER), etc.

La Loi sur l'équité salariale au Québec

La Loi sur l'équité salariale régit toutes les entreprises du Québec, syndiquées ou non, ayant 10 salariés et plus, dans le secteur privé comme dans le secteur public. Les entreprises qui comptent moins de 10 salariés doivent quant à elles respecter le type d'**équité salariale** prôné par la Charte des droits et libertés de la personne. Notons aussi que cette loi ne s'applique pas aux entreprises qui relèvent de la compétence fédérale, par exemple les banques et les entreprises de télécommunications. Essentiellement, cette loi propose une démarche en quatre étapes pour établir l'équité salariale :

1 La détermination des catégories d'emplois à prédominance féminine et masculine : ces catégories sont des regroupements d'emplois comportant des fonctions, des responsabilités ou des compétences semblables, qui perçoivent la même rémunération et le même taux ou qui se situent sur une même échelle de salaires. Une catégorie d'emplois peut être constituée d'un seul emploi. La prédominance d'une catégorie d'emplois correspond à un taux de représentation de 60 % ou plus de femmes ou d'hommes.

2 Le choix de la méthode d'évaluation des catégories d'emplois à prédominance féminine et masculine, qui doit s'appuyer sur quatre facteurs d'évaluation : les compétences, les responsabilités, les efforts et les conditions de travail.

3 La comparaison de la rémunération des catégories d'emplois à prédominance féminine et des

catégories d'emplois à prédominance masculine, en prenant en compte les composantes suivantes :

- le salaire (taux maximum de salaire ou maximum de l'échelle de salaire de la catégorie d'emplois) ;

- la rémunération flexible lorsqu'elle n'est pas également accessible aux catégories d'emplois comparées, notamment la rémunération liée aux compétences, au rendement ou à la performance de l'entreprise (bonis, pourboires, commissions, rémunération à la pièce, etc.) ;

- les avantages à valeur pécuniaire qui ne sont pas également accessibles aux catégories d'emplois comparées, notamment les indemnités et les primes, les éléments de temps chômé et payé (vacances, jours fériés, etc.), les régimes de retraite et d'avantages sociaux (assurance vie, REER collectif, etc.) et les avantages hors salaire (véhicule, allocation pour repas, stationnement, etc.).

4 Le versement des ajustements accordés aux catégories d'emplois à prédominance féminine.

Comme la Loi a été adoptée en 1997, de nos jours, bon nombre d'organisations — à l'exception des entreprises fondées récemment — ont réalisé une démarche d'équité salariale requise par la Loi et sont maintenant à l'étape du maintien de l'équité, qui consiste à veiller à ce que des écarts salariaux ne se recréent pas entre les catégories d'emplois à prédominance féminine et celles à prédominance masculine. La Loi exige que cet exercice de maintien de l'équité salariale soit repris tous les cinq ans. Pour ce faire, la Commission des normes, de l'équité, de la santé et de la sécurité du travail (CNESST) propose une démarche afin d'évaluer le maintien de l'équité salariale.

La loi sur les régimes volontaires d'épargne-retraite au Québec

La Loi sur les régimes volontaires d'épargne-retraite vise principalement les travailleurs salariés qui n'ont accès à aucun régime d'épargne-retraite collectif offert par l'employeur, qui sont âgés d'au moins 18 ans et qui comptent un an de service continu. Pour les travailleurs salariés, l'inscription

au régime sera automatique. Ils n'auront donc aucune démarche à effectuer pour s'y inscrire. Le RVER sera aussi accessible aux travailleurs autonomes ainsi qu'à toutes les personnes qui souhaitent y adhérer en contactant un administrateur autorisé. Quant aux autres entreprises, elles pourront offrir le RVER sur une base volontaire. Les entreprises visées par la Loi devaient ou devront offrir un RVER au plus tard :

- le 31 décembre 2016, lorsqu'elles comptent 20 employés visés ou plus à leur service le 30 juin 2016 ;

- le 31 décembre 2017, lorsqu'elles comptent de 10 à 19 employés visés à leur service le 30 juin 2017 ;

- à la date déterminée par le gouvernement, qui ne peut être antérieure au 1er janvier 2018, lorsqu'elles comptent de 5 à 9 employés visés à leur service.

Source : GOUVERNEMENT DU QUÉBEC. « Le régime volontaire d'épargne-retraite (RVER) », *Retraite Québec*, s.d., www.rrq.gouv.qc.ca/fr/retraite/rver/Pages/rver.aspx (Page consultée le 23 septembre 2016).

8.2   Les principes d'équité appliqués à la détermination et à la gestion des salaires

Équité salariale

Rémunération accordée à des emplois à prédominance féminine de valeur X équivalant à celle accordée à des emplois à prédominance masculine de même valeur.

Équité interne

Rémunération juste d'un emploi en regard de ses exigences et en comparaison de la rémunération et des exigences d'autres emplois au sein d'une organisation.

Évaluation des emplois (*job evaluation*)

Hiérarchisation des emplois dans une organisation en fonction de leurs exigences relatives, de façon à accorder des salaires de base proportionnels à ces exigences.

L'Ordre des CRHA a réalisé la vidéo « Les obligations en matière d'équité salariale ».

L'Ordre des CRHA a réalisé la vidéo « L'évaluation du maintien de l'équité salariale » avec Sophie Raymond, commissaire, CNESST.

Comme l'illustre la figure 8.1, différents principes d'équité sont inhérents au processus d'implantation et de gestion d'une structure salariale, notamment l'équité interne (qui intègre, au Québec, la Loi sur l'équité salariale), l'équité externe ou la compétitivité de la rémunération et l'équité individuelle. Pour s'assurer d'optimiser les perceptions de ces types d'équité, les employeurs ont recours à diverses techniques ou activités. Cette section les présente sommairement.

8.2.1   Le respect de l'équité interne dans la gestion des salaires

La recherche de l'**équité interne** dans la gestion des salaires consiste à s'assurer qu'au sein d'une organisation, la direction lie le montant des salaires à la valeur des exigences des emplois ou encore des tâches réalisées par les titulaires des emplois[1]. Pour s'assurer de l'équité interne, les professionnels de la rémunération peuvent s'appuyer sur l'analyse, la description et l'évaluation des emplois.

Comme le présente le chapitre 3, l'analyse et la description d'un emploi correspondent au processus de collecte, de documentation et d'analyse des données permettant de décrire un emploi. La description d'un emploi fait état des rôles et des responsabilités liés à un emploi, des compétences requises ainsi que du contexte ou des conditions de travail. Ces documents sont importants pour plusieurs activités de gestion des ressources humaines (GRH), dont la gestion de la rémunération. En effet, si l'on veut favoriser l'équité interne, il faut connaître les responsabilités relatives des emplois afin de les évaluer et de leur accorder un salaire proportionnel.

L'**évaluation des emplois** (*job evaluation*) consiste à hiérarchiser les emplois dans une organisation en fonction de leurs exigences relatives, de façon à accorder des salaires de base proportionnels à ces exigences. Il s'agit d'abord de mesurer la valeur ou l'importance relative des emplois (et non des titulaires des emplois) à l'intérieur de l'organisation en comparant leurs exigences relatives et leur apport à la réalisation

---

1. Aux fins de ce chapitre, nous ne traitons pas de la gestion des salaires basés sur les compétences étant donné que très peu d'organisations l'utilisent, et ce, pour diverses raisons : conflit avec les exigences de la Loi sur l'équité salariale, effet à la hausse sur les coûts, complexité de gestion, etc.

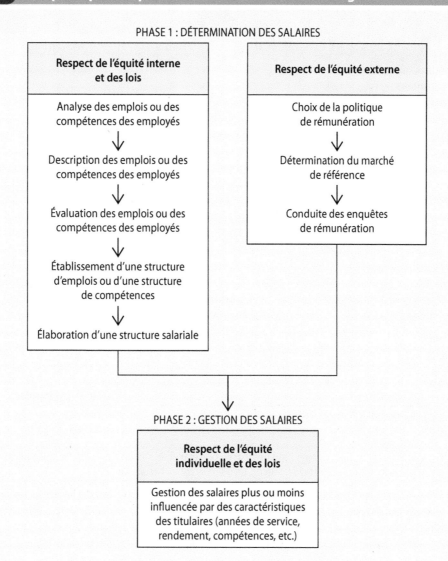

Figure 8.1 — **Les principes d'équité dans la détermination et la gestion des salaires**

PHASE 1 : DÉTERMINATION DES SALAIRES

Respect de l'équité interne et des lois

Analyse des emplois ou des compétences des employés
↓
Description des emplois ou des compétences des employés
↓
Évaluation des emplois ou des compétences des employés
↓
Établissement d'une structure d'emplois ou d'une structure de compétences
↓
Élaboration d'une structure salariale

Respect de l'équité externe

Choix de la politique de rémunération
↓
Détermination du marché de référence
↓
Conduite des enquêtes de rémunération

PHASE 2 : GESTION DES SALAIRES

Respect de l'équité individuelle et des lois

Gestion des salaires plus ou moins influencée par des caractéristiques des titulaires (années de service, rendement, compétences, etc.)

des objectifs de l'organisation, puis d'établir une hiérarchie des emplois à l'intérieur de l'organisation sur cette base. Jusqu'à quel point, par exemple, les exigences du travail d'un analyste-programmeur se comparent-elles avec celles d'un directeur des achats et avec celles d'un conseiller en relations du travail ? Dans un objectif de cohérence interne, les salaires seront ainsi proportionnels aux exigences des emplois au sein d'une organisation.

Il existe diverses méthodes d'évaluation des emplois (rangement, classification, points et facteurs, etc.). Dans ce chapitre, nous décrivons la méthode des points et des facteurs, la méthode la plus fréquemment adoptée et qui s'avère implicitement privilégiée par les directives de la Loi sur l'équité salariale.

La **méthode des points et des facteurs** permet de comparer et d'évaluer les emplois selon le niveau de présence de divers facteurs et sous-facteurs, dont le poids et le niveau de présence respectifs sont préétablis, définis et associés à un certain nombre de points (d'où l'expression « points et facteurs »). Le tableau 8.2, à la page suivante, propose un exemple d'une telle grille ainsi que des descriptions de facteurs et de sous-facteurs qui

www.tbs-sct.gc.ca/ psm-fpfm/pay-remuneration/ ca-cc/eval/index-fra.asp

Exemples de plans d'évaluation des emplois – Secrétariat du Conseil du Trésor du Canada

Méthode des points et des facteurs

Méthode d'appréciation de la valeur relative des emplois et des postes basée sur la somme de points attribués à divers niveaux de responsabilités et d'exigences.

Tableau 8.2	Une grille d'évaluation des emplois selon la méthode des points et des facteurs			
Facteur d'évaluation des emplois	**Niveaux**			
	Minimal **I**	**Faible** **II**	**Moyen** **III**	**Élevé** **IV**
1. Responsabilités assumées				
• Santé et sécurité des personnes	25	50	75	100
• Supervision	20	40	60	80
• Communications	5	20	35	50
• Décisions et actions	20	40	60	80
• Équipement et matériel	10	20	30	40
2. Qualification requise				
• Expérience	45	90	135	180
• Formation	25	50	75	100
3. Efforts requis				
• Effort physique (p. ex., mouvement, position contraignante)	25	50	75	100
• Effort mental (p. ex., complexité, jugement, concentration)	35	70	105	150
4. Conditions de travail				
• Conditions physiques	10	20	40	60
• Conditions psychologiques	10	20	40	60
			Total des points	**1 000**

Exemple : Définition du sous-facteur « Responsabilités : équipement et matériel »

1. Responsabilités

Équipement et matériel : Responsabilité de maintenir l'équipement en bon état et de s'assurer de la qualité du matériel en rapportant toute défectuosité, en les gardant propres et en état de marche, en les réparant au besoin, etc.

Niveau I   Rapporter un mauvais fonctionnement de l'équipement ou une mauvaise qualité du matériel au supérieur immédiat.

Niveau II   S'assurer du bon état de l'équipement et commander le matériel requis. Vérifier la sécurité de l'équipement et la qualité du matériel.

Niveau III Effectuer l'entretien préventif de l'équipement. Effectuer les réparations mineures que nécessite l'équipement ou corriger les défectuosités mineures du matériel.

Niveau IV   Effectuer l'entretien majeur de l'équipement et le remettre en bon état. Décider du type, de la quantité et de la qualité du matériel à utiliser.

peuvent servir à évaluer les emplois. Lorsque les responsabilités liées aux emplois sont créées ou modifiées (notamment dans le cas d'un changement technologique ou d'une réduction des effectifs), les emplois sont évalués ou réévalués à l'aide de la même grille. Au Québec, la Loi sur l'équité salariale (*voir la rubrique Le coin de la loi suivante*) exige que les emplois soient comparés sur la base des quatre facteurs suivants : les responsabilités assumées, la qualification requise, les efforts requis et les conditions de travail. En outre, ces facteurs doivent tenir compte des exigences ou des inconvénients rattachés traditionnellement aux emplois à prédominance féminine tels que la dextérité, la gestion de documents, la précision, l'attention aux détails, les soins à prodiguer aux personnes, les risques d'abus verbaux et physiques, la monotonie ou les interruptions fréquentes du travail requérant de la concentration.

Il existe deux variantes de la méthode des points et des facteurs, soit l'approche traditionnelle par comité et l'approche structurée par questionnaire. Suivant la méthode traditionnelle, l'entreprise crée un comité d'évaluation des emplois dont les membres ont le mandat d'évaluer ou de réévaluer les emplois au besoin, notamment au moment d'une restructuration ou d'un changement technologique, sur la base des descriptions d'emplois qu'elle tient à jour. Un comité d'évaluation procède alors à la lecture des descriptions d'emplois et évalue ceux-ci en fonction d'une grille de points et de facteurs. Aujourd'hui, surtout au sein des grandes entreprises, on réalise l'évaluation des emplois en consultant — par l'entremise d'un questionnaire transmis par intranet — un échantillon représentatif des titulaires des emplois eux-mêmes ainsi que leurs superviseurs. Selon cette approche dite «structurée», les titulaires des emplois évalués et leur supérieur immédiat doivent remplir un questionnaire d'évaluation des emplois où figurent des questions telles que celles-ci : «Quelle expérience requiert le poste : 2 ans ou moins, de 3 à 5 ans, de 6 à 10 ans, plus de 10 ans ?» «À quelle fréquence le titulaire est-il en relation avec d'autres personnes : rarement, à l'occasion, régulièrement, souvent, continuellement ?» L'approche structurée par questionnaire présente plusieurs atouts par rapport à l'approche traditionnelle par comité : elle ne requiert pas de descriptions d'emplois et permet de faire participer la totalité ou une partie du personnel au processus d'évaluation des emplois, ce qui peut favoriser la perception de justice envers le processus.

 VIDÉO

L'Ordre des CRHA a réalisé le vidéo-reportage « La rémunération, un concept en mouvement », qui répond aux questions : comment sont déterminés les salaires ? Quels facteurs les influencent ?

Regard sur la pratique

DANS LE MONDE

L'écart de rémunération entre les PDG et leurs employés : quand l'iniquité part d'en haut

Selon le Centre canadien de politiques alternatives, la rémunération moyenne des 100 plus importants chefs de direction canadiens s'élevait à 8,96 M$ en 2014, une augmentation de 22 % depuis 2008, alors que celui du salarié moyen n'a augmenté que de 11 %. Une autre étude de l'Institut sur la gouvernance d'organisations privées et publiques, publiée en 2012, montre que la rémunération des PDG est passée de 60 fois le salaire moyen des employés du secteur privé canadien en 1998 à 150 fois en 2010. Henry Mintzberg, professeur à l'Université McGill, a qualifié ce fait de «corruption légale». Roger Martin, ex-doyen de la Rotman School of Management, le décrit comme «criminellement stupide».

... et le cas d'un PDG qui réduit cet écart

En avril 2015, Dan Price, le jeune patron de Gravity Payments, une entreprise spécialisée dans le traitement des paiements par carte de crédit, annonce qu'il va baisser sa rémunération afin d'instaurer un salaire minimum annuel de 70 000 $ pour tous ses employés. La mesure devrait s'étendre sur trois ans. Le jeune PDG, qui a démarré son entreprise en 2004 à l'âge de 19 ans, a lui aussi fait passer son salaire annuel à 70 000 $, comparativement à plus d'un million de dollars avant cette annonce.

Cette démarche s'inscrit dans une série de mesures visant à contrer une baisse marquée du chiffre d'affaires de l'entreprise. Largement relayée par les médias, la nouvelle a eu l'effet d'une campagne publicitaire foudroyante et les effets n'ont pas tardé à se faire sentir. Un an plus tard, les profits de Gravity Payments ont presque doublé, la productivité des salariés a augmenté et le taux de roulement a baissé.

Sources : Adapté de BRIGAND, M. «Les bons chiffres du patron instigateur du salaire minimum à 70 000 dollars», *Le Figaro.fr*, 24 octobre 2015, www.lefigaro.fr/societes/2015/10/24/20005-20151024ARTFIG00011-les-bons-chiffres-du-patron-instigateur-du-salaire-minimum-a-70000-dollars.php (Page consultée le 5 août 2016) ; MURRAY, R. «Gravity Payments' $70K minimum salary : CEO Dan Price shares result over a year later», *Today*, 11 août 2016, www.today.com/money/gravity-payments-70k-minimum-salary-ceo-dan-price-shares-results-t101678 (Page consultée le 11 novembre 2016).

8.2.2 Le respect de l'équité externe par les politiques et les enquêtes de rémunération

Afin d'optimiser l'ampleur avec laquelle un employé perçoit que sa rémunération est comparable à celle octroyée par d'autres organisations aux titulaires d'un poste semblable au sien (sentiment d'**équité externe**), les organisations vont se comparer avec ce que le marché offre et évaluer si leur position relative est cohérente avec leurs politiques de rémunération.

Équité externe

Rémunération juste d'un emploi en comparaison de la rémunération versée par d'autres organisations pour des emplois similaires.

Les enquêtes de rémunération

Généralement, une entreprise s'assure de la compétitivité de la rémunération en faisant sa propre enquête de rémunération ou en s'appuyant sur des enquêtes (maison ou préétablies) effectuées par d'autres organisations ou associations. Lorsqu'elle mène une enquête maison, l'entreprise cherche à obtenir de l'information sur la rémunération offerte par d'autres entreprises du marché en utilisant des moyens tels que le téléphone, le questionnaire ou l'entretien. Moyennant un coût plus ou moins élevé, une organisation peut aussi s'appuyer sur des enquêtes réalisées par :

- des organismes gouvernementaux (Statistique Canada, Institut de la statistique du Québec, Conference Board of Canada, Travail Canada, etc.) ;
- des ordres professionnels (ingénieurs, conseillers en RH, comptables, etc.) ;
- des firmes-conseils (Mercer, Willis Towers Watson, KPMG, Aon Hewitt, Groupe Hay, Normandin Beaudry, etc.).

À titre d'illustration, le tableau 8.3 présente un extrait des résultats d'une enquête canadienne réalisée par la société Normandin Beaudry à l'égard des titulaires d'un emploi de conseiller en RH II (ou de niveau intermédiaire). Comme l'entreprise n'a ni les moyens ni le temps d'effectuer des enquêtes pour tous ses emplois, elle se limite souvent à colliger des données de rémunération sur le marché pour un certain nombre d'emplois repères ciblés (en général, 20 % de l'ensemble des emplois). Pour mener ces enquêtes, l'entreprise doit préciser le marché de référence des firmes avec lesquelles elle compte comparer la rémunération de ses emplois repères : s'agit-il d'entreprises de la même localité, de la même région, du Québec, du Canada, de l'Amérique du Nord ? S'agit-il d'entreprises du même secteur industriel ou de la même taille ? Le choix du marché de référence dépend évidemment de la nature des emplois et du marché où sont recrutés les titulaires de ces emplois. Par exemple, une enquête concernant des emplois de bureau pourrait être menée au sein de la municipalité où l'entreprise est située, alors qu'elle pourrait l'être à l'échelle provinciale ou nationale dans le cas d'emplois de cadres.

Quelles sont les politiques de l'organisation à l'égard de la rémunération ?

Dans le secteur privé, la majorité des organisations estiment avoir comme politique d'offrir une rémunération égale à celle du marché afin d'attirer des candidats et de les retenir. Pourtant, certaines entreprises offrent une rémunération inférieure à la moyenne du marché afin de diminuer les coûts de la main-d'œuvre ou parce que d'autres conditions de travail compensent le manque à gagner aux yeux des employés (un horaire de travail flexible, des possibilités de promotion alléchantes, une localisation recherchée, etc.). Dans le secteur public, notamment, la sécurité d'emploi est un des facteurs qui contrebalancent un salaire inférieur par rapport au marché. D'autres organisations décident cependant d'adopter une **politique de rémunération** qui devance le marché pour la totalité ou une catégorie particulière de leur personnel. Ces organisations, qui décident d'être « à la tête du marché », jouissent souvent d'une bonne situation financière et veulent se bâtir ou maintenir une image de « bon payeur ». Au sein d'une même industrie, des organisations peuvent se distinguer, entre autres, par leur politique de rémunération. C'est le cas de Costco et de Walmart, dont nous avons traité au chapitre 1 : historiquement, Costco adopte une politique supérieure à celle du marché (*voir le tableau 1.2, à la page 15, et la rubrique Zoom sur la PME, à la page suivante*). Observons toutefois que le modèle consistant à rémunérer le moins possible génère de la pauvreté et des problèmes sur le plan sociétal, dont les contribuables doivent ensuite absorber les coûts, notamment ceux liés à la santé des employés non assurés par leurs employeurs économes.

Dans bien des cas, les employeurs adoptent une politique de rémunération mixte selon les catégories de personnes ou les composantes de la rémunération. Par exemple, un employeur peut décider de devancer le marché pour rémunérer ses employés clés — comme les consultants peuvent l'être au sein d'une société de conseil — et

Politique de rémunération

Ensemble de valeurs, de normes, de pratiques et de principes orientant la gestion de la rémunération et pouvant être énoncés officiellement (c'est-à-dire par écrit) ou non.

Tableau 8.3	Un extrait des résultats d'une enquête de rémunération

Emploi : conseiller en ressources humaines II

Est responsable de la mise en œuvre des politiques et des programmes dans quelques-uns ou l'ensemble des domaines suivants : le développement organisationnel et la formation, la dotation, les relations de travail, la rémunération ou les avantages sociaux, la santé et sécurité, les SIRH ou la paie. Assume un rôle-conseil de première ligne auprès d'intervenants internes ou externes dans des dossiers ou projets reliés à son domaine d'expertise. Développe les outils ainsi que les politiques et pratiques liés à son domaine d'activités. Détient généralement de trois à cinq ans d'expérience pertinente ainsi qu'une formation universitaire.

Semaine normale de travail	35 h	37,5 h	40 h	Autre
Prévalence	50 %	18 %	23 %	9 %

Salaire de base

Échelle salariale (en 000 $)		
Minimum	**Cible**	**Maximum**
50e centile		
52,9	67,3	79,8
56,3	72,2	88,3

		Salaire versé (en 000 $)			
	Nb	**25e centile**	**50e centile**	**75e centile**	**Moyenne**
Pondération par organisation	93	57,2	62,1	70,0	64,2
Pondération par titulaire	398	60,0	71,4	88,5	74,5

Bonification

	Prévalence	25e centile	50e centile	75e centile	Moyenne
Boni cible					
Pondération par organisation	43 %	5,0 %	7,3 %	10,0 %	7,4 %
Pondération par titulaire	35 %	6,2 %	7,5 %	8,0 %	7,5 %
Boni versé					
Pondération par organisation	45 %	2,0 %	4,9 %	8,0 %	5,1 %
Pondération par titulaire	58 %	1,3 %	2,5 %	5,5 %	3,9 %
Boni maximum					
Pondération par organisation	n.d.	6,8 %	10,0 %	14,3 %	11,6 %
Pondération par titulaire	n.d.	10,0 %	11,6 %	15,0 %	12,0 %

Rémunération directe

	Rémunération directe (en 000 $)			
	25e centile	**50e centile**	**75e centile**	**Moyenne**
Pondération par organisation	58,0	64,1	73,0	66,5
Pondération par titulaire	63,2	75,1	90,0	76,4

Source : Adapté de l'édition 2016 de l'enquête de rémunération globale *rémun*, menée par Normandin Beaudry.

de suivre le marché à l'égard de ses employés de bureau. Il peut aussi choisir d'offrir un peu moins que le marché sur le plan des salaires, mais devancer le marché en ce qui a trait à la rémunération variable. En somme, les choix sont multiples, mais ils ont des incidences certaines, et l'organisation doit les effectuer de manière à pouvoir attirer, retenir et mobiliser son personnel en minimisant ses coûts.

Zoom sur la PME

La rémunération dans les PME : entre formalisation et flexibilité

Au Québec, la Loi sur l'équité salariale presse les PME de formaliser davantage leurs modes de gestion de la rémunération, notamment des salaires, et de consulter ou d'embaucher des experts pour les aider à ce sujet. En général, les PME tendent à accorder des salaires inférieurs à ceux des grandes entreprises pour diverses raisons (St-Onge, 2014) :

- Elles ont souvent moins de revenus et une moins grande capacité de payer.

- Elles tendent à embaucher des travailleurs sur une base horaire, temporaire ou à temps partiel pour contrôler le coût de leur main-d'œuvre.

- Elles ont plus tendance à gérer une main-d'œuvre dont les caractéristiques commandent de plus faibles salaires : plus jeune, plus féminine, moins scolarisée, moins qualifiée, ayant moins d'ancienneté, comportant moins de cadres.

- Elles sont plus souvent localisées dans des milieux ruraux, où le coût de la vie plus bas peut justifier des salaires moins élevés.

- Elles tendent à lier davantage la rémunération du personnel à des mesures de rendement pour limiter le coût de la rémunération fixe et leur permettre de récompenser leur personnel lorsqu'elles en ont les moyens (flexibilité).

Toutefois, même si les PME devancent moins le marché sur le plan de la rémunération (fixe et variable), elles peuvent attirer et conserver leur personnel clé en mettant l'accent sur d'autres composantes de la rémunération globale, comme la formation et le perfectionnement, les possibilités de promotion, les défis et la variété dans le travail, les horaires flexibles, le télétravail, etc. Comparées aux grandes organisations, les PME sont souvent plus flexibles et plus en mesure de gérer au cas par cas (en autres, parce qu'elles ont moins de règles écrites et sont moins syndiquées ou moins susceptibles de le devenir) pour adapter la rémunération aux attentes de leur personnel clé. Une enquête auprès de plus de 200 organisations du Québec montre que respectivement 42 % des petites entreprises et 52 % des grandes entreprises ont un processus formel d'identification des employés hautement performants et que le moyen le plus fréquent de les récompenser est le boni annuel pour 68 % des petites entreprises et 58 % des grandes entreprises participantes (Letarte, 2015).

Finalement, il importe de rappeler que le seul respect des lois ne signifie pas qu'un mode de gestion de la rémunération est conforme à l'éthique, car cette dernière relève des règles de la conscience, du bien et du mal, des intérêts de toutes les parties prenantes. L'éthique, c'est bien plus que d'agir conformément à ce qu'on préconise, de tenir ses engagements, de se conformer aux lois ou de ne pas y contrevenir ou, encore, de respecter les politiques ou les règles de l'organisation. L'éthique signifie de prendre en considération les principes humains tenant compte des intérêts d'autrui. De fait, bien des dilemmes éthiques surviennent sans qu'il y ait irrespect des lois (illégalité) ou des politiques de l'organisation ou d'un pays. Pendant bien des années, l'esclavage était légal et on balisait même le traitement dont devaient bénéficier les esclaves. La rubrique Regard sur la pratique de la page 288 illustre d'ailleurs le fait qu'en Inde comme au Canada, des pratiques de servitude sont en place encore aujourd'hui. Par ailleurs, l'histoire montre que les fraudes au sein des entreprises et les crises économiques des pays peuvent être en partie dues au recours abusif de la rémunération variable (ou basée sur la performance) ayant mené à des malversations et à des comportements dysfonctionnels (Albrecht, Albrecht et Dolan, 2007 ; Rousseau, St-Onge et Magnan, 2011). De fait, gérer la rémunération implique une myriade de dilemmes éthiques, qu'il importe de gérer et de contrôler, dont les points suivants (St-Onge, 2014) :

- Fermer les yeux et même récompenser des employés dont les comportements sont inadmissibles, illégaux et dysfonctionnels parce que la personne atteint de bons résultats (contrats, ventes).

- Ne pas respecter la confidentialité des informations transmises ou des données sur la rémunération du personnel.

- Accepter des cadeaux, des pots-de-vin ou fermer les yeux sur de tels agissements au sein de l'organisation et de la direction.

- Accorder des conditions de rémunération abusives ou non justifiables à des personnes afin de les coopter, d'acheter leurs faveurs.
- Instaurer des régimes de rémunération octroyant de grandes récompenses sur l'atteinte de résultats à court terme seulement ou incitant le personnel à adopter des comportements dysfonctionnels ou à falsifier des données.

Regard sur la pratique

Les salaires de Costco en Amérique du Nord

Au Canada, la chaîne Costco s'apprête à faire passer de 12 $ à 13,50 $ le salaire horaire d'entrée de ses employés, à 25,65 $, celui d'un caissier et à 23,75 $, celui des adjoints aux caissiers (emballeurs) au sommet de leur échelle salariale (après cinq ou six ans de travail). Selon Ron Damiani, la stratégie c'est de conserver un écart avec le salaire minimum et de réduire les départs (puisque recruter et former des employés coûte cher). « Nous voulons offrir des salaires supérieurs à ceux de nos pairs à tous les niveaux. Le sommet de notre échelle salariale est très au-dessus. » Aux États-Unis, les détaillants comme McDonald's, Starbuck, Ikea, Walmart et Costco subissent aussi de la pression pour améliorer les salaires, car la main-d'œuvre se fait rare et 20 États ont augmenté leur salaire minimum. Ainsi, les salaires d'entrée chez Costco aux États-Unis augmenteront pour atteindre aussi 13 $ ou 13,50 $ l'heure selon l'emploi.

Source: Adapté de FOURNIER, M.-È. « Costco augmentera ses salaires, déjà élevés dans l'industrie », *La Presse*, 5 mars 2016, http://affaires.lapresse.ca/economie/commerce-de-detail/201603/04/01-4957468-costco-augmentera-ses-salaires-deja-eleves-dans-lindustrie.php (Page consultée le 28 septembre 2016).

8.2.3   Les structures salariales et le respect de l'équité individuelle dans la gestion des échelles de salaire

Une organisation qui veut officialiser, standardiser et professionnaliser sa gestion de la rémunération doit élaborer une structure salariale et la mettre régulièrement à jour pour tenir compte de l'évolution des indices du coût de la vie, du contenu des emplois et des salaires sur le marché. En considérant les résultats de son processus d'évaluation des emplois, de ses enquêtes de rémunération et des exigences légales, l'organisation est en mesure de gérer une structure de gestion de ses salaires.

Ainsi que l'illustre la figure 8.2, à la page suivante, une structure salariale comporte deux axes : un axe horizontal, où l'on trouve les classes d'emplois, c'est-à-dire les groupes d'emplois dont les exigences sont similaires, et un axe vertical, où l'on trouve les échelles salariales qui s'appliquent aux titulaires de tous les emplois d'une même classe.

Structure salariale

Ensemble de règles balisant officiellement la détermination et la gestion des salaires versés aux titulaires de certains emplois ou au personnel affecté à certains postes de travail.

Au sein d'une organisation, l'implantation et la gestion d'une structure salariale visent l'atteinte de divers objectifs, notamment :

- s'assurer que les salaires sont fonction des exigences relatives des emplois (cohérence ou équité interne) ;
- aligner les salaires sur le marché (compétitivité ou équité externe) ;
- respecter les législations, notamment la Loi sur l'équité salariale (respect des lois ou équité légale) ;
- orienter les comportements et les attitudes des employés : reconnaissance de l'ancienneté, de la performance, etc. (équité individuelle).

Classe d'emplois

Regroupement d'emplois et de postes ayant des exigences de valeur semblable et dont les salaires sont gérés selon des taux et des balises de progression salariale semblables (même échelle salariale).

On répartit en classes d'emplois les emplois qui comportent des responsabilités semblables (ou un nombre de points équivalent si l'on applique la méthode des points et des facteurs), et ce, pour deux raisons. Premièrement, toutes les méthodes d'évaluation des emplois demeurent subjectives, et il est difficile de justifier le fait de

Figure 8.2 La représentation schématique d'une structure salariale

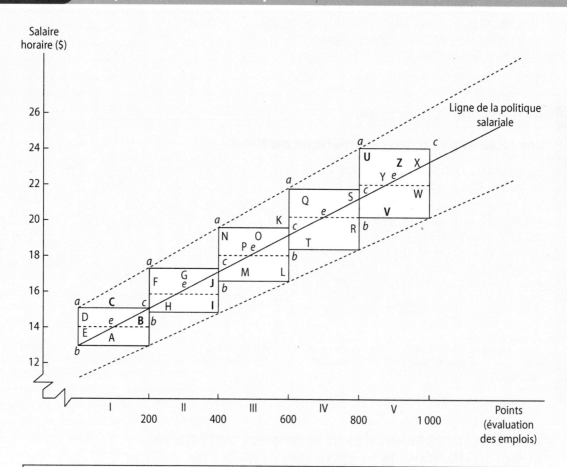

Classes d'emplois				
Classe I	Classe II	Classe III	Classe IV	Classe V
A, **B**, **C**, D, E	F, G, H, **I**, **J**	K, L, M, N, O, P	Q, R, S, T	**U**, V, W, X, Y, **Z**

a : maximum de l'échelle salariale de la classe d'emplois

b : minimum de l'échelle salariale de la classe d'emplois

a-b : écarts mini-maxi de l'échelle salariale de la classe d'emplois

a-c : étendue de la classe d'emplois

e : point milieu de l'échelle salariale de la classe d'emplois (ou point de contrôle ou maxi-normal)

rémunérer différemment des emplois ayant obtenu un nombre semblable de points. Deuxièmement, la gestion et la communication des salaires par classe d'emplois se trouvent facilitées. Le nombre de classes d'emplois est fonction d'une multitude de facteurs, notamment le nombre et la nature des emplois ainsi que la taille de l'entreprise ; cependant, ce nombre ne doit être ni trop élevé ni trop bas. Lorsque le nombre de classes est trop élevé, les emplois de deux classes adjacentes risquent en effet de ne pas être perçus comme ayant des exigences différentes. À l'inverse, lorsque le nombre de classes est trop bas, des emplois d'une même classe risquent de ne pas être perçus comme ayant des exigences semblables.

Quoique ce phénomène soit plus rare, il arrive que les titulaires d'une même classe d'emplois reçoivent tous un même taux salarial, quel que soit leur rendement ou leur ancienneté. Toutefois, il est plus fréquent d'adopter une **échelle salariale** propre à chaque classe d'emplois afin de reconnaître le rendement ou l'ancienneté des titulaires,

Échelle salariale

Balises permettant de déterminer les salaires et la progression des salaires versés à des titulaires occupant des emplois ou des postes regroupés dans une même classe d'emplois et qui sont de valeur semblable au regard des exigences.

et donc de favoriser le respect de l'**équité individuelle**. L'échelle propose alors un mode de progression entre un taux minimal et un taux maximal. Celle du personnel syndiqué est souvent fonction de l'ancienneté, alors que celle des cadres a trait en général à leur performance — nous traiterons des salaires «au mérite» un peu plus loin. Notons aussi que l'écart entre le salaire minimal et le salaire maximal des échelles augmente en fonction du niveau hiérarchique des emplois. Par exemple, on observe généralement un écart de 10 % à 25 % pour les emplois de production et un écart de 30 % à 50 % pour les emplois de cadres. Par ailleurs, on analyse la compétitivité d'une structure salariale en considérant les points milieux des échelles de salaires. Ainsi, si la politique de l'entreprise est de suivre le marché, elle doit s'assurer que les points milieux des échelles salariales de ses classes d'emplois, incluant ses emplois repères, correspondent aux taux salariaux offerts sur le marché pour des emplois similaires.

Équité individuelle

Rémunération qui varie en fonction des contributions individuelles du titulaire d'un poste comme ses années de service, sa performance, ses compétences, son expérience et son potentiel.

8.3 Les régimes de rémunération variable

Afin de motiver le personnel à améliorer sa performance et celle de l'entreprise, des dirigeants gèrent des programmes de rémunération variable qui reconnaissent les performances de façon officielle. Les divers modes de rémunération variable — ou basée sur les performances — peuvent être classés selon le niveau de performance ciblé, soit la performance individuelle ou celle de l'organisation (*voir le tableau 8.4*). Ces deux grands types de programmes visent alors à respecter ce que l'on peut qualifier d'équité individuelle et d'**équité collective**; il s'agit de déterminer, dans le premier cas, dans quelle mesure la rémunération des titulaires d'un même emploi tient compte de leur contribution individuelle ou de l'équité collective et, dans le second cas, dans quelle mesure la rémunération des employés tient compte de la performance de l'organisation et de leur unité ou groupe.

Équité collective

Rémunération qui varie en fonction de la performance d'un groupe, d'une unité ou de l'entreprise.

D'après Geneviève Cloutier, chef de pratique rémunération et performance chez Normandin Beaudry, les bonis (ou les primes) sont devenus incontournables pour plusieurs organisations puisqu'ils sont souples, contrairement aux salaires (Letarte, 2015). Au cours des bonnes années, l'entreprise peut partager ses profits avec ses employés et ne pas leur verser de primes lorsqu'un seuil minimal de bénéfices n'est pas atteint. L'experte conseille aussi de se demander quelle culture les dirigeants de l'organisation veulent développer, notamment à l'égard des régimes de rémunération variable qui influencent la façon dont les employés travaillent. Si un gestionnaire souhaite créer une culture de performance, voire de concurrence, il devrait encourager l'atteinte de cibles individuelles. S'il souhaite plutôt créer une culture de collaboration, il gagnerait à instaurer des incitatifs au travail d'équipe. Enfin, s'il souhaite bâtir une culture de loyauté, il serait avisé de ne pas pénaliser les employés lorsque les résultats ne sont pas atteints pendant un moment.

Tableau 8.4	**Les principaux programmes de rémunération variable**	
Rémunération variant selon la performance…		
individuelle	**à court terme de l'équipe et l'organisation**	**à long terme de l'organisation**
• Salaire au mérite • Primes de performance individuelle • Commissions et primes du personnel de vente • Rémunération à la pièce	• Régimes de primes d'équipe • Participation aux bénéfices • Partage des gains de productivité • Partage du succès	• Octroi ou achat d'actions • Option d'achat d'actions

8.3.1   Les régimes de rémunération basée sur la performance individuelle

Les programmes de rémunération reconnaissant la performance individuelle sont fréquemment implantés. Nous traitons ici des programmes les plus populaires, soit le salaire au mérite, les primes à la performance, les commissions et la rémunération à la pièce.

Le salaire au mérite

Au Canada, le salaire au mérite s'avère la façon la plus répandue de rémunérer la performance individuelle. Cette forme de rémunération variable consiste à déterminer les augmentations de salaire accordées aux employés (généralement sur une base annuelle) en tenant compte de leur performance individuelle.

Il est plutôt rare que la progression salariale d'un employé repose uniquement sur les résultats de l'évaluation de sa performance. On tient habituellement compte non seulement de sa performance, mais aussi du niveau de son salaire à l'intérieur de son échelle salariale (*voir le tableau 8.5*) ; il est alors question de ratio comparatif. Aussi, selon une échelle salariale ayant des minimums et des maximums situés à plus ou moins 20 % du point de contrôle, le ratio comparatif des employés peut varier de 0,80 à 1,20. On calcule le ratio comparatif en divisant le salaire (ou le taux horaire) du titulaire par le salaire (ou le taux horaire) correspondant au milieu de son échelle salariale (aussi appelé «maxi-normal» ou «point de contrôle»). Ainsi, si le salaire d'un employé est de 34 000 $ et que le point milieu de son échelle salariale est de 30 000 $, la valeur du ratio comparatif de cet employé est de 1,13 (ou 113 %).

Quoique de telles matrices pour gérer les augmentations de salaire peuvent sembler complexes, les outils informatiques actuels aident les professionnels des RH à gérer le processus de maintes façons :

- Ils facilitent la planification des budgets d'augmentation de salaire en analysant les impacts de diverses options de matrices et en projetant les incidences de différents changements sur les coûts (tels que l'inflation ou d'autres facteurs contextuels).
- Ils permettent de compiler les cotes de performance, les augmentations de salaire et les salaires du personnel de manière à pouvoir en étudier les incidences, l'équité, l'efficacité, et ce, tant pour l'ensemble de l'organisation que par service, par emploi et par employé.
- Ils réduisent les tâches administratives et les ressources (temps, RH, etc.) consacrées à la gestion des salaires au mérite.

Ratio comparatif

Ratio calculé en divisant le salaire du titulaire d'un poste par le salaire correspondant au point milieu de son échelle salariale (ou point maxi-normal ou point de contrôle).

Tableau 8.5	Un exemple de matrice de détermination des augmentations de salaire selon la performance et la position dans l'échelle salariale				
Cote de performance	**Position dans l'échelle salariale : ratio comparatif[1]**				
	80-90	**90-95**	**95-105**	**105-110**	**110-120**
Exceptionnelle	6 %-7 %	6 %-7 %	5 %-6 %	4 %-5 %	3 %-4 %
Supérieure	6 %-7 %	5 %-6 %	4 %-5 %	3 %-4 %	1 %-2 %
Satisfaisante	5 %-6 %	4 %-5 %	3 %-4 %	1 %-2 %	0 %-1 %
Acceptable	4 %-5 %	3 %-4 %	1 %-2 %	0 %-1 %	0
Insatisfaisante	0	0	0	0	0

1. Ratio comparatif = (salaire de l'employé/salaire correspondant au point milieu de son échelle) × 100.

Malgré la très grande popularité du salaire au mérite, on lui reproche traditionnel-lement les inconvénients suivants (St-Onge, 2012, 2014 ; St-Onge et Buisson, 2012) :

- C'est une formule coûteuse, dans la mesure où elle reconnaît la performance annuelle des employés par l'entremise d'une augmentation de salaire (une annuité versée à long terme ou pour l'avenir) qui entre dans le calcul des avantages sociaux.
- Comme on tient généralement compte de la position de l'employé dans son échelle salariale, le lien entre la performance et l'augmentation de salaire, un déterminant clé de la motivation, est plus faible.
- Étant donné que les cadres se sentent souvent obligés d'offrir au minimum l'aug-mentation du coût de la vie, de faibles montants d'augmentation de salaire sont souvent octroyés et il y a peu d'écart (environ 2 %) entre les augmentations de salaires des meilleurs employés et des moins bons.
- Si l'idée de récompenser la performance peut être partagée parmi le personnel, ce dernier critique souvent le processus de gestion et d'évaluation de la performance.

En contrepartie, la formule de l'augmentation de salaire basée sur la performance est souvent appréciée des employés en raison de l'importance du salaire dans le calcul de nombreux avantages sociaux (p. ex., assurance vie, prestations de retraite). Par ailleurs, la formule de l'augmentation de salaire est rassurante : le revenu de l'employé ne peut que rester stable ou augmenter d'une année à l'autre, il ne peut pas diminuer. De plus, même si l'expé-rience indique que la variance dans les augmentations de salaire annuelles versées à des employés ayant des cotes de performance très différentes est souvent peu élevée, il faut penser qu'après plusieurs années le maintien d'une bonne performance peut valoir le coup.

Les primes à la performance individuelle

En raison des limites que comporte la formule du salaire au mérite, une minorité croissante d'entreprises recourent aux primes pour récompenser la performance indi-viduelle. Ce programme reconnaît la performance individuelle des employés au moyen de montants forfaitaires versés en plus du salaire. Comme les primes s'ajoutent au salaire, elles ont l'attrait de ne pas augmenter le coût des avantages sociaux pour les employeurs. Dans ce contexte, les budgets de primes peuvent être plus importants et offrir aux cadres une plus grande marge de manœuvre pour accorder aux employés exceptionnels des primes d'une certaine valeur. Cette formule permet aussi d'établir un lien plus étroit entre la performance et la récompense, sachant que le montant de cette prime n'est, du moins officiellement, fonction que de la performance des employés.

Les commissions et les primes du personnel de vente

Pour le personnel de vente, la proportion variable de la rému-nération s'ajoute dans la plupart des cas au salaire et peut inclure des commissions ou des primes ou bonis. Les **com-missions** correspondent souvent à un pourcentage des ventes, à un pourcentage du bénéfice brut des ventes ou à une somme d'argent par unité vendue. Le pourcentage des résultats de ventes (ou unités) sur lequel elles se calculent est suscep-tible de varier : il peut être constant, à seuil minimal, croissant, décroissant ou à paliers (c'est-à-dire selon le résultat de ces ventes). Le paiement d'une **prime** est quant à lui généralement lié à une performance comparée avec un but (p. ex., un quota de vente, la vente d'un nouveau produit, l'adhésion de nou-veaux clients, la participation à une exposition commerciale) et peut être exprimé en pourcentage du salaire, en pourcen-tage d'un montant cible préétabli ou simplement en une somme d'argent. Il arrive que le personnel de vente soit seulement payé à la commission, mais le plus souvent il reçoit une rémunération composée pour partie d'un salaire, pour partie d'une commission et pour partie de primes. La diversité des approches est grande et varie selon l'industrie, les produits et le personnel visé. À l'avenir, la nécessité de maintenir des relations à long

Commission

Pourcentage des ventes, pourcentage du bénéfice brut des ventes ou somme d'argent par unité vendue.

Prime (*bonus*)

Pourcentage du salaire, pourcentage d'un montant cible préétabli ou simple somme d'argent lié à une performance comparée avec un but (p. ex., un quota de vente, la vente d'un nouveau produit, l'adhésion de nouveaux clients, la participation à une exposition commerciale).

Il arrive que le personnel de vente soit seulement payé à la commission, mais le plus souvent il reçoit une rémunération composée pour partie d'un salaire, pour partie d'une commission et pour partie de primes.

terme avec les clients pourrait atténuer l'importance des mesures de performance à court terme (les ventes, par exemple) tout en favorisant l'octroi d'un salaire de base avantageux. De plus, la portion variable de la rémunération des vendeurs pourrait être axée moins sur l'acte de vente que sur l'atteinte d'objectifs tenant compte de critères quantitatifs (c'est-à-dire pas uniquement des ventes ou des marges brutes, mais aussi des éléments comme les parts de marché) et qualitatifs (la qualité du suivi, la satisfaction et la rétention des clients, le respect des échéanciers, etc.).

La rémunération à la pièce

Dans les régimes de rémunération à la pièce, les employés sont payés selon le nombre d'unités produites, une mesure observable, concrète et objective de la performance. Ce type de rémunération est encore associé à l'industrie manufacturière, où il a été instauré et popularisé par Frederick W. Taylor, au début du xxᵉ siècle. Quoiqu'ils soient de moins en moins courants, ces régimes sont encore présents dans certains domaines du secteur manufacturier (comme ceux du vêtement, du textile, du meuble et du caoutchouc) ou des services. Dans ce dernier cas, pensons aux coiffeurs, aux planteurs d'arbres, aux cueilleurs de petits fruits, aux journalistes à la pige, aux traducteurs et même aux médecins avec la rémunération à l'acte.

On justifie généralement le recours à la rémunération à la pièce sur la base des arguments suivants : elle permet de réduire les coûts de production et de supervision et, de ce fait, d'améliorer la productivité des organisations ; elle permet aux employés d'accroître leur rémunération ; elle facilite l'établissement des budgets de rémunération. Par contre, la rémunération à la pièce peut entraîner des comportements et des attitudes improductifs parmi le personnel : les employés peuvent tricher au moment de l'établissement des normes de rendement pour en abaisser le seuil ou encore convenir de limiter leur rendement pour éviter l'accroissement des normes. Cela peut aller jusqu'à exercer des pressions sur les collègues qui veulent dépasser des normes. Ce mode de rémunération fait aussi en sorte que les employés tendent à être moins motivés sur divers aspects :

- l'accomplissement de tâches comme l'entretien ou l'utilisation adéquate de l'équipement, car cela les empêche d'améliorer leur rendement ;
- la qualité de leur travail, car il est dans leur intérêt d'accroître seulement la quantité ;
- les changements (technologiques, d'amélioration continue), parce que cela modifie les normes de rendement. Par exemple, si la production double à cause d'un nouvel équipement, le taux par unité sera révisé à la baisse ;
- la réduction des coûts de production, qui nuit au nombre d'unités produites. Ils pourront, par exemple, changer plus souvent d'outils pour produire plus de pièces ;
- la santé et de la sécurité, par souci de produire plus vite en plus grande quantité ;
- la collaboration avec leurs collègues, l'aide et le partage du fruit de leurs expériences, car cela nuit au nombre d'unités produites.

Finalement, les coûts de gestion de ces régimes s'élèvent proportionnellement à leur complexité (nombre de règles, comptabilisation plus fine, etc.) et les taux de rémunération offerts augmentent avec l'introduction de produits différents. La plupart des organisations syndicales s'opposent à ce mode de rémunération puisqu'elles craignent des abus dans la cadence susceptibles de mener à des suppressions de postes ainsi qu'à des problèmes sur les plans de la santé mentale et physique (stress, épuisement, accidents) et du climat de travail.

8.3.2   Les régimes de rémunération basée sur la performance organisationnelle

Les régimes collectifs de rémunération variable rétribuent tous les employés d'une organisation ou une proportion importante d'entre eux en fonction de la performance de l'entreprise ou de l'unité administrative. On peut séparer en deux groupes les programmes de rémunération basée sur la performance collective : les programmes à court terme et les programmes à long terme (*voir le tableau 8.6*).

Tableau 8.6	Les programmes collectifs de rémunération variable			
Régime de participation	**Caractéristiques**	**Atouts**	**Limites**	**Contexte approprié**
Participation aux bénéfices	• Est le régime collectif le plus répandu et le plus étudié. • Verse des primes en fonction des bénéfices annuels. • Peut tenir compte de différents niveaux de bénéfices : unité, division ou organisation.	• Est facile à communiquer et à mesurer dans l'organisation et ses divisions, les bénéfices étant une mesure de performance importante. • Verse des primes lorsque l'organisation fait des bénéfices ou au-delà d'un montant minimal de bénéfices. • Est peu complexe à gérer.	• Peut difficilement motiver le personnel, car il y a peu de liens entre les efforts individuels et les bénéfices de l'entreprise, ces derniers étant influencés par des facteurs que ne contrôle pas le personnel. • Peut amener la direction à réduire ses investissements en recherche et développement ou dans ses immobilisations afin de pouvoir verser des primes.	• Convient aux organisations du secteur privé de différentes tailles et industries et ayant différentes cultures de gestion. • N'est pas pertinent pour des organisations sans but lucratif et du secteur public, lesquelles ne réalisent pas de bénéfices.
Partage des gains de productivité	• Verse une prime en fonction des gains de productivité calculés sur une base annuelle, semestrielle ou trimestrielle.	• Oriente les efforts vers la productivité, indicateur que les employés contrôlent dans une certaine mesure et que les syndicats valorisent plus que les bénéfices. • S'autofinance parce qu'il distribue des gains de productivité réalisés.	• Exige du courage de la part des dirigeants, car ils peuvent devoir verser des primes alors que les bénéfices sont faibles, voire inexistants, ou que l'amélioration de la productivité provient de changements technologiques coûteux et non des efforts du personnel. • Peut rendre sceptique le personnel étant donné qu'avec les années les gains de productivité deviennent plus difficiles à réaliser et mènent à des primes plus faibles. • Peut entraîner des iniquités entre les unités : les employés des unités les moins productives peuvent recevoir les primes les plus élevées s'il est plus facile pour eux de s'améliorer. • S'avère assez complexe à gérer et nécessite des efforts de communication.	• Doit être implanté dans une unité où l'on a compilé des données durant près de cinq ans de manière à établir un standard historique de productivité. • Se trouve surtout dans les usines où il vise les employés de production. • Peut être implanté dans tous les secteurs d'activité, incluant le secteur public et les organismes sans but lucratif. • Couvre généralement le personnel d'une unité d'affaires. • Est approprié lorsqu'il y a des gains de productivité à réaliser.
Partage de l'atteinte d'objectifs	• Verse une prime annuelle en fonction de l'atteinte d'objectifs d'affaires préétablis. • Oriente les efforts vers l'avenir en fonction d'objectifs portant généralement sur une année.	• Communique les objectifs d'affaires qui peuvent être atteints par les employés. • S'appuie sur un mode flexible de gestion par objectifs cohérent avec le concept d'amélioration continue.	• S'appuie sur des objectifs (et une prime associée à leur atteinte) pouvant paraître arbitraires et dont la révision entraîne de la résistance. • Est complexe sur le plan de la gestion et nécessite une communication continue des objectifs à atteindre et des résultats obtenus, une formation des cadres, la création d'un comité qui établira des objectifs, etc.	• Peut être implanté dans divers contextes (secteur privé ou public, manufacturier, des services). • Peut couvrir plusieurs catégories d'employés (personnel de bureau, de production, cadres, etc.). • N'exige pas une culture de gestion participative.

➔

Tableau 8.6	Les programmes collectifs de rémunération variable (*suite*)			
Régime de participation	**Caractéristiques**	**Atouts**	**Limites**	**Contexte approprié**
Participation à la propriété : achat ou octroi d'actions ou option d'achat d'actions	• Attribue des actions.	• Reconnaît la performance sans qu'il y ait investissement d'argent ou réduction des bénéfices. • Aide à attirer et à retenir un personnel compétent lorsque l'entreprise ne peut livrer une concurrence sur d'autres composantes de la rémunération. • Peut s'avérer une source d'enrichissement et d'économie accompagnée d'avantages fiscaux pour le personnel. • Peut permettre à des entreprises d'éviter la faillite et de sauver des emplois, les employés devenant propriétaires de l'entreprise.	• Est complexe à gérer et à expliquer. • Lie la rémunération à la performance boursière de la firme, un indicateur que les employés contrôlent peu. • Peut être risqué pour les employés dans la mesure où ils sont pressés d'investir dans l'entreprise. • Considère la fluctuation absolue des prix des actions plutôt que leur fluctuation relative en comparaison des concurrents. • Ne lie pas la valeur des octrois d'options d'achat d'actions à la performance individuelle. • Peut nuire aux actionnaires parce qu'il entraîne une dilution des actions. • Augmente et complique l'estimation de la rémunération totale.	• Est implanté dans des entreprises dont les actions sont négociées à la Bourse. • Est davantage implanté dans les organisations du secteur primaire ou de l'industrie de la haute technologie dont l'avenir est incertain (comme les firmes en démarrage) et qui ont des problèmes de recrutement et de rétention du personnel. • Est surtout offert aux cadres supérieurs ou aux employés ayant des compétences clés.

Sources : Adapté de ST-ONGE, S., N. COMMEIRAS et D. BALKIN. «Rémunération des performances : bilan des connaissances et voies de recherche», dans S. ST-ONGE et V. HAINES (dir.), *Gestion des performances au travail : bilan des connaissances*, Bruxelles, De Boeck, 2007, p. 346-347 ; ST-ONGE, S. *Gestion de la performance*, Montréal, Chenelière Éducation, 2012, p. 270-272.

Les régimes collectifs à court terme

Les programmes collectifs de rémunération variable à court terme prennent en considération la performance annuelle de l'organisation ou des équipes. Les principaux programmes sont les régimes de participation aux bénéfices, de partage des gains de productivité et de partage du succès. De nombreuses organisations de toutes tailles, comme Adecco, Cascades et Aluminerie Lauralco, gèrent de tels programmes, le plus fréquemment adopté étant la participation aux bénéfices.

Le mode d'organisation du travail basé sur des équipes ou sur des groupes de travail gagne en popularité en Amérique du Nord, et plusieurs entreprises stimulent leurs troupes en adoptant des programmes de primes d'équipe. On en distingue trois types : le programme de partage de la performance de l'équipe, qui répartit également une somme d'argent parmi les membres de l'équipe selon l'obtention de résultats, le programme de performance de l'équipe, qui accorde des primes aux meilleurs groupes (équipes, succursales, magasins, quarts de travail, etc.), et le programme de contribution à la performance de l'équipe, qui permet de créer un budget total de primes (*bonus pool*) basé sur la performance de l'équipe et d'ajuster ensuite le montant de la prime de chaque coéquipier selon son rendement individuel.

De nombreuses organisations adoptent un régime mixte de primes de performance dans lequel la valeur des primes est fonction de plus d'un niveau de performance : la performance de l'organisation, de la division, du groupe ou, ultimement, des individus. On parle alors de «régimes collectifs en cascade», lesquels peuvent être des régimes de participation aux bénéfices, de partage des gains ou de partage du succès. Généralement, ces régimes mixtes s'appuient d'abord sur des critères financiers et opérationnels propres à l'organisation ou à l'unité d'affaires, puis sur des critères de performance individuelle. Le principal avantage de ce type de régime repose justement sur la prise en compte de divers niveaux de performance : d'une part, en considérant la performance de l'entreprise, il favorise la coopération nécessaire au succès de l'organisation et, d'autre part, en considérant la performance individuelle, il incite le personnel à fournir la meilleure contribution possible. Le principal inconvénient de ce type de régime est qu'il prend en compte divers niveaux de performance : le calcul des primes versées en fonction d'un régime collectif (le plus souvent de participation aux bénéfices), lui-même fonction de la performance individuelle, nécessite d'accorder une expertise, du temps, des efforts et de l'argent à la gestion et à l'évaluation de la performance individuelle des employés admissibles ainsi qu'à l'établissement des modes de calcul des primes à verser.

Les programmes collectifs à long terme

Les régimes collectifs à long terme tiennent compte de la performance organisationnelle sur une période de plus d'une année et sont habituellement destinés aux cadres supérieurs. Toutefois, une minorité croissante d'organisations étend la participation à ces programmes à l'ensemble des employés. Il s'agit principalement de programmes basés sur la performance boursière, que l'on qualifie de « régimes de participation à la propriété », soit l'octroi ou l'achat d'actions et l'option d'achat d'actions. Le tableau 8.6, à la page 283, distingue ces divers régimes.

Si on les compare avec les programmes de rémunération variable basée sur la performance individuelle, ceux qui se fondent sur la performance de l'organisation comportent les limites suivantes :

- Ils réduisent la perception du lien entre les efforts individuels et la réalisation de la performance organisationnelle, un préalable à la motivation de l'employé à améliorer sa performance. Ainsi, il est difficile pour ce dernier de voir un lien entre ses efforts individuels et les profits de l'organisation ou encore la valeur des actions.
- Ils peuvent engendrer des employés « profiteurs » ou « parasites » (*free riders*), c'est-à-dire inciter certains employés à réduire leurs efforts individuels au travail et à tirer profit des efforts de leurs collègues, puisqu'ils obtiennent la même récompense qu'eux.

L'octroi ou l'achat d'actions   Un régime d'octroi d'actions donne des actions ou les octroie à un prix inférieur à leur valeur sur le marché boursier. Dans la plupart des cas, les bénéficiaires ne peuvent vendre pendant une période donnée (habituellement quatre ou cinq ans) les actions octroyées, mais ils peuvent recevoir des dividendes et exercer leur droit de vote à partir du moment de l'octroi des actions.

Un régime d'achat d'actions permet d'acheter des actions d'une entreprise au cours d'une courte période (de un à deux mois) à un certain prix (fixe ou variable) ou selon un mode de paiement particulier (fixe ou variable). Ces conditions avantageuses permettent d'investir dans l'entreprise et d'en retirer les bénéfices en partageant ses succès. Au moyen de retenues sur le salaire, les membres peuvent verser un pourcentage de leur salaire, jusqu'au maximum permis par la catégorie d'emplois. L'employeur peut aussi verser un montant équivalent à leur cotisation.

L'option d'achat d'actions   Un régime d'option d'achat d'actions accorde le droit (l'option) d'acheter des actions d'une entreprise à un prix fixé d'avance (prix de levée) et durant une période donnée (généralement de 5 à 10 ans). La récompense potentielle des détenteurs d'une option correspond alors à la différence entre la valeur des actions sur le marché boursier au moment où ils décident de lever leur option et le prix de levée de cette option. Au moment de la levée de l'option, les actions acquises peuvent être conservées ou revendues immédiatement.

Plusieurs petites entreprises dans le secteur de la haute technologie offrent des options à l'ensemble de leur personnel parce qu'elles ne sont pas en mesure de leur verser une rémunération concurrentielle. La perspective de faire de l'argent avec ces options, si les actions de l'entreprise commencent à se négocier sur le marché boursier ou si elles prennent beaucoup de valeur, aide à attirer et à fidéliser des chercheurs.

Au cours des deux dernières décennies, les régimes d'option auxquels sont admissibles les dirigeants ont fait l'objet de plusieurs critiques. D'abord, ils ne permettraient pas d'ajuster les intérêts des dirigeants à ceux de leurs actionnaires, puisque les options ne coûtent rien aux dirigeants, alors que les actionnaires achètent leurs actions. Ainsi, les dirigeants ne subissent pas de perte réelle – contrairement aux actionnaires – lorsque les actions baissent, la pire situation possible étant plutôt l'absence de gain. Une autre limite importante des options consiste dans le fait qu'il est difficile d'estimer leur valeur réelle et que les sommes faramineuses qui sont en jeu pourraient inciter les dirigeants à prendre des décisions dans leur propre intérêt plutôt que dans celui des actionnaires. Le débat sur les options et sur la rémunération des dirigeants met en question le principe de l'équité collective non seulement au sein des organisations (*voir la rubrique Parole d'expert ci-dessous*), mais sur le plan sociétal et même mondial. D'ailleurs, nombre d'économistes et de dirigeants à la tête d'organismes économiques sonnent l'alarme devant le fait que les travailleurs moyens ne profitent pas de la croissance économique dans les pays industrialisés, de la même manière que la croissance des pays industrialisés se fait au détriment d'autres pays qui sont dans la misère.

Parole d'expert

À qui profite la croissance ?

Selon Lawrence Mishel, président de l'Economic Policy Institute à Washington, entre 1973 et 2011, la productivité a augmenté d'environ 80 % alors que les salaires et les avantages de l'employé médian ont augmenté de près de 11 %, et ce, essentiellement lors de la période 1995-2000. Par conséquent, en dehors de ces années, il n'y a presque pas eu d'augmentations de salaire, mais il y a eu une croissance substantielle de la productivité. Au cours des dernières années, poursuit-il, nous avons observé un phénomène historique de bénéfices élevés en parallèle avec un chômage élevé et une faible croissance des salaires pour presque tous les groupes de travail-

leurs. Les politiques économiques au cours des 30 dernières années ont donc été un échec pour les travailleurs, alors qu'elles ont été une réussite à l'égard de ce qu'elles visaient : rendre les organisations plus performantes. Ainsi, le riche devient plus riche et les autres travailleurs sont incapables de participer pleinement aux gains de l'économie. Plusieurs organisations ont une performance extraordinaire, mais cela ne semble pas se traduire par des conditions de rémunération plus élevées pour leurs employés. Il cite l'exemple d'Apple qui paie les étudiants diplômés universitaires embauchés dans ses magasins entre 12 $ et 14 $ l'heure.

Source : Adapté de Knowledge@Wharton. «Balancing the pay scale : "Fair" vs. "unfair"», *Knowledge@Wharton*, 22 mai 2013, http://knowledge.wharton.upenn.edu/article/balancing-the-pay-scale-fair-vs-unfair (Page consultée le 28 septembre 2016).

8.3.3   Les limites des régimes de rémunération basée sur la performance

La rémunération variable fait l'objet d'un débat parmi les praticiens et les théoriciens. D'une part, plusieurs théories de la motivation — comme les théories de l'équité, de la gestion par objectif, des attentes, du conditionnement opérant ou de la justice du processus — affirment que la rémunération comme forme de récompense peut, sous certaines conditions, favoriser la motivation, et donc les performances individuelle et collective. La rubrique «Une théorie d'intérêt» qui suit reprend les conditions mises de l'avant par la théorie des attentes de Vroom, qui peuvent permettre de comprendre pourquoi un régime de rémunération variable n'est pas efficace, ou encore de savoir comment en améliorer l'efficacité.

D'autre part, des théoriciens établissent une distinction entre deux types de motivation, intrinsèque et extrinsèque. La motivation intrinsèque est associée au fait d'effectuer une tâche parce qu'elle procure en soi un sentiment d'accomplissement, de maîtrise ou de réalisation personnelle. La motivation extrinsèque résulte plutôt de l'espoir ou de l'attente d'une récompense externe comme un salaire, une prime, un avantage, une promotion ou un compliment.

Ainsi, selon la théorie de l'attribution (ou de la double justification) et la série d'études qui y sont associées (Lepper, Greene et Nisbett, 1973 ; Lepper, Henderlong et Gingras, 1999), le fait de récompenser des personnes qui exécutent une tâche intéressante les incitera à attribuer leurs comportements à la récompense extrinsèque au détriment de la motivation intrinsèque pour laquelle elles l'accomplissaient auparavant. Dans cette foulée, la théorie de l'évaluation cognitive (*voir la rubrique Deux théorie d'intérêt ci-dessous*) postule que les personnes percevant les récompenses comme une rétroaction sur leurs propres compétences (l'estime de soi) retirent plus de plaisir à réaliser une tâche pour le sentiment de satisfaction qu'elle procure (motivation intrinsèque) et sont davantage incitées à faire ce pour quoi elles sont récompensées. À l'inverse, lorsque les personnes perçoivent les récompenses comme des mesures de contrôle, elles tendent à devenir de plus en plus motivées à faire seulement ce qui est récompensé puisqu'elles valorisent les récompenses plutôt que la tâche en elle-même.

Deux théories d'intérêt

Théorie des attentes (Vroom, 1964)

Cette théorie de la motivation permet de comprendre l'importance et les conditions de succès de la rémunération variable. Selon cette théorie, les employés sont motivés à améliorer leur performance dans la mesure où ils ont l'impression que leurs efforts ont un effet sur celle-ci, qu'il existe un lien entre leur performance et les récompenses (entre autres, la rémunération) et que les récompenses (la rémunération) qu'ils obtiennent ont une valeur à leurs yeux.

Théorie de l'évaluation cognitive (Deci, 1975)

Cette théorie traite des aléas potentiels des récompenses extrinsèques, c'est-à-dire des récompenses accordées par l'environnement comme les augmentations de salaire, les primes, les biens, les promotions, etc. Selon cette théorie, les récompenses extrinsèques peuvent réduire la motivation intrinsèque (le plaisir à faire le travail) si elles sont gérées comme des mesures de contrôle et perçues comme telles par les employés. Aussi, il importe qu'elles soient gérées avec sincérité, orientées vers le développement et la reconnaissance des compétences et des accomplissements des personnes (amélioration de leur estime de soi).

Sources : Adapté de VROOM, V.H. *Work and Motivation*, New York, Wiley, 1964 ; DECI, E.L. *Intrinsic Motivation*, New York, Plenum, 1975.

En conclusion, d'après de récentes synthèses des écrits sur le sujet, la rémunération variable (ou basée sur les performances individuelle et collective) peut avoir des effets tant positifs que négatifs ou neutres sur l'attraction, la fidélisation et la motivation des meilleurs talents selon les organisations, le contexte, les personnes et les caractéristiques de gestion (St-Onge, 2013, 2014). Aussi, les organisations ne peuvent penser résoudre des problèmes d'attraction, de fidélisation et de motivation en misant seulement sur leur système de rémunération ou en négligeant d'accorder autant de temps et d'efforts qu'elles le devraient à l'environnement de travail, soit la définition de leurs emplois, la création d'une culture et le fait de rendre le travail agréable et de lui donner un sens. D'ailleurs, une enquête menée par Boston Consulting Group (2014) auprès de 200 000 employés dans le monde montre que les 10 facteurs valorisés par ces derniers sont, dans l'ordre : 1) l'appréciation de leur travail ; 2) de bonnes relations avec leurs collègues ; 3) l'équilibre entre leurs vies professionnelle et personnelle ; 4) de bonnes relations avec leurs supérieurs ; 5) la stabilité financière de leur employeur ; 6) l'apprentissage et le développement de leur carrière ; 7) la sécurité d'emploi ; 8) un salaire attrayant ; 9) un contenu de travail intéressant ; 10) des valeurs organisationnelles alignées sur leurs valeurs personnelles.

Pour accroître les performances, des auteurs recommandent de miser plutôt sur la satisfaction des besoins psychologiques d'autonomie (sentir qu'on peut choisir et organiser ses tâches en agissant en conformité avec ses valeurs), de compétence (se sentir efficace au travail et disposer des ressources pour atteindre les objectifs et progresser) et l'appartenance sociale des travailleurs (établir des relations interpersonnelles satisfaisantes avec les collègues, les clients et les patrons) (Forest et collab., 2012). Dans le même ordre d'idées, Pfeffer et Sutton (2006) montrent, d'une part, l'effet motivant des incitations financières, lequel n'est pas toujours positif, et d'autre part, la manière dont les systèmes d'incitation financière attirent les talents, mais pas toujours ceux souhaités par l'organisation. En somme, les régimes de rémunération ne constituent pas une panacée et s'ils sont mal gérés, ils peuvent faire plus de mal que de bien. Par ailleurs, ils ne comblent pas des manques dans d'autres composantes de la rémunération totale ou du contexte de travail comme une mauvaise supervision, des conditions de travail dangereuses, etc.

Regard sur la pratique

De la servitude ou du travail pour presque rien : on en retrouve encore au Canada et ailleurs

DANS LE MONDE

Au Canada
Des diplomates d'au moins huit missions étrangères (Bangladesh, Indonésie, Nigeria, Arabie saoudite, Qatar, Philippines, Kenya, Ghana) qui travaillent au Canada ont été placés sous surveillance pour des violations du droit du travail et de la personne. Ils auraient puisé dans les pseudo-comptes bancaires de leurs domestiques, très peu au courant de leurs droits et souvent incapables de s'exprimer en anglais ou en français, pour éponger leurs propres dépenses (p. ex., repas, vêtements) ou y faire des retraits.

Le gouvernement canadien fait enquête et réclame que soient respectées les lois canadiennes, mais il est limité dans son action par l'immunité et les privilèges que confère la convention de Vienne aux diplomates et à leur famille. Les autorités canadiennes exigent que cesse le paiement comptant des domestiques afin de mieux les protéger. Le gouvernement fait aussi la promotion des lois canadiennes par des campagnes d'éducation et de sensibilisation auprès des diplomates et organise des entretiens avec des domestiques afin qu'ils connaissent leurs droits. Il procède aussi à des vérifications régulières et aléatoires de la rémunération versée aux employés.

En Inde
Pour marier sa fille, Settu, 35 ans, devait trouver le moyen d'offrir une dot à la future belle-famille.

Settu a emprunté 20 000 roupies, soit 370 $, au propriétaire d'une briqueterie de la banlieue de Chennai, en Inde. En échange, il a dû quitter son village pour aller fabriquer des briques afin de rembourser sa dette. Settu se lève tous les matins à 5 h pour travailler pieds nus sur le toit d'un four à brique, à empiler des briques sur sa tête et à charger les camions. Depuis 10 ans, il s'échine comme cela en ne gagnant presque rien, tout juste de quoi payer ses repas, incapable de rentrer chez lui ou même de changer d'emploi avant d'avoir remboursé le propriétaire jusqu'au dernier sou. La servitude est illégale en Inde depuis 1976, mais elle se pratique encore en raison de la connivence entre les organismes de surveillance, la police, les politiciens et les maîtres d'esclaves. On estime qu'il y a de 10 à 40 millions de personnes en servitude pour cause de dettes au pays. Selon Human Rights Watch, l'un des fondements de la servitude pour dettes relève du traditionnel système des castes, pourtant illégal depuis des années. Sous ce système, les gens s'attendaient à ce que les *dalits*, les « intouchables », travaillent gratuitement et n'aient pas accès à la terre. Aujourd'hui encore, ce préjugé persiste et contribue à maintenir des personnes dans un état d'esclavage et de perpétuelle pauvreté.

Sources : Adapté de LEDUC, L. « Délégations étrangères au Canada : des domestiques spoliés », *La Presse*, 4 août 2014 ; HACHEY, I. « Inde : dix ans de servitude », *La Presse*, 18 janvier 2014.

8.4 La gestion des avantages

Tout résidant du Québec et du Canada jouit de certains avantages, notamment des assurances destinées à pallier certains aléas de la vie. En plus, bon nombre d'employeurs offrent des avantages, qualifiés de «rémunération indirecte», dont ils assument totalement les coûts ou les partagent avec leurs employés.

En général, citoyens et employés ne reconnaissent pas assez la valeur des avantages dont ils bénéficient. Pourtant, ces avantages ont une valeur pécuniaire notable tant pour le gouvernement que pour les employeurs. D'ailleurs, il importe de bien connaître les avantages sociaux gérés par l'État, puisque les retraits ou les reculs du gouvernement à cet égard pressent les employeurs à compenser cet état de fait en assumant plus de coûts et les amènent à transmettre en partie la facture à leurs employés. Le tableau 8.7 présente une synthèse des principaux régimes publics d'avantages qui sont offerts au Canada par les gouvernements provinciaux et fédéral.

8.4.1 Les principaux avantages gérés par les employeurs

Considérant que cet ouvrage fait état de la perspective des employeurs, nous allons décrire plus en profondeur les principaux avantages qu'ils peuvent offrir à leurs employés (*voir le tableau 8.7*). Toutefois, il importe d'observer que si certaines entreprises gèrent des avantages pour leurs retraités (p. ex., les soins médicaux), ce phénomène devrait décliner dans les années à venir en raison des coûts qui sont en jeu.

Tableau 8.7	**Quelques régimes d'avantages gérés par les gouvernements**
Régimes publics	**Caractéristiques**
Régimes provinciaux d'assurance maladie	Couverture des soins de santé variant selon les provinces : maladies, médicaments (selon une liste provinciale), soins dentaires, examens de la vue, frais d'hospitalisation, services dispensés par les médecins à domicile, en cabinet ou à l'hôpital, soins paramédicaux particuliers, prothèses ou fournitures orthopédiques, etc. Au Québec, ce régime est financé par des cotisations des contribuables et des employeurs.
Régime de pension du Canada (RPC) qui s'applique à toutes les provinces, à l'exception du Québec, où le Régime de rentes du Québec (RRQ) est en vigueur	Attributions de prestations : en cas d'invalidité (rente au cotisant et à ses enfants), en cas de décès (rente ou allocation au conjoint survivant et aux enfants) et au moment de la retraite (sous la forme d'une rente mensuelle et d'un supplément de revenu garanti). Ce régime est financé en parts égales par les employeurs et les employés, les cotisations sont déductibles pour les employeurs et les prestations, imposables pour les citoyens.
Régime d'assurance emploi	Allocations de prestations, temporaires et de durée variable : 1) d'assurance emploi lors de mises à pied et de congés (de maladie, parentaux ou pour soins par compassion) ; 2) de suppléments de revenu pour les citoyens ayant des enfants et dont le revenu familial est faible ; 3) d'aide au réemploi par l'entremise de divers programmes. Ce régime est financé par des cotisations des employeurs et des employés, déductibles de leurs revenus ; les prestations sont imposables pour les citoyens.
Lois provinciales sur les accidents du travail et les maladies professionnelles	Allocations d'indemnités ou prestations d'invalidité aux victimes d'accidents du travail ou de blessures et de maladies professionnelles. Les indemnités sont classées selon que l'accident survenu entraîne ou non un arrêt de travail et selon son importance : soins médicaux, invalidité de courte ou longue durée, réadaptation et prestations aux survivants. Les prestations d'invalidité s'expriment en pourcentage du salaire et ne peuvent dépasser un plafond équivalant au salaire annuel indemnisable. Ce système d'indemnisation est financé par des cotisations d'employeurs.
Lois provinciales sur les normes du travail	Prescription de balises minimales à offrir aux employés à divers égards, notamment le nombre de semaines de vacances selon l'ancienneté des employés, les jours fériés, la durée de la semaine normale de travail, la rémunération des heures supplémentaires, la durée et le traitement des congés sans solde de courte ou de longue durée pour raisons familiales ou de santé des proches, etc. Au Québec, elles couvrent un régime d'assurance parentale qui verse des prestations selon les choix des parents (de maternité, de paternité, parentales, d'adoption).

Comme bien des pressions environnementales haussent les coûts de la gestion des avantages offerts aux employés, les employeurs doivent contrôler cette hausse tout en sauvegardant la valeur de ces avantages aux yeux des candidats et des employés afin de favoriser l'attraction et la rétention du personnel. Le tableau 8.8 présente les principaux régimes que gèrent les employeurs.

Tableau 8.8	Les principaux régimes d'avantages gérés par des employeurs
Régime privé	**Caractéristiques**
Assurance frais médicaux (ou assurance maladie ou assurance maladie complémentaire)	• Paiement ou remboursement des soins de santé : maladie, médicaments, soins dentaires, examens de la vue, frais d'hospitalisation
Assurance vie	• Montants versés lors du décès de l'employé au conjoint et aux personnes à charge survivantes
Assurance salaire de courte et de longue durée	• Revenus lors d'absences de courte et de longue durée • Prestations d'invalidité
Assurance mort accidentelle et mutilation	• Prestations à la suite d'un décès ou en raison d'une mutilation à la suite d'un accident
Politique de vacances et de congés	• Rémunération lors de vacances ou de congés divers

Le régime d'assurance pour soins de santé

Les régimes d'assurance frais médicaux (ou assurance maladie ou assurance maladie complémentaire) remboursent — selon diverses modalités — plusieurs types de dépenses telles que les chambres d'hôpital privées ou semi-privées, les médicaments sur ordonnance, les soins infirmiers dispensés en service privé sur recommandation médicale, les fournitures et les appareils médicaux, les services d'ambulance, les soins médicaux d'urgence dispensés à l'étranger et l'assistance voyage, les actes des techniciens médicaux et des spécialistes des services paramédicaux (p. ex., chiropraticiens, orthophonistes, physiothérapeutes), les soins ophtalmologiques, les prothèses auditives, les soins dentaires consécutifs à un accident et les soins psychologiques.

Le régime d'assurance vie

Un régime d'assurance vie vise à procurer une sécurité financière aux conjoints et aux personnes à charge qui survivent à un disparu. Sa tarification repose sur les prévisions de mortalité du groupe assuré (avec diverses variantes). L'assurance vie de base permet de verser, à la mort de l'adhérent, un montant qui peut être fixe, mais qui est généralement fonction du salaire (une fois, une fois et demie ou deux fois le salaire annuel). Les régimes d'assurance vie facultative ou supplémentaire permettent à l'adhérent et au conjoint (et éventuellement aux enfants à charge) de compléter leur assurance vie collective de base selon leurs besoins, conformément à un multiple de leur salaire (p. ex., d'une à cinq fois le salaire) ou à un multiple d'une tranche de capital (p. ex., 5 000 $, 10 000 $, 25 000 $), et ce, jusqu'à un plafond garanti par la compagnie d'assurances. Puisque souscrire une assurance vie est un choix individuel, les primes sont payées par l'employé. L'assurance vie des personnes à charge est facultative ; le salarié choisit la protection et le coût qui lui conviennent (certains régimes offrent une protection aux retraités). Selon ce choix, un montant (généralement un multiple d'un montant fixe) peut être versé à la mort d'une personne à charge.

Le régime d'assurance salaire de courte et de longue durée

L'assurance salaire de courte ou de longue durée protège la rémunération d'un employé qui interrompt son travail à la suite d'une invalidité causée par un accident ou une maladie. Dans la majorité des absences à court terme — c'est-à-dire très courtes et ponctuelles (p. ex., malaises, rhumes, grippes) —, le revenu est assuré par un régime de congés de maladie ou un régime de congés pour raisons personnelles. Le taux de remplacement du revenu varie de 55 % à 100 % selon la catégorie de personnel, la durée de la maladie, etc. L'assurance salaire de courte durée protège la rémunération d'un employé en versant des prestations qui correspondent généralement à un pourcentage du salaire brut (le plus souvent entre 60 % et 70 %) limité par un maximum prévu au contrat. Ces prestations sont versées hebdomadairement, après un délai d'attente (ou délai de carence) dont la durée varie selon la nature de l'invalidité (accident ou maladie), et sur une courte période, généralement de 15 à 26 semaines.

En cas d'invalidité totale, les prestations sont ordinairement versées jusqu'à l'âge normal de la retraite ; si l'invalidité est partielle, elles cessent habituellement après deux ans. Les prestations correspondent à un pourcentage du salaire brut mensuel (p. ex., de 50 % à 75 %) limité par un maximum mensuel. Elles sont versées mensuellement, après une période d'attente liée à la durée du régime à court terme, souvent établie à 26 semaines. Les coûts de ce régime sont en général assumés par les employeurs.

Le régime d'assurance mort accidentelle et mutilation

Ce régime vise à garantir des prestations dans deux cas : si l'assuré décède à la suite d'un accident, on verse à ses survivants un montant souvent identique à celui de l'assurance vie de base ; si l'assuré est mutilé à la suite d'un accident, on lui verse des sommes forfaitaires dont la valeur dépend des pertes qu'il subit.

Les vacances et les congés

Les employeurs adoptent aussi une politique de rémunération qui couvre les jours de vacances et de congé conformément à la Loi sur les normes du travail, et qui va souvent au-delà congés liés aux jours fériés, aux raisons personnelles, au mariage, à la maladie, à la maternité, à la paternité, au décès, etc.

Les organisations peuvent aussi offrir diverses gratifications à leurs employés ou rembourser certaines de leurs dépenses, notamment celles relatives à l'usage d'une automobile pour le travail, au stationnement, aux repas, aux conseils financiers, aux clubs d'affaires et sportifs, à un service de concierge, à des massages sur chaise. Ces avantages complémentaires — souvent qualifiés de gratifications ou *perks* — s'avèrent particulièrement importants pour certaines catégories de personnel, comme les dirigeants, les cadres supérieurs ou le personnel de vente.

8.4.2   Les régimes d'avantages « flexibles »

Par le passé, la plupart des régimes d'avantages destinés aux employés offraient les mêmes protections à tous les participants sans que ceux-ci puissent faire des choix en fonction de leurs besoins et de leurs préférences. Depuis quelques années, on propose aux employés différents types de régimes d'avantages qualifiés de « flexibles » (modules ou plans d'avantages sociaux), qu'ils peuvent revoir et modifier périodiquement au cours de leur vie. Il ne s'agit plus alors d'adhérer automatiquement, et pour toute la durée du contrat chez un employeur, à un programme uniforme ou standard établi pour tous les employés. S'il existe divers types de régimes flexibles (régimes « base plus options », régimes modulaires, régimes flexibles à la carte ou « cafétéria » et comptes de gestion de santé), les régimes de base plus options sont de loin les plus fréquemment choisis. Ces régimes offrent une protection de base obligatoire — comme l'assurance vie de base, l'assurance salaire de longue durée et l'assurance médicaments — dont le coût ou son équivalent est assumé à 100 % par l'employeur. Ils proposent ensuite des options complémentaires facultatives, c'est-à-dire laissées au choix des participants, dont le coût ou l'équivalent est assumé à 100 % par l'employé. Ces options peuvent être multiples : soins médicaux, soins dentaires, assurance vie, assurance décès, assurance habitation, assurance automobile, etc. Ce type de régime, le plus courant, permet à l'organisation non seulement de maîtriser ses coûts, mais aussi d'offrir différentes possibilités à ses employés, dont les attentes et les besoins varient selon leurs caractéristiques personnelles, familiales ou conjugales.

La manière de gérer les avantages varie grandement selon les organisations, notamment selon leur taille et leur secteur. Par exemple, Korem, une PME de l'industrie du géospatial, a adopté un programme appelé Lifestyle, qui permet aux employés, selon leurs années de service, d'investir leurs augmentations de salaire et leurs primes dans des éléments aussi variés que l'ajout de congés mobiles, l'horaire de quatre jours, les congés sabbatiques ou la contribution supplémentaire au régime de retraite collectif (Therrien, 2011). De plus, l'entreprise accorde une somme annuelle à ses employés pour contribuer au financement d'avantages à la carte (p. ex., matériel informatique, abonnement à des activités sportives).

Regard sur la pratique

Comment réussir face à des géants ? Le cas de la PME D.L.G.L.

D.L.G.L., une petite entreprise spécialisée dans la conception d'un logiciel intégré de GRH localisée à Blainville, investit beaucoup dans la promotion de la santé physique, mentale et le bien-être. Par exemple, un chariot de divers fruits et de noix circule deux fois par jour dans les bureaux des employés. On offre aux employés et aux clients plusieurs façons de bouger et de relaxer. Des vélos sont accessibles pour profiter de la piste cyclable située près de l'entreprise. Un terrain d'exercice de golf et une piste de course sont aménagés au sous-sol. L'entreprise a aussi son bistro, Chez Claude, où l'on trouve un cinéma maison, une table de billard, une chaise de massage, un piano, un baby-foot et des simulateurs de courses. De plus, un mur expose des photos prises au cours des activités qui se

déroulent durant l'année (rallyes, karting, rafting, hockey, etc.) et des faits cocasses pouvant survenir chez D.L.G.L. Cette PME propose aussi un gymnase où plusieurs activités (volleyball, badminton, hockey, etc.) s'y tiennent, et le personnel peut y aller en tout temps durant la journée de travail. On y trouve aussi un centre d'entraînement physique, où une entraîneuse qualifiée est présente à temps plein pour préparer des plans de développement individualisés, afin de suggérer les appareils d'exercices les plus adaptés aux besoins des employés. Des cours d'aérobique, de stretching, de yoga, et autres sont offerts quotidiennement. Le gymnase et le centre d'entraînement physique sont à la disposition des employés autant le jour, le soir que la fin de semaine avec leur famille.

Source : Adapté de VIAU, É., et S. ST-ONGE. « Comment réussir face à des géants ? Le cas de la PME D.L.G.L. spécialisée dans les logiciels de GRH », *eValorix*, 2013, http://gestion.evalorix.com/cas/management-et-strategie/comment-reussir-face-des-geants-le-cas-de-la-pme-d-l-g-l-specialisee-dans-les-logiciels-de-grh/ (Page consultée le 7 décembre 2016)

8.5   La gestion des régimes privés de retraite

Les régimes de retraite sont complexes à gérer et les employeurs sont libres de les implanter ou non. Pour les employés, l'admissibilité à un régime de retraite privé permet d'épargner tout en bénéficiant d'un abri fiscal et de toucher un revenu qui, ajouté aux prestations de base des régimes publics, peut être jugé suffisant pour maintenir leur niveau de vie. Cette section décrit succinctement les principaux régimes de retraite.

Régime agréé de retraite

Disposition régie par des lois provinciales et fédérales établissant des normes minimales de protection des droits des participants et des bénéficiaires et balisant le financement des régimes.

Les **régimes agréés de retraite** sont de loin les régimes privés de retraite les plus courants. On les dit « agréés » parce qu'ils sont régis par des lois provinciales et fédérales établissant des normes minimales de protection des droits des participants et

AU QUÉBEC

des bénéficiaires, et balisant le financement des régimes (p. ex., la Loi de l'impôt sur le revenu). Dans cette section, nous distinguons les deux grandes catégories de régimes agréés de retraite : le régime à prestations déterminées et le régime à cotisations déterminées. Il existe cependant une panoplie de régimes agréés qualifiés qui combinent ces deux régimes (pour plus d'information, voir St-Onge, 2014).

8.5.1   Le régime agréé à prestations déterminées

En vertu d'un **régime à prestations déterminées**, l'employeur s'engage (puisqu'il s'agit en fait d'une promesse) à verser des rentes de retraite d'un montant déterminé et à prendre la responsabilité ultime du financement de ces rentes. L'employé est tenu d'adhérer au régime et il connaît la rente qui lui sera versée à la retraite. Généralement, cette rente est calculée sur la base des années de service et d'un pourcentage du salaire de l'employé. Ces régimes sont critiqués à cause de leurs coûts élevés et du fait qu'ils sont difficilement transférables, car les prestataires risquent de perdre les cotisations versées par l'employeur s'ils quittent leur emploi après une courte période. De plus, on déplore que l'employeur assume seul les risques d'investissements : d'une part, s'il y a un déficit de solvabilité (notamment en raison de baisses des marchés boursiers), il doit le combler, sur une période n'excédant pas cinq ans, en augmentant les charges de retraite pour les années à venir ; d'autre part, si la caisse de retraite connaît un bon rendement, il y verse moins d'argent. Dans ce dernier cas, si l'employeur décide de bonifier le régime, il court un plus grand risque d'être davantage pénalisé advenant un déficit ; les cotisations d'équilibre qu'il devra verser seront alors plus élevées.

> **Régime à prestations déterminées**
>
> Disposition selon laquelle l'employeur s'engage (promesse) à verser des rentes de retraite d'un montant déterminé et à prendre la responsabilité ultime du financement de ces rentes.

8.5.2   Le régime agréé à cotisations déterminées

Dans un **régime à cotisations déterminées**, on précise le montant des cotisations que l'employeur et (s'il y a lieu) l'employé s'engagent à verser annuellement, ces cotisations s'accumulant avec les revenus de placement jusqu'à la retraite du prestataire. Avec ce régime, le travailleur prend un risque : le montant de sa rente n'est pas garanti et n'est connu qu'au moment de la retraite, car il dépend du capital accumulé par les cotisations versées à la fois par l'employeur et les employés (si le régime est contributif) ainsi que par les revenus de placement générés par ce capital. En général, ce type de régime de retraite est offert dans les organisations de petite taille. Toutefois, on observe que les employeurs optent de plus en plus pour ce régime, car il est moins lourd à gérer et moins risqué que le régime à prestations déterminées.

> **Régime à cotisations déterminées**
>
> Cotisations que l'employeur et (s'il y a lieu) l'employé s'engagent à verser annuellement, ces cotisations s'accumulant avec les revenus de placement jusqu'à la retraite du prestataire.

Au Québec, de 2000 à 2016, le nombre de régimes à prestations déterminées (RPD) est passé de 1 200 à 800, alors que le nombre de régimes à cotisations déterminées (RCD) a presque triplé, passant à environ 200 régimes (Bergeron, 2016).

8.6   La gestion des composantes de la rémunération totale et les principes de justice organisationnelle

Dans la gestion des diverses composantes de la rémunération, il est crucial de tenir compte des perceptions de justice du personnel. Les théoriciens identifient souvent trois dimensions à la perception de justice : la justice distributive, la justice du processus et la justice interpersonnelle ou interactionnelle (Morin, St-Onge et Vandenberghe, 2007). Le tableau 8.9, à la page suivante, explique comment certaines caractéristiques de la gestion de la rémunération peuvent influencer ces perceptions de justice.

Tableau 8.9	Les formes de justice organisationnelle en gestion de la rémunération	
Forme de justice	**Définition**	**Exemples de facteurs influençant la perception de justice envers la gestion de la rémunération**
Justice distributive Le montant : combien ?	Le caractère juste ou équitable du salaire ou d'une augmentation de salaire, compte tenu des contributions de la personne telles que son niveau de scolarité, son expérience ou son rendement	• Lien entre la valeur des emplois et les salaires • Lien entre la cote de performance de l'employé et la récompense (augmentation de salaire, prime) • Communication des informations sur la gestion de la rémunération
Justice du processus Les moyens : comment ?	Le caractère juste ou équitable du processus de gestion de la rémunération (le comment ou les moyens pour ce qui est des outils, des règles, des méthodes ou des processus)	• Participation des cadres et des employés à la gestion des diverses composantes de la rémunération ou consultation à cet égard • Documentation sur les processus de gestion de la rémunération et le contenu des emplois • Possibilité de révision et d'appel • Application uniforme des politiques de rémunération • Pertinence des critères d'évaluation des emplois, d'évaluation de la performance individuelle et organisationnelle, etc.
Justice interpersonnelle Les interactions : comment ?	Le caractère juste ou équitable de la relation et des communications entre le superviseur et le subordonné (le comment sur le plan interpersonnel)	• Explication des modes de gestion de la rémunération • Préoccupation pour les intérêts et les besoins de l'employé • Qualité des communications sur la rémunération • Prise en compte des attentes et des besoins des employés • Traitement honnête et intègre • Rétroaction régulière, pertinente et constructive

Sources : Adapté de MORIN, D., S. ST-ONGE et C. VANDENBERGHE. « Perspectives théoriques associées à l'étude du processus d'évaluation des performances », dans S. St-Onge et V. Haines (dir.), *Gestion des performances au travail : bilan des connaissances,* Bruxelles, De Boeck, 2007, p. 172 ; reproduit dans ST-ONGE, S. *Gestion de la rémunération : théorie et pratique,* Montréal, Chenelière Éducation, 2014, p. 81.

Pour les dirigeants, les cadres, les professionnels des RH et les syndicats, il est important de favoriser ces trois formes de justice à l'égard de la gestion de la rémunération, parce qu'elles influencent la satisfaction des employés envers les diverses composantes de leur rémunération et qu'elles peuvent réduire les effets négatifs des décisions en la matière (p. ex., un gel des salaires, une modification de l'évaluation des emplois, le choix des enquêtes) sur les attitudes et les comportements des employés. À cet égard, les principales règles à respecter pour favoriser les perceptions d'équité à l'endroit de tout processus de gestion de la rémunération peuvent être résumées comme suit (St-Onge, 2014) :

• uniformiser et officialiser le plus possible le processus de gestion ;
• s'assurer que les processus de gestion ne sont pas arbitraires ou biaisés, qu'ils ne favorisent ou ne défavorisent pas les intérêts de certaines personnes de manière systématique ;
• communiquer et expliquer les décisions et les processus de gestion ;
• offrir des mécanismes d'appel permettant de réviser certaines décisions ;
• faire participer le personnel au processus de gestion ou le consulter afin de tenir compte de ses attentes et besoins ;
• former le personnel afin qu'il acquière les compétences pour exercer adéquatement ses responsabilités en la matière ;
• respecter les lois et les principes d'équité.

Gérer la rémunération de manière juste, voire éthique, pour un professionnel des RH implique bien des activités, notamment l'interprétation juste des résultats d'enquête, la sélection non biaisée du marché de comparaison, une analyse impartiale des résultats d'évaluation des emplois (en vue, par exemple, d'éviter des augmentations salariales lors d'un exercice de développement ou de maintien de l'équité salariale), la rémunération des heures supplémentaires en accord avec la loi, etc.

LES ENJEUX DU NUMÉRIQUE DANS LA GESTION DE LA RÉMUNÉRATION

Le numérique fait en sorte que tant les employés que les employeurs et les syndicats peuvent maintenant accéder rapidement à une foule de données concernant la rémunération sur le Web. À cet égard, l'abondance d'information n'est pas gage de fiabilité. Pour pouvoir évaluer la valeur des données accessibles sur un site Web, il est important de considérer la nature du site, le profil des participants ou des visiteurs ainsi que la variété des composantes de la rémunération communiquée. Cette surabondance de données plus ou moins fiables sur la rémunération apparaît comme une raison de plus pour recommander aux entreprises de bien déterminer leur stratégie de rémunération totale et de la communiquer aux cadres.

Par ailleurs, on ne peut ignorer le cri d'alarme d'un récent rapport de la Banque mondiale démontrant que la diffusion des technologies numériques à travers le monde au cours des dernières années n'a pas rempli ses promesses (Bérubé, 2016 ; Rettino-Parazelli, 2016). Si le nombre d'internautes est passé de 1 milliard à 3,2 milliards entre 2005 et 2015, le « fossé numérique » se creuse entre ceux qui sont connectés à Internet et les 4,2 milliards de personnes qui ne le sont pas (soit 60 % de la population mondiale). Aujourd'hui, les 20 % les moins fortunés de la population mondiale ont plus accès à un téléphone cellulaire qu'à de l'eau salubre, de l'électricité et des installations hygiéniques (comme des toilettes). Les auteurs du rapport constatent que comme les technologies n'ont entraîné ni croissance économique et ni création d'emploi, le fossé numérique risque plutôt d'alimenter les tensions sociales, d'accroître les inégalités, de polariser davantage la classe moyenne et d'accentuer le clivage entre les emplois qualifiés bien rémunérés et ceux peu qualifiés et peu rémunérés.

LA GESTION DE LA RÉMUNÉRATION DANS LE SECTEUR PUBLIC

Dans le secteur public, pour éviter que les pratiques de gestion de la rémunération ne semblent se fonder sur des décisions politiques, il importe d'en favoriser la transparence, la standardisation et la formalisation.

Il en va de même pour l'augmentation des coûts de la rémunération ; sous l'œil critique des citoyens et des médias, il peut s'avérer difficile d'imputer celle-ci aux contribuables (sous forme de taxes et d'impôts). En général, la politique relative aux salaires dans le secteur public consiste à suivre la rémunération du marché ou à être en dessous de lui étant donné qu'ils sont avantagés sur le plan des bénéfices et de la retraite.

Le secteur public adopte aussi des dispositions novatrices comme certaines ententes fédérales visant l'instauration d'un congé non payé pour les soins à long terme d'un parent. En ce qui a trait à la rémunération variable dans le secteur public, on peut observer qu'elle concerne davantage certaines catégories de personnel (cadres supérieurs et professionnels) et qu'elle est surtout versée sous forme de primes basées sur la performance individuelle. De plus, les montants des primes à la performance accordées aux employés du secteur public représentent souvent un pourcentage plus restreint de la masse salariale qu'au secteur privé. Pourquoi ? Les études sur la rémunération au mérite dans le secteur public — qui ont été menées dans divers pays — confirment qu'elle a des résultats mitigés plutôt négatifs (voir St-Onge et Buisson, 2012) en raison des caractéristiques propres au secteur public. Selon St-Onge (2014), l'alignement des performances individuelles sur la performance organisationnelle est plus ardu à réaliser dans le secteur public pour diverses raisons. La position de monopole ou l'absence de compétition incite moins les fonctionnaires au dépassement. La performance ou la productivité est plus difficile à mesurer et se limite au respect de budgets ; il y a absence de bénéfices et d'actions négociées sur le marché boursier pour mesurer la performance organisationnelle et aligner les performances individuelles. Les stratégies et les lignes directrices y sont souvent floues et tributaires des changements de leadership (électoralisme) qui privilégient une vision à court terme. Des modes de gestion plus standardisés et formalisés de même qu'une culture de gestion axée sur le contrôle limitent le pouvoir ou le contrôle des fonctionnaires sur leur travail. Aussi, l'interdépendance des emplois et des tâches parmi le personnel du secteur public permet difficilement de dégager une performance en particulier, relevant d'une seule personne.

LA GESTION DE LA RÉMUNÉRATION DANS LES MILIEUX SYNDIQUÉS

Au Canada comme aux États-Unis, la présence syndicale dans les entreprises a un impact positif sur le taux de salaire et les modes de gestion de la rémunération pour diverses raisons : d'abord, dans cette situation, on est plus porté à comparer les salaires qui sont offerts aux employés avec ceux qu'offrent des organisations de référence ; ensuite, les conditions salariales sont plus officialisées et standardisées.

Par ailleurs, les augmentations de salaire négociées pour les employés syndiqués sont susceptibles d'exercer une pression à la hausse sur les salaires d'autres groupes d'employés non syndiqués, qui pourraient se montrer insatisfaits de leurs conditions de rémunération si celles-ci ne s'améliorent pas dans la même proportion. Notons aussi que lorsqu'une organisation n'est pas syndiquée, la présence de syndicats dans d'autres organisations du même type et la possibilité que ses employés veuillent former un syndicat ne sont pas sans influer sur les décisions en matière de rémunération afin qu'elle puisse rester compétitive ou, du moins, tabler sur des avantages compensatoires, comme le fait la société D.L.G.L. (*voir la rubrique Regard sur la pratique à la page 292*).

Comme nous le verrons de manière plus approfondie au chapitre 9, en milieu syndiqué, c'est la convention collective qui balise les composantes de la rémunération totale telles que les salaires et les primes diverses, la durée de la semaine de travail, les repas payés, les allocations de repas liées aux heures supplémentaires, les heures supplémentaires (droit de refus, paiement, accumulation, etc.), les avantages sociaux, les congés annuels payés, le régime de retraite, les vêtements et les chaussures de travail ou les équipements de sécurité.

Bien que les régimes de rémunération variable soient implantés moins souvent au sein des entreprises syndiquées, un nombre croissant de syndicats se montrent ouverts à en adopter pour l'ensemble ou pour une catégorie de personnel, surtout en fonction de la performance de l'organisation (Renaud et Tremblay, 2007). Dans ces derniers cas, les règles relatives au régime de rémunération variable sont exprimées dans un document distinct de la convention collective, les parties préférant éviter que ces règles ne deviennent un droit acquis et s'assurer qu'elles pourront être révisées et même abandonnées. En général, afin qu'un régime de rémunération variable soit accepté par un syndicat, les dirigeants d'une organisation devraient remplir les conditions suivantes :

- Bâtir un climat de confiance avec le syndicat en partageant avec lui de l'information liée à la position concurrentielle et financière de l'organisation.

- Accorder une reconnaissance égale aux employés (plutôt qu'une reconnaissance liée à la performance individuelle) en fonction de la performance collective mesurée sur la base de critères objectifs et équitables (résultats).

- Offrir des salaires compétitifs ; les régimes de rémunération variable ne devant pas compenser des salaires plus faibles qui permettent de réduire des coûts sur le plan des avantages sociaux et des retraites.

LA GESTION DE LA RÉMUNÉRATION À L'INTERNATIONAL

La rémunération est appelée à prendre une importance accrue dans les années à venir à l'échelle internationale parce que de plus en plus d'employés se feront proposer des postes à l'étranger par leur employeur (on parle alors d'expatriés) ou encore prendront l'initiative de se chercher un emploi à l'étranger pour diverses considérations personnelles et professionnelles. En raison des sommes en jeu (St-Onge, 2012, 2014), il est très important de gérer efficacement la rémunération des expatriés.

En effet, en plus des salaires, de la rémunération, des régimes de retraite et des avantages sociaux, on offre aux expatriés des primes d'affectation ou de service à l'étranger pour inciter à accepter ces postes à l'étranger, primes pouvant atteindre de 10 % à 30 % du salaire selon la durée du séjour. On peut accorder aussi des primes de risque ou de qualité de vie, de 5 % à 25 % du salaire, dans les cas où l'expatrié doit s'installer dans un pays politiquement instable, dont le niveau de vie est très bas ou dont les conditions climatiques sont rudes.

Les employeurs versent aussi diverses allocations (ou des indemnités) à ces employés afin de leur rembourser ou de pallier les coûts additionnels qu'entraîne une expatriation. Par exemple, des indemnités de logement visent à couvrir le coût d'un logement qui, dans le pays d'accueil, excède celui d'un logis dans le pays d'origine. Des indemnités de déménagement visent à couvrir des frais de déplacement, d'entreposage, de transport des affaires personnelles, etc. Certaines organisations offrent une aide pour la vente ou la location du domicile des expatriés dans le pays d'origine et couvrent toutes les dépenses liées à ces transactions. Des indemnités de voyages dans le pays d'origine ont pour but de permettre aux expatriés de maintenir des liens avec leurs proches et leur organisation d'origine au cours de l'année. On peut octroyer des indemnités de scolarité pour maintenir la qualité de l'éducation dont les enfants des expatriés bénéficieraient dans leur pays d'origine. Elles peuvent couvrir l'achat des livres, le transport scolaire, la pension, les uniformes, etc. Finalement, il importe de souligner que la mondialisation des affaires et son lot de sous-traitances et de fournisseurs à l'international entraînent des enjeux de responsabilité sociale pour les dirigeants et les responsables en rémunération. Ces derniers doivent se soucier du traitement et de la rémunération équitables des personnes non seulement au pays, mais aussi à l'étranger, et ce, tout au long de la chaîne de fabrication et d'approvisionnement.

LES CONDITIONS DU SUCCÈS DE LA GESTION DE LA RÉMUNÉRATION

Comme le montre le tableau ci-dessous, la gestion de la rémunération comporte de nombreuses conditions de succès qu'il faut tenter de respecter afin d'en optimiser les retombées, tant du point de vue des employeurs que de celui des employés.

Les conditions du succès de la gestion de la rémunération

Gérer les composantes de la rémunération totale (salaire, primes, assurances, etc.)...

- de manière cohérente entre elles ;
- en fonction de la stratégie d'affaires et des valeurs organisationnelles ;
- en fonction de ce qui est offert par les concurrents et sur le marché de l'emploi ;
- en fonction des autres activités de GRH ;
- en fonction des attentes, des besoins et du profil des employés ;
- de manière à optimiser le rendement des investissements et à respecter la capacité de payer de l'organisation à long terme.

S'assurer que la gestion de la rémunération...

- est communiquée à tout le personnel par divers moyens (documents, intranet, etc.) ;
- transmet des messages uniformes, cohérents, clairs et compris du personnel ;
- est conforme aux intentions, aux objectifs et aux règles annoncés et établis ;
- facilite l'attraction et la rétention des compétences clés en répondant aux besoins du personnel ;
- contribue à bâtir un avantage concurrentiel, à se différencier ou à ajouter de la valeur ;
- tient compte de l'avis des gestionnaires, les consulte et les fait participer ;
- évolue en fonction des besoins et des attentes des employés ;
- incite le personnel à adopter des comportements productifs ayant des retombées positives sur la performance ou l'image de la firme ;
- respecte les lois.

Bien gérer le programme de rémunération, c'est-à-dire...

- adopter, évaluer et récompenser les bons indicateurs de performance tant individuels qu'organisationnels ;
- encourager la participation des cadres et des employés à l'implantation et à la gestion du programme de rémunération ;
- former les cadres pour qu'ils comprennent les régimes de rémunération, les appliquent à leurs subordonnés et les leur expliquent bien ;
- gérer la rémunération variable afin d'éviter les abus ;
- évaluer et réviser régulièrement les caractéristiques du programme selon l'évolution des résultats, des besoins des acteurs et du contexte.

CONCLUSION

Ce chapitre nous a permis de mieux comprendre les principes, les méthodes et les programmes en matière de gestion des salaires, de la rémunération basée sur la performance, des avantages et de la retraite. Devant la variété des principes d'équité, des objectifs à atteindre et des contraintes à respecter, force est de reconnaître que la gestion de la rémunération est un art et non une science exacte. Cela s'avère particulièrement vrai pour les régimes de rémunération variable qui ne sont pas automatiquement efficaces ; ils peuvent autant faciliter le développement, l'engagement et l'intégrité des personnes au travail que les empêcher. Pour cette raison, il est important de poser un bon diagnostic sur les besoins des employés et de respecter les conditions de succès dans la gestion de la rémunération.

QUESTIONS DE RÉVISION

1. Quelles sont les deux grandes composantes de la rémunération ?

2. Pourquoi est-il important de gérer adéquatement la rémunération des employés ?

3. Comment peut-on expliquer le partage des responsabilités entre les divers intervenants — dirigeants, conseil d'administration, cadres, professionnels des RH, syndicats et employés — en matière de gestion de la rémunération ?

4. Comment s'assure-t-on de la cohérence ou de l'équité interne des salaires accordés à divers emplois au sein d'une organisation ?

5. Comment peut-on s'assurer de la compétitivité ou de l'équité externe de la rémunération versée pour des emplois ?

6. Qu'est-ce qu'une structure salariale ? Expliquez ses principales composantes, soit les classes d'emplois et les échelles salariales.

7. Quels sont les différents types de régimes de rémunération basée sur la performance individuelle et quels sont leurs avantages et leurs inconvénients ?

8. Quels programmes de rémunération les dirigeants peuvent-ils implanter pour reconnaître la performance organisationnelle ? Définissez ces divers programmes et commentez leurs caractéristiques, leurs atouts, leurs limites et leur contexte respectif.

9. Quels sont les principaux régimes d'avantages que des employeurs peuvent offrir à leurs employés ? Qu'entend-on par « avantages flexibles » ?

10. Quels sont les régimes agréés de retraite que peuvent offrir les employeurs et comment les distingue-t-on des régimes non agréés de retraite ?

11. Quelles sont les principales conditions de succès de la gestion de la rémunération ?

QUESTIONS DE DISCUSSION

1. Vous supervisez une équipe d'une vingtaine d'employés dans une grande organisation. Les professionnels des RH viennent d'envoyer une note au personnel dans laquelle ils annoncent que la direction procédera à une réévaluation des emplois au sein de l'entreprise. Plusieurs membres de votre équipe expriment des inquiétudes et du scepticisme quant à ce projet. Que pouvez-vous leur dire pour les rassurer ?

2. Comment peut-on expliquer que l'on accorde une rémunération astronomique à certains PDG ?

3. On entend souvent dire que, dans le cadre d'un programme de rémunération basée sur la performance individuelle, les cadres risquent de perdre le contrôle de la situation. Êtes-vous d'accord avec cette affirmation ? Justifiez votre réponse.

INCIDENTS CRITIQUES ET CAS

Incident critique

Des cas d'insatisfaction à l'égard du salaire

Le cas de Stéphanie

Stéphanie a commencé à s'interroger au sujet de son salaire quand elle a compris que des amis et des membres de sa famille étaient tous mieux payés qu'elle pour effectuer des emplois parfois moins exigeants. Cette jeune professionnelle dit aimer le poste qu'elle occupe dans une PME, même si elle doit travailler sans compter ses heures. « Quand un ami moins expérimenté me dit qu'il gagne 20 000 $ de plus que moi, qu'il travaille de 9 à 5, qu'on le paie pour ses heures supplémentaires et qu'il n'a pas à se soucier des résultats de son travail, j'ai l'impression de tout donner et de ne rien recevoir », déplore-t-elle.

À la suite de hausses salariales d'environ 4 % par an, Stéphanie gagne maintenant 62 000 $, mais elle demeure convaincue qu'elle devrait toucher plus — au moins 6 000 $, selon ses recherches —, puisqu'elle a été embauchée comme coordonnatrice il y a sept ans, qu'elle occupe maintenant des fonctions de direction et qu'elle a cinq employés sous sa responsabilité.

Lorsqu'elle aborde la question avec son patron, celui-ci exige qu'elle lui fournisse des données précises pour appuyer sa demande, c'est-à-dire le salaire de personnes qui ont le même niveau d'expérience et qui occupent le même type d'emploi qu'elle dans une entreprise semblable. Il n'est pas facile d'avoir accès à de telles données ! La jeune femme fait d'abord des recherches sur des sites Web consacrés à l'emploi, comme celui de Monster.ca, mais son patron juge ces chiffres trop imprécis. Elle s'adresse ensuite à HEC Montréal, dont elle est diplômée, pour savoir s'il existe des statistiques sur l'emploi des anciens étudiants : peine perdue. Finalement, c'est en consultant une firme d'experts en rémunération qu'on lui fournit des tableaux comparatifs. « Mais mon patron veut que je lui procure des noms de personnes que je connais et qui ont des emplois comparables », dit Stéphanie, découragée. En outre, l'employeur refuse de faire appel à un spécialiste afin d'évaluer la structure salariale de l'entreprise et de déterminer si la rémunération qu'il offre est concurrentielle.

Le cas de Patrice

Patrice dirige depuis 15 ans une petite entreprise pour un patron qui ne s'est jamais soucié de le payer adéquatement. Il faut dire que le jeune homme ne s'est jamais montré très revendicateur par crainte de provoquer des conflits. « Chaque fois que je veux parler de salaire, mon patron me dit que ça viendra plus tard : il n'a pas le temps, ce n'est jamais le bon moment, raconte-t-il. À la longue, j'ai l'impression d'être oublié. Cette attitude a érodé peu à peu ma passion. Je suis devenu amer et nos rapports se sont détériorés. » Après mûre réflexion, Patrice quitte finalement son emploi. « Je ne pars pas seulement à cause du salaire, mais la rémunération a été le point de départ de mon insatisfaction, explique-t-il. Elle témoigne d'un manque de respect de mon patron à mon égard. »

Questions

- Définissez les différents principes d'équité mis en avant dans les expériences vécues par Stéphanie et Patrice.

- Ces deux situations illustrent certaines conséquences ou certains effets de la gestion de la rémunération. Lesquels ?

- Quelles activités ou méthodes permettent aux employeurs de s'assurer que la gestion des salaires répond à divers principes d'équité, et que les salaires sont davantage perçus comme équitables par le personnel ?

Source : Adapté de DUCAS, I. « Êtes-vous payé à votre juste valeur ? », *Affaires plus*, vol. 31, n° 7, 2008, p. 34. (Les noms sont fictifs.)

Incident critique 2

La gestion de la rémunération chez Lincoln Electric

La société Lincoln Electric, située à Cleveland, en Ohio, maintient une productivité très élevée, il y règne un bon climat de travail et elle connaît un très faible roulement de personnel. Elle n'éprouve pas non plus de difficulté à attirer du personnel : dès qu'un poste se libère, il y a des centaines de candidatures. Les pratiques de rémunération de cette société non syndiquée sont très particulières :

- Cette société n'établit aucun salaire de base pour ses employés de production ; tous sont payés en fonction d'un système de rémunération à la pièce. Le taux standard est révisé régulièrement par un comité des employés de manière que le travailleur moyen gagne le taux du marché.

- Elle offre peu de rémunération indirecte : aucune journée de maladie n'est payée, seuls les congés obligatoires le sont. Les employés doivent payer leur régime d'assurance maladie, ils n'ont pas le choix d'accepter de faire des heures supplémentaires et d'accepter des affectations de travail inattendues.

- Elle ne tient pas compte de l'ancienneté dans la prise de décision entourant les promotions, et la sélection des cadres et des employés se fait à la suite d'un processus rigoureux permettant de s'assurer que les valeurs des candidats et la gestion participative des RH correspondent.

- Elle a comme politique de ne jamais licencier des employés et elle garantit une semaine minimale de travail de 30 heures, même dans les périodes creuses.

- Ses employés sont tous couverts par le régime de participation aux bénéfices, dont la prime est versée en fonction du rendement individuel, et par un régime d'achat d'actions. Certaines bonnes années, la prime de participation aux bénéfices a atteint 100 % des gains réguliers. La rémunération totale versée aux employés de production fait qu'ils sont parmi les mieux rémunérés de l'industrie.

- Le rendement des employés est évalué selon certains facteurs — fiabilité, qualité, résultats, idées et collaboration — et l'on s'assure qu'il n'y a pas d'inflation des cotes en faisant en sorte que la cote moyenne des services ne soit pas supérieure à 100.

- Les cadres sont traités comme tous les employés ; leur rémunération est aussi tributaire des profits de la firme, ils ne reçoivent aucune gratification (automobile, salle à manger, etc.) et ils doivent tous passer, après leur embauche, huit semaines sur les chaînes de montage pour comprendre la culture du milieu.

Questions

Commentez les caractéristiques de la gestion de la rémunération chez Lincoln Electric. Expliquez les raisons qui peuvent concourir au succès de ce mode particulier de rémunération. Quelles conditions de succès la direction semble-t-elle respecter ?

Source : Adapté de LONG, R., G.T. MILKOVICH et J.M. NEWMAN, dans S. ST-ONGE et R. THÉRIAULT. *Gestion de la rémunération : théorie et pratique*, 2e éd., Montréal, Gaëtan Morin, 2006.

Cas

La rémunération à la commission chez DécoDécoration

Valérie, récemment diplômée du Cégep de Trois-Rivières en design d'intérieur, se cherche un emploi. Elle consulte une annonce parue dans le journal local : DécoDécoration, un magasin de décoration situé à Laval, recherche un candidat ayant une formation en design pour occuper un poste de décorateur. Après avoir postulé et passé une entrevue, Valérie est engagée. Elle emménage à Laval, dans son tout premier appartement.

Au moment de son embauche, Valérie s'est vu offrir un salaire de 9 $ l'heure et Marc, le propriétaire du magasin, lui a assuré qu'après une période d'essai de trois mois elle pourrait recevoir une augmentation de salaire. Il a ajouté que son salaire serait probablement révisé et ajusté annuellement en fonction de son rendement.

Au cours des trois premiers mois, Valérie reçoit une formation sur les produits et les services offerts par DécoDécoration, notamment sur les différents tissus, les techniques de confection, la peinture, en somme, tout ce qui a trait aux éventuels projets de décoration des clients. Par la suite, le propriétaire renseigne Valérie sur les différents revêtements de plancher offerts par DécoDécoration dans le but qu'elle puisse entreprendre des projets de plus grande envergure telle la décoration de maisons neuves.

Pendant les cinq premiers mois, Valérie apprend donc énormément. En plus des connaissances acquises dans le cadre de ses études, elle connaît maintenant les techniques de coupe de tissu et les revêtements de plancher. Comme son rendement à la fin de la période de trois mois d'essai est très bon, Valérie obtient une augmentation de salaire de 1 $ l'heure. Le propriétaire lui demande même de l'accompagner avec une autre décoratrice à une foire du cadeau afin de sélectionner et d'acheter des articles pour le magasin. Elle reconnaît cette marque de confiance ainsi que la grande latitude dont elle jouit dans son travail. Jusqu'à maintenant, tout semble aller pour le mieux; elle s'entend à merveille avec ses collègues et son patron apprécie son travail. Quoique le salaire ne soit pas très élevé, elle aime ce qu'elle fait.

Son travail se poursuit à peu près ainsi tout au long de sa première année chez DécoDécoration. Toutefois, un an et demi après l'embauche de Valérie, le propriétaire du magasin annonce, au cours d'une réunion d'équipe, que tous les décorateurs verront leur salaire réduit de 0,50 $ l'heure puisqu'ils seront dorénavant rémunérés à la commission. À son avis, les commissions leur permettront de combler amplement la perte de salaire. Cette décision du patron, prise sans consulter les conseillers, est accueillie de façon mitigée.

La plus ancienne décoratrice, Sonia, tente de le faire changer d'opinion en affirmant qu'elle ne veut pas travailler à la commission et qu'il aurait d'abord dû consulter les employés visés. D'autres employés n'y voient pas de problème; ils pensent pouvoir pallier facilement cette légère perte de salaire. À partir de ce moment, la relation entre Sonia et le patron se dégrade et l'ambiance dans le magasin change. Quelques jours plus tard, Sonia entre dans le bureau de son patron et lui demande de reconsidérer sa décision. Ce dernier refuse. La rencontre tourne mal: ils haussent la voix et les employés assistent à une scène désolante. Sonia menace de poursuivre son patron et annonce sa démission. Elle précise qu'elle lui remettra sa lettre le lendemain et qu'elle lui donne un préavis de deux semaines.

Les deux semaines de préavis de Sonia sont un véritable enfer. Sonia et Marc, le propriétaire, se querellent à tout moment. Sonia est extrêmement irritable et Marc surveille tout ce qu'elle fait. Constamment derrière elle, il lui fait des reproches. La situation devient insupportable pour tous les employés. Pour souligner le départ de Sonia, un souper au restaurant est organisé par les employés; Marc ne s'y présente pas.

Après le départ de Sonia, non seulement le moral de l'équipe flanche, mais un climat de compétition s'installe insidieusement entre les employés. Finies l'entraide et l'amitié, maintenant, c'est chacun pour soi! Il en résulte plusieurs écarts: par exemple, la dernière conseillère engagée, Josianne, commet des erreurs, car personne ne veut la former; on considère que cela ne rapporte rien et nuit à la rémunération. De plus, le départ de Sonia, la plus compétente et la plus expérimentée des conseillères en matière de confection de rideaux et de stores, fait bien des mécontents parmi la clientèle. Valérie est de plus en plus frustrée. Depuis la mise en place du salaire à la commission, personne ne discute de ses contrats et ne commente le travail des autres. Il n'y a plus d'échanges ni de collaboration.

Six mois après l'implantation de cette nouvelle forme de rémunération, rien ne va plus. Pas moins de deux autres employés ont démissionné. L'équipe restante, constituée de cinq personnes, doit faire le travail qu'effectuaient neuf personnes. Le propriétaire est aussi de plus en plus absent. Il semble qu'il démarre en parallèle une entreprise de vente d'automobiles d'occasion. Valérie est de plus en plus démotivée. Elle aussi pense à démissionner. Si on la payait décemment pour faire le travail de deux personnes, cela pourrait compenser. Par contre, comme Marc n'est pas là, il est difficile d'en discuter. Elle décide tout de même d'attendre de voir comment se déroulera sa prochaine rencontre d'évaluation. Afin de bien se préparer à cette rencontre, Valérie fait imprimer tous les rapports de ses ventes au cours de la dernière année et arrive à l'heure convenue dans le bureau de son patron.

Marc arrive 30 minutes en retard et pas du tout préparé. Il ne fait référence qu'aux erreurs qu'a commises Valérie, sans mentionner ses bons coups. Lorsque Marc observe les chiffres de ventes que Valérie lui montre, il la félicite et lui dit qu'elle a, dans l'ensemble, une excellente performance. Valérie est un peu surprise et déçue : manifestement, son patron semble remarquer ses résultats pour la première fois ! Ne perdant pas contenance, elle souligne par la suite les bons commentaires qu'elle a reçus de la part des clients ; puis elle aborde la question de sa rémunération. Marc lui répond qu'elle mérite une augmentation de salaire de 0,50 $ l'heure. Valérie est sidérée. Haussant le ton, elle dit à son patron qu'il ne vaut pas la peine de s'échiner au travail pour cinquante sous de plus et qu'elle en a assez d'accomplir le travail de deux conseillers alors que rien n'est fait pour pourvoir les postes vacants. À bout de nerfs, elle lui demande une augmentation d'au moins 2 $ l'heure. Marc lui répond qu'il ne peut se permettre une telle dépense.

Valérie sort du bureau de son patron après deux heures d'argumentation. Elle ramasse ses affaires et annonce au reste de l'équipe qu'elle prend le reste de la journée pour réfléchir. Valérie se présente au magasin le lendemain, mais son moral est à plat. Son entretien de la veille lui a ouvert les yeux. Elle se rend compte qu'elle ne peut pas changer la gestion du magasin sans que son patron soit lui-même prêt à changer. Ce matin, elle a pris les journaux locaux et consulte les offres d'emplois.

Questions

- Pourquoi le nouveau mode de rémunération n'a-t-il pas donné les résultats escomptés ? Expliquez ses effets sur les attitudes et les comportements des employés.

- Quels critères ou principes faut-il prendre en considération dans le choix, l'implantation et la gestion d'un nouveau mode de rémunération du personnel de vente ?

- Pour atteindre les résultats escomptés, quelles autres possibilités auraient pu être envisagées en matière de rémunération des employés ? Justifiez votre réponse.

Source : Adapté de HAMEL, V., et S. ST-ONGE. *La rémunération à la commission chez Lebeau Décoration*, cas n° 9 30 2009 027, Montréal, Centre de cas HEC Montréal, 2009.

POUR ALLER PLUS LOIN

Lectures suggérées

LONG, R.J. *Strategic Compensation in Canada*, 5e éd., Toronto, Nelson, 2014.

ST-ONGE, S., *Gestion de la rémunération : théorie et pratique*, 3e éd., Montréal, Chenelière Éducation, 2014.

Sites Web

Association donnant de l'information sur la rémunération
www.worldatwork.org

Prévisions économiques du Conference Board of Canada
www.conferenceboard.ca

Site de TECHNOCompétences, comité sectoriel de main-d'œuvre des technologies de l'information et des communications
www.technocompetences.qc.ca

Résultats de l'Enquête sur la rémunération globale au Québec
www.stat.gouv.qc.ca/statistiques/travail-remuneration/resultats-erg.html

Commission des normes, de l'équité, de la santé et de la sécurité du travail
www.csst.qc.ca

Institut de la statistique du Québec
www.stat.gouv.qc.ca

Le coin de l'Ordre des CRHA

www.portailrh.org

Les pratiques de rémunération parlent de la culture organisationnelle
Par Marc Chartrand, CRHA, sociétaire, PCI-Perrault Conseil inc.

La rémunération : un puissant levier de mobilisation
Par Geneviève Cloutier, CRHA, conseillère principale, Normandin Beaudry

Les prochaines pratiques d'excellence en rémunération
Par Jérôme Côté, CRHA, chef de pratique, Rémunération, Hay Group

La rémunération stratégique : réalité ou utopie ?
Par Marc Chartrand, CRHA, M. Sc., associé chez PCI-Perrault Conseil inc.

La rémunération et le rendement
Par Marie-Christine Piron, M. Sc., CRHA, Piron Ward Consultation en ressources humaines

Pour une saine gouvernance des régimes d'assurance collective
Par Sophie Lachance, conseillère principale, Normandin Beaudry

Situation des régimes de retraite dans le contexte actuel de crise financière
Par René Beaudry, f.s.a., f.i.c.a., associé, Normandin Beaudry

La rémunération
Par Marc Chartrand, CRHA, sociétaire chez PCI-Perrault Conseil inc.

Chapitre 9

GÉRER LES RELATIONS DU TRAVAIL

Principaux défis à relever en matière de relations du travail

- Établir et maintenir un climat propice à des relations du travail constructives.

- Travailler en partenariat pour trouver des solutions alignées sur les intérêts de chaque partie.

- Négocier et administrer de bonne foi la convention collective.

- Adapter les pratiques au cadre juridique et institutionnel des rapports collectifs de travail.

- Désamorcer les conflits quant à l'interprétation et à l'application de la convention collective.

- Assurer l'équilibre entre efficacité, efficience et équité dans les rapports collectifs de travail.

Objectifs d'apprentissage

- Connaître les principales dispositions du droit des rapports collectifs de travail.

- Comprendre le syndicalisme de même que les principales fonctions d'un syndicat.

- Savoir comment intervenir dans le processus de négociation collective.

- Être en mesure d'interpréter une convention collective.

- Saisir les particularités de l'application d'une convention collective.

- Utiliser à bon escient les voies de résolution de litiges.

- Définir les différentes étapes du processus de traitement des griefs.

- Saisir les principaux paramètres des relations du travail dans le secteur public, les milieux syndiqués et à l'international.

La présence syndicale est une réalité incontournable dans bien des milieux de travail. En effet, avec un taux de couverture syndicale de 39,4 % au Québec et de 30,6 % au Canada en 2015, les conditions de travail d'une portion importante de salariés se trouvent inscrites dans une convention collective. La gestion des ressources humaines (GRH) doit donc tenir compte de cette présence syndicale et s'adapter en conséquence.

Bien que l'exercice du pouvoir syndical et les résistances spontanées aient permis une amélioration importante de la condition ouvrière, le défi qui se pose aujourd'hui est celui de la coopération. Dans un contexte caractérisé notamment par l'intensification de la concurrence et la recherche d'une plus grande flexibilité, les coûts de l'affrontement en font une option de moins en moins envisageable. Ainsi, la coopération patronale-syndicale se présente souvent comme la seule approche pouvant assurer la pérennité des organisations (et des emplois) dans un contexte turbulent et incertain. Cette coopération s'établit sur la base du respect mutuel et se concrétise au jour le jour dans un dialogue soutenu entre la partie patronale et la partie syndicale.

Partant du principe qu'aucune organisation ne peut fonctionner sans un minimum de coopération, nous avançons dans ce chapitre que celle-ci est possible dans les milieux syndiqués à la condition qu'on fasse preuve de compréhension et de compétence dans la gestion des rapports collectifs de travail. Nous donnons d'abord une définition des concepts essentiels d'usage courant, puis nous traitons de l'importance des rapports collectifs de travail, notamment en ce qui a trait à la négociation et à l'application d'une convention collective. Nous voyons ensuite les responsabilités des divers intervenants en la matière. Nous examinons la démarche de syndicalisation et les actions qui s'imposent à la suite de la syndicalisation. De même, il est question de la négociation de la convention collective et des arrêts de travail utilisés comme moyens de pression. Nous examinons ensuite la convention collective ainsi que l'application de celle-ci au quotidien en milieu de travail. Puis, nous insistons sur la mécanique propre à la résolution des litiges relatifs à l'application de la convention collective. Nous présentons ensuite le partenariat patronal-syndical qui constitue une réponse concrète au défi de la coopération. Enfin, nous détaillons quelques aspects particuliers des relations du travail dans le secteur public, les milieux syndiqués et à l'international, ainsi que les conditions favorisant une meilleure gestion des rapports collectifs de travail.

===== MISE EN SITUATION =====

PME : négocier avec un syndicat pour sauver son entreprise

Serge Loubier, président de Marquis Imprimeur, a déjà une bonne idée du sort qui attend l'imprimerie Gagné lorsqu'il y met les pieds à l'été 2012. Achetée des mains de Transcontinental en même temps que l'imprimerie Métrolitho de Sherbrooke, l'usine de Louiseville allait être fermée afin de regrouper toutes les activées de Marquis en un seul et même emplacement, à Montmagny.

Ça, c'était selon le plan. Mais avant de passer à l'action, l'équipe de Marquis Imprimeur souhaitait vérifier ce qu'elle venait d'acquérir. Après un court séjour à prendre le pouls de l'usine, elle allait finalement changer d'idée : les activités de l'imprimerie seraient maintenues.

Non seulement les presses n'étaient-elles pas utilisées comme Marquis l'avait estimé, mais l'usine de Louiseville comptait aussi sur une équipe de vente et des contacts précieux chez des clients américains. Une véritable « pépite d'or », selon Serge Loubier. « On ne pouvait pas se passer de cette expertise-là, dit-il, ou en tout cas, on avait peur qu'elle ne nous suive pas à Montmagny. »

Maintenir les activités de l'usine, d'accord, mais encore fallait-il qu'elles soient rentables. Le hic était là. L'imprimerie de Louiseville ne faisait pas ses frais. Pourtant, Serge Loubier en faisait une priorité. Selon lui, il n'y avait qu'une solution : rouvrir la convention collective.

« On a crevé l'abcès en partant, en indiquant aux employés quel était notre plan », raconte le président de Marquis Imprimeur. Afin de montrer le sérieux de la proposition, la direction a ouvert d'emblée ses livres aux représentants de la Fédération des travailleurs du Québec (FTQ) responsables du dossier.

C'est là que les négociations ont commencé. Elles ont duré environ trois mois. Pendant cette période, la direction a cherché à rétablir les conditions d'emploi et de salaire des travailleurs de Louiseville au niveau de celles de leurs confrères de Montmagny.

Serge Loubier était absent de la table des négociations, car il souhaitait laisser cette tâche aux spécialistes des ressources humaines de son entreprise. Il ne s'en mêlait que pour débloquer les impasses. « C'est arrivé deux fois que j'aie eu à appeler le responsable des pâtes et papiers à la FTQ pour lui dire : "Là, on s'en va dans le mur, il faut qu'on fasse quelque chose chacun de notre bord, alors trouve-moi une solution", dit-il. Après ça, ça descendait en bas à la table de négociations. »

Puis, en décembre, les deux parties ont accordé leurs violons. La nouvelle entente allait permettre aux propriétaires d'économiser trois millions de dollars et garantissait la rentabilité des activités.

Un conseil porteur

S'entendre avec les représentants syndicaux ne représentait toutefois qu'une étape : encore fallait-il obtenir l'aval des employés.

Afin de garantir le succès de toute l'opération, Serge Loubier a cherché conseil chez Rémi Marcoux, fondateur et administrateur de Transcontinental et l'homme de qui il venait d'acheter deux usines. Celui-ci lui a alors donné un conseil bien simple en soi : présenter la nouvelle proposition aux employés non pas à l'occasion d'une grande réunion, mais devant de petits groupes de cinq ou six employés.

Les dirigeants de Marquis ont suivi le conseil. Pendant une semaine, ils se sont affairés à rencontrer l'ensemble de leurs employés par petites équipes, de jour comme de nuit. Une stratégie qui a délié les langues, explique Serge Loubier. « Ç'a été libérateur parce que ça a permis de décharger l'émotivité du vote », dit-il.

Était-ce en raison de cette approche, ou simplement l'idée que la meilleure entente possible avait été négociée ? Qui sait, mais les employés de l'usine ont finalement accepté leur nouveau contrat de travail et ont permis à Marquis Imprimeur de faire une percée aux États-Unis.

Source : PRIMEAU, M. « PME : négocier avec un syndicat pour sauver son entreprise », *La Presse*, 24 janvier 2014, http://affaires.lapresse. ca/pme/201401/24/01-4731914-pme-negocier-avec-un-syndicat-pour-sauver-son-entreprise.php (Page consultée le 7 octobre 2016).

DÉFINITIONS

Les rapports collectifs s'établissent à des degrés divers dans tout milieu de travail, qu'il soit syndiqué ou non. Il existe en effet dans bien des organisations des structures et des mécanismes qui permettent à l'ensemble du personnel ou à certains groupes de se faire entendre et d'avancer des demandes collectives. On fait alors référence à des associations de salariés et même à des comités de vie au travail ayant pour objet la défense d'intérêts communs. Les mécanismes de résolution de plaintes et les programmes de suggestions du personnel véhiculent aussi les intérêts collectifs du personnel. Par ailleurs, même en l'absence de ces structures et mécanismes, l'employeur agit normalement en fonction non seulement des préférences de chaque individu, mais aussi des besoins de l'ensemble des personnes travaillant pour l'organisation. En somme, bien que l'on associe le plus souvent les rapports collectifs de travail aux relations du travail, il ne faut pas perdre de vue que la dimension collective existe sous diverses formes dans toute organisation.

L'expression « **relations du travail** » désigne les rapports qui s'établissent en milieu de travail entre l'employeur et une association accréditée. L'**employeur**, au sens du Code du travail, fait référence à quiconque, y compris l'État, fait exécuter un travail par un salarié. Le **salarié**, au sens de la loi, est une personne qui travaille pour un employeur moyennant rémunération. L'**association accréditée** désigne l'association reconnue par décision du Tribunal administratif du travail comme représentante de l'ensemble ou d'une partie des salariés d'un employeur. Une **association de salariés** est un groupement de salariés constitué en syndicat professionnel, union, fraternité ou autrement et ayant pour buts l'étude, la sauvegarde et le développement des intérêts économiques, sociaux et éducatifs de ses membres, et particulièrement la négociation et l'application de conventions collectives. Un **syndicat**, au sens entendu en relations du travail, est une association de salariés accréditée.

On confond souvent les relations du travail et les relations industrielles — en Europe, pour désigner les premières, on utilise d'ailleurs l'expression « relations professionnelles ». Les **relations industrielles**, dont la portée est plus vaste (Boivin, 2010), se rapportent à la GRH, aux politiques gouvernementales relatives au travail et aux relations du travail. Elles incluent ainsi tous les rapports de travail, tandis que les **relations du travail** ne font référence qu'aux rapports collectifs de travail. Les relations du travail se présentent ainsi comme une branche du domaine des relations industrielles.

La **négociation collective** désigne le processus de discussion qui s'établit entre le syndicat et l'employeur en vue de conclure une convention collective. On distingue aussi parfois la négociation traditionnelle de la négociation raisonnée. Dans le cadre d'une négociation collective traditionnelle, les parties s'inscrivent dans une logique gagnant-perdant : chacun cherche à défendre ses intérêts, les gains de l'un causant les pertes de l'autre ; le compromis est la meilleure résultante possible. Une négociation collective raisonnée vise quant à elle les intérêts communs des parties et se déroule plutôt dans une perspective gagnant-gagnant. Elle a lieu dans un climat de confiance et repose sur le degré d'ouverture des parties et sur leur volonté de se transmettre l'information.

Une **convention collective** est une entente concernant les conditions de travail applicables aux salariés d'un employeur. Elle comporte notamment les règles régissant les rapports mutuels entre les parties et les conditions de travail, c'est-à-dire les clauses relatives aux droits de l'employeur et aux droits syndicaux des employés, de même que certaines dispositions sur les heures de travail et les congés fériés et sociaux. Lorsqu'il veut contester l'interprétation ou l'application d'une convention collective, le syndicat peut déposer un grief. S'engage alors une procédure interne de règlement. Dans les cas où les parties n'arrivent pas à régler le grief à l'interne, on fait appel à un arbitre de griefs, lequel institue une procédure de résolution des griefs sur laquelle nous reviendrons.

L'IMPORTANCE DE GÉRER LES RELATIONS DU TRAVAIL

Les systèmes de relations industrielles au Québec, au Canada et dans plusieurs pays admettent les affrontements entre employeurs et syndicats. Ces affrontements peuvent toutefois représenter des coûts tant pour les parties en cause que pour la société dans son ensemble.

Ainsi, bien qu'il soit inadmissible d'interdire l'action collective, une saine gestion des relations de travail favorise un fonctionnement favorable à l'évitement des conflits nuisibles.

Pour la société

En considérant les coûts sociaux des conflits de travail, on situe l'importance des relations du travail pour la société. Les gouvernements ont donc cherché à contrôler les conflits de travail et les affrontements violents. Les lois mises en place ont aussi visé à assurer aux citoyens l'accès à des services essentiels. Une grève dans les transports, par exemple, fait qu'il devient très difficile pour beaucoup d'usagers de se rendre à leur lieu de travail. Voilà pourquoi il existe un régime juridique en matière de rapports collectifs de travail qui n'élimine pas le conflit, mais qui assure une relative paix industrielle tout en assurant les services essentiels à la population (en matière de santé, de transport, etc.). L'équilibre entre le droit d'association et la protection du public demeure ainsi une préoccupation constante dans bien des sociétés, et ce souci s'exprime au Québec dans le Code du travail et autres textes de loi. Mentionnons enfin les efforts déployés pour favoriser un climat de relations du travail propice à l'investissement et à la création d'emplois.

Pour l'organisation

Les conflits de travail peuvent engendrer de lourdes pertes financières pour les organisations. Dans une imprimerie, par exemple, une grève peut empêcher la parution d'un journal et entraîner une réduction des abonnements. Une grève de scénaristes peut occasionner un ralentissement de toute l'industrie du cinéma. Une menace de grève dans les hôtels peut nuire au tourisme. Il faut également reconnaître que des relations antagonistes et les vifs affrontements, même s'ils n'aboutissent pas toujours à des arrêts de travail, génèrent des coûts en raison des diverses manifestations de mécontentement, comme le refus de collaborer. Voilà pourquoi certains employeurs qui favorisent le partage de l'information et la résolution conjointe des problèmes procèdent à la mise en place de mécanismes de concertation (Bettache, 2010).

Une saine gestion des relations du travail favorise la continuité des services. La résolution des mésententes par l'intermédiaire d'une procédure de traitement des griefs ou de négociations collectives doit pouvoir éviter de nombreux affrontements et, par conséquent, minimiser les contrecoups des éventuels arrêts de travail auxquels seraient exposés les fournisseurs et les clients. Il est d'ailleurs prévu que, lorsque la négociation collective se trouve dans une impasse, les parties peuvent s'en remettre à la conciliation ou à l'arbitrage des différends. En utilisant à bon escient les mécanismes inclus dans le système de relations du travail, les gestionnaires et les professionnels des ressources humaines (RH) peuvent contribuer à éviter certains arrêts de travail et ainsi favoriser la compétitivité.

La direction de l'entreprise peut aussi faire appel à la coopération syndicale dans un effort qui exige parfois de revoir les méthodes et les conditions de travail. L'employeur peut également chercher l'adhésion du syndicat dans une initiative de réorganisation du travail qui viserait à introduire plus de flexibilité dans les affectations. Certes, cela est exigeant, mais la chose s'avère possible, comme en témoignent les réussites de nombreuses organisations où il y a une forte présence syndicale.

En mode affrontement, les parties se braquent sur leurs positions et font tout en leur pouvoir pour déstabiliser leur « adversaire ». Au lieu de résoudre des problèmes, ils se satisfont trop souvent de compromis vides de sens. S'observent alors une détérioration du climat de travail et une érosion de la motivation de chacun à s'investir au travail. Un tel scénario regrettable s'oppose évidemment à la collaboration, au travail en commun, au partage des savoirs et à l'innovation. Une saine gestion des relations du travail désamorcerait l'affrontement au profit de la coopération.

Pour l'employé

Pour l'employé, l'importance des relations du travail est rudement ressentie pendant un arrêt de travail, qui a comme conséquence directe la perte de revenus.

L'employé a donc tout intérêt à s'engager dans son milieu pour favoriser de saines relations du travail. Il peut aussi saisir que l'enjeu de l'amélioration de ses conditions de travail se situe sur le terrain des relations du travail. En effet, en milieu syndiqué, les conditions de travail sont inscrites dans la convention collective. Au moment de la négociation collective, l'employé peut donc exercer des pressions ou militer pour une amélioration de ces conditions de travail. Il s'agit aussi parfois de participer à une action syndicale qui vise à assurer la pérennité du régime de retraite des membres ou à offrir d'autres protections. La possibilité de se faire entendre par une action collective serait ainsi un facteur d'intérêt pour l'employé (Johnston et Ackers, 2015). Seul, il peut être difficile pour lui d'être écouté par l'équipe de direction, mais avec l'appui du syndicat, sa position individuelle se convertit en une revendication collective qui a plus de poids. Dans un milieu syndiqué, l'employé a aussi la possibilité de dénoncer des pratiques contraires à la convention collective et de vivre son travail au quotidien dans un cadre qui comporte des balises claires limitant l'arbitraire.

En guise de synthèse, le tableau suivant présente les éléments qui témoignent de l'importance des relations du travail pour la société, l'organisation (l'employeur) et l'employé ou salarié.

L'importance de gérer les relations du travail	
Pour la société	Éviter les coûts sociaux associés aux conflits de travail.
	Assurer la paix industrielle.
	Favoriser un climat de relations du travail propice à l'investissement et à la création d'emplois.
Pour l'organisation	Éviter les coûts inhérents aux arrêts de travail.
	Assurer la continuité des services.
	Maintenir sa capacité concurrentielle.
	Tirer profit de la coopération.
Pour l'employé	Éviter les pertes de revenus associées aux conflits de travail.
	Améliorer ses conditions de travail.
	Se faire entendre.
	Avoir la possibilité de dénoncer des pratiques contraires à la convention collective.

LE PARTAGE DES RESPONSABILITÉS EN MATIÈRE DE RELATIONS DU TRAVAIL

L'employeur assume plusieurs responsabilités en matière de rapports collectifs de travail. Il doit se positionner vis-à-vis de la partie syndicale et gérer sainement les RH en reconnaissance de ses droits de gérance. La présence syndicale ne dégage donc pas les dirigeants de leurs responsabilités en matière de gestion et de prise de décision. Elle n'empêche pas la réorganisation du travail, l'investissement dans la formation ou la préparation de la relève. Les dirigeants ont cependant intérêt à prendre en compte le syndicat dans leurs décisions d'affaires.

De leur côté, les cadres représentent l'employeur vis-à-vis du syndicat. Puisque les cadres sont souvent très près des opérations, ils sont en mesure de déterminer les clauses de la convention collective dont l'application pose problème et de suggérer des modifications à apporter aux conditions de travail. Voilà pourquoi il importe de les mettre à contribution notamment à l'étape de la préparation de la négociation collective (Bergeron et Paquet, 2011). Il leur revient également d'appliquer les règles de fonctionnement de la convention dans la réalisation du travail. En pratique, il s'agit souvent de pourvoir les postes en fonction du principe de l'ancienneté ou d'appliquer les dispositions relatives aux heures et aux horaires de travail. Une bonne compréhension des dispositions de la convention collective s'impose pour guider leurs actions.

Les professionnels des RH, quant à eux, assument plusieurs responsabilités en matière de rapports collectifs de travail. On fait souvent appel à leur expertise lorsque les opinions divergent quant à l'interprétation de certaines clauses de la convention collective. De même, ils participent directement à la négociation collective et à la procédure de règlement des griefs. Ils siègent également aux réunions des comités de relations du travail, où ils discutent avec les représentants syndicaux de sujets qui ne relèvent pas directement de la convention collective. Même s'ils ne peuvent pas tout contrôler, il est souvent de leur ressort de maintenir un climat propice à de bonnes relations du travail.

L'employé, en tant que membre d'un syndicat, a lui aussi certaines responsabilités. Tout d'abord, le seul fait de participer à la vie syndicale en étant membre d'un comité de relations du travail ou de négociations favorise le bon fonctionnement du syndicat lui-même. Le membre peut ainsi se faire entendre, exercer son droit de vote et influer sur l'exercice des rapports collectifs de travail dans son organisation. Tout en participant à cette vie syndicale, l'employé doit respecter le cadre légal qui régit les relations du travail. Au Québec, par exemple, il doit accepter de payer une cotisation syndicale. En outre, l'employé est responsable de sa conduite au travail. Il ne peut donc en aucun cas alléguer son appartenance à un syndicat pour justifier des comportements qui devraient entraîner des sanctions. Par ailleurs, il relève de l'employé de s'informer des conditions de travail convenues entre les parties signataires de la convention collective, et particulièrement de celles qui concernent la gestion des mouvements de personnel ; il est en effet de son devoir et dans son intérêt de bien saisir les principes qui régissent les décisions relatives aux promotions, aux mutations et aux affectations.

Selon le Code du travail, dans un contexte de rapports collectifs de travail, le syndicat a pour fonctions l'étude, la sauvegarde et l'accroissement des intérêts économiques, sociaux et éducatifs de ses membres, et particulièrement la négociation et l'application des conventions collectives. L'action syndicale est menée en milieu de travail par les délégués syndicaux et les dirigeants élus, qui assument des responsabilités à l'égard de leurs membres et de l'employeur. On leur demande notamment de consulter leurs membres sur des questions importantes, de leur transmettre de l'information et de tenir un vote sur la ratification de la convention collective. Il revient aussi au syndicat, par l'intermédiaire des actions de ses délégués syndicaux et de ses dirigeants élus, de mobiliser ses membres. Ainsi, au cours du processus de négociation collective, le syndicat peut entreprendre des actions de mobilisation afin de conserver l'appui de ses membres. Face à l'employeur, le syndicat a également la responsabilité d'entamer et de poursuivre les négociations avec diligence et bonne foi. Il appartient cependant aux deux parties de choisir un arbitre de griefs d'un commun accord et de proposer la formation d'un comité de relations du travail ou d'autres mécanismes de fonctionnement. Le syndicat et l'employeur ont tout intérêt à chercher à s'entendre sur certaines règles de fonctionnement.

Soulignons que cette représentation du rôle syndical s'inscrit dans une tradition de syndicalisme corporatiste (*business unionism*) centrée sur la défense des intérêts économiques des membres et sur l'amélioration de leurs conditions de travail. Par-delà cette approche dominante, il existe aussi un syndicalisme de mouvement social, lequel exerce une influence autant dans l'entreprise que dans la communauté. Il se caractérise par la formation d'alliances et de coalitions en vue de faire avancer la cause d'une justice économique et sociale (Fairbrother, 2008). Ainsi, ce syndicalisme de mouvement social parvient parfois à «ébranler sérieusement le pouvoir politique» (Coutu *et al.*, 2013). Même si ce type de syndicalisme ne s'érige pas en modèle dominant, on le retrouve dans les débats sociaux où il dénonce certaines conditions de travail et suppressions d'emplois.

Le partage des responsabilités en matière de relations du travail	
Dirigeants	Prendre position vis-à-vis du syndicat.
	User de leurs droits de gérance.
	Prendre en compte le syndicat dans les décisions d'affaires.
Cadres	Communiquer la position de l'employeur.
	Participer à la préparation de la négociation collective.
	Appliquer les règles de fonctionnement de la convention collective dans la réalisation du travail.
Professionnels des RH	Assurer le respect de l'encadrement légal des relations du travail.
	Participer à la négociation collective.
	Participer à la procédure de règlement des griefs.
	Maintenir un climat propice à de bonnes relations du travail.
Syndicat	Défendre ses membres.
	Négocier la convention collective avec diligence et bonne foi.
	Surveiller l'application de la convention collective.
	Permettre l'expression collective des travailleurs.
Employés	Participer à la vie syndicale.
	Respecter le cadre légal qui régit les relations du travail.
	S'informer des conditions de travail convenues par les parties signataires de la convention collective.

 VIDÉO

La Centrale des syndicats du Québec a réalisé la vidéo « Femmes et leadership syndical », avec Catherine Le Capitaine, professeure de relations industrielles à l'Université Laval.

9.1 Le syndicat et son fonctionnement

Dans un milieu de travail syndiqué, tout intervenant a intérêt à comprendre la structure et le fonctionnement de l'association de salariés vouée à la sauvegarde et au développement des intérêts économiques, sociaux et éducatifs de ses membres. Au cœur des rapports collectifs de travail se situe ainsi le syndicat, qui a comme objet la défense des intérêts de ses membres. Les membres d'un syndicat sont les salariés compris dans l'unité de négociation qui est déterminée suivant l'activité économique, la structure de l'entreprise et la demande du syndicat. L'unité de négociation peut donc représenter l'ensemble des salariés d'un employeur ou encore un groupe distinct. Il peut donc coexister plus d'un syndicat chez un même employeur. Par exemple, dans une entreprise de transport aérien, on pourrait trouver un syndicat du personnel administratif, un syndicat des pilotes et un autre regroupant les agents de bord. À l'intérieur de leur unité de négociation respective, ou syndicat local, les membres peuvent participer à divers comités et s'exprimer au sein d'une assemblée générale ou à l'occasion d'un vote de grève.

Chaque syndicat local compte un certain nombre de membres élus qui forment l'exécutif syndical. Leur rôle est important, car ils participent à plusieurs instances relatives à l'organisation des activités syndicales et à la négociation collective. Les dirigeants syndicaux qui composent l'exécutif syndical organisent donc le travail du syndicat dans le milieu de travail et la communauté. Ce sont ces dirigeants syndicaux et les membres des comités syndicaux qui s'assurent que les besoins des membres sont satisfaits. Les dirigeants syndicaux participent aussi à des réunions avec les membres qui donnent l'occasion de discuter des questions qui les préoccupent.

Compte tenu de la mission fondamentale d'un syndicat local, ses structures sont généralement décentralisées de façon à mieux répondre aux problèmes réels au travail de ses membres. Ainsi, les organisations syndicales accordent un rôle de premier plan aux délégués syndicaux, qui ont deux fonctions principales. La première fonction est d'aider les membres de l'unité d'accréditation à résoudre des problèmes qui se présentent au travail. Un délégué syndical pourrait ainsi intervenir pour épauler un membre qui se sent lésé quant au calcul de ses heures supplémentaires ou un autre membre qui se dit victime de harcèlement. Cette assistance consiste aussi parfois à aider les membres à déposer leurs griefs ou à exprimer autrement leurs plaintes. La seconde fonction importante des délégués syndicaux consiste à servir de courroie de transmission entre les membres et les dirigeants syndicaux. Les délégués syndicaux peuvent ainsi aider les dirigeants syndicaux à communiquer avec leurs membres. Cette fonction consiste également à faire part aux dirigeants syndicaux de toute préoccupation ou insatisfaction que pourraient avoir les membres au sujet de mesures que le syndicat a prises ou n'a pas prises.

Bien que les relations du travail se déroulent principalement au niveau de l'entreprise, essentiellement dans les rapports entre l'employeur et le syndicat local, il faut comprendre que les structures syndicales dépassent largement ce cadre. En effet, la vaste majorité des syndicats locaux sont affiliés à une **centrale syndicale** qui leur prête assistance. Le Syndicat des métallos, par exemple, regroupe plusieurs syndicats locaux (ou sections locales). À son tour, le Syndicat des métallos est affilié à la Fédération des travailleurs et travailleuses du Québec (FTQ) et au Congrès du travail du Canada (CTC). En somme, chaque organisation syndicale a sa structure propre, avec généralement un regroupement régional et un regroupement professionnel, de même qu'un ensemble de statuts et de règlements. La figure 9.1, à la page suivante, illustre la structure de la Fédération des travailleurs et travailleuses du Québec (FTQ).

Les principales centrales syndicales du Québec sont la Fédération des travailleurs et travailleuses du Québec (FTQ), la Confédération des syndicats nationaux (CSN), la Centrale des syndicats du Québec (CSQ) et la Centrale des syndicats démocratiques (CSD). Ces centrales syndicales représentent ensemble les intérêts de plus d'un million de membres auprès des gouvernements et de l'opinion publique. Ce sont ainsi les centrales syndicales qui prennent position sur des questions comme la santé et la sécurité du travail ou qui mènent des campagnes contre le chômage, pour le plein emploi ou pour l'amélioration des régimes publics de retraite.

Centrale syndicale

Organisation qui regroupe des syndicats locaux qui ont comme objet la défense des intérêts de leurs membres.

www.metallos.org
Syndicat des métallos

http://ftq.qc.ca
Fédération des travailleurs et travailleuses du Québec (FTQ)

www.congresdutravail.ca
Congrès du travail du Canada (CTC)

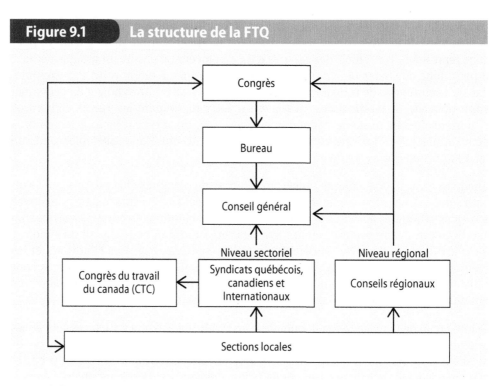

Figure 9.1   La structure de la FTQ

Source : FÉDÉRATION DES TRAVAILLEURS ET TRAVAILLEUSES DU QUÉBEC (FTQ). http://ftq.qc.ca/structure-de-la-ftq (Page consultée le 30 octobre 2016).

Les centrales syndicales dispensent aussi des services aux syndicats locaux. L'intervention d'un représentant syndical s'avère la forme la plus visible de cette assistance. Celui-ci est désigné par la centrale syndicale pour conseiller et assister le syndicat local dans ses activités. Les centrales syndicales favorisent aussi le développement de l'action syndicale en offrant de nombreuses activités de formation syndicale à l'intention de leurs militants et conseillers. La formation syndicale offerte par la Centrale des syndicats démocratiques, par exemple, porte notamment sur les thèmes suivants :

- l'initiation à la vie syndicale ;
- le rôle de délégué d'un service ;
- le travail d'équipe en conseil syndical ;
- la communication dans le syndicat ;
- la préparation de la négociation collective ;
- la grève ;
- l'emploi dans le domaine de la santé ;
- l'action syndicale dans la construction.

www.csd.qc.ca/formation-syndicale

Formation syndicale à la CSD

9.2   La démarche de syndicalisation

En vertu du droit d'association, tout salarié peut adhérer à une association de son choix ou participer à ses activités. Bien que les salariés qui s'engagent dans une démarche de syndicalisation exercent une liberté fondamentale, la syndicalisation suscite souvent des réactions fortes de la part des acteurs du monde du travail. L'employeur visé peut s'opposer à la syndicalisation ou l'accepter à bras ouverts ; il existe bien sûr de nombreuses nuances entre l'opposition et l'acceptation. L'employeur qui s'oppose à la syndicalisation peut souligner les

Parole d'expert

Les syndicats diminuent les tensions en milieu de travail

Contrairement à ce que laisse croire le discours antisyndical ambiant, l'absence de représentation syndicale ne réduit pas les tensions dans les milieux de travail. Les entreprises ne sont pas des «communautés harmonieuses» où les travailleurs adhèrent spontanément et de façon consensuelle aux objectifs et aux projets fixés par l'employeur. Répondre à la diversité des intérêts et des besoins est un défi auquel tant les organisations syndicales que les employeurs sont confrontés. Dans ce contexte, la négociation individuelle n'est pas un gage d'efficacité et d'équité, mais une porte ouverte à l'arbitraire. De même, la précarisation de l'emploi n'est pas synonyme d'efficacité à long terme. Des relations patronales-syndicales qui misent sur la coopération, la transparence et la confiance permettent d'améliorer les performances des entreprises. Des études ont montré qu'une présence syndicale encourage l'implication des salariés, qu'elle fournit une voix autonome aux travailleurs, qu'elle favorise une vision à long terme du développement des entreprises plutôt qu'une gestion à court terme comme c'est trop souvent le cas aujourd'hui avec le règne des actionnaires. L'action syndicale facilite la communication et permet aussi la stabilité de la main-d'œuvre et l'accès à la formation. La confiance des salariés envers leur entreprise peut aussi être accrue.

Source: Extrait de ROY, L. «L'implication syndicale: plus nécessaire que jamais» *Effectif*, vol. 15, n° 2, avril/mai 2012.

inconvénients de la représentation syndicale. Il peut aussi tenter d'éviter l'accréditation syndicale par la mise en place de mécanismes de résolution de plaintes et de pratiques de GRH avantageuses. Quant à l'acceptation, elle se caractérise par la neutralité de l'employeur vis-à-vis d'un syndicat et par le maintien de relations positives avec cet interlocuteur. Il appartient donc aux dirigeants d'apprécier adéquatement le contexte dans lequel l'une ou l'autre de ces réactions est la plus appropriée (Boivin, 2010).

9.2.1 Les motifs poussant à la syndicalisation

Si des salariés s'engagent dans une démarche de syndicalisation, c'est qu'ils y voient des avantages. Certains salariés peuvent ainsi associer à la représentation syndicale une meilleure sécurité d'emploi. D'autres sont susceptibles d'y voir une façon d'introduire des règles claires et une certaine forme de justice et d'équité dans la prise de décision. Les salariés d'une organisation peuvent aussi percevoir le syndicat comme une instance de participation à la prise de décision qui leur permettra d'améliorer leurs conditions de travail.

Mais les insatisfactions n'expliquent pas tout. En effet, les principaux motifs qui poussent l'employé à la syndicalisation sont les suivants:
- la recherche de meilleures conditions de travail;
- la croyance que les avantages de la syndicalisation sont supérieurs à ses désavantages;
- les attitudes (ou idéologies) favorables au syndicalisme;
- la facilité du processus de syndicalisation;
- la compréhension du fonctionnement des syndicats.

Nul doute que les motifs qui poussent à la syndicalisation varient d'un milieu de travail à l'autre et d'un salarié à l'autre (et même d'un contexte national à l'autre). Dans certains milieux de travail ou secteurs d'activité fortement syndiqués, la syndicalisation d'un groupe de salariés se présente comme une démarche normale et attendue. Par exemple, dans le secteur des services publics ou dans celui des administrations

 VIDÉO

La Confédération française démocratique du travail a réalisé la vidéo «Quel avenir pour le syndicalisme?», avec Michel Rocard, ex-premier ministre français.

publiques, les taux de syndicalisation sont élevés et la propension à se syndiquer aussi. Au sein d'autres milieux de travail, la syndicalisation est très peu répandue. Dans les organisations du secteur de l'hébergement et des services de restauration, par exemple, la présence syndicale est relativement rare et la tendance à se syndiquer corrélativement faible.

Parmi les autres motifs pouvant susciter la syndicalisation, mentionnons la culture nationale et les attitudes des salariés. Ainsi, bien que les taux de syndicalisation au Québec ou au Canada (respectivement 37,4 % et 29,9 % en 2012) puissent paraître élevés par rapport à ceux constatés aux États-Unis (10,7 % en 2014) ou encore au Mexique (13,5 % en 2014), ils sont bien inférieurs à ceux de pays comme la Finlande (69,0 % en 2013) ou la Belgique (55,1 % en 2013) (Organisation de coopération et de développement économiques, 2016 ; Statistique Canada, 2013). Avec de telles disparités, il semblerait que la culture nationale influence aussi la propension de chacun à s'engager dans une démarche de syndicalisation. Aux États-Unis, par exemple, la culture nationale et les lois qui protègent le droit d'association ne paraissent pas très favorables à la syndicalisation. Les sondages auprès de la population états-unienne indiquent par ailleurs une érosion lente mais constante des opinions favorables au syndicalisme depuis 1936 (Weldon, 2014).

Pour l'employeur ou tout autre intervenant qui souhaiterait comprendre le pourquoi d'une démarche de syndicalisation, plusieurs facteurs doivent être envisagés. Même si l'insatisfaction des salariés à l'égard de leurs conditions de travail est en cause, il faut aussi tenir compte de la dynamique du groupe et des liens de solidarité qui se tissent à l'occasion d'une mobilisation ou d'une démarche de syndicalisation. Enfin, l'explication serait incomplète si l'on ne prenait pas en considération les stratégies de recrutement des centrales syndicales. La démarche de syndicalisation s'appréhende ainsi non seulement en tant que réponse individuelle de l'employé, mais aussi comme dynamique collective (Cregan, 2005). Une campagne de recrutement bien ciblée jumelée avec des activités de mobilisation pourrait ainsi suffire pour convaincre les salariés réticents ou hésitants quant aux vertus de la syndicalisation.

9.2.2 L'accréditation des associations de salariés

L'accréditation confère à l'association de salariés le pouvoir exclusif de négocier les conditions de travail et de conclure une convention collective pour les salariés compris dans l'**unité de négociation**. La question examinée ici est de savoir comment une association de salariés en arrive à l'accréditation (*voir la figure 9.2*). Or, cette démarche est clairement balisée par la loi.

Selon le Code du travail, une association de salariés peut chercher à représenter l'ensemble des salariés d'un employeur ou encore d'un groupe distinct (art. 21). Les critères suivants permettent de déterminer si un groupe distinct est approprié aux fins de l'accréditation :
- les intérêts communs des salariés sur le plan du travail ;
- l'histoire des relations du travail chez l'employeur et dans des entreprises semblables ;
- le fonctionnement de l'entreprise selon une perspective géographique ;
- la paix industrielle ;
- le choix fait par les salariés.

Par ailleurs, lorsqu'il n'y a aucun syndicat en place chez un employeur, la description de l'unité de négociation faite par le syndicat est présumée appropriée.

La démarche de syndicalisation prévoit que l'association de salariés dépose une requête d'accréditation au Tribunal administratif du travail dans laquelle elle précise le groupe de salariés qu'elle compte représenter. Cette requête doit être accompagnée d'une

Unité de négociation

Groupe distinct de salariés ne comprenant pas nécessairement la totalité des salariés d'un employeur, mais possédant des intérêts communs sur le plan du travail.

www.legisquebec.gouv. qc.ca/fr/ShowTdm/cs/%20 C-27?&digest=?mode=detail

Code du travail

Figure 9.2 La démarche de syndicalisation

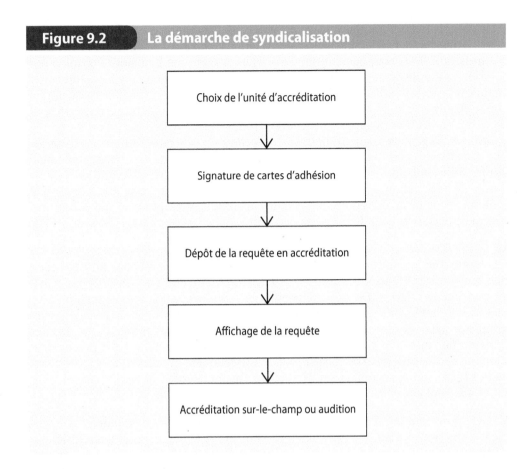

Le coin de la loi

Le Code du travail

Le Code du travail constitue la loi fondamentale régissant les rapports collectifs de travail. Le travail étant de compétence provinciale, cette loi encadre les rapports entre les groupes de salariés et d'employeurs au Québec, le Code canadien du travail ne s'appliquant qu'aux entreprises de compétence fédérale (p. ex., dans les domaines du transport interprovincial, des banques, des télécommunications, de l'énergie).

Le Code du travail, qui vise l'établissement de bons rapports de travail, traite de plusieurs aspects des relations du travail. Il régit notamment la formation d'une association de salariés et sa reconnaissance légale par l'accréditation. Le Code touche aussi la négociation des conditions de travail et leur consignation dans une convention collective. L'application du Code du travail est assurée depuis le 1er janvier 2016 par le Tribunal administratif du travail.

résolution de l'association et des formulaires d'adhésion des salariés au syndicat (cartes de membres), comporter une description du groupe (l'unité de négociation) que l'association souhaite représenter et contenir les différents éléments requis par règlement, conformément au Code du travail. C'est au Tribunal administratif du travail que revient ensuite la responsabilité d'aviser l'employeur, à la réception de la requête en accréditation. Le jour ouvrable suivant la réception de cet avis, l'employeur doit afficher dans un endroit bien en vue, pendant au moins cinq jours consécutifs, une copie de la requête en accréditation et une copie de l'avis d'audience du Tribunal. Il doit également, dans les cinq jours suivant la réception de la requête (Code du travail, art. 25, al. 3), afficher la liste complète des salariés visés par la requête en accréditation, en transmettre sans délai une copie à l'association et en garder une copie pour l'agent de relations du travail saisi de la requête.

www.tat.gouv.qc.ca
Tribunal administratif du travail

Pour obtenir l'accréditation, une association doit être représentative de la majorité des salariés. Par conséquent, si l'agent de relations du travail délégué par le Tribunal administratif du travail conclut que l'association regroupe la majorité absolue des salariés de l'unité de négociation visée chez un employeur et qu'il y a entente entre l'employeur et le syndicat sur le groupe qu'elle vise, il peut accréditer l'association sur-le-champ (Code du travail, art. 28, al. a). Si l'association regroupe entre 35 % et 50 % des salariés et qu'elle s'entend avec l'employeur sur la description de l'unité appropriée, l'agent de relations du travail procède à un vote au scrutin secret. Il accrédite alors l'association si elle obtient la majorité des voix exprimées. Cette accréditation assure à l'association le monopole de représentation de l'ensemble des salariés de l'unité de négociation, qu'ils aient adhéré ou non au syndicat. Le syndicat devient le seul interlocuteur valable auprès de l'employeur sur toutes les questions qui concernent les conditions de travail des salariés de l'unité.

Le champ d'action de l'employeur

Le champ d'action de l'employeur ou de toute personne agissant pour lui dans cette démarche d'accréditation est limité par l'interdiction d'entraver les activités d'une association de salariés. De façon plus précise, l'employeur doit retenir qu'il ne peut modifier unilatéralement les conditions de travail d'une partie ou de l'ensemble du groupe de salariés visé par la requête en accréditation (Code du travail, art. 59) dès le dépôt de celle-ci et tant que le droit de grève ou de lock-out n'est pas exercé. L'employeur ne peut pas non plus s'entendre directement avec les salariés à ce sujet. Seules l'association accréditée ou l'association ayant déposé une requête en accréditation peuvent consentir à une modification des conditions de travail.

L'employeur peut donner son point de vue concernant la mise en place d'un syndicat dans l'entreprise. Il peut aussi intervenir dans le débat sur la description de l'unité de négociation et des personnes qu'elle vise. Il doit cependant faire preuve de prudence dans ses communications avec ses salariés sur la démarche d'accréditation en cours. En effet, selon le Code du travail, nul ne doit user d'intimidation ou de menaces pour amener quiconque à devenir membre, à s'abstenir de devenir membre ou à cesser d'être membre d'une association de salariés ou d'employeurs (art. 13). L'employeur a ainsi droit à la libre expression, mais son exercice est modéré par le droit d'association des salariés (Brochu et Boucher, 2007). Le discours de l'employeur ne devrait donc pas être intimidant ou annonciateur de représailles.

http://scc-csc.lexum.com/
scc-csc/scc-csc/fr/item/14247/
index.do

Jugement de la Cour suprême dans
le cas Wal-Mart

Regard sur la pratique

Fermeture du Walmart de Jonquière en 2005

AU QUÉBEC

Les ex-employés du Walmart de Jonquière ont remporté une victoire de taille, le 27 juin 2014: la Cour suprême du Canada a finalement reconnu que la multinationale n'avait pas le droit de fermer son magasin dans la foulée de la création d'un syndicat.

C'était le dernier recours pour ces quelque 200 ex-employés, qui ont vu plusieurs de leurs démarches être rejetées par les tribunaux depuis la fermeture hautement médiatisée en avril 2005. Ils retourneront maintenant en arbitrage pour déterminer la compensation qui leur sera versée.

Dans une décision à cinq contre deux rédigée par le juge québécois Louis LeBel, la Cour suprême a donné raison à l'arbitre Jean-Guy Ménard, qui a statué

en première instance que la fermeture d'une entreprise dans le cadre de la négociation d'un contrat de travail avec un nouveau syndicat contrevient à l'article 59 du Code du travail du Québec.

Cet article 59 prévoit que l'employeur ne peut modifier les conditions de travail de ses salariés durant la négociation d'une convention collective, à compter du dépôt d'une requête en accréditation d'un nouveau syndicat.

La Cour a reconnu que la fermeture était une modification des conditions de travail. Pour faire de telles modifications, l'employeur doit s'entendre avec ses salariés ou prouver qu'il n'agit pas de mauvaise foi et dans le seul but de brimer leurs droits syndicaux.

Source: Adapté de DE GRANDPRÉ, H. «Fermeture du Walmart de Jonquière en 2005», *La Tribune*, 27 juin 2014.

Enfin, bien que l'employeur ne puisse contester la représentativité d'une association, il peut exprimer auprès de l'agent de relations du travail son désaccord quant au caractère approprié de l'unité de négociation et même lui proposer une autre unité qu'il considère comme appropriée.

9.3 La négociation collective

Dans le cadre des rapports collectifs de travail, la négociation collective renvoie à un « procédé selon lequel, d'une part, un employeur, une association d'employeurs et, d'autre part, un syndicat cherchent à en venir à une entente sur des questions relatives aux rapports du travail dans l'intention de conclure une convention collective à laquelle les deux parties souscrivent mutuellement » (Dion, 1986, p. 310), procédé qui vise à déterminer les conditions de travail imposées aux salariés membres de l'unité d'accréditation ainsi que les mécanismes régissant les relations entre les deux parties.

Depuis 1935 aux États-Unis, et 1944 au Canada et au Québec, les pouvoirs publics obligent les employeurs à négocier « de bonne foi » avec les syndicats. À cet égard, au Québec, l'encadrement juridique de la négociation collective est régi par le Code du travail, qui énonce que la négociation doit s'effectuer entre le syndicat accrédité et l'employeur des salariés visés par l'accréditation. Il propose en outre des mécanismes de règlement de conflits et précise certaines dispositions relatives à l'usage des moyens de pression. Le tableau 9.1 présente les dispositions importantes de ce texte de loi qui s'appliquent à la négociation collective (Blouin, 2004). À la lecture de ces dispositions, il apparaît évident que le législateur a voulu faciliter les étapes menant à la signature d'une convention.

Tableau 9.1	L'encadrement juridique de la négociation collective
Objet	**Dispositions**
Négociation directe entre les parties	La phase des négociations commence à compter du moment où l'avis a été reçu par son destinataire ou est supposé avoir été reçu. Les négociations doivent commencer et se poursuivre avec diligence et bonne foi.
Mécanismes de règlement des conflits	À chaque phase des négociations, l'une ou l'autre des parties peut demander au ministre de désigner un conciliateur pour les aider à conclure une entente. Les parties sont tenues d'assister à toute réunion où le conciliateur les convoque. Un différend est une mésentente relative à la négociation ou au renouvellement d'une convention collective ou à sa révision par les parties en vertu d'une clause la permettant expressément. Il est soumis à un arbitre sur demande écrite adressée au ministre par les parties. L'arbitre est tenu de rendre sa sentence selon l'équité et la bonne conscience. Pour rendre sa sentence, l'arbitre peut tenir compte, entre autres, des conditions de travail qui existent dans des entreprises semblables ou dans des circonstances similaires ainsi que des conditions de travail applicables aux autres salariés de l'entreprise. Dans le cas de la négociation d'une première convention collective pour le groupe de salariés visé par l'accréditation, une partie peut demander au ministre de soumettre le différend à un arbitre après que l'intervention du conciliateur se sera avérée infructueuse. L'arbitre doit décider de déterminer le contenu de la première convention collective lorsqu'il est d'avis qu'il est improbable que les parties en arrivent à la conclusion d'une convention collective dans un délai raisonnable. Il informe alors les parties et le ministre de sa décision.
Usage des moyens de pression économique	La grève est la cessation concertée de travail par un groupe de salariés. Une grève ne peut être déclarée qu'après avoir été autorisée au scrutin secret par un vote majoritaire des membres de l'association accréditée qui sont compris dans l'unité de négociation et qui exercent leur droit de vote. Le droit de grève est acquis 90 jours après la réception par le ministre du Travail de l'avis de négociation. Le lock-out est le refus par un employeur de fournir du travail à ses salariés en vue de les contraindre à accepter certaines conditions de travail. Le droit au lock-out est acquis 90 jours après la réception par le ministre du Travail de l'avis de négociation. L'employeur ne peut avoir recours à des briseurs de grève. Notamment, il ne peut engager de personnel (cadre ou salarié) après le début de la phase de négociation pour remplir les fonctions d'un salarié en grève ou en lock-out.

En dehors de ces quelques balises légales clairement définies, il faut garder à l'esprit que la négociation collective engage des parties qui doivent cohabiter et composer avec les résultats de leurs négociations et les circonstances dans lesquelles elles ont été menées. Les négociateurs doivent donc adopter des comportements responsables et respectueux, chaque partie ne devant pas être perçue comme un adversaire à discréditer, mais plutôt comme un partenaire à convaincre. La négociation collective est certes influencée par le pouvoir relatif des parties. Le recours au conflit (ou, plus souvent, la menace d'un conflit) représente d'ailleurs un mécanisme légitime d'exercice du pouvoir en matière de négociation collective. Cela dit, au lendemain de cette négociation, l'employeur, les dirigeants élus, les délégués syndicaux et les salariés doivent malgré tout se mobiliser pour assurer la pérennité de l'organisation.

Walton et McKersie (1965) ont évoqué cette réalité en insistant sur le fait que toute négociation collective présente des enjeux d'ordre distributif (où les intérêts des parties sont divergents) et des enjeux d'ordre intégratif (où les intérêts des parties sont convergents). Bien que le premier type d'enjeux puisse facilement s'accommoder de stratégies d'affrontement du type «je gagne, tu perds», les enjeux d'ordre intégratif doivent forcer les parties à adopter des stratégies où toutes les deux peuvent sortir gagnantes. Les négociations collectives peuvent alors constituer un mécanisme de résolution de problèmes au cours duquel les deux parties acceptent, dans un respect mutuel, de faire des compromis et de formuler des solutions à la fois imaginatives et satisfaisantes pour chacune d'elles.

Le processus de négociation collective s'amorce généralement bien avant la première rencontre des parties.

9.3.1   Les étapes de la négociation collective

Le modèle nord-américain de relations du travail prévoit que la négociation collective se déroule au niveau de l'entreprise ou de l'établissement. Même si les approches divergent d'un milieu de travail à l'autre, la négociation collective comprend généralement les phases suivantes :

- la préparation de la négociation collective ;
- l'ouverture des négociations ;
- l'exploration de solutions ;
- le rapprochement ;
- l'entente finale.

Afin d'y voir plus clair, examinons ces étapes clés de la négociation collective.

La préparation de la négociation collective

Comme le souligne Sexton (2001, p. 104), «entamer une négociation collective sans préparation, c'est plonger à l'eau sans savoir nager». Le processus de négociation collective s'amorce généralement bien avant la première rencontre des parties. La préparation à long terme de la prochaine négociation collective s'enclenche le lendemain même du jour où la précédente se termine. Les parties connaissent en effet déjà les divers problèmes qui n'ont pas été résolus lors de la dernière négociation. Dans la mesure du possible, il leur importe d'abord d'isoler ces problèmes pour pouvoir les traiter de façon prioritaire au moment de la prochaine négociation. La préparation à long terme demande aussi de déceler en cours de route des problèmes de fonctionnement susceptibles de faire l'objet d'une négociation. Enfin, cette préparation doit intégrer l'évolution des divers contextes juridique, économique, social et politique de l'organisation. L'entrée en vigueur d'une nouvelle loi pourrait ainsi inciter la partie syndicale ou la partie patronale à proposer une nouvelle clause de convention collective qui viendrait baliser son application.

Convention collective

Entente relative aux rapports et aux conditions de travail signée entre les parties patronale et syndicale d'une organisation.

En ce qui concerne la préparation à court terme, c'est-à-dire dans les mois qui précèdent le début de la négociation collective, les parties doivent prendre connaissance de la convention collective en vigueur et se procurer, en vue d'une analyse comparative, les conventions collectives des organisations du même secteur et de la même région. Les parties peuvent également procéder à une collecte de données, tant à l'intérieur de l'organisation (p. ex., un état des lieux sur les problèmes de gestion posés par la convention) qu'à l'extérieur de celle-ci (p. ex., une synthèse de données économiques, sociales et politiques). Aussi, avant que ne débutent les négociations, il importe que, de part et d'autre, les négociateurs aient réfléchi à l'orientation générale qu'ils veulent prendre pendant la négociation, et qu'ils aient obtenu un mandat clair et sans équivoque afin d'avoir les coudées franches pour la mener. Ils doivent également examiner au préalable le profil des négociateurs (leur personnalité, leur réputation, etc.) et évaluer leur pouvoir de négociation respectif.

L'étape de la préparation doit permettre aux parties de cerner les principaux enjeux de la négociation collective. Si l'on trace l'évolution récente des négociations collectives, il est clair qu'elle a été marquée par la recherche de flexibilité de la part de l'employeur et par le souhait syndical de consolider certains droits (Jalette et Laroche, 2010). L'enjeu consistant à réduire les coûts et à augmenter la flexibilité du travail se traduit notamment par l'élargissement des clauses relatives à la sous-traitance. De plus en plus de conventions collectives intègrent aussi des clauses relatives à la formation de la main-d'œuvre, à la conciliation travail-famille et au harcèlement psychologique.

L'ouverture des négociations

Certains experts insistent sur l'importance de l'ouverture des négociations, qui revêt deux dimensions : la dimension humaine de la prise de contact, qui implique que « le courant doit passer entre les porte-parole » (Gérin-Lajoie, 2004, p. 169), et la dimension plus formelle du dépôt et de l'explication des demandes (Paquet, 2006). Ainsi, les premières rencontres servent souvent de prétexte pour se connaître et connaître les demandes et les motifs de tous les négociateurs en présence. Il s'agit donc essentiellement d'une phase d'information et d'écoute où les parties présentent, à tour de rôle, le raisonnement à l'appui de chacune de leurs demandes. À l'issue de cette phase d'ouverture, chaque partie doit théoriquement avoir cerné les principaux enjeux de la négociation collective, approfondi sa compréhension de la position de l'autre partie et mesuré l'ampleur de la tâche à venir.

L'exploration de solutions

Au cœur du processus de négociation collective se trouve aussi l'étape de l'exploration de solutions. Qu'il soit question de la rémunération d'heures supplémentaires ou de la détermination conjointe d'une méthode d'évaluation des emplois, il importe de bien comprendre les demandes et leur portée. Par exemple, si la partie syndicale soumet une demande visant la modification de l'horaire de travail, la partie patronale doit se pencher sur les conséquences de l'acceptation et de l'application concrète d'une telle demande. Peut-être lui faudra-t-il, en effet, prévoir une quelconque procédure d'affichage ou de nouvelles règles s'appliquant au remplacement des travailleurs sur certains quarts de travail. À cet égard, il est souvent recommandé d'amorcer le processus par les sujets les plus faciles, et notamment ceux qui « sont susceptibles de se régler par une entente mutuellement avantageuse » (Gérin-Lajoie, 2004, p. 172).

L'étape de l'exploration permet ainsi à chaque partie de découvrir la véritable position de l'autre sur les sujets plus difficiles qui seront abordés ultérieurement ; elle permet également aux négociateurs vigilants de détecter les premiers indices des concessions possibles.

Le rapprochement

À l'étape du rapprochement, l'exercice vise à réduire la distance qui sépare les parties, lesquelles s'engagent dans des échanges parfois vigoureux. C'est à cette étape que chaque partie fait certaines concessions et que chacune espère que l'autre en fera autant. L'employeur pourrait ainsi laisser entrevoir qu'il envisage d'accorder un congé additionnel à la condition que la période de vacances ne soit pas allongée. À cette étape, le syndicat pourrait laisser entendre qu'il serait disposé à reculer sur ses demandes salariales si l'employeur ajuste ses attentes au sujet des heures de travail. Dans la suite des discussions, l'employeur pourrait laisser entrevoir une ouverture quant à l'augmentation de ses cotisations au régime de retraite si le syndicat renonce à sa demande d'un programme d'assurance soins dentaires. La stratégie consiste donc à amener l'autre partie à faire des concessions sur ses demandes initiales, tout en réussissant à concéder soi-même le moins possible.

L'entente finale

L'objet de la négociation collective est la mise sur pied ou le renouvellement d'une convention collective, c'est-à-dire d'une entente écrite relative aux conditions de travail. Le but est que les parties en arrivent à la conclusion d'une entente finale sur les points discutés lors des négociations. Cette étape finale survient lorsque les parties ont en main une entente de principe en vue de conclure leur convention collective.

L'entente de principe doit alors être soumise à la direction de l'entreprise et à l'assemblée générale du syndicat. Les parties doivent aussi finaliser la rédaction de la version définitive de la convention collective en fonction de l'entente verbale qu'ils ont conclue et des notes prises en cours de négociation. Mentionnons enfin que c'est à cette étape qu'il faut préparer un protocole de retour au travail s'il y a eu un arrêt de travail durant la négociation.

Regard sur la pratique

AU CANADA

Air Canada et Unifor ratifient une nouvelle convention collective

Air Canada et la section locale 2002 d'Unifor ont renouvelé leur convention collective pour une période de cinq ans. Les parties sont parvenues à une entente avec l'aide du Service fédéral de médiation et de conciliation (SFMC) du Programme du travail. Le SFMC fournit des services de résolution de conflits et de médiation préventive aux syndicats et aux employeurs visés par le Code canadien du travail.

Air Canada offre quotidiennement plus de 1 400 vols; de concert avec ses transporteurs régionaux, elle a transporté plus de 38 millions de passagers l'an dernier. La société offre des vols directs vers plus de 175 destinations réparties sur cinq continents. Air Canada fait partie des 20 plus importants transporteurs aériens du globe et compte 27 000 employés.

La convention collective, qui vise 4 100 agents de services aux clients faisant partie du personnel d'Air Canada, avait expiré le 28 février 2015.

Source: Extrait de EMPLOI ET DÉVELOPPEMENT SOCIAL CANADA. « Air Canada et Unifor, section locale 2002 ratifient une nouvelle convention collective », communiqué de presse, 26 juin 2015, www.newswire.ca/fr/news-releases/air-canada-et-unifor-section-locale-2002-ratifient-une-nouvelle-convention-collective-518031801.html (Page consultée le 11 octobre 2016).

9.3.2 Les approches de négociation collective

La plupart des organisations ont encore recours à la négociation collective traditionnelle qui s'exerce essentiellement sur la base des positions des parties. Cependant, depuis les années 1990, un certain nombre d'organisations font appel à une approche de négociation dite «raisonnée», aussi appelée «négociation basée sur les intérêts», qui se fonde davantage sur les intérêts des parties (Bergeron et Paquet, 2011). Une telle approche s'implante aussi en France depuis quelques années avec les accords de compétitivité, par lesquels les salariés acceptent de faire des efforts (en matière de temps de travail et de rémunération) en échange de garanties sur l'emploi et d'investissements nouveaux. Tandis que la négociation traditionnelle s'appuie sur la capacité des parties de faire adopter leurs positions, la négociation collective raisonnée se base sur des principes de négociation intégrative tenant davantage compte des divers intérêts des parties. Cette approche de négociation, qui a marqué l'évolution récente des relations du travail, s'intéresse davantage aux pistes de solution qu'aux positions stratégiques. Voici la démarche que doivent adopter, pour chaque enjeu discuté, les parties qui siègent à la table d'une négociation raisonnée (Bergeron et Paquet, 2011) :

1. En équipe patronale ou syndicale, déterminer le problème et préciser ses intérêts, imaginer les intérêts de l'autre partie.

2. Pendant la première rencontre entre les parties, faire comprendre ses intérêts et comprendre les intérêts de l'autre partie.

3. Pendant la deuxième rencontre entre les parties, explorer les pistes de solution par la technique du remue-méninges.

4. De nouveau en équipe patronale ou syndicale, sélectionner trois solutions par ordre de priorité.

5. Au cours d'une nouvelle rencontre entre les parties, dégager les éléments essentiels d'un accord de principe mutuellement acceptable et fondé sur des critères objectifs.

En appliquant cette démarche, les parties se concentrent sur leurs intérêts communs dans une optique gagnant-gagnant. C'est pourquoi, en soi, celle-ci peut non seulement améliorer les relations entre les parties, mais aussi mener à des accords plus judicieux et à l'intégration d'un plus grand nombre d'innovations dans la convention collective. La négociation raisonnée s'avère toutefois difficile à appliquer aux **enjeux distributifs**, notamment à la détermination des salaires (Laroche, 2013). En guise de synthèse, le tableau 9.2 compare les traits distinctifs des approches de négociation collective traditionnelle et raisonnée.

Enjeux distributifs
Enjeux pour lesquels les objectifs des parties sont en conflit.

Tableau 9.2	La négociation collective traditionnelle et la négociation collective raisonnée : une comparaison
Négociation traditionnelle	**Négociation raisonnée**
• Orientée sur le rapport de force	• Orientée sur la résolution de problèmes
• Dynamique gagnant-perdant	• Dynamique gagnant-gagnant
• Basée sur des principes de négociation distributive	• Basée sur des principes de négociation intégrative
• Fondée sur les positions	• Fondée sur les intérêts
• Menée dans un climat de méfiance	• Menée dans un climat de confiance

La négociation raisonnée comporte de nombreux avantages, mais elle présente aussi certains inconvénients. Si elle permet, d'un côté, d'enrichir la pratique de la négociation collective, elle minimise, de l'autre, l'importance des conflits d'intérêts et des rapports de pouvoir qui sont inévitables dans le cadre d'une négociation collective. Cette approche n'accorde pas non plus suffisamment d'importance aux rapports que les négociateurs doivent, chacun de leur côté, entretenir avec leurs mandants. Enfin, en l'absence de relations de confiance bien établies, la négociation raisonnée peut accroître la vulnérabilité des personnes siégeant à la table de négociations.

9.3.3 Les arrêts de travail

Les impasses dans les négociations collectives aboutissent parfois à des arrêts de travail sous forme de grève ou de lock-out ou d'une combinaison des deux. Au Québec, depuis les années 1980, il existe cependant une tendance à la baisse continue et marquée des arrêts de travail. Comme en témoigne le tableau 9.3, à la page suivante, il y a eu, sur une base annuelle, environ trois fois moins de conflits de travail au cours des années 2000-2010 que durant les années 1980. Le nombre moyen de jours-personnes perdus par conflit a toutefois connu une hausse notable au cours de la période 2001-2010. Enfin, dans le but de situer l'importance des arrêts de travail relativement à l'économie dans son ensemble, notons que le temps de travail perdu au Québec entre 2004 et 2013 pour cause de conflits de travail ne représente que 0,05 % de l'ensemble du temps de travail des travailleurs salariés non agricoles (Ministère du Travail du Québec, 2014).

Tableau 9.3	Données globales sur les conflits de travail au Québec, 1981-2010			
Période	**Moyenne de conflits au cours de l'année**	**Moyenne de travailleurs touchés par année**	**Moyenne de jours-personnes perdus par année**	**Moyenne de jours-personnes perdus par conflit**
1981-1990	272	136 012	1 558 152	5 726,4
1991-2000	134	35 346	483 935	3 619,6
2001-2010	91	31 060	572 763	6 314,9

Source : LABROSSE, A., et G. LARENTE. *Regards sur le travail*, vol. 9, numéro spécial – Forum 2012, 2012, p. 1-18.

La grève

La grève est la cessation concertée de travail par un groupe de salariés. Le droit à la grève, qui est protégé par la Constitution (comme l'a confirmé une décision récente de la Cour suprême du Canada), se trouve néanmoins encadré par le Code du travail. Ce droit est acquis 90 jours après la réception par le ministre du Travail de l'avis de négociation. Cela signifie que l'on donne une chance à la négociation avant que la partie syndicale ne puisse faire appel à ce moyen de pression. Après ce délai, la grève ne peut être déclarée qu'après avoir été autorisée au scrutin secret par un vote majoritaire des membres de l'association accréditée qui sont compris dans l'unité de négociation et qui exercent leur droit de vote. La tenue de ce vote doit avoir été annoncée au moins 48 heures à l'avance et un avis doit être envoyé au ministre du Travail dans les 48 heures suivant la déclaration d'une grève ou d'un lock-out (Code du travail, art. 58.1).

L'aspect le plus visible de la grève pour le public est certainement le piquetage des membres de l'association.

Dans le rapport de force opposant les parties syndicale et patronale, la grève constitue un moyen de pression non négligeable. Il s'agit d'un moyen de pression d'autant plus fort que l'employeur ne peut avoir recours à des personnes assimilées à des briseurs de grève. L'aspect le plus visible de la grève pour le public est certainement le piquetage des membres de

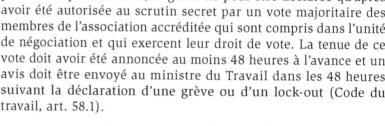

DANS LE MONDE

Regard sur la pratique

La grève chez Air France-KLM a fait fondre le chiffre d'affaires

Notamment en raison des 14 jours de grève historique de ses pilotes français, Air France-KLM a dévoilé des résultats en forte baisse au troisième trimestre 2014.

Dans un mouvement sans précédent depuis la naissance du groupe Air France-KLM, la majorité des pilotes d'Air France s'étaient mis en grève du 15 au 28 septembre 2014 pour s'opposer à un projet de développement de la filiale à bas coûts Transavia France. Le conflit social a entraîné la réduction du chiffre d'affaires de 416 millions [d'euros], à 6,69 milliards (6,7 %), tandis que le résultat net a chuté de 32 % à 100 millions, détaillait le groupe aérien franco-néerlandais dans un communiqué.

Le directeur financier anticipait que les effets de la grève allaient se poursuivre au dernier trimestre avec un retard des réservations.

Source : AGENCE FRANCE-PRESSE. « La grève chez Air France-KLM a fait fondre le chiffre d'affaires », *Le Devoir*, 30 octobre 2014, p. B2.

l'association. Bien que rien dans la loi n'interdise le piquetage, les tribunaux ont défini certaines limites à ce droit : le piquetage est accepté s'il s'avère pacifique, non assorti d'intrusion, d'intimidation, de diffamation, de menace, de nuisance à la circulation ou de déclarations mensongères.

Comme moyen de pression économique, le droit de grève est dans les faits restreint par différentes dispositions du Code du travail, qui permet au gouvernement, s'il est d'avis que l'arrêt d'un service public représente un danger pour la santé ou la sécurité publique, d'ordonner à l'employeur et à l'une de ses associations accréditées de maintenir certains **services essentiels** (transport public, électricité, enlèvement des déchets, etc.) en cas de grève. Dans les établissements de santé et de services sociaux, par exemple, les parties doivent maintenir un certain pourcentage d'effectifs par quart de travail, unité de soins et catégorie de services. Ainsi, 55 % des salariés d'un centre de protection de l'enfance ou 90 % des employés d'un centre de réadaptation pourraient être tenus de demeurer à leur poste pendant une grève.

Services essentiels

Services ou secteurs qui sont essentiels afin de maintenir la santé et la sécurité publiques.

Une théorie d'intérêt

La théorie du pluralisme industriel

La théorie du pluralisme industriel nous permet de mieux comprendre le système qui régit les rapports de travail au Canada (Fudge et Tucker, 2000). Elle envisage notamment la loi comme un cadre général qui régit les rapports collectifs de travail. La loi n'a cependant pas pour objet de fixer les conditions de travail (p. ex., les salaires, les horaires) à appliquer dans chaque milieu de travail. Il appartient en effet aux parties de s'engager dans un processus de négociation collective menant à la conclusion d'une convention collective. Les parties peuvent faire usage de moyens de pression ou encore décider de faire appel à un conciliateur ou à un arbitre

de différends. Le pluralisme industriel décrit ainsi les rouages d'un système de rapports de travail qui accorde une grande place à l'autonomie des acteurs locaux, mais dans un cadre légal qui prévoit les mécanismes liés aux rapports entre les parties. On comprend alors que, dans ce cadre d'autoréglementation, tant la partie patronale que la partie syndicale puissent utiliser l'arrêt de travail comme un moyen de pression économique, pourvu que les règles du Code du travail soient respectées. En somme, le pluralisme industriel reconnaît la diversité des intérêts de même que le potentiel de conflits, mais entrevoit aussi la possibilité de résoudre ces conflits.

Le lock-out

Le lock-out est le refus par un employeur de fournir du travail à ses salariés en vue de les contraindre à accepter ses offres au sujet des conditions de travail devant apparaître à la convention collective. Le droit de lock-out est acquis 90 jours après la réception par le ministre du Travail de l'avis de négociation.

Mais pourquoi donc un employeur voudrait-il avoir recours au lock-out ? En empêchant les travailleurs d'exécuter normalement leur travail, l'employeur les prive de revenus. Le lock-out représente ainsi un moyen de pression économique utilisé pour appuyer une demande patronale ou en réponse à une demande syndicale. Il se présente aussi parfois comme une réponse aux moyens de pression exercés par les travailleurs. L'employeur pourrait dans ce cas décider d'utiliser le lock-out à la suite d'un ralentissement du travail destiné à freiner la production. L'employeur pourrait aussi souhaiter avoir un certain contrôle sur la durée de l'arrêt de travail et faire appel au lock-out en réponse à des grèves intermittentes.

Les mesures de retour au travail

Le retour au travail à la suite d'un arrêt de travail doit faire l'objet d'une planification conjointe visant à ce que le retour au travail ait lieu dans le meilleur climat possible. Cette planification doit cependant considérer le fait que le salarié a le droit de retrouver son emploi de préférence à toute autre personne au terme d'une grève ou d'un lock-out (Code du travail, art. 110.1). Le protocole de retour au travail est une entente entre l'employeur et le syndicat qui résulte de cette planification et qui peut notamment prévoir l'ordre de rappel des salariés au travail ou ce qu'il advient de certains droits des salariés, tels que l'accumulation de l'ancienneté pendant la grève. Ce protocole peut notamment prévoir l'abandon de poursuites judiciaires ou de griefs.

9.3.4   La facilitation active de la négociation collective

La plupart des systèmes nationaux de relations du travail prévoient des mécanismes de facilitation de la négociation collective. Au Québec, comme dans d'autres compétences, en souhaitant maintenir un équilibre judicieux entre l'autonomie des acteurs et l'intervention appropriée, entre le droit de négociation collective et l'intérêt public, les deux principaux mécanismes de facilitation prévus par la loi sont la conciliation et l'arbitrage des différends.

La conciliation

Les parties qui ne parviennent pas à s'entendre à la table de négociations peuvent compter sur l'intervention d'un conciliateur. Ce dernier intervient à la demande de l'une ou l'autre des parties (Code du travail, art. 54) et les parties sont tenues d'assister à toute réunion à laquelle le conciliateur les convoque (art. 56). Le conciliateur est un tiers neutre qui intervient ainsi dans la négociation pour aider à régler un différend et à conclure une entente ; il ne peut imposer une entente. Le conciliateur mettra donc ses connaissances et son expérience de négociation au service des parties dans la recherche d'un règlement satisfaisant pour celles-ci. Il cherchera à établir une relation de confiance et à favoriser le dialogue entre la partie syndicale et la partie patronale.

Avec la conciliation, il appartient en effet aux parties de s'entendre sur les conditions de travail. En ce sens, cette formule volontaire s'inscrit dans les stratégies de facilitation active des négociations collectives (BIT, 2012). Si toutefois les parties restent sur leurs positions, la conciliation ne donnera pas grand-chose. Cette prise de position définitive serait toutefois contraire au principe du règlement à l'amiable des différends et des conflits qui est le propre de la conciliation.

L'arbitrage des différends

En cours de négociation collective, une mésentente peut être soumise à un arbitre sur demande conjointe adressée au ministre par les parties. Son mandat est d'élaborer ou de déterminer le contenu d'une convention collective pour les parties et à leur place. La sentence rendue constitue le contenu de la convention collective déterminée ainsi par l'arbitre. Cette sentence a d'ailleurs l'effet d'une convention collective signée par les parties. Les parties peuvent cependant s'entendre pour modifier le contenu de la convention en tout ou en partie. À défaut d'une entente contraire, les parties sont liées par la sentence arbitrale.

Le régime général d'arbitrage des différends prévoit que les parties sont, sauf exception, libres de recourir ou non à ce mécanisme, en ce sens qu'il faut le consentement des deux parties pour que la demande écrite adressée au ministre soit valide. Ce choix a ensuite des conséquences très sérieuses : les parties perdent alors le droit de faire marche arrière et de récupérer leur droit de grève ou de lock-out. On comprend sans doute mieux pourquoi le recours libre ou facultatif à l'arbitrage des différends n'est pas très fréquent. Les syndicats sont habituellement très réticents à perdre leur droit de faire la grève au besoin, et les employeurs hésitent à confier à une tierce personne le pouvoir de déterminer à leur place plusieurs règles importantes de fonctionnement et d'affectation des ressources de leur entreprise.

Dans le cas de la négociation d'une première convention collective, une partie ou l'autre peut demander au ministre de soumettre le différend à un arbitre après que l'intervention du conciliateur se sera avérée infructueuse. À la négociation d'une

---

Différend

Mésentente relative à la négociation ou au renouvellement d'une convention collective (Gouvernement du Québec, 2013).

première convention collective, la conciliation constitue ainsi une étape obligatoire avant de soumettre le différend à l'arbitrage. L'arbitre doit décider de déterminer le contenu de la première convention collective lorsqu'il est d'avis que les parties ne pourront probablement pas en arriver à la conclusion d'une convention collective dans un délai raisonnable. Il informe alors les parties et le ministre de sa décision. Cela entraîne immédiatement les deux effets suivants : la fin d'une grève ou d'un lock-out en cours et le maintien ou le rétablissement des conditions de travail.

Le recours à l'arbitrage, en cas d'échec de la négociation, est aussi obligatoire dans tout différend mettant en cause des policiers et des pompiers municipaux. Le différend sera déféré par le ministre à un arbitre, soit à la demande d'une seule des deux parties, soit au moment où il le juge opportun, même si aucune des parties ne lui en a encore fait la demande.

9.4 La convention collective et son application

L'aboutissement normal d'une négociation collective est la signature d'une convention collective, soit une entente écrite relative aux conditions de travail conclue entre une ou plusieurs associations accréditées et un ou plusieurs employeurs ou associations d'employeurs (Code du travail, art. 1). La convention collective lie tous les salariés actuels et futurs visés par l'unité d'accréditation. Soulignons que le législateur s'est abstenu de définir la notion de conditions de travail, de sorte qu'il n'y a à peu près pas de restrictions quant aux clauses que les parties peuvent inclure dans une convention collective. Ainsi, la convention collective peut contenir toute disposition relative aux conditions de travail qui n'est pas contraire à l'ordre public ni prohibée par la loi.

Étant donné que la convention collective couvre un ensemble significatif de conditions de travail, que reste-t-il du contrat individuel de travail ? Même si les réponses à cette question sont parfois divergentes, il semblerait que les dispositions du Code civil relatives au contrat individuel de travail s'imposent dans les matières où la convention collective est muette. Le salarié conserve ainsi les droits et les obligations qui existent en vertu du contrat individuel de travail. En d'autres termes, les dispositions de la convention collective complètent le contrat individuel de travail.

Tandis que la convention collective s'applique à tous les salariés de l'unité de négociation et qu'elle précise un vaste ensemble de conditions de travail, force est de constater, cependant, que cela laisse assez peu de place au contrat individuel de travail. Par ailleurs, la logique de la représentation collective fait que le syndicat a le pouvoir exclusif de représenter et de défendre, auprès de leur employeur, l'ensemble des salariés de l'unité de négociation. L'amélioration des conditions de travail de chacun passe donc par la négociation collective.

Que reste-t-il alors du droit de gérance de l'employeur ? La question est pertinente, puisque la convention collective traite de nombreuses conditions de travail. Mais, sauf disposition contraire dans la convention collective, c'est à l'employeur que revient le pouvoir de déterminer les règles applicables aux questions non traitées dans la convention collective.

9.4.1 Les enjeux façonnant la convention collective

Les conventions collectives ne sont pas des entités statiques ; leur contenu change et s'adapte en fonction de nombreux enjeux et des résultats des négociations collectives. La figure 9.3, à la page suivante, illustre quelques-uns de ces enjeux qui exercent une pression d'adaptation sur les clauses d'une convention collective.

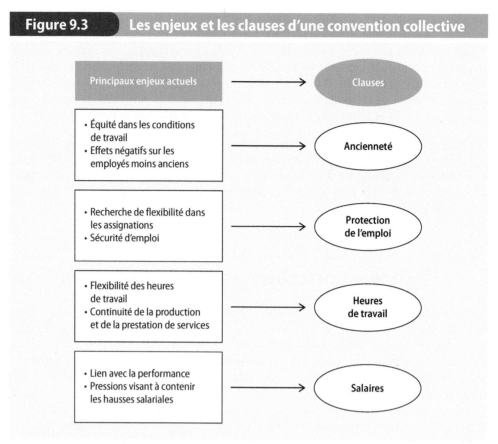

Figure 9.3　Les enjeux et les clauses d'une convention collective

Source: Inspiré de JALETTE, P., et M. LAROCHE. « L'incessante adaptation des conventions collectives au Québec », *Effectif*, vol. 13, n° 5, novembre-décembre 2010.

9.4.2　Le contenu de la convention collective

La convention collective porte sur les conditions de travail et, ajoutent Morin et ses collaborateurs (2006), sur les six facettes suivantes :

1. les rapports des parties signataires à la convention collective ;
2. l'aménagement des activités personnelles, sociales et professionnelles au sein de l'entreprise ;
3. les garanties d'emploi ainsi que les voies et les moyens qui s'y rattachent ;
4. la relation d'emploi ;
5. les droits et les obligations respectifs du salarié et de l'employeur ;
6. les éléments de contrôle du pouvoir disciplinaire de l'employeur.

Étant donné que la convention collective peut contenir toute disposition relative aux conditions de travail qui ne serait pas contraire à l'ordre public ni prohibée par la loi, on trouve dans certaines conventions collectives des contenus qui vont bien au-delà du cadre habituel des conditions de travail : par exemple, le droit d'alerte, qui permet aux salariés de refuser de produire des aliments s'ils estiment que ceux-ci présentent un risque pour la santé publique, ou le fait d'exiger que les habits de travail fournis par l'employeur soient fabriqués dans des ateliers syndiqués. D'autres conventions collectives peuvent contenir des clauses relatives au partage des gains et des profits.

Dans un milieu non syndiqué, une saine GRH repose notamment sur une bonne compréhension des politiques de l'entreprise de même que des règles et des pratiques établies relatives aux mutations et aux promotions, aux mises à pied, aux heures supplémentaires, etc. Dans un milieu syndiqué, les conditions de travail et les règles

VIDÉO

L'Ordre des CRHA a réalisé la vidéo « Le rôle conseil en organisation syndicale : essentiel et stratégique (ORHRI) », avec Guillaume Desrochers, CRIA, conseiller syndical APTS.

de conduite se trouvent en grande partie incluses dans la convention collective. Il importe donc que chacun s'approprie son contenu pour être en mesure de prendre de meilleures décisions en matière de gestion des personnes. Dans cette optique, le tableau 9.4 propose un inventaire des principales clauses des conventions collectives avec leurs buts et objets ainsi que leurs contenus possibles.

Tableau 9.4   Les principales clauses des conventions collectives

	Clause	But et objet	Contenu possible
Clauses contractuelles	Préambule	Établir la portée de la convention collective.	• Buts • Champ d'application • Définitions
	Régime syndical	Assurer au syndicat la sécurité juridique et financière ainsi que les ressources nécessaires à son action.	• Atelier syndical • Précompte syndical • Libérations et activités syndicales
	Droits de la direction	Réitérer les droits de l'employeur à gérer ses affaires, sa production et son personnel.	• Énoncé général ou détaillé des droits de l'employeur
	Durée et renouvellement de la convention	Déterminer le début et la fin de la convention ainsi que son mode de renouvellement s'il y a lieu.	• Durée • Rétroactivité • Procédure de renouvellement et de réouverture
	Règlement des griefs et arbitrage	Assurer le respect de la convention.	• Étapes de la procédure • Définition du grief • Arbitrage
Clauses normatives	Mesures disciplinaires	Appliquer de façon équitable les principes de la discipline industrielle.	• Contenu du dossier disciplinaire des salariés • Détermination des sanctions possibles
	Ancienneté	Éviter l'arbitraire patronal dans l'octroi de diverses conditions de travail.	• Calcul de l'ancienneté • Conservation et cumul • Aire d'ancienneté
	Gestion et protection de l'emploi	Déterminer les règles relatives aux mouvements de personnel et assurer une certaine sécurité d'emploi.	• Processus et critères de promotion et de mise à pied • Mesures particulières de protection de l'emploi
	Évaluation des emplois	Déterminer le contenu et la valeur des emplois.	• Description des tâches • Méthodes d'évaluation
	Organisation du travail et de la production	Encadrer l'organisation de la production et les changements qui y sont apportés tout en limitant les effets négatifs sur les salariés.	• Travail des cadres • Statuts d'emploi atypiques • Sous-traitance • Changements technologiques
	Formation professionnelle	Assurer aux salariés un accès à la formation, et à l'employeur, une main-d'œuvre compétente.	• Formation et développement • Recyclage
	Santé et sécurité au travail	Assurer aux salariés un milieu de travail sain et sécuritaire.	• Comité • Équipements de protection • Indemnisation
	Heures de travail	Établir les règles relatives au temps de travail et à son aménagement.	• Heures normales • Heures supplémentaires • Aménagements particuliers

Tableau 9.4	Les principales clauses des conventions collectives (*suite*)	
Clause	**But et objet**	**Contenu possible**
Salaires	Établir le système de rémunération.	• Structures et échelles salariales • Modalités de paiement • Rémunération compensatoire
Avantages sociaux	Déterminer certains éléments de la rémunération globale autres que le salaire.	• Temps chômé rémunéré • Assurances collectives • Régime de retraite
Conciliation travail-vie personnelle	Donner aux salariés différents moyens de concilier leurs responsabilités professionnelles et les autres aspects de leur vie.	• Congés de maternité, de paternité ou d'adoption • Congés divers

Source: JALETTE, P., et G. TRUDEAU. *La convention collective au Québec*, 2e éd., Montréal, Gaëtan Morin, 2011, p. 8.

Clause contractuelle

Clause qui conditionne les rapports mutuels entre le syndicat et l'employeur.

Clause normative

Clause qui fixe les conditions de travail et les droits des salariés.

Soulignons que certaines clauses de conventions collectives sont ce qu'il est convenu d'appeler des clauses contractuelles et que d'autres dispositions ou articles sont clairement des clauses normatives.

9.4.3 Les clauses de la convention collective

Comprendre une convention collective exige de situer ses éléments de contenu non seulement en fonction des règles de conduite qui en découlent, mais aussi selon les positions et les intérêts des parties qui les sous-tendent. Dans cet esprit, nous traitons ci-dessous de quelques clauses qui se retrouvent dans presque toutes les conventions collectives.

Les mutations et les promotions

Les dispositions relatives aux mutations et aux promotions s'inscrivent dans la «lutte au favoritisme patronal» (Jalette et Trudeau, 2011) et ainsi dans la volonté syndicale d'établir des règles justes et équitables s'appliquant à ces décisions administratives. Une clause de convention collective pourrait ainsi préciser que l'ancienneté constitue le premier paramètre dans la décision de mutation ou de promotion, où, à compétence égale, le salarié ayant le plus d'ancienneté sera promu ou muté. Pour leur part, les employeurs souhaitent, en règle générale, que la compétence soit le facteur déterminant.

Les mises à pied et les rappels au travail

Ces clauses visent à assurer une relative sécurité d'emploi et à éviter l'arbitraire dans les décisions de mises à pied et de rappels au travail. Une façon d'éviter cet arbitraire consiste à fonder toute décision de mise à pied ou de rappel au travail sur un critère objectif et facilement mesurable, l'ancienneté. Ainsi, tant pour les mises à pied que pour les rappels au travail, on trouve le plus souvent dans les conventions collectives l'une ou l'autre des trois clauses suivantes:

1. L'ancienneté prime pour autant que la qualification soit suffisante.

2. L'ancienneté prime lorsque la qualification est équivalente.

3. L'ancienneté seulement compte.

Les heures supplémentaires

Dans bien des milieux de travail, la continuité de la production et de la prestation des services repose sur le recours aux heures supplémentaires. La principale question qui se pose alors au sujet de ce dispositif d'allongement du temps de travail est de savoir comment seront rémunérées ces heures supplémentaires. Une autre question sur laquelle doivent s'entendre les parties consiste à déterminer si l'employeur peut imposer les heures supplémentaires ou si le salarié se garde un droit de refus. L'encadré 9.1 illustre la forme que peut prendre une clause de convention collective portant sur la rémunération des heures supplémentaires.

Les mesures disciplinaires

Les clauses de conventions collectives relatives aux mesures disciplinaires ont pour objet l'application équitable des principes de la discipline. Ces clauses établissent souvent que le salarié doit être avisé par écrit et dans un délai raisonnable de toute sanction disciplinaire prise contre lui par l'employeur. On y trouve aussi généralement des précisions relatives à la progression des sanctions. Comme corollaire, les conventions collectives contiennent également des clauses qui indiquent la démarche à suivre pour présenter un grief écrit.

La santé et la sécurité

Les clauses relatives à la santé et à la sécurité du travail énoncent souvent comme principe que l'employeur prendra toutes les dispositions raisonnables pour assurer la santé et la sécurité des travailleurs et que le syndicat convient de coopérer pour prévenir les accidents du travail et les maladies professionnelles. La convention collective contient aussi très souvent des dispositions relatives au fonctionnement du

---

Encadré 9.1   **Une clause relative à la rémunération des heures supplémentaires**

a) Tout employé qui travaille des heures supplémentaires est rémunéré à raison d'une fois et demie son taux horaire normal pendant les 7,5 premières heures supplémentaires et du double de son salaire horaire par la suite, sauf que, si les heures supplémentaires s'échelonnent sur deux jours de repos consécutifs et accolés ou plus, l'employé est rémunéré à raison de deux fois son taux horaire normal pour chaque heure travaillée le deuxième jour de repos et les jours de repos subséquents.

b) Tout employé a droit à une rémunération d'heures supplémentaires pour chaque période complète de 15 minutes de travail supplémentaire.

c) À la demande de l'employé, les heures supplémentaires peuvent être rémunérées sous forme d'heures de congé compensatoires au taux des heures supplémentaires qui s'applique. L'employé et son superviseur doivent s'entendre sur la date et l'heure des heures de congé compensatoires ; faute d'entente, cependant, le temps libre s'accumule.

Dans le cas où l'employé demande que ses heures supplémentaires soient rémunérées heures compensatoires, il doit en informer son superviseur avant la fin du mois où il les a travaillées.

Si l'employé n'a pas pris les heures compensatoires en congé avant le 30 septembre suivant la fin de l'exercice où il a travaillé les heures supplémentaires, la partie inutilisée des heures compensatoires lui est payée au taux des heures supplémentaires qui s'applique.

d) [...] L'employeur doit s'efforcer de payer en espèces les heures supplémentaires au cours du mois qui suit le mois pendant lequel les heures supplémentaires ont été effectuées.

Source : Extrait de SECRÉTARIAT DU CONSEIL DU TRÉSOR DU CANADA. *Contrôle de la circulation aérienne (AI) 402*, www.tbs-sct.gc.ca/archives/hrpubs/ca-cc/ai/2008/ai03-fra.asp (Page consultée le 12 octobre 2016).

---

comité de santé et de sécurité de l'établissement. La mention que les salariés ont le droit de refuser d'exécuter un travail lorsqu'ils ont un motif raisonnable de croire que ce travail comporte des dangers s'y trouve aussi. De même, on y précise l'obligation pour l'employeur de fournir l'équipement de sécurité prescrit par la loi ou par les règlements connexes ou déterminé par le comité mixte de santé et de sécurité.

La formation

Une recension récente a fait état d'une croissance continue de la fréquence des clauses de formation professionnelle dans les clauses de conventions collectives des entreprises du secteur privé du Québec (Charest, 2010). Selon cette recension, il semblerait y avoir aussi en Europe une intensification des négociations patronales-syndicales portant sur la formation professionnelle en entreprise. Les clauses de formation traitent souvent de l'accès à la formation et au développement des compétences ainsi que des modalités de conduite de ceux-ci.

9.5 La résolution des litiges relatifs à l'application de la convention collective

Les cadres et les gestionnaires prennent des décisions sur différents sujets, dont plusieurs peuvent être traités dans la convention collective. C'est pourquoi il en résulte parfois des mésententes quant à son interprétation. Ainsi, la gestion des conditions de travail négociées impose parfois le recours à des mécanismes de résolution de litiges ou de **griefs**.

La procédure interne de règlement des griefs permet aux parties de régler entre elles toute mésentente de la sorte. À défaut d'un règlement à l'interne, les parties peuvent faire appel à un médiateur ou se tourner vers l'arbitrage avec sentence exécutoire.

Grief

Mésentente relative à l'interprétation et à l'application d'une convention collective (Gouvernement du Québec, 2013).

9.5.1 La procédure interne de règlement des griefs

La convention collective prévoit presque toujours une procédure interne de règlement des griefs (Jalette et Trudeau, 2011). L'encadré 9.2 présente un exemple de clause qui décrit les étapes de cette procédure interne que peuvent s'approprier les parties pour discuter des mésententes et les régler.

Encadré 9.2   Les étapes d'une procédure interne de règlement des griefs

7.01   Le Syndicat ou tout salarié peut soulever des griefs dans tous les cas de mésententes relatives à l'interprétation, l'application ou la prétendue violation de la présente convention.

De tels griefs sont étudiés de la façon suivante.

7.02   Le salarié, le Syndicat ou le délégué du Syndicat peut soumettre un grief écrit à l'Employeur dans les 30 jours suivant l'incident dont découle le grief ou suivant la connaissance que le salarié en a eue. La formule de grief doit être signée par le salarié impliqué s'il s'agit d'un grief individuel. La décision de l'Employeur doit être rendue par écrit au Syndicat dans les 10 jours suivant la réception du grief.

7.03   Dans l'éventualité où les parties jugent nécessaire d'obtenir des renseignements additionnels sur le grief ou avant le dépôt de celui-ci, elles peuvent se rencontrer en présence (si on le désire) des personnes intéressées.

7.04   Les délais indiqués par les articles VII et VIII peuvent être modifiés par entente mutuelle écrite entre l'Employeur et le Syndicat.

7.05   Si un salarié est empêché de déposer un grief dans les délais prescrits en raison d'une absence prévue à la convention, le délai pour le faire peut être prolongé jusqu'à son retour ; le salarié devant procéder dans les cinq jours de son retour au travail.

7.06   Un grief déposé conformément à la procédure prévue au présent article peut faire l'objet d'une discussion au niveau du comité des relations de travail, le cas échéant.

7.07   Un vice de forme dans la formulation d'un grief n'invalide pas ce dernier.

7.08   Un grief à l'encontre d'un congédiement sera traité en priorité avant tout autre grief.

7.09   Un salarié ayant déposé un grief ou ayant participé à sa défense ne peut être pénalisé de ce fait.

7.10   Toute entente entre le Syndicat et l'Employeur visant le règlement d'un grief qui ne fait pas l'objet d'un désistement doit être constatée par écrit et signée par les représentants désignés des parties. Cette entente lie l'Employeur, le Syndicat et les salariés en cause.

Source: Extrait de SOCIÉTÉ DES CASINOS DU QUÉBEC INC. et TRAVAILLEURS ET TRAVAILLEUSES UNIS DE L'ALIMENTATION ET DU COMMERCE, SECTION LOCALE 503, *Convention collective de travail*, http://tuac503.org/images/pdf/convention/cascro-2019.pdf (Page consultée le 12 octobre 2016).

Cette procédure interne de règlement des griefs précise les étapes et les niveaux où seront traités les griefs, les interlocuteurs, les délais, etc. Elle permet à l'employé qui s'estime lésé de se faire entendre autrement que devant un arbitre de griefs. L'employé peut en effet exposer sa plainte et entendre le point de vue de l'employeur. Le syndicat et l'employeur tentent ainsi conjointement un effort de règlement. Toutefois, si les parties n'arrivent pas à un accord par cette procédure interne, la convention collective peut prévoir comme prochaine étape de soumettre le grief à un médiateur ou de le renvoyer à l'arbitrage.

9.5.2 La médiation préarbitrale des griefs

La médiation représente, dans la plupart des cas, une procédure volontaire et plutôt informelle de règlement des griefs. Elle consiste à faire appel à un tiers intervenant qui a pour tâche d'aider les parties à résoudre certains griefs. Contrairement à l'arbitrage, où la décision est imposée, l'issue de la médiation est décidée par les deux parties directement concernées par le grief. Il s'agit donc d'une approche axée sur le compromis, qui permet d'éviter les situations gagnant-perdant associées à l'arbitrage des griefs.

Le médiateur encourage les deux parties à s'exprimer librement. Il les aide à déterminer les causes de leur désaccord et à s'entendre sur un règlement qui leur convient. Cet intervenant externe peut aussi proposer diverses stratégies de règlement en fonction de compromis adoptés lors de cas semblables de médiation de griefs ou de décisions arbitrales. Le médiateur tente ainsi d'amener les parties à un règlement satisfaisant et d'éviter que les griefs ne soient soumis à l'arbitrage. Le médiateur ne peut cependant pas modifier la convention collective en vigueur (Blouin, 2004). Par ailleurs, toute entente conclue durant la médiation préarbitrale des griefs n'établit pas de précédent, à moins que les deux parties n'en conviennent.

9.5.3 L'arbitrage des griefs

Le but de l'arbitrage des griefs est d'assurer un règlement rapide, définitif et exécutoire de toute mésentente relative à l'interprétation ou à l'application d'une convention collective. On peut aussi voir l'arbitrage comme un mécanisme de contrôle externe des décisions prises par l'employeur (Morin et Blouin, 2012). L'arbitre de griefs peut en effet intervenir pour décider de l'issue du litige relatif à l'application ou à l'interprétation de la convention collective. Il peut, par exemple, régler un grief portant sur une question relative au salaire, au congédiement ou à toute autre mésentente concernant le contenu, tant implicite qu'explicite, de la convention collective (Coutu *et al.*, 2013).

Puisque les parties ne peuvent recourir à la grève ou au lock-out que durant certaines périodes, un mécanisme de résolution des mésententes ou des griefs susceptibles de survenir entre deux négociations collectives s'avère, de fait, nécessaire. On peut ainsi envisager cette procédure comme un mécanisme de traitement des plaintes qui permet à l'employé de se faire entendre, ce qui est toujours de nature à améliorer ses perceptions quant à la justice de la situation. Mentionnons aussi que, par cette démarche, les parties peuvent également être amenées à préciser les règles d'interprétation de leur convention collective, puisque celle-ci ne peut prévoir toutes les éventualités. Il est donc toujours utile de remettre périodiquement en question la signification de certaines clauses, pour ainsi éclaircir les règles et les procédures qui régissent les relations entre les parties.

Les étapes de l'arbitrage des griefs

Même si l'on associe l'arbitrage à un procès judiciaire, son contexte s'inscrit davantage dans les rapports continus qu'établissent l'employeur, le syndicat et les employés. Effectivement, les parties continuent de vivre ensemble après la sentence arbitrale. Par ailleurs, l'arbitrage des griefs revêt un caractère moins formel que le procès. Les exigences procédurales qui y sont liées s'avèrent moindres et permettent à l'arbitre de statuer sur le bien-fondé du grief plutôt que sur un vice de forme ou de procédure. Malgré ce caractère moins formel, il existe une façon précise de procéder. Le tableau 9.5 présente une synthèse des principales étapes de l'arbitrage des griefs.

Tableau 9.5	Les principales étapes de l'arbitrage des griefs
Étape	**Activités**
Préparation	• Préparation de la stratégie • Retour sur les faits et les éléments de preuve
Ouverture de l'audition	• Présentations des parties • Échanges de documents • Admission de certains faits
Objections préliminaires	• Présentation des objections préliminaires et des répliques
Preuve	• Démonstration des faits pour convaincre • Démonstration prépondérante par rapport à celle de la partie adverse
Plaidoirie	• Présentation d'une argumentation, d'un raisonnement qu'on propose à l'arbitre

Source : GÉRIN-LAJOIE, J. *Les relations du travail au Québec*, 2e éd., Montréal, Gaëtan Morin, 2004.

La sentence de l'arbitre de griefs

Toute sentence arbitrale doit être fondée sur la preuve, c'est-à-dire sur les faits et les documents que soumettent à l'arbitre les représentants de chacune des parties. Ses effets sont également immédiats et sans appel. En matière disciplinaire, l'arbitre peut aussi confirmer, modifier ou annuler la décision de l'employeur et y substituer la décision lui apparaissant la plus juste et raisonnable. L'arbitre de griefs intervient de plus pour régir l'exercice du pouvoir disciplinaire de l'employeur, qui doit s'exercer en fonction du principe de l'équilibre entre la gravité de l'infraction et la sévérité de la sanction. Selon ce principe, une altercation verbale avec un collègue de travail ne mérite pas la même sanction que le vol d'argent ou de marchandise. En effet, comme en témoignent de nombreuses décisions arbitrales en ce sens, le vol brise le lien de confiance entre le salarié et l'employeur et constitue une faute jugée très sévèrement.

Regard sur la pratique

AU QUÉBEC

ArcelorMittal : un arbitre donne raison aux syndiqués de l'usine ouest

ArcelorMittal devra désormais payer les frais d'administration du régime de retraite à financement salarial après un jugement émis par un arbitre.

Ainsi, l'arbitre de grief, Me François Hamelin, a tranché en faveur du syndicat de la section locale 6951 du Syndicat des métallos à l'usine ouest, le 12 juillet 2016, après avoir entendu les parties en audience pendant une semaine et demie.

À la suite de cet arbitrage, ArcelorMittal devra débourser le montant alloué par heure de 2,65 $ à 2,93 $. Un gain important, rappelle le représentant du syndicat, Guy Gaudette. Il spécifie que cela

représente « un montant de 560 $ par année pour chaque travailleur, plus les rendements de la caisse ».

Rappelons que les parties avaient ratifié ce contrat de travail au terme d'un lock-out et de négociations très ardues. Au cours de celles-ci, « l'employeur avait imposé un régime de retraite à financement salarial distinct pour les nouveaux salariés. Il était clair au moment de finaliser les textes que l'employeur paierait les frais d'administration, comme il le fait pour le régime à prestations déterminées dont bénéficient les autres membres de la section locale 6951 », a complété M. Gaudette.

Source : Extrait de GRÉGOIRE-RACICOT, L. « ArcelorMittal : un arbitre donne raison aux syndiqués de l'usine ouest », *Les 2 Rives*, vol. 48, n° 32, 28 juillet 2016, p. 12.

L'arbitre de griefs rend sa sentence en tenant compte de toutes les circonstances entourant le litige. À la suite d'une faute disciplinaire, par exemple, il peut prendre en considération la durée des services et la conduite antérieure du salarié. L'arbitre peut aussi imposer une sanction moins lourde dans la mesure où les attentes de l'employeur n'étaient pas communiquées clairement au salarié. Par contre, il peut également accepter une sanction plus lourde si le salarié ne reconnaît pas avoir commis de faute ou s'il n'exprime pas de remords. Dans la délibération menant à sa sentence, l'arbitre de griefs prend donc en compte un ensemble de circonstances tantôt atténuantes, tantôt aggravantes. Mentionnons aussi qu'il peut accepter une mesure disciplinaire à la lumière du principe de la progressivité des sanctions. Selon ce principe, une première faute de l'employé peut mériter une sanction moins lourde (p. ex., une simple réprimande), alors qu'une faute répétée peut encourir des sanctions de plus en plus lourdes, pouvant aller de la suspension jusqu'au congédiement. Une faute extrêmement grave, comme le vol de marchandise, peut toutefois justifier une mesure sévère telle qu'une longue suspension ou un congédiement, sans que soit appliqué le principe de la progressivité des sanctions.

9.6 Le partenariat patronal-syndical

Les approches en matière de relations du travail opposent affrontement et concertation. En misant sur la résolution conjointe des problèmes, le partenariat patronal-syndical adhère bien sûr à la concertation. Ce partenariat se fonde sur une relation de confiance, bien plus que sur l'appui d'un cadre institutionnel ou légal (Harrisson *et al.*, 2011). Il faut ensuite que les parties acceptent de fonctionner suivant une approche qui s'appuie sur l'information, la consultation et la prise de décision conjointe. Ce sont là, selon un expert de la question (Dufault, 2013), les trois leviers fondamentaux de la collaboration patronale-syndicale qui sont exposés dans le tableau 9.6.

Tableau 9.6 Les trois leviers de la collaboration patronale-syndicale

	Premier levier : informer	Deuxième levier : consulter	Troisième levier : décider ensemble
En quoi cela consiste	En général, ce levier de collaboration porte sur des décisions dont la responsabilité incombe entièrement à l'un des partenaires. Ce levier permet à l'un des partenaires de recevoir de l'information relativement à une décision prise par l'autre partenaire. L'information communiquée est accompagnée d'explications pertinentes qui permettent de comprendre la décision et les facteurs l'ayant motivée. Les partenaires se considèrent comme des interlocuteurs privilégiés et se communiquent les décisions en conséquence.	Ce levier porte essentiellement sur des positions qui conduiront, à court ou à moyen terme, à la prise d'une décision par l'un des partenaires. Ce levier permet de partager avec son partenaire certaines orientations ou décisions, en lui donnant l'occasion d'exprimer son opinion ou encore de formuler des remarques et des commentaires à propos de l'orientation ou de la décision en question. La partie qui consulte convient de tenir réellement compte des préoccupations, intérêts et remarques de la partie consultée avant de prendre une décision. Elle convient aussi de lui communiquer en priorité sa décision, en lui fournissant toutes les explications nécessaires à sa compréhension. Le partenaire consulté convient que la décision appartient à la partie qui consulte. Le but n'est pas de susciter l'adhésion de l'autre, mais bien de connaître son point de vue et d'en tenir compte.	Ce levier porte essentiellement sur des enjeux, des situations problématiques et des orientations pour lesquelles les parties conviennent qu'elles ont un intérêt à chercher conjointement des solutions. Ce levier vise à prendre une décision avec le partenaire quant à l'enjeu ou au problème à résoudre, selon un processus convenu qui prend en compte les intérêts légitimes des partenaires dans la recherche de solutions. La décision conjointe consiste également à partager avec son partenaire la responsabilité de promouvoir et de mettre en œuvre la décision.

Tableau 9.6	Les trois leviers de la collaboration patronale-syndicale (*suite*)		
	Premier levier : informer	**Deuxième levier : consulter**	**Troisième levier : décider ensemble**
Exemples d'orientations à propos desquelles les parties privilégient cette approche	Adoption d'une stratégie de communication externe Prise de décisions financières Mise en œuvre d'une politique de sécurité informatique	Modifications au programme de formation qui auront une incidence sur les employés Implantation d'un nouveau système de gestion de l'exploitation qui transformera les processus Changements importants apportés au processus disciplinaire	Implantation de nouvelles pratiques en matière de santé et de sécurité Mise à jour des pratiques d'évaluation de la performance Établissement des règles de fonctionnement des comités mixtes

Source : DUFAULT, A. *Les trois leviers de la collaboration patronale-syndicale*, 2011, www.portailrh.org/expert/ficheSA.aspx?f=75034 (Page consultée le 12 octobre 2016).

L'adoption du partenariat comme mode de fonctionnement dans les relations patronales-syndicales témoigne du fait qu'il n'existe pas qu'un seul modèle de relations du travail et qu'il est possible de relever de cette façon le défi de la coopération. Malgré l'instabilité qui caractérise les ententes de partenariat (Kochan, 2008), les organisations qui le mettent en œuvre ne s'en portent que mieux. Il faut dire cependant que ces organisations qui ouvrent grande la porte au partenariat le font souvent en réponse à des circonstances qui menacent leur survie. Leurs dirigeants prennent acte du fait que les coûts de l'affrontement ne sont plus recevables dans un contexte concurrentiel qui impose des exigences de qualité, d'innovation et de contrôle des coûts.

Zoom sur la PME

Quand un syndicat devient un allié

Le ralentissement de l'industrie de la construction a mis à mal plusieurs entreprises du secteur. Pour mettre toutes les chances de son côté, Intermat a considérablement accru sa compétitivité. Et la PME de Terrebonne a réussi ce tour de force alors que ses salariés venaient de se syndiquer.

Fondé en 1979, Intermat fabrique des portes et des boiseries pour le secteur résidentiel. À partir de 2013, la baisse marquée du nombre de mises en chantier a fait chuter les commandes. En outre, l'activité se déplaçait de plus en plus vers les appartements en copropriété (condos) alors que jusque-là, Intermat se spécialisait surtout dans le segment des maisons unifamiliales.

Pour accroître son efficacité, l'entreprise a complètement réaménagé son usine l'an dernier avec l'aide de la firme de consultants Momentium. « Il n'y a que les murs qui n'ont pas bougé, raconte M. Gauthier. Nous avons changé les emplacements des postes de travail pour réduire les pertes de temps et les goulots d'étranglement. »

Les salariés ont dans l'ensemble bien réagi. Il faut dire que la direction les avait mis dans le coup. « Le facilitateur du projet a été Momentium, mais le porteur, ç'a été le personnel », souligne M. Gauthier.

Cette étroite collaboration a été possible même si les employés s'étaient syndiqués chez les Métallos en 2012. Après une première « réaction légèrement défensive », les dirigeants ont rapidement décidé de tirer le maximum de cette nouvelle réalité.

Source : Extrait de LAROQUE, S. « Quand un syndicat devient un allié », *La Presse*, 29 septembre 2015, http://affaires.lapresse.ca/pme/201509/29/01-4904820-quand-un-syndicat-devient-un-allie.php (Page consultée le 12 octobre 2016).

LES ENJEUX DU NUMÉRIQUE DANS LES RELATIONS DU TRAVAIL

Il est indiscutable qu'Internet permet à chacun d'accéder facilement à une information précise sur ses droits au travail et sur le processus de syndicalisation, bien que cette information ne rende pas la syndicalisation plus attrayante pour autant. En effet, même si le Web et les réseaux sociaux véhiculent parfois des informations sur les mauvais traitements de certains employeurs, celles sur les faux pas des organisations syndicales s'y trouvent également bien mises en évidence. Les manifestations musclées et les débordements se voient ainsi rapportés et diffusés rapidement au grand dam des organisations syndicales.

Les technologies de l'information et de la communication peuvent être mises à contribution à l'occasion de la négociation collective. Grâce aux systèmes d'information de GRH ou à des progiciels de gestion intégrée, les parties disposent d'une information fiable et facilement accessible pour mieux circonscrire les enjeux de la négociation collective et estimer plus aisément les coûts associés aux modifications des conditions de travail. Un employeur pourrait, par exemple, faire du contrôle de l'absentéisme un enjeu de négociation en présentant des données précises sur les absences occasionnelles et les congés d'invalidité. Un autre enjeu, celui de l'équité salariale, pourrait aussi faire l'objet de la négociation collective si les parties disposent de données exactes sur les écarts salariaux entre hommes et femmes dans différentes catégories d'emplois. Le numérique favorise en outre un calcul plus rapide et précis des coûts de la convention collective.

Mentionnons enfin les nombreux griefs qui mettent en cause la surveillance électronique par l'employeur et qui contestent la possibilité d'intrusion dans la vie privée des gens. Bien que les nouvelles technologies puissent faciliter la négociation collective ainsi que l'échange d'information entre le syndicat et l'employeur, elles peuvent aussi être source de mésententes.

LES RELATIONS DU TRAVAIL DANS LE SECTEUR PUBLIC

La syndicalisation du secteur public est presque totale et ce phénomène influe considérablement sur les relations du travail, au même titre que la centralisation des négociations collectives, qui astreint l'État à négocier avec un front commun représentant une proportion importante de l'ensemble des employés de la fonction publique. Au Québec, les centrales syndicales unissent ainsi leurs forces au sein d'un front commun intersyndical qui représente environ 400 000 membres.

D'une lourdeur notoire, le processus de négociation collective dans le secteur public conduit à des ententes nationales, régionales ou locales. La négociation des ententes nationales dans le secteur de l'éducation, par exemple, s'effectue à des tables nationales issues d'un chassé-croisé entre un comité patronal, des sous-comités et des agents négociateurs syndicaux. Les arrangements locaux viennent ensuite étoffer certaines de ces questions de portée nationale. La dimension politique de la négociation avec l'État et les questions budgétaires ajoutent autant de difficultés au processus, sur lesquelles se greffe la place importante réservée dans les médias à toute forme de contestation ou de moyens de pression s'exerçant dans les organisations du secteur public.

En ce qui concerne les moyens de pression économique, il faut savoir que le lock-out est interdit et ne peut donc pas être en vigueur dans le secteur public. Quant au droit de grève, il y est sévèrement limité. En effet, s'il est d'avis que l'arrêt d'un service public représente un danger pour la santé ou la sécurité publique, le gouvernement peut ordonner à l'employeur et à l'une de ses associations accréditées de maintenir certains services essentiels en cas de grève. Dans les établissements de santé et de services sociaux, par exemple, les parties doivent maintenir un certain pourcentage d'effectifs par quart de travail, unité de soins et catégorie de services. Ainsi, 55 % des salariés d'un centre de protection de l'enfance ou 90 % des employés d'un centre de réadaptation pourraient être tenus de demeurer à leur poste.

En outre, le régime d'arbitrage et de négociation s'appliquant aux pompiers et aux policiers municipaux revêt diverses particularités. Compte tenu de l'interdiction de grève ou de lock-out qui s'y applique, le régime mise sur la négociation directe, la médiation ou la médiation-arbitrage pour régler les mésententes, et il ne recourt à l'arbitrage que si la dernière intervention s'avère infructueuse. Par contre, dans le cas d'une mésentente relative à la négociation d'une convention collective, plutôt que d'autoriser le recours à des moyens de pression économique comme la grève, le législateur prévoit que les policiers et les pompiers municipaux doivent avoir recours à la médiation ou à l'arbitrage.

LES RELATIONS DU TRAVAIL À L'INTERNATIONAL

Avec l'intensification du commerce international et la montée en puissance des multinationales, le mouvement syndical a intensifié ses efforts de renouvellement et de représentation des travailleurs dans le monde. Mais, comme en témoigne une analyse de la situation (Hennebert et Bourque, 2011), il n'est pas facile pour le mouvement syndical de se structurer pour mieux réguler l'économie mondiale et les activités des multinationales. Ajoutons que la généralisation des pratiques de relations du travail d'un pays à l'autre au sein d'une multinationale ne se fait que dans des conditions bien précises (Helfen, Schübler et Stevis, 2016). Il n'est pas facile non plus pour la multinationale d'intégrer des enjeux sociaux à son développement économique. Se pose alors la question de la responsabilité sociale qui exige de la multinationale qu'elle établisse un dialogue ouvert et constructif avec ses diverses parties prenantes, y compris les salariés et leurs représentants (Sobczak, 2008). On peut dès lors affirmer que les relations du travail à l'international imposent des efforts d'ajustement tant de la part de l'organisation syndicale que de la part de la multinationale.

De la perspective de la multinationale, l'enjeu des relations du travail est d'adapter ses politiques et ses pratiques de gestion à des systèmes nationaux divergents. En effet, d'un contexte national à l'autre, les structures de représentation collective sont bien différentes et la multinationale se doit d'ajuster son fonctionnement en conséquence. Ainsi, la forte politisation du syndicalisme en France contraste avec le syndicalisme d'affaires pratiqué en Amérique. La Suède se distingue, par ailleurs, par son taux de syndicalisation très élevé et la Pologne, par son taux de syndicalisation relativement faible. Il existe aussi dans plusieurs pays des modalités de représentation des travailleurs aux conseils d'administration et de surveillance. Les négociations collectives se déroulent aussi selon des logiques propres d'un système national de relations du travail à l'autre. En Belgique, par exemple, les accords signés au niveau sectoriel s'étendent automatiquement à tous les salariés de la branche. Nous avons aussi fait mention dans ce chapitre des accords de compétitivité qui se signent dans les entreprises françaises. Ces modalités de fonctionnement contrastent avec la réalité nord-américaine qui, en règle générale, applique les accords à l'unité de négociation de l'établissement seulement. Ajoutons à cela que les questions du travail peuvent être très différentes ailleurs dans le monde. Par conséquent, les négociations sur des questions comme l'organisation du travail, la santé et la sécurité, la réduction des exigences physiques et la formation professionnelle peuvent prendre diverses tournures d'un pays à l'autre. Les dirigeants et les gestionnaires doivent donc reconnaître et comprendre les différentes formes de relations patronales-syndicales susceptibles d'exister dans différents pays.

LES CONDITIONS DU SUCCÈS DES RELATIONS DU TRAVAIL

Comme nous l'avons vu dans ce chapitre, la présence d'une association accréditée impose à la GRH des conditions particulières de fonctionnement ou, à tout le moins, lui définit un certain contexte. On peut donc dire que les rapports collectifs de travail comportent leur propre logique et que le succès d'une bonne gestion de ces rapports repose sur la prise en compte de la dynamique des relations du travail propre à chaque organisation.

Le cadre juridique balise une facette importante de ce contexte relatif aux rapports collectifs de travail. Aussi, le respect de ce cadre juridique constitue la première condition du succès de la gestion des rapports collectifs. Il importe de savoir, entre autres, que l'exercice du droit de grève est fortement réglementé, et ce, partout en Amérique du Nord. Les employeurs doivent également savoir qu'au Québec, la loi interdit le recours aux briseurs de grève. Il va sans dire que les parties en cause peuvent choisir d'ignorer les nombreuses considérations légales qui régissent les rapports collectifs de travail, mais cette stratégie s'avère non seulement risquée, mais aussi douteuse.

En présence d'un syndicat, une bonne gestion des rapports collectifs de travail passe aussi par la prise en compte du cadre institutionnel dans lequel ils s'inscrivent. Ce cadre diffère d'un pays à l'autre. La France, par exemple, est marquée par un syndicalisme à forte teneur politique, tandis que le modèle américain est davantage dominé par un syndicalisme de type corporatiste. Les différentes centrales syndicales et leurs fédérations véhiculent en outre des idéologies et des pratiques qui contrastent parfois entre elles. La présence d'une association accréditée affiliée à une centrale syndicale plus revendicatrice peut avoir certaines répercussions sur les relations du travail dans l'organisation. Les employeurs doivent donc être bien au fait des particularités de leur cadre institutionnel pour composer le mieux possible avec lui.

Par ailleurs, même s'il existe un cadre juridique et institutionnel incontournable, il faut garder à l'esprit que les rapports collectifs de travail s'établissent principalement au sein de l'établissement. Les parties en cause peuvent prendre en charge leurs rapports collectifs de travail et élaborer ensemble l'approche qui leur convient le mieux. Au moment de la négociation collective, on insiste aussi souvent sur l'importance de la phase de préparation. En effet, il n'est pas nécessaire d'attendre l'expiration de la convention collective pour s'attaquer aux problèmes soulevés par son application en milieu de travail. Les parties peuvent prévoir des forums de discussion et même signer des lettres d'entente avant que la situation ne se détériore. Elles peuvent également décider de mener la négociation collective en suivant un autre modèle que celui de l'affrontement.

En ce qui concerne la convention collective, il importe encore une fois de bien comprendre son contenu et d'en assurer une application uniforme. Une convention comporte en effet de nombreuses clauses contractuelles et normatives, qui varient d'un milieu de travail à l'autre. Il est par conséquent utile de sensibiliser l'ensemble du personnel à l'application de ces clauses dans le cadre particulier de l'exécution du travail. Aussi, si l'intention est d'améliorer le climat des relations du travail, cette sensibilisation peut amener les gestionnaires et les employés à considérer la convention collective comme une modalité de participation plutôt que comme un instrument de pouvoir.

Par ailleurs, les rapports collectifs de travail peuvent s'établir dans un climat plus ou moins propice à de saines relations et diverses mesures témoignent de la volonté d'établir des relations constructives entre l'employeur et le syndicat, comme le fait de négocier de bonne foi et de favoriser la participation plutôt que l'exercice du pouvoir. Certains mécanismes de gestion des rapports collectifs ont aussi tendance à encourager la généralisation des perceptions positives du climat de travail. Mentionnons le comité de relations du travail, qui fournit aux parties un espace de discussion pour aborder les questions d'intérêt commun pouvant aller de l'interprétation des clauses de la convention collective aux problèmes de fonctionnement de l'entreprise. L'approche de la négociation raisonnée se fonde davantage sur la reconnaissance des intérêts des parties. Il existe également, dans certains milieux de travail, des ententes formelles de partenariat patronal-syndical pouvant contribuer à améliorer le climat des relations du travail. Soulignons à cet égard la grande variabilité des configurations partenariales dotées de différents niveaux d'influence (Lapointe, 2001). En somme, si telle est l'intention, il est possible de compter sur des pratiques validées qui sont de nature à améliorer le climat des relations du travail. Le tableau suivant résume les conditions de succès de la gestion des rapports collectifs de travail.

Les conditions de succès des relations du travail	
Principe	**Conditions**
Respect du cadre légal	S'assurer d'avoir accès à une expertise relative au cadre juridique des relations du travail. Fonctionner à l'intérieur des balises juridiques qui s'appliquent à l'organisation.
Respect du cadre institutionnel	Comprendre le cadre institutionnel des rapports collectifs de travail. Adapter son approche au cadre institutionnel.
Adoption d'une approche proactive	Prendre en charge les rapports collectifs de travail au niveau de l'établissement. S'entendre sur une approche collaborative. Se préparer à la négociation collective et à l'arbitrage des griefs. Résoudre les problèmes d'application de la convention collective.
Compréhension et application uniforme de la convention collective	Sensibiliser l'ensemble du personnel aux différentes clauses de la convention collective. Voir la convention collective comme un instrument de participation.
Amélioration du climat des relations du travail	Négocier de bonne foi et favoriser la participation plutôt que l'exercice du pouvoir. Adopter certains mécanismes de gestion des rapports collectifs. Élaborer une entente formelle de partenariat patronal-syndical.

CONCLUSION

La présence syndicale dessine un nouveau cadre pour la GRH. L'employeur doit composer avec un interlocuteur qui a comme mission la défense des intérêts de ses membres. La convention collective, en sa qualité d'entente sur les conditions de travail, oriente l'application de diverses politiques et pratiques de GRH. Elle impose aux gestionnaires des clauses qui, si elles sont en apparence restrictives, découlent néanmoins d'un processus de négociation collective. Il est par ailleurs possible de modifier périodiquement certaines de ses dispositions pour les adapter à un contexte en constante évolution. En ce sens, bien que la convention collective impose des balises, il ne faut pas la voir comme un carcan.

Différentes approches, depuis la concertation jusqu'à l'affrontement, peuvent marquer les rapports collectifs de travail. Bien que la concertation comporte plusieurs avantages, dont celui de répondre au défi de la coopération, les ententes de partenariat patronal-syndical sont exigeantes, mais l'affrontement, avec les coûts qu'il occasionne et les insatisfactions qu'il engendre, représente-t-il une solution de remplacement adéquate ? Ce questionnement explique sans doute pourquoi, encore aujourd'hui, malgré certaines difficultés, plusieurs acteurs œuvrent à la mise en place de nouvelles approches misant essentiellement sur la concertation. Au minimum, les intervenants peuvent faire appel aux leviers de la collaboration patronale-syndicale pour favoriser de meilleures ententes et pour améliorer le climat de relations de travail ainsi que le fonctionnement paritaire en matière de santé et de sécurité au travail.

QUESTIONS DE RÉVISION

1 Quels sont les principaux avantages de la syndicalisation pour l'employé ?

2 Quelles distinctions peut-on faire entre le syndicalisme corporatiste et le syndicalisme de mouvement social ?

3 Sur quoi pourrait porter une formation syndicale offerte par une centrale syndicale ?

4 Est-il permis au Québec d'avoir recours aux briseurs de grève ?

5 En quoi consiste l'étape de la préparation de la négociation collective ?

6 En quoi la négociation collective raisonnée se démarque-t-elle de la négociation collective traditionnelle ?

7 Un syndicat peut-il procéder à une grève sans avoir obtenu un vote de grève ?

8 Quels sont les principaux mécanismes de règlement des conflits relatifs à la négociation collective qui sont prévus par le Code du travail du Québec ?

9 Dans une convention collective, quelle est la différence entre les clauses contractuelles et les clauses normatives ?

10 Dans la mesure où la convention collective traite de plusieurs conditions de travail, que reste-t-il du droit de gérance de l'employeur ?

11 En quoi consiste une procédure interne de règlement des griefs ?

12 Quel élément fondamental distingue l'arbitrage des différends de l'arbitrage des griefs ?

QUESTIONS DE DISCUSSION

 Certains employeurs adoptent une stratégie de résistance vis-à-vis du syndicat. Quels sont les avantages et les inconvénients d'une telle stratégie ? Dans quel contexte est-elle la plus appropriée ?

② En vous basant sur votre compréhension des milieux de travail actuels, quels sont les principaux enjeux d'ordre distributif et d'ordre intégratif qui marqueront les négociations collectives au cours des prochains mois ?

INCIDENTS CRITIQUES ET CAS

Incident critique

Un syndicat sous pression

Fred travaille depuis 25 ans pour une firme multinationale spécialisée dans la fabrication d'électroménagers. Il siège au bureau syndical depuis 15 ans. Au cours de cette période, les employés ont fait beaucoup de concessions pour assurer la survie de « leur » entreprise : réduction des salaires et des avantages sociaux, flexibilité des emplois, flexibilité du travail, etc. Tous ces changements ont entraîné une augmentation substantielle de la productivité. Cependant, il semble que ce ne soit pas suffisant. En effet, le mois dernier, la direction a annoncé dans un communiqué la fermeture de l'établissement d'ici 2015. La haute direction a reçu sur un plateau d'or des subventions pour transférer la production dans un État américain qui applique une législation de type « *right to work* » (droit de non-affiliation). Fred subit aujourd'hui les foudres de ses compagnons. Le syndicat et les gestionnaires locaux sont pris à partie et souvent perçus comme étant le problème, beaucoup plus que la solution.

Questions

- Quelles pressions externes agissent sur le syndicat ?

- Quelle orientation devrait se donner le mouvement syndical en réponse aux pressions qui s'exercent sur lui ?

Source : Extrait de LE CAPITAINE, C., C. LÉVESQUE et L. MORISSETTE. « La représentation syndicale : entre "la fortuna y la virtu" », *Effectif*, vol. 15, n° 2, avril-mai 2012, p. 10-19.

Incident critique ②

Un panier de crabes

La convention collective des travailleurs de l'usine Les Pêcheries Atlantique inc. vient à échéance dans trois mois. Maurice Tanguay, contrôleur et responsable des RH dans cette usine de transformation du crabe, s'inquiète déjà de la portée de récents événements sur le déroulement de cette prochaine négociation collective. En effet, il y a d'abord eu une mésentente portant sur les heures quotidiennes de travail. Alors que le syndicat considérait que les employés syndiqués pouvaient ou non accepter de travailler au-delà des 12 heures régulières de travail, l'employeur, pour sa part, réclamait le droit d'imposer des heures supplémentaires de travail selon les besoins de l'entreprise. Il y a eu ensuite le refus catégorique des employés syndiqués de se plier à une nouvelle politique de remplacement, ce qui a marqué le début d'un mouvement de résistance et de militantisme jamais vu auparavant dans l'usine. Même si certains membres de l'équipe de direction estiment que « les choses vont finir par rentrer dans l'ordre », M. Tanguay craint au contraire une négociation collective difficile, surtout si l'on songe à l'accumulation du nombre de griefs au cours des dernières semaines, à la détérioration du climat des relations du travail et au fait que le syndicat insistera certainement sur la question des heures supplémentaires, souhaitant obtenir une modification de la clause selon laquelle les employés syndiqués peuvent prolonger leurs heures supplémentaires sur une base volontaire.

Questions

- Dans un tel contexte, quelle stratégie de négociation collective serait la plus appropriée ?
- Quelles actions M. Tanguay pourrait-il prendre à court terme pour rétablir un bon climat de relations du travail ?

Cas

Campagne de syndicalisation chez Alimentation Couche-Tard

Couche-Tard est un large réseau de dépanneurs fondé en 1980. Alors qu'en 1985, Couche-Tard ne comptait pas plus d'une dizaine de succursales au Québec, il emploie, aujourd'hui, plus de 53 000 employés à travers un réseau de 5 837 dépanneurs[1] au Canada et aux États-Unis[2]. Suivant une logique d'acquisitions d'actifs ayant débuté dans les années 1990, Couche-Tard a connu une croissance fulgurante au cours des 30 dernières années qui lui a permis de se positionner comme chef de file de l'industrie canadienne du commerce de proximité. Le chiffre d'affaires de l'entreprise a récemment atteint les 19 milliards de dollars américains tandis que ses profits sont passés de 253,9 millions en 2009 à 302,9 millions en 2010 pour finalement atteindre les 370,1 millions au cours du dernier exercice financier. Chaque semaine, l'entreprise reçoit dans ses nombreuses succursales quelque 25 millions de visiteurs qui peuvent, à cette occasion, se procurer « une vaste gamme de produits alimentaires, boissons et autres produits et services ainsi que du carburant[3] ». En outre, Couche-Tard s'est récemment démarquée sur le plan de sa GRH et de sa relation avec ses employés en étant reconnue, depuis 2008, comme un « employeur de choix[4] ».

Malgré les succès qu'a connus cette entreprise depuis sa fondation, elle a attiré ces derniers temps une forte attention médiatique pour des raisons autres que celles liées à ses acquisitions ou encore à ses rendements financiers. En effet, plusieurs dépanneurs appartenant à Couche-Tard ont récemment fait l'objet de tentatives de syndicalisation sous les efforts concertés de certains de ses travailleurs et de représentants de la Fédération du commerce de la Confédération des syndicats nationaux (CSN). Selon ces derniers, les employés de l'entreprise font face à des conditions de travail difficiles : « Les travailleurs sont tous payés au salaire minimum, n'ont droit à aucun régime d'assurance, pas plus qu'à des congés de maladie payés ou à un régime de retrait collectif. Plusieurs d'entre eux n'ont pas d'horaire de travail stable[5]. » La direction de Couche-Tard réagira promptement à de tels propos et à ces tentatives de syndicalisation entraînant ainsi une série d'événements dont les sections suivantes retracent les grandes lignes.

Une première tentative de syndicalisation : la succursale de Belœil

La première tentative de syndicalisation de la part d'employés de Couche-Tard prendra place en 2009 au sein de la succursale de l'entreprise située à Belœil. En pleine campagne

---

1. Au 24 avril 2011.
2. « La CSN tente de faire rouvrir un dépanneur Couche-Tard », *Radio-Canada*, 28 septembre 2011.
3. Site officiel Couche-Tard, http://corpo.couche-tard.com.
4. « Défi meilleurs employeurs » est un concours qui récompense les employeurs qui ont su se démarquer à travers de bonnes pratiques de GRH. Près de 64 entreprises se comparent dans le but de s'améliorer. Couche-Tard a obtenu en 2008 le prix de l'amélioration pour sa progression significative dans ses pratiques favorisant un milieu de travail favorable au bien-être des employés.
5. « Un premier dépanneur Couche-Tard accrédité à la CSN », *La Presse*, 9 février 2011.

de syndicalisation, cette succursale sera fermée au mois de novembre, sans qu'aucun préavis ne soit donné aux employés. Les faits révéleront toutefois que la fermeture de ce dépanneur est survenue deux jours après qu'un ex-employé (congédié sous prétexte qu'il faisait de la sollicitation sur le lieu de travail) ait commencé à faire signer des cartes d'adhésion syndicale[6]. Pour Étienne Béland, ex-employé de cette succursale, les motivations réelles d'une telle décision ne font aucun doute :

> Je ne suis pas du tout surpris. C'est flagrant. Couche-Tard vient d'envoyer un message clair à ses employés : ne faites pas de tentative de syndicalisation parce que vous allez perdre votre job[7].

Ces allégations d'entrave à un processus de syndicalisation seront rapidement réfutées par Denise Deveau, responsable des communications chez Couche-Tard, pour qui la raison de cette fermeture doit plutôt être associée à une dimension stricte de « rentabilité[8] » économique. La crédibilité des motifs évoqués par la direction sera toutefois remise en question lorsque cette succursale, située en bordure de l'autoroute Jean-Lesage à Saint-Mathieu-de-Belœil, rouvrira ses portes quelques mois plus tard, soit en octobre 2010[9].

Une deuxième tentative de syndicalisation : la succursale de la rue Jean-Talon

Malgré l'échec de la première tentative de syndicalisation, les employés d'une deuxième succursale située au coin des rues D'Iberville et Jean-Talon à Montréal enclencheront à leur tour un processus de syndicalisation. En réplique à cette nouvelle tentative, la direction de Couche-Tard s'adressera à la CRT afin d'empêcher des membres de la CSN de faire de la sollicitation directement dans les dépanneurs. Se basant sur des droits reconnus par la Cour suprême, Couche-Tard sera toutefois déboutée[10]. Le processus déclenché mènera ainsi, le 11 janvier 2011, au dépôt officiel d'une requête en accréditation puis, le 7 février, à l'acceptation de cette requête par la CRT, faisant de la succursale de la rue Jean-Talon le « premier dépanneur syndiqué au Québec[11] ».

À la suite de l'obtention de cette accréditation, le syndicat des employés de cette succursale entreprendra des négociations avec la direction de Couche-Tard afin de conclure une convention collective. En septembre 2011, ces négociations connaîtront toutefois une fin abrupte lorsque la direction de Couche-Tard prendra la décision de fermer cette succursale. Cette fermeture sera d'ailleurs annoncée aux travailleurs « par des gardiens de sécurité et des représentants de la chaîne de dépanneurs qui leur ont accordé deux minutes pour ramasser leurs effets personnels et quitter les lieux[12] ».

L'argument de la non-rentabilité de la succursale sera à nouveau évoqué par la direction pour expliquer cette décision entraînant aussitôt des réactions pour le moins critiques de plusieurs, dont Luis Donis, président du syndicat récemment formé :

> Ils disent qu'ils faisaient 20 000 $ par année. Je le sais qu'ils font plus parce que j'ai été assistant gérant et que je voyais les chiffres. On sait que ce n'est pas une question de rentabilité[13].

À la suite de cette fermeture, la CSN portera plainte contre Couche-Tard auprès de la CRT, accusant l'entreprise de négociation de mauvaise foi et d'avoir intimidé et menacé des

6. François Desjardins, « Couche-Tard ferme un dépanneur en voie de syndicalisation », *Le Devoir*, 10 novembre 2009.

7. Héloïse Archambault, « Réouverture du dépanneur Couche-Tard », *L'Œil Régional*, 9 octobre 2010.

8. Desjardins, *op. cit.*

9. Marc-André Gagnon, « La CSN en mode séduction chez Couche-Tard », *TVA Nouvelles*, 4 février 2011.

10. « Un premier dépanneur Couche-Tard accrédité à la CSN », *La Presse*, 9 février 2011.

11. *Ibid.*

12. Émilie Bilodeau, « Fermeture d'un autre Couche-Tard nouvellement syndiqué », *La Presse*, 15 septembre 2011.

13. *Ibid.*

employés en raison de leurs activités syndicales. La CSN demandera également à la CRT que la succursale soit ouverte à nouveau, demande pour laquelle le juge prononcera une fin de non-recevoir[14].

Jamais deux sans trois : la succursale de la rue Saint-Denis

Malgré les deux échecs précédents, le mouvement de syndicalisation des dépanneurs Couche-Tard se poursuivra. Cette fois, ce sont les employés du dépanneur situé à l'angle des rues Saint-Denis et Beaubien qui déposeront, le 11 mars 2011, une requête en accréditation auprès de la CRT. Le 6 avril 2011, pendant le traitement de la demande d'accréditation[15], la direction de Couche-Tard décidera de fermer cette succursale[16] soutenant, une fois de plus, son « manque de rentabilité[17] ».

Malgré tout, de nouvelles accréditations

Si ces fermetures avaient pu en décourager plusieurs, les employés de Couche-Tard dans d'autres succursales, dont celles de Longueuil et de Saint-Liboire, emboîteront le pas et soumettront, respectivement le 5 mars et le 22 mars 2011, des demandes d'accréditation syndicale à la CRT[18]. Celle de la succursale de Longueuil sera acceptée officiellement le 15 avril tandis que celle de la succursale de Saint-Liboire le sera quelques jours plus tard, soit le 20 avril 2011[19]. Les employés de ces deux succursales attendent désormais les résultats des processus de négociation collective actuellement en cours[20].

C'est ainsi que, malgré la fermeture de plusieurs établissements ayant tenté de se syndiquer, la mobilisation se poursuit dans les succursales de Couche-Tard. Le processus de syndicalisation semble d'ailleurs bel et bien enclenché à travers le Québec même si les résultats qui peuvent lui être associés demeurent incertains. Ces derniers jours, le poids de cette mobilisation s'est vu renforcé par un récent sondage montrant que 57 % des Québécois sont en faveur de la syndicalisation des dépanneurs Couche-Tard[21].

Questions

- Comment expliquez-vous cette forte mobilisation syndicale dans les succursales de Couche-Tard ?

- Comment expliquez-vous la réaction de la direction de Couche-Tard à cette forte mobilisation syndicale ?

Source : Adapté et publié avec la permission du Centre de cas HEC Montréal. Cas produit par le professeur Marc-Antonin HENNEBERT et Marina MESURE. Note : Marc-Antonin Hennebert est professeur adjoint au Service de l'enseignement de la GRH de HEC Montréal. Marina Mesure est étudiante à la maîtrise et assistante de recherche à HEC Montréal.

---

14. Le juge administratif Jacques Vignola précise dans son verdict « qu'il n'existe aucune législation obligeant un employeur à demeurer en affaires. Ce qui est interdit, c'est de congédier des salariés qui font des activités syndicales. »

15. La requête en accréditation sera acceptée par la CRT le 12 avril 2011, le dépanneur ayant toutefois déjà fermé ses portes.

16. « Couche-Tard ferme un dépanneur en voie de syndicalisation », *Le Devoir*, 8 avril 2011.

17. L'argument du manque de rentabilité de certaines succursales de Couche-Tard doit être analysé dans le contexte plus large d'une stratégie de rationalisation qui a été mise sur pied par la haute direction au cours des derniers mois. Comme en fait foi son dernier rapport annuel (2011), le nombre de magasins du réseau Couche-Tard a connu une diminution pour une première fois dans l'histoire récente de l'entreprise. En effet, bien que Couche-Tard ait ajouté à son réseau 194 nouveaux magasins, la direction a également pris la décision de se départir de 89 magasins jugés sous-performants. Cette décision s'explique, selon la direction, par « une obsession pour la rentabilité de nos opérations dans une lutte qui se gagne sur le terrain, dans une véritable guerre de tranchées ».

18. André Dubuc, « Syndicalisation des Couche-Tard : des employés se vident le cœur », *La Presse*, 29 avril 2011.

19. *Ibid*.

20. « Trois Couche-Tard reçoivent leur accréditation syndicale », *Radio-Canada*, 27 avril 2011.

21. « Couche-Tard : 57 % des Québécois pour la syndicalisation », *La Presse*, 12 janvier 2012.

POUR ALLER PLUS LOIN

Lectures suggérées

BERGERON, J.-G., et R. PAQUET. *La négociation collective*, 2e éd., Montréal, Gaëtan Morin, 2011.

BILODEAU, P.-L., et M. D'AMOURS. *Fondements des relations industrielles*, Montréal, Chenelière Éducation, 2015.

BILODEAU, P.-L., et J. SEXTON. *Initiation à la négociation collective*, 2e éd., Québec, Presses de l'Université Laval, 2013.

COUTU, M., L.L. FONTAINE G. MARCEAU et U. COIQUAUD. *Droits des rapports collectifs du travail au Québec*, 2e éd., Cowansville, Yvon Blais, 2013.

FISHER, R., W. URY et B. PATTON. *Getting to Yes : Negotiating Agreement without Giving in*, 2e éd., New York, Penguin Group, 1991.

JALETTE, P., et G. TRUDEAU. *La convention collective au Québec*, 2e éd., Montréal, Gaëtan Morin, 2011.

LA PRESSE CANADIENNE. « Les jeunes libéraux remettent en cause le dogme syndical de l'ancienneté », 31 juillet 2016, http://ici.radio-canada.ca/nouvelles/Politique/2016/07/31/001-jeunes-liberaux-dogme-syndical-anciennete-commission-jeunesse-parti-liberal-quebec.shtml (Page consultée le 1er novembre 2016).

GOUVERNEMENT DU QUÉBEC. « Données globales sur les conflits de travail, Québec », *Banque de données des statistiques officielles sur le Québec*, 2014, www.bdso.gouv.qc.ca/pls/ken/p_afch_tabl_clie?p_no_client_cie=FR&p_param_id_raprt=1371 (Page consultée le 1er novembre 2016).

Sites Web

Tribunal administratif du travail
www.tat.gouv.qc.ca

Congrès du travail du Canada
www.congresdutravail.ca

Conseil canadien des relations industrielles
www.cirb-ccri.gc.ca

Organisation internationale du travail
www.ilo.org/global/lang--fr/index.htm

Chapitre

10

PROMOUVOIR LA SANTÉ, LA SÉCURITÉ ET LE MIEUX-ÊTRE AU TRAVAIL

Mise en situation • Définitions • L'importance de promouvoir la santé, la sécurité et le mieux-être au travail • Le partage des responsabilités en matière de santé, de sécurité et de mieux-être au travail

Les enjeux du numérique dans la santé, la sécurité et le mieux-être au travail • La gestion de la santé, de la sécurité et du mieux-être dans le secteur public • La gestion de la santé, de la sécurité et du mieux-être dans les milieux syndiqués • La gestion de la santé, de la sécurité et du mieux-être à l'international • Les conditions du succès de la gestion de la santé, de la sécurité et du mieux-être au travail • Questions de révision et de discussion • Incidents critiques et cas • Pour aller plus loin

Principaux défis à relever en matière de santé, de sécurité et de mieux-être au travail

- Respecter les droits et les obligations de chacun en matière de santé et de sécurité du travail.

- Déterminer et évaluer les risques liés à la santé et à la sécurité.

- Mettre en œuvre les moyens appropriés d'éliminer ou de contrôler ces risques.

- Favoriser le mieux-être au travail par des mesures adéquates.

- Gérer les diverses problématiques de santé au travail, comme l'épuisement professionnel, le retour au travail, l'harmonisation entre le travail et la vie personnelle et le harcèlement psychologique.

Objectifs d'apprentissage

- Comprendre les principales problématiques en matière de santé, de sécurité et de mieux-être au travail.

- Connaître les dispositifs réglementaires dans ce domaine.

- Savoir intervenir en matière de santé et de sécurité du travail.

- Faire l'inventaire des différentes mesures de promotion de la santé.

- Se familiariser avec la prévention du stress et les enjeux d'un retour au travail.

- Comprendre le fonctionnement d'un programme d'aide aux employés.

Une entreprise n'a pas qu'une empreinte écologique, elle a aussi une empreinte humaine qui agit sur l'intégrité physique et psychologique de ses employés. Si l'entreprise a le droit d'exiger une certaine performance au travail de ses employés, elle a aussi le devoir de leur offrir de bonnes conditions de travail. Ce chapitre traite donc de la santé, de la sécurité et du mieux-être au travail. Diverses interventions sont de nature à favoriser ces trois champs d'action, qui posent des défis requérant une action concertée sur plusieurs fronts.

Dans ce chapitre, nous examinons les obligations et les droits des employeurs et des travailleurs en matière de santé, de sécurité et de mieux-être au travail. Nous abordons dans un premier temps les exigences de la loi en matière de prévention de la santé et de la sécurité du travail. Dans un second temps, nous traitons des principales mesures à prendre en matière de gestion des ressources humaines (GRH) en ce qui concerne les accidents du travail et les maladies professionnelles. Finalement, nous discutons de certaines situations critiques que nous pouvons rencontrer en GRH : l'épuisement professionnel, le retour au travail, l'harmonisation travail-vie personnelle, le harcèlement psychologique et les dépendances.

====== **MISE EN SITUATION** ======

Gérer les problèmes de santé mentale au travail : un *must* pour maintenir une bonne performance

L'absentéisme relié à des problèmes de santé mentale a augmenté de façon fulgurante au cours des dernières années, et si on en croit les experts, la situation ne s'améliorera pas dans les prochaines années. Ainsi, selon l'*Étude Marchand-Durand sur la santé mentale en milieu de travail* (2013), les troubles mentaux et maladies mentales ont coûté en 2011 environ 6,3 milliards de dollars en perte de productivité au Canada, et ce chiffre atteindra 16 milliards en 2040. Cette étude mentionne également que près d'un employé sur quatre rapporte un épisode récent de détresse psychologique.

Compte tenu de cette réalité et dans un contexte où le manque de main-d'œuvre ne fait que s'intensifier, la gestion des problèmes de santé mentale au travail devient prioritaire pour toute entreprise qui veut demeurer compétitive sur un marché hautement concurrentiel, où la performance de l'entreprise passe par celle de ses employés. Reconnaître les signes de détresse psychologique constitue donc un enjeu important pour les employeurs, car ils peuvent ainsi veiller à ce que leurs employés soient aptes à exercer leurs fonctions et prévenir l'absentéisme relié aux problèmes de santé mentale.

Intervenir en cours d'emploi

Les diagnostics de nature psychologique sont nombreux et il peut parfois être difficile de s'y retrouver. En conséquence, lorsque la situation le justifie, il est suggéré de consulter un professionnel de la santé afin d'éviter que des gestionnaires s'improvisent médecins et émettent leurs propres diagnostics.

La plupart des employés ayant un problème de santé mentale finiront par s'absenter du travail après une certaine période de temps. Mais comme il arrive fréquemment que ces personnes tardent à consulter, un employeur peut se retrouver face à un salarié dont le comportement représente un risque pour lui-même, ses collègues ou des tiers. Par exemple, un excellent employé peut soudainement devenir inefficace et agir de façon téméraire et dangereuse ou un travailleur qui éprouve des difficultés relationnelles peut se mettre à proférer des menaces inquiétantes. Lorsqu'un salarié adopte un comportement agressif ou dangereux pour lui-même, ses collègues ou des tiers, l'employeur doit intervenir ; il a en effet l'obligation de protéger la santé, la sécurité et l'intégrité physique de tous ses employés et de fournir un milieu de travail exempt de harcèlement psychologique. Une intervention précoce lui permet non seulement de respecter ses obligations, mais aussi d'éviter que la situation dégénère en violence au travail, en démissions ou en dépôt de plainte pour harcèlement. Dans un tel cas, le retrait du travail de l'employé concerné afin qu'il subisse une évaluation de sa capacité mentale peut être tout à fait justifié.

Bref, la gestion des problèmes de santé mentale au travail ne se limite pas à gérer les absences du travail, mais aussi à réagir aux répercussions de la présence au travail d'un salarié qui tarde à consulter ou qui refuse de le faire.

Intervenir lors d'une invalidité

Nous l'avons dit, les salariés souffrant d'un problème de santé mentale finissent généralement par s'absenter du travail. Or, si les employeurs gèrent de façon assez serrée les absences indemnisées par la Commission des normes, de l'équité, de la santé et de la sécurité du travail, ils n'ont souvent pas le même réflexe lorsqu'une absence est indemnisée par un assureur, particulièrement lorsqu'il s'agit d'un problème de santé mentale. Pourtant, l'employeur a non seulement le droit de gérer l'invalidité, mais il peut et devrait suivre l'évolution du dossier de l'employé, tant auprès de ce dernier que de l'assureur. Comme l'a mentionné un arbitre dans la cause *Kazumba* c. *Fido Solution inc.*, un assureur « n'est pas *l'employeur* » et un salarié absent du travail a l'obligation de collaborer avec son employeur. Précisons d'ailleurs qu'un employeur peut procéder à ses propres expertises médicales en sus de celles exigées par l'assureur. Enfin, ainsi que l'a souligné la Cour d'appel dans l'affaire *Syndicat canadien des communications, de l'énergie et du papier, section locale 847* c. *Société d'emballage Hood*, division papier, un salarié a une obligation de loyauté envers son employeur, même lorsqu'il est absent du travail, et il doit faire preuve de transparence et de franchise à son égard en tout temps.

Intervenir lors du retour au travail

Finalement, la majorité des employés qui s'absentent pour un problème de santé mentale reviendront au travail après une plus ou moins longue absence. Lorsque l'absence résulte d'un problème de santé mentale, un retour progressif est souvent suggéré par le médecin traitant. Il s'agit d'une mesure d'accommodement qui est généralement jugée raisonnable et qui peut, dans certaines circonstances, favoriser un retour complet plus rapidement en diminuant les risques de rechute. Toutefois, le retour progressif au travail suggéré par le médecin traitant ou par la compagnie d'assurances est parfois relié davantage au désir de l'employé qu'à des raisons médicales objectives. Lorsque les paramètres du retour progressif au travail paraissent discutables ou difficiles à respecter, l'employeur peut demander des précisions au médecin traitant ou simplement refuser ou reporter le retour progressif au travail.

L'enjeu du retour au travail n'est pas le retour en soi, mais le maintien au travail. Dans ce contexte, afin d'assurer le succès d'un retour au travail et d'éviter les rechutes coûteuses, le supérieur immédiat du salarié devrait être impliqué dans la gestion du dossier.

Nonobstant les dispositions prévues aux lois protégeant les renseignements personnels et dans la mesure où il a besoin de connaître certains renseignements personnels afin de prendre une décision disciplinaire ou administrative concernant un employé, le supérieur immédiat peut avoir accès aux renseignements pertinents contenus au dossier de l'employé, que ceux-ci soient détenus au service des RH ou au service de santé, le critère étant la nécessité pour l'exercice de ses fonctions.

Conclusion

Il peut être tentant de baisser les bras en matière de gestion des problèmes de santé mentale au travail, principalement parce que ces maladies sont plus difficiles à contrôler que les maladies physiques. Pourtant, intervenir en cours d'emploi auprès des employés présents mais inaptes au travail est essentiel pour éviter une dégradation du climat de travail. Surveiller et encadrer les employés absents est également essentiel, puisque ceux-ci constatent alors que les absences sont gérées de façon à favoriser un retour au travail rapide.

Source : Extraits de SIGOUIN M.-J., et BERNIER L. «Gérer les problèmes de santé mentale au travail : un must pour maintenir une bonne performance», *Effectif*, vol. 17, n° 3, juin/juillet/août 2014.

DÉFINITIONS

Le champ d'action de la santé, de la sécurité et du mieux-être au travail est vaste. Il regroupe deux domaines : d'une part, la santé et la sécurité du travail et, d'autre part, le mieux-être au travail.

La **santé et la sécurité du travail** ont trait à l'identification, à l'évaluation et au contrôle des risques en milieu de travail, comme le montre la figure suivante. La gestion de la santé et de la sécurité du travail vise la réduction des accidents du travail et des maladies professionnelles. Imprévu et soudain, l'accident du travail est défini comme un événement attribuable à toute cause qui survient par le fait ou dans l'exercice du travail d'un salarié et qui entraîne une lésion professionnelle. Quant à la maladie professionnelle, elle constitue une maladie contractée par le fait ou à l'occasion du travail et qui est caractéristique de ce travail ou liée directement aux risques particuliers de celui-ci.

La **gestion de la santé et de la sécurité du travail** s'inscrit ainsi dans une démarche d'identification et de contrôle des risques associés à la santé, à la sécurité et

à l'intégrité physique des travailleurs. Elle mise également sur l'application de lois et de règlements, de même que sur la réparation des accidents du travail et des maladies professionnelles. Il faut reconnaître, cependant, que ce mode de gestion «traditionnel» connaît depuis quelques années un repositionnement, au profit du mieux-être au travail, lequel s'inscrit dans une approche de santé globale. On cherche ainsi de plus en plus à faire participer les employés à diverses activités du programme de promotion de la santé au travail. L'approche du **mieux-être au travail** inclut aussi les mesures d'aide à la conciliation travail-vie personnelle, qui visent à réduire les tensions et le stress résultant des incompatibilités entre les exigences du travail et celles de la vie privée. Il peut s'agir d'horaires de travail flexibles, de services de garde en milieu de travail ou d'autres mesures semblables. Quant à la **promotion de la santé au travail**, elle est axée notamment sur l'amélioration de la santé des ressources humaines (RH) par l'intermédiaire d'un programme d'aide aux employés (PAE), sur la gestion du stress et sur la promotion de saines habitudes de vie (Kelloway et Francis, 2008).

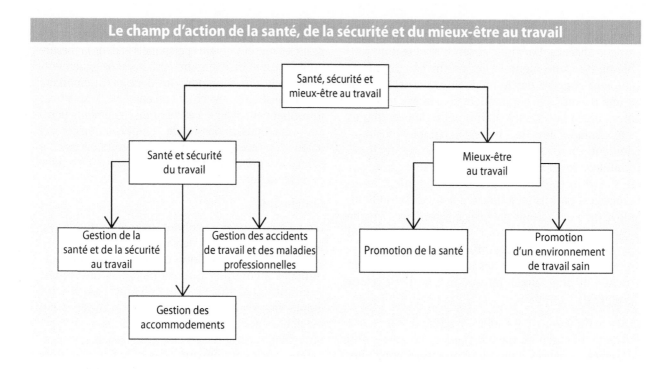

Le champ d'action de la santé, de la sécurité et du mieux-être au travail

L'IMPORTANCE DE PROMOUVOIR LA SANTÉ, LA SÉCURITÉ ET LE MIEUX-ÊTRE AU TRAVAIL

Le coût des accidents du travail et des maladies professionnelles impose parfois un fardeau financier très lourd aux entreprises et à la société dans son ensemble. Cette dimension financière cache malheureusement souvent des drames humains tels que l'épuisement professionnel (ou *burnout*), que ne peuvent ignorer les milieux de travail. La question de la responsabilité sociale se trouve donc au cœur des débats sur la santé au travail. Au niveau de la société, il est essentiel de préserver la santé des travailleurs et de diminuer les coûts des accidents du travail. Les entreprises, quant à elles, doivent offrir des conditions de travail sécuritaires et saines pour la santé de leurs employés. Enfin, les employés se doivent de respecter les règles de sécurité ; par ailleurs, ils ont la possibilité de s'exprimer s'ils considèrent que les conditions de travail représentent un danger pour leur santé ou leur sécurité.

Diminuer les coûts inhérents aux accidents du travail et aux maladies professionnelles

Le coût des accidents du travail et des maladies professionnelles constitue souvent une charge importante. La bonne nouvelle est que le nombre des accidents du travail a beaucoup diminué au cours des dernières années. En 1987, on comptait 48,9 accidents pour 1 000 travailleurs, alors qu'en 2014, ce taux a baissé à 15,6 accidents pour 1 000 travailleurs (ACATC, 2016). Le Québec connaît aussi une amélioration

de sa performance en matière de santé et de sécurité du travail, même si les coûts demeurent importants. Ainsi, de 2011 à 2015, on observe une baisse de 30 % des accidents du travail, mais la Commission des normes, de l'équité, de la santé et de la sécurité du travail (CNESST) comptait encore 224 blessés chaque jour en 2015 ainsi que 196 décès annuels liés au travail (CNESST, 2016a). Il est important de poursuivre les efforts, car en 2015, la CNESST a déclaré 204 décès liés au travail, ce qui équivalait à une légère augmentation comparativement aux années antérieures. Le nombre encore important d'accidents du travail, de maladies professionnelles et de décès représente une charge financière pour les employeurs, qui ont versé 2,7 milliards de dollars en cotisations à la CNESST en 2015 (CNESST, 2016b).

Pour les employeurs et les autres intervenants, il importe donc de réduire la fréquence et la gravité des accidents du travail et des maladies professionnelles et, par le fait même, de diminuer les primes versées ainsi que les coûts indirects liés à la santé et à la sécurité.

Le Québec se compose de plus de 90 % de petites entreprises de 20 travailleurs et moins (Champoux et Brun, 2010). Afin de favoriser la prise en charge de la santé et de la sécurité du travail dans ces petites entreprises, la CNESST a créé des mutuelles de prévention, lesquelles regroupent des employeurs qui s'engagent dans une démarche de prévention, de réadaptation et de retour en emploi des travailleurs victimes d'une lésion professionnelle. Par ce regroupement, les entreprises mutualisent leurs efforts de prévention qui se répercutent sur leur taux de cotisation à la CNESST. Les membres de la mutuelle doivent élaborer et appliquer un programme de prévention conforme aux lois en vigueur en matière de santé et de sécurité du travail.

Les coûts directs et indirects de la santé et de la sécurité du travail	
Coûts directs	**Coûts indirects**
Cotisation à la CNESST	Remplacement du travailleur blessé
Premiers soins	Charge administrative (secrétariat, suivi, etc.)
Transport médical	Frais juridiques (contestation, poursuite, etc.)
	Perte de productivité (arrêt des machines, bris d'équipement, arrêt de production le jour de l'accident, etc.)

Diminuer le présentéisme et l'absentéisme

À l'issue de leur recherche, Brun et Lamarche (2006) ont proposé plusieurs indicateurs permettant d'estimer les coûts liés aux problèmes d'absentéisme et de présentéisme qu'entraînent des problèmes de santé, de maladie et d'accidents de travail. En effet, les absences pour des raisons de santé, à court, moyen ou long terme, entraînent bien des dépenses. Rappelons que le présentéisme est le fait de se présenter au travail alors qu'un problème de santé physique ou psychologique justifierait qu'on s'absente.

Les coûts liés à l'absentéisme et au présentéisme	
Coûts liés à l'absentéisme	Coût d'invalidité (assurance externe, autoassurance, avantages sociaux)
	Cotisation à la CNESST pour l'indemnisation des travailleurs
	Heures supplémentaires
	Travailleurs remplaçants (coût des RH et des ressources matérielles)
	Retour au travail (retour progressif, affectation, rechute, accommodement)
	Système d'information pour gérer les données d'absence (coût technique et coût humain)
	Frais de gestion des invalidités (coût administratif et coût des RH)
	Expertises médicales
	Surcharge quantitative de travail pour les collègues
	Dommages occasionnés à l'équipe de travail
	Congés de maladie
	Réduction du temps de travail
	Perte de savoirs et d'expertises
Coûts liés au présentéisme	Accroissement des erreurs
	Réduction de la qualité de la production
Coûts liés à la fois à l'absentéisme et au présentéisme	Primes d'assurance maladie (individuelle ou familiale) rattachées à la consommation de médicaments psychothérapeutiques et aux soins alternatifs
	Programme d'aide aux employés (PAE)
	Responsabilité sociale (expertises externes, temps de libération syndicale)
	Temps consacré à la problématique de la santé psychologique au travail (réunions, interventions, prévention)
	Frais juridiques (litiges, griefs)
	Perte de productivité
	Prévention (formation, interventions, programmes)

Favoriser l'engagement, l'assiduité et la fidélisation du personnel

En vertu d'un principe de réciprocité, ceux qui reçoivent beaucoup donnent aussi généralement beaucoup. Ainsi, l'employeur qui offre du soutien à ses employés par l'entremise d'un programme d'aide ou de diverses mesures de conciliation travail-vie personnelle favorise leur engagement envers l'organisation (Grant *et al.*, 2008).

En encourageant ainsi diverses interventions relatives au mieux-être au travail, l'employeur incite donc au dévouement. Loin d'être négligeable, ce renforcement peut déboucher sur une réduction de l'absentéisme et du roulement de même que sur une amélioration du rendement.

Assumer sa responsabilité sociale

Une entreprise socialement responsable favorise le développement durable, se montre soucieuse de l'environnement, applique les principes de la bonne gouvernance et respecte ses employés et ses fournisseurs. Le contrôle des risques d'accidents du travail et de maladies professionnelles s'inscrit également dans cette démarche de responsabilisation sociale. En fait, l'employeur peut éliminer le danger à la source ou, si la chose s'avère impossible, fournir les équipements nécessaires et les instructions appropriées aux travailleurs qui doivent œuvrer dans un environnement à risque. Au-delà de la prévention, l'employeur peut aussi faire la promotion de la santé en offrant un programme d'aide aux employés ou une évaluation de la santé globale ou encore en leur permettant de faire de l'exercice physique sur les lieux mêmes du travail. Agir de la sorte peut en outre contribuer à rehausser l'image de marque et la réputation de l'entreprise.

LE PARTAGE DES RESPONSABILITÉS EN MATIÈRE DE SANTÉ, DE SÉCURITÉ ET DE MIEUX-ÊTRE AU TRAVAIL

En matière de santé et de sécurité du travail, il existe deux principales lois qui encadrent les responsabilités et les droits des entreprises et des travailleurs. La première loi, qui se trouve à la base de notre régime de prévention au Québec, est la Loi sur la santé et la sécurité du travail (LSST). Elle vise l'élimination à la source des dangers pour garantir la santé et la sécurité de tous les travailleurs. La seconde loi, soit la Loi sur les accidents du travail et les maladies professionnelles, a pour but de définir les procédures et les règles lorsqu'il faut indemniser un travailleur victime d'une lésion professionnelle. C'est par l'entremise d'un organisme comme la CNESST que le gouvernement veille à l'application des lois et s'assure que les travailleurs sont indemnisés lorsqu'ils sont victimes d'une lésion professionnelle.

Dans toute entreprise, quelle qu'en soit la taille, une personne doit être désignée pour assumer la responsabilité de la planification, de la coordination et de l'évaluation de l'ensemble des démarches relatives à la santé, à la sécurité et au mieux-être au travail. Si cette responsabilité doit clairement incomber à l'employeur (LSST, art. 51), elle doit également être partagée avec les employés (art. 49). Un pouvoir d'intervention doit donc être délégué à d'autres acteurs, au premier rang desquels on trouvera les gestionnaires, les employés eux-mêmes et les membres d'un comité de santé et de sécurité du travail (voir le tableau suivant).

Le partage des responsabilités en matière de santé, de sécurité et de mieux-être au travail	
Dirigeants	Prendre position en faveur de la prévention des accidents du travail et des maladies professionnelles.
	Rendre les cadres responsables de la santé, de la sécurité et du mieux-être au travail et les évaluer sous cet aspect.
Cadres	Intégrer les moyens de prévention à la gestion courante de l'entreprise.
	Favoriser la participation des travailleurs à la prévention des accidents du travail et des maladies professionnelles.
	Encourager l'adoption de méthodes de travail plus sécuritaires.
Professionnels des RH	Planifier, coordonner et évaluer l'ensemble des démarches et des facettes relatives à la santé, à la sécurité et au mieux-être au travail.
	Veiller au bon fonctionnement des mécanismes de participation.
	Adopter des pratiques de gestion susceptibles de favoriser la santé, la sécurité et le mieux-être au travail.
Syndicat	Être à l'écoute des besoins et des préoccupations des travailleurs en matière de santé, de sécurité et de mieux-être au travail.
	Déterminer les risques et chercher des solutions pour les éliminer.
	Représenter le syndicat au comité paritaire sur la santé et la sécurité au travail prévu par la loi.
	Développer une culture de prévention et de gestion des risques, en collaboration avec la direction.
Employés	Se conformer aux obligations en matière de santé et de sécurité du travail.
	S'informer et collaborer.
	Être vigilants et prévoyants.

10.1 La gestion de la santé et de la sécurité au travail

Une saine **gestion de la santé et de la sécurité du travail** implique une responsabilité partagée au sein d'une organisation : les dirigeants, les cadres, les professionnels des RH et les travailleurs doivent participer à l'identification et à l'élimination des risques d'**accident du travail** et de **maladie professionnelle** sur les lieux de travail.

10.1.1 La Loi sur la santé et la sécurité du travail

La Loi sur la santé et la sécurité du travail (LSST) concerne surtout l'élimination des dangers et les mesures préventives que l'on doit retrouver dans les entreprises de compétence provinciale et sur le territoire du Québec. L'article 2 est très clair à ce sujet : « La présente loi a pour objet l'élimination à la source des dangers pour la santé, la sécurité et l'intégrité physiques des travailleurs. »

La mise en place de mesures préventives n'étant pas uniquement le rôle de l'employeur, la Loi prévoit aussi une animation paritaire de la prévention en instituant :

- des droits et des obligations pour les employeurs et les travailleurs ;
- des mécanismes de participation des travailleurs ;
- des outils de prévention : droit de refus, retrait préventif, comité SST, etc.

La LSST aborde également les droits des travailleurs. Deux mesures importantes sont à leur disposition lorsque des risques sont présents dans leur milieu de travail :

1. Le droit de refus : cette mesure permet au travailleur, s'il dispose de motifs raisonnables, d'exprimer à son employeur son refus d'exécuter un travail qui l'expose à un danger pour sa santé, sa sécurité ou son intégrité physique. L'employeur ne peut ni forcer le travailleur à faire le travail ni le pénaliser.

2. Le retrait préventif de la travailleuse enceinte ou qui allaite : cette mesure ne pouvant s'appliquer qu'à la suite d'un avis médical, ce n'est donc pas la travailleuse qui décide du retrait préventif, mais bien le médecin. Si le recours est accepté, la travailleuse sera réaffectée à un autre poste, s'il est compatible avec son état, ou indemnisée. Il est important de bien comprendre que ce recours n'est pas un congé de maternité.

10.1.2 Les droits et les obligations légales

L'employeur doit prendre les mesures nécessaires pour protéger la santé et assurer la sécurité et l'intégrité physique d'un travailleur. Il ne s'agit pas d'une question de principe ou de civisme, mais bien d'un devoir de protection. Il relève donc de toute l'équipe de direction de prendre en charge la gestion de la santé et de la sécurité. Parallèlement à ces efforts concertés, le dirigeant doit faire preuve de diligence en faisant la promotion de la prévention des accidents du travail et des maladies professionnelles. Voici un aperçu des obligations de l'employeur selon l'article 51 de la LSST :

- S'assurer que les établissements sur lesquels il a autorité sont équipés et aménagés de façon à assurer la protection des travailleurs.
- S'assurer que l'organisation du travail ainsi que les méthodes et les techniques utilisées pour l'accomplir sont sécuritaires et ne portent pas atteinte à la santé du travailleur.
- Utiliser les méthodes et les techniques visant à identifier, à contrôler et à éliminer les risques pouvant nuire à la santé et à la sécurité du travailleur.
- Informer adéquatement le travailleur des risques liés à son travail et lui assurer la formation, l'entraînement et la supervision appropriés afin de lui fournir

Gestion de la santé et de la sécurité du travail

Gestion relative à la prévention des accidents du travail et des maladies professionnelles.

Accident du travail

Événement imprévu et soudain attribuable à toute cause survenant à une personne par le fait ou à l'occasion de son travail et qui entraîne pour elle une lésion professionnelle (CNESST, s.d.).

Maladie professionnelle

Maladie contractée par le fait ou à l'occasion du travail et qui est caractéristique de ce travail ou liée directement aux risques particuliers de celui-ci.

les connaissances requises pour qu'il puisse accomplir ce travail de façon sécuritaire.

- Fournir gratuitement à l'employé tous les moyens et équipements de protection individuels.

Cette prise de position est de nature à influencer les comportements des cadres quant à la prévention des accidents du travail et des maladies professionnelles (Zohar, 2002). Le dirigeant peut désigner comme responsables de la santé, de la sécurité et du mieux-être les cadres et les gestionnaires d'équipes et les évaluer sous cet aspect.

Le professionnel des RH, à titre de membre de l'équipe de direction et de représentant de l'employeur, assume généralement d'importantes responsabilités en matière de santé et de sécurité du travail. Il lui incombe souvent de planifier, de coordonner et d'évaluer l'ensemble des démarches et des facettes relatives à la santé, à la sécurité et au mieux-être au travail. Il sollicite notamment la participation de tous les acteurs de l'entreprise à la réalisation de l'objectif de santé et de sécurité du travail. En raison de son rôle au sein de l'organisation, ce professionnel influe autant sur l'organisation du travail que sur les autres pratiques de GRH susceptibles de favoriser la santé, la sécurité et le mieux-être au travail. À cet égard, le fait de proposer, par exemple, une formation afin d'encourager l'adoption de comportements sécuritaires peut s'avérer une intervention appropriée.

Puisque sa santé est en cause, l'employé assume lui aussi des responsabilités importantes en matière de santé et de sécurité du travail. La LSST (art. 49) lui impose des obligations. À défaut de s'y conformer, le travailleur peut encourir des sanctions disciplinaires. Ainsi, il doit:

- prendre connaissance du programme de prévention qui s'applique à son emploi;
- prendre les mesures nécessaires pour protéger sa santé, sa sécurité ou son intégrité physique;
- veiller à ne pas mettre en danger la santé, la sécurité ou l'intégrité physique des autres personnes qui se trouvent sur les lieux de travail ou à proximité des lieux de travail;
- se soumettre aux examens de santé exigés pour l'application de la présente Loi et des règlements;
- participer à l'identification et à l'élimination des risques d'accident du travail et de maladie professionnelle sur les lieux de travail;
- rapporter tous les accidents, les incidents et les situations dangereuses;
- collaborer avec le comité de santé et de sécurité et, le cas échéant, avec le comité de chantier, ainsi qu'avec toute personne chargée de l'application de la présente Loi et des règlements.

Les responsabilités pénales des employeurs

Le 9 mai 1992, à la mine Westray en Nouvelle-Écosse, 26 mineurs sont morts lors d'une explosion souterraine. L'enquête a montré d'importantes lacunes en matière de sécurité et un fort laxisme des cadres de l'entreprise. Pourtant, aucune poursuite pénale n'a pu être entreprise, car il fallait démontrer que les dirigeants avaient une intention coupable. Finalement, aucune condamnation n'a été prononcée dans ce drame humain. Afin qu'une telle situation ne se reproduise plus jamais, le Code criminel canadien a été modifié en 2004 pour y intégrer plusieurs ajouts importants, dont celui de l'article 217.1. Selon cet article, «il incombe à quiconque dirige l'accomplissement d'un travail ou l'exécution d'une tâche ou est habilité à le faire de prendre les mesures voulues pour éviter qu'il n'en résulte de blessure corporelle pour autrui». En vertu de cette disposition, les dirigeants d'une entreprise peuvent être accusés de négligence criminelle.

Le coin de la loi

La responsabilité criminelle des entreprises

En 2004, le Code criminel du Canada a été modifié (L.R.C. 1985, c. C-46) pour intégrer la notion de responsabilité criminelle en matière de santé et de sécurité du travail. Cette disposition permet donc de poursuivre au criminel un gestionnaire, un superviseur, un directeur ou un propriétaire d'entreprise qui aurait pu faire preuve de négligence criminelle entraînant un accident du travail. Même si de telles poursuites au criminel sont rares, il arrive que des entreprises soient accusées. Par exemple, le propriétaire d'une grue mécanique et un opérateur de grue ont été accusés de négligence criminelle après qu'un employé municipal eut été tué lorsqu'il travaillait dans une excavation. En 2008, une entreprise de pavage a été accusée et déclarée coupable de négligence criminelle, et a dû payer une amende de 100 000 $ pour avoir causé la mort d'un employé.

Source : Adapté de CENTRE CANADIEN D'HYGIÈNE ET DE SÉCURITÉ AU TRAVAIL. *Projet de loi C-45 : Aperçu,* 3 septembre 2010, www.cchst.ca/oshanswers/legisl/billc45.html (Page consultée le 20 mars 2013).

Regard sur la pratique

La diligence raisonnable

La diligence raisonnable appliquée à la santé et à la sécurité au travail signifie que les employeurs devront prendre toutes les précautions raisonnables dans certaines circonstances pour prévenir les blessures ou les accidents sur le lieu de travail. Pour faire preuve de diligence raisonnable, l'employeur doit mettre en vigueur un plan en vue de déterminer les dangers que peut présenter le milieu de travail et prendre les mesures correctives qui s'imposent pour prévenir les accidents ou les blessures subis à cause de ces dangers.

La « diligence raisonnable » est importante comme moyen de défense juridique pour une personne accusée en vertu des législations en SST. Si l'entreprise est accusée, elle peut être déclarée non coupable si elle peut prouver qu'elle a exercé une diligence raisonnable. En d'autres mots, l'entreprise doit être capable de prouver que toutes les précautions raisonnables ont été prises dans les circonstances afin de protéger la santé et la sécurité des travailleurs.

La diligence raisonnable est démontrée par les actions avant que les événements ne surviennent, et non pas après.

Source : Adapté de CENTRE CANADIEN D'HYGIÈNE ET DE SÉCURITÉ AU TRAVAIL, *Législation canadienne en matière de SST – Diligence raisonnable*, 2015, www.cchst.ca/oshanswers/legisl/diligence.html (Page consultée le 1er décembre 2016).

L'obligation d'accommodement

La législation sur les droits et les libertés de la personne assure l'égalité et le respect des caractéristiques personnelles (sexe, religion, âge, etc.). Dans le domaine de l'emploi, ces principes ne sont pas enchâssés dans une loi, mais se reflètent dans l'obligation d'accommodement, soit la nécessité pour l'employeur d'accommoder tout employé dans la mesure où cela ne représente pas pour lui une « contrainte excessive ». Par exemple, la discrimination sur la base d'un handicap, d'une limitation fonctionnelle ou d'un trouble de santé mentale est totalement interdite. En effet, l'employeur doit accommoder les employés en fauteuil roulant ou souffrant d'un trouble bipolaire, par exemple, afin qu'ils puissent occuper leur emploi.

Mais qu'entend-on exactement par « accommoder » ? En fait, cela signifie que l'employeur doit prendre les moyens nécessaires pour ajuster le cadre de travail de la personne concernée. Cela peut notamment se faire par un aménagement des horaires de travail, une réorganisation des tâches ou une nouvelle configuration du poste de travail. Il est important de noter que ces accommodements doivent être apportés à la suite d'une concertation avec la personne visée ou avec son syndicat. Il ne s'agit donc pas de mesures unilatérales de l'employeur.

L'accommodement a toutefois des limites, ce qu'on appelle la contrainte excessive. Si les coûts exigés par cet accommodement sont trop importants, si l'employeur ne dispose pas des RH pour le mettre en place, si la sécurité des employés ou de la clientèle est en jeu, là s'arrête l'obligation d'accommodement. En fait, si le bon fonctionnement de l'entreprise est compromis, l'accommodement peut ne pas être possible.

Dans tous les cas, il est important de faire preuve d'une diligence raisonnable, c'est-à-dire d'avoir tenté de réorganiser l'emploi, de même qu'il est nécessaire de bien documenter le cas, de conserver des traces écrites des actions, des réunions et des dates.

Regard sur la pratique

L'obligation d'accommodement par l'employeur

AU QUÉBEC

Dorénavant, à la suite d'une décision de la Cour d'appel, il est établi que les employeurs devront, lorsqu'il s'agit de déterminer un emploi convenable pour un salarié, prendre des mesures pour accommoder un travailleur victime d'une lésion professionnelle et affligé d'un handicap à cause de cette lésion.

En effet, il ne sera plus possible pour l'employeur, comme c'était le cas auparavant, de refuser de reprendre ou d'accommoder ce travailleur en invoquant comme motif qu'il n'existe pas, au sein de son entreprise, un poste permettant de le reprendre.

Dans cette décision, la Cour d'appel a conclu qu'il n'y avait aucune raison de ne pas appliquer l'obligation d'accommodement qui dérive en partie de la Charte des droits et libertés de la personne du Québec. La CNESST, quant à elle, assume désormais l'obligation de vérifier si l'employeur a fait le nécessaire afin d'accommoder l'employé qui désire retourner au travail.

Il est évident que cette décision marque une victoire importante pour les employés qui, victimes d'une lésion professionnelle, se retrouvaient incapables de reprendre l'emploi d'avant leur lésion.

Source : Extrait de CLICADROIT, *Le saviez-vous ? L'employeur a une obligation d'accommodement…*, 18 janvier 2015, http://clicadroit.com/droit-du-travail-accommodement (Page consultée le 31 octobre 2016).

10.1.3 Les grands principes de prévention

Comme nous l'avons vu, l'élimination des dangers à la source et la prévention des risques sont à la base d'une bonne gestion de la santé et de la sécurité du travail. En effet, plus le risque est détecté précocement, moins il y a de probabilités que survienne un accident du travail. Bird et Germain (1985) ont démontré ce principe au moyen d'une pyramide. Ils ont établi que pour chaque blessure entraînant une perte de temps, on dénombre une dizaine de blessures mineures, 30 dommages matériels et environ 600 incidents sans blessures (*voir la figure 10.1*).

Pour assurer une gestion efficace de la prévention en entreprise, il faut bien sûr appliquer correctement la législation, mais ce n'est pas suffisant. Les activités de prévention doivent comporter les deux volets suivants :

1. les trois niveaux de prévention ;
2. les neuf principes de prévention.

Les trois niveaux de prévention

Les activités de prévention peuvent se situer à trois niveaux : primaire, secondaire et tertiaire. La **prévention primaire** a trait à l'élimination, à l'identification et à

| Figure 10.1 | L'importance de divers accidents |

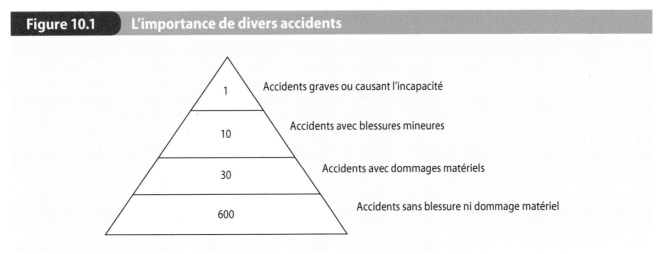

Source: CENTRE PATRONAL SST. *Enquêter et analyser les quasi-accidents, c'est prévenir... le pire!*, décembre 2012, www.centrepatronalsst.qc.ca/infos-sst/le-point-sur-accident-du-travail/enqueter-et-analyser-les-quasi-accidents.html (Page consultée le 25 mars 2013).

l'évaluation des risques avant que ne survienne un accident du travail ou une maladie professionnelle. Chaque milieu de travail comporte ses risques pour la santé et la sécurité. Le bruit, les vibrations, les écarts de température et les radiations représentent autant d'exemples de risques physiques potentiellement présents dans un milieu de travail. La prévention primaire a pour objectif d'éliminer ces risques, comme le prévoit la loi, ou de les contrôler. Voici quelques exemples de mesures de prévention primaire: installer des gardes sur une machine pour éviter qu'une main puisse s'y introduire, éliminer l'utilisation d'un produit chimique dangereux, réduire le bruit à la source d'un véhicule lourd ou aménager un poste de travail de manière ergonomique.

La **prévention secondaire** concerne toute action qui vise à maîtriser et à réduire le niveau de danger d'une situation. Les mesures s'appliquant à cette catégorie touchent, par exemple, l'élaboration de plans d'action, c'est-à-dire de documents décrivant les objectifs à atteindre, les stratégies à déployer et les gestes précis à accomplir pour corriger certains risques. On y établit également des règlements internes relatifs à la santé et à la sécurité du travail, et l'on procède à la promotion d'activités d'information et de formation ainsi qu'à la clarification des rôles des différents intervenants. Pour éliminer ou maîtriser le risque au sein d'une approche de prévention secondaire, il importe surtout de s'assurer que la correction est appropriée au risque. L'installation de tuiles ou de panneaux acoustiques au haut des murs, par exemple, peut ainsi suffire à réduire le niveau de bruit auquel est exposé le personnel des centres de la petite enfance et des garderies. Voici quelques exemples de mesures de prévention secondaire: former les employés à gérer l'incivilité de la clientèle, définir une méthode de travail pour contrôler les risques électriques lors d'une intervention sur une machine ou former les gestionnaires à la qualité de vie au travail.

La **prévention tertiaire** regroupe les actions qui sont mises en place à la suite d'un accident de travail ou d'une maladie professionnelle. Ce sont des mesures qui visent à réparer la lésion ou à accompagner le travailleur accidenté. Elles peuvent comprendre la réadaptation physique, l'accompagnement du retour au travail, l'aménagement d'un poste de travail à la suite d'un accident, les mesures d'accommodement en fonction des limitations professionnelles d'une personne, etc. Voici quelques exemples de mesures de prévention tertiaire: offrir un soutien aux personnes victimes de stress post-traumatique (soldat, policier, etc.), offrir un programme d'aide aux employés (PAE) ou mettre en place une méthode de gestion des conflits au travail.

Les neuf principes de prévention

L'organisation de la prévention se fait en fonction d'un certain nombre de principes qui vont de l'élimination des dangers à la source à des mesures permettant aux travailleurs d'agir adéquatement devant un danger. Il est important de rappeler que l'élimination à la source est le moyen le plus efficace, mais il exige du temps et des ressources. Il arrive aussi que le risque ne puisse être éliminé ; pensons par exemple au travail des policiers aux prises avec des contrevenants violents. Dans ce contexte, il faut donner aux personnes les moyens de se protéger. Les neuf principes de prévention suivants illustrent bien les différentes actions possibles :

1. **Éviter les risques**, c'est supprimer le danger ou l'exposition au danger.

2. **Évaluer les risques qui ne peuvent être évités**, c'est apprécier l'exposition au danger et l'importance du risque afin de prioriser les actions de prévention à mener.

3. **Combattre les risques à la source**, c'est intégrer la prévention le plus en amont possible, notamment dès la conception des lieux de travail, des équipements ou des tâches.

4. **Adapter le travail à la personne**, c'est tenir compte des différences interindividuelles, dans le but de réduire les effets du travail sur la santé.

5. **Tenir compte de l'évolution de la technique**, c'est adapter la prévention aux évolutions techniques et organisationnelles.

6. **Remplacer ce qui est dangereux par ce qui l'est moins**, c'est éviter l'utilisation de procédés ou de produits dangereux lorsqu'un même résultat peut être obtenu avec une méthode présentant des dangers moindres.

7. **Planifier la prévention**, c'est intégrer technique, organisation et conditions de travail, relations sociales et environnement.

8. **Donner la priorité aux mesures de protection collective** et n'utiliser les équipements de protection individuelle qu'en complément des protections collectives si elles se révèlent insuffisantes.

9. **Former et donner les instructions appropriées aux salariés,** c'est former et informer les salariés afin qu'ils connaissent les risques et les mesures de prévention.

L'ergonomie et la maintenance préventive

À partir de ces principes, la prévention peut prendre différentes formes, par exemple modifier les conditions d'exécution du travail de manière à les rendre plus sécuritaires. Dans certains cas, il peut s'agir de modifier l'aménagement du poste de travail pour éviter que la tâche ne s'effectue « à bout de bras » ou pour réduire certains mouvements répétitifs. Ainsi, pour un travail assis, la modification du poste peut favoriser une meilleure posture du dos, et plus particulièrement du bas du dos, qui doit être droit et bien appuyé au dossier de la chaise. Pour un travail dans une scierie, le réaménagement peut se traduire par l'installation d'un dispositif empêchant la projection d'éclats de bois vers le scieur.

En ce qui a trait à la modification du poste de travail, les interventions visant le respect des principes d'ergonomie peuvent être utiles dans certains cas. Un ergonome pourrait, entre autres, chercher des réponses aux questions suivantes :

- Les travailleurs disposent-ils d'un espace de travail suffisant et dégagé leur permettant de travailler en adoptant une posture confortable ?
- L'alimentation des machines peut-elle se faire de façon sécuritaire et sans que les travailleurs aient à adopter des positions contraignantes ou à faire des efforts de manutention importants ?

VIDÉO

L'Ordre des CRHA a réalisé la vidéo « Outils de gestion des problèmes de santé mentale », avec Ghislaine Labelle, CRHA.

Ergonomie

Science qui s'intéresse à la relation qui s'établit entre le travailleur et son environnement de travail afin d'améliorer son mieux-être ou l'efficacité d'un système.

D'autres interventions relatives à l'exécution du travail permettent aussi de réduire les risques. Partant du constat que les incidents sont parfois causés par une organisation déficiente du travail, certaines entreprises ont adopté le principe de la rotation des postes. Cette formule permet de réduire l'exposition à certains risques pour la santé et la sécurité. Il faut également revoir occasionnellement l'organisation du travail en ce qui a trait à la cadence, à la répartition des tâches, à la durée des quarts de travail et aux horaires. Mentionnons enfin, à titre d'intervention relative à l'exécution du travail, la **maintenance préventive ou entretien préventif**, qui consiste en des tests périodiques effectués sur l'équipement en vue de déceler une possible détérioration et de contrôler les risques.

> **Maintenance préventive ou entretien préventif**
> Tests périodiques effectués sur l'équipement en vue de déceler une possible détérioration.

10.2 La gestion des lésions professionnelles

Au Québec, lorsqu'un travailleur subit une **lésion professionnelle** à la suite d'un accident du travail ou d'une maladie professionnelle, il est indemnisé en fonction du cadre juridique de la Loi sur les accidents du travail et les maladies professionnelles (LATMP). Cette loi prévoit un accompagnement et une indemnisation financière sans égard à la faute (sauf s'il y a négligence volontaire de la victime). Cela signifie que la victime ne peut intenter de poursuite civile contre son employeur. Ce principe encadre la plupart des régimes d'assurances au Canada.

> **Lésion professionnelle**
> Blessure ou maladie qui nécessite des soins médicaux ou qui survient au cours d'activités de réadaptation physique, sociale ou professionnelle.

10.2.1 La Loi sur les accidents du travail et les maladies professionnelles

La LATMP définit les notions de lésions professionnelles, les obligations de l'employeur en matière de financement de la CNESST, les modalités de réparation et d'assistance médicale et d'autres aspects techniques en matière d'indemnisation. Les éléments essentiels à retenir sont les suivants :

- La CNESST a pour mission d'indemniser les victimes de lésions professionnelles. Pour ce faire, elle définit une lésion professionnelle comme « une blessure ou une maladie qui survient par le fait ou à l'occasion d'un accident du travail ou d'une maladie professionnelle, y compris la récidive, la rechute ou l'aggravation » de cette blessure ou maladie. La notion de la lésion professionnelle comporte donc deux volets, « accident de travail » et « maladie professionnelle », tous deux étant également définis par la Loi.

- La CNESST peut procéder à différentes formes d'indemnisation pécuniaire : l'indemnité de remplacement du revenu, l'indemnité pour dommages corporels, l'indemnité de décès, l'indemnité pour dommages matériels de même que diverses indemnités d'assistance.

- La LATMP prévoit que le travailleur victime d'une lésion professionnelle et qui subit une atteinte permanente à son intégrité physique ou psychique en raison de cette lésion a droit à la réadaptation que requiert son état en vue de sa réinsertion sociale et professionnelle. Cette réadaptation peut comprendre un ensemble de mesures visant sa réadaptation physique, sociale ou professionnelle.

- La LATMP prévoit un moyen pour favoriser le prompt retour au travail de la victime d'une lésion professionnelle même si sa lésion n'est pas encore consolidée. Ce moyen, l'assignation temporaire, permet à l'employeur d'assigner un travail à cette personne en attendant qu'elle soit en mesure de reprendre son emploi antérieur ou d'exercer un emploi convenable.

> **www.cnesst.gouv.qc.ca**
> **www.csst.qc.ca**
> Commission des normes, de l'équité, de la santé et de la sécurité du travail
>
> VIDÉO
>
> L'Ordre des CRHA a réalisé la vidéo « Quatre questions sur la santé et la sécurité au travail », avec Marie-Claude Perreault, CRIA.

10.3 La gestion du mieux-être au travail

La promotion du mieux-être au travail (*workplace health promotion*) est une approche complémentaire à celle de la gestion de la santé et de la sécurité du travail. Tandis que cette dernière table sur l'identification et la correction des risques, la promotion du mieux-être au travail concerne un ensemble d'activités qui encourage les RH à adopter divers comportements favorisant leur mieux-être. En d'autres termes, alors que la gestion de la santé et de la sécurité du travail vise la réduction des lésions professionnelles, la promotion du mieux-être est axée sur l'amélioration de la santé. Dans cette optique, on reconnaît que l'absence de lésion ou de maladie ne signifie pas nécessairement la présence de la santé. Il est donc possible de travailler sur les deux plans, en intensifiant à la fois les efforts de contrôle des lésions professionnelles et ceux de promotion de la santé et du mieux-être.

On considère généralement que la conciliation travail-vie personnelle et la promotion de la santé sont deux branches des programmes de promotion du mieux-être au travail (Kelloway et Francis, 2008). La promotion de la santé s'avère toutefois un domaine assez vaste, puisqu'elle comprend l'ensemble des programmes d'aide aux employés, la gestion du stress et la promotion de saines habitudes de vie.

10.3.1 La promotion de la santé

Promotion de la santé

Ensemble de mesures destinées aux RH visant l'amélioration de la santé.

VIDÉO

L'Ordre des CRHA a réalisé la vidéo « Engagez vos employés dans la gestion de leur santé et mieux-être au travail », avec Geneviève Fortier, CRHA.

Il existe différentes mesures en matière de **promotion de la santé**. Nous aborderons ici ses principaux aspects, soit les programmes d'aide aux employés, la gestion du stress, le retour au travail, la prévention du harcèlement psychologique au travail, la promotion de saines habitudes de vie et la norme «Entreprise en santé».

Les programmes d'aide aux employés

Un programme d'aide aux employés (PAE) désigne «un service subventionné par un employeur et destiné à aider les employés à trouver de l'aide (sinon des solutions) à des problèmes divers [...] susceptibles d'avoir une influence négative sur leur rendement au travail» (Burgess, 1995; traduction libre). Les professionnels du programme d'aide aux employés aident le personnel à composer avec toutes sortes de situations comme celles-ci:

- la détresse psychologique et l'épuisement;
- l'alcoolisme et la toxicomanie;
- les problèmes liés au jeu;
- les relations conjugales tendues;
- la violence conjugale;
- la médiation familiale;
- le choc consécutif à une crise organisationnelle;
- les conseils juridiques ou financiers;
- l'orientation professionnelle;
- l'aide à la mutation;
- la consolidation d'équipes;
- l'aide aux gestionnaires aux prises avec des employés ayant des problèmes d'attitudes;
- la gestion du stress.

Dans un contexte de promotion de la santé, plusieurs interventions du programme d'aide aux employés peuvent favoriser le mieux-être au travail. L'employé qui fait appel aux services d'un tel programme peut, par exemple, y apprendre des stratégies de gestion du stress ou d'autres moyens de prise en charge de sa santé. D'autres volets du PAE, comme les conférences et les ateliers, peuvent se greffer sur ces services individuels dans un but de prévention. L'orientation vers des ressources disponibles au sein de la communauté de même que les services d'élaboration de politiques relatives à la toxicomanie, à la violence ou au harcèlement peuvent également s'inscrire dans la mission d'un tel programme. Soulignons enfin que l'aide à la conciliation travail-vie personnelle, propre à conditionner le mieux-être au travail, peut aussi faire partie du programme d'aide aux employés.

Avec le développement des technologies de l'information, plusieurs PAE offrent maintenant des services électroniques qui sont de plus en plus populaires.

Les pratiques de conciliation travail-vie personnelle

En situation d'emploi, de nombreuses personnes disent ressentir un **conflit travail-vie personnelle**, c'est-à-dire une tension lorsque la pression émanant de leur milieu de travail est incompatible avec celle de leur vie personnelle (Greenhaus et Beutell, 1985). Voici une liste d'exemples de situations typiques de ce conflit :

Conflit travail-vie personnelle
Tension à laquelle fait face l'individu lorsque la pression émanant de son milieu de travail est incompatible avec celle émanant de sa vie personnelle.

- À l'approche de l'échéance d'un projet, je passe de plus en plus de temps au travail, et de moins en moins de temps avec mon conjoint et mes amis.
- Mes nombreuses responsabilités familiales font que je dois m'absenter de plus en plus souvent du travail.
- Je subis tellement de pression au bureau que je n'ai plus d'énergie à consacrer à mes activités personnelles.
- Je suis chaleureux et dévoué dans mon milieu familial, alors que mon milieu de travail est plutôt froid et autoritaire.

Chrétien et Létourneau (2010) proposent cinq catégories de mesures organisationnelles de conciliation travail-famille : les congés, les aménagements du temps et du lieu de travail, les avantages sociaux, le soutien à la famille ainsi que la santé et le bien-être. Comme l'indique l'encadré 10.1, ce ne sont pas les possibilités de conciliation qui manquent.

Encadré 10.1   Les possibilités de conciliation travail-vie personnelle

Congés
- Congés sans solde pour des obligations familiales
- Congés rémunérés pour des obligations familiales
- Conversion des journées de maladie non utilisées en vacances supplémentaires
- Conversion du temps accumulé en vacances supplémentaires
- Congés parentaux bonifiés
- Année sabbatique

Aménagements du temps et du lieu de travail
- Travail à temps partiel
- Travail partagé
- Horaire flexible
- Semaine de travail comprimée
- Retour au travail ou départ à la retraite progressif
- Télétravail

Avantages sociaux
- Assurances collectives familiales
- Service de traiteur
- Service de conciergerie

- Service de planificateur financier
- Service de conseillers juridiques
- Service de conseillers en planification de carrière
- Programme de remboursement des frais de scolarité
- Programme de remboursement des frais de transport et de stationnement
- Aide financière d'urgence

Soutien à la famille
- Service de garde en milieu de travail pour les jeunes enfants
- Service de garde d'urgence pour les enfants (enfants malades, journées pédagogiques, etc.)
- Camp de jour pour les enfants d'âge scolaire (l'été ou durant la semaine de relâche)
- Salle d'allaitement en milieu de travail
- Centre de ressources ou service de référence concernant la garde des enfants
- Centre de ressources ou service de référence concernant les proches en perte d'autonomie
- Groupe de soutien en milieu de travail pour les parents-travailleurs et les aidants naturels

Encadré 10.1   Les possibilités de conciliation travail-vie personnelle (*suite*)

- Service d'accueil et d'orientation pour les familles d'employés mutés
- Remboursement des frais de garde engagés en raison de voyages d'affaires
- Programme de bourses d'études pour les enfants du personnel

Santé et bien-être

- Programme d'aide aux employés
- Salle d'entraînement ou de relaxation en milieu de travail

- Rabais pour l'abonnement à un club sportif
- Service de soins de santé en milieu de travail (médecin, infirmière, psychologue, massothérapeute, etc.)
- Programme de gestion du stress
- Groupe de soutien en milieu de travail concernant les habitudes de vie (nutrition, tabagisme, etc.)
- Service de soutien pour la réintégration au travail à la suite d'un accident ou d'une maladie professionnelle

Source: CHRÉTIEN, L., et I. LÉTOURNEAU. «La conciliation travail-famille: au-delà des mesures à offrir, une culture à mettre en place», *Gestion*, vol. 35, n° 3, 2010, p. 53-61.

La promotion de saines habitudes de vie

La promotion de saines habitudes de vie concerne un ensemble d'interventions qui visent l'adoption de comportements adéquats par l'ensemble du personnel. Une entreprise tire toujours profit de travailleurs qui ont une bonne alimentation et qui font de l'exercice, puisqu'ils sont généralement dotés, au travail comme à l'extérieur, d'une bonne forme physique et mentale.

Le programme de renoncement au tabagisme est une initiative relativement répandue qui consiste à offrir un soutien approprié en milieu de travail aux membres du personnel qui souhaitent cesser de fumer. Parmi les interventions possibles sur ce plan, mentionnons l'interdiction de l'usage du tabac, les mesures incitatives pour arrêter de fumer, le matériel d'aide personnelle, les conseils de la part de fournisseurs de soins de santé et les traitements pharmacologiques. Au vu des coûts du tabagisme seulement en matière d'absentéisme et de perte de productivité, de nombreux employeurs considèrent que les profits résultant de ces interventions sont supérieurs aux coûts qu'ils nécessitent.

Améliorer l'offre alimentaire dans les distributeurs automatiques sur les lieux de travail est une intervention simple pour promouvoir de saines habitudes de vie.

On trouve aussi de plus en plus de programmes d'entraînement physique dans les milieux de travail. L'employeur peut également encourager son personnel à subir un examen de santé (p. ex., pour mesurer le taux de cholestérol ou l'indice de masse corporelle) et diffuser de l'information sur la santé et le mieux-être. Une autre approche consiste à rendre le milieu de travail plus propice à la pratique de certaines activités physiques. Ainsi, l'installation de supports à vélos et de douches peut inciter plus d'une personne à se rendre au bureau à bicyclette, de même que la mise à disposition d'un gymnase est de nature à encourager l'activité physique et le mieux-être au travail.

Certaines interventions visent l'adoption de meilleures habitudes alimentaires. L'organisation d'une conférence portant sur les bienfaits d'une saine alimentation, sur la valeur nutritive des aliments ou sur le décodage des étiquettes et les choix judicieux à faire à l'épicerie est susceptible de provoquer une prise de conscience chez certains. Une autre manière d'intervenir en ce sens consiste à changer, s'il y a lieu, le menu de la cafétéria de l'entreprise ou les aliments présents dans les distributeurs automatiques afin d'offrir un meilleur choix d'aliments nutritifs, notamment des aliments plus faibles en matières grasses, peu caloriques et riches en fibres.

Regard sur la pratique

Regard international sur la qualité de vie et la prévention des risques psychosociaux au travail

Plusieurs pays européens, le Canada et les États-Unis ont déployé, au cours des dernières années, des initiatives dans le domaine de la prévention des risques psychosociaux au travail.

Tout d'abord, la France dispose d'outils de contrôle : l'intégration des risques psychosociaux dans le *Document unique de l'évaluation des risques*, la loi sur le harcèlement moral, l'obligation de résultat en prévention, etc. On y retrouve aussi de nombreuses ressources se situant dans une approche cognitive, comme l'Agence nationale pour l'amélioration des conditions de travail (ANACT) et l'Institut national de recherche et de sécurité (INRS). Le rapport Nasse et Légeron ainsi que le rapport Lachmann, Pénicaud et Larose entrent aussi dans cette catégorie.

Un peu plus au nord, la Norvège a changé son code du travail (art. 4.2) en 2006 (approche de contrôle) pour y intégrer un article exigeant que les entreprises mesurent les impacts des changements sur la santé physique et psychologique. Cette initiative est fort intéressante, car depuis lors, il faut outiller les entreprises pour mieux évaluer et agir sur les impacts humains des changements.

De l'autre côté de la Manche, en Angleterre, une initiative propose les Stress Management Standards, qui établissent des niveaux d'exposition « acceptables » en fonction de six facteurs de risque : la charge de travail, le contrôle, le soutien, les relations, la tâche et le changement.

Au Canada, la porte d'entrée sur la qualité de vie au travail a été la diminution de l'absentéisme et l'amélioration de la présence au travail. Ainsi, depuis plus de 10 ans, de nombreuses initiatives ont été conduites par des entreprises en partenariat avec les organisations syndicales. Afin d'aider les partenaires sociaux à se donner un cadre logique d'intervention, une norme, intitulée « Norme canadienne nationale sur la santé et la sécurité psychologique en milieu de travail » a vu le jour début 2013. Cette norme, qui n'a pas force de loi, s'appuie sur trois piliers : la prévention, la promotion de la santé et la résolution des problèmes. Chacun des piliers est traversé par une matrice se composant de 13 facteurs de risques : le harcèlement, la charge de travail, la participation, la reconnaissance, etc. Le niveau de qualification à la norme s'établit sur la base de trois à cinq critères permettant d'évaluer la prise en charge des 13 facteurs de risque.

Au Québec, il existe depuis maintenant quelques années une norme (approche normative) qui porte le nom de « Norme entreprise en santé ». Quatre domaines sont couverts par cette norme : les habitudes de vie, les pratiques de management, l'environnement de travail et l'équilibre travail/vie personnelle. Deux niveaux de qualification sont envisageables :

1 niveau de base ;

2 niveau élite.

Chacun des niveaux s'évalue en fonction d'un certain nombre d'exigences, pouvant aller jusqu'à 60.

Aux États-Unis, l'approche normative est aussi privilégiée. Il existe de nombreuses normes d'entreprises qui font la promotion de la qualité de vie au travail : Great Place to Work, Employers of Choice, etc. On retrouve aussi des initiatives faisant appel à l'approche cognitive par la publication de sites Web ou de guides de vulgarisation : Stress at Work ou le Quality of Worklife Questionnaire (NIOSH).

Comme nous pouvons le constater, de nombreuses initiatives nationales et internationales se déploient actuellement. Ce qu'il faut retenir, c'est que plusieurs pays sont à pied d'œuvre, à des degrés divers, pour que les entreprises puissent mieux évaluer et agir sur leur empreinte humaine.

Source : Adapté de BRUN, J.-P. « Regard international sur la qualité de vie au travail et la prévention des risques psychosociaux au travail », *Empreinte humaine*, 28 janvier 2016, http://blog.empreintehumaine.com/regard-international-sur-la-qualite-de-vie-au-travail-et-la-prevention-des-risques-psychosociaux-au-travail (Page consultée le 1er décembre 2016).

Ces différentes interventions, propices à l'adoption de saines habitudes de vie, s'inscrivent dans les initiatives d'« Entreprise en santé ». Il faut cependant garder à l'esprit que l'on ne pourra jamais forcer quelqu'un à manger sainement ou à perdre du poids. On ne peut que l'y inciter par de l'information et du soutien.

www.cgsst.com/stock/fra/doc332-1069.pdf

Rapport de recherche sur l'estimation des coûts du stress au travail

Épuisement professionnel

Affection qui se caractérise par un sentiment de fatigue intense occasionné notamment par des conditions de stress en milieu de travail.

La gestion et la réduction du stress

Bien que plusieurs définitions du stress circulent, celle qui semble faire consensus présente le stress comme la réponse de l'organisme à une demande. Selon le modèle transactionnel, l'individu ressent du stress lorsqu'il y a disproportion entre les demandes qui s'imposent à lui et sa capacité d'y répondre. Ainsi, une personne peut ressentir un certain stress relatif à son avenir économique après l'annonce d'une réduction des effectifs dans son secteur. Pour une autre personne, l'élément déclencheur peut se présenter sous la forme d'une surcharge quantitative de travail. Des relations insatisfaisantes avec un supérieur ou une faible reconnaissance de ses accomplissements peuvent aussi constituer des sources de stress liées au travail. Par ailleurs, une proportion importante de travailleurs souffre aussi d'**épuisement professionnel**, qui se caractérise par un sentiment de fatigue intense occasionné notamment par des conditions de stress en milieu de travail.

S'appuyant sur deux recensions (Cartwright et Cooper, 2005 ; Hurrell, 2005), le tableau 10.1 présente les principales interventions en matière de gestion du stress. Certaines d'entre elles ont trait aux individus (p. ex., l'enseignement des techniques de relaxation), alors que d'autres sont davantage le fait de l'entreprise (p. ex., la réorganisation du travail). De l'avis des experts, pour une efficacité maximale, il importe de travailler conjointement sur ces deux plans (Cartwright et Cooper, 2005).

Tableau 10.1	Les interventions en matière de gestion du stress
Nature	**Interventions**
Primaire	Interventions psychosociales : • Recherche et action participative avec des groupes de résolution de problèmes et des plans d'action pour améliorer l'environnement de travail • Réorganisation pour améliorer la qualité intrinsèque du travail et le contrôle exercé par l'employé sur son travail • Formation du personnel d'encadrement pour améliorer la qualité du leadership • Programme de communication Interventions sociotechniques : • Révision des caractéristiques physiques et environnementales • Modification de la charge de travail • Modification de l'horaire de travail (p. ex., horaire flexible, semaine de travail comprimée) • Modification des processus et des procédures de travail
Secondaire	Enseignement des stratégies individuelles de gestion du stress : • Approche cognitive comportementale • Techniques de relaxation (p. ex., méditation) • Gestion de son temps • Réaction biologique (*biofeedback*) • Entraînement physique • Consultations psychologiques ou *counselling* pour assister l'individu dans ses choix de vie • Promotion de saines habitudes de vie
Tertiaire	• Soins médicaux pour les situations urgentes • Examens et suivis médicaux • Consultations psychologiques ou *counselling* pour traiter les symptômes du stress (p. ex., programmes d'aide aux employés) • Interventions pour l'état de stress post-traumatique

Une théorie d'intérêt

Le modèle ressources-demandes de Karasek

Selon le modèle de Karasek, la latitude de décision (degré de contrôle, autonomie de décision) et les demandes du travail (quantité de travail, exigences intellectuelles) sont en équilibre dynamique au travail. Ainsi, moins il y a de latitude ou de contrôle, plus le stress est élevé, puisque la personne dispose de moins de ressources pour agir sur les demandes ou les contraintes. Comme l'indique le schéma ci-dessous, le modèle de Karasek fait ressortir quatre types de situations au travail.

		Demande psychologique	
		Faible	Élevée
Latitude décisionnelle	Faible	Travail passif	Travail surchargé
	Élevée	Travail détendu	Travail dynamique

Source : Traduit librement de KARASEK, R. « Job demand, job decision latitude, and mental strain : Implications for job redesign », *Administrative Science Quarterly*, vol. 24, n° 2, 1979, p. 285-307.

10.3.2 Un environnement de travail sain

La gestion du retour au travail

Le retour au travail après un épisode d'absence pour des problèmes de santé psychologique représente une étape cruciale. Si cette étape se déroule mal — par exemple, rien n'est changé dans les conditions de travail qui ont causé l'absence ou l'entreprise ne prend pas en compte les capacités limitées de la personne à son retour —, les risques de rechute seront importants et les probabilités de reprise définitive du travail seront de plus en plus faibles.

Malgré l'importance grandissante qu'on accorde à la problématique de la santé psychologique au travail, il existe encore peu de programmes structurés de retour au travail dans les entreprises. Deux éléments rendent le retour au travail difficile. Premièrement, ce n'est pas parce qu'un employé reprend le travail que tous ses problèmes sont résolus. Il peut revenir au travail et poursuivre la prise de médication, être fatigué à la fin de sa journée de travail, avoir des problèmes de concentration, etc. Deuxièmement, des préjugés sur la santé mentale persistent ; par exemple, l'épuisement professionnel est un signe de faiblesse, l'employé manque de fiabilité, on doute de ses capacités, on n'ose pas s'enquérir de son état.

La gestion du retour au travail est souvent une responsabilité assumée par le service des RH. Voici quelques éléments susceptibles de favoriser une bonne gestion de cette problématique :

- Faire un suivi adéquat de l'invalidité avec l'employé et auprès de l'assurance invalidité.
- Maintenir le lien d'emploi pendant l'absence de l'employé ; rester en communication avec lui pour voir comment il va.
- Revoir l'organisation du travail et surtout tenter d'agir sur les facteurs qui ont pu entraîner l'absence (une charge de travail trop grande, la présence d'un conflit, etc.).
- Permettre à l'employé un retour progressif pour qu'il puisse recouvrer graduellement ses forces et reprendre son travail régulier.
- Ménager un bon accueil à l'employé le jour où il revient au travail.

Le tableau 10.2, à la page suivante, présente un guide pour assurer une réintégration harmonieuse au travail après un épuisement professionnel ou une lésion liée au travail.

Tableau 10.2	Un petit guide pour une bonne réintégration au travail
Actions à accomplir	**Attitudes à adopter**
• Gérer l'invalidité. • Appeler au moins une fois la personne absente pour prendre des nouvelles. • Préparer la réintégration, rencontrer la personne avant son retour. • Informer les collègues à propos de possibles changements à la tâche et assurer un soutien. • Demander un rendement proportionnel au temps de présence au travail. • Faire un bilan avec l'employé une fois la réintégration achevée. • Dégager les correctifs à apporter sur le plan de la GRH.	• Respecter les recommandations du médecin. • Être sincère et authentique, car la sensibilité de la personne en invalidité est exacerbée. • Écouter sans juger. • Faire un suivi, même pour une personne habituellement performante. • Adapter ses exigences au contexte. • Centrer la discussion sur les facteurs qui ont facilité la réintégration. • Agir de telle sorte que le taux de maladie diminue.

Source: Adapté de LAPOINTE, D. «La réintégration au travail, plus qu'un retour progressif», *Effectif*, vol. 8, n° 3, 2005, p. 51.

Parole d'expert

Les accidents de travail coûtent 4,6 milliards par année aux Québécois

Les accidents de travail pèsent lourd sur le portefeuille de la société québécoise: 4,6 milliards de dollars annuellement, au moins, ont calculé les chercheurs de l'Institut de recherche Robert-Sauvé en santé et en sécurité du travail (IRSST). C'est environ 1,5 % du produit intérieur brut du Québec.

Ce chiffre est probablement «conservateur», soutient le chercheur à l'IRSST Martin Lebeau, et inclut les lésions déclarées à la Commission des normes, de l'équité, de la santé et de la sécurité du travail (CNESST) seulement.

Les travailleurs essuient le plus gros de la facture, soit 3,2 milliards. Les lésions professionnelles coûtent près de 1,1 milliard aux employeurs et quelque 330 000 $ à la collectivité.

L'IRSST a voulu estimer les coûts tant financiers qu'humains des accidents de travail et des maladies professionnelles. Coûts pour la CNESST et pour les employeurs, productivité perdue, frais médicaux, frais funéraires et perte d'un salaire pour les familles éprouvées par un décès prématuré, mais aussi coûts humains tels que douleur, anxiété, stress pour l'accidenté et sa famille... Les dommages collatéraux sont souvent nombreux, mais on en tient rarement compte dans les analyses des conséquences des accidents de travail, selon les chercheurs, qui ont voulu y remédier.

En moyenne, une lésion professionnelle coûte plus de 38 000 $, a calculé l'IRSST, qui a utilisé des données de 2005 à 2007. À ce titre, les maladies professionnelles, comme des cancers, sont beaucoup plus coûteuses en moyenne (161 000 $) que les accidents (33 000 $).

Perte d'audition

Les chercheurs ont été un peu surpris de constater que la perte d'audition est la plus lourde de conséquences, à 153 625 $ en moyenne par personne touchée. Ce qui n'apparaissait pas avec les indicateurs habituels. «Les gens qui développent une surdité continuent souvent à travailler, en portant un appareil. Les coûts pour la CNESST sont faibles. Mais quand on tient compte des coûts humains, étant donné que c'est une incapacité permanente, ça se retrouve en tête de liste», explique Martin Lebeau. À lui seul, le bruit coûterait plus de 370 millions par an à la société québécoise.

Source: Adapté de DAOUST-BOISVERT, A. «Étude: les accidents de travail coûtent 4,6 milliards par année aux Québécois», *Le Devoir*, 19 février 2013, www.ledevoir.com/societe/sante/371284/etude-les-accidents-de-travail-coutent-4-6-milliards-par-annee-aux-quebecois (Page consultée le 26 mars 2013).

La prévention du harcèlement psychologique au travail

Depuis 2004, la Loi sur les normes du travail du Québec rend illégal le harcèlement psychologique, défini comme une conduite vexatoire se manifestant par des comportements, des paroles, des actes ou des gestes répétés, hostiles ou non désirés.

Le harcèlement psychologique au travail consiste en une conduite qui porte atteinte à la dignité ou à l'intégrité psychologique ou physique du salarié et entraîne pour celui-ci un milieu de travail néfaste. Voici, à titre d'illustration, des agissements qui, s'ils sont répétitifs, peuvent constituer du harcèlement psychologique[1] :

- Empêcher quelqu'un de s'exprimer, l'isoler ou l'ignorer. La victime est constamment interrompue lorsqu'elle parle. On ne lui adresse pas la parole. On ne répond pas à ses appels ou à ses courriels. Si l'on communique avec elle, on le fait indirectement au moyen de courriels, de mémos, de personnes interposées (p. ex., la secrétaire). On la laisse prendre ses pauses et ses dîners seule, on oublie de l'inviter aux réunions, ses collègues se voient interdire de lui parler, etc.

- Discréditer et mépriser un employé ainsi que toutes les personnes qui s'associent à lui. On médit de la victime de manière agressive ou méchante. On la juge sur des ouï-dire non fondés et non vérifiés. Elle est injustement privée d'appui et de récompenses (du ressourcement, des promotions ou des augmentations de salaire). Ses comportements, ses décisions, ses compétences, son travail, sa personnalité et son sens de l'éthique sont constamment remis en question ; on lui donne tous les torts ; on nuit à sa réputation. On prétend qu'elle a des problèmes psychologiques, qu'elle est trop susceptible ou qu'elle imagine des choses.

- Humilier ou ridiculiser un employé ainsi que les personnes qui s'associent à lui. La victime subit des humiliations ou des railleries publiques qui sont banalisées. On discrédite, ignore ou sous-estime ses réalisations ou ses exploits.

- Comploter contre quelqu'un. On complote pour rendre la victime malade, la faire démissionner de son poste ou l'amener à quitter l'organisation. Par exemple, on lui confie des tâches humiliantes et ridicules qui exigent beaucoup moins de compétences qu'elle n'en a ou, au contraire, on lui confie des mandats irréalisables ou qui exigent beaucoup plus de compétences qu'elle n'en a dans le but de la voir échouer. On lui dit constamment qu'elle n'est pas à sa place.

- Intimider ou menacer un employé ainsi que toute personne qui s'associe à lui. La victime fait l'objet de menaces camouflées (insinuations, exagérations, reproches voilés, demandes ambiguës) ou ouvertes (cris, sarcasmes, injures, jurons, coups de poing dans un mur ou sur un bureau, gestes menaçants, objets lancés, etc.). Elle subit un contrôle excessif ou un harcèlement administratif (lettres de blâme, attribution de tâches dites « urgentes » dont on ignore ensuite les résultats, etc.).

- Nuire à la santé de quelqu'un et s'en prendre à ses biens ou à ses proches. La victime est forcée d'exécuter des tâches qui sont dommageables à sa santé, qui ne tiennent pas compte de son état de santé ou de son âge. Elle est exposée à une violence physique légère à titre d'avertissement. Elle est victime de violence corporelle. On commet des actes de vandalisme sur sa maison, sa voiture ou son bureau. On l'appelle à la maison pour la menacer ou la persuader de ne pas porter plainte ou de ne pas faire appel.

En matière de prévention du harcèlement au travail, voici quelques indications sur les actions pouvant être mises en œuvre par les professionnels des RH :

- Informer les employés que l'entreprise ne tolère aucune forme de harcèlement et qu'elle veille à prévenir celui-ci. Établir une déclaration d'engagement, ou une politique élaborée en tenant compte du type d'entreprise et de sa taille.

- Sensibiliser le personnel à sa responsabilité individuelle dans le maintien d'un climat de travail sain. Insister sur l'importance du respect entre les personnes. Consulter les employés sur les moyens de prévention à mettre en place. Établir une procédure qui permet à tous les employés d'alerter le service des RH dès qu'une situation problématique survient.

---

1. Selon la loi, une seule conduite grave peut aussi constituer du harcèlement psychologique si elle porte atteinte gravement au salarié et produit sur lui un effet nocif continu.

- Évaluer le niveau de risque de harcèlement psychologique au sein de l'entreprise. Déterminer les mesures à prendre pour corriger les situations à risque. Fixer un échéancier pour mettre en œuvre ces mesures.

Le harcèlement psychologique trouve souvent son origine dans des problèmes de manque de respect ou d'incivilité. Il est donc important que les gestionnaires favorisent le respect entre les personnes. L'encadré 10.2 présente quelques conseils utiles à cet égard.

Encadré 10.2	Des conseils pour favoriser le respect entre les personnes

- Assurer une communication ouverte entre les employés.
- Distribuer le travail de manière équitable.
- Favoriser la collaboration.
- Clarifier les attentes et les malentendus.
- Veiller à ce que les compétences du salarié correspondent aux exigences de l'emploi.

- Définir clairement les rôles et les tâches de chacun.
- Gérer précocement les conflits et de manière appropriée.
- Consulter le personnel, notamment sur les méthodes de travail.

Le coin de la loi

La prévention du harcèlement psychologique au travail

La Loi sur les normes du travail énonce que tout salarié a droit à un milieu de travail exempt de harcèlement psychologique. Elle précise aussi que l'employeur a l'obligation de prendre les moyens raisonnables pour prévenir et faire cesser le harcèlement psychologique lorsqu'il est informé d'une telle situation. Il a également la responsabilité de veiller à ce que ses salariés adoptent une conduite exempte de harcèlement psychologique. L'employeur a la responsabilité de mettre en place des moyens adéquats pour prévenir le harcèlement psychologique dans son entreprise. Si une situation de harcèlement psychologique est portée à sa connaissance, il doit intervenir pour y mettre fin : l'employeur est la seule personne à avoir l'autorité requise pour agir et a la responsabilité de le faire.

Source : COMMISSION DES NORMES, DE L'ÉQUITÉ, DE LA SANTÉ ET DE LA SÉCURITÉ AU TRAVAIL. *Guide pratique de l'employeur. Comprendre et prévenir le harcèlement psychologique au travail*, www.cnesst.gouv.qc.ca/Publications/200/Documents/NT200-281web.pdf (Page consultée le 22 décembre 2016).

www.groupeentreprises
ensante.com/fr

Groupe entreprises en santé

La norme « Entreprise en santé »

Le Québec dispose d'une norme « Entreprise en santé » qui a pour but la promotion de la santé au travail. Le programme de certification « Entreprise en santé » s'adresse à toute entreprise ou organisation, quels que soient son type, sa taille et le produit fourni, et vise à reconnaître les pratiques organisationnelles mises en œuvre pour favoriser la santé en milieu de travail.

Concrètement, cette norme amène les entreprises à agir dans leur gestion dans quatre sphères d'activité reconnues pour avoir un impact significatif sur la santé du personnel :

1. « Les habitudes de vie du personnel ; par exemple : services-conseils en nutrition, programmes de sensibilisation à l'activité physique, formation sur la gestion du stress, activités d'éducation sur différentes maladies comme le diabète, l'hypertension, la ménopause, etc.

2. L'équilibre travail-vie personnelle ; par exemple : politique de conciliation travail-vie personnelle, horaires flexibles, garderie en milieu de travail, congés pour des raisons familiales, retour progressif à la suite d'absence pour raisons de santé, etc.

3. L'environnement de travail ; par exemple : distributrices d'aliments santé, aires de stationnement sécuritaires pour les vélos, programmes de soutien aux travailleurs ayant des malaises physiques, aménagement d'aires de relaxation, etc.

4. Les pratiques de gestion ; par exemple : intervention pour favoriser l'esprit d'équipe, plan de développement professionnel individualisé, mécanisme de consultation des travailleurs, formation des gestionnaires sur la reconnaissance et sur les communications efficaces, etc. » (Bureau de normalisation du Québec, 2008).

Deux niveaux de qualification à cette norme sont envisageables. Il y a d'abord le « Niveau entreprise en santé ». L'entreprise démontre clairement son engagement envers la santé et le mieux-être de son personnel d'une façon structurée et planifiée, en fonction des problèmes de santé et des besoins du personnel révélés par une collecte de données, ainsi qu'en fonction des priorités de l'entreprise. Il y a ensuite le « Niveau entreprise en santé – Élite ». Les interventions et les sphères d'activité touchées sont plus nombreuses. La santé et le mieux-être sont mieux intégrés dans la culture de l'entreprise et dans ses processus de gestion. Chacun des niveaux s'évalue selon un certain nombre d'exigences, pouvant aller jusqu'à 60.

www.bnq.qc.ca/fr/ normalisation/sante-et- travail/entreprise-en-sante. html

Information sur la norme « Entreprise en santé »

LES ENJEUX DU NUMÉRIQUE DANS LA SANTÉ, LA SÉCURITÉ ET LE MIEUX-ÊTRE AU TRAVAIL

Le numérique est omniprésent dans le monde du travail. Les téléphones intelligents, les réseaux sociaux d'entreprises, les applications mobiles font que la frontière entre le monde du travail et la vie privée est de moins en moins étanche ; on parle même d'un envahissement. De plus en plus, on constate que ce n'est pas parce qu'on éteint la lumière du bureau que l'on cesse de travailler. En effet, qui n'a pas déjà pris connaissance de ses courriels professionnels le soir, la fin de semaine, lors d'un repas de famille ou même en vacances ? On dit que 77 % des cadres consultent leurs courriels hors du bureau et que ce comportement est anxiogène pour 82 % d'entre eux (Joudrier, 2016).

À cela s'ajoute la surabondance d'information par les courriels, les messageries instantanées ou les textos, les indicateurs de gestion. Nous sommes dans un monde où il y a trop d'information : c'est ce qu'on appelle l'infobésité !

Ce phénomène mondial amène certains pays à établir un droit à la déconnexion. C'est le cas de l'Allemagne et de la France, et certaines entreprises suivent le mouvement. Plusieurs initiatives ont été mises de l'avant, bien qu'on ne dispose pas encore de données fiables

sur leur efficacité : fermeture des serveurs courriels les fins de semaine, journée sans courriel, suppression automatique des courriels reçus pendant les vacances et même élimination des services de messagerie électronique pour toute l'entreprise. L'idée qui sous-tend ces tentatives est d'éviter l'invasion numérique dans nos vies privées.

Le numérique soulève un autre problème tout aussi insidieux : les troubles musculo-squelettiques. Aujourd'hui, à peu près tous nos moyens de communication passent par nos 10 doigts. Nous tapotons constamment sur nos claviers pour répondre à des courriels ou préparer une présentation PowerPoint. Ce travail sur ordinateur sollicite considérablement nos membres supérieurs, occasionnant des douleurs au cou ou aux épaules, des maux de dos ou des tendinites.

Les professionnels de la GRH sont interpellés par ces enjeux et doivent définir des modalités de travail qui permettent de respecter la vie privée tout en établissant des environnements de travail (aménagement ergonomique) et des méthodes de travail (horaire de travail, polyvalence) qui contribuent à limiter les problèmes de santé.

LA GESTION DE LA SANTÉ, DE LA SÉCURITÉ ET DU MIEUX-ÊTRE DANS LE SECTEUR PUBLIC

Il faut savoir qu'une partie importante de l'appareil gouvernemental est formée d'organismes centraux. Cela se traduit par la formulation d'orientations et de politiques globales visant la santé et la sécurité du travail. Le secteur

public n'est pas considéré comme un secteur prioritaire selon la LSST. Néanmoins, il dispose d'une association sectorielle paritaire en SST, qui a pour rôle d'informer et de former le personnel. La plupart des ministères et des institutions (hôpitaux, organismes parapublics, municipalités, etc.) sont aussi organisés en matière de prévention. On y retrouve des comités SST, des préventionnistes, de la formation en SST, etc.

Quant aux problématiques particulières liées à la santé et à la sécurité qui se manifestent dans le secteur public, il importe de citer l'épuisement professionnel, dont on remarque une manifestation accrue dans les organisations publiques des secteurs de la santé et de l'éducation. L'épuisement professionnel en milieu infirmier serait ainsi en partie causé par la pénurie de personnel et par la surcharge de travail qui en résulterait pour les salariés en poste. De plus, comme pour le personnel du secteur de l'éducation ou de la sécurité publique, ces travailleurs effectuent un travail à forte teneur émotive susceptible d'occasionner du stress. Enfin, un autre facteur de stress assez présent dans le secteur public est le faible engagement du personnel dans le processus décisionnel, ce qui ne facilite évidemment en rien l'effort de réponse aux exigences du travail.

LA GESTION DE LA SANTÉ, DE LA SÉCURITÉ ET DU MIEUX-ÊTRE DANS LES MILIEUX SYNDIQUÉS

Lorsqu'un syndicat est présent au sein d'une organisation, la gestion de la santé et de la sécurité doit absolument se faire en concertation avec lui. Généralement, la convention collective prévoit des dispositions en matière de santé et de sécurité du travail. On y définit les modalités de participation (comité SST, représentant des travailleurs à la prévention, temps de libération), les activités de formation en SST et parfois les formes de consultation sur le choix des équipements de sécurité.

La gestion des RH est donc directement interpellée par la présence syndicale. Il faut, par exemple, définir les méthodes de dialogue, les stratégies de consultation et de négociation lors de l'implantation d'activités de prévention.

Malheureusement, en période de négociation de convention collective, la SST peut être négligée. Par exemple, si les négociations piétinent ou se détériorent, il peut arriver que l'on cesse toute participation aux activités de SST pour faire pression. Cette stratégie, bien que de moins en moins utilisée, nuit manifestement à la prévention et surtout à la santé et à la sécurité des travailleurs et des travailleuses.

LA GESTION DE LA SANTÉ, DE LA SÉCURITÉ ET DU MIEUX-ÊTRE À L'INTERNATIONAL

Avec la mondialisation, les entreprises ont de plus en plus de bureaux, d'usines ou d'établissements dans d'autres pays. Les lois qui encadrent la santé et la sécurité du travail sont donc différentes ; les systèmes de compensation des travailleurs accidentés ne sont pas les mêmes et les normes de sécurité diffèrent aussi. Il est donc essentiel qu'une entreprise connaisse bien le lieu où elle compte s'établir. Les ambassades et les délégations générales du Québec peuvent aider les entrepreneurs qui œuvrent à l'international à mieux comprendre les systèmes de santé et de sécurité du travail propres aux divers pays. Il est également important de savoir que la CNESST a des ententes avec plusieurs pays (dont la France, la Belgique, la Finlande et le Portugal) qui permettent d'offrir une protection aux travailleurs à l'étranger.

Par ailleurs, la Loi sur les accidents du travail et les maladies professionnelles précise qu'un travailleur victime d'une lésion professionnelle survenue hors du Québec est protégé par la CNESST s'il remplit certaines conditions. D'abord, il doit être domicilié au Québec ou l'avoir été lors de son affectation. Cette dernière ne doit pas excéder cinq ans. Enfin, son employeur doit avoir un établissement au Québec. Par exemple, un travailleur affecté par son employeur à l'aide humanitaire sera couvert par la CNESST s'il remplit ces conditions et s'il subit une lésion professionnelle, soit un accident du travail, soit une maladie professionnelle.

Un peu partout dans le monde, de nombreux employeurs imposent des conditions de travail dangereuses et inéquitables à leurs employés, en violation directe de l'éthique et des droits de la personne. Les conditions de travail dans les mines appartenant à de grandes entreprises internationales, notamment en Afrique, défraient régulièrement la chronique. Dans le secteur des technologies numériques, les conditions de travail sont aussi parfois très difficiles. Ainsi, Electronic Watch, un organisme international qui assure une veille des droits des travailleurs dans ce domaine, rapporte que de nombreux travailleurs chinois sont sous-payés, travaillent trop (souvent plus de 80 heures par semaine) et qu'ils sont exposés à des produits cancérigènes. Plusieurs entreprises internationales ont dû enquêter sur les conditions de travail prévalant chez leurs sous-traitants afin de s'assurer que les employés y étaient bien traités. Apple, par exemple, a mené des vérifications chez ses sous-traitants asiatiques après qu'une vague de suicides ait secoué les employés de l'un d'entre eux, en 2012 (Bosque, 2016).

LES CONDITIONS DU SUCCÈS DE LA GESTION DE LA SANTÉ, DE LA SÉCURITÉ ET DU MIEUX-ÊTRE AU TRAVAIL

Plusieurs gestes sont de nature à améliorer la santé, la sécurité et le mieux-être au travail (*voir le tableau suivant*). Ainsi, une approche intégrée s'avère plus avantageuse qu'une application fragmentaire (Griffiths et Munir, 2003). Une conférence sur les bienfaits d'une saine nutrition, par exemple, n'aura probablement pas l'effet escompté en l'absence d'actions portant sur d'autres leviers de promotion de la santé. Il est donc important d'intégrer conjointement diverses démarches de promotion du mieux-être au travail à une gestion de la santé et de la sécurité du travail.

Il faut également tenir compte autant de l'individu que de son milieu de travail. Au cours d'une enquête consécutive à un accident du travail, par exemple, il serait malavisé de centrer la recherche de causes sur le seul comportement de l'individu. À l'inverse, un programme de santé et de sécurité du travail qui ne mise aucunement sur la responsabilisation de l'individu est voué à l'échec. On reconnaît généralement que les accidents du travail et les maladies professionnelles résultent de la combinaison de facteurs à la fois individuels et organisationnels.

Les conditions de succès de la gestion de la santé, de la sécurité et du mieux-être au travail	
Approche intégrée plutôt que fragmentaire	Miser sur plusieurs interventions. Intégrer les interventions dans un programme commun. Intégrer la promotion du mieux-être au travail à la gestion de la santé et de la sécurité du travail.
Équilibre individu-organisation	Responsabiliser les individus. Prendre en compte l'influence du milieu de travail. Agir sur les conditions de travail.
Prise en compte de la culture	Sonder les croyances et les valeurs relatives à la santé et à la sécurité du travail. Tenir compte des normes relatives à la santé et à la sécurité qui s'imposent au sein des groupes de travail. Bâtir une culture organisationnelle d'ouverture à la conciliation travail-vie personnelle et au mieux-être.
Effort soutenu	Agir à long terme. Assurer une application constante des mesures de protection. Évaluer et revoir régulièrement les politiques et les pratiques de gestion de la santé, de la sécurité et du mieux-être au travail.

La prise en compte de la culture qui règne dans le milieu de travail représente une autre condition de succès. En effet, les interventions qui portent des fruits ne se limitent pas à l'application de techniques ; elles agissent aussi sur les croyances et les valeurs qui conditionnent les comportements au travail. On reconnaît ainsi que les attitudes des gestionnaires peuvent représenter un frein à l'implantation de pratiques d'aide à la conciliation travail-vie personnelle (Foucher *et al.*, 2003). Voilà, entre autres, pourquoi on insiste tant aujourd'hui sur l'établissement d'une culture organisationnelle favorable à cette conciliation entre le travail et la vie personnelle.

Les diverses expériences, tant positives que négatives, en matière de gestion de la santé, de la sécurité et du mieux-être au travail nous apprennent aussi qu'un effort soutenu s'impose. Effectivement, plusieurs facteurs conditionnent la santé, et il serait illusoire d'espérer un progrès significatif juste en appuyant sur un bouton. C'est en agissant sur plusieurs leviers de façon constante, sur une longue période et avec une vigilance sans faille que l'on obtient les résultats recherchés.

La gestion de la santé, de la sécurité et du mieux-être au travail se fait dans un contexte de contraintes. L'employeur doit composer avec les pressions des associations syndicales, les revendications des travailleurs, et ce, tout en respectant les lois et les règlements en la matière. Il n'est pas non plus facile de conjuguer les impératifs financiers de l'entreprise avec les enjeux de santé et de sécurité du travail. Malgré ces contraintes et la complexité des situations relatives à la santé, à la sécurité et au mieux-être au travail, plusieurs intervenants appliquent avec succès des mesures de prévention des lésions professionnelles. De même, certains milieux de travail favorisent la conciliation travail-vie personnelle et font de la promotion de la santé une priorité. Les compétences dans ce domaine se développent : de plus en plus de gestionnaires sont en mesure de détecter les signes avant-coureurs du stress et des autres maux qui sont susceptibles de nuire au fonctionnement des individus et à celui des groupes de travail. En somme, bien qu'il reste encore du chemin à parcourir, plusieurs conditions de succès de la gestion de la santé, de la sécurité et du mieux-être au travail sont à l'heure actuelle déjà en place.

CONCLUSION

Comme ce chapitre en a fait état, plusieurs gestes sont de nature à améliorer la santé, la sécurité et le mieux-être au travail. Cependant, la complexité du contexte d'intervention impose une action concertée sur plusieurs fronts. En ce sens, deux axes d'intervention complémentaires peuvent être envisagés. Le premier axe, caractérisé par des interventions d'identification et de correction des risques, est celui de la gestion de la santé et de la sécurité du travail. Le second axe, qui vise le mieux-être au travail, comporte toutes les pratiques de conciliation travail-vie personnelle et de promotion de la santé.

Les actions des professionnels des RH et des autres intervenants tendent par conséquent non seulement à réduire les accidents du travail et les maladies professionnelles, mais aussi à améliorer la santé générale et à contribuer au mieux-être de chacun. Il s'agit autant d'une noble mission que d'une tentative de réduction des coûts relatifs à l'absentéisme, à la perte de capital intellectuel, aux erreurs ou aux litiges.

Par ailleurs, il importe de tenir compte du milieu dans lequel s'inscrit cette gestion de la santé, de la sécurité et du mieux-être au travail. La santé, la sécurité du travail et la reconnaissance des comportements sécuritaires s'avèrent des considérations de premier ordre. Comme nous l'avons mentionné, la présence d'un climat et d'une culture organisationnels favorables est l'une des conditions optimisant les programmes de conciliation travail-vie personnelle. L'instauration de telles conditions s'avère donc aussi indispensable que celle des politiques et des pratiques en matière de santé et de mieux-être.

QUESTIONS DE RÉVISION

1. Qu'est-ce qu'un accident du travail ?

2. Quels sont les trois niveaux de prévention ?

3. Quelles sont les principales obligations de l'employeur en matière de santé et de sécurité du travail ?

4. Quelles dispositions légales permettent à une entreprise de se protéger d'une poursuite pour négligence criminelle ?

5. Quelles situations personnelles couvre un programme d'aide aux employés ?

6. Quels sont les principaux éléments qui permettent une bonne gestion du retour au travail ?

7. Quelle différence y a-t-il entre la relation d'intimidation (*bullying*) et le harcèlement de groupe (*mobbing*) ?

QUESTIONS DE DISCUSSION

1. Pourquoi, de l'avis de certains spécialistes, les organisations n'auront-elles bientôt pas le choix de gérer des problèmes de santé mentale ?

2. Quel est le rôle du service des RH dans le dossier de la gestion de la santé et de la sécurité du travail ?

3. « L'employeur ne peut quand même pas forcer son personnel à manger sainement. » Commentez cette affirmation. Quelles sont les limites éthiques de la promotion de saines habitudes de vie ?

INCIDENTS CRITIQUES ET CAS

Incident critique

Le Moulin à images : même là, il faut intégrer la santé et la sécurité du travail !

Dans le cadre des célébrations du 400e anniversaire de Québec en 2008, Robert Lepage a imaginé une immense projection architecturale sur les silos à grains de la Bunge, située dans le Vieux-Port de Québec. Cette réalisation comportait d'immenses défis en matière de santé et de sécurité du travail : un lieu hautement explosif, des produits chimiques nocifs, un travail à une hauteur de 55 mètres, etc. Par exemple : « Quand les bateaux ou les trains arrivaient et que les travailleurs prenaient les céréales pour les ensiler, ça dégageait de la poussière, explique Mario Brien, et la poussière de céréales en suspension dans l'air, c'est explosif. Ce n'est pas une raffinerie de pétrole, mais c'est dangereux quand même. »

Pour réussir ce tour de force artistique et protéger la santé et la sécurité des travailleurs, rien n'a été négligé. « En conséquence, Ex Machina a dû collaborer avec l'entreprise Bunge et adhérer aux mesures de sécurité extrêmement strictes qui encadrent tous les travaux à l'intérieur et aux abords des silos. Ainsi, les travailleurs doivent se conformer à une procédure de circulation permettant d'enregistrer tous les déplacements pour que l'on sache qui est où en cas d'urgence. Ils ont aussi suivi une formation sur les objets ou matériaux autorisés à entrer dans le terminal. En particulier, il fallait éviter tout ce qui peut générer des étincelles ou dégager de la chaleur. « On n'entre pas avec un cellulaire ou un trousseau de clés », illustre Mario Brien. On conçoit donc que la Bunge ait eu quelques réticences quand il s'est agi d'installer des appareils d'éclairage ou des lasers qui dégagent de la chaleur. Ex Machina a dû opter pour des projecteurs répondant aux normes IP66 à l'épreuve des intempéries et de l'infiltration de la poussière. Quant aux lasers, la Bunge a exigé des analyses indépendantes pour connaître la densité de poussières dans l'air et déterminer le risque d'explosion en fonction de la température générée par les lasers. L'Institut national d'optique a mené ces analyses et assuré que les lasers ne dégageaient pas suffisamment de chaleur pour présenter un risque d'explosion.

L'ensilage des céréales entraîne un autre type de risque, l'exposition à des gaz toxiques. En effet, la Bunge doit procéder à des fumigations pour assurer la qualité sanitaire des céréales. « Il faut souvent se munir d'un détecteur de gaz et ne pas accéder aux lieux si la teneur en gaz est trop élevée », explique Mario Brien. »

Question

- Que pensez-vous des risques qui sont présents dans les métiers de la scène ? S'agit-il de métiers à risque ? Si oui, quels sont ces risques ?

Source : « Le Moulin à images : Un spectacle aux risques insoupçonnés », *Prévention au travail*, automne 2010, vol. 23, n° 4, p. 34.

Incident critique ②

La conciliation travail-famille : pas juste une question d'organisation, mais aussi une question de culture

Marie-Noëlle travaille dans le bureau de recouvrement d'une importante entreprise canadienne. Son travail est exigeant, mais relativement bien défini. Elle s'occupe, depuis près de cinq ans, du recouvrement des factures émises pour un portefeuille clients « entreprises ». Or, depuis son retour d'un congé de maternité, elle trouve son travail plus difficile. Elle arrive plus tard et doit souvent partir tôt pour passer prendre son enfant à la garderie. Par ailleurs, même si elle atteint ses objectifs de travail, son patron lui reproche parfois ses absences aux réunions matinales. Le refus de se voir accorder une demi-journée pour s'occuper de son enfant malade est la goutte qui a fait déborder le vase.

Marie-Noëlle avait pourtant choisi cette entreprise pour sa culture organisationnelle favorable à la famille : une garderie en milieu de travail, des congés parentaux, des horaires flexibles, etc. Malheureusement, dans son équipe, il en va autrement. Compte tenu des impératifs, l'horaire flexible ne représente pas une option réaliste dans son secteur. Par ailleurs, son patron, un célibataire qui travaille de très longues heures, ne semble pas comprendre les exigences de la conciliation travail-famille. Dans son équipe, aucun de ses collègues, des hommes pour la plupart, n'a d'ailleurs encore fondé une famille. Au cours d'une conversation impromptue avec la directrice des RH, Marie-Noëlle exprime candidement sa déception. La directrice, plutôt que de chercher à bien comprendre sa situation, commence à lui énumérer avec fierté la longue liste de pratiques de conciliation travail-famille qu'elle a contribué à mettre en place.

Question

- Que devrait faire Marie-Noëlle ? Pourquoi les politiques et les pratiques d'aide à la conciliation travail-famille ont-elles parfois des effets mitigés ?

Cas

L'engagement des employés en matière de santé et de sécurité du travail chez Lauralco Québec inc.

Établie à Deschambault depuis 1992, Lauralco Québec inc. est une filiale de la multinationale américaine Alcoa. Avec plus de 550 employés permanents, tous non syndiqués, cette usine produit des lingots en T vendus à diverses industries, principalement localisées aux États-Unis. Lauralco doit faire face à des pressions concurrentielles très fortes. Pour se démarquer des autres alumineries, l'entreprise utilise ses RH comme un avantage concurrentiel. Afin de demeurer un chef de file dans son domaine, Lauralco poursuit en effet la mission d'« utiliser au mieux ses ressources pour produire de l'aluminium de qualité, en toute sécurité, au meilleur coût, dans les délais requis, et avec le souci constant de s'intégrer au milieu et de toujours satisfaire ses clients ».

La santé et la sécurité du travail des employés sont de première importance chez Lauralco. Cette priorité est fortement appuyée par Alcoa, la société mère, qui prône l'adoption des standards les plus élevés en matière de santé et de sécurité. Ainsi, selon le président d'Alcoa, « même un seul accident est un accident de trop. [...] Le but ultime est de n'avoir AUCUN incident. »

Lauralco veut que les employés assument leurs responsabilités en matière de santé et de sécurité par leur engagement dans l'organisation du travail. Ses deux objectifs à propos de la gestion de la santé et de la sécurité du travail sont d'ailleurs d'intégrer cette dernière aux activités quotidiennes et de faire une gestion proactive dans un contexte de responsabilisation des employés. Ainsi, toutes les équipes doivent se fixer des objectifs particuliers en matière de santé et de sécurité, ainsi qu'en matière d'environnement. Ces deux mandats d'équipe figurent parmi les mandats les plus exigeants. D'ailleurs, l'ordre des priorités organisationnelles le démontre bien : d'abord, la santé et la sécurité, ensuite, l'environnement et, enfin, la production.

À l'intérieur de chacune des équipes (en moyenne quatre par secteur), les membres occupent à tour de rôle le poste de préventionniste et de représentant de leur équipe au sein du comité de santé et de sécurité du secteur. Un représentant de chaque secteur est par la suite appelé à faire partie du comité de santé et de sécurité de l'usine. En outre, les employés sont aussi représentés au sein du comité de gestion en matière de santé et de sécurité du travail. Comme les équipes participent à tous les niveaux de décision, l'adoption de mesures s'en trouve facilitée. Plusieurs comités de soutien appuient les comités de santé et de sécurité du travail (le comité Plus, le comité des premiers répondants, la brigade, l'ergonomie, les équipements mobiles et le comité des risques de chutes). Finalement, plusieurs professionnels sont présents dans l'organisation et peuvent offrir une aide aux employés en matière de santé et de sécurité : une nutritionniste, des psychologues (programme d'aide aux employés), un ergonomiste, un éducateur physique (ainsi qu'un centre d'entraînement), un médecin, une infirmière, de même qu'une brigade et une équipe d'urgence.

Questions

- Quelles conditions doivent être respectées pour assurer le bon fonctionnement d'une telle approche de gestion de la santé et de la sécurité du travail ?

- En quoi une organisation du travail en équipe représente-t-elle un atout, mais aussi une contrainte ?

Source : Adapté de DOMPIERRE, G., N. LANGIS et S. ST-ONGE (dir.). *La gestion de la santé et de la sécurité chez Lauralco Québec inc.*, Montréal, HEC Montréal, Centre de cas, n° 9 30 2002 002, 2002.

POUR ALLER PLUS LOIN

Lectures suggérées

BRUN, J.-P. *Les sept pièces manquantes du management*, Montréal, Transcontinental, 2008.

LAROCHE, E., J. DIONNE-PROULX et M.-J. LEGAULT. *Gestion de la santé et de la sécurité au travail*, Montréal, Chenelière Éducation, 2013.

LUPIEN, S. *Par amour du stress*, Montréal, Éditions au Carré, 2010.

Sites Web

Commission des normes, de l'équité, de la santé et de la sécurité du travail
www.csst.qc.ca OU www.cnesst.gouv.qc.ca

Institut de recherche Robert-Sauvé en santé et en sécurité du travail
www.irsst.qc.ca

Le coin de l'ordre des CRHΛ

www.portailrh.org

Santé psychologique par un leadership proactif
Par Ghislaine Labelle, CRHA, M. Ps., psychologue organisationnelle, auteure et conférencière, Groupe Conseil SCO inc.

Identification des risques psychosociaux et prévention des problèmes de santé mentale au travail
Par Gilles Dupuis, Ph. D., professeur titulaire, département de psychologie, UQAM

Chapitre

11

GÉRER LA DIVERSITÉ

Principaux défis à relever en matière de gestion de la diversité

- Favoriser la coopération entre des personnes et des groupes d'employés de plus en plus diversifiés.

- Créer une culture et un milieu de travail plus inclusifs et plus ouverts à toutes les formes de diversité.

- Conscientiser les acteurs quant à leurs responsabilités dans le déploiement d'une culture inclusive.

- Comprendre l'obligation légale des employeurs en matière d'accommodement.

- Cumuler des données pour poser un diagnostic de la représentativité du personnel, établir des objectifs et des plans d'action et exercer des suivis sur leur atteinte et leur implantation.

- Adapter les modes de gestion des ressources humaines (GRH) de manière à favoriser une culture plus inclusive : politiques, activités de GRH, diagnostic et plans d'action, pratiques d'accommodement, etc.

Objectifs d'apprentissage

- Comprendre qu'une bonne gestion de la diversité aide à relever le défi de la coopération.
- Comprendre ce que signifie gérer la diversité et les obligations légales en la matière.
- Comprendre les rôles et les responsabilités des divers acteurs en matière d'accommodement et de déploiement d'une culture de gestion inclusive.
- Comprendre la nécessité de cumuler des données pour établir des diagnostics, des objectifs et des plans d'action quant à l'intégration de groupes cibles.
- Connaître les politiques, les activités de gestion de GRH ainsi que les diverses mesures d'accommodement pouvant être adoptées pour mettre en place une culture inclusive.
- Comprendre les conditions de succès inhérentes au déploiement d'un milieu inclusif ou favorable à la diversité.

S i les employeurs ont toujours fait preuve d'accommodement étant donné que cela est nécessaire à la vie en société et en groupe, ils sont désormais beaucoup plus sollicités en la matière parce que la main-d'œuvre se diversifie à plusieurs égards : femmes, jeunes travailleurs, personnes âgées, employés de différentes origines ethniques, personnes souffrant d'un handicap, employés de diverses confessions ou orientations sexuelles, etc.

Le contexte d'affaires contemporain implique trois nouveaux enjeux en matière de diversité (Cornet et Warland, 2010) : 1) sur les marchés local et international, la diversité croissante des clients et des usagers, dont il faut comprendre les besoins et les attentes ; 2) sur le marché du travail, la diversité croissante de la main-d'œuvre consécutive à l'évolution de la société (p. ex., la présence des femmes sur le marché du travail) et à la mobilité internationale ; 3) l'hétérogénéité croissante des travailleurs au sein des organisations, qui implique de revoir les politiques, les pratiques et les activités de GRH. Ce chapitre s'attardera davantage à ce dernier enjeu, lié à la gestion d'un personnel diversifié au sein d'une organisation.

Dans ce chapitre, nous définissons d'abord ce qu'est une main-d'œuvre diversifiée et les termes clés qui s'y rapportent. Ensuite, nous décrivons les avantages d'une saine gestion de la diversité, ainsi que la notion de partage des responsabilités entre les divers acteurs concernés (p. ex., les dirigeants, les syndicats, les employés).

Cela nous amène à clarifier le contenu de l'obligation légale d'accommodement raisonnable, un devoir souvent mal compris et mal interprété. Par la suite, nous insistons sur les diverses pratiques de gestion possibles pour mettre en œuvre une culture inclusive ou ouverte à la diversité. Puis, nous traitons des défis inhérents à la gestion de la diversité dans des milieux syndiqués, dans le secteur public et au sein des multinationales. Finalement, nous abordons les enjeux des technologies numériques dans la gestion de la diversité, et nous énonçons les conditions à respecter pour instaurer une culture inclusive et respectueuse de la diversité de la main-d'œuvre.

====== **MISE EN SITUATION** ======

Diversité : Pinterest prend le taureau par les cornes

Créé en 2010, le site de partage de photos et d'idées créatives Pinterest fait un chiffre d'affaires de plus de 11 milliards de dollars et compte environ 600 employés aux États-Unis. Ce succès cache pourtant un aspect moins reluisant. Dans un texte publié sur le site Medium, Tracy Chou déplorait que, même si les femmes sont quatre fois plus susceptibles que les hommes d'utiliser ce site, seulement 19 % des ingénieurs qui y travaillent sont de sexe féminin. De plus, les femmes ne représentent que 42 % des employés et n'occupent que 16 % des postes de direction. Pinterest ne fait guère mieux du côté de la diversité ethnique, car en dehors des employés d'origine asiatique, les Afro-Américains et les Latino-Américains sont pratiquement absents.

Désireux de redresser la situation, les dirigeants de la société se sont engagés à embaucher davantage de femmes et de personnes issues des minorités ethniques en se fixant des objectifs chiffrés pour 2016. « Nous pensons que l'une des raisons pour lesquelles il est si difficile de faire bouger les choses est que les compagnies ne déterminent pas d'objectifs précis », écrivait en juillet 2015 Evan Sharp, cofondateur de Pinterest, sur son blogue où il révélait les grandes lignes du plan d'action. Ainsi, l'entreprise espère atteindre un taux de 30 % de femmes et de 8 % de minorités sous-représentées chez ses ingénieurs. Le taux de représentation des communautés ethniques devra aussi atteindre 12 % pour les autres types de postes. On appliquera la Rooney Rule, une règle selon laquelle au moins une femme et un candidat issus d'une minorité ethnique sous-représentée seront rencontrés lors du recrutement pour un poste à responsabilités.

Comment atteindre ces objectifs audacieux ? Pinterest se propose d'élargir l'éventail des universités au sein desquelles elle recrute des candidats et de développer un programme interne de stage et d'apprentissage destiné aux minorités ethniques sous-représentées. En outre, Pinterest s'est associée à la firme Paradigm pour mettre sur pied des « laboratoires d'inclusion » visant à améliorer la diversité au sein de son personnel. L'entreprise offrira aussi aux employés des formations et des programmes de mentorat, et fera des efforts pour changer les pratiques de recrutement qui pourraient désavantager certains candidats.

Pour appuyer ses actions, Pinterest vient de recruter sa première directrice de la diversité, Candice Morgan, une femme d'origine afro-américaine qui a occupé des postes similaires pendant plusieurs années au sein d'autres organisations. Dans une entrevue accordée au site d'information SentinelSource, Mme Morgan annonçait ses intentions : « Si on a 4,5 % de diplômés universitaires d'origine latino-américaine, nous devrions être capables d'embaucher le même pourcentage. Et si près de la moitié des finissants des universités sont des femmes, alors pourquoi n'en recrutons-nous pas dans les mêmes proportions ? » Elle insiste cependant sur le fait que toutes ces mesures ne visent pas à instaurer une politique de quotas, mais plutôt à permettre d'aller chercher l'expertise là où elle se trouve. Selon elle, les entreprises commettent souvent l'erreur d'embaucher majoritairement des personnes qui correspondent à la « démographie » organisationnelle, autrement dit des candidats qui ressemblent aux employés déjà en poste et qui sont proches d'eux sur le plan culturel. Ce faisant, elles se privent de candidatures intéressantes.

Source : Adapté de GRIL, E. « Pinterest prend le taureau par les cornes », *Revue RH*, vol. 19, n° 1, janvier/février/mars 2016, p. 13, www.portailrh.org/revuerh/fiche.aspx?f = 109905 (Page consultée le 28 juillet 2016).

DÉFINITIONS

Le concept de **diversité** renvoie à des caractéristiques variées : des caractéristiques physiques visibles (âge, origine nationale et couleur de peau, sexe, apparence physique, taille et poids), des caractéristiques physiques fonctionnelles (handicap, état de santé, taille, poids), des caractéristiques individuelles liées à l'histoire de vie (expérience professionnelle, orientation sexuelle, degré de maîtrise de certaines langues), des caractéristiques sociales (religion, origine sociale) ou organisationnelles (métiers et professions, départements et services) (Cornet et Warland, 2014).

Aux fins de ce chapitre, nous traiterons surtout d'une **main-d'œuvre diversifiée** composée d'employés qui se distinguent sur le plan des caractéristiques individuelles protégées par les lois comme l'âge, le sexe, l'orientation sexuelle, le statut d'emploi, le handicap, les croyances religieuses, l'origine ethnique ou nationale, la langue, etc.

La **gestion de la diversité** consiste à adapter l'ensemble des politiques et des pratiques de gestion afin d'améliorer la performance et l'efficience de l'organisation en offrant un milieu de travail sain et inclusif, optimisant l'égalité et l'équité professionnelles. Il s'agit pour l'organisation d'une façon d'assumer ses responsabilités sociétales et de lutter contre les discriminations à l'interne et à l'externe. La gestion de la diversité va donc au-delà de la simple valorisation ou promotion de la diversité ; elle implique des actions et des changements manifestes touchant diverses facettes de la gestion globale de l'organisation, notamment sa stratégie, sa culture, son organisation du travail, son approche clients/fournisseurs et la gestion de ses RH.

L'IMPORTANCE DE GÉRER LA DIVERSITÉ

L'histoire et l'expérience nous montrent que les personnes ont tendance à valoriser ce qui leur ressemble et à rejeter ce qui diffère d'elles ou, au mieux, à le tolérer. On parle alors d'«ethnocentrisme», soit d'une tendance à privilégier comme modèle de référence le groupe social auquel on appartient et à juger les membres des autres groupes de manière moins favorable.

Cet ethnocentrisme mène les personnes à avoir des préjugés, soit des opinions préconçues positives ou négatives à l'endroit de quelqu'un ou de quelque chose, fondées sur certaines de ses caractéristiques. Ce peut être, par exemple, de penser qu'un jeune employé aura de la difficulté à concilier son travail et sa famille. Le préjugé est une opinion préconçue qui s'appuie souvent sur le milieu, l'éducation ou les valeurs des personnes (Groupe Conseil Continuum, 2005). Évidemment, les caractéristiques qui peuvent mener à des exclusions et à des inégalités sont très nombreuses, et toutes ne sont pas prises en compte par les lois. Le tableau ci-dessous en dresse une liste partielle.

Exemples de caractéristiques pouvant mener à des exclusions ou à des inégalités au sein d'un groupe, d'une organisation ou d'une société	
Caractéristiques	**Exemples**
Physiques visibles	Âge, couleur de peau, signe distinctif visible (*piercing*, tatous, etc.), origine ethnique ou culturelle visible, signes religieux visibles, sexe, taille, poids, handicap physique ou mental visible, grossesse
Physiques fonctionnelles	Handicap physique ou mental, taille poids, état de santé (maladies chroniques)
Liées à l'histoire de vie individuelle	Niveau de maîtrise de la langue, expérience professionnelle, histoire migratoire (p. ex., réfugié, regroupement familial), histoire judiciaire, orientation sexuelle si déclarée ou affichée
Sociales	Nom et prénom, langue maternelle ou accent, niveau de formation, type de diplôme et de qualification, histoire scolaire (établissements fréquentés, décrochage), religion, situation familiale, statut parental, origine et classe sociales, communauté culturelle, lieu de vie, orientation politique, nationalité, appartenance syndicale
Organisationnelles	Métier ou profession, département ou service

Source : Adapté de CORNET, A., et P. WARLAND. *La gestion de la diversité des ressources humaines dans les entreprises et organisations*, 2ᵉ éd., Liège, Éditions de l'ULG, 2010, p. 19.

L'ethnocentrisme mène aussi les personnes à avoir des stéréotypes, lesquels consistent à attribuer des comportements particuliers à une personne en raison de son appartenance à un groupe, comme présumer de la réaction d'un employé face à un changement sur la seule base de son origine ethnique. Pensons aussi au sexisme ou à l'âgisme, qui sont des tendances à déterminer les tâches et les perspectives de carrière sur la base du sexe ou de l'âge d'une personne. Ainsi, il importe de contrer la tendance à réduire une personne à sa communauté d'origine. Comme l'indique Banon et Chanlat (2012, p. 17), «ce n'est pas, par exemple, parce qu'une personne a un nom à consonance maghrébine qu'elle doit être cataloguée de musulman». Bien des citoyens de confession musulmane ne se comportent pas différemment des catholiques, des protestants, des juifs ou des athées et partagent les mêmes valeurs.

Il faut se méfier des préjugés et des stéréotypes, car ils alimentent la ségrégation en cantonnant certains groupes de personnes dans des types particuliers de métiers (ségrégation horizontale), de statuts et de fonctions (ségrégation verticale). Il faut également se méfier des organisations qui se vantent d'être ouvertes à la diversité tout en casant les personnes selon des modèles liés à leur ethnie : les personnes de telle origine sont affectées à l'entretien, les personnes de telle autre origine, à la construction, etc. Ainsi, une entreprise disait gérer la diversité en faisant travailler les Maghrébins la nuit, les Portugais le matin et les Noirs l'après-midi, alimentant par le fait même l'« effet ghetto » au sein du personnel (Robert-Demontrond et Joyeau, 2009). Prenons le cas d'une autre entreprise qui recrutait des personnes handicapées pour satisfaire aux exigences légales et qui les regroupait dans un atelier appelé « Tamalou » (t'as mal où ?) ; elle ne les intégrait donc pas dans l'entreprise (Jacquinot, 2009).

Comme permettent de le constater ces tendances humaines qui se manifestent tant chez le personnel que chez les dirigeants, les milieux de travail de plus en plus diversifiés sont propices à l'apparition de conflits, de tensions, de problèmes de communication et d'iniquités plus ou moins sournoises et systémiques (culturelles) qui entraînent l'exclusion, la non-reconnaissance et la non-intégration des personnes prises individuellement ou en groupe. Si, dans tous les milieux de travail, les conflits qui surviennent doivent être gérés, ces derniers sont plus difficiles à résoudre dans un milieu diversifié parce qu'ils risquent d'être imprégnés de préjugés et de stéréotypes et qu'ils suscitent des interprétations partiales ou biaisées de la réalité. D'ailleurs, les médias relatent régulièrement des incidents ou des conflits en milieu de travail attribuables à des stéréotypes et à des préjugés. Plusieurs études montrent également que la diversité des ressources humaines (RH) pose des problèmes en matière de confiance, d'ambiance et de communication interpersonnelle (Robert-Demontrond et Joyeau, 2009).

C'est pourquoi il est important que tous les acteurs de l'organisation prennent conscience de cette situation afin de pouvoir franchir les étapes menant à un milieu pleinement inclusif : il s'agit ainsi de passer d'un sentiment de défense et de menace face aux différences à une atténuation de celles-ci, à l'acceptation des différences, puis à l'adaptation et, enfin, à l'intégration des différences (Daft, 2008). Comme le révèle Benoît (2009, p. 210), « un constat s'impose : un nouvel art du "travailler ensemble" pluriel doit se développer au quotidien, dans un milieu de travail non seulement exempt de discrimination, mais aussi ouvert à la valorisation des différences ».

En conséquence, il faut apprendre à gérer sainement les dissensions dans un contexte interculturel. Les employeurs se doivent d'être proactifs et d'instaurer une culture organisationnelle inclusive et respectueuse de la diversité reflétant des valeurs comme l'égalité, l'acceptation, la tolérance, la coopération, le respect mutuel, la flexibilité et la justice sociale. Au-delà de simples exigences légales d'accommodement, qui seront décrites dans ce chapitre, l'établissement d'une telle culture comporte bien d'autres avantages pour la société, les organisations et les employés. Alors que le débat public insiste souvent plus sur la composante environnementale de la responsabilité sociale des entreprises (RSE), la composante sociale de cette dernière implique la gestion de la diversité. D'ailleurs, dans le Groupe Adecco France, c'est la direction de la RSE qui est responsable de la politique diversité : le « S » de RSE renvoie au social et au sociétal où se trouve au cœur, la lutte contre les discriminations (Garner-Moyer, 2012). Le tableau suivant énumère les avantages d'une saine gestion de la diversité.

En somme, non seulement la gestion de la diversité favorise-t-elle une démarche de compréhension interculturelle, mais elle accroît aussi le sentiment d'appartenance, la fidélisation, la mobilisation et l'engagement du personnel de même qu'elle entraîne la réduction de l'absentéisme, une meilleure attraction des compétences, une meilleure utilisation de celles-ci, etc. La diversité permettrait aux entreprises de rehausser leur performance organisationnelle de 5 à 15 % (Effectif, 2011). Plus précisément, il apparaît que :

- les équipes les plus diversifiées sont les plus performantes ;
- les employés plus âgés ont un meilleur rendement que les plus jeunes en raison de leur plus grande fidélité à l'entreprise, d'un taux de roulement plus faible et d'une bonne connaissance de la culture organisationnelle ;
- les entreprises ayant une meilleure représentativité des femmes parmi leurs cadres seraient plus performantes.

Par ailleurs, il apparaît que les principaux obstacles à la capacité d'innovation d'une organisation sont les stéréotypes négatifs, l'absence de communication et une mauvaise intégration au sein des équipes.

Considérant la rareté de certaines compétences sur le marché de l'emploi, de plus en plus d'employeurs doivent compter sur la venue de travailleurs étrangers pour combler leurs besoins en personnel. On observe aussi que la grande majorité des immigrants résident dans la région métropolitaine, où leur taux de chômage est pourtant plus élevé et où leurs qualifications professionnelles sont souvent sous-utilisées (Arcand, Lenoir et Helly, 2015). Comme les employeurs des autres régions du Québec souffrent fréquemment d'une pénurie de main-d'œuvre, il serait important qu'ils puissent attirer et retenir les immigrants et les membres de leur famille.

L'importance de gérer la diversité	
Pour les organisations	Améliorer la performance, la productivité, l'efficience et la compétitivité de l'organisation.
	Assurer une meilleure représentativité sociale au sein de l'entreprise.
	Respecter les principes de responsabilité sociale de l'entreprise (RSE).
	Respecter les lois : égalité, accommodement, etc.
	Permettre une meilleure utilisation des compétences et des talents individuels, et mieux valoriser les personnes.
	Faciliter le recrutement et la rétention des meilleurs talents.
	Contrer la pénurie de main-d'œuvre.
	Procurer des avantages compétitifs et de valeur ajoutée à la clientèle et aux partenaires (comme les fournisseurs).
	Favoriser la satisfaction, l'engagement et le sentiment d'appartenance des employés.
	Favoriser l'assiduité au travail, la santé et le bien-être des employés.
	Favoriser la créativité, l'innovation et l'ouverture aux changements.
	Améliorer la flexibilité des systèmes de gestion.
	Améliorer l'image et la réputation de l'organisation, et sa notoriété comme employeur dans la société.
	Favoriser le développement des affaires : nouveaux marchés, clients et partenariats.
	Améliorer la prestation des services et l'offre de produits à une clientèle plus diversifiée.
	Minimiser les conflits et les problèmes interpersonnels, les prévenir et favoriser une intervention plus appropriée.
Pour les employés	Améliorer les perspectives de carrière et d'emploi.
	Accroître le sentiment d'être respecté, le sentiment de justice, l'estime de soi, l'engagement, l'implication professionnelle, la satisfaction et la motivation au travail.

LE PARTAGE DES RESPONSABILITÉS EN MATIÈRE DE GESTION DE LA DIVERSITÉ

L'instauration d'une culture inclusive au quotidien est l'affaire de tout le monde, que ce soient les dirigeants, les cadres hiérarchiques, les professionnels des RH, les syndicats, les personnes accommodées, et même les clients et les fournisseurs. Le tableau suivant fait état des responsabilités respectives de ces divers acteurs.

Le partage des responsabilités en matière de gestion de la diversité	
Dirigeants	Appuyer concrètement l'implantation de changements qui permettent de créer un milieu de travail inclusif (politiques, comités, révision des activités de gestion, accommodements, façons de faire au quotidien, etc.) touchant l'ensemble des parties prenantes (employés, clients, fournisseurs, etc.).
	Agir comme modèles.
	Comprendre leurs obligations légales en matière d'accommodement ainsi que la nécessité d'aller au-delà des lois.
Cadres hiérarchiques	Sensibiliser les employés et les clients à l'importance et aux avantages de la diversité.
	Acquérir des compétences sur la gestion des accommodements et de la diversité.
	Revoir leurs façons de faire au quotidien afin d'instaurer dans leur équipe un climat de travail inclusif.
	Comprendre les obligations légales des employeurs en matière d'accommodement ainsi que la nécessité d'aller au-delà des lois.
Professionnels des RH	Mettre en place des mesures, des activités, des politiques et des programmes officiels qui symbolisent et favorisent l'ouverture à la diversité.
	Informer et former les cadres et les employés.
	Éliminer le plus possible les barrières concernant l'organisation du travail, les services, les programmes d'emploi (accessibilité, adaptation des milieux de travail, règles de la convention collective, etc.).
	Combattre les préjugés et les mythes (handicap, sexe, origine ethnique, religion, etc.).
	Consulter le personnel pour déterminer les mesures d'appui.
	Respecter les obligations légales d'accommodement comme employeur.

(→)

Le partage des responsabilités en matière de gestion de la diversité *(suite)*	
Syndicats	S'assurer avec l'employeur du respect des obligations légales de chacun en matière d'accommodement.
	Veiller à ce que le droit de tout salarié à un accommodement ne soit bafoué ni par l'employeur, ni par les collègues de travail, ni par eux-mêmes.
	S'assurer qu'une mesure d'accommodement ne pénalise pas l'équipe de travail et respecte le plus possible le contenu de la convention collective.
Employés	Faire preuve d'ouverture et de respect à l'égard de leurs collègues de travail, quelles que soient leurs caractéristiques, et comprendre la nécessité et les avantages des accommodements.
	Participer à la formation et lire les renseignements transmis par l'employeur visant à améliorer l'ouverture à la diversité.
	Sur le plan légal, la personne accommodée doit :
	• donner au syndicat et à l'employeur l'information nécessaire pour faire connaître sa situation et les limites à respecter ;
	• coopérer à la recherche, à l'élaboration et à l'implantation des solutions d'accommodement ;
	• faire preuve de bonne foi et d'ouverture par rapport aux solutions proposées et accepter des compromis raisonnables afin de favoriser son maintien au travail.
Clients et fournisseurs	Comprendre et appuyer les actions de l'organisation en matière d'intégration professionnelle et d'accommodement des employés.
	Adopter des attitudes positives à l'égard d'un personnel diversifié.

11.1 La promotion de la diversité et la question de l'égalité de traitement

Discrimination directe

Distinction ou traitement différencié clair ou sans équivoque sur la base d'une caractéristique individuelle.

Équité en matière d'emploi

Impartialité qui vise à éliminer la discrimination systémique à l'endroit des membres de quatre groupes désignés — les femmes, les membres des minorités visibles, les Autochtones et les personnes handicapées — dans le but d'en arriver à un effectif représentatif (Gouvernement du Canada, 2013).

Discrimination indirecte ou systémique

Application uniforme d'une règle, d'une disposition ou d'un critère apparemment neutre et justifié, mais excluant ou défavorisant certaines personnes en raison de caractéristiques particulières.

Sur le plan légal, il importe de bien comprendre que l'exclusion d'une personne ou d'un groupe est injuste, même si elle résulte de l'application standardisée d'une norme (égalité des moyens). On tend encore à confondre l'égalité ou la justice dans les milieux de travail avec un traitement formel uniforme, égal ou identique sans égard aux différences que présentent certains groupes et les personnes qui les composent (Brunelle, 2008). Pourtant, une condition d'emploi adoptée honnêtement pour des raisons d'affaires et également appliquée à tous peut être discriminatoire (injustice réelle) si elle touche une personne ou un groupe de manière différente. C'est la différence entre l'égalité et l'équité. Si l'illégalité de la **discrimination directe** — du type « Nous n'embauchons pas de personnes d'un groupe X » — est claire, le principe d'**équité en matière d'emploi** vise plutôt à corriger une **discrimination indirecte ou systémique** faisant en sorte que l'application uniforme d'une règle — apparemment neutre et justifiée — ait pour effet d'exclure certaines personnes sur la base d'une caractéristique personnelle. Par exemple, l'exigence de travailler un samedi sur deux (égalité de traitement) exclut certains membres du personnel ayant des obligations religieuses ce jour-là, alors que la loi impose de ne pas faire de discrimination dans les décisions de GRH sur la base de la religion. Autre exemple, la faible présence des femmes dans les conseils d'administration des sociétés relève souvent d'une discrimination indirecte ou systémique. Ainsi, des exigences — apparemment neutres et justifiées — également formulées à l'égard de tous les candidats pour occuper un poste d'administrateur peuvent mener à exclure des femmes candidates ou à leur limiter l'accès aux conseils d'administration (St-Onge et Magnan, 2013). Par exemple, la tendance à pourvoir les postes d'administrateurs avec des PDG ou des PDG à la retraite mène à l'exclusion de candidates qualifiées, puisque les femmes sont rarement ou ont rarement été PDG. Ainsi, des exigences également ou uniformément appliquées aux hommes et aux femmes ne placent pas pour autant les femmes sur un pied d'égalité.

Une théorie d'intérêt

La théorie de l'identité sociale

Selon Tajfel et Turner (1979, 1986), un groupe consiste en une collection de personnes qui se perçoivent comme membres d'une même catégorie, qui attachent une certaine valeur émotionnelle à cette définition d'elles-mêmes et qui ont atteint un certain consensus concernant l'évaluation de leur groupe et de leur appartenance à ce dernier. L'identité sociale correspond à la conscience qu'une personne a d'appartenir à un groupe social ainsi qu'à la valeur et à la signification émotionnelle qu'elle attache à cette appartenance. Selon cette théorie, les groupes minoritaires tendent à se percevoir et à être perçus comme des membres extérieurs à l'organisation parce que l'accès aux postes et aux ressources clés y est historiquement contrôlé par les membres du groupe majoritaire (Merritt *et al.*, 2010). Aussi, il importe que des pratiques de gestion favorables à la diversité soient implantées pour que les minorités puissent acquérir le sentiment d'être intégrées dans l'organisation, d'en être membres à part entière, sans créer de dommages au statut des employés membres du groupe majoritaire.

11.2 L'obligation d'accommodement des employeurs et des syndicats

Depuis toujours, des cadres et les dirigeants ont pratiqué des accommodements envers des membres de leur équipe, n'ayant pas attendu pour cela que le droit traite de l'obligation d'accommodement. En somme, il s'agit d'une règle élémentaire de gestion du personnel que les cadres appliquent sans même se demander s'ils sont tenus de le faire. Par exemple, constatant les besoins des employés en matière de conciliation entre le travail et la vie personnelle, bien des organisations ont introduit plusieurs mesures de flexibilité (p. ex., le télétravail ou les horaires variables).

À la base de la justification de l'accommodement, on trouve le principe selon lequel les employés n'ont pas à porter tout le fardeau de leur adaptation et de leur intégration dans la société. Il appartient aussi au milieu de travail de s'efforcer d'être inclusif et de veiller à ce que ses politiques et ses normes organisationnelles soient exemptes de préjugés et de toute forme d'exclusion ou de ségrégation pouvant en découler.

L'accommodement peut être défini comme un moyen de corriger ponctuellement une norme jugée inadaptée parce qu'elle entraîne l'exclusion d'une personne sur la base d'un motif illégal (ou illicite). L'obligation d'accommodement n'exige pas de révoquer une règle justifiée, mais d'atténuer ses effets sur cette personne en créant une exception, une dérogation ou une adaptation particulière. En somme, une mesure d'accommodement n'est pas un traitement préférentiel de générosité ou de gentillesse, mais un ajustement nécessaire permettant à une personne d'exploiter toutes ses capacités. L'accommodement peut être réactif, c'est-à-dire se conformer aux lois, ou proactif, c'est-à-dire capable d'aller au-delà des lois pour créer de la sorte un milieu propice à la diversité. Sur le plan légal, au regard de l'obligation d'accommodement raisonnable, l'employeur doit mettre en œuvre les mesures suivantes :

- Consulter le syndicat et l'employé dans la recherche d'une solution raisonnable de manière à prouver qu'il a tenté de se renseigner sur l'employé visé par l'obligation d'accommodement.
- Faire tous les efforts nécessaires pour remplir son obligation de chercher des solutions de rechange raisonnables (c'est-à-dire qui ne présentent pas de contrainte excessive) permettant le maintien du salarié dans son poste actuel par des

Préjugé

Opinion préconçue, positive ou négative, à l'endroit d'une personne ou d'un groupe ; idée toute faite, généralement réductrice ou même fausse, souvent inculquée par le milieu, l'éducation ou les valeurs.

Ségrégation

Exclusion d'un groupe de personnes en raison de leurs caractéristiques (p. ex., âge, sexe, religion).

Accommodement

Moyen de corriger ponctuellement une norme inadaptée à une personne en raison de certaines caractéristiques de celle-ci.

http://legisquebec.gouv.qc.ca/fr

Charte des droits et libertés de la personne du Québec

Loi sur l'accès à l'égalité en emploi dans des organismes publics

http://laws-lois.justice.gc.ca/fra

Charte canadienne des droits et libertés

Loi sur l'équité en matière d'emploi

adaptations (modification des tâches, des horaires, du service, du quart de travail, des équipements, etc.) et l'atteinte d'un niveau de productivité acceptable.
- Chercher de manière proactive et innovatrice des approches d'accommodement concrètes et, à défaut de les appliquer, démontrer que ces dernières n'étaient ni réalistes ni raisonnables en raison d'un fardeau excessif.
- Analyser les autres postes disponibles au sein de son établissement, et même au sein d'une autre unité d'accréditation, s'il s'avère impossible d'accommoder le salarié dans son poste, quitte à ce que cela implique une diminution de salaire raisonnable dans les circonstances, et, le cas échéant, analyser les autres postes disponibles dans d'autres établissements que celui du salarié visé.

L'employeur gagne toutefois à reconnaître que la satisfaction, la performance, l'attraction et la rétention de tous ses employés, quelles que soient leurs caractéristiques, peuvent être facilitées par l'adoption de pratiques souples et proactives d'accommodement. De fait, toute personne est susceptible d'avoir recours à une mesure d'accommodement raisonnable pendant sa vie professionnelle. Par exemple, bien que les tribunaux n'aient pas précisé l'étendue du devoir d'accommodement au regard de la situation familiale et que la « qualité de vie personnelle » ne fasse pas partie des motifs donnant lieu à une obligation d'accommodement, il est dans l'intérêt de l'employeur d'être à l'écoute des besoins de son personnel à cet égard afin d'attirer, de fidéliser et de mobiliser les compétences clés. Notons aussi que l'employeur qui tient compte des employés ayant des enfants ne va pas forcément à l'encontre de l'intérêt de ceux qui n'en ont pas ou qui sont plus âgés. En effet, dans bien des cas, les employés âgés recherchent eux aussi un travail comportant des horaires et des conditions plus flexibles : temps partiel, semaine comprimée, charge de travail réduite, congés pour raisons personnelles, etc. L'employeur devrait donc faire le point sur les besoins à court et à long terme de ses employés, prévoir

Le coin de la loi

Ce que les employeurs doivent savoir

Selon l'article 10 de la Charte des droits et libertés de la personne du Québec et l'article 15 de la Charte canadienne des droits et libertés, les employeurs doivent veiller à ce que personne ne soit désavantagé pour des motifs illicites de discrimination, soit la race, la couleur, le sexe, la grossesse, l'orientation sexuelle, l'état civil, l'âge (sauf dans la mesure prévue par la loi), la religion, les convictions politiques, la langue, l'origine ethnique ou nationale, la condition sociale et le handicap ou l'utilisation d'un moyen pour pallier ce handicap.

La Charte rend légal (et donc non discriminatoire) le recours à des programmes d'accès à l'égalité afin de corriger la situation de personnes faisant partie de groupes victimes de discrimination dans l'emploi. Les organismes publics et les sociétés d'État doivent adopter de telles mesures de rattrapage ou d'action positive pour corriger une discrimination systémique à l'égard des groupes cibles et atteindre des objectifs de représentativité adéquats (quotas).

L'obligation légale d'accommodement raisonnable est un moyen utilisé pour faire cesser une situation de discrimination fondée sur le handicap, la religion, l'âge ou tout autre motif interdit par la Charte, dont l'interprétation évolue dans le temps (*voir le tableau 11.1*). « L'accommodement raisonnable est une obligation. En effet, les employeurs et les fournisseurs de services sont obligés de rechercher activement une solution permettant à un employé, un client ou un bénéficiaire d'exercer pleinement ses droits.

L'accommodement peut signifier qu'on aménage une pratique ou une règle générale de fonctionnement ou que l'on accorde une exemption à une personne se trouvant dans une situation de discrimination. » (Commission de la personne et de la jeunesse, s.d.)

Source : Adapté de COMMISSION DES DROITS DE LA PERSONNE ET DES DROITS DE LA JEUNESSE. « L'obligation d'accommodement raisonnable », s.d., www.cdpdj.qc.ca/fr/droits-de-la-personne/responsabilites-employeurs/Pages/accommodement.aspx (Page consultée le 11 novembre 2016).

des stratégies d'accommodement en prévision du vieillissement de la main-d'œuvre et favoriser une culture d'entreprise ouverte aux équipes intergénérationnelles.

De fait, plus qu'une exigence légale, l'accommodement relève du bon sens, de la solidarité ou du civisme, et il permet de mieux vivre au sein d'organisations et de sociétés de plus en plus diversifiées. De plus, le fait de favoriser la diversité entraîne inévitablement des remises en question, des changements et des accommodements qui peuvent être bénéfiques non seulement pour un groupe ou une personne, mais pour l'ensemble de l'organisation. Par exemple, assurer l'intégration de personnes souffrant d'un handicap nécessite souvent que l'on révise les processus d'analyse de postes et de dotation pour n'en cibler que les tâches et les exigences essentielles, un exercice qui profitera au reste du personnel. De même, l'application de mesures d'accommodement destinées à un groupe particulier — comme l'horaire flexible — peut entraîner la décision d'étendre ces mesures à l'ensemble du personnel et améliorer ainsi la productivité de tous les employés et leur satisfaction au travail.

 VIDÉO

L'Ordre des CRHA a réalisé la vidéo « Accommodement raisonnable : survol de la jurisprudence », avec Rosaire S. Houde, CRHA.

11.3   L'obligation légale d'accommodement raisonnable

Le discours juridique fait référence à une obligation d'accommodement raisonnable, soit «un effort de compromis substantiel pour s'adapter à une personne (ou à un groupe) afin d'éliminer ou d'atténuer un effet de discrimination directe ou indirecte, sans toutefois

Accommodement raisonnable

Effort d'adaptation déployé — sans obligation contraignante — vis-à-vis d'une personne (ou d'un groupe) dans le but d'abolir ou d'atténuer toute forme de discrimination directe ou indirecte.

Tableau 11.1	**Des motifs de discrimination illicites dont l'interprétation évolue**
Motif	**Évolution historique de l'interprétation**
Situation familiale	Ce motif a évolué pour s'appliquer aux familles d'aujourd'hui (p. ex., les familles reconstituées) et non plus à la seule conception traditionnelle de la famille.
Sexe	Alors que ce motif faisait référence uniquement au fait d'être un homme ou une femme, il sous-tend aujourd'hui les distinctions fondées sur la grossesse et l'allaitement, ces dernières étant propres au sexe féminin.
Religion	Ce motif revêt aujourd'hui une interprétation subjective et personnelle : ce qui compte, c'est la sincérité et la crédibilité.
Handicap	Ce motif ne renvoie pas à la seule notion traditionnelle de «personne handicapée», mais aussi à des invalidités, à des affections ou à des anomalies d'ordre physique ou mental, soit des maladies réelles ou perçues ainsi que des maladies permanentes, évolutives ou temporaires. Le handicap inclut dorénavant (Lavoie, 2007) : • des affections physiques : les maux de dos (entorse lombaire, hernie discale), les problèmes d'articulation (arthrose, tendinite), la dyslexie ou l'eczéma, le strabisme, l'épilepsie, l'obésité, l'asthme, la sclérose en plaques, les accidents vasculaires cérébraux, les allergies, la bactérie mangeuse de chair et le cancer du sein ; • des affections psychologiques : des troubles de la personnalité, des difficultés d'élocution, le syndrome de fatigue chronique, la fibromyalgie, la dépression, la dépression majeure récurrente à caractère saisonnier, la maladie bipolaire, la dépression situationnelle, l'agoraphobie et l'anxiété.

Sources : Adapté de ST-ONGE, S., et M. JÉZÉQUEL. «Vers des milieux de travail plus inclusifs et plus respectueux de la diversité», dans R. LAFLAMME (dir.), *Quels accommodements raisonnables en milieu de travail*, Actes du 63ᵉ Congrès des relations industrielles de l'Université Laval, Québec, Les Presses de l'Université Laval, 2008, p. 63-82 ; ST-ONGE, S. «Les accommodements en matière de religion : perspectives du Québec et du Canada», Conférence *Equality, Diversity, Inclusion*, Toulouse, Toulouse Business School, 25 juillet 2012.

subir de contrainte excessive» (Groupe Conseil Continuum, 2005, p. 11). Ainsi, légalement, l'employeur ne peut refuser d'accommoder un salarié que s'il est en mesure de démontrer que l'accommodement lui impose une contrainte excessive ou non raisonnable, que la jurisprudence définit par ces éléments : le coût financier excessif, l'atteinte majeure à la convention collective ou aux droits d'autrui, l'incidence sur le moral du personnel, l'interchangeabilité des effectifs et des installations, l'atteinte à la santé et à la sécurité des parties ou le fonctionnement de l'organisation (Brunelle, 2007a, 2007b ; Di Iorio et Lauzon, 2008). Ainsi, si un employé devait s'absenter tous les vendredis dans un emploi du service à la clientèle, l'accommodement pourrait être jugé impossible, vu la portée de ces absences sur le fonctionnement et les résultats de l'entreprise.

Regard sur la pratique

DANS LE MONDE

Pourquoi gérer la diversité du personnel ?

Une enquête auprès d'entreprises européennes montre que la diversité entraîne l'innovation en matière de GRH (notamment sur le plan du recrutement) chez 92 % d'entre elles, le perfectionnement du personnel en matière de ventes et de marketing chez 57 % d'entre elles, et des occasions d'affaires avec des clients diversifiés chez 50 % d'entre elles. Une autre étude montre que les 50 entreprises américaines reconnues comme les plus performantes en matière de diversité au travail (échantillon A) — comparées à des entreprises présentant un profil organisationnel similaire, la diversité en moins (échantillon B) — avaient de meilleurs résultats en matière de marge de profit net, de rendement de l'actif et du rendement sur l'investissement. D'autres recherches ont démontré qu'une gestion efficace et stratégique de la diversité permet à l'entreprise d'améliorer sa créativité et ses innovations, d'optimiser ses communications, de réduire les différends, de diminuer l'absentéisme et le roulement du personnel, de saisir les occasions d'affaires offertes par la mondialisation, de se doter d'habiletés de travail d'équipe plus performante, d'améliorer les relations interentreprises et d'optimiser le service à la clientèle.

Source : Adapté de MINISTÈRE DE L'IMMIGRATION ET DES COMMUNAUTÉS CULTURELLES (en collaboration avec le ministère de l'Emploi et de la Solidarité sociale et le ministère du Développement économique, de l'Innovation et de l'Exportation). *Diversité, Gestion, Compétitivité, Innovation : cadre de référence en matière de gestion de la diversité ethnoculturelle en entreprise*, 2010, http://diversite.gouv.qc.ca/doc/Cadre_Reference_Diversite.pdf (Page consultée le 28 juillet 2016).

Au regard des coûts exorbitants ou excessifs, la jurisprudence montre que l'employeur a intérêt à consulter des experts et à présenter une estimation précise des coûts d'une mesure d'accommodement ou une juste évaluation de la situation du travailleur. En effet, les tribunaux reconnaissent que des coûts raisonnables et des désagréments sont inhérents aux accommodements et qu'ils doivent être assumés par les employeurs. Ainsi, l'attitude récalcitrante, les craintes, les griefs, l'insatisfaction de clients et les inconvénients ne dispensent pas les employeurs (et le syndicat) de leur obligation d'accommodement (Di Iorio et Lauzon, 2007).

De nombreuses décisions de tribunaux indiquent que le droit à la sécurité a généralement préséance sur le droit à la liberté de religion prévu dans les chartes (St-Onge, 2012). Dans le domaine de la construction, le port du casque de sécurité constitue une exigence professionnelle qui justifie et légitime la restriction de la liberté de religion. À défaut de se conformer au code vestimentaire, l'employé pourrait se voir proposer par l'employeur un poste vacant au sein de l'entreprise plutôt que de devoir quitter son emploi (Jézéquel et Houde, 2007). De la même manière, Di Iorio et Lauzon (2007, p. 123) rappellent une cause où il a été «décidé que l'inhabilité d'une infirmière de rencontrer les normes exigées mettait en jeu la sécurité des autres salariés et des patients et que [le fait de] la maintenir dans son emploi constituait une contrainte excessive pour l'employeur».

Toutefois, si, pour des raisons de sécurité, un employeur interdit à ses employés de porter des vêtements requis par une religion, il doit démontrer que cette mesure est primordiale afin d'assurer la sécurité de tous ses employés et qu'il ne pourrait autrement assurer cette sécurité. Si cette condition n'est pas remplie, l'employeur doit revoir son règlement de travail. Ce fut notamment le cas pour le port du hijab par des gardiennes de prison (*voir la rubrique Regard sur la pratique ci-dessous*).

En réalité, toutefois, plusieurs mesures d'accommodement sont relativement peu coûteuses et peuvent être implantées avec un minimum de modifications ou d'ajustements. L'encadré 11.1, à la page suivante, liste quelques cas de défauts d'accommodement.

Dans le domaine de la construction, le port du casque de sécurité constitue une exigence professionnelle qui justifie et légitime la restriction de la liberté de religion.

En résumé, l'obligation d'accommodement doit être équilibrée avec la bonne gérance de l'entreprise et la poursuite de l'intérêt collectif. Ainsi, le droit d'un employé ne saurait faire échec aux droits des autres employés. Il serait, par exemple, déraisonnable d'imposer à un employé de changer son emploi de jour pour un emploi de nuit afin d'accommoder un collègue indisponible pour cause de pratiques religieuses. De plus, une personne ne peut user de l'obligation d'accommodement raisonnable comme d'un droit permettant de négocier des conditions de travail plus avantageuses.

Regard sur la pratique

Le hijab autorisé, mais pas partout

En 2011, la Montréalaise Sondos Abdelatif a eu gain de cause auprès de la Commission des droits de la personne après avoir été congédiée commew gardienne de prison parce qu'elle voulait porter son hijab au travail, ce qui était jusque-là refusé par le ministère québécois de la Sécurité publique. Selon la Commission, ce règlement « avait un effet discriminatoire » sur la pratique d'une religion et le droit à l'égalité reconnu par la Charte des droits et libertés de la personne. Aussi, la direction des services correctionnels a revu son règlement et fournira un foulard à toute agente correctionnelle de confession islamique qui en fera la demande. Le hijab qu'elle donnera sera muni de bandes velcro afin que le foulard puisse se détacher facilement en cas d'altercation avec une détenue.

Ce type d'accommodement n'est cependant pas possible dans toutes les entreprises. Les aliments Cargill, une usine de transformation alimentaire située à Chambly, emploient plusieurs groupes minoritaires. Si la plupart des demandes d'accommodement qui touchent la tenue vestimentaire sont accordées au personnel de bureau, la situation est différente pour le personnel de production qui doit manipuler de la nourriture ou de la machinerie. L'entreprise est en droit de refuser des demandes visant à obtenir le droit de porter des vêtements liés à une pratique religieuse (p. ex., le hijab, le turban, la djellaba) puisqu'elles représentent une contrainte excessive l'obligeant à réduire ses normes liées à la santé et à la sécurité au travail ainsi que celles relatives à la salubrité et à l'hygiène des processus de production.

AU QUÉBEC

Sources : THIBAULT, É. « Accommodement raisonnable : un hijab avec velcro pour les gardiennes de prison », dans *Canoe.ca*, « Actualités », 21 décembre 2011, http://fr.canoe.ca/infos/quebeccanada/archives/2011/12/20111221-062502.html (Page consultée le 28 juillet 2016) ; GROUPE CONSEIL CONTINUUM. *Guide pratique de la gestion de la diversité culturelle en emploi*, 2005, dans *Emploi-Québec*, www.emploiquebec.gouv.qc.ca/uploads/tx_fceqpubform/06_emp_guidediversite.pdf (Page consultée le 28 juillet 2016).

Finalement, il importe de rappeler que la Charte des droits et libertés ainsi que les accommodements doivent protéger des droits individuels et non la continuité ou la survie d'un groupe (droit collectif) (St-Onge, 2015). Ce dernier point semble quelquefois oublié. Pensons au jeune juif hassidique dont le droit individuel à une formation le qualifiant sur le marché du travail d'aujourd'hui est brimé par un système d'éducation propre à sa communauté, ou encore au droit individuel aux soins de santé du jeune autochtone atteint de leucémie dont les parents refusent les traitements de chimiothérapie en raison de leurs croyances collectives. Il s'agit là d'enjeux importants qui débordent les milieux de travail.

| Encadré 11.1 | Quelques cas de défauts d'accommodement au quotidien |

- L'employeur néglige de prendre des mesures d'adaptation nécessaires (aménagement du poste de travail) pour un employé vieillissant en perte d'acuité visuelle.

- Il impose un horaire de travail rigide sans égard à la situation familiale de ses employés ou à l'observance de certaines pratiques religieuses.

- Il interdit tout port de signe religieux à une employée de bureau en invoquant le code vestimentaire de l'entreprise.

- Il refuse toute négociation sur la redistribution des tâches parmi les employés en vue de faciliter le retour au travail d'un employé handicapé.

Parole d'expert

Trois stratégies organisationnelles vis-à-vis de la diversité

Les professeurs Annie Cornet et Philippe Warland relèvent trois principales stratégies ou approches vis-à-vis de la diversité. Premièrement, une stratégie de négation du problème (« stratégie de l'autruche »), qui consiste à penser que l'organisation n'a pas à agir puisque la diversité va prendre place naturellement dans les organisations et que les personnes vont s'y intégrer facilement. Les nombreuses plaintes pour discrimination et les difficultés que rencontrent les travailleurs d'origine étrangère, les personnes handicapées et les travailleurs jeunes ou âgés pour trouver un emploi et le conserver montrent que cet optimisme ne correspond pas à la réalité.

Deuxièmement, il existe des stratégies d'action réactives qui visent à résoudre des problèmes concrets, à réduire les dysfonctionnements ou à remédier aux tensions dues à cette hétérogénéité (conflits, harcèlement, exclusion, etc.) et à se soumettre aux lois et règlements. Ce type de stratégie, qui se construit aussi autour de « problèmes », est souvent coûteux et handicape une vision positive de la gestion de la diversité.

Troisièmement, les chercheurs ont relevé des stratégies d'action proactives qui visent à se mobiliser autour d'objectifs sociaux (responsabilité sociale et lutte contre les discriminations) et à créer de la valeur ajoutée interne et externe autour de la diversité : mieux répondre aux besoins des usagers et de la clientèle, faire face à une pénurie de main-d'œuvre, introduire plus de mixité et de diversité dans certains métiers et dans certaines fonctions, susciter plus de créativité et d'innovation, enfin attirer et garder des talents de tous horizons.

Source : Adapté de CORNET, A., et P. WARLAND. *Gestion de la diversité des ressources humaines : guide pratique*, 3e éd., Liège, Éditions de l'Université de Liège, 2014, p. 41.

11.4 Une culture et une politique de gestion favorables à la diversité

Selon Cornet et Warland (2013), la gestion de la diversité relève d'une culture organisationnelle qui respecte les différences en ce qui concerne les valeurs, les attitudes, les comportements et les styles de vie pour autant que ceux-ci se conforment aux fondements démocratiques, au principe d'égalité et aux lois des sociétés. Pour ces auteurs, cette culture de gestion doit aussi chercher à s'enrichir de ces différences en évitant tout comportement d'exclusion, de ségrégation, de repli et de jugement.

Par conséquent, l'instauration d'une culture inclusive n'exige pas seulement d'adopter des politiques ou des pratiques de gestion et d'accommodement comme celles qui seront décrites dans cette section. Elle requiert aussi de réviser ou d'abandonner des approches traditionnelles qui alimentent les mythes et les résistances. Comme nous l'avons vu en début de chapitre, les préjugés sont tenaces et abondamment partagés. Il en est ainsi de la conviction que la conciliation travail-famille ou les croyances religieuses ne relèvent pas des organisations, mais bien des employés, et que le fait qu'une entreprise intervienne à cet égard ouvre la porte à des iniquités et à des abus. On trouve un autre exemple dans le préjugé selon lequel les employés compétents, loyaux et méritants sont nécessairement semblables (quant à l'âge, au sexe, à l'origine ethnique, etc.), travaillent à temps plein, ne comptent pas leurs heures et ne demandent aucune adaptation individuelle.

Selon une perspective préventive et proactive — et non uniquement correctrice ou réactive — face aux exigences légales, l'employeur gagne à répondre aux besoins d'accommodement et à les anticiper à l'échelle de l'organisation, et ce, en prévision de l'évolution démographique de son personnel. Reconnaissant la nécessité de s'adapter sur le plan des affaires, bien des États acceptent maintenant les initiatives des organisations en la matière afin qu'elles institutionnalisent leurs efforts et qu'ils se maintiennent dans le temps.

11.4.1 La valorisation sociétale et organisationnelle des initiatives favorables à la diversité au travail

Au Canada, le concours des *Meilleurs employeurs canadiens pour la diversité* reconnaît les réalisations de 50 employeurs quant à leurs initiatives en matière de diversité à l'égard de cinq principaux groupes d'employés : les femmes ; les membres de minorités visibles ; les personnes handicapées ; les peuples autochtones ; enfin, les lesbiennes, gais, bisexuels et transgenres ou transsexuels (LGBT).

En 2008, la France a mis en avant une certification ou un label en matière de diversité, un peu comme cela se fait à l'égard de la santé au travail, de la qualité des produits et des services, etc. L'obtention et le maintien du label Diversité permet aux entreprises engagées dans la promotion de la diversité de piloter et de déployer leur politique de diversité, de montrer des preuves de la concrétisation de leurs actions et de mesurer les progrès accomplis (Djabi, 2011). Au Québec, à l'initiative du ministère de la Famille, le Bureau de normalisation du Québec (BNQ) peut accorder quatre niveaux de certification selon les exigences que les entreprises réussissent à atteindre en matière de conciliation travail-famille, un aspect de la diversité au travail, étant donné qu'elle reconnaît les besoins particuliers des parents ayant des enfants ou encore des parents âgés. De tels prix, certifications ou labels permettent aux organisations de mobiliser leur personnel en démontrant leur engagement envers la diversité, en adoptant des pratiques de gestion qui favorisent l'attraction et la fidélisation d'une main-d'œuvre qualifiée tout en étant compétitives dans la «course aux talents».

www.canadastop100.com/ diversity
Meilleurs employeurs canadiens pour la diversité

www.mfa.gouv.qc.ca/fr/ Famille/travail-famille/ norme
Ministère de la Famille, norme Conciliation travail-famille

www.emploiquebec.gouv. qc.ca/publications/pdf/00_ imt_femmes_strategie.pdf
Stratégie d'intervention d'Emploi-Québec à l'égard de la main-d'œuvre féminine 2009

Toutefois, les employeurs doivent éviter de se servir de la diversité pour sauver les apparences et soigner leur «bonne image». Pensons au cas d'une entreprise qui avait demandé de placer à l'accueil de son siège social une personne handicapée, qui devait être «en fauteuil roulant» ou devait avoir «au minimum des béquilles». Mais, dans le reste du processus de recrutement, cette entreprise rejetait les personnes dont le handicap n'était pas léger (Jacquinot, 2009).

Regard sur la pratique

Faciliter le recrutement et l'intégration des employés atteints d'une limitation : le cas de deux entreprises

La Banque Nationale du Canada (BNC)

La BNC a conçu un programme de bourses d'études et d'emplois d'été pour les étudiants ayant des limitations fonctionnelles. «Ce programme, dont nous venons de fêter le vingt-cinquième anniversaire, nous permet de sensibiliser nos gestionnaires à la question de la diversité, tout en aidant ces jeunes, qui ont généralement moins d'expérience de travail que leurs compagnons sans handicap, à acquérir des compétences professionnelles», dit Dimitri Girier, conseiller sénior, diversité et inclusion, Gestion des talents pour la Banque. Notre proportion d'employés ayant une limitation s'élève à 2,2%. Nous avons revu le processus de recrutement afin qu'il ne soit pas discriminatoire à l'endroit des personnes handicapées et nous avons donné de la formation aux conseillers en recrutement afin de les sensibiliser à la diversité. Dans le formulaire de demande d'emploi en ligne, nous invitons les candidats à nous dire s'ils ont une incapacité quelconque de manière à pouvoir faire un meilleur suivi de leur dossier», explique M. Girier.

La Société de transport de Montréal (STM)

La STM, qui recense 40 employés ayant déclaré une limitation sur un effectif total de 9 544 personnes, s'est elle aussi assurée que son processus d'embauche est accessible à tous. Selon Diane Nobert, conseillère corporative, développement organisationnel et gestion du changement à la STM: «Afin de sensibiliser nos gestionnaires et nos équipes, nous avons procédé à des simulations d'entrevue avec des personnes handicapées volontaires. Cet exercice nous a notamment fait réaliser qu'il était important de prendre en considération les candidatures au parcours atypique lorsqu'on consulte les CV. Il y a quelques années, nous étions à la recherche d'un commis à l'enquête sur appel, un poste impliquant de nombreux déplacements dans notre réseau. Un des meilleurs candidats que nous avons reçus en entrevue se déplaçait en fauteuil roulant. Nous avons donc convenu avec lui que nous ferions appel à ses services uniquement pour les stations accessibles aux personnes à mobilité réduite. Il a accepté notre offre et il occupe maintenant un poste permanent.»

Ainsi, l'instauration d'une culture de gestion inclusive ou ouverte à la diversité nécessite de réviser certaines façons de faire traditionnelles de l'entreprise, et notamment d'institutionnaliser l'ouverture à la diversité par des politiques et la mise en place de comités, de revoir les modes de gestion tant à l'égard des RH qu'à l'égard du marché, de reconnaître la diversité des mesures d'accommodement et de modifier son approche au quotidien.

Bien des entreprises ont pris le «virage interculturel», selon Sébastien Arcand, professeur à HEC Montréal. Il prône la mise en place, au Québec, d'une certification des entreprises qui font des efforts réels pour encourager la diversité. «Il faut inciter les sociétés à aller au-delà des apparences. C'est important d'envoyer un message fort afin d'attirer d'autres talents», recommande-t-il. Le message sera d'ailleurs d'autant plus clair, selon lui, s'il n'émane pas seulement de la direction des RH. «Il faut qu'il vienne de la haute direction et qu'il se décline dans l'ensemble de l'organisation.» (Gaignaire, 2014, p. 37) C'est ce que nous verrons dans les prochaines sections.

11.4.2 L'institutionnalisation de la valorisation de la diversité

Pour créer une culture favorable à la diversité, il importe de l'institutionnaliser en adoptant et en communiquant des valeurs de respect, en formulant une ou des politiques, en établissant des programmes ou en mettant sur pied un comité et en nommant un conseiller responsable de cette question. À cet égard, une enquête menée par la Society for Human Resource Management (2011) aux États-Unis montre que dans 65 % des organisations répondantes, la fonction «ressources humaines» a la responsabilité de diriger les initiatives en matière de diversité, et que 21 % des organisations sondées ont mis en place un comité ou un conseil chargé de la diversité. La gestion des accommodements au cas par cas ayant ses limites, il est souvent nécessaire d'instaurer des politiques afin d'éviter les iniquités et de faciliter la prise de décision chez les cadres.

L'adoption d'une politique de gestion de la diversité a des implications variées. Comme l'illustre la première partie de la figure 11.1, la diversité doit être prise en compte dans les orientations stratégiques et la culture organisationnelle, dans les activités de GRH,

 VIDÉO

L'Ordre des CRHA a réalisé la vidéo « Pensez la diversité dans votre organisation », avec Julie Sylvestre, CRHA.

Figure 11.1 — **Une politique de gestion de la diversité : ses incidences sur l'organisation et sur ses composantes**

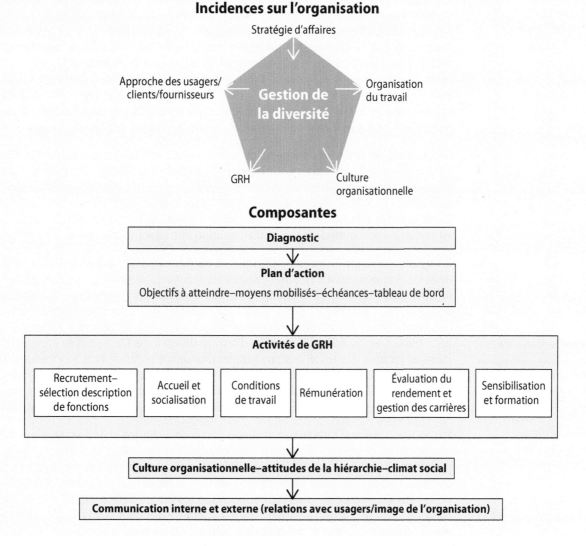

Source : Adapté de CORNET, A., et P. WARLAND. *Gestion de la diversité des ressources humaines : guide pratique*, 3ᵉ éd., Liège, Éditions de l'Université de Liège, 2014, p. 39 et 42.

dans l'organisation du travail et dans l'approche auprès de la clientèle ainsi que des usagers et des fournisseurs.

Il revient à l'employeur, et donc aux professionnels des RH, de s'assurer que tous les employés connaissent la politique en matière de diversité, sont informés de leurs droits, mais aussi des attentes légitimes de l'employeur à leur égard. Une politique d'ouverture à la diversité doit insister sur les efforts de collaboration attendus, entre autres de la part du syndicat et des collègues de travail. Au-delà des textes, une politique n'a de réelle efficacité que lorsqu'il existe une conviction de son utilité et un engagement à la mettre en œuvre.

Il faut s'attendre à ce que des employés se montrent réticents face à certaines pratiques accommodantes (horaire flexible, temps partagé, etc.) en raison des inconvénients qu'elles peuvent occasionner (les reproches d'un manque de loyauté ou d'engagement, la visibilité moindre). Certains accommodements peuvent même être considérés comme des inconvénients par des superviseurs et des collègues (surplus de travail, retards, iniquités, ralentissements, difficulté de remplacement, perte d'expertise, ajustements de l'organisation du travail, révision d'ententes avec les clients, etc.). Ces tensions proviennent souvent d'un manque de connaissance des obligations de l'employeur et de la nature du besoin d'accommodement. Pour instaurer un climat inclusif, on doit informer et former le personnel et prendre des décisions (p. ex., accorder une promotion à une personne de sexe féminin, handicapée ou appartenant à une minorité culturelle) susceptibles d'ébranler les mythes, les croyances ou les stéréotypes et de vaincre les préjugés à l'égard de ce qu'est une «bonne gestion» et de ce que sont de «bons employés». Rappelons que la discrimination repose souvent sur de petites iniquités répétées au jour le jour. Aussi, il faut que les superviseurs et tout le personnel se livrent à une certaine introspection en se posant des questions comme celles-ci (St-Onge, 2012) : Qui est-ce que j'écoute ou j'ignore? Qui est-ce que je regarde ou je consulte? À qui est-ce que je coupe ou je laisse la parole? Qui est-ce que je félicite, j'intègre, j'exclus ou j'encourage? Qu'est-ce que je tiens pour acquis ou encore, que je néglige de considérer?

À cet égard, les études confirment qu'une culture inclusive ou favorable à la diversité au quotidien se fonde surtout sur l'appui et l'attitude des superviseurs immédiats. Ces derniers doivent donc acquérir des compétences et remettre en question leurs façons de faire (Fortier, 2009; Calvez et Lee, 2009; Gavrancic *et al.*, 2009). Par ailleurs, les cadres devraient être recrutés et évalués selon leur ouverture, leur compréhension, leur aide en matière d'accommodements et d'adaptation aux besoins d'un personnel diversifié.

Il importe de rappeler qu'une politique en matière de diversité dépasse les frontières de la GRH et doit aussi s'étendre à toutes les fonctions de gestion, comme le choix des fournisseurs, le service à la clientèle ou les communications externes. En outre, étant donné que les clients et les consommateurs jouent un rôle dans le succès de l'intégration des personnes et des accommodements au travail, il faut les inciter à adopter des attitudes positives vis-à-vis d'une **main-d'œuvre diversifiée**. Cela peut se faire par divers moyens comme proposer des produits et des services répondant aux besoins d'une clientèle diversifiée, diversifier le personnel dans les domaines de la vente, du marketing et du service à la clientèle, former le personnel de la relation client, présenter une juste représentativité des minorités dans les campagnes et les documents promotionnels.

Par ailleurs, comme l'illustre la seconde partie de la figure 11.1, à la page précédente, une politique de gestion de la diversité devrait idéalement être élaborée à la suite d'un diagnostic de la représentativité des différents groupes cibles dans les divers secteurs, emplois, postes et niveaux hiérarchiques de l'organisation. Le diagnostic doit également porter sur l'existence de discriminations directes ou indirectes. Un tel diagnostic doit mener à un plan d'action positive visant à atteindre des quotas ou des objectifs (p. ex., une augmentation de 5 % du taux de féminisation de certains postes d'ici deux ans); selon ce plan, l'organisation s'assurera de ne pas reproduire de stéréotypes dans les communications internes et externes, de revoir les activités ou les processus de GRH et

Main-d'œuvre diversifiée
Main-d'œuvre composée d'employés qui se distinguent sur le plan des caractéristiques individuelles, soit l'âge, le sexe, l'orientation sexuelle, le statut d'emploi, le handicap, la religion, l'origine ethnique, la langue, etc.

d'analyser la culture organisationnelle. Établir un tel diagnostic fiable et valide en matière de diversité n'est pas une mince tâche (Zannad, Cornet et Stone, 2013). Il est essentiel de disposer de bases de données centralisées qui permettent de dresser un bilan de la situation à l'égard des différents groupes cibles et de pouvoir compter sur l'appui d'experts capables d'analyser les statistiques. Il importe de retenir les bons indicateurs et d'en connaître tout de même les limites dans les interprétations. En raison de la loi et des craintes relatives à la confidentialité des informations sur les personnes, de la structure décentralisée de bien des entreprises et de leur nombre important d'employés, il faut reconnaître que ce préalable peut se révéler assez difficile à satisfaire.

Zoom sur la PME

La gestion de la diversité au sein des PME : quelques cas et particularités

Chez INSUM, une petite firme montréalaise spécialisée dans le développement d'applications dans les technologies de l'information et de la communication, la moitié des 32 employés sont des immigrés. Pour mieux les intégrer, INSUM a créé un club social dont elle finance en partie les activités. Animé par la responsable des RH, Marina Medeiros, une Brésilienne qui vit au Québec depuis un an et demi, et trois salariés, leur club organise des 5 à 7, des parties de soccer, un barbecue pour les familles, une sortie au Festival de jazz, etc. Selon Mme Medeiros, « si on ne faisait rien pour mieux connaître les nouveaux venus de l'étranger et les aider à découvrir leur environnement de travail et leurs collègues, ils pourraient sentir qu'ils ne sont pas les bienvenus. On veut créer un sentiment d'appartenance fort à l'entreprise, et que ces employés se sentent respectés ». À leur arrivée, tous les employés étrangers ont droit à une semaine d'intégration et à l'accompagnement d'un parrain. « C'est plus facile de poser des questions quand c'est à un collègue », estime Mme Medeiros. Ces quelques jours sont consacrés à la présentation de l'entreprise, des employés, des outils de travail, etc. Le service des RH leur remet aussi un manuel qui compile toutes les règles du travail. « Certaines personnes sont étonnées quand on leur dit qu'elles ont la possibilité de prendre des congés sans solde quand elles veulent partir en vacances dans leur pays un peu plus longtemps que ce que leur permettent leurs congés accumulés », constate-t-elle.

Selon François Vincent, directeur des affaires provinciales à la Fédération canadienne des entreprises indépendantes (FCEI), un sondage mené auprès des PME montre que leurs principaux défis portaient sur la langue (67 % des travailleurs ne parlent pas le français) et les différences culturelles et religieuses au sein des relations de travail (39 %). « Environ 80 % des demandes de services à la FCEI concernant l'immigration portent surtout sur le recrutement à l'étranger », selon M. Vincent. Les plus grandes sociétés mettent parfois au point un plan de gestion de la diversité culturelle, alors que les plus petites gèrent au cas par cas. Par exemple, la société Rotobec a embauché une agente d'intégration pour faciliter l'accueil de soudeurs costariciens qui parlent principalement espagnol, alors qu'Industrielle Alliance collabore avec une agence de relocalisation pour aider ses travailleurs étrangers à s'installer au Québec. Au-delà de la responsabilité sociale, les entreprises relèvent aussi le défi de l'intégration parce que « le coût d'une embauche à l'étranger est souvent bien supérieur à celle d'un employé local », souligne Marie-Ève Ethier, conseillère en mobilité internationale.

Selon Nancy Moreau, directrice de l'organisme Soutien à la personne handicapée en route vers l'emploi (SHERE-Québec), « dans les grandes organisations, c'est plus complexe et cela exige du temps, car tout est normé et les personnes handicapées ne rentrent pas dans une case ». Carole Chouinard, conseillère au sein du Service externe de main-d'œuvre Chaudière-Appalaches, a plus d'une fois rencontré des représentants syndicaux qui s'inquiétaient du fait qu'un employé bénéficiait d'un aménagement de tâches en raison d'une incapacité, tout en gagnant le même salaire que ses collègues. Selon cette dernière, « dans une PME, nous n'avons qu'une seule personne à convaincre du bien-fondé de notre démarche : le patron. Dans une grande entreprise, nous devons rallier les conseillers en RH, les directeurs de service sans oublier les syndicats ! Toutefois, lorsqu'on prend le temps de bien leur expliquer la situation, ces derniers finissent par collaborer et il reste possible d'inclure une lettre d'entente dans la convention collective pour protéger les droits des autres travailleurs ».

Source : GAIGNAIRE, A. « Gérer la diversité sans accentuer les différences », *Les Affaires*, « dossier immigration », 24 mai 2014, p. 37.

Finalement, il y a lieu d'évaluer les progrès réalisés. Pour ce faire, il faut exercer un suivi régulier sur les résultats atteints en matière de diversité au travail afin d'apporter les correctifs nécessaires, d'encourager les unités ou les divisions de l'organisation qui se montrent le plus à l'avant-garde en la matière et d'analyser les secteurs où les mesures sont insuffisamment appliquées. Le souci de la diversité au travail doit rester à l'ordre du jour et faire l'objet d'un processus continuel d'évaluation des progrès réalisés. Les indicateurs qui peuvent être utilisés pour évaluer ces progrès sont variés : les taux de recrutement et de rétention des membres de groupes cibles ainsi que les taux d'occupation de postes à divers niveaux hiérarchiques par ces membres, les résultats de sondages menés auprès des employés, l'amélioration de la culture et de l'image de l'organisation, le nombre de plaintes, etc. En outre, les professionnels des RH doivent consulter régulièrement le personnel, de manière formelle ou informelle, afin de déterminer les mesures d'appui qui doivent être mises en œuvre et de les réviser. Ils doivent aussi communiquer au personnel sur une base continue les initiatives et les progrès en matière de gestion de la diversité.

11.4.3 Les activités de gestion des ressources humaines facilitant l'établissement d'une culture inclusive

Si relever les défis de la diversité implique de revoir bien des fonctions et des activités de gestion, celles reliées à la gestion du personnel sont névralgiques en ce qui a trait à la dotation du personnel, à son développement, à la gestion des performances et des carrières ainsi qu'à la rémunération. Le tableau 11.2 illustre la variété des mesures en matière de GRH susceptibles de faciliter l'intégration professionnelle d'une main-d'œuvre diversifiée. Par exemple, dans le cas des personnes ayant un handicap physique, l'entreprise peut repenser les modes de recrutement en recourant aux services d'organismes spécialisés (p. ex., Emploi-Québec, CAMO pour personnes handicapées, associations et groupes communautaires d'aide aux personnes handicapées), afficher les postes à pourvoir dans les médias que ces personnes consultent, offrir de la formation pour briser les stéréotypes et vaincre les préjugés, etc.

Regard sur la pratique

Le défi de l'intégration en emploi des réfugiés syriens au Canada et au Québec

AU CANADA

En 2016, le Canada a décidé d'accueillir 25 000 réfugiés syriens, dont 7 200 seront dirigés dans 13 municipalités de la province de Québec. À la différence des nouveaux arrivants qualifiés qui ont des compétences, une formation ou une expérience particulière recherchées au Canada, les réfugiés sont accueillis pour des raisons humanitaires et l'employabilité ne fait pas partie des principaux critères de sélection. Au Québec, le gouvernement mise sur le Programme d'aide à l'intégration des immigrants et des minorités visibles en emploi (PRIIME) administré par le ministère du Travail, de l'Emploi et de la Solidarité sociale. Ce programme vise à permettre aux nouveaux arrivants et aux personnes issues d'une minorité visible d'acquérir une première expérience de travail au Québec en offrant un soutien financier aux entreprises prêtes à les intégrer. Grâce au PRIIME, une organisation peut espérer une aide financière couvrant jusqu'à 50 % du salaire du travailleur, et ce, pendant une période de 30 semaines. Ce programme prévoit aussi le remboursement d'une portion du salaire d'un accompagnateur (souvent un autre employé de l'entreprise), des coûts d'adaptation des pratiques et des outils de GRH (activités d'accueil, formation pour les cadres, mise à jour du manuel de l'employé, etc.) et de certains frais de formation pour la mise à niveau du nouvel employé.

Source : Adapté de LEBOEUF, M. H. « Réfugiés syriens : les défis de l'intégration en emploi », *Revue RH*, vol. 19, n° 1, 2016, p. 40-43.

On a déjà vu des cadres qui éliminaient — *a priori* et sans tenir compte de leurs compétences — les candidats dont le nom avait une consonance étrangère sous prétexte qu'ils risquaient de ne pouvoir s'adapter ou d'exiger trop d'accommodements. Ainsi, l'analyse des processus d'embauche peut révéler diverses limites, par exemple le fait que très peu de personnes immigrantes ou faisant partie de minorités visibles sont convoquées à des entrevues de sélection ou franchissent les étapes du processus de sélection, que des candidatures sont rejetées sur la base de préjugés et de craintes injustifiées (liées à la langue, à l'intégration) ou encore en raison de l'incompréhension ou de la non-appréciation des expériences ou des formations acquises à l'étranger, du caractère inadapté des outils ou des tests de sélection. L'analyse d'autres indicateurs de GRH peut révéler l'existence — et favoriser la résolution — de certains problèmes, notamment un faible taux de rétention d'immigrants ou de membres de minorités visibles, ou encore des problèmes d'erreurs et de productivité.

Tableau 11.2	Les activités de GRH facilitant l'instauration d'une culture inclusive
Activités de GRH	**Exemples de mesures**
Recrutement, sélection et accueil	• Établissement d'objectifs de représentation de divers groupes au sein du personnel, adoption d'un plan d'action et suivi de l'atteinte des objectifs • Révision des sources de recrutement : recours à des agences ou à des médias de recrutement spécialisés (handicapés, etc.) • Communication de la culture inclusive ou d'une politique d'égalité des chances au moment du recrutement (affichage des postes), de la sélection et de l'accueil • Transmission d'informations aux candidats sur le processus de sélection (étapes, tests, compétences recherchées, équivalence des diplômes, etc.) afin qu'ils ne soient pas pénalisés par une méconnaissance du processus d'embauche • Détermination des exigences d'un poste basées sur une analyse précise des tâches, des responsabilités et du contexte de travail, et non sur des compétences qui ne sont pas réellement requises et qui bloquent ou limitent l'accès à ce poste à certaines personnes (femmes, personnes handicapées, etc.) • Décisions de sélection prises en tenant compte de la qualification, des connaissances et des aptitudes jugées essentielles au poste • Analyse des équivalences de formation et d'expérience obtenues à l'étranger • Révision et adaptation des outils (tests, grilles d'entrevue, etc.) et du processus de sélection et d'accueil selon les caractéristiques d'une main-d'œuvre diversifiée • Formation des cadres et des professionnels des RH aux nouveaux processus de sélection, à la conduite des entrevues, à l'accueil d'une main-d'œuvre diversifiée, aux biais à éviter, etc. • Offre de programmes de stages rémunérés afin d'améliorer l'employabilité des personnes ou de faire valoir leurs compétences et leurs aptitudes
Développement et formation	• Révision et adaptation du contenu de la formation offerte à l'embauche • Formation du personnel de la relation client sur les attentes d'une clientèle diversifiée • Sensibilisation et formation des cadres et de l'ensemble du personnel pour mieux connaître, démystifier et gérer la diversité et favoriser l'intelligence interculturelle en tant que compétence ; formation aux obligations en matière d'accommodement raisonnable • Offre de cours de français ou de soutien sur le plan linguistique pour faciliter l'intégration et les communications
Gestion de la performance et de la rémunération	• Gestion de la performance axée sur les résultats • Responsabilisation des cadres en matière de gestion de la diversité • Reconnaissance et rémunération du personnel favorisant la prise de décision et le choix d'actions alignées sur la diversité au travail • Sensibilisation des cadres aux préjugés et aux stéréotypes comme sources d'erreur dans l'évaluation de la performance
Gestion des carrières, de la succession et de la relève	• Établissement de plans de relève ou de succession assurant une juste représentation de divers groupes et suivi de l'atteinte des résultats ou des objectifs • Accessibilité de l'information sur les cheminements possibles de carrière • Révision des exigences, des critères et du processus pour pourvoir les postes de tous les niveaux hiérarchiques • Mentorat ou parrainage des employés afin de leur faire connaître les valeurs, les règles implicites de gestion, les exigences des postes et de faciliter leur intégration et leur cheminement professionnel

11.5   Les pratiques d'accommodement favorables à l'établissement d'une culture inclusive

Si la presse fait souvent état d'accommodements imposés par les tribunaux des droits de la personne, il faut se rappeler qu'en pratique, la plupart des accommodements sont adoptés sur une base volontaire par les employeurs et décidés avec les employés visés. Par ailleurs, qu'elles soient appliquées de manière proactive ou réactive, les mesures d'accommodement varient beaucoup selon le motif : le handicap, la pratique religieuse, la conciliation travail-famille, l'allaitement, l'orientation sexuelle, l'âge, etc.

Comme l'observe St-Onge (2011), de nombreux changements démographiques et sociaux ont accru les pressions sur la conciliation travail-famille, notamment la féminisation de la main-d'œuvre, l'augmentation du nombre de familles monoparentales et les couples à deux carrières. De plus, le profil actuel de la main-d'œuvre requiert plus de flexibilité ou d'accommodements sur le plan de l'organisation et des horaires de travail (St-Onge, 2007). Ainsi, les jeunes recrues veulent des conditions de travail qui respectent leur vie personnelle. En outre, les travailleurs âgés veulent bénéficier de certains aménagements (p. ex., le temps partiel) pour rester sur le marché du travail. Enfin, au sein d'une société où la main-d'œuvre se diversifie, les employés réclament une flexibilité quant à l'organisation du travail qui tienne compte des particularités de leur religion, de leur nationalité, etc.

En ce qui a trait aux principales pratiques d'accommodement et de gestion touchant l'accessibilité du lieu de travail et l'aménagement du poste de travail, l'aménagement du temps et du lieu de travail, les congés, les vacances et les autres conditions de travail ainsi que la supervision quotidienne, soulignons qu'il est impossible d'appliquer la liste complète de mesures d'accommodement comme on le ferait pour une liste de contrôle. La nature des pratiques d'accommodement varie grandement selon les personnes, les circonstances, le contexte de travail et le but poursuivi (p. ex., pratiques religieuses, handicap physique, conciliation entre les vies professionnelle et personnelle, retour au travail, rétention des travailleurs âgés, attraction des jeunes). Par conséquent, la flexibilité des mesures d'accommodement s'avère primordiale, car chaque cas d'accommodement présente ses spécificités ; il n'existe donc pas de solution unique et standardisée. De plus, bon nombre de ces moyens ont l'avantage d'être simples, de ne rien coûter et d'être applicables sur une base volontaire au cas par cas.

11.5.1   L'accessibilité du lieu de travail et l'aménagement du poste de travail

À titre d'illustration, le tableau 11.3 fait état des mesures d'accommodement ayant trait à l'accessibilité du lieu de travail et à l'aménagement du poste de travail. Ces mesures ont traditionnellement été adoptées à l'égard des personnes ayant un problème de mobilité physique. En effet, face à un handicap physique, les mesures d'accommodement les plus fréquentes concernent l'équipement spécialisé, la facilitation de l'accès physique aux installations, la flexibilité des pauses, le réaménagement du poste de travail, la modification de l'horaire de travail, le remplacement de tâches et le transport (Pozzebon et Champagne, 2009 ; Jacquinot, 2009 ; Séguin et Foisy, 2012).

11.5.2   L'aménagement du temps et du lieu de travail

Bon nombre de petites et moyennes entreprises ont recours à la flexibilité des horaires et à l'échange de quarts de travail sur une base informelle pour favoriser la conciliation travail-famille (Rochette, 2004). Toutefois, il est important que les aménagements du temps de travail soient proposés sur une base volontaire, autrement ils risquent

www.ophq.gouv.qc.ca

Office des personnes handicapées du Québec

www.roseph.ca

Regroupement des organismes spécialisés pour l'emploi des personnes handicapées

www.camo.qc.ca

Comité d'adaptation de la main-d'œuvre (CAMO) pour personnes handicapées de compliquer la vie des personnes. Par exemple, l'adoption d'une formule «quatre jours/80 % du salaire» peut s'avérer impossible à appliquer et désavantageuse pour le parent monoparental qui a besoin de son plein salaire pour subvenir aux besoins des siens. Le travail à domicile peut aussi, selon les personnes, se révéler tout autant bénéfique que négatif sur le plan de la gestion du temps de travail, de l'équilibre entre les responsabilités familiales et professionnelles. Par ailleurs, la flexibilité devrait être le fait aussi bien des employés que des employeurs : les employés doivent être prêts à s'adapter aux exigences de la production et des services et les employeurs doivent être prêts à s'adapter aux exigences de la vie personnelle de leurs employés.

Tableau 11.3	Des pratiques d'accommodement ayant trait à l'accessibilité des lieux et à l'aménagement des postes
Objectif	**Exemples de mesures**
Accessibilité du lieu de travail pour les personnes à mobilité réduite	• Ajout de rampes pour les fauteuils roulants • Installation d'un ascenseur • Modifications apportées aux portes (automatisation) et au plancher • Accès facilité aux toilettes, aux salles de formation, etc. • Modification des aires de travail • Offre d'un transport
Modifications à l'environnement physique, aux équipements, aux outils, à l'ameublement, etc.	• Aménagements ergonomiques • Bureaux et tables ajustables, éclairage adapté, etc. • Contrôle de la température, du bruit et de la pollution • Aire de repos • Réduction des distractions • Achat d'équipements, de logiciels ou d'outils adaptés particuliers (p. ex., pour les non-voyants) ou encore adaptation des outils informatiques pour les personnes atteintes de déficience visuelle • Installation d'appareils audio ou de lecteurs de braille électroniques, services d'interprétation
Redéfinition, réaménagement, réorganisation ou adaptation du poste	• Révision du statut ou de la description de poste (modification ou élimination de tâches, réassignation ou regroupement des tâches, etc.) • Nouvelles méthodes d'évaluation des emplois (analyse du poste orientée vers les résultats et non vers les moyens, méthodes d'exécution, détermination des tâches essentielles ou des exigences minimales des postes) • Retrait de certaines responsabilités en fin de carrière • Mutation vers des postes moins exigeants sur le plan physique ou sur le plan psychologique • Proposition de mobilité transversale, de mutation ascendante, de retraite progressive, de programme de préparation à la retraite • Possibilités de réemploi, de rappel de retraités, de cumul emploi-retraite
Autres	• Recours aux services d'un interprète pour le langage des signes • Octroi d'un poste réservé ou réaffectation à un poste ou à un travail plus léger • Remplacement de la personne • Retrait préventif

Le tableau 11.4, à la page suivante, détaille des mesures ou des pratiques d'accommodement ayant trait à l'aménagement du temps et du lieu de travail. Par exemple, Les aliments Cargill, une usine de transformation alimentaire située à Chambly, mettent à la disposition de certaines personnes un lieu pour leur permettre d'accomplir pleinement les rites propres à leur religion durant les heures de bureau (Groupe

Tableau 11.4	Des exemples de pratiques d'accommodement ayant trait à l'aménagement du temps et du lieu de travail
Aménagement du temps de travail	• Réorganisation ou modification des horaires de travail • Jours non travaillés (p. ex., les samedis pour des motifs religieux) • Temps partiel, réduction de la semaine de travail ou partage de poste • Horaire flexible, comprimé (p. ex., quatre jours), allégé, à la carte, etc. • Flexibilité des quarts de travail, des pauses, etc. • Horaire d'été ou horaire des vacances scolaires • Modalités de retour progressif au travail après un congé d'invalidité • Autorisation de départs hâtifs et précipités pendant les heures de travail pour des raisons familiales • Gestion des heures supplémentaires : paiement d'heures supplémentaires aux collègues, droit de refus de faire des heures supplémentaires, possibilité d'obtenir des congés compensatoires plutôt que d'être rémunéré • Retrait préventif • Adaptation des contraintes de temps (cadence, délais, quantité, nouveaux outils, équipements ou machines, automatisation)
Aménagement du lieu de travail	• Travail à domicile, poste satellite, télétravail • Aménagement de locaux de prière

Conseil Continuum, 2005). La société IBM s'appuie quant à elle sur un réseau interne LGBT, appelé EAGLE, qui permet en outre de faire remonter les questions et les doléances des salariés liées au genre (telles que celles de personnes qui désirent changer de sexe) afin que la politique de diversité puisse être respectée (Fagota, 2011). Il s'agit alors d'aider l'employé visé à communiquer cette information à son supérieur et aux collègues (lettre, réunion) et à revoir son poste, au besoin. Par exemple, le salarié qui occupe une fonction en contact régulier avec la clientèle peut se voir proposer, de façon temporaire, un emploi où les échanges se font par téléphone.

11.5.3 La gestion des congés, des vacances et des autres avantages

Les employeurs peuvent aussi adapter leurs modes de gestion des congés, des vacances ou de tout autre avantage afin de permettre des accommodements facilitant la conciliation entre les vies professionnelle et personnelle, l'accès aux soins liés à un handicap, les pratiques et fêtes religieuses, le port de vêtements particuliers (turban, voile, etc.), etc. L'encadré 11.2 répertorie des mesures d'accommodement de ce type. Certains employeurs proposent aussi des mesures d'accommodement qui visent à offrir de l'aide aux membres de la famille de l'employé, soit ses enfants, ses parents âgés ou un enfant malade ou souffrant d'une limitation. À titre illustratif, de 2008 à 2012, la Société Areva, leader mondial de l'énergie nucléaire en France, devait recruter massivement pour satisfaire à la croissance (Christin et Buisson, 2009). Tous les employés admissibles à la retraite dans 18 et 24 mois ont été rencontrés afin d'organiser la transmission des savoirs et le partage d'expériences sous la forme de tutorat. De plus, un réseau interne de 120 personnes-ressources d'expérience a accepté de conseiller ces futurs retraités, auxquels la société offrait des possibilités attrayantes et flexibles de poursuivre leur collaboration avec elle après leur départ à la retraite (mandat ponctuel, remplacement, tutorat, etc.).

À titre d'exemple, constatant que la barrière linguistique causait des problèmes d'intégration à plusieurs immigrants qui ne parlaient ni le français ni l'anglais, l'entreprise québécoise Gildan, spécialisée dans les vêtements de sport, leur a proposé des cours de français et a créé un partenariat avec une commission scolaire pour leur offrir la possibilité d'obtenir un diplôme (Groupe Conseil Continuum, 2005).

De plus en plus d'accommodements sont offerts en vue de faciliter la conciliation travail-famille.

Encadré 11.2	Des pratiques d'accommodement ayant trait à la gestion des congés, des vacances et autres avantages ou conditions de travail

- Dérogation au code vestimentaire : permettre le port d'un vêtement requis par la religion, revoir les exigences vestimentaires (p. ex., turban, kirpan, hijab)
- Octroi de congés pour observance religieuse
- Aide au transport public ou privé pour le personnel souffrant d'un handicap
- Congés — payés ou non — pour raisons personnelles ou familiales
- Congés sans solde de courte ou de longue durée
- Accumulation de l'ancienneté durant un congé de maternité ou de paternité
- Accumulation des jours offerts dans le cadre d'un compte d'épargne temps
- Compléments de salaire, congés à la naissance et à l'adoption d'un enfant
- Année sabbatique payée, octroi de vacances en dehors de la période convenue dans la convention collective, versement de prestations d'assurance salaire, assurances collectives familiales, avantages sociaux au prorata pour les employés à temps partiel, etc.
- Couverture des avantages pour les partenaires de même sexe
- Soutien aux employés ayant des enfants : services de garde divers, camps de jour pendant l'été et les relâches scolaires, services d'information et de référence (garde, écoles, etc.), aide financière pour les frais de garde, aide financière à l'instruction (bourses, prêts, etc.), aide d'urgence, etc.
- Soutien aux employés qui sont aidants naturels : aide aux personnes à autonomie réduite, services ou centre d'information et de référence (garde, soins infirmiers, maison d'hébergement, etc.), aide d'urgence, aide financière, assurance de soins à long terme, etc.

- Compte flexible de soins de santé
- Programme d'aide aux employés (PAE) pour favoriser la conciliation travail-famille ou pour aider à résoudre d'autres difficultés liées notamment à un handicap
- Programmes ou séminaires favorables à la santé mentale et physique : bien-être, gestion du stress, mise en forme, nutrition, planification financière, planification de la retraite, etc.
- Réductions pour un abonnement dans un centre de santé physique, aménagement d'une salle d'exercices sur les lieux du travail ou offre de services de santé (aire de repos, suivi de santé, conseils de diététique, massages, etc.)
- Services domestiques à accès rapide (guichets, nettoyeur, succursale bancaire, magasins, salon de coiffure, repas préparés pour apporter à la maison, restauration saine, remboursement des repas du soir pris au bureau, repas particuliers préparés à la cafétéria)
- Journée de la famille ou de la diversité
- Programme de retraite progressive et embauche de personnel retraité
- Cours de langues
- Aides diverses offertes aux expatriés et aux membres de leur famille (réaffectation, écoles, recherche d'emploi pour le partenaire de vie, etc.).
- Mise en place de programmes alliés LGBT dans le cadre desquels des personnes sont sélectionnées pour soutenir des collègues LGBT dans leur intégration et progression de carrière ainsi que pour contrer l'homophobie dans les milieux du travail

Depuis des années, la Gendarmerie royale du Canada embauche des sikhs en les dispensant de l'obligation de porter le chapeau traditionnel et en les autorisant à conserver leur turban, leur barbe ainsi que leur poignard rituel (kirpan).

L'obligation d'accommodement peut signifier pour des employeurs d'accorder un congé payé pour la célébration de fêtes religieuses. Ainsi, dans l'affaire de la *Commission scolaire de Chambly*, les enseignants juifs perdaient une journée de salaire (congé non payé) pour pratiquer leur religion, alors que les fêtes religieuses de la majorité de leurs collègues étaient reconnues comme des jours de congé payé (*Commission scolaire de Chambly c. Bergevin*, 1994, 2 R.C.S. 525.). Devant l'absence de preuve de préjudice financier excessif, le tribunal a conclu que l'employeur pouvait, conformément aux dispositions de la convention collective, payer les enseignants juifs. Par souci d'équité, les employeurs tendent à accorder deux congés payés pour observance religieuse, comme c'est le cas pour les congés chrétiens (Noël et Vendredi saint) (Jézéquel et Houde, 2007).

11.5.4 La supervision quotidienne

L'éclosion d'une culture intégrative ne tient pas seulement à des politiques, à des pratiques d'accommodement et à des activités de GRH adaptées, elle dépend aussi de la révision de pratiques et de méthodes de gestion et de supervision adoptées et vécues au quotidien par le personnel. Le tableau 11.5 énumère un ensemble de gestes qui, s'ils s'enchaînent, sont favorables à la diversité. Ces moyens ont l'avantage d'être simples, de ne rien coûter et de pouvoir être appliqués sur une base volontaire et souvent individuelle.

Par ailleurs, devant la diversité intergénérationnelle, il semble aussi qu'il faille faire la part des choses. En effet, une étude montre que les personnes de toutes les catégories d'âge expriment des attentes semblables en matière de stabilité d'emploi, d'autonomie et de reconnaissance (Saba, 2009). « Si les jeunes ont des attentes plus élevées en matière d'équilibre travail-famille ou d'avancement de carrière, cela ne veut pas dire que les employés appartenant aux catégories d'âge plus élevées ne recherchent pas la satisfaction de ces besoins. Les jeunes s'attendront à une certaine flexibilité dans leur horaire de travail pour étudier ou élever de jeunes enfants. Par ailleurs, les personnes en mi-carrière désireront jouir de cette flexibilité pour s'occuper de leurs adolescents, de leurs parents et pour avoir du temps de loisir », souligne Saba. Plutôt qu'être fonction des générations, les besoins ou les attentes des personnes varieraient surtout selon :

- leur cycle de carrière : début, milieu et fin de carrière ;
- leur scolarité ou leur expertise : les employés plus instruits et ayant une expertise peuvent exprimer plus d'attentes et négocier davantage leurs conditions de travail ;
- leur catégorie d'emploi ou leur secteur d'activité : par exemple, les fonctionnaires expriment plus d'attentes sur le plan de la sécurité d'emploi que les employés du commerce de détail ;
- leurs caractéristiques individuelles, notamment les valeurs et les traits de personnalité, qui influencent grandement leurs attentes.

Aussi, Saba conclut que « les bonnes pratiques étendues à l'ensemble des employés évitent le risque de rompre l'équité dans le traitement des individus et nivellent les différences attribuables à la diversité d'âge des employés » (2009, p. 36).

Tableau 11.5	Des exemples d'actions quotidiennes favorables à la famille, à la diversité ethnique et religieuse et à la mixité intergénérationnelle
Actions favorables à la famille	• Éviter de contacter les employés en dehors des heures de bureau par téléphone, courrier électronique, etc. • Ne pas exiger des réponses à des courriels transmis ou à des appels faits en dehors d'une plage horaire déterminée ou de certains jours. • Éviter de planifier des réunions très tôt le matin, tard en fin de journée, durant la fin de semaine ou tôt le lundi matin. • Éviter les voyages d'affaires, privilégier les conférences téléphoniques. • Donner le droit de refuser de faire des heures supplémentaires. • Communiquer les événements familiaux (naissance, adoption, décès, etc.). • Allouer du temps pour le bénévolat, l'engagement dans la communauté. • Afficher des photographies d'événements familiaux. • Lier reconnaissance et famille : offrir des billets pour des événements familiaux, envoyer des fleurs au conjoint d'un employé qui a fait des heures supplémentaires ou qui a été à l'étranger pendant longtemps, etc.

Tableau 11.5	Des exemples d'actions quotidiennes favorables à la famille, à la diversité ethnique et religieuse et à la mixité intergénérationnelle (*suite*)
Actions favorables à la diversité ethnique et religieuse	• Organiser des repas collectifs culturels où chaque invité cuisine un plat typique de sa culture d'origine et le fait découvrir aux autres. • Présenter des témoignages d'immigrants sur leur expérience d'immigration, leur intégration au marché du travail, etc. • Consacrer une semaine aux communautés culturelles, à la diversité, etc. • Afficher des photos des pays d'origine du personnel. • Organiser des soirées où des vidéos et de la musique d'autres pays sont présentées. • Annoncer les fêtes religieuses.
Actions favorables à la mixité intergénérationnelle	• Favoriser la mixité intergénérationnelle des équipes et l'équilibre des âges dans les unités. • Gérer une plateforme d'échange d'employés. • Gérer un programme de mentorat. • Établir une table ronde regroupant des salariés de tous les âges. • Établir des parcours professionnels adaptés. • Faire des entretiens de carrière réguliers. • Établir des bilans individuels des compétences.

LES ENJEUX DU NUMÉRIQUE DANS LA GESTION DE LA DIVERSITÉ

Avec les réseaux sociaux internes ou externes à l'entreprise, toute personne peut construire et entretenir des liens sociaux ou professionnels et présenter son profil à différents employeurs ou recruteurs potentiels. Les organisations ont ainsi accès à une vaste banque de candidats potentiels, ce qui leur permet de lutter contre toute forme de discrimination et d'améliorer la diversité de leur personnel. Selon Olivier Fécherolle, directeur général de Viadeo France, «le réseau social peut aussi paraître contradictoire avec la logique du CV anonyme. Mais c'est surtout un atout qui va permettre [aux candidats] de se présenter d'une façon différente. Le recruteur voit qui je suis, qui je connais, ce que je fais, etc., on va casser les préjugés en offrant une vision à 360 degrés» (Ancelin, 2012).

De plus, sur les réseaux sociaux, les usagers se regroupent pour former des communautés afin d'échanger sur des sujets, comme les bonnes pratiques en matière de diversité, la solidarité, l'égalité homme-femme, le phénomène religieux, l'orientation sexuelle, etc. Ces sujets ne sont pas forcément abordés de façon centralisée par l'entreprise (par les dirigeants et les gestionnaires). Si on laisse aux membres une marge de liberté, ces réseaux peuvent devenir un levier de diversité en donnant une nouvelle voix aux minorités.

Certains employeurs ont d'ailleurs mis en place un ou des réseaux sociaux d'entreprise ou communautés. Chez BNP Paribas, un certain nombre de communautés existent comme celles des stagiaires et des nouveaux employés, qui regroupent 180 membres. L'organisation a aussi utilisé son réseau social interne pour mettre en place un programme de mentorat inversé faisant en sorte que les plus jeunes expliquent aux seniors comment cela fonctionne et, ainsi, fait collaborer les générations entre elles. Selon Sophie Delmas, secrétaire générale de l'Observatoire des réseaux sociaux d'entreprise et chef de projet RH 2.0 chez BNP Paribas, il faut toutefois attendre un à deux ans avant qu'il y ait un début d'activité significative (Vidaud, 2012). D'après elle, si ces communautés internes virtuelles qui complémentent les réseaux traditionnels existants n'entraînent pas vraiment de retour sur investissement, elles renforcent toutefois l'engagement du personnel à travers un dialogue et permettent de transférer les compétences de manière plus directe et ludique. Il importe toutefois de prendre des actions afin de s'assurer que les réseaux sociaux ne sont pas uniquement l'apanage des jeunes générations.

LA GESTION DE LA DIVERSITÉ DANS LE SECTEUR PUBLIC

Depuis 2001, les organismes publics du Québec employant plus de 100 personnes doivent respecter la Loi sur l'accès à l'égalité en emploi dans des organismes publics en adoptant des programmes d'accès à l'égalité pour les membres appartenant à l'un des cinq groupes cibles, soit les femmes, les personnes handicapées, les Autochtones, les minorités visibles et les minorités ethniques. De plus, en vertu des règles du Programme d'obligation contractuelle, les entreprises comptant plus de 100 personnes qui obtiennent du gouvernement québécois un contrat ou une subvention de plus de 100 000 $ doivent aussi mettre en place un programme d'accès à l'égalité. Dans le secteur public canadien et dans les secteurs de compétence fédérale, les obligations sont semblables : les organismes fédéraux doivent instaurer des programmes d'équité en matière d'emploi tout comme les entreprises comptant plus de 100 employés faisant une soumission de 200 000 $ et plus au gouvernement du Canada.

Au Québec, le Secrétariat du Conseil du Trésor est responsable de l'évaluation des personnes qui posent leur candidature dans la fonction publique. Pour atteindre des objectifs de représentativité des groupes cibles, il tient des séances d'information sur le processus de dotation des emplois, les différents examens à l'embauche et leur déroulement, l'entrevue d'embauche et les comportements appropriés à y adopter. Sur son site Web, le Secrétariat décrit aussi les programmes visant à favoriser l'embauche et l'intégration des membres des groupes cibles.

C'est dans l'affaire *Big M Drug Mart* que la Cour suprême du Canada a pour la première fois statué sur le fait que la liberté de religion prévue dans la Charte canadienne imposait une obligation de neutralité à l'État l'empêchant de privilégier ou de désavantager une religion par rapport aux autres (*R. c. Big M Drug Mart Ltd.*, 1985, 1 R.C.S. 295). Le jugement explique que la liberté de religion comporte deux composantes : d'une part, la liberté

d'avoir des croyances religieuses, de les professer ouvertement et de les manifester en les mettant en pratique, par le culte, leur enseignement et leur propagation, et, d'autre part, le droit de ne pas être forcé, directement ou indirectement, d'adopter une religion ou d'agir à l'encontre de ses croyances ou de sa conscience. Comme le souligne Woehrling (2007, p. 220), « la neutralité subsiste tant que l'État se comporte de la même façon à l'égard de toutes les religions et qu'il n'en privilégie ou n'en défavorise aucune par rapport aux autres, de même qu'il ne privilégie ou ne défavorise pas les convictions religieuses par rapport aux convictions athées ou agnostiques, ou vice-versa ».

Une récente étude menée dans les secteurs publics belge, français et canadien (Cornet et El Abboubi, 2012) montre que le parcours de la diversité est semé d'embûches. Outre la résistance des fonctionnaires, le peu de moyens ou d'appui manifeste des dirigeants, la présence de conflits persistants sur des enjeux d'égalité, d'équité et de laïcité ainsi que la lourdeur des structures, l'étude dégage les obstacles suivants : l'absence de responsabilité claire, la faiblesse du suivi et de l'évaluation des progrès en matière de diversité de même qu'un diagnostic des formes de discrimination ou de la diversité difficile et complexe en raison de l'absence de données fiables et centralisées sur les caractéristiques du personnel.

LA GESTION DE LA DIVERSITÉ DANS LES MILIEUX SYNDIQUÉS

Étant donné que les syndicats doivent obtenir et maintenir l'appui majoritaire des salariés qu'ils représentent, ils sont traditionnellement moins enclins à se soucier des intérêts de leurs membres minoritaires qui présentent une caractéristique identitaire que ne partage pas la majorité (origine ethnique, sexe, religion, handicap, etc.). Comme le note Brunelle (2008), la propension marquée des syndicats à négocier une protection des droits d'ancienneté témoigne justement de cette volonté de contenir l'« arbitraire patronal » en incitant l'employeur à traiter uniformément tous les salariés en fonction d'un même critère, objectif et commun à tous.

Toutefois, aujourd'hui, le syndicat doit se montrer vigilant dans son rôle de représentant en veillant à ce que le droit de tout salarié à un accommodement raisonnable ne soit bafoué ni par l'employeur, ni par les collègues de travail, ni par lui-même. Sinon, il pourra être accusé d'exercer une discrimination émanant de la convention collective qu'il a négociée ou de contrer les efforts de l'employeur pour en arriver à un

compromis avec un salarié réclamant un accommodement. En effet, l'employeur et le syndicat ne peuvent pas se dégager de leur responsabilité d'accommodement sous prétexte du non-respect de la convention collective, puisque la Charte des droits et libertés a généralement préséance sur cette dernière (De la Durantaye et Leduc, 2007). En pratique, cependant, les tribunaux prêtent attention aux règles jugées importantes dans les conventions collectives, notamment celles ayant trait aux droits d'ancienneté, et leur atteinte doit habituellement s'avérer la dernière solution envisagée. Pensons, par exemple, à une mesure d'accommodement qui nécessiterait qu'on fasse occuper à un employé un poste requérant plus d'ancienneté qu'il n'en a, et que l'on déplace pour cela l'employé qui occupe ce poste et qui répond à ses exigences. De fait, les tribunaux exigent de l'employeur qu'il privilégie les mesures d'accommodement qui ne mettent pas en cause la convention collective ou qui y dérogent le moins possible afin de protéger également les droits des autres salariés (Brunelle, 2008). En somme, les règles convenues dans les conventions collectives ne sont pas au-dessus des lois, mais elles sont quand même prises en considération selon le contexte.

Finalement, s'il importe d'analyser le contenu des clauses contenues dans les conventions collectives et leur cohérence avec la volonté de favoriser la diversité, il est bon aussi de considérer la manière dont ces clauses sont appliquées, puisque c'est souvent la souplesse des parties signataires qui rend possibles des arrangements informels. Toutefois, s'il faut faire preuve de flexibilité en matière d'accommodement, il ne faut pas pour autant créer de précédents qui constitueront de nouvelles obligations pour l'employeur (Dubé, 2008).

LA GESTION DE LA DIVERSITÉ À L'INTERNATIONAL

Plusieurs sociétés multinationales, telles que L'Oréal et Google, adoptent la diversité comme priorité d'affaires. Au sein de ces firmes, l'intégration professionnelle de groupes cibles exige aussi d'établir des plans de relève ou de succession dans tous leurs établissements afin d'assurer une juste représentation de divers groupes et un suivi de l'atteinte des objectifs. Dans ces grandes firmes, l'évolution des progrès accomplis en matière de diversité pose des défis particuliers, puisqu'elle se heurte à des cultures et à des valeurs locales qui sont plus ou moins différentes de la culture désirée par le siège social. Dans ce contexte, on comprendra que les progrès en matière de diversité nécessitent d'établir des programmes d'embauche et de relève qui permettent des avancées en matière de diversité (femmes, minorités, etc.).

Les dirigeants et les gestionnaires travaillant dans une multinationale auraient tout intérêt à acquérir de l'expérience et une sensibilité culturelle (Fortier, 2009 ; Guerrero et al., à paraître), par exemple en prenant part à divers projets dans lesquels sont engagées des personnes issues de multiples cultures, en visitant ou en invitant des membres du personnel affectés à l'étranger pour mieux comprendre leurs valeurs, leurs pratiques de travail et les ressources dont ils disposent et pour favoriser l'établissement d'une culture d'entreprise, en repérant parmi les personnes issues d'autres cultures celles qui exercent une influence et ont du potentiel afin d'utiliser leurs talents, en participant à des activités multiculturelles non officielles, et ainsi de suite.

LES CONDITIONS DU SUCCÈS DANS LA GESTION DE LA DIVERSITÉ

Pour donner des résultats optimaux, la gestion de la diversité doit se faire de manière intégrée, c'est-à-dire que la diversité doit être au cœur de la stratégie de l'organisation, des politiques de GRH, des modes d'organisation du travail, de la culture organisationnelle et de l'approche des clients et des usagers.

De fait, l'instauration d'une culture favorisant la diversité exige l'adoption de plans d'action, d'objectifs, de politiques ou de pratiques de gestion. Elle requiert aussi de réviser ou d'abandonner des approches traditionnelles qui alimentent les mythes et les résistances, car les préjugés sont tenaces et abondamment partagés. Le tableau de la page suivante résume les principales conditions de succès dont nous avons traité dans ce chapitre.

Dans leur étude visant à comprendre le peu d'avancées constatées en matière d'accès à l'égalité, Chicha et Charest (2009) relèvent trois grands facteurs : la persistance des stéréotypes et des préjugés, l'absence d'une formation sérieuse et approfondie à la diversité et l'absence d'engagement de la direction. Pour changer la culture et dissiper les mythes, les dirigeants des organisations doivent donc s'imposer comme « modèles » et faire des gestes d'éclat en matière de recrutement, d'embauche, de promotion, etc. Leur appui ne se mesure pas à leurs discours, mais à l'implantation d'actions, d'activités, de politiques et de programmes largement communiqués, symboles de leur ouverture en la matière. En somme, les employeurs doivent cesser d'attendre d'avoir des preuves irréfutables de la rentabilité économique des mesures d'accommodement et de l'intégration professionnelle avant de les adopter. Il est possible qu'une pratique d'accommodement ne permette pas d'améliorer un indicateur comme la performance économique à court terme, mais s'avère efficace à bien d'autres égards tout aussi cruciaux, notamment s'il s'agit de changer la culture organisationnelle et le style de gestion, d'améliorer le climat de travail, de réduire les résistances aux changements, d'attirer des candidats et de retenir le personnel, d'améliorer la performance organisationnelle à plus long terme ou de réduire les problèmes de santé.

Finalement, une étude menée par l'Association française des managers de la diversité en France (AFMD) montre que la principale difficulté rencontrée par les acteurs de la diversité dans les organisations repose sur le manque de moyens financiers et humains pour développer, implanter et exercer un suivi sur une politique de diversité : les répondants n'ont souvent pas de budget particulier et s'ils en ont un, il est souvent inférieur à 1 % du chiffre d'affaires (Garner-Moyer, 2012).

Les conditions du succès de la gestion de la diversité

- Favoriser la diversité, d'abord et avant tout au niveau de la direction qui en fait une priorité stratégique et une valeur de gestion.
- Symboliser et institutionnaliser l'ouverture à la diversité en adoptant des pratiques et des politiques en la matière, en les gérant de façon équitable et en minimisant les inconvénients (réels ou perçus) liés à leur utilisation.
- Informer et consulter le personnel au sujet de la diversité (avantages, exigences, moyens, etc.).
- Former et responsabiliser le personnel, surtout les cadres, afin notamment de contrer les mythes, les préjugés et les obstacles.

- Établir des banques de données et d'informations complètes et à jour afin d'établir un diagnostic de la représentation des diverses catégories de personnel et de se fixer des objectifs et des plans d'action.
- Exercer un suivi : évaluer et reconnaître les progrès ou apporter des correctifs.
- Accorder des ressources humaines et financières propres à la gestion de la diversité afin de légitimer et crédibiliser les actions qu'elle implique.

CONCLUSION

Ce chapitre a permis de montrer pourquoi il est important que les employeurs, les syndicats, les cadres et les employés aillent au-delà des exigences légales d'accommodement et soient proactifs en matière de gestion de la diversité. Il a aussi permis de considérer la diversité des accommodements qui peuvent être offerts pour faciliter l'établissement d'un climat de travail inclusif et respectueux de la diversité sous toutes ses formes : sexe, âge, handicap, nationalité, religion, état civil, etc.

Le prochain chapitre, qui clôt cet ouvrage, traite du renouvellement de la GRH, qui exige l'évaluation régulière de ses résultats afin qu'elle puisse s'ajuster et optimiser son apport à une performance durable de l'organisation respectant les intérêts économiques, sociaux et humains.

QUESTIONS DE RÉVISION

1. Définissez les termes clés suivants : main-d'œuvre diversifiée, gestion de la diversité, ethnocentrisme, discrimination directe, préjugé et stéréotype.

2. Pourquoi est-il important de gérer et d'institutionnaliser la diversité ?

3. Comment peut-on décrire le partage des responsabilités en matière de gestion de la diversité entre les partenaires suivants : les dirigeants, les cadres hiérarchiques, les professionnels des RH, les syndicats, les employés ainsi que les clients et les fournisseurs ?

4 Quelle différence y a-t-il entre l'égalité et l'équité dans le traitement des personnes et des groupes ?

5 Quels sont les fondements légaux et les exigences de l'obligation légale d'accommodement raisonnable pour les employeurs ?

6 Comment l'approche réactive en matière d'accommodement se distingue-t-elle de l'approche proactive qui va au-delà des lois ? Énumérez les avantages de cette dernière approche.

7 Quelles pratiques de GRH est-il possible de mettre en place afin de créer un climat de travail inclusif ?

8 Qu'est-ce que la diversité des pratiques d'accommodement ?

9 Quels sont les gestes qui, au quotidien, favorisent la famille, la diversité ethnique et religieuse et la mixité intergénérationnelle ?

10 Quelles sont les particularités de la gestion de la diversité dans le secteur public, les milieux syndiqués et à l'international ?

11 Quelles sont les incidences du numérique en matière de gestion de la diversité ?

12 Quelles sont les conditions de succès de la gestion de la diversité ?

QUESTIONS DE DISCUSSION

1 « La gestion de la diversité est souvent la source d'un dilemme entre le respect des droits individuels et le respect de l'équité dans le groupe. L'un se fait inévitablement au détriment de l'autre. » Que pensez-vous de cette affirmation ?

2 Pourquoi de nombreuses organisations s'en tiennent-elles au respect des lois ou attendent-elles de faire l'objet d'une plainte au lieu de gérer la diversité de manière proactive ?

3 Analyser les sites Web d'une ou de deux organisations reconnues pour la qualité, l'ampleur et la variété de leurs efforts et réalisations en matière de diversité parmi les suivantes : la Banque Royale du Canada, Google, L'Oréal. Échangez sur ce qui distingue ces firmes.

INCIDENTS CRITIQUES ET CAS

Incident critique

Un diagnostic pour un plan d'action en matière de gestion de la diversité ? Plus facile à prescrire qu'à faire...

Freshdrink, filiale d'une multinationale américaine, est l'un des acteurs les plus importants sur le marché des boissons rafraîchissantes. Ses produits ont une renommée internationale. La marque est présente dans tous les supermarchés et commerces de détail. Elle commandite beaucoup d'évènements, notamment des festivals de musique et évènements sportifs. Elle a mené plusieurs campagnes de publicité qui ont marqué les esprits par l'originalité et le dynamisme associés à la marque et aux boissons du groupe.

Freshdrink emploie environ 500 collaborateurs en Belgique, répartis sur trois sites de production. Elle a un réseau de distribution à travers tout le pays. L'entreprise a reçu plusieurs prix pour la qualité de ses politiques de GRH. Elle annonce sur son site que ses objectifs sont d'attirer et de recruter les jeunes diplômés pour permettre de relever les objectifs d'affaires et mène de nombreuses actions pour se faire connaître auprès du monde étudiant et faciliter le recrutement de stagiaires (belges et étrangers). Elle a signé la charte de la diversité et encourage les publics de la diversité à postuler pour aller à la rencontre de clients de plus en plus diversifiés et pour répondre à ses engagements en matière de responsabilité sociale, notamment la lutte contre l'exclusion sociale.

La direction des ressources humaines (DRH) de la filiale belge reçoit une demande de la maison-mère américaine lui demandant d'expliquer sa politique de gestion de la diversité et de donner des indicateurs chiffrés qui seront transformés en objectifs à atteindre pour l'année à venir. Bien que sensible à la problématique de l'égalité hommes-femmes et à la multiculturalité, du fait de l'internationalisation du groupe et de l'évolution du profil de la main-d'œuvre disponible sur le marché de l'emploi, la filiale belge n'a jamais formalisé ses politiques de gestion de la diversité. La diversité est là, elle s'est imposée de manière « naturelle » dans l'entreprise. Pour la DRH, la société « ne discrimine pas », elle recrute sur la base des compétences. Les processus de GRH très formalisés garantissent, pour elle, la non-discrimination et l'égalité. Pour répondre à la demande de la maison-mère, elle décide toutefois de dresser un diagnostic et un plan d'action avec des indicateurs opérationnels de mesure de la diversité et des progrès réalisés. Elle décide de réunir toutes les données disponibles en regard du genre, de l'origine, du handicap, de l'âge et de l'orientation sexuelle, les cinq dimensions identifiées par la maison-mère. Elle se rend rapidement compte que cela ne va pas être simple. Certaines données sont facilement accessibles, comme celles relatives au genre et à l'âge. Pour d'autres, cela s'avère bien plus complexe qu'attendu.

Source: Extrait de CORNET, A., et P. WARLAND. *Gérer la diversité au quotidien: cas pratiques de gestion des ressources humaines*, Liège, Université de Liège, Atelier des Presses, 2013, p. 33-34.

Question

Pour établir ce diagnostic, quels indicateurs peuvent être utilisés et quelles difficultés peut-on anticiper pour colliger et interpréter les données?

Incident critique

Il veut sortir du placard : quoi dire et quoi faire ?

Alain Courville, associé principal d'un important cabinet d'experts-comptables, est assis à son bureau. Julien, un jeune comptable agréé qui travaille pour le cabinet depuis six ans sous sa supervision, entre dans son bureau. Âgé de près de 30 ans, ce dernier présente un excellent potentiel. Au cours de la dernière année, il a permis à la firme d'accroître substantiellement ses revenus et d'attirer de nouveaux clients importants.

Après quelques échanges sur les dossiers courants, Julien indique calmement et de manière décidée à M. Courville qu'il veut aller au gala-bénéfice annuel, auquel assistent les principaux clients, avec son conjoint, Paul, avec qui il vit depuis cinq ans.

M. Courville, surpris et désemparé, se lève et s'empresse de dire, en se dirigeant vers la porte et en laissant Julien dans son bureau, qu'il a un rendez-vous urgent et qu'il lui reviendra sur cette question sous peu...

Tout en étant ouvert, M. Courville ne veut pas nuire à Julien, ni à la société, ni à son propre avenir... Que vont penser les clients, les autres associés et les employés ? Il frappe à votre porte. Une conversation avec un professionnel des RH comme vous pourra sûrement l'aider à trouver quoi dire et quoi faire. Il attend vos suggestions.

Cas

Une intervention face à une équipe de travail diversifiée

Johanne, la nouvelle superviseure d'une équipe de commis et de techniciens en administration d'une importante institution financière, rencontre aujourd'hui en entrevue individuelle deux nouveaux employés : Amine, un Tunisien âgé de 31 ans installé au Québec depuis un an, et Juliette, une finissante du cégep qui en est à son premier véritable emploi. Grâce à ces entrevues, Johanne souhaite déterminer les enjeux particuliers pour ces deux nouveaux employés dans le cadre du fonctionnement de son équipe où les membres doivent se donner régulièrement un coup de main afin de maintenir des méthodes standardisées et un haut niveau de qualité dans la prestation du service à la clientèle. Au cours de la discussion, Johanne se rend compte qu'Amine a connu très peu d'expériences de travail avec des personnes d'autres origines culturelles que la sienne. De son côté, Juliette n'a pas une bonne connaissance des normes vestimentaires en vigueur dans cette institution : à son premier jour de travail, elle s'est présentée vêtue de jeans et d'espadrilles. Ainsi, Johanne se demande comment son équipe va intégrer les deux nouveaux employés. Avant de prendre sa retraite, la gestionnaire responsable de l'équipe lui a mentionné à cet égard que les membres ont de très bonnes idées lorsqu'il s'agit d'améliorer les processus, mais que depuis l'embauche de 10 jeunes commis, des tensions ont surgi entre les nouveaux employés et le personnel plus âgé. Par ailleurs, il y a eu des incidents liés à des blagues racistes lancées à un jeune commis maghrébin.

Sachant que le réservoir de candidats pour les postes à pourvoir dans l'avenir est de plus en plus jeune et diversifié, Johanne constate que l'arrivée de Juliette et d'Amine est l'occasion idéale d'agir avant que les tensions ne dégénèrent au point de miner la cohésion et la créativité de l'équipe. En collaboration avec un conseiller en RH de l'institution, elle effectue un bref sondage auprès de tous les membres afin de déterminer leur niveau de sensibilisation et leurs préoccupations en lien avec la diversité au sein de l'équipe. Ce sondage, corroboré par ses propres observations, permet à Johanne de conclure que les membres de son équipe côtoient la diversité dans leur milieu de travail pour la première fois : le personnel plus ancien était habitué à travailler avec des collègues d'origine québécoise qui ont le même âge qu'eux. Ils se sentent maintenant désorientés devant ces jeunes de toutes origines qui viennent bousculer leurs façons de faire. En ce qui concerne ces derniers, la plupart en sont à leur première expérience de travail en tant qu'adultes, et ils ne comprennent pas pourquoi les commis plus âgés ont une attitude « aussi fermée et autoritaire » avec eux. De plus, les nouveaux membres de l'équipe, Juliette et Amine, n'arrivent pas à se solidariser à cause de rapports hommes-femmes conçus différemment. Enfin, le sondage permet de préciser les principaux besoins des membres. Une formation semble donc nécessaire afin de sensibiliser le personnel aux différentes formes de diversité et d'acquisition d'habiletés relationnelles.

Pour faire évoluer son équipe vers de meilleures relations de travail et favoriser dans celle-ci une culture plus inclusive, Johanne conçoit une série de trois ateliers portant sur les thématiques des différences générationnelles, des différences ethnoculturelles et de la communication interpersonnelle au travail. Ces ateliers sont offerts à l'équipe pendant les heures de travail et se terminent par un dîner collectif. Cette activité permet aux membres de l'équipe de mieux se comprendre et de réagir moins émotivement aux divergences de vues. La formule interactive choisie par Johanne est grandement appréciée par tous les membres de l'équipe, et ces derniers ont l'occasion de discuter dans un contexte plus détendu. Elle porte une attention particulière aux changements qui se produisent et aux efforts que font les membres de l'équipe afin d'appliquer leurs nouvelles connaissances à leur travail quotidien.

Pour aller encore plus loin, la superviseure s'attaque à la révision de ses façons de faire : elle constate qu'elle pourrait ajuster, à la lumière des éléments de diversité présents dans son équipe, sa planification des horaires afin de rendre ceux-ci plus flexibles pour tous. Elle décide également de solliciter l'appui de son supérieur pour assouplir le code vestimentaire dans son secteur et d'instaurer des périodes de régulation à la fin de chaque rencontre d'équipe. Au cours de ces périodes de régulation, les membres ont l'occasion d'aborder des sujets qui touchent la dynamique de l'équipe. Enfin, pour mesurer les progrès de l'équipe et faire un suivi sur les pratiques implantées, la superviseure décide de faire passer une fois par an un sondage électronique à tous les membres.

Questions

- Selon vous, les initiatives de la nouvelle superviseure en matière de diversité sont-elles susceptibles d'avoir des retombées positives ? En d'autres mots, quelles conditions de succès de la gestion de la diversité semblent avoir été respectées par Johanne ? Justifiez votre réponse.

- Au sein de l'institution financière, quels moyens les dirigeants et les professionnels des RH pourraient-ils mettre en œuvre afin d'appuyer les initiatives de la superviseure ?

- En quoi l'institution financière est-elle incitée à mieux gérer la diversité ? Autrement dit, quels sont les avantages d'une meilleure gestion de la diversité pour l'organisation et pour ses employés ?

Source : Extrait de GAVRANCIC, A., F. COURCY et J. PROULX. « Comment superviser une équipe de travail diversifiée ? », *Gestion*, vol. 34, n° 2, été 2009, p. 68-74.

POUR ALLER PLUS LOIN

Lectures suggérées

ARCAND, S., T. SABA et J. STAMBOULI. « Les différentes formes de diversité au sein des sociétés et des organisations ; regard sur l'ethnie, l'âge et le genre », dans S. Arcand, J.P. Dupuis, J. Facal et P. Pelletier (dir.), *Sociologie de l'entreprise*, Montréal, Chenelière Éducation, 2014, p. 133-157.

CORNET, A., et P. WARLAND. *Gestion de la diversité des ressources humaines : guide pratique*, 3e éd., Liège, Éditions de l'Université de Liège, 2014.

SABA, T., et M.-T. CHICHA (dir.). *Diversité en milieu de travail : défis et pratiques de gestion*, Montréal, Gestion, coll. « Gestion et Savoirs », 2010.

SAMSON, A. *Mon équipe est multicolore mais je suis daltonien : tirer parti de la diversité culturelle au travail*, Montréal, Transcontinental, 2009.

VERTOVEC, S. (dir.). *Routledge International Handbook of Diversity Studies*, Londres-New York, Routledge, 2015.

Sites Web

Immigration, Diversité et Inclusion, Gouvernement du Québec
www.quebecinterculturel.gouv.qc.ca/fr/index.html

Gestion de la diversité ethnoculturelle
http://diversite.gouv.qc.ca/doc/Recueil_Programmes_Services.pdf?p=448608

Affaires RH
www.affairesrh.ca/gestionnaires/ressources/gestdiversite.aspx
www.affairesrh.ca/gestionnaires/solutions-gestion/capsule.aspx?p=459175

Diversité 2014, Aller au-delà des apparences dans le monde du travail, EM Strasbourg
Business School
www.youtube.com/watch?v=u5hVADUz254

Euronews right on, Discrimination et diversité au travail
www.youtube.com/watch?v=t_BZMquSvjo

Stop discrimination. Promouvoir la diversité au travail, pour employer les talents
de chacun !
www.youtube.com/watch?v=kSYKTZEtSbM

Le coin de l'Ordre des CRHA

www.portailrh.org

Mon équipe est multicolore, mais je suis daltonien
Par Alain Samson, MBA, auteur et conférencier

La gestion de la diversité en PME
Par Cybèle Rioux, CRHA, formatrice, Alizé ressources humaines

Chapitre 12

ÉVALUER LA GESTION DES RESSOURCES HUMAINES

Principaux défis à relever en matière d'évaluation de la gestion des ressources humaines

- Démontrer la valeur ajoutée de la fonction « ressources humaines » (RH) au sein de l'entreprise.

- Promouvoir la gestion des ressources humaines (GRH) de l'entreprise auprès du grand public.

- Diagnostiquer les enjeux et les problèmes liés aux RH.

- Évaluer les actions de GRH de l'entreprise comparativement à celles qui sont mises en place chez les concurrents.

- Analyser la manière dont la GRH contribue à la performance de l'organisation.

8

Objectifs d'apprentissage

- Comprendre les enjeux liés à l'évaluation de la GRH.

- Connaître le processus qui lie les pratiques de GRH aux principaux indicateurs de mesure de la GRH.

- Savoir mettre en place un suivi de la performance.

- Connaître les normes et les labels d'excellence en GRH.

- Être en mesure d'élaborer un diagnostic organisationnel afin d'évaluer les forces et les faiblesses de la GRH.

- Adopter une démarche évaluative qui permet de chiffrer et de mesurer l'effet des pratiques de GRH sur la rentabilité de l'entreprise.

É valuer la GRH n'est pas chose aisée. Comment savoir ce que rapporte exactement une formation à la culture d'entreprise destinée aux nouvelles recrues ? Comment en chiffrer les retombées en dollars ? À partir de quels critères peut-on estimer que la GRH d'une entreprise est un succès ?

Le souci de dégager une valeur ajoutée et de démontrer celle-ci aux diverses parties prenantes est présent dans toutes les fonctions des organisations, y compris celle des RH. Les responsables des RH doivent donc être en mesure d'apporter des réponses précises et, si possible, chiffrées aux questions concernant les effets de leurs actions. C'est ce défi que tente de relever ce chapitre.

Dans un premier temps, nous décrivons le processus général qui lie la mise en place de pratiques de GRH à la performance des employés et de l'organisation. Par la suite, nous examinons des méthodes d'évaluation complémentaires : les méthodes de diagnostic interne (forces et faiblesses de la GRH, sondages internes), les méthodes de balisage externe (méthodes de comparaison des pratiques de GRH des entreprises) et les méthodes comptables et financières (indicateurs de RH, indicateurs de coûts, analyses coûts-bénéfices). Enfin, nous présentons l'évaluation des actions et des décisions prises par le service des RH.

MISE EN SITUATION

La mesure : incontournable chez Vidéotron

Le contexte organisationnel de Vidéotron a énormément changé au cours des dernières années. L'organisation a vécu une croissance fulgurante, passant de 2 000 à 6 000 employés en quelques années. Cet essor lui a amené des défis importants d'attraction, de rétention et de mobilisation. [...] En 2003, l'arrivée d'un nouveau président a amené l'organisation à replacer le client au cœur de toutes les stratégies. Il était utopique de penser que le client serait bien servi si l'engagement des employés n'était pas au rendez-vous. C'est pourquoi, en 2005, l'entreprise a décidé de mesurer cet engagement en effectuant un premier sondage de mobilisation et en établissant des indicateurs de taux de roulement et d'absentéisme.

Les premières initiatives

En 2008, les taux de roulement, d'absentéisme et de mobilisation n'étaient pas à la hauteur des ambitions de l'entreprise. Ces résultats concrets [...] permettaient de chiffrer les coûts associés au roulement et à l'absentéisme des employés et d'en conscientiser la haute direction. Un nouveau modèle de prestation de services RH a donc été créé et plusieurs initiatives ont été déployées dans le but d'améliorer les résultats et de réduire les coûts en capital humain, tels un programme de développement du leadership, une journée d'accueil des nouveaux employés, un programme de reconnaissance, des plans de mobilisation, etc.

En 2010, ces mesures ont confirmé que les actions mises en place ont eu un impact considérable. Les taux de roulement et d'absentéisme ont chuté de près de moitié et le taux de mobilisation a connu une croissance de 15 %, un résultat exceptionnel selon Aon Hewitt.

De réactive à proactive

En 2014, l'entreprise avait tout en main pour mieux comprendre ses indicateurs, pour les mesurer et, à terme, pour effectuer des interventions visant à répondre à ses enjeux. Les conditions gagnantes étaient réunies pour qu'elle puisse passer à la prochaine étape, consistant à détecter les risques en amont et à prendre les moyens pour les prévenir. Pour ce faire, un nouveau processus annuel de gestion des talents et des risques en capital humain a été déployé par les partenaires d'affaires en ressources humaines. [...]

On a évalué le potentiel de près de 3 000 employés non syndiqués, ainsi que le risque associé à leur départ, et on a identifié tous les postes critiques. Ce processus a permis d'établir les grandes priorités organisationnelles :

- redresser la performance des employés peu performants ;

- développer les employés de la relève et favoriser leur mobilité pour accroître leur performance, les mobiliser et les fidéliser ;

- assurer la relève de tous les postes critiques [...] et de tous les postes de haute direction.

Pour assurer le succès du processus et pouvoir bien suivre les indicateurs, on a déployé un système de gestion des talents et un tableau de bord [qui donne une vue globale des talents et des risques dans un secteur ou dans l'organisation].

L'heure du bilan

[Vidéotron] dispose maintenant d'indicateurs plus précis pour mieux segmenter ses interventions et mesurer leur efficacité. [...] Elle a parcouru du chemin depuis huit ans dans sa quête de mesure. Elle est passée de trois indicateurs de base à plusieurs indicateurs plus ciblés, et d'initiatives s'attaquant aux enjeux (réactives) à des initiatives prévenant les risques (proactives). Cette démarche est un réel succès. Sans prétendre avoir trouvé la recette miracle, voici ce qui a bien fonctionné :

- lier la mesure à un besoin ou à un enjeu organisationnel pour faire en sorte qu'elle apporte une valeur ajoutée et contribue à la réalisation du plan d'affaires ;

- voir grand, donc avoir une vision, mais commencer petit avec quelques indicateurs simples, apprendre à bien les mesurer et à démontrer leur valeur avant d'aller vers plus de complexité ;

- démocratiser les données : plus elles le seront, plus elles permettront la mise en place d'initiatives qui contribueront au succès de l'organisation.

Source : Extrait de DURANLEAU, L. « La mesure : incontournable chez Vidéotron », *Effectif*, vol. 18, n° 2, avril/mai 2015, www.portailrh.org/effectif/fiche.aspx?p = 609371.

DÉFINITIONS

L'**évaluation** de la GRH peut se définir comme un processus systématique et formalisé visant à porter un jugement sur la légitimité, l'efficacité et la rentabilité des activités de GRH, en s'appuyant sur la comparaison avec des paramètres internes (normes, objectifs) ou externes (étalonnage).

La **légitimité** de la GRH correspond à la capacité à démontrer que les pratiques de GRH mises en place dans une organisation sont justes et appréciées. Cette légitimité peut s'obtenir au moyen de sondages internes, de même que par l'obtention de normes et de labels récompensant les efforts organisationnels mis en place pour mieux gérer les RH. Ces normes et labels (p. ex., le label Diversité, la norme Entreprise en santé, les employeurs de choix) se sont fortement développés au cours des dernières années, montrant l'importance de légitimer et de valoriser la GRH de chaque entreprise. La légitimité de la GRH se vérifie aussi en interrogeant l'image du service des RH auprès des employés, des gestionnaires, de la direction et des partenaires d'affaires.

L'**efficacité** de la GRH renvoie à sa capacité à adapter les RH à l'environnement, à développer les compétences des employés, à les mobiliser et à les faire coopérer en vue de l'atteinte des objectifs organisationnels. En bref, la GRH est efficace lorsqu'elle est en mesure de relever les défis que nous avons décrits dans cet ouvrage.

La **rentabilité** des activités de GRH fait référence, quant à elle, à une analyse des coûts et des bénéfices de la GRH.

Elle peut être évaluée à l'aide de résultats organisationnels ou d'indicateurs chiffrés tels que le chiffre d'affaires, le nombre de nouveaux produits créés ou le taux de rétention des employés. À titre d'exemple, la rentabilité de ces activités peut conduire à comparer les gains et les bénéfices sur trois ans d'un programme de rémunération de la performance.

Sur la base de ces définitions, le chapitre propose de classer les activités d'évaluation de la GRH en trois groupes, qui correspondent chacun à une section du chapitre :

1. Les évaluations centrées sur l'étude des effets de la mise en place des pratiques de GRH sur les réactions des employés. Dans ce cas, l'évaluation se fait de manière diagnostique, à l'aide de sondages ou d'un diagnostic des RH (section 12.2).

2. Les évaluations qui valorisent et montrent la légitimité des pratiques de GRH et du service des RH, notamment en se comparant avec des entreprises concurrentes. Ce type d'évaluation est traité dans la section 12.3 sur le balisage externe.

3. Les évaluations qui portent sur l'étude d'indicateurs de coûts et de résultats. Elles se focalisent sur des ratios de résultats (absentéisme, roulement, chiffre d'affaires, qualité des produits et des services, productivité, performance comptable et financière) et sont utiles tant pour élaborer des tableaux de bord que pour établir le lien avec le succès de l'entreprise. Nous évoquons ces évaluations à travers les méthodes d'évaluation financière et les tableaux de bord (section 12.4).

L'IMPORTANCE D'ÉVALUER LA GESTION DES RESSOURCES HUMAINES

Il existe de nombreuses raisons pour lesquelles les membres d'une organisation estiment nécessaire d'évaluer la GRH. Comme l'indique le tableau de la page suivante, dans une société de plus en plus sensible à la mise en place de saines pratiques de gestion, il est important d'évaluer la GRH en vue de faire connaître les efforts effectués pour traiter les employés de manière exemplaire. Pour les employés, cette évaluation, notamment lorsqu'elle est effectuée à l'aide de sondages internes, permet de s'exprimer sur les pratiques de GRH et de les faire évoluer. Par ailleurs, l'obtention de labels, le balisage externe et les études comparatives interentreprises envoient aux employés des signaux sur la qualité de la GRH. Ils peuvent en tirer une fierté d'appartenir à leur organisation et une plus grande satisfaction dans leur travail. Du point de vue de l'organisation, l'évaluation de la GRH se justifie, entre autres, par la volonté d'optimiser les investissements effectués en faveur des employés et de se présenter comme un employeur de choix. Enfin, l'évaluation permet de démontrer la valeur ajoutée de la fonction « ressources humaines » quant à l'efficacité organisationnelle.

En évaluant la GRH, le professionnel peut démontrer comment ses actions s'inscrivent dans la stratégie d'affaires, participent à l'implantation de changements organisationnels ou conduisent à la satisfaction des employés. Il peut aussi, par le truchement de l'évaluation de la GRH, montrer son efficacité sur le plan administratif, par exemple en sous-traitant la paye ou en optimisant la GRH à l'aide de solutions liées aux RH.

L'importance d'évaluer la GRH	
Pour la société	Souligner et faire connaître les succès en matière de GRH.
	Contribuer à fournir des emplois stables et attrayants.
Pour les employés	Avoir le sentiment que l'on se préoccupe des employés et que l'on s'efforce de reconnaître leur travail.
	Pouvoir s'exprimer sur la pertinence des pratiques de GRH et leur optimisation.
	Être fiers de leur employeur.
	Être satisfaits de leur emploi et de leur carrière.
Pour l'organisation	Mettre en œuvre une culture d'évaluation et d'amélioration continue.
	Valoriser l'image d'un employeur de choix.
	Démontrer l'importance accordée aux salariés.
	Accroître la pérennité de l'entreprise.
Pour les professionnels des RH	Démontrer leur aptitude à agir dans les rôles qui leur sont confiés.
	Optimiser la valeur ajoutée de la fonction « ressources humaines ».
	Devenir un partenaire d'affaires.
	Démontrer que les RH assurent un avantage compétitif durable à l'organisation.

LE PARTAGE DES RESPONSABILITÉS EN MATIÈRE D'ÉVALUATION DE LA GESTION DES RESSOURCES HUMAINES

Les responsabilités des employeurs en matière d'évaluation de la GRH consistent à mettre en place et à soutenir la démarche d'évaluation. Ils peuvent y contribuer en précisant la stratégie d'affaires et les objectifs de l'organisation. De cette manière, il devient plus facile d'orienter les mesures d'évaluation de la GRH et d'établir des liens entre les objectifs organisationnels et ceux du service des RH. Ils doivent aussi encourager la mise en place d'un processus d'évaluation, notamment en demandant au service des RH de rendre compte de l'efficacité de ses activités, et en intégrant dans les décisions organisationnelles des dimensions de la GRH.

Les responsabilités des cadres sont quant à elles liées à la collecte des informations RH nécessaires à la mesure de l'évaluation : ce sont les cadres qui détiennent les informations sur les absences, les retards, les performances et autres de leur équipe. Ils sont également les mieux placés pour percevoir comment les pratiques RH sont perçues localement et ce qu'il y a lieu de faire pour tenter de les rendre plus efficaces. Leur rétroaction est donc importante pour signaler des écarts et optimiser la fonction « ressources humaines ».

Mais ce sont les professionnels des RH qui ont les responsabilités les plus lourdes en matière d'évaluation des RH, puisque ce sont eux qui sont responsables de la mise en place et du suivi du processus d'évaluation. Ils en conçoivent les outils et les activités. Il leur incombe aussi d'identifier toutes les voies possibles permettant de valoriser et d'accréditer les activités RH qu'ils mettent en place, de sensibiliser et de soutenir les cadres pour qu'ils jouent un rôle actif dans ce processus.

Finalement, un processus d'évaluation des RH ne peut se faire sans la participation active des employés et des syndicats (s'ils existent). L'implication des salariés est déterminante pour que les données recueillies lors de sondages, d'enquêtes ou d'entrevues soient valides et généralisables. Quant aux syndicats, il en va de leur intérêt de soutenir l'évaluation ou d'en exiger une. Grâce aux informations recueillies, ils disposent de données valides sur lesquelles ils peuvent s'appuyer pour nouer le dialogue social, améliorer les conditions de travail et la satisfaction des salariés.

Le partage des responsabilités en matière d'évaluation de la GRH	
Dirigeants	Clarifier les choix stratégiques pour aider les professionnels des RH à aligner leurs objectifs sur ces choix.
	Encourager la mise en place de critères d'évaluation de la GRH.
	Demander de rendre compte de l'efficacité de la GRH.
Cadres	Signaler les écarts ou les incohérences dans la mise en œuvre des pratiques de GRH.
	Assurer le suivi des principaux indicateurs, tels que les absences ou le nombre de jours de formation.
	Réfléchir à la manière d'optimiser la fonction « ressources humaines ».

Le partage des responsabilités en matière d'évaluation de la GRH (*suite*)	
Professionnels des RH	Concevoir et gérer les activités et les outils d'évaluation. Identifier les différents moyens d'évaluer et de faire valoir la GRH. Former les cadres à l'utilisation d'outils d'évaluation (tableaux de bord, système d'information, suivi des indicateurs, etc.).
Syndicats	Utiliser l'évaluation des RH pour nouer le dialogue social sur la base d'informations valides. Encourager l'évaluation de la GRH pour améliorer les conditions de travail.
Employés	Participer aux sondages, aux enquêtes et aux entrevues visant à évaluer les RH.

12.1 Des pratiques de gestion des ressources humaines à l'efficacité organisationnelle

L'évaluation de la GRH s'inscrit dans un processus visant à établir un lien entre les actions de GRH et le succès organisationnel. De quelle manière est-il possible d'établir ce lien ?

12.1.1 Les principes directeurs

La figure 12.1 s'inspire des principes de chaîne de valeur pour expliquer par quels mécanismes et processus les pratiques de GRH participent aux résultats organisationnels. Elle montre que les pratiques de GRH ont des répercussions sur les employés, sous la forme d'attitudes et de comportements. Le fait, par exemple, de rémunérer davantage les vendeurs pour les ventes qu'ils concluent auprès d'une nouvelle clientèle peut inciter ces derniers à chercher de nouveaux clients potentiels et à négliger la fidélisation des clients actuels. De même, une politique de sanctions à l'égard des absences a des chances de réduire les comportements laxistes et de diminuer le taux

Évaluation de la GRH

Processus structuré de collecte d'informations permettant de diagnostiquer les attitudes et les comportements des salariés, et d'alimenter les décisions prises à ce sujet.

Attitudes au travail

Ensemble des perceptions, des émotions et des opinions ressenties par les salariés.

Comportements au travail

Ensemble des actions ou des décisions émanant des salariés et observables par autrui (p. ex., une absence, un départ).

Figure 12.1   De la GRH à la performance organisationnelle

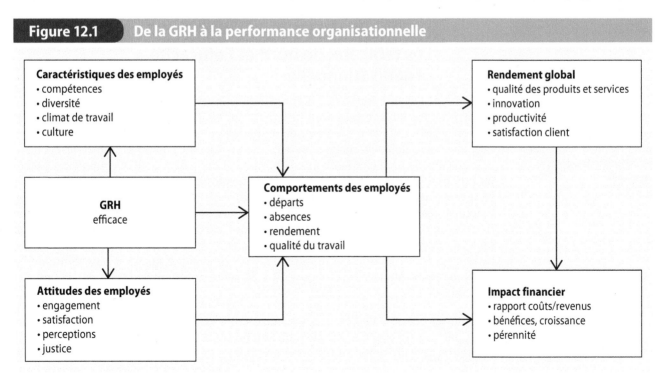

d'absentéisme. Comme le soulignent ces exemples, la mise en place des pratiques de GRH influence les résultats de l'organisation parce qu'elles modifient les attitudes et les comportements des salariés.

Partant de cette prémisse, près d'une centaine d'études ont testé l'existence de liens entre la mise en place d'une combinaison de pratiques de GRH et un ensemble de résultats organisationnels (Combs *et al.*, 2006). Il ressort de ces études que lorsque les pratiques permettent aux employés de s'adapter, de se mobiliser, de se développer et de coopérer entre eux, elles conduisent à une meilleure performance organisationnelle. Pour cette raison, on dit de ces pratiques qu'elles sont « hautement performantes » ou « fortement mobilisatrices ». D'autres études ont également démontré, conformément aux prédictions de la théorie des ressources, que les entreprises qui investissent massivement dans leur capital humain génèrent de meilleures performances organisationnelles. Ainsi, la méta-analyse de Crook et de ses collaborateurs (2011) a établi, sur la base de 66 études empiriques, que le lien avec les performances est d'autant plus fort que les compétences et le capital développés au sein de l'entreprise sont rares sur le marché du travail.

Tous ces travaux attestent du fait que lorsqu'on prend la peine de mesurer l'impact des pratiques de GRH, on parvient à démontrer le bien-fondé des actions mises en place et leur contribution tant à la stratégie qu'à l'efficacité de l'organisation.

 VIDÉO

L'Ordre des CRHA a réalisé la vidéo « Employés heureux, entreprise performante », avec Michel Guay, président, Atman Co.

Une théorie d'intérêt

La théorie des ressources

La théorie des ressources (Barney, 1991) permet d'expliquer la capacité d'une entreprise à se démarquer de ses compétiteurs de manière durable. Selon cette théorie, c'est en se dotant d'une grappe de ressources spécifiques, adaptées à ses besoins et à sa stratégie, qu'une entreprise peut y parvenir. Ce sont les ressources rares, difficiles à transférer et à imiter, qui seraient le plus susceptibles de créer une valeur stratégique pour l'entreprise, car elles procurent un avantage compétitif que les concurrents peuvent difficilement rattraper. Les employés d'une entreprise forment une partie de ces ressources : en détenant des compétences rares, peu imitables et adaptées à la stratégie organisationnelle, ils ont eux aussi le pouvoir de soutenir l'entreprise vers son succès. C'est pourquoi on les appelle les « ressources humaines ».

12.1.2 Les tableaux de bord et l'efficacité organisationnelle

Tableau de bord

Ensemble d'indicateurs sur les RH qui ont été choisis parce qu'ils découlent des orientations stratégiques de l'organisation.

Le souci de l'évaluation de la GRH a conduit de nombreux responsables des RH à construire des **tableaux de bord** organisationnels (*balanced scorecards*) (Kaplan et Norton, 1996), afin de représenter de manière synthétique, à l'intention de la direction, les résultats concernant le personnel. En vogue dans les grandes entreprises, ces tableaux de bord contiennent un ensemble d'indicateurs qui découlent des orientations stratégiques de l'organisation. De cette manière, les responsables sont mieux en mesure de démontrer leur rôle de partenaire d'affaires et d'expliciter comment la fonction « ressources humaines » contribue au succès de l'organisation. C'est pourquoi il arrive que l'on associe les tableaux de bord portant sur le personnel aux autres tableaux de bord de l'organisation, relatifs aux finances, aux clients, aux processus internes, etc., de manière à montrer l'apport de chaque fonction à l'atteinte de la mission organisationnelle. La figure 12.2 présente un exemple de ce type de tableau de bord.

Il est aussi possible de décliner les indicateurs et les objectifs généraux attendus de la part du service des RH en tableaux de bord spécifiquement dédiés aux RH. La figure 12.3 présente un exemple de tableau de bord relatif au personnel. Elle

Figure 12.2 | Un exemple de tableau de bord organisationnel

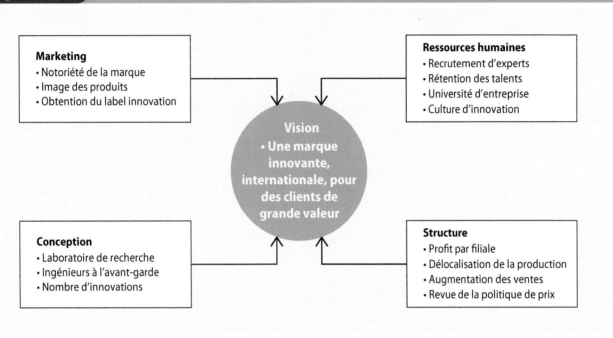

Marketing
- Notoriété de la marque
- Image des produits
- Obtention du label innovation

Ressources humaines
- Recrutement d'experts
- Rétention des talents
- Université d'entreprise
- Culture d'innovation

Vision
- **Une marque innovante, internationale, pour des clients de grande valeur**

Conception
- Laboratoire de recherche
- Ingénieurs à l'avant-garde
- Nombre d'innovations

Structure
- Profit par filiale
- Délocalisation de la production
- Augmentation des ventes
- Revue de la politique de prix

Figure 12.3 | Un exemple de tableau de bord organisationnel avec indicateurs d'atteinte des objectifs

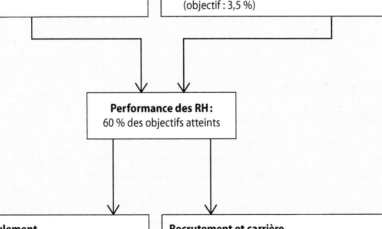

Bien-être et santé au travail
- Taux d'accidents du travail : 5 % (objectif : 5 %)
- Nombre de nouveaux cas d'épuisement professionnel : 20 (objectif : 30)
- Employés en arrêt (maladie ou accident) : 10 % (objectif : 8 %)

Formation et développement
- Employés ayant participé à un programme : 60 % (objectif : 70 %)
- Satisfaction à l'égard du programme : 80 % (objectif : 80 %)
- Pourcentage de la masse salariale dépensé : 4 % (objectif : 3,5 %)

Performance des RH :
60 % des objectifs atteints

Rétention et roulement
- Taux de roulement : 18 % (objectif : 15 %)
- Coût de remplacement : 25 000 $
- Temps requis pour remplacer un départ : 4 mois (objectif : 4 mois)

Recrutement et carrière
- 500 postes pourvus à l'externe (objectif : 550)
- 200 postes pourvus à l'interne (objectif : 300)
- Rétention des nouveaux employés embauchés : 35 % (objectif : 60 %)
- Satisfaction à l'égard des perspectives de carrière : 50 % (objectif : 70 %)

montre le niveau d'atteinte des objectifs associés à celui-ci. Il importe que les indicateurs précisés dans le tableau de bord soient liés aux objectifs organisationnels. Ainsi, ce tableau de bord sera pertinent dans une organisation soucieuse de l'attraction et de la rétention de son personnel. Il le sera moins si l'enjeu organisationnel est une fusion ou un changement organisationnel.

La construction de tableaux de bord organisationnels nécessite une collecte rigoureuse d'informations sur les RH. Par exemple, pour mesurer la satisfaction moyenne des salariés à l'égard des perspectives de carrière, il faut réaliser un sondage interne. Le fait d'avoir un accès Internet ou intranet qui facilite la mise en ligne d'enquêtes et optimise le traitement des données peut représenter un gain de temps précieux pour les professionnels. Dans la même veine, le calcul des indicateurs de RH (*voir l'encadré 12.1 pour des exemples d'indicateurs*) est simplifié dans les entreprises possédant des logiciels et des systèmes d'information qui comptabilisent et consolident les informations sur les absences, les salaires, les effectifs, les objectifs de carrière, etc., comme ceux proposés par DLGL, Taleo ou Technomedia.

Encadré 12.1   Exemples d'indicateurs liés aux résultats de la GRH

Rémunération
- Ratio comparatif moyen des salaires
- Roulement par cote de performance
- Coût des avantages sociaux
- Coût du régime de retraite
- Profil des cotes de performance
- Plaintes relatives aux augmentations de salaire
- Compréhension des composantes de la rémunération

Évolution de la carrière
- Nombre d'années moyen dans le poste avant d'obtenir une promotion

- Pourcentage des promotions pourvues à l'interne et à l'externe
- Pourcentage de postes attribués à la suite d'un plan de succession
- Nombre d'employés à haut potentiel
- Taux de rétention des hauts potentiels

Attraction
- Temps pour pourvoir un poste
- Temps moyen des postes restés vacants
- Taux d'acceptation des offres de postes
- Succès dans l'embauche mesuré par la performance
- Satisfaction des clients envers l'embauche

Regard sur la pratique

La feuille de route de la MAIF (France)

Dans le cadre de la transformation du groupe, la Mutuelle d'assurance des instituteurs de France (MAIF) a souhaité se doter de nouveaux tableaux de bord RH. Son objectif était de passer d'une logique de suivi de l'activité RH à une logique de pilotage plus proactive et de permettre une vision plus synthétique de l'atteinte des objectifs RH en lien avec les affaires. C'est en partant des axes stratégiques de l'entreprise et de leur déclinaison en

feuille de route RH que les indicateurs de performance RH ont été formalisés, en impliquant l'ensemble des chefs de service RH à l'élaboration des indicateurs et de leurs niveaux cibles. Résultats : le comité exécutif de l'entreprise a désormais une séquence mensuelle de partage sur le tableau de bord de performance RH, et des indicateurs par activité RH consolidés en un seul et unique tableau de bord.

DANS LE MONDE

Source : Adapté de VERRIER, G. « Mesurer la performance RH », *RH Info*, 7 décembre 2015, www.rhinfo.com/thematiques/strategie-rh/mesurer-la-performance-rh.

L'évaluation des résultats RH est-elle réaliste pour une PME ?

Le tableau de bord connaît un succès relativement faible dans les PME et se résume souvent aux indicateurs financiers et opérationnels. Implanter un tableau de bord RH comporte donc des freins importants tels que l'absence d'un service RH, un investissement limité dans les programmes de GRH et un faible niveau de structuration et de formalisation des pratiques. Afin d'implanter un tableau de bord utile et qui respecte la capacité financière et technologique d'une PME, voici quelques conseils :

- limiter le nombre d'indicateurs ;
- miser sur les indicateurs dérivés de la stratégie d'affaires et qui intéressent la direction ;
- privilégier les données fiables et faciles à collecter ;
- sélectionner les outils technologiques qui s'adapteront bien à l'environnement technologique existant.

En faisant simple, on peut y arriver !

Source : Adapté de BLANCHETTE, F., et G. TAHHAN. « Le tableau de bord : essentiel pour mesurer les résultats RH en PME », *Effectif*, vol. 18, n° 2, avril/mai 2015.

12.2 Les méthodes de diagnostic interne

Les méthodes de diagnostic interne de la GRH reposent sur la perception, les impressions ou le jugement des employés et des acteurs qui œuvrent au sein de l'organisation. À l'aide d'outils tels que les sondages et les entrevues, ces méthodes permettent de poser un diagnostic sur les employés en étudiant les effets des pratiques de GRH sur les attitudes et les comportements au travail. Lorsque des faiblesses sont observées, l'évaluation conduit à émettre des recommandations visant l'amélioration de l'efficacité des employés.

12.2.1 Le diagnostic des forces et des faiblesses de la gestion des ressources humaines

Le diagnostic des RH, également appelé « audit social », consiste à vérifier si les politiques et les pratiques de GRH sont appliquées et portent des fruits. Il s'agit d'une « démarche d'observation, d'analyse et d'évaluation, qui permet d'identifier les points forts et les risques de la gestion des ressources humaines » (Guerrero, 2008). Ce faisant, l'audit social peut conduire à diagnostiquer les causes des problèmes décelés et à formuler des recommandations pour remédier à ceux-ci.

Pour effectuer un diagnostic, une étape centrale consiste à recueillir des informations sur les RH, souvent à l'aide de divers outils de collecte dont les principaux sont listés dans le tableau 12.1, à la page suivante. Une fois cette étape réalisée, il devient possible d'analyser les données et de repérer les éléments qui sont une source d'insatisfaction, de démotivation ou de désengagement chez les employés. C'est à partir des causes relevées lors de l'analyse que l'on formule des recommandations.

Par exemple, au cours d'un diagnostic sur l'absentéisme, la personne chargée de formuler des recommandations étudiera en détail les causes des absences, telles que les conditions de travail, la nature de l'emploi ou le style de leadership. Elle interrogera les employés afin de savoir si, parmi les pratiques de GRH susceptibles de générer les absences, certaines sont plus problématiques que d'autres. Le tableau 12.2, à la page suivante, propose une série de questions qu'on peut utiliser pendant une entrevue individuelle ou de groupe pour tenter de mieux comprendre les causes des absences. L'analyse des données qui sera faite à la suite des entrevues permettra de déterminer avec plus de précision les pratiques qu'il faut mettre en œuvre pour réduire l'absentéisme.

Tableau 12.1	Les principaux outils utilisés dans l'audit social		
Outil	**Avantages**	**Inconvénients**	**Pertinence**
Analyse de documents internes	• Permet le traitement de nombreux dossiers de salariés. • Est rapide à appliquer.	• Fournit de l'information relative aux documents détenus par le service des RH (dossier d'évaluation, etc.).	• Offre un complément aux autres outils de collecte.
Entretien individuel	• Est détaillé et riche de renseignements. • Incite les salariés à s'exprimer selon leurs priorités.	• Est long. • N'est pas anonyme. • Peut engendrer des réticences, surtout lorsque le thème traité est délicat.	• Couvre un petit échantillon. • Favorise la compréhension d'une situation donnée. • Permet de connaître les perceptions avec précision.
Entretien de groupe	• Suscite la créativité du groupe.	• Est peu adapté dans le cas de conflits. • Peut donner trop de place aux leaders.	• Valide les résultats. • Favorise le partage de différents points de vue.
Observation	• Permet de voir les conditions de travail à la place des salariés (information sur le travail, l'ambiance, etc.).	• Se limite à des activités observables de l'extérieur. • Est longue (parfois plusieurs jours).	• Convient à l'évaluation de tâches simples. • Convient à l'observation des comportements.
Questionnaire	• Est rapide. • Est facile à faire passer. • Permet de procéder à des tests statistiques.	• Cible l'information (ne laisse pas de place à d'autres thèmes). • Présente un taux de retour aléatoire.	• Couvre un large échantillon. • Valide ou généralise les résultats. • Quantifie les perceptions.

Source : Adapté de GUERRERO, S. *Les outils de l'audit social*, Paris, Dunod, 2008, p. 28.

Tableau 12.2	Les principales causes des absences
Pratique susceptible de causer les absences	**Exemples de questions posées par l'auditeur au cours d'un entretien**
Conditions de travail (pénibilité, horaire)	Quelles sont vos conditions de travail ? Qu'est-ce qui vous semble le plus pénible dans votre travail ? S'il fallait changer une chose en particulier dans vos conditions de travail, qu'est-ce que ce serait ?
Contenu et type d'emploi (charge de travail, tâches)	Décrivez ce que vous faites dans le cadre de votre travail. Qu'aimez-vous le plus ? le moins ? Pourquoi ?
Leadership (délégation, communication)	Comment se comporte votre supérieur quand il est satisfait de votre travail ? Et quand il ne l'est pas ?
Suivi des absences	Quelles sont les règles de votre entreprise en matière d'absences ?
Possibilités d'avancement	Quelles sont vos possibilités d'avancement ? Comment envisagez-vous votre avenir dans cette entreprise ?

12.2.2 Les sondages internes

Le diagnostic des forces et des faiblesses de la GRH est souvent posé lorsque l'on observe des dysfonctionnements dans la gestion du personnel ; les recommandations sur lesquelles le diagnostic débouche visent à améliorer la situation observée. Les sondages internes visent, quant à eux, à prendre le pouls en matière de GRH et à vérifier le niveau de mobilisation et de coopération des salariés. Lorsqu'ils sont réalisés à une fréquence régulière (p. ex., tous les ans), ils servent de baromètre ou d'outil de pilotage pour étudier l'évolution en matière de GRH. De nombreuses entreprises ont mis en place ce type de sondage. Par exemple, les fonctionnaires fédéraux sont sondés tous les trois ans de manière anonyme. Les résultats du sondage permettent de discuter des points forts et des points à améliorer relativement à la gestion des personnes à tous les niveaux de l'organisation. Les résultats sont aussi intégrés aux évaluations du rendement des administrateurs.

La plupart des sondages internes reposent sur la technique du questionnaire. Une des difficultés liées à cette méthode est d'obtenir des réponses qui ne sont pas biaisées (p. ex., à cause du biais de la désirabilité sociale) et qui reflètent ce que les individus pensent réellement. C'est pourquoi les sondages internes sont en général anonymes et portent sur de multiples thèmes de la GRH à travers une variété de questions dont on teste ensuite la validité. La deuxième difficulté propre aux sondages internes est le taux de retour, ou le pourcentage d'employés qui répondent au questionnaire. La tâche consistant à mobiliser l'ensemble des employés dans ce type de démarche s'avère ardue ; or, plus l'échantillon de répondants est faible, moins les résultats obtenus seront représentatifs de l'ensemble du personnel. Il n'existe pas de solution miracle pour obtenir un taux de retour de 100 %. Toutefois, certaines conditions de collecte des questionnaires sont plus efficaces que d'autres, comme en fait état le tableau 12.3.

Tableau 12.3	**L'efficacité des moyens de collecte des questionnaires**	
Moyen	**Avantages**	**Inconvénients**
Internet	Rapide, pratique	Seulement si l'accès informatique est possible ; faible taux de réponse
Courrier interne	Simple, bon taux de réponse	Risque de créer chez l'employé un sentiment d'obligation de répondre
Adresse personnelle	Participation laissée à la discrétion de l'individu	Possibilité d'empiéter sur la vie privée ; faible taux de réponse
Réunion	Très bon taux de réponse, efficace	Risque de créer chez l'employé un sentiment d'obligation de répondre
Superviseur	Bon taux de réponse	Demande qui semble émaner du superviseur et non du service des RH

Source : Adapté de GUERRERO, S. *Les outils de l'audit social*, Paris, Dunod, 2008, p. 144-145.

Regard sur la pratique

AU QUÉBEC

Le sondage de mobilisation chez SSQ Groupe financier

Le sondage de mobilisation est intégré depuis plusieurs années au cycle des activités de gestion chez SSQ Groupe financier. « Chez nous, ce n'est pas pour suivre une mode ; le sondage fait maintenant partie de notre culture et il s'inscrit dans un grand plan, affirme Johanne Pichette, CRHA, directrice principale – développement organisationnel. L'objectif du sondage est de savoir précisément où l'on en est en matière de mobilisation. Pour nous, ce n'est pas un concours de popularité ni une démarche esthétique. Nous avons le désir sincère de mieux nous connaître et de nous améliorer. », précise-t-elle. SSQ Groupe financier a identifié plusieurs conditions gagnantes qui ont déterminé le succès de la démarche.

• Implication de la haute direction : les dirigeants ont été mis à contribution, notamment par une vidéo interne où ils ont expliqué l'importance de la mobilisation pour eux et son rôle dans l'atteinte des objectifs organisationnels.

• Formation des gestionnaires : SSQ Groupe financier a informé et formé ses gestionnaires quant à la démarche, et ceux-ci ont pu devenir des ambassadeurs du projet.

• Forte expertise du service RH en matière de mobilisation : l'équipe des RH a pris soin de développer quelques champions-experts de la mobilisation qui soutiennent les gestionnaires dans l'élaboration de plans d'action.

• Retour sur les résultats dans des délais raisonnables : la direction et le service des RH font un retour rapide sur les résultats du sondage, ce qui démontre le sérieux accordé à l'opinion des employés.

Source : Adapté de BERTHOLET, J.-F., G. SIMARD et M. TREMBLAY. « Réaliser un sondage de mobilisation : les conditions de succès », *Effectif*, vol. 16, n° 5, novembre/décembre 2013.

12.3   Les méthodes de balisage externe

Balisage externe

Activités qui permettent d'évaluer les pratiques de GRH en les comparant avec celles des autres entreprises.

Le **balisage externe** regroupe toutes les activités qui permettent d'évaluer les pratiques de GRH en les comparant avec les pratiques mises en œuvre dans les autres entreprises. Cette méthode se répand de plus en plus depuis quelques années, notamment sous l'impulsion de l'instauration de labels et de classements des entreprises selon leurs pratiques de GRH.

12.3.1   L'étalonnage et les référentiels externes

Étalonnage (ou *benchmarking*)

Méthode permettant à une entreprise d'établir des comparaisons avec une ou plusieurs autres entreprises.

L'**étalonnage** (ou *benchmarking*) est une méthode permettant à une entreprise de se comparer avec une ou plusieurs autres entreprises. Il consiste à avoir un échange privilégié avec d'autres entreprises sur un thème particulier. La forme que prend la rencontre est très variable : il peut s'agir d'une réunion de travail organisée entre responsables des RH, d'une visite d'entreprise, d'un échange à l'occasion d'une table ronde, d'un partage d'expériences dans le cadre d'une communauté de pratique, etc. La description des activités de GRH mises en place dans une entreprise, les suggestions ou les solutions présentées face à un problème donné de même que les discussions sur les avantages et les inconvénients de certaines pratiques orientent le gestionnaire dans ses choix de pratiques, lui permettent de réfléchir à l'efficacité de certaines pratiques et de se situer par rapport à des entreprises ayant une taille ou une problématique similaire. Cependant, une organisation qui décide d'adapter une pratique observée dans une entreprise voisine n'obtiendra pas forcément les mêmes résultats, car ce n'est pas l'imitation mais la mise en œuvre qui en garantit le succès.

www.statcan.gc.ca

Statistique Canada

www.stat.gouv.qc.ca

Institut de la statistique du Québec

www.travail.gouv.qc.ca

Ministère du Travail du Québec

www.shrm.org

Society for Human Resource Management

L'entreprise dispose également de référentiels externes pour étudier son positionnement par rapport à son secteur d'activité et aux entreprises concurrentes. Ainsi, les études statistiques donnent des informations générales sur des indicateurs de RH à l'échelle d'une province, d'un pays, d'un secteur d'activité ou de la taille d'une entreprise. De nombreux sites Internet fournissent des données sur les taux d'absentéisme, de roulement, d'accidents du travail et sur les niveaux de rémunération moyenne dans les différents secteurs d'activité.

À titre d'exemple, une entreprise qui souhaite savoir si ses pratiques de sécurité au travail s'avèrent efficaces pourra consulter le site de la Commission des normes, de l'équité, de la santé et de la sécurité du travail (CNESST) ; elle y trouvera le taux d'accidents du travail dans son secteur d'activité ainsi que les normes conseillées quant aux pratiques de GRH. Elle pourra alors apprendre si ses résultats sont meilleurs que ceux obtenus en moyenne, et si elle s'est dotée de dispositifs de GRH avancés en matière de santé et de sécurité du travail. Outre les sites mentionnés en marge, des études statistiques comparatives sont réalisées par des cabinets de consultation et des comités sectoriels. Les enquêtes salariales évoquées au chapitre 8 sont un autre exemple de référentiel externe fréquemment utilisé par les entreprises pour comparer les salaires versés avec ceux des entreprises du même secteur d'activité ou en concurrence directe. Le tableau 12.4 présente un exemple de ce type d'enquête. L'intérêt de ces outils est qu'ils permettent de comparer l'ensemble des modes de rémunération de sa propre entreprise avec ceux offerts par d'autres entreprises. On voit dans le tableau 12.4 que c'est l'entreprise B qui tend à offrir des salaires et des avantages supérieurs à ceux des autres acteurs sur le marché, à l'exception des salaires versés aux cadres dirigeants.

www.csst.qc.ca

Commission des normes, de l'équité, de la santé et de la sécurité du travail (CNESST)

12.3.2   Les prix en gestion des ressources humaines

Une autre méthode de balisage externe réside dans la participation à des enquêtes qui visent à comparer les organisations et à les classer, ou à des compétitions qui récompensent les entreprises les plus performantes sur un thème particulier. À la suite d'une

Tableau 12.4	Un exemple d'enquête salariale			
	Entreprise A	**Entreprise B**	**Entreprise C**	**Entreprise D**
Salaire annuel brut des cadres dirigeants	94 800 $	91 450 $	108 450 $	99 254 $
Salaire annuel brut des managers	63 230 $	83 540 $	91 120 $	82 697 $
Salaire annuel brut des ingénieurs	69 760 $	71 230 $	72 980 $	65 714 $
Salaire annuel brut des techniciens	38 810 $	55 008 $	49 895 $	51 429 $
Somme des primes individuelles versées	2 500 $	1 560 $	0 $	3 800 $
Avantages en nature	• banque de temps • assurance vie • assurance maladie • télétravail	• intéressement aux résultats • cafétéria • assurance maladie • fonds de pension • congés	• cafétéria • banque de temps • assurance vie • assurance maladie • assurance dentaire	• télétravail • congés • assurance maladie
Valeur financière des avantages par personne	5 310 $	6 180 $	4 550 $	3 080 $

Source : Adapté de GUERRERO, S. *Les outils des RH*, 3ᵉ éd., Dunod, Paris, 2014.

évaluation par les pairs associés au monde professionnel, ceux-ci décernent un prix, une mention ou une récompense en raison de l'implantation d'une pratique spécifique de GRH (comme la formation) ou de l'historique de la GRH d'une organisation.

L'exemple le plus connu de ce qu'une entreprise peut faire pour se comparer à d'autres entreprises est l'enquête Employeur de choix, d'Aon Hewitt, qui établit un palmarès des 50 employeurs préférés au pays selon des critères tels que la gestion du rendement ou la reconnaissance des employés. En 2016, on y trouvait des entreprises comme Cima+, Delta Hotels, Cossette Communication ou le Mouvement Desjardins. Le gagnant du concours a été l'entreprise Aecon Group, spécialiste de la construction de grandes infrastructures telles que la Tour CN de Toronto. Depuis plusieurs années, Aon Hewitt a élargi le concept aux petites et moyennes entreprises, donnant ainsi une opportunité de visibilité et de reconnaissance hors pair à des entreprises souvent peu connues du grand public. C'est la compagnie d'assurance vie Assumption Life de Moncton (Nouveau-Brunswick) qui a gagné ce prix en 2016.

Plusieurs autres concours existent. S'ils sont parfois moins prestigieux, ils contribuent cependant tous à accroître la notoriété d'une entreprise. Ainsi, le magazine *Fortune* a rendu célèbre son classement annuel des 500 plus grandes entreprises américaines. L'Ordre des conseillers en ressources humaines agréés (CRHA) organise lui aussi des concours pour honorer les entreprises québécoises méritantes en matière de GRH. Le concours Défi Employeurs Inspirants de 2012 a ainsi permis de récompenser des entreprises telles que Provigo (catégorie grande entreprise), DuProprio (catégorie moyenne entreprise), Océan (prix coup de cœur) ou encore DLGL et la Société Conseil Lambda (catégorie petite entreprise). Près de 45 entreprises ont participé, donnant ainsi l'occasion à leurs employés de s'exprimer sur leur engagement, leur bien-être au travail et les mesures RH dont ils sont fiers.

12.3.3 Les accréditations et les certifications

Une autre activité de balisage externe à laquelle l'entreprise peut faire appel consiste à se faire accréditer ou certifier par un organisme externe agréé. L'intérêt de cette démarche est de recevoir une reconnaissance de la part d'un organisme qui garantit l'impartialité et la rigueur déontologique du processus, mais aussi d'amener l'entreprise à progresser continuellement en actualisant ses façons de faire.

www.bnq.qc.ca
Bureau de normalisation du Québec

Un premier type d'accréditation d'intérêt pour les professionnels de la GRH concerne les accréditations spécialement liées à la GRH d'une entreprise. Le Bureau de normalisation du Québec (BNQ), l'organisme central de normalisation, de certification et de diffusion d'information sur les normes, accorde trois certifications :

- les certifications Entreprise en santé (norme BNQ 9700-800) ;
- les certifications Conciliation travail - famille (norme BNQ 9700-820 en vigueur depuis 2010) ;
- les certifications Employeur remarquable – diversité ethnoculturelle (norme BNQ 9825-900 en vigueur depuis 2008).

Obtenir ces normes est exigeant, et seulement huit entreprises québécoises ont reçu la norme conciliation travail-famille, dont le ministère de la Famille, Assurance Pouliot & Associés et l'Office municipal d'habitation de Montréal, et trois entreprises détiennent la norme diversité culturelle, soit Bio-K Plus International, Croesus Finansoft et SherWeb.

Un deuxième type d'accréditation consiste à vérifier qu'une entreprise respecte les critères requis d'une norme pour un ensemble des fonctions de l'entreprise, incluant un volet RH. Ces accréditations témoignent des efforts déployés en GRH pour s'aligner sur l'atteinte des objectifs et de la performance globale de l'organisation, en synergie avec les autres fonctions de l'entreprise. Ainsi, la norme ISO 9000 inclut une approche de la qualité des services et des produits en tenant compte de la dimension RH. Elle se centre sur quatre critères d'évaluation : la mise à disposition des ressources, les RH, les infrastructures et l'environnement de travail. Au Québec, le QUALImètre suit un objectif similaire. Ce référentiel évalue sept catégories afin d'obtenir une vision d'ensemble des pratiques organisationnelles en matière de qualité : le leadership, la planification stratégique, l'attention portée aux clients, la gestion de l'information, les RH, la gestion des processus et les résultats organisationnels. L'évaluation de chacune des pratiques se fait à partir des réponses données à une centaine de questions permettant de tracer un portait des forces et des faiblesses de l'organisation, dont certaines sont présentées dans l'encadré 12.2. Le QUALImètre est semblable à un autre référentiel américain, le Baldrige Performance Excellence Program. Les deux organismes offrent des approches analogues et proposent un modèle qui favorise l'alignement de toutes les ressources de l'organisation, dont les RH, vers l'atteinte des résultats financiers de l'entreprise.

www.iso.org/iso/home.html
International Organization for Standardization

www.qualite.qc.ca/services
QUALImètre

www.nist.gov/baldrige
Baldrige Performance Excellence Program

Encadré 12.2   Exemples de questions posées dans le Baldrige Performance Excellence Program

1. Comment évaluez-vous les aptitudes de votre personnel, les besoins de formation (incluant les compétences, les habiletés et les niveaux de recrutement) ?

2. Comment recrutez-vous, sélectionnez-vous et retenez-vous les nouveaux employés ? Comment vous assurez-vous que votre personnel reflète les idées, la culture et les opinions du réservoir de recrutement que vous visez ?

3. Comment garantissez-vous la santé et la sécurité au travail ? Comment les améliorez-vous ? Quels sont vos mesures de performance et vos objectifs d'amélioration pour chacun des thèmes ?

4. Quels sont vos niveaux actuels de mesure pour les indicateurs d'engagement, de satisfaction et de développement, et comment évoluent-ils ?

Source : Traduit librement de Volet Attention accordée aux ressources humaines, www.nist.gov/baldrige (Page consultée le 26 avril 2016).

Un troisième et dernier type d'accréditation est accordé par des organisations internationales sur des critères de responsabilité sociale, dont les conditions de travail et les RH. Ainsi, la norme SA 8000 a été créée par le Council on Economic Priorities Accreditation Agency (CEPAA) afin de garantir que les entreprises offrent des conditions de travail irréprochables, dans le respect des lois locales, nationales et internationales, selon les conventions de l'Organisation internationale du travail. Cette norme couvre des domaines tels que le travail des enfants, l'hygiène et la sécurité du travail, le droit de réunion et de parole (syndicats) ou encore le temps de travail.

 VIDÉO

L'Ordre des CRHA a réalisé la vidéo « La responsabilité sociale des entreprises : un atout pour les professionnels des ressources humaines », avec Catherine Privé, MAP, CRHA.

Parole d'expert

Des certifications utiles au recrutement et à la fidélisation des salariés

L'agence de marketing web Absolunet, basée à Boisbriand et à Montréal, a obtenu non pas une, mais deux certifications : Employeur remarquable (depuis novembre 2010) et Conciliation travail-famille (depuis janvier 2013). « Nos certifications sont devenues un argument de vente auprès de nos clients, car on a un taux de rétention exceptionnel grâce à elles », remarque le président, Martin Thibault. « Pour un client, savoir que les employés qui démarrent un projet vont probablement être ceux qui vont le terminer est rassurant. »

Les deux normes sont aussi un outil pour le recrutement chez Absolunet. « Ça fait partie d'un paquet de façons de faciliter le recrutement ; c'est un ingrédient dans notre recette. Mais si je devais choisir une seule de nos deux certifications, ce serait la norme Conciliation travail-famille. Les employés et candidats y accordent beaucoup d'importance, pour leur équilibre personnel. »

Source : Adapté de GUILLEMETTE, M. « Des certifications utiles au recrutement », *Les Affaires*, 30 octobre 2014, www.lesaffaires.com/dossier/mesurer-et-optimiser-vos-rh/des-certifications-utiles-au-recrutement/573466.

12.4 Les méthodes d'évaluation comptable et financière

Les méthodes d'évaluation comptable et financière permettent de faire une évaluation chiffrée des activités de GRH. Elles sont réalisées à partir d'indicateurs grâce auxquels il est possible de mesurer des résultats (coûts et bénéfices). Les résultats peuvent être associés aux RH comme telles (les caractéristiques biographiques des employés, la productivité, l'absentéisme, le taux de roulement, etc.), à la GRH (les valeurs, la qualité de la supervision, le climat de travail, le positionnement syndical, etc.) ou encore au service des RH (la mission du service, sa place dans l'entreprise, sa productivité, etc.).

12.4.1 Les indicateurs de gestion des ressources humaines

Les indicateurs de GRH regroupent un ensemble de ratios sur les pratiques de GRH (indicateurs sur les activités de recrutement, de rémunération, de formation, de gestion des carrières, etc.) et sur les résultats de GRH. Le tableau 12.5, à la page suivante, présente une liste d'indicateurs incontournables lorsque l'on souhaite mesurer quantitativement la GRH. Ils portent, pour la plupart, soit sur l'utilisation ou la mise en place de pratiques RH (p. ex., le pourcentage de masse salariale consacré à la formation), soit sur l'efficacité des pratiques RH (p. ex., le taux d'attraction ou le taux d'accidents de travail).

Tableau 12.5	Les principaux indicateurs de GRH	
Pratique de GRH	**Indicateur**	**Mesures ou ratios**
Roulement et absences	Taux de roulement	Nombre de départs/effectif moyen
	Taux d'absentéisme	Nombre d'heures d'absence/nombre d'heures théoriquement travaillées
Recrutement	Taux d'attraction	Nombre de candidatures/nombre de postes à pourvoir
	Qualité du recrutement	Nombre de candidats à haut potentiel recrutés/nombre de postes à pourvoir
Formation	Pourcentage de la masse salariale consacrée à la formation	Montant des investissements totaux en formation/masse salariale totale
	Taux d'accès à la formation	Nombre de salariés formés/effectif total
Gestion des carrières	Taux de remplacement	Nombre de remplaçants potentiels/nombre de postes à pourvoir
	Taux de promotion	Nombre d'employés ayant obtenu une promotion/effectif moyen
Gestion de la performance	Taux d'utilisation des entrevues d'évaluation	Nombre d'employés ayant été reçus en entrevue d'évaluation/effectif moyen
Rémunération	Ratio d'accroissement de la rémunération	Pourcentage annuel d'accroissement des salaires de l'entreprise/pourcentage annuel d'accroissement des salaires du secteur
	Niveau de rémunération moyen	Total des salaires versés/effectif moyen
Santé et sécurité au travail	Taux d'accidents du travail	Nombre d'accidents/effectif moyen
	Fréquence de la maladie A	Nombre de personnes atteintes de la maladie A/effectif moyen

En plus des indicateurs propres à chaque pratique de GRH, il existe deux indicateurs particulièrement suivis par les professionnels de la GRH parce qu'ils traduisent des comportements influencés par l'ensemble des pratiques de GRH : le taux de roulement et le taux d'absentéisme.

Le taux de roulement permet de calculer le pourcentage d'employés qui ont définitivement quitté l'entreprise (*voir le tableau 12.5 pour la formule de calcul*). Ce roulement peut être dû à un départ en période d'essai ou de probation, à un licenciement, à une démission ou à un retrait de la vie professionnelle (retraite, décès, invalidité). Le suivi de cet indicateur est important, car un taux de roulement élevé peut traduire des lacunes liées à certaines pratiques RH (*voir l'encadré 12.3*). Ainsi, les départs en période d'essai traduisent souvent une mauvaise adéquation entre le nouvel embauché et les besoins du poste et de l'employeur. Les causes de ce type de départ sont en général reliées au processus de recrutement et d'intégration. Les départs pour démission après la période d'essai reflètent plutôt une incapacité de fidéliser les salariés à long terme, qui peut être due à une absence de perspectives de progression, à une

Encadré 12.3	Les principales causes du roulement de personnel

- Un mauvais recrutement
- Une rémunération insatisfaisante
- Des perspectives de carrière insuffisantes
- Un manque d'enracinement dans son emploi (manque de liens, de sentiment d'être à son aise)

- L'existence d'alternatives d'emploi sur le marché du travail
- Des chocs ou événements survenant dans sa vie personnelle (mobilité géographique d'un conjoint) ou professionnelle (proposition d'emploi inattendue)

Source : GUERRERO, S. *Les outils des RH*, Dunod, 3e éd., 2014, p. 202.

rémunération insatisfaisante ou tout simplement à des perspectives d'emploi plus alléchantes ailleurs. Enfin, les départs à la suite d'un licenciement traduisent l'insécurité économique dans laquelle peuvent se sentir les salariés. Ceux qui restent à la suite de ces licenciements sont parfois appelés les « survivants », ce terme mettant en lumière les conséquences psychologiques durables des licenciements en matière de climat de travail et de stress chez les salariés.

Le **taux d'absentéisme** est le second indicateur suivi avec attention par les responsables RH, car il peut traduire un comportement de retrait indiquant une baisse de motivation et d'intérêt pour son travail. C'est notamment le cas pour les absences de courte durée (moins de trois jours). Au Québec, tous secteurs d'activité confondus, le taux d'absentéisme moyen oscille autour de 4 % et est assez stable depuis les années 2000 (Statistique Canada, 2012). Il regroupe les absences pour cause de maladie, d'accident de travail ou de maladie professionnelle, les absences autorisées par la hiérarchie (visite médicale, maladie d'un enfant, etc.) et les absences non autorisées et non justifiées. Les enjeux liés à la maîtrise de l'absentéisme sont importants, car un salarié absent coûte cher à l'employeur : il peut entraîner des coûts de remplacement temporaire, de sous-productivité ou de dysfonctionnement de l'équipe. Selon les spécialistes du contrôle de gestion sociale, un taux d'absentéisme de 1 % conduirait à une hausse des dépenses de frais de personnel de 0,3 % à 0,6 % (Guerrero, 2014). Il est donc primordial de suivre régulièrement cet indicateur et de déceler les pratiques de GRH pouvant expliquer un taux élevé. L'encadré 12.4 dresse la liste des principales raisons invoquées pour justifier les absences au travail et des mesures possibles pour y remédier.

Taux d'absentéisme
Pourcentage d'heures théoriquement travaillées qui ont été perdues en raison des absences des employés.

Encadré 12.4	Les principales causes des absences

- Absence de mesures favorables aux présences (primes de présence, lien avec les choix de promotion, etc.)
- Absence de mesures défavorables aux absences (p. ex., entretien avec son supérieur en cas d'absences répétées)

- Conditions de travail (horaires, charge physique et émotionnelle, etc.)
- Conditions de supervision
- Nature des tâches (répétitives, notamment)

Regard sur la pratique

Que font les entreprises québécoises en matière d'évaluation des résultats RH ?

En 2013, un groupe du Centre interuniversitaire de recherche en analyse des organisations (CIRANO) a publié une étude intitulée *La mesure des résultats RH : la situation au Québec*. Selon le sondage, plus de la moitié des entreprises effectue des mesures RH. Plus précisément, les mesures sont effectuées à la demande de la haute direction (49 %), de la direction RH (26,7 %), puis du service RH lui-même (23,8 %). Les indicateurs RH le plus souvent mesurés portent sur les effectifs et comprennent notamment la variation de l'effectif (65,8 %), l'âge moyen des employés (60,9 %), l'ancienneté moyenne (59,9 %) et le rapport hommes/femmes (54 %). Arrivent au second rang les indicateurs portant sur les attitudes au travail telles que la satisfaction à l'égard de l'organisation (53,5 %), le climat de travail (50 %) ou la satisfaction à l'égard des conditions de travail (49 %). En troisième lieu vient la catégorie des indicateurs portant sur les comportements au travail et plus particulièrement sur la santé et la sécurité. On y retrouve en tête de liste le taux de roulement volontaire (60,4 %), le nombre total d'accidents du travail (56,9 %) et le taux d'absentéisme (56,9 %).

AU QUÉBEC

Source : Extrait de « Les mesures RH : le point sur la situation au Québec », *Effectif*, vol. 18, n° 2, avril/mai 2015.

12.4.2 Les indicateurs de coûts

L'évaluation des RH ne se limite pas à des indicateurs portant sur des pratiques ou des résultats associés à ces dernières. Elle vise aussi à faire un lien avec les résultats comptables et financiers de l'entreprise. Pour atteindre cet objectif, il faut avant tout évaluer les coûts des activités de GRH (p. ex., les montants investis en formation) et des comportements contre-productifs des employés (p. ex., les coûts liés au roulement ou aux accidents du travail).

Pour une entreprise, l'estimation des coûts directs liés aux pratiques de GRH est assez facile à obtenir : les responsables de la comptabilité peuvent isoler les salaires du personnel du service des RH, les dépenses opérationnelles du service (achat de tests de sélection, frais liés aux déplacements dans des foires de l'emploi, etc.), les salaires versés aux employés (soit la masse salariale) ou les montants investis en formation. En revanche, les coûts liés aux comportements contre-productifs des employés sont plus difficiles à déterminer, car ces comportements génèrent des dysfonctionnements (réorganisation du travail, conflits, baisse du moral des employés) qui ne sont pas directement quantifiables. À titre d'exemple, lorsque le roulement des employés est élevé, celui-ci se traduit par des coûts importants rattachés à l'intégration et à la formation du personnel ainsi qu'à la perte de productivité, comme le montre la figure 12.4. On parle alors du « syndrome de la porte tournante ».

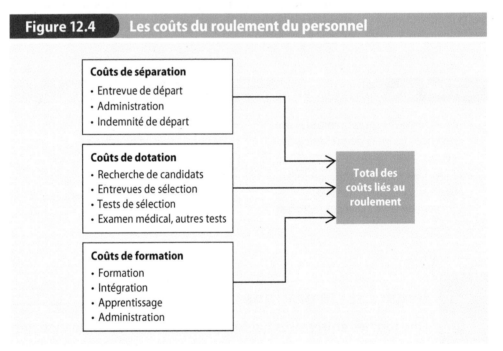

Figure 12.4   Les coûts du roulement du personnel

Source : Extrait de GAUTHIER, M. « Le roulement du personnel : de quoi s'agit-il exactement ? », *Effectif*, vol. 7, n° 5, novembre-décembre 2004.

12.4.3 Les méthodes d'évaluation financière : l'approche coûts-bénéfices

Les méthodes financières reposent sur une logique économique et comptable qui cherche à comparer ce que les RH ont coûté avec ce qu'elles ont rapporté. La difficulté réside dans l'attribution d'une valeur économique au capital humain. Combien vaut un investissement dans la mise à niveau de la qualification professionnelle et des compétences ? Le salaire actualisé reflète-t-il entièrement la valeur d'une personne ? Combien vaut la reconstruction d'une équipe de travail pour qu'elle offre un bon rendement à court terme ? Voilà autant de questions auxquelles les méthodes d'évaluation financière tentent de répondre.

Une première manière d'y parvenir se trouve dans l'analyse de l'utilité économique. On recourt à cette méthode dans un premier temps pour évaluer les activités de dotation et de sélection et pour estimer les gains de productivité réalisés grâce à un test de sélection valide. Par exemple, on peut comparer les coûts de deux tests (achat et mise au point du test, temps de passation, temps d'analyse, etc.) avec ce qu'ils rapportent (efficacité au travail dans les 3, 6 et 12 mois, rétention des employés recrutés, etc.). On aboutit à la formule suivante :

> Utilité du test A par rapport à celle du test B = (différence de performance au travail entre les individus recrutés avec le test A et les individus recrutés avec le test B) + (différence de gains liés à la rétention des individus recrutés avec le test A par rapport à celle des individus recrutés avec le test B) − (différence de coûts d'achat, d'utilisation et de traitement entre les tests A et B).

Mais cette approche devient vite compliquée et tend à surestimer les gains réalisés grâce aux RH (Le Louarn et Daoust, 2008).

Une autre méthode, soit la méthode des ratios financiers, se centre sur le calcul des conséquences économiques des comportements des employés tels que l'absentéisme, les retards, la faible productivité, les accidents du travail ou le roulement. Par exemple, il est possible d'établir que l'absentéisme de telle catégorie d'employés coûte un million de dollars par année. Un investissement de 200 000 $ dans l'amélioration des conditions de travail de ces employés permettrait de réduire le taux d'absentéisme de 10 %, ce qui ferait économiser environ 100 000 $ par année. Ainsi, l'investissement dans un tel programme serait rentabilisé en deux ans à peine. Cette technique assez simple donne des résultats probants. C'est en général celle qui est retenue pour estimer la rentabilité des activités de GRH.

À titre d'exemple, une étude réalisée par Willis Towers Watson auprès de 9 000 salariés en Asie est arrivée à la conclusion que les salariés désengagés sont ceux qui sont les plus absents (7,6 jours d'absence par an en moyenne) et les plus susceptibles de quitter l'entreprise (58 % d'entre eux le font), alors que les employés engagés sont moins sujets à ce type de comportements (ils ne sont que 17,1 % à quitter leur organisation). Le désengagement entraînerait donc un coût pour les organisations, qui vient amoindrir leur efficacité organisationnelle (Brown, 2013). Selon la même logique, on peut penser que les efforts consentis dans les pratiques de GRH ont un effet sur la performance sociale et la performance organisationnelle, comme le montre le tableau 12.6.

www.towerswatson.com
Willis Towers Watson

Tableau 12.6	Les liens entre les pratiques de GRH et les résultats organisationnels
Pratique de GRH	**Résultats organisationnels**
Formation	• Productivité, ventes, qualité, coûts de formation • Satisfaction de la clientèle, satisfaction des employés • Rétention des employés
Rémunération	• Coûts de la main-d'œuvre, roulement, absentéisme (salaire au rendement)
Gestion de la qualité totale	• Défauts, reprise du travail, temps de réaction
Programme de soutien	• Absences, satisfaction des employés, aiguillage des employés

Sur la base du raisonnement coûts-bénéfices, Le Louarn et Daoust (2008) proposent plusieurs ratios d'analyse financière (*voir le tableau 12.7 à la page suivante*) qui sont régulièrement étudiés et suivis par les dirigeants d'entreprise. Le ratio « chiffre d'affaires par personne » permet de déterminer ce que rapporte un employé. Le ratio « part de la masse salariale dans la création de revenus » indique le poids du facteur travail dans la création de revenus : un ratio égal à 10 % signifie qu'il faut débourser 10 $ de rémunération pour générer 100 $ de chiffre d'affaires. Le ratio «rendement de l'investissement en capital humain» s'appuie sur la même logique, mais en tenant compte des écarts de rémunération entre les salariés. Il s'agit d'un ratio de productivité de la rémunération (et non d'un ratio de productivité par effectif).

Tableau 12.7	Des ratios d'analyse financière	
Type de ratio	**Nom du ratio**	**Modalité de calcul**
Bénéfices	Chiffre d'affaires par personne	Chiffre d'affaires total/effectif équivalent à temps plein
	Profit avant impôts par personne	(Chiffre d'affaires total – dépenses d'exploitation)/effectif équivalent à temps plein
Analyse coûts-bénéfices	Part de la masse salariale dans la création de revenus	Masse salariale × 100/revenus d'exploitation
	Rendement de l'investissement en capital humain	(Revenus d'exploitation – (dépenses d'exploitation – masse salariale))/masse salariale

Source: Adapté de LE LOUARN, J.-Y., et J. DAOUST. «Les ratios financiers liés aux ressources humaines: une application au secteur bancaire canadien», *Gestion*, vol. 32, n° 4, 2007, p. 79-87.

12.5 L'évaluation des professionnels et du service des ressources humaines

Le dernier enjeu de l'évaluation de la GRH est d'asseoir la légitimité du service des RH et de démontrer que les rôles confiés aux professionnels sont exercés de manière efficace.

12.5.1 Les normes et les compétences professionnelles

www.portailrh.org

Ordre des conseillers en ressources humaines agréés

Les normes professionnelles balisent l'exercice de la profession, et les professionnels des RH peuvent être évalués en fonction de leur capacité à respecter de telles normes. Au Québec, l'Ordre des CRHA a pour mission de s'assurer que les professionnels des RH se conforment aux normes déontologiques et aux autres règles visant la protection du public. Les lois professionnelles et les règlements adoptés par le CRHA incluent notamment le code de déontologie des membres de l'Ordre, le règlement sur le comité de la formation des conseillers en relations industrielles et le règlement sur l'assurance de la responsabilité professionnelle des membres du CRHA. Les individus peuvent être poursuivis et même radiés de leur ordre professionnel s'ils agissent à l'encontre de ces normes.

Des normes internationales aident aussi à valoriser la GRH. Ainsi, l'organisme américain de normalisation American National Standard Institute (ANSI) propose de mettre en place des normes de GRH internationales, qui permettront aux systèmes informatiques d'être compatibles à l'international, de mesurer la valeur des capitaux immatériels des RH et, *in fine*, d'utiliser plus efficacement les RH dans les organisations[1]. L'ANSI suggère diverses pistes pour légitimer la fonction «ressources humaines», telles que l'adoption d'un code de conduite pour les responsables afin d'améliorer la performance ou d'harmoniser les pratiques, l'utilisation de méthodes pour évaluer les risques de pénurie de compétences ou le recours à des indicateurs et à des outils de mesure pour aider l'Ordre à évaluer l'efficacité de leurs actions.

---

1. Adapté des informations disponibles au www.ansi.org/accreditation/default.aspx.

Le coin de la loi

Le Code de déontologie des conseillers en ressources humaines

À titre de membre de l'Ordre, tout conseiller en RH doit respecter un code de déontologie qui impose des devoirs envers les clients, le public et les membres de la profession. Ce code est un règlement adopté par l'Ordre en vertu du Code des professions du Québec. Il contient les règles de conduite que le professionnel est tenu d'observer. Ses devoirs et ses obligations concernent notamment la prohibition des actes portant atteinte à la dignité de la profession, le respect du secret professionnel, le droit du client à accéder à son dossier et le devoir du professionnel d'informer le client des coûts des services rendus. L'Ordre doit nommer un syndic chargé de faire enquête si une plainte faisant état d'une infraction au Code de déontologie, au Code des professions ou aux autres règlements de l'Ordre est déposée.

La normalisation de la profession passe par la mise au point de normes, mais aussi par l'élaboration de guides de compétences que devrait posséder un responsable des RH. Ainsi, l'Ordre des CRHA a relevé un ensemble d'habiletés, de connaissances et de compétences requises pour que les professionnels s'acquittent de leurs fonctions efficacement et de manière appropriée (*voir l'encadré 12.5*).

Encadré 12.5 **Les compétences des responsables des RH**

Les compétences fondamentales

- L'exercice du rôle-conseil
- La contribution à l'atteinte des objectifs et à l'essor de l'organisation
- La promotion de la profession et la contribution à son développement

Les compétences spécialisées regroupées par champ d'expertise

- La gestion stratégique de l'organisation et la planification des RH

- La gestion de la dotation
- La gestion du développement des compétences
- La gestion des relations du travail
- La gestion de la rémunération globale
- La gestion du développement organisationnel
- La gestion de la santé et de la sécurité en milieu de travail

Les compétences personnelles

Source : *Guide des compétences professionnelles des membres de l'Ordre des conseillers en ressources humaines agréés,* mai 2008, www.portailrh.org/formationcontinue/formulaires/GuidedesCompetences.pdf (Page consultée le 26 avril 2016).

12.5.2 La satisfaction à l'égard du service des ressources humaines

Un autre moyen d'évaluer le service des RH consiste à mesurer le degré de satisfaction des «clients» du service à l'égard des pratiques de GRH. Cette approche, dite «approche des constituantes multiples» (Tsui, 1990 ; Colakoglu, Lepak et Hong, 2006), conduit à considérer que chaque personne en contact avec ce service se prononce sur la qualité de la prestation reçue. Les différents acteurs de l'entreprise (les gestionnaires, les employés, la direction) sont appréhendés comme des clients internes dont les besoins doivent être satisfaits par le service. Dans cette optique, plus un service des RH satisfait ses clients internes, plus il est perçu comme efficace. Par exemple, un service peut proposer un questionnaire à ses clients et interroger les directeurs de services, les cadres intermédiaires ou les professionnels sur ce qu'ils pensent de ce service. Cette approche peut aussi viser un groupe cible d'employés jugé prioritaire dans le plan d'affaires de l'organisation, comme les hauts potentiels, ou les employés en reconversion dans le cadre d'un changement organisationnel. Par ce truchement, les responsables des RH sont en mesure de préciser leur image à l'interne et d'apporter des actions correctrices pour améliorer celle-ci en fonction des types de clients cibles.

DANS LE MONDE

Regard sur la pratique

Des emplois consacrés à la mesure des performances RH

Menée auprès d'une vingtaine de DRH et de responsables de directions métiers, qui représentent près de 750 000 collaborateurs et près de 12 000 intervenants RH dans le monde, l'étude réalisée par l'European Club of Human Resources et le cabinet Equinox Consulting est une approche méthodologique [basée] sur la notion de la performance. Les entreprises ciblées sont des organisations innovantes en matière de mesure de la performance RH. À l'heure actuelle, les principaux champs de la fonction RH suivis et mesurés sont la formation et le recrutement à 94 %, l'évaluation et la rémunération à 82 %, la diversité, la responsabilité sociale et les relations sociales à 76 %. Dans ces entreprises innovantes, les tableaux de bord sont de plus en plus utilisés. Apparaissent aussi de nouveaux métiers au sein des équipes RH : plus d'une entreprise sur deux possède une entité dédiée à la mesure. Les éléments de mesure sont diffusés auprès de l'ensemble des acteurs de la DRH et à la direction générale. L'analyse des indicateurs permet essentiellement d'assurer la gestion opérationnelle des activités, mais également de mettre en place un plan stratégique RH. Des objectifs RH clairs, formalisés et partagés aident sur le long terme à avoir une démarche prospective afin de mieux gérer les salariés.

Source : Extrait de LAMBOLEZ, C. « La performance RH peut-elle se mesurer ? », *Ouest France*, 30 août 2012, www.ouestfrance-emploi.com/recruteur-rh/info/La-performance-RH-peut-elle-se-mesurer.

LES ENJEUX DU NUMÉRIQUE DANS L'ÉVALUATION DE LA GESTION DES RESSOURCES HUMAINES

Lorsqu'il s'agit d'effectuer des enquêtes internes, de construire des tableaux de bord ou de suivre des indicateurs, les responsables RH peuvent se heurter à des difficultés techniques sur la fiabilité des données récoltées. Comment peut-on s'assurer que les données sur les absences sont complètes ? Comment inciter les gestionnaires à remplir des tableaux de données chiffrées ? Que faire pour augmenter le taux de participation des employés à un sondage ? Les solutions RH telles que les ERP/SIRH ou les outils de « Business Intelligence » offrent désormais de nombreuses possibilités pour collecter et analyser les informations liées à la GRH. Des entreprises se sont même spécialisées dans ce créneau d'activité en aidant les autres organisations à se doter d'outils numériques qui facilitent l'évaluation des RH. Par exemple, Solertia (http://solertia.ca/fr/) a développé un service de mise en place de tableaux de bord RH informatisés composés des indicateurs RH les plus pertinents pour chaque entreprise. Cette firme de consultants offre aussi des outils d'analyse des risques financiers et légaux liés aux RH.

Les outils numériques influencent également l'évaluation des RH en multipliant les outils d'information sur les entreprises. Au moyen des réseaux sociaux et notamment de Twitter, les entreprises peuvent faire connaître leurs réussites en GRH, suivre des événements reliés à leurs valeurs et ainsi être plus facilement repérées comme des employeurs de choix.

L'ÉVALUATION DE LA GESTION DES RESSOURCES HUMAINES DANS LE SECTEUR PUBLIC

Les organisations du secteur public tirent, elles aussi, des bénéfices de l'évaluation de leurs RH. Ainsi, plusieurs entreprises publiques se démarquent par leurs accréditations, à l'image du ministère de la Famille, l'une des organisations les plus avant-gardistes en matière de conciliation travail-famille au Québec. De manière plus générale, les pratiques d'étalonnage que nous avons décrites y sont pratiquées et encouragées pour permettre à chaque organisation de se démarquer. Le secteur public doit aussi faire face à des besoins de main-d'œuvre élevés, en partie dus aux départs massifs à la retraite, qui incitent chaque institution à faire valoir ses atouts d'employeur. En bref, les modèles gouvernementaux sont soumis aux mêmes pressions que les entreprises privées : ils doivent augmenter leur efficacité et apprendre à faire plus avec moins. D'ailleurs, les entreprises offrant des systèmes intégrés de gestion ou facilitant l'implantation de tableaux de bord sociaux identifient le secteur public comme un secteur d'intérêt pour le développement des affaires, à l'exemple de Technomedia.

L'ÉVALUATION DE LA GESTION DES RESSOURCES HUMAINES DANS LES MILIEUX SYNDIQUÉS

L'évaluation de la GRH est une activité fortement ancrée dans une logique de rentabilité et d'efficacité, ce qui pourrait laisser croire qu'elle est moins présente dans les entreprises syndiquées. Pourtant, les syndicats sont très sensibles aux indicateurs et aux labels associés aux RH, car ces derniers permettent de connaître les efforts réalisés pour encourager et reconnaître la contribution des employés. Les ratios liés à la rémunération, aux dépenses en formation, à l'équité hommes-femmes, les normes et les labels sur la diversité et la santé au travail, pour n'en citer que quelques-uns, sont étudiés par les syndicats. Enfin, les syndicats sont un acteur majeur pour asseoir la légitimité des activités de GRH, vérifier leur conformité légale et l'équité des procédures. L'évaluation de la GRH est donc tout à fait utile aux syndicats et encouragée dans les milieux syndiqués, car elle invite au dialogue social et l'établit sur des bases d'information valides.

L'ÉVALUATION DE LA GESTION DES RESSOURCES HUMAINES À L'INTERNATIONAL

Les principes d'évaluation présentés dans ce chapitre sont applicables au cas particulier des expatriés et plus largement de la GRH à l'international. Les responsables des RH disposent d'indicateurs spécifiques afin de rendre compte de l'efficacité de leurs actions dans ce domaine. Parmi les indicateurs les plus importants, citons le pourcentage d'employés qui mènent à terme la mission à laquelle ils ont été affectés et l'atteinte des objectifs d'affaires. Les obstacles au succès de la GRH à l'étranger sont nombreux (p. ex., le manque d'adaptation du conjoint, le choc culturel, les difficultés d'intégration) et les responsables suivent aussi de très près les difficultés que peuvent vivre leurs employés en mission à l'étranger. Pour ce faire, ils peuvent recourir aux outils d'évaluation interne présentés dans le chapitre. Aussi, ils ne lésineront pas sur les coûts de formation et de prise en charge des formalités afin de faciliter l'adaptation des employés.

LES CONDITIONS DU SUCCÈS DE L'ÉVALUATION DE LA GESTION DES RESSOURCES HUMAINES

L'évaluation de la GRH, nous l'avons vu, est un processus complexe et rigoureux, dont l'issue dépend de diverses conditions de succès. L'encadré de la page suivante les résume.

L'évaluation des RH ne peut se faire sans le soutien de la direction générale et la conviction que cette activité est utile au fonctionnement de l'entreprise. Mais évaluer suppose aussi que tous les membres de l'entreprise participent au processus, puisque le succès du processus dépend de leur collaboration dans la collecte des informations. Les pratiques d'évaluation étant désormais monnaie courante, nous connaissons bien les conditions de succès propres à chacune d'elles. Ainsi, dans le cadre d'un diagnostic interne ou d'une démarche d'accréditation, l'un des facteurs clés de succès évoqués par les employeurs qui mettent en place ces démarches est de rendre compte des résultats et de démontrer aux employés les efforts déployés pour répondre à leurs attentes et corriger les écarts constatés.

Enfin, en matière d'évaluation chiffrée, une condition majeure est de disposer d'un bon système informatique de type ERP ou SIRH. Sans ce type d'outil, il est difficile et coûteux (en temps et en argent) de collecter des données chiffrées relatives à chaque employé, ce qui est pourtant indispensable dans le calcul de coûts ou d'indicateurs RH. Une autre condition de succès importante est de pouvoir collaborer efficacement avec les services comptables ou financiers, qui détiennent des informations et des compétences utiles à l'analyse coûts-bénéfices des RH.

Les conditions de succès de l'évaluation de la GRH	
Conditions générales	

- L'importance accordée par la direction à l'évaluation de la GRH
- Les ressources (notamment informatiques) pour mettre en place un système de collecte de données chiffrées
- L'engagement des gestionnaires et des superviseurs dans la transmission des informations sur les RH

Conditions de succès d'un diagnostic interne ou externe	**Conditions de succès d'une évaluation chiffrée**
- La collaboration active de tous les employés - Une bonne compréhension des objectifs de la démarche - Un compte-rendu des résultats obtenus - La communication d'un plan d'action visant à corriger les écarts ou à mettre l'accent sur les points d'amélioration	- Un système SIRH convivial et capable d'assembler des données - La collaboration des services comptables et financiers - La maîtrise des principes de comptabilisation par les responsables RH - L'identification et le suivi de cibles chiffrées à atteindre

CONCLUSION

L'évaluation de la GRH n'est pas une activité de tout repos, notamment parce que les coûts et les bénéfices engendrés par le travail sont difficiles à déterminer. Pourtant, les spécialistes des RH disposent d'outils et de méthodes pour mesurer l'efficacité de leurs actions et faire la preuve de la légitimité de celles-ci. Dans ce chapitre, une variété de méthodes d'évaluation ont été décrites. Nous avons vu un ensemble d'outils pratiques utiles à tout gestionnaire qui veut piloter ses activités, se positionner par rapport à ses concurrents et suivre l'évolution d'indicateurs clés de son succès. Ce faisant, il devient possible de démontrer que la GRH est une fonction professionnelle qui apporte à l'organisation une valeur ajoutée.

QUESTIONS DE RÉVISION

1. À quoi servent les tableaux de bord organisationnels ? Expliquez comment ces tableaux aident à mesurer la valeur ajoutée du service des RH.

2. Quelles sont les principales méthodes de diagnostic interne ? À quoi servent-elles ?

3. Qu'est-ce que le balisage externe ? Donnez un exemple de méthode de balisage externe.

4. Qu'est-ce qu'un indicateur de GRH ? Citez quelques exemples d'indicateurs et montrez leur utilité.

5. Comment la GRH peut-elle participer au succès de l'organisation ? Expliquez le processus qui lie la GRH aux résultats organisationnels.

6. Le roulement coûte cher à l'entreprise. Indiquez certains coûts qui sont rattachés au roulement.

7. Pourquoi est-il important de mesurer la contribution de la GRH au succès de l'organisation ?

QUESTIONS DE DISCUSSION

1. Que devraient faire les responsables des RH pour mesurer systématiquement l'efficacité de leurs actions ?

2. « On sait ce que les RH coûtent ; on ne sait jamais ce qu'elles rapportent. Alors pourquoi dépenser tant d'argent pour une activité qui ne rapporte pas ? » Que peut-on répondre pour contrer cette affirmation et montrer la valeur ajoutée des activités de GRH ?

3. « Les syndicats sont réfractaires à toute évaluation de la GRH. » Que pensez-vous de cette assertion ?

INCIDENTS CRITIQUES ET CAS

Incident critique

Beau bois

Votre entreprise est spécialisée dans la fabrication de meubles en bois. Son effectif actuel est de 670 employés répartis dans 7 usines au Québec et au Nouveau-Brunswick. Vous voulez structurer les pratiques de GRH et donner plus de poids à votre fonction à la suite d'un accident de travail qui aurait pu entraîner la mort d'un salarié. Ce dernier est hospitalisé depuis un mois dans un état grave : il risque de conserver un handicap physique consécutif à l'accident. Cet événement a engendré beaucoup de remous dans l'entreprise : enquêtes et visites de médecins du travail, interrogations du comité de santé et sécurité, contrôle de l'ensemble des processus de fabrication de l'usine, etc.

Vous savez qu'il vous faut agir, car la réputation de l'entreprise et le moral des salariés sont en jeu. Vous décidez de calculer les coûts et bénéfices liés aux accidents de travail afin de démontrer à la direction d'entreprise l'importance de chiffrer les accidents de travail.

Questions

- Quels indicateurs RH proposeriez-vous ?

- Comment ces indicateurs peuvent-ils aider à chiffrer les coûts et bénéfices des actions que vous allez mettre en place relativement aux accidents de travail ?

Incident critique

Le pain, c'est pas du gâteau !

Vous travaillez dans une chaîne de marchés d'alimentation spécialisée dans la fabrication et la distribution de pain et de pâtisseries. Au total, plus de 120 personnes vendent ses produits dans 20 magasins, la plupart d'entre elles étant embauchées à temps partiel, mais avec un contrat permanent. Votre projet est de former ces vendeurs aux produits et aux techniques de vente, afin d'améliorer le service à la clientèle et de renforcer l'image d'excellence de cette entreprise. Cependant, la direction est réticente à l'idée de former 120 personnes qui restent en moyenne à peine 2 années et demie à leur poste. Elle craint que la formation soit une perte de temps, d'autant que les résultats financiers sont bons et que le chiffre d'affaires augmente régulièrement. Pourquoi dépenser de l'argent pour des employés peu loyaux, alors que tout va bien pour l'entreprise ?

Question

Que répondez-vous à la direction pour la convaincre de la pertinence de votre projet ? Pour cela, présentez un tableau de bord qui permette de mesurer les coûts et les bénéfices de la formation.

Cas

Un sondage bien embarassant

Le service d'aide Helpy est une coopérative à but non lucratif qui dessert l'Abitibi-Témiscamingue. Sa mission est d'offrir aux particuliers des services de livraison d'une large gamme de produits que l'on peut acheter en ligne ou dans certains magasins de la région. Les préposés qui assurent les livraisons jouent un rôle précieux auprès des membres. L'équipe de direction croit donc que leur métier mérite d'être reconnu. Actuellement, la coopérative compte 179 employés, dont des livreurs à domicile, des employés des services administratifs et des employés responsables de la gestion des commandes en ligne.

Selon son directeur, monsieur St-Pierre, l'entreprise a toujours bien fonctionné, sans embûches particulières. Mais, le mois dernier, une employée s'est absentée pour cause d'épuisement professionnel. L'employée a prolongé son absence qui, semble-t-il, sera de longue durée. Monsieur St-Pierre est surpris de la situation et ne comprend pas ce qui se passe. Lorsqu'il a questionné plusieurs personnes, il n'a cessé d'entendre des critiques sur les salaires, les conditions de travail ou le manque de reconnaissance des employés. Il est stupéfait !

Désemparé, il se rend compte que l'image qu'il a de son entreprise n'est peut-être pas partagée par ses salariés. Il décide alors de faire appel à une entreprise de conseil, Humania, pour réaliser un sondage. Il accepte, avec le soutien de l'entreprise, de construire un sondage dressant un état général de la situation, de manière à identifier les aspects du travail faisant l'objet des plus grandes insatisfactions.

Mais monsieur St-Pierre n'est pas au bout de ses peines. Lorsque le consultant d'Humania lui demande des informations chiffrées sur les RH, il se rend compte qu'il n'en possède pas de manière organisée et structurée. Il parvient tout de même, à l'issue d'un mois de travail et avec l'aide des gestionnaires, à présenter les deux tableaux suivants.

Effectifs, embauches et départs				
	Livraison	Administration	Commandes	Total
Effectifs	112	12	39	179
Femmes	12	0	9	21
Hommes	100	12	30	142
Embauches	69	1	6	76
Départs	71	0	7	78

Les absences et accidents de travail (heures)				
	Livraison	Administration	Commandes	Total
Maladies courte durée	11 005	728	3 742	15 475
Accidents de travail	3 463	5	1 001	4 469
Total des heures d'absence	29 764	957	5 313	36 034

Note : L'absentéisme est calculé sur une base de 260 jours travaillés par année et huit heures de travail par jour.

Entre-temps, le consultant s'est chargé de l'administration d'un sondage interne sur cinq grands thèmes :

- les conditions de travail (horaires, tâches, charge physique et émotionnelle) ;
- le salaire, les avantages sociaux et la reconnaissance ;
- la motivation, le rendement et les compétences ;
- le leadership, les valeurs et la vision stratégique ;
- l'engagement organisationnel et la carrière.

Les 179 employés ont été conviés à y participer. Aujourd'hui, monsieur St-Pierre a rendez-vous avec le consultant d'Humania, qui doit lui présenter les résultats du sondage. Il regarde le document qu'il a reçu en préparation à cette rencontre et lit les résultats avec consternation.

Un exemple de résultats de sondage				
Engagement organisationnel/carrière	**Conditions de travail**	**Salaires**	**Motivation, rendement, compétences**	**Leadership, valeurs/ vision**
• 60 % des répondants se déclarent assez engagés. • 40 % sont peu ou ne sont pas du tout engagés. • Seulement 20 % entrevoient des perspectives d'évolution.	• 80 % des répondants sont satisfaits des horaires. • 60 % se plaignent d'une charge trop lourde.	• 70 % des répondants estiment que leur rémunération est faible comparée à celle versée dans d'autres entreprises.	• 60 % des répondants aiment assez leur emploi. • 30 % ne l'aiment pas du tout. • 30 % pensent ne pas être assez formés pour accomplir leur travail. • 25 % pensent être trop qualifiés pour leur emploi.	• 80 % des répondants ne savent pas quelle est la vision de l'entreprise. • 70 % apprécient le directeur. • 60 % se plaignent d'un leadership trop directif.

Questions

- Analysez les tableaux chiffrés sur les absences et des départs.
- Compte tenu des résultats du sondage, que conseilleriez-vous à monsieur St-Pierre ?
- Quels seraient vos conseils en matière d'évaluation de la GRH ?

POUR ALLER PLUS LOIN

Lectures suggérées

CASCIO, W., et J. BOUDREAU. *Investing in People*, Upper Saddle River, N.J., Pearson Education, 2008.

COSSETTE, M., C. LÉPINE et M. RAEDECKER. « Mesurer les résultats de la gestion des ressources humaines : principes, état des lieux et défis à surmonter pour les professionnels RH », *Gestion*, vol. 39, n° 4, 2014, p. 44-54.

LE LOUARN, J.-Y. *Les tableaux de bord, ressources humaines : le pilotage de la fonction RH*, Paris, Éditions Liaisons, 2008.

Le coin de l'Ordre des CRHA

www.portailrh.org

Developing Global HR Organizational Standards
Par Lee Webster, J.D. – M.B.A., S.P.R.H., directeur, normes sur la GRH, Society for Human Resource Management (SHRM)

La culture comme moteur de performance
Par Nicole St-Pierre, directrice générale, Service des ressources humaines, Aéroplan

BIBLIOGRAPHIE

Chapitre 1

AÏT RAZOUK, A., et M. BAYAD. « La gestion stratégique des ressources humaines dans les PME françaises : quelle place et quelle évolution ? », *Revue internationale P.M.E. : économie et gestion de la petite et moyenne entreprise*, vol. 23, n° 2, 2010, p. 131-157.

BANKERS LIFE FOR A SECURE RETIREMENT. *New Expectations, New Rewards : Work in Retirement for Middle-Income Boomers*, Center for a Secure Retirement, Bankers Life, mai 2015.

CANADA NEWSWIRE. « L'évolution du rôle des RH : les défis et les occasions des professionnels des RH d'aujourd'hui », *Nouvelles générales*, 10 octobre 2012.

CHÊNEVERT, D. « Qu'est-ce que la rémunération stratégique ? », *Effectif*, vol. 12, n° 5, 2009.

CLAUS, L. « Le devoir de protection des employeurs à l'égard des employés à mobilité internationale », *Effectif*, vol. 13, n° 4, 2010.

COMBS, J., Y. LIU, A. HALL et D. KETCHEN. « How much do high-performance work practices matter ? A meta-analysis of their effects on organizational performance », *Personnel Psychology*, vol. 59, n° 3, 2006, p. 505-528.

DOLAN, S.L., et Y. ALTMAN. « Managing by values : The leadership spirituality connection », *People & Strategy*, vol. 35, n° 4, 2012, p. 20-26.

FABI, B., et D.J. GARANT. « La gestion des ressources humaines en PME », dans P.-A. JULIEN (dir.), *Les PME : bilan et perspectives*, Cap-Rouge, Presses Inter Universitaires, 2005, p. 459-531.

FABI, B., R. LACOURSIÈRE, M. MORIN et L. RAYMOND. « Pratiques de gestion des ressources humaines et engagement envers l'organisation », *Gestion*, vol. 34, n° 4, 2010, p. 21-29.

FABI, B., L. RAYMOND et R. LACOURSIÈRE. « La GRH, levier du développement stratégique des PME », *Revue de Gestion des Ressources Humaines*, vol. 65, 2007, p. 41-56.

HAINES III, V.Y., S. BROUILLARD et N. CADIEUX. « Une analyse longitudinale (1975-2005) de l'évolution de la profession ressources humaines », *Relations industrielles/Industrial Relations*, vol. 65, 2010, p. 491-513.

HÉBERT, G., *et al. La convention collective au Québec*, Montréal, Gaëtan Morin, 2003.

KANG, S.C., S.S. MORRIS et S.A. SNELL. « Relational archetypes, organizational learning, and value creation : Extending the human resource architecture », *Academy of Management Review*, vol. 32, n° 1, 2007, p. 236-256.

LEMIRE, L., et G. MARTEL. *L'approche systémique de la gestion des ressources humaines*, Québec, Presses de l'Université du Québec, 2007.

LOUART, P., et M.-A. VILETTE. *La GRH dans les PME*, Paris, Vuibert, 2010.

NEWMAN, J.M., R. FLOERSCH et M. BALAKA. « Employment branding at McDonald's : Leveraging rewards for positive outcomes, *Workspan : the magazine of WorldatWork*, mars 2012, p. 21-24.

SARGENT, L. D., M.D. LEE, B. MARTIN et J. ZIKIC. « Reinventing retirement : New pathways, new arrangements, new meanings », *Human Relations*, vol. 66, 2013, p. 3-21.

TREVOR, J. *Can Pay Be Strategic ? A Critical Exploration of Strategic Pay in Practice*, Londres, Palgrave Macmillan, 2011.

ULRICH, D., et D. JOHNSON. « De nouvelles compétences pour les futurs leaders RH », *Effectif*, vol. 11, n° 1, 2008.

VALLÉE, P. « Attirer et retenir la relève », *Le Devoir*, 25 mai 2016, p. C2.

Chapitre 2

ARMSTRONG-STASSEN, M. « Encouraging retirees to return to the workforce », *Human Resource Planning*, vol. 29, n° 4, 2006, p. 38-44.

ARMSTRONG-STASSEN, M., et F. SCHLOSSER. « Perceived organizational membership and the retention of older workers », *Journal of Organizational Behavior*, vol. 32, 2011, p. 319-344.

AUTISSIER, D., et E. VENDANGEON-DERUMEZ. «Les managers de première ligne et le changement», *Revue Française de Gestion*, vol. 5, n° 174, 2007, p. 115-130.

BARON, J.N., et D.M. KREPS. *Strategic Human Resources : Frameworks for General Managers*, New York, John Wiley, 1999.

BELCOURT, M., et K. McBEY. *Strategic Human Resources Planning*, 6ᵉ éd., Toronto, Nelson, 2016.

BOWER, J.L. *The CEO within*, Boston, Harvard Business School Press, 2007.

BRASSARD, P. *Guide pratique PMO : la planification de la main-d'œuvre : première étape du plan de relève*, Québec, septembre, 2007.

DAHL-JORGENSEN, C., et P.O. SAKSVIK. «The impact of two organizational interventions on the health of service sector workers», *International Journal of Health Services*, vol. 35, 2005, p. 529-549.

DAVENPORT, T.H., J. HARRIS et J. SHAPIRO. «Competing on talent analytics», *Harvard Business Review*, octobre 2010, p. 2-6.

HERZBERG, F. *The Motivation to Work*, New York, John Wiley & Sons, 1959.

GILLET, M., et P. GILLET. *Système d'information des ressources humaines*, Paris, Dunod, 2010.

GÓMEZ-MEJÍA, L.R., D.B. BALKIN et R.L. CARDY. *Managing human resources*, 7ᵉ éd., Boston, Pearson, 2011.

HARRISSON, D., M. ROY et V.Y. HAINES III. «Union representatives in labour-management partnerships : Roles and identities in flux», *British Journal of Industrial Relations*, vol. 49, 2011, p. 411-435.

INSTITUT DE LA STATISTIQUE DU QUÉBEC (ISQ). *Le vieillissement démographique : de nombreux enjeux à déchiffrer*, Québec, Gouvernement du Québec, 2012.

INSTITUT DE LA STATISTIQUE DU QUÉBEC (ISQ). *Âge moyen et âge médian de la population, selon le sexe, Centre-du-Québec et ensemble du Québec, 2001, 2006 et 2010-2015*, Québec, Gouvernement du Québec, 2016, www.stat.gouv.qc.ca/statistiques/profils/profil17/societe/demographie/demo_gen/age_moyen17. htm (Page consultée le 28 juin 2016).

LEMIRE, L., É. CHAREST, G. MARTEL et J. LARIVIÈRE. *La planification stratégique des ressources humaines : théories et applications dans les administrations publiques au XXIᵉ siècle*, Québec, Presses de l'Université du Québec, 2011.

ORGANISATION DES NATIONS UNIES (ONU). *World Population Ageing : 1950-2050*, New York, Organisation des Nations Unies, Division de la population, 2002.

PANORAMA CONSULTING SOLUTIONS. *2010 ERP Report*, 2013, http://panorama-consulting.com/resource-center/2010-erp-report (Page consultée le 2 avril 2013).

SAKSVIK, P.O., K. NYTRO, C. DAHL-JORGENSEN et A. MIKKELSEN. «A process evaluation of individual and organizational occupational stress and health interventions», *Work & Stress*, vol. 16, 2002, p. 37-57.

STATISTIQUE CANADA. *Emploi à temps plein et à temps partiel selon le sexe et l'âge*, Gouvernement du Canada, 2016, www.statcan.gc.ca/tables-tableaux/sum-som/l02/cst01/labor12-fra.htm (Page consultée le 28 juin 2016).

STATISTIQUES MONDIALES. *Âge médian*, 2016, www.statistiques-mondiales.com/age_moyen.htm (Page consultée le 28 juin 2016).

STRACK, R., J. BAIER et A. FAHLANDER. «Managing demographic risk», *Harvard Business Review*, février 2008, p. 2-11.

TREMBLAY, D.-G., et É. GENIN. «Aging, economic insecurity, and employment : Which measures would encourage older workers to stay longer in the labour market ?», *Studies in Social Justice*, vol. 3, n° 2, 2009, p. 173-190.

WALKER, J.W. «Human resource planning, 1990s style», *Human Resource Planning*, vol. 13, n° 4, 1990, p. 229-240.

Chapitre 3

BEN AMEUR, A. «L'adaptation au travail des cadres expatriés : comment concilier performances économique et sociale dans un contexte de diversité culturelle ?», *Humanisme et Entreprise*, n° 300, 2010, p. 57-76, www.cairn.info/revue-humanisme-et-entreprise-2010-5-page-57.htm (Page consultée le 17 octobre 2016).

GUERRERO, S. *Les outils des RH*, 3ᵉ éd., Paris, Dunod, 2014.

HACKMAN, J.R., et G.R. OLDHAM. « Motivation through the design of work : Test of a theory », *Organizational Behavior and Human Performance*, vol. 16, 1976, p. 250-279.

LAPOINTE, P.-A. « *La réorganisation du travail : continuité, rupture et diversité* », dans R. BLOUIN *et al.* (dir.), *La réorganisation du travail : efficacité et implication*, Québec, Presses de l'Université Laval, 1995, p. 5.

MOUVEMENT QUÉBÉCOIS DE LA QUALITÉ. *Les Grands Prix québécois de la qualité 2012 : Boa-Franc*, www.qualite.qc.ca/uploads/files/laureats/ficheboa.pdf (Page consultée le 24 mars 2013).

ORGANISATION INTERNATIONALE DE NORMALISATION (ISO). *Principes de management de la qualité*, 2012, www.iso.org/iso/fr/qmp_2012.pdf (Page consultée le 17 octobre 2016).

PONCE, S., S. LANDRY et J. ROY. « De l'organisation scientifique du travail à la gestion de la chaîne d'approvisionnement : les 100 ans de la gestion des opérations, de la production et de la logistique », *Gestion*, vol. 32, nᵒ 3, 2007, p. 52-65.

Chapitre

ASHFORTH, B., D. SLUSS et A. SAKS. « Socialization tactics, proactive behavior, and newcomer learning : Integrating socialization models », *Journal of Vocational Behavior*, vol. 70, nᵒ 3, 2007, p. 447-459.

BAUDIER, B. « Les clés pour bien recruter sur les réseaux sociaux », *Le Progrès*, 4 septembre 2012, www.leprogres.fr/economie/2012/09/04/les-cles-pour-bien-recruter-sur-les-reseaux-sociaux (Page consultée le 7 novembre 2016).

BOUTIN, C. « Les documents médicaux : confidentiels ou pas ? », *Effectif*, vol. 9, nᵒ 5, 2006.

CARRIG, K., et P.M. WRIGHT. *Building Profit through Building People*, Alexandria, Society for Human Resource Management, 2006.

CERDIN, J.-L. *S'expatrier en toute connaissance de cause*, Paris, Eyrolles, 2007.

CERDIN, J.-L. « Les compétences interculturelles : un défi pour la sélection et la formation des employés expatriés », *Gestion*, vol. 37, nᵒ 2, 2012, p. 6-14.

CERDIN, J.-L. « Savoir gérer une carrière internationale », *Gestion*, vol. 37, nᵒ 3, 2012, p. 6-18.

CORTINA, J., N. GOLDSTEIN, S. PAYNE, H. DAVISON et S. GILLILAND. « The incremental validity of interview scores over and above cognitive ability and conscientiousness scores », *Personnel Psychology*, vol. 53, nᵒ 2, 2000, p. 325-351.

CRISPIN, G. et M. MEHLER. *CAREERXROADS 4th Annual – Sources of Hire 2004*, www.careerxroads.com/news/SourcesOfHire04.pdf (Page consultée le 12 mai 2005).

CROOK, T.S., S.Y. TODD, J.G. COMBS, D.J. WOEHR et D.J. KETCHEN Jr. « Does human capital matter ? A meta-analysis of the relationship between human capital and firm performance », *Journal of Applied Psychology*, vol. 96, nᵒ 3, 2011, p. 443-456.

CUERRIER, C. « Le mentorat appliqué au monde du travail : analyse québécoise et canadienne », *Carriérologie*, vol. 9, nᵒ 3-4, 2004, p. 519-520.

DENIS, P.L., F. PARÉ et S. ASSELIN. « Sélectionner des candidats en toute légalité », *Gestion*, vol. 36, nᵒ 3, automne 2011, p. 50-60.

FOURNIER, L. « Ubisoft recrute à partir de www.tropdimagination.ca », *Le Soleil*, 21 septembre 2007, p. 43.

HAINES III, V.Y., S. BROUILLARD et N. CADIEUX. « Une analyse longitudinale (1975-2005) de l'évolution de la profession ressources humaines », *Relations industrielles/Industrial Relations*, vol. 65, 2010, p. 491-513.

HAINES III, V.Y., P. JALETTE et K. LAROSE. « Unbundling the influence of human resource management practices on employee voluntary turnover rates in the Canadian non governmental sector », *Industrial and Labor Relations Review*, vol. 63, 2010, p. 228-246.

LAPORTE, I. « Les bons et les mauvais recruteurs », *La Presse Affaires*, 24 septembre 2007, p. 4.

LE, H. *et al.* « Too much of a good thing : Curvilinear relationships between personality traits and job performance », *Journal of Applied Psychology*, vol. 96, 2011, p. 113-133.

LIEVENS, F. « Employer branding in the Belgian Army : The importance of instrumental and symbolic beliefs for potential applicants, actual applicants, and military employees », *Human Resource Management*, vol. 46, n° 1, 2007, p. 51-69.

MICHAUD, R., A. DURIVAGE et A. N. STAMATE. « L'appariement personne-organisation au service de la sélection du personnel », *Psychologie du travail et des organisations*, vol. 22, n° 2, 2016, p. 99-109.

MORGESON, F.P. *et al.* « Reconsidering the use of personality tests in personnel selection contexts », *Personnel Psychology*, vol. 60, 2007, p. 683-729.

PERRON, F. « Tests psychométriques : tendances et pratiques actuelles », *Effectif*, vol. 7, n° 3, 2004.

PETTERSEN, N., et A. DURIVAGE. *L'entrevue structurée : pour améliorer la sélection du personnel*, Québec, Presses de l'Université du Québec, 2006.

PETTERSEN, N., et M. TURCOTTE. « Utilisation au Canada de la Batterie Générale de Tests d'Aptitudes (BGTA) », *Canadian Psychology*, vol. 37, n° 4, 1996, p. 181-194.

ROUSSEAU, D. *Psychological Contracts in Organizations : Understanding Written and Unwritten Agreements*, Londres, Sage, 1995.

SAKR, R., É. BERGERON et P. L. DENIS. « Comment pourvoir un poste à l'étranger ? L'expérience d'Opal-RT Technologies en Inde », *Gestion*, vol. 36, 2011, p. 35-42.

SAKS, A.M., et J.A. GRUMAN. « Getting newcomers on board : A review of socialization practices and introduction to socialization resources theory », dans C.R. WANBERG (dir.), *The Oxford Handbook of Organizational Socialization*, Oxford, Oxford University Press, p. 27-55.

SCHMIDT, F.L., et J.E. HUNTER. « The validity and utility of selection methods in personnel psychology : Practical and theoretical implications of 85 years of research findings », *Psychological Bulletin*, vol. 124, 1998, p. 262-272.

Chapitre 5

BIRDI, K., C. ALLAN et P. WARR. « Correlates and perceived outcomes of four types of employee development activity », *Journal of Applied Psychology*, vol. 82, n° 6, 1997, p. 845-857.

BOUCHER, E. « Les premiers de classe en matière de formation et de développement », *Ordre des conseillers en ressources humaines agréés*, 2007, www.portailrh.org/expert/fiche.aspx?p=511026 (Page consultée le 3 mai 2016).

BOULET, J-F., et M. DESJARDINS. « La pérennité des groupes de codéveloppement », *Ordre des conseillers en ressources humaines agréés*, 2015, www.portailrh.org/expert/ficheSA.aspx?p=628293 (Page consultée le 12 mai 2016).

CERDIN, J.-L. « Savoir gérer une carrière internationale », *Gestion*, vol. 37, n° 3, 2012, p. 6-18.

CHAREST, J. « Formation de la main-d'œuvre », dans G. HÉBERT *et al.* (dir.), *La convention collective au Québec*, Montréal, Gaëtan Morin, 2007, p. 252-248.

CODSI, J. « Le dilemme du développement des leaders : maximiser les forces ou combler les faiblesses ? », *Ordre des conseillers en ressources humaines agréés*, 2011, www.portailrh.org/expert/ficheSA.aspx?f=78317 (Page consultée le 4 mai 2016).

DUBERTRAND, M. « Développement des compétences : faire flèche de tout bois », *Effectif*, vol. 14, n° 2, 2011.

FUGATE, M., A.J. KINICKI et B.E. ASHFORTH. « Employability : A psycho-social construct, its dimensions, and applications », *Journal of Vocational Behavior*, vol. 65, n° 1, 2004, p. 14-38.

GOUIN, J. « Le MOOC : une option de développement pertinente », *Effectif*, vol. 18, n° 5, 2015.

KARSENTI, T. « Les technologies au service de la formation et de l'apprentissage en entreprise », *Effectif*, vol. 8, n° 5, 2015.

KIRKPATRICK, D.L., et J.D. KIRKPATRICK. *Evaluating Training Programs : The Four Levels*, 3e éd., San Francisco, Berrett-Koehler, 2006.

LAVE, J., et E. WENGER. *Situated Learning : Legitimate Peripheral Participation*, Cambridge, Cambridge University Press, 1991.

LE LOUARN, J.-Y. *Les tableaux de bord ressources humaines*, Rueil-Malmaison, Liaisons, 2008.

LEMIRE, L., et Y.-C. Gagnon. *La gestion des ressources humaines dans les organisations publiques,* Montréal, Presses de l'Université de Montréal, 2002.

LÉVESQUE, N. «Optimiser des nouveaux savoirs en entreprise», *Ordre des conseillers en ressources humaines agréés,* 2011, www.portailrh.org/expert/ficheSA.aspx?p=440027 (Page consultée le 10 mai 2016).

MEIGNANT, A. *Manager la formation,* 6ᵉ éd., Paris, Liaisons, 2003.

MENDENHALL, M.E. «The elusive, yet critical challenge of developing global leaders», *European Management Journal,* vol. 24, n° 6, 2006, p. 422-429.

PARENT, M. «La loi du 1 % et les clauses de formation de la main-d'œuvre dans les conventions collectives du secteur privé au Québec», *Regards sur le travail,* vol. 2, n° 2, 2005, p. 12-13.

RIVARD, P. «Quelques réflexions pour transformer la fonction formation», *Ordre des conseillers en ressources humaines agréés,* 2015, www.portailrh.org/expert/ficheSA.aspx?p=603069 (Page consultée le 10 mai 2016).

ROUSSEL, J.-F. «L'apprentissage informel : une nouvelle donne, de nouveaux défis», *Effectif,* vol. 3, n° 3, 2010.

SAKS, A., et R. HACCOUN. *Managing Performance through Training and Development,* 5ᵉ éd., Toronto, Nelson, 2010.

SHEEHAN, M. «Investing in management development in turbulent times and perceived organizational performance : A study of UK MNCs and their subsidiaries», *International Journal of Human Resource Management,* vol. 23, n° 12, 2012, p. 2491-2513.

SI, S., et Y. LI. «Human resource management practices on exit, voice, loyalty, and neglect : Organizational commitment as a mediator», *International Journal of Human Resource Management,* vol. 23, n° 8, 2012, p. 1705-1721.

SITZMANN, T., K.G. BROWN, W.J. CASPER, K. ELY et R.D. ZIMMERMAN. «A review and meta-analysis of the nomological network of trainee reactions», *Journal of Applied Psychology,* vol. 93, n° 2, 2008, p. 280-295.

SZELE, I. «Une démarche au cœur du développement des gestionnaires chez Vidéotron», *Effectif,* vol. 17, n° 1, 2014.

Chapitre 6

AGUINIS, H. *Performance Management,* 3ᵉ éd., Upper Saddle River, Pearson Education, 2014.

BRUN, J.-P. *Les sept pièces manquantes du management,* Montréal, Transcontinental, 2008.

BRUN, J.-P., et N. DUGAS. «La reconnaissance au travail : analyse d'un concept riche de sens», *Gestion,* vol. 30, n° 2, 2005, p. 79-88.

BRUTUS, S., et N. BRASSARD. «Un bilan de l'évaluation multisource», *Gestion,* vol. 30, n° 1, 2005, p. 24-30.

CERDIN, J.-L. «Savoir gérer une carrière internationale», *Gestion,* vol. 37, n° 3, 2012, p. 6-18.

CÔTÉ, N. «Employés sous surveillance», *La Presse Affaires,* 4 août 2012.

COWAN, A., et R. WRIGHT (dir.). *Human Resources Trends and Metrics : Valuing your Talent,* Ottawa, Le Conference Board du Canada, 2010.

DION, G. «Les mouvements du personnel dans l'entreprise – terminologie», *Relations industrielles,* vol. 30, n° 2, 1975, p. 258.

DION, G. *Dictionnaire canadien des relations du travail,* 2ᵉ éd., Québec, Presses de l'Université Laval, 1986.

FOLGER, R., M. KONOVSKY et R. CROPANZANO. «A due process metaphor for performance appraisal», dans B. STAW et L. CUMMINGS (dir.), *Research in Organizational Behavior,* vol. 14, Greenwich, JAI Press, 1992, p. 127-148.

HEWITT ASSOCIATES. «The Current State of Performance Management and Career Development», *Survey Findings,* 2010, www.aon.com/attachments/thought-leadership/Hewitt_Survey_Results_PerfMgmtCareerDevSV10.pdf (Page consultée le 20 juillet 2017)

HUNT, S. «SAP Performance Management Mythbusting : The true story of SAP's performance assessment transformation», *LinkedIn,* 19 août 2016, www.linkedin.com/pulse/sap-performance-management-mythbusting-true-story-saps-steve-hunt (Page consultée le 13 septembre 2016).

LEDFORD, G.E., et E.E. LAWLER III. «Can technology save performance management?», *WorldatWork Journal*, avril 2015, p. 6-14.

LETARTE, M. «Gérer les avantages et les risques des TI», *La Presse Affaires*, 15 avril 2015, p. 15.

LOCKE, E.A., et G.P. LATHAM. *A Theory of Goal Setting and Task Performance*, Englewood Cliffs, Prentice-Hall, 1990.

MORIN, D., V. HAINES et S. DOLAN. «L'approche par objectifs», dans S. ST-ONGE et V. HAINES (dir.), *Gestion des performances au travail: bilan des connaissances*, Bruxelles, De Boeck, 2007, p. 215-250.

MORIN, E.M., C. AUBÉ et K. JOHNSON. *Psychologie et management*, 3ᵉ éd., Montréal, Chenelière Éducation, 2015.

PERREAULT, R., et S. LABERGE. «L'utilisation abusive des équipements informatiques au travail: où en sommes-nous?», dans S. ST-ONGE (dir.), *Gérer les performances au travail*, Gestion, 2008, p. 438-444.

RODGERS, C. «Des objectifs et des compétences», *La Presse Affaires,* 7 février 2011, p. 6, 9.

ST-ONGE, S. «L'agilité historique de General Electric: mise au défi?», cas n° 9 00 2010 002, Montréal, Centre de cas HEC Montréal, 2010.

ST-ONGE, S. *Gestion de la performance,* Montréal, Chenelière Éducation, 2012.

ST-ONGE, S., et V. HAINES. *La gestion du rendement des ressources humaines: la situation actuelle*, questionnaire d'enquête développé en collaboration avec Émilie Caussignac et Stéphanie Massé, Montréal, HEC Montréal, 2001.

STEWART, N. *Performance Management: Turning Individual Stress to Organizational Strategy*, rapport, Conference Board of Canada, 2012.

TOWERS PERRIN. *Closing the engagement gap: A road map for driving business performance, Towers Perrin Global Workforce Study* 2007-2008, https://c.ymcdn.com/sites/simnet.site-ym.com/resource/group/066D79D1-E2A8-4AB5-B621-60E58640FF7B/leadership_workshop_2010/towers_perrin_global_workfor.pdf (Page consultée le 20 janvier 2017).

VROOM, V.H. *Work and Motivation*, New York, Wiley, 1964.

WATSON WYATT. *Playing to Win in a Global Economy 2007/2008 Global Strategic Rewards Report and United States Findings,* www.worldatwork.org/waw/adimLink?id=22004 (Page consultée le 20 janvier 2017).

WORLDATWORK et SIBSON CONSULTING. *Study on the State of Performance Management*, Scottsdale, A WorldatWork Survey Brief, 2007.

WORLDATWORK et SIBSON CONSULTING. *2010 Study on the State of Performance Management*, Scottsdate, A WorldatWork Survey Brief, 2010.

Chapitre

COMMISSION DE LA FONCTION PUBLIQUE DU CANADA. *Aperçu de la démarche du Centre d'évaluation*, 2016, www.psc-cfp.gc.ca/ppc-cpp/ac-ovw-ce-aprcu-fra.htm (Page consultée le 7 juin 2016).

DE BRY, F. *Les femmes dans l'entreprise. Un problème de responsabilité sociale*, 2004, www.lux-ias.lu/PDF/DeBry.pdf (Page consultée le 23 février 2013).

FONDATION DE L'ENTREPRENEURSHIP. *Enquête sur les défis de la relève au Québec*, 2010, www.durevea-lareleve.com/library/pdf/Les%20défis%20de%20la%20relève%20au%20Québec.pdf (Page consultée le 8 juin 2016).

GUERRERO, S. *Les outils des RH*, 3ᵉ éd., Paris, Dunod, 2014.

HENRY, S. «Enquête: comment l'État détecte ses hauts potentiels», *Acteurs Publics*, 2015, www.acteurspublics.com/2015/05/26/enquete-comment-l-etat-detecte-ses-hauts-potentiels (Page consultée le 16 juin 2016).

NG, T., et D. FELDMAN. «Subjective career success: A meta-analytic review», *Journal of Vocational Behavior*, vol. 85, n° 2, 2014, p. 169-179.

PINEAULT, J.-P. «À la petite école de l'entrepreneurship», *Gens d'affaires,* vol. 1, n° 6, 2012.

SUPER, D.E. *The Psychology of Careers*, New York, Harper, 1957.

TURNER, R. « Sponsored and contest mobility and the school system », *American Sociological Review*, 1960, p. 855-867.

WENG, Q., et J.C. McELROY. « Organizational career growth, affective occupational commitment and turnover intentions », *Journal of Vocational Behavior*, vol. 80, 2012, p. 256-265.

Chapitre 8

ADAMS, J.S. « Inequity in social exchange », dans L. BERKOWITZ (dir.), *Advances in Experimental Social Psychology*, vol. 2, New York, Academic Press, 1965, p. 267-297.

ALBRECHT, C.O., C.C. ALBRECHT et S.L. DOLAN. « Financial fraud : The how and why », *European Business Forum*, vol. 29, 2007, p. 34-39.

BERGERON, P. « Régimes de retraite à financement salarial : une solution viable ? », *Avantages*, février/mars 2016, p. 16.

BÉRUBÉ, G. « Perspectives : de révolution à fossé numérique », *Le Devoir*, 14 janvier 2016, p. B1.

BOSTON CONSULTING GROUP. « Decoding global talent : 200,000 survey responses on global mobility and employment preferences », *bcg.perspectives*, 6 octobre 2014.

FOREST, J., *et al.* « Pourquoi l'argent motive peu ou mal », *Effectif*, vol. 15, n° 3, 2012, p. 20-23.

LEPPER, M.R., D. GREENE et R.E. NISBETT. « Undermining children's intrinsic interest with extrinsic reward : A test of the overjustification hypothesis », *Journal of Personality and Social Psychology*, vol. 28, n° 1, 1973, p. 129-137.

LEPPER, M.R., J. HENDERLONG et I. GINGRAS. « Understanding the effects of extrinsic rewards on intrinsic motivation – uses and abuses of meta-analysis : Comment on Deci, Koestner, and Ryan (1999) », *Psychological Bulletin*, vol. 125, n° 6, 1999, p. 692-700.

LETARTE, M. « Allier rémunération et culture d'entreprise », *La Presse*, 11 mars 2015, p. 7.

McMULLEN, T., M. STARK et J. CÔTÉ. « Faire de la rémunération un investissement », *Gestion*, vol. 34, n° 2, 2009, p. 34.

MORIN, D., S. ST-ONGE et C. VANDENBERGHE. « Perspectives théoriques associées à l'étude du processus d'évaluation des performances », dans S. St-Onge et V. Haines (dir.), *Gestion des performances au travail : bilan des connaissances,* Bruxelles, De Boeck, 2007, p. 151-213.

PFEFFER, J., et R.I. SUTTON. *Faits et foutaises dans le management,* Paris, Vuibert, 2006.

RENAUD, S., et C. TREMBLAY. « Les syndicats du secteur privé au Canada face à la rémunération variable », *Actes de l'International Working Party, Laboratoire d'Économie et de Sociologie du Travail – CNRS*, Aix-en-Provence, juillet 2007.

RETTINO-PARAZELLI, K. « Numérique : les espoirs déçus d'une révolution », *Le Devoir*, 14 janvier 2016, p. B1-B2.

ROUSSEAU, C., S. ST-ONGE et M. MAGNAN. « Corporation Nortel Networks : Le naufrage du Titanic canadien », *Revue internationale de cas en gestion*, vol. 9, n° 4, 2011.

ST-ONGE, S. « La rémunération des expatriés : le point de vue d'un consultant canadien », *Gestion*, vol. 37, n° 2, 2012, p. 38-44.

ST-ONGE, S. « Les effets de la rémunération variable sur la motivation et la performance : incertains ! », *Effectif*, vol. 16, n° 5, 2013.

ST-ONGE, S. *Gestion de la rémunération : théorie et pratique*, 3e éd., Montréal, Chenelière Éducation, 2014.

ST-ONGE, S., et M.-L. BUISSON. « La rémunération au mérite dans le secteur public : bilan des connaissances et avenues de recherche », *Management international*, vol. 16, n° 3, 2012, p. 75-91.

THERRIEN, Y. « Korem mise sur une rémunération flexible », *Le Soleil,* 8 octobre 2012, p. 50.

Chapitre 9

BERGERON, J.-G., et R. PAQUET. *La négociation collective*, 2e éd., Montréal, Gaëtan Morin, 2011.

BETTACHE, M. « La concertation patronale-syndicale : consultation ou décision conjointe ? Des différences de perception et retombées sur la mobilisation des employés », *Revue multidisciplinaire sur l'emploi, le syndicalisme et le travail*, vol. 5, n° 1, 2010, p. 27-69.

BLOUIN, R. « L'encadrement juridique général des rapports collectifs de travail : le Code du travail », dans J. BOIVIN (dir.), *Introduction aux relations industrielles*, Montréal, Gaëtan Morin, 2004, p. 271-304.

BOIVIN, J. *Introduction aux relations industrielles*, 2e éd., Montréal, Gaëtan Morin, 2010.

BROCHU, D., et L. BOUCHER. « Les entraves de l'employeur et leurs formes déguisées dans les démarches de syndicalisation au Québec », *Revue multidisciplinaire sur l'emploi, le syndicalisme et le travail*, vol. 3, n° 1, 2007, p. 90-106.

BUREAU INTERNATIONAL DU TRAVAIL (BIT). *Manuel sur la négociation collective et règlement des différends dans le service public*, Genève, Bureau international du travail, Département des activités sectorielles, 2012.

CHAREST, J. « La place de la formation dans les négociations patronales-syndicales au Québec et en Europe », *Bulletin de l'Observatoire compétences-emplois*, vol. 1, n° 2, 2010, p. 15-17.

COUTU, M., L.L. FONTAINE, G. MARCEAU et U. COIQUAUD. *Droit des rapports collectifs du travail au Québec*, 2e éd., Montréal, Yvon Blais, 2013.

CREGAN, C. « Can organizing work ? An inductive analysis of individual attitudes toward union membership », *Industrial and Labor Relations Review*, vol. 58, 2005, p. 282-304.

DION, G. *Dictionnaire canadien des relations du travail*, 2e éd., Québec, Presses de l'Université Laval, 1986.

DUFAULT, A. « Les trois leviers de la collaboration patronale-syndicale », *Ordre des conseillers en ressources humaines agréés*, 10 mai 2011, www.portailrh.org/expert/ficheSA.aspx?f=75034 (Page consultée le 1er novembre 2016).

FAIRBROTHER, P. « Social movement unionism or trade unions as social movements », *Employee Responsibility and Rights Journal*, vol. 20, 2008, p. 213-220.

FUDGE, J., et E. TECKER. « Pluralism or fragmentation ? The twentieth century employment law regime in Canada », *Labour/Le travail*, vol. 46, 2000, p. 251-306.

GÉRIN-LAJOIE, J. *Les relations du travail au Québec*, 2e éd., Montréal, Gaëtan Morin, 2004.

GOUVERNEMENT DU QUÉBEC. *Code du travail*, 1er avril 2013, www2.publicationsduquebec.gouv.qc.ca/dynamicSearch/ telecharge.php?type=2&file=/C_27/C27.html (Page consultée le 12 octobre 2016).

HARRISSON, D., M. ROY, et V.Y. HAINES III. « Union representatives in labour-management partnerships : roles and identities in flux », *British Journal of Industrial Relations*, vol. 49, n° 3, 2011, p. 411-435.

HELFEN, M.O., E. SCHÜBLER et D. STEVIS. « Translating European labor relations practices to the United States through global framework agreements ? German and Swedish multinationals compared », *ILR Review*, vol. 69, n° 3, 2016, p. 631-655.

HENNEBERT, M.-A., et R. BOURQUE. « Origines, enjeux et défis actuels de la Confédération syndicale internationale (CSI) », *Regards sur le travail*, vol. 7, n° 2, 2011, p. 1-11.

JALETTE, P., et M. LAROCHE. « L'incessante adaptation des conventions collectives au Québec », *Effectif*, vol. 13, n° 5, 2010.

JALETTE, P., et G. TRUDEAU. *La convention collective au Québec*, 2e éd., Montréal, Gaëtan Morin, 2011.

JOHNSTON, S., et P. ACKERS. *Finding a Voice at Work ? New Perspectives on Employment Relations*, Oxford, Oxford University Press, 2015.

KOCHAN, T.A. « Introduction to a symposium on the Kaiser Permanente labor management partnership », *Industrial Relations*, vol. 47, n° 1, 2008, p. 1-9.

LAPOINTE, P.-A. « Partenariat, avec ou sans démocratie », *Relations industrielles*, vol. 56, n° 2, 2001, p. 244-278.

LAROCHE, M. « La concertation dans les milieux de travail au Québec : quels impacts dans les accords négociés ? », *Regards sur le travail*, vol. 9, n° 2, 2013, p. 1-14.

MINISTÈRE DU TRAVAIL DU QUÉBEC. « Données globales sur les conflits au travail, Québec », *Banque de données des statistiques officielles sur le Québec*, 2014, www.bdso.gouv.qc.ca/pls/ken/ken213_afich_tabl.page_tabl?p_iden_tran=REPERKL3W7L42-212739714245ZBs3&p_lang=1&p_id_raprt=1371 (Page consultée le 12 octobre 2016).

MORIN, F., et R. BLOUIN. *Droit de l'arbitrage de grief*, 6e éd., Cowansville, Yvon Blais, 2012.

MORIN, F., J.-Y. BRIÈRE et D. ROUX. *Le droit de l'emploi au Québec*, 3e éd., Montréal, Wilson & Lafleur, 2006.

ORGANISATION DE COOPÉRATION ET DE DÉVELOPPEMENT ÉCONOMIQUES. *Taux de syndicalisation,* 2016, http://stats.oecd.org/Index.aspx?DataSetCode=UN_DEN&Lang=fr (Page consultée le 1er novembre 2016).

PAQUET, R. « Le processus de la négociation collective », dans J.-G. BERGERON et R. PAQUET (dir.), *La négociation collective,* Montréal, Gaëtan Morin, 2006, p. 79-107.

SEXTON, J. *Initiation à la négociation collective,* Québec, Presses de l'Université Laval, 2001.

SOBCZAK, A. « Syndicats et responsabilité sociale des multinationales », *Gestion,* vol. 33, n° 1, 2008, p. 18-26.

STATISTIQUE CANADA. *Regards sur la société canadienne. Les tendances à long terme de la syndicalisation,* n° 75006X au catalogue de Statistique Canada, novembre 2013.

WALTON, R.E., et R.B. MCKERSIE. *A Behavioral Theory of Labor Negotiations: An Analysis of a Social Interaction System,* New York, McGraw-Hill, 1965.

WELDON, K. « Public attitudes about labor unions, 1936-today », *Huffington Post,* 14 mai 2014, www.huffingtonpost.com/kathleen-weldon/public-attitudes-about-la_b_5716177.html www.huffingtonpost.com/kathleen-weldon/public-attitudes-about-la_b_5716177.html (Page consultée le 11 octobre 2016).

Chapitre 10

ASSOCIATION DES COMMISSIONS DES ACCIDENTS DU TRAVAIL DU CANADA (ACATC). *Programme d'indemnisation des accidents de travail au Canada,* 2016, http://awcbc.org/fr/?page_id=11805 (Page consultée le 1er décembre 2016).

BIRD, F.E., et GERMAIN, G.L. *Practical Loss Control Leadership,* Loganville, Institute Publishing, 1985.

BOSQUE, D. « Une industrie en mal d'éthique », *Le Devoir,* 27 février 2016, www.ledevoir.com/economie/actualites-economiques/464140/une-industrie-en-mal-d-ethique (Page consultée le 9 décembre 2016).

BRUN, J.-P., et C. LAMARCHE. *Évaluation des coûts du stress au travail,* Québec, Université Laval, Faculté des sciences de l'administration, 2006, http://cgsst.com/publications/evaluation-des-couts-du-stress-au-travail-2/ (Page consultée le 1er décembre 2016).

BUREAU DE NORMALISATION DU QUÉBEC. *Entreprise en santé,* 25 février 2008, www.bnq.qc.ca/fr/normalisation/sante-et-travail/entreprise-en-sante.html (Page consultée le 1er décembre 2016).

BURGESS, E. *Assessing the Business Benefits of Canadian Employee Assistance Programs,* mémoire, Montréal, Université de Montréal, 1995.

CARTWRIGHT, S., et C. COOPER. « Public policy and occupational health psychology in Europe », *Journal of Occupational Health Psychology,* vol. 1, n° 4, 2005, p. 349-361.

CHAMPOUX, D., et J.-P. BRUN. « Dispositions, capacités et pratiques de SST dans les petites entreprises : opinions de patrons, d'employés et d'intervenants en SST au Québec », *Pistes,* vol. 12, n° 2, 2010, http://pistes.revues.org/2457 (Page consultée le 1er décembre 2016).

CHRÉTIEN, L., et I. LÉTOURNEAU. « La conciliation travail-famille : au-delà des mesures à offrir, une culture à mettre en place », *Gestion,* vol. 35, n° 3, automne 2010, p. 53-61.

COMMISSION DES NORMES, DE L'ÉQUITÉ, DE LA SANTÉ ET DE LA SÉCURITÉ DU TRAVAIL. *Accident du travail ou maladie professionnelle,* s.d., www.csst.qc.ca/travailleurs/accident_travail_maladie_professionnelle/Pages/accident_travail.aspx (Page consultée le 1er décembre 2016).

COMMISSION DES NORMES, DE L'ÉQUITÉ, DE LA SANTÉ ET DE LA SÉCURITÉ DU TRAVAIL. *Principales statistiques de 2015 : accidents du travail, maladies professionnelles et décès,* 2016a, www.cnesst.gouv.qc.ca/salle-de-presse/Documents/Jour-de-deuil-2016.pdf (Page consultée le 1er décembre 2016).

COMMISSION DES NORMES, DE L'ÉQUITÉ, DE LA SANTÉ ET DE LA SÉCURITÉ DU TRAVAIL. *Statistiques 2015,* 2016b, www.cnesst.gouv.qc.ca/Publications/200/Documents/DC200-1046web.pdf (Page consultée le 1er décembre 2016).

FOUCHER, A., A. SAVOIE et L. BRUNET. *Concilier performance organisationnelle et santé psychologique,* Montréal, Nouvelles, 2003.

GRANT, A.M., J.E. DUTTON et B.D. ROSSO. « Giving commitment : Employee support programs and the prosocial sensemaking process », *Academy of Management Journal,* vol. 51, n° 5, 2008, p. 898-918.

GREENHAUS, J.H., et N.J. BEUTELL. « Sources of conflict between work and family roles », *Academy of Management Review,* vol. 10, n° 1, 1985, p. 76-88.

GRIFFITHS, A., et F. MUNIR. « Workplace health promotion », dans D.A. HOFMANN et L.E. TETRICK (dir.), *Health and Safety in Organizations : A Multilevel Perspective,* San Francisco, Jossey-Bass, 2003, p. 316-340.

HURRELL, J.J. « Organizational stress interventions », dans J. BARLING, E.K. KELLOWAY et M.R. FRONE (dir.), *Handbook of Work Stress,* Thousand Oaks, Sage, 2005, p. 623-645.

JOUDRIER, C. « Les cadres n'arrivent pas à se déconnecter », *Liaisons sociales,* 1er juillet 2016, www.wk-rh. fr/actualites/detail/94802/les-cadres-n-arrivent-pas-a-se-deconnecter.html (Page consultée le 19 décembre 2016).

KELLOWAY, E.K., et L. FRANCIS. *Management of Occupational Health & Safety,* 4e éd., Toronto, Nelson Education, 2008.

ZOHAR, D. « The effects of leadership dimensions, safety climate, and assigned priorities on minor injuries in work groups », *Journal of Organizational Behavior,* vol. 23, n° 1, 2002, p. 75-92.

Chapitre

ANCELIN, B. « Quand les réseaux sociaux appuient la diversité », *FocusRH,* 11 juillet 2012, www.focusrh. com/strategie-rh/diversite/quand-les-reseaux-sociaux-appuient-la-diversite-23191.html (Page consultée le 21 juillet 2016).

ARCAND, S., A. LENOIR et D. HELLY. « Insertion professionnelle d'immigrants récents et réseaux sociaux : le cas des Maghrébins à Montréal et Sherbrooke », *The Canadian Journal of Sociology/Cahiers canadiens de sociologie,* vol. 34, n° 2, 2015, p. 373-402.

BANON, P., et J.-F. CHANLAT. « La diversité religieuse et culturelle dans les organisations contemporaines : principaux constats et proposition d'un modèle d'analyse et d'action pour le contexte français », *Conférence Equality, Diversity, Inclusion,* Toulouse, Toulouse Business School, 25 juillet 2012, p. 17.

BENOÎT, M. « Gérer la diversité », dans P. LAINEY, S. ST-ONGE, M. BENOIT, J. LAMONTAGNE et F. BOULARD (dir.), *Habiletés de supervision,* Montréal, Chenelière Éducation, 2009, p. 210.

BRUNELLE, C. « Le droit à l'accommodement raisonnable dans les milieux de travail syndiqués : une invasion barbare ? », dans M. JÉZÉQUEL (dir.), *Les accommodements raisonnables : quoi, comment, jusqu'où ? Des outils pour tous,* Montréal, Yvon Blais, 2007a, p. 51-86.

BRUNELLE, C. « Un corps étranger dans les milieux de travail syndiqués », *Effectif,* vol. 10, n° 2, 2007b, p. 16-21.

BRUNELLE, C. « L'accommodement raisonnable dans les entreprises syndiquées : une valse à mille temps », *Gestion,* vol. 33, n° 2, 2008, p. 59-65.

CALVEZ, V., et Y.-T. LEE. « Comment développer les compétences en matière de diversité culturelle », *Gestion,* vol. 34, n° 3, 2009, p. 83-94.

CHICHA, M.-T., et É. CHAREST. « Accès à l'égalité et gestion de la diversité : une jonction indispensable », *Gestion,* vol. 34, n° 3, 2009, p. 66-73.

CHRISTIN, J., et M.-L. BUISSON. « Comment gérer une main-d'œuvre âgée ? Regard sur la France », *Gestion,* vol. 34, n° 3, 2009, p. 38-46.

CORNET, A., et M. EL ABBOUBI. « Gérer la diversité dans le secteur public : pratiques et conditions de succès », *Gestion,* vol. 37, n° 4, 2013, p. 57-66.

CORNET, A., et P. WARLAND. *La gestion de la diversité des ressources humaines dans les entreprises et organisations,* 2e éd., Liège, Université de Liège, 2010.

CORNET, A., et P. WARLAND. *Gérer la diversité au quotidien : cas pratiques de gestion des ressources humaines,* Liège, Université de Liège, 2013.

CORNET, A., et P. WARLAND. *Gestion de la diversité des ressources humaines : guide pratique,* 3e éd., Liège, Université de Liège, 2014.

DAFT, R.L. *The Leadership Experience,* 4e éd., Mason, Thomson South-Western, 2008.

DE LA DURANTAYE, G., et D. LEDUC. « L'obligation d'accommodement a-t-elle une limite ? », *Effectif,* vol. 10, n° 2, 2007, p. 46-49.

DI IORIO, N., et M.-C. LAUZON. « À la recherche de l'égalité : de l'accommodement à l'acharnement », dans M. JÉZÉQUEL (dir.), *Les accommodements raisonnables : quoi, comment, jusqu'où ? Des outils pour tous*, Montréal, Yvon Blais, 2007, p. 113-164.

DJABI, A. *Le label diversité, un levier pour la prévention et la lutte contre les discriminations : obtenir et maintenir sa labellisation*, Paris, Association française des managers de la diversité et Fondation Agir contre l'exclusion, 2011.

DUBÉ, C. « La gestion de l'accommodement : un défi d'application au-delà du droit », *Gestion*, vol. 33, n° 2, 2008, p. 48-52.

EFFECTIF. « La diversité : un puissant levier d'innovation », *Effectif*, vol. 14, n° 4, 2011, p. 66.

FAGOTA, I. *24 heures chez IBM, entreprise « gay friendly »*, 25 avril 2011, www.emploi-pro.fr/edito/article/24-heures-chez-ibm-entreprise-gay-friendly-aea-3922 (Page consultée le 24 juillet 2016).

FORTIER, D. « De quelles compétences multiculturelles les gestionnaires ont-ils besoin ? », *Gestion*, vol. 34, n° 3, 2009, p. 74-82.

GAIGNAIRE, A. « Gérer la diversité sans accentuer les différences », *Les Affaires,* 24 mai 2014, p. 37.

GARNER-MOYER, H. *Réflexions autour du concept de diversité : éclairer pour mieux agir*, Association française des managers de la diversité et Université de Paris 1, 2012.

GAVRANCIC, A., F. COURCY et J. PROULX. « Comment superviser une équipe de travail diversifiée ? », *Gestion*, vol. 34, n° 2, 2009, p. 68-74.

GOUVERNEMENT DU CANADA. « Intégration de l'équité en matière d'emploi au processus de nomination », *Commission de la fonction publique du Canada*, 15 mars 2013, www.psc-cfp.gc.ca/plcy-pltq/archives/guides/equity-equite/guid-orie-fra.htm (Page consultée le 22 novembre 2016).

GROUPE CONSEIL CONTINUUM. « Guide pratique de la gestion de la diversité culturelle en emploi », *Emploi-Québec*, 2005, www.emploiquebec.gouv.qc.ca/uploads/tx_fceqpubform/06_emp_guidediversite.pdf (Page consultée le 22 novembre 2016).

JACQUINOT, P. « Les employés handicapés en France : leçons d'intégration », *Gestion*, vol. 34, n° 3, 2009, p. 116-127.

JÉZÉQUEL, M., et L. HOUDE. « Accommodement religieux en milieu de travail : jusqu'où ? », *Effectif*, vol. 10, n° 2, 2007, p. 32-35.

LAVOIE, L. « Discrimination fondée sur le handicap et stratégies d'accommodement », dans M. JÉZÉQUEL (dir.), *Les accommodements raisonnables : quoi, comment, jusqu'où ? Des outils pour tous*, Montréal, Yvon Blais, 2007, p. 31-49.

MERRITT, S.M., A.M. RYAN, M.J. MACK, J.P. LEEDS et N. SCHMITT. « Perceived ingroup and outgroup preference : A longitudinal causal investigation », *Personnel Psychology*, vol. 63, n° 4, 2010, p. 845-879.

POZZEBON, S., et M. CHAMPAGNE. « L'intégration professionnelle des personnes handicapées : que font les organisations avant-gardistes ? », *Gestion*, vol. 34, n° 3, 2009, p. 103-115.

ROBERT-DEMONTROND, P., et A. JOYEAU. « Les politiques de diversité ethnoculturelle dans l'entreprise : avantages, limites et conditions de succès », *Gestion*, vol. 34, n° 3, 2009, p. 57-65.

ROCHETTE, M. *La conciliation travail-famille dans des petites et moyennes entreprises québécoises : analyse et interprétation des résultats d'une enquête qualitative*, Québec, Gouvernement du Québec, 2004.

SABA, T. « Les différences intergénérationnelles au travail : faire la part des choses », *Gestion*, vol. 34, n° 3, 2009, p. 25-36.

SÉGUIN, C., et C. FOISY. « Faire les choses différemment afin d'embaucher des personnes handicapées », *Gestion*, vol. 37, n° 1, 2012, p. 54-62.

SOCIETY FOR HUMAN RESOURCE MANAGEMENT. *Survey Findings : An Examination of Organizational Commitment to Diversity and Inclusion*, octobre 2011.

ST-ONGE, S. « Vers des milieux de travail et une société plus favorables à la conciliation travail-famille », dans M. JÉZÉQUEL (dir.), *Les accommodements raisonnables : quoi, comment, jusqu'où ? Des outils pour tous*, Montréal, Yvon Blais, 2007, p 165-202.

ST-ONGE, S. « La conciliation travail-famille : un défi à relever pour tous ! », dans S. ST-ONGE (dir.), *Gestion de sa vie professionnelle*, Montréal, Gestion, 2011, p. 493-509.

ST-ONGE, S. « Les accommodements en matière de religion : perspectives du Québec et du Canada », conférence *Equality, Diversity, Inclusion*, Toulouse, Toulouse Business School, 25 juillet 2012.

ST-ONGE, S. « Accommodations in religious matters : Quebec and Canadian perspectives », dans S. GRÖSCHL et R. BENDL (dir.), *Managing Religious Diversity at the Workplace : Examples from Around the World*, Oxon, Gower Applied Research, 2015, p. 9-30.

ST-ONGE, S., et M. MAGNAN. « Les femmes et les conseils d'administration : bilan des connaissances et voies de recherche futures », *Finance Contrôle Stratégie*, vol. 16, n° 1, 2013.

TAJFEL, H., et J.C. TURNER. « An integrative theory of intergroup conflict », dans S. WORCHEL et W. AUSTIN (dir.), *The Social Psychology of Intergroup Relations*, Pacific Grove, Brooks/Cole, 1979, p. 33-48.

TAJFEL, H., et J.C. TURNER. « The social identity theory of intergroup behavior », dans S. WORCHEL et W. AUSTIN (dir.), *Psychology of Intergroup Relations*, 2e éd., Chicago, Nelson-Hall, 1986, p. 7-24.

VIDAUD, E. « Diversité : les réseaux sociaux comme outil d'intégration », *MyRHline*, 28 août 2012, www.myrhline.com/actualite-rh/diversite-les-reseaux-sociaux-comme-outil-d-integration.html (Page consultée le 21 juillet 2016).

WOEHRLING, J. « Les principes régissant la place de la religion dans les écoles publiques du Québec », dans M. JÉZÉQUEL (dir.), *Les accommodements raisonnables : quoi, comment, jusqu'où ? Des outils pour tous*, Montréal, Yvon Blais, 2007, p. 215-234.

ZANNAD, H., A. CORNET et P. STONE. « Enjeux techniques, symboliques et politiques de la mesure de la diversité dans les entreprises et les organisations ? », *Management international/International Management/Gestión Internacional*, vol. 17, 2013, p. 85-97.

Chapitre 12

BARNEY, J. « Firm resources and sustained competitive advantage », *Journal of Management,* vol. 17, n° 1, 1991, p. 99-120.

BROWN, L. *Keeping employees engaged. What does it take ?,* 16 mai 2013, www.towerswatson.com/en-HK/Insights/IC-Types/Ad-hoc-Point-of-View/2013/05/Keeping-Employees-Engaged (Page consultée le 10 mai 2016).

COLAKOGLU, S., D. LEPAK et Y. HONG. « Measuring HRM effectiveness : Considering multiple stakeholders in a global context », *Human Resource Management Review*, vol. 16, n° 2, 2006, p. 209-218.

COMBS, J., Y. LIU, A. HALL et D. KETCHEN. « How much do highperformance work practices matter ? A meta-analysis of their effects on organizational performance », *Personnel Psychology*, vol. 59, n° 3, 2006, p. 501-528.

CROOK, T.R., S.Y. TODD, J.G. COMBS, D.J. WOEHR et D.J. KETCHEN Jr. « Does human capital matter ? A meta-analysis of the relationship between human capital and firm performance », *Journal of Applied Psychology*, vol. 96, n° 3, 2011, p. 443-465.

GUERRERO, S. *Les outils de l'audit social*, 2e éd., Paris, Dunod, 2008, p. 28.

GUERRERO, S. *Les outils des RH,* 3e éd., Paris, Dunod, 2014.

KAPLAN, R.S., et D.P. NORTON. *The Balanced Scorecard : Translating Strategy into Action,* Cambridge, Harvard Business School Press, 1996.

LE LOUARN, J.-Y., et J. DAOUST. « Les ratios financiers liés aux ressources humaines : une application au secteur bancaire canadien », *Gestion*, vol. 32, n° 4, 2008, p. 79-87.

STATISTIQUE CANADA. *Taux d'absence du travail. 2011.* Catalogue : No 71-211-X, 2012, www.statcan.gc.ca/pub/71-211-x/71-211-x2012000-fra.pdf (Page consultée le 2 mai 2016).

TSUI, A. « A multiple-constituency model of effectiveness : An empirical examination at the human resource subunit level », *Administrative Science Quarterly,* vol. 35, n° 3, 1990, p. 458-483.

INDEX

LES AUTEURS

Sylvie St-Onge
HEC Montréal

Professeure titulaire, Sylvie St-Onge, Ph. D, ASC et Distinction Fellow CRHA, détient un doctorat en comportement organisationnel et relations industrielles de la Schulich School of Business de l'Université York de Toronto. À HEC Montréal, elle a été directrice de la recherche (2001-2004) ainsi que directrice et rédactrice en chef de la revue *Gestion* (2007-2013). Elle est coauteure des ouvrages suivants, tous publiés par Gaëtan Morin/Chenelière Éducation : *Gestion de la rémunération : théorie et pratique* (3ᵉ édition, 2014), *Gestion de la performance* (2012) et *Habiletés de supervision* (2009) ; trois de ces ouvrages ont reçu le prix ou la mention du ministre de l'Éducation (2000, 2013, 2016). Sylvie St-Onge est aussi coresponsable du collectif *La gestion des performances au travail : bilan des connaissances* (Édition de Boeck, 2007) ainsi que responsable des collectifs suivants (collection «Gestion et Savoirs», revue *Gestion*) : *Gérer sa vie professionnelle* (2015), *Gestion des carrières* (2013) et *Gestion de la performance : défis et tendances* (2011). Mᵐᵉ St-Onge reçoit une bourse d'excellence en enseignement de l'administration du ministère de l'Éducation (2009-2017).

Sylvie Guerrero
Université du Québec à Montréal

Sylvie Guerrero, Ph. D., CRHA, détient un doctorat de l'Université Toulouse 1. Elle est professeure à l'École des sciences de la gestion de l'Université du Québec à Montréal (UQAM), où elle enseigne la gestion des ressources humaines. Elle a publié plusieurs ouvrages sur ce thème, dont *Les outils des RH* (Dunod, 2014, 3ᵉ édition) et *Les outils de l'audit social* (Dunod, 2008). Elle s'intéresse aussi au thème de la carrière, sujet pour lequel elle a participé à deux ouvrages collectifs (*La gestion des carrières : enjeux et perspectives*, Vuibert, 2004, et *Gérer les carrières*, Presses d'HEC Montréal, 2013).

Victor Haines
Université de Montréal

Victor Haines, Ph. D., CRHA, est professeur titulaire en gestion stratégique des ressources humaines à l'École de relations industrielles de l'Université de Montréal. Il consacre ses recherches et son enseignement principalement à la gestion des ressources humaines et au comportement organisationnel. Ses travaux de recherche ont fait l'objet de multiples publications scientifiques. Il intervient comme chercheur, consultant et formateur dans de nombreuses organisations publiques et privées.

Jean-Pierre Brun
Université Laval

Jean-Pierre Brun est professeur titulaire au Département de management de la Faculté des sciences de l'administration de l'Université Laval. Il détient un doctorat en ergonomie (CNAM, Paris) et une maîtrise en sociologie du travail (Université de Montréal). Fondateur et titulaire de la Chaire en gestion de la santé et de la sécurité du travail, il a aussi été directeur du Réseau de recherche en santé et en sécurité du travail du Québec (de 2002 à 2006). Il a reçu le prix d'excellence Hermès en recherche décerné par la Faculté des sciences de l'administration de l'Université Laval et le Prix hommage canadien de la santé en milieu de travail en 2005. Il est aussi l'auteur de plusieurs livres, dont *Et le travail, ça va ?* (Université Laval, Chaire en gestion de la santé et de la sécurité du travail, 2009) et *Les sept pièces manquantes du management* (Transcontinental, 2008). Il agit à titre de conseiller et de conférencier sur les thématiques du bien-être au travail et de l'efficacité des organisations.